Geiriadur
Cymraeg-Rwsieg
Rwsieg-Cymraeg

Валлийско-русский
Русско-валлийский
словарь

Hefyd ar gael o Evertype

Anturiaethau Alys yng Ngwlad Hud
(Lewis Carroll, tr. Selyf Roberts 2010)

Также можно приобрести в Evertype

Приключения Алисы в Стране Чудес
Русско-английское двуязычное издание
(Льюис Кэрролл, перев. Юрий Нестеренко 2022)

Приключения Алисы в Стране Чудес
(Льюис Кэрролл, перев. Юрий Нестеренко 2020)

Приключения Алисы в Стране Чудес
(Льюис Кэрролл, перев. Нина Демурова 2018)

Соня в царстве дива
A new edition of the first Russian translation of Alice's Adventures in Wonderland
(Льюис Кэрролл 2017)

Охота на Снарка в Восьми Напастях
(Льюис Кэрролл, перев. Виктор Фет 2016)

Соня въ царствѣ дива: Sonja in a Kingdom of Wonder
A facsimile of the first Russian translation of Alice's Adventures in Wonderland
(Льюис Кэрролл 2013)

Вскипает лава: Стихотворения и пьесы (Виктор Фет 2022)

По эту сторону: Стихотворения и поэмы (Виктор Фет 2016)

Алиса и Машина Времени (Виктор Фет 2016)

Geiriadur Cymraeg-Rwsieg Rwsieg-Cymraeg

Валлийско-русский Русско-валлийский словарь

A Welsh-Russian Russian-Welsh Dictionary

Lluniwyd gan
Dmitri Hrapof

Составил
Дмитрий Храпов

evertype
2023

Издательство/*Published by* Evertype, 19A Corso Street, Dundee, DD2 1DR, Scotland.
www.evertype.com.

Издание первое/*First edition* 2023 г.

Каталожная запись этой книги доступна в Британской библиотеке.
A catalogue record for this book is available from the British Library.

ISBN-10 1-78021-315-6
ISBN-13 978-1-78021-315-0

Гарнитура Баскервил. Набор *Майкла Эверсона.*
Typeset in Baskerville *by* Michael Everson.

Обложка/*Cover*: *Майкл Эверсон*/Michael Everson.

CYNNWYS • СОДЕРЖАНИЕ

RHAGAIR

Ar ôl ugain mlynedd o waith, yr wyf i'n falch iawn o gyhoeddi'r geiriaduron Rwsieg-Cymraeg a Chymraeg-Rwsieg cyntaf yn y byd.

Mae Rwsieg yn iaith Indo-Ewropeaidd sy'n frodorol i'r Rwsiaid yn Nwyrain Ewrop. Mae'n iaith swyddogol yn Rwsia, Belarws, Casachstan, Cirgistan, yn ogystal mae e'n cael ei defnyddio'n helaeth ledled Wcráin, Israel, taleithiau'r Baltig, y Cawcasws a Chanolbarth Asia. Ynghyd â Belarwsieg, Podlacheg, Rwsyneg, ac Wcreineg mae Rwsieg yn un o'r ieithoedd Slafonaidd Dwyreiniol. Casiwbeg, Polabeg, Pwyleg, Sileseg, Slofaceg a Tsieceg, a Sorbeg Uchaf a Sorbeg Isaf yw'r ieithoedd Slafonaidd Gorllewinol. Bwlgareg, Macedoneg (yn y Dwyrain), a Croateg, Serbeg, a Slofeneg (yn y Gorllewin) yw'r ieithoedd Slafonaidd Deheuol. Mae Rwsieg yn gyd-ddealladwy i raddau uchel gyda Belarwsieg, Wcreineg a Hen Slafoneg Eglwysig, ac yn aml gyda ieithoedd Slafonaidd eraill hefyd.

Rwsieg yw'r iaith frodorol fwyaf a defnyddir yn Ewrop, hefyd y iaith fwyaf cyffredin Ewrasia. Gyda dros 258 miliwn o siaradwyr ledled y byd, hi yw'r iaith Slafaidd a siaredir amlaf. Rwsieg yw'r seithfed iaith fwyaf poblogaidd yn y byd yn ôl nifer y siaradwyr brodorol a'r wythfed iaith fwyaf yn y byd yn ôl cyfanswm siaradwyr (ail-iaith a brodorol). Mae'r iaith yn un o chwe o'r ieithoedd swyddogol y Cenhedloedd Unedig. Rwsieg hefyd yw'r ail iaith mwyaf poblogaidd ar y We, ar ôl Saesneg.

Mae'r geiriaduron yn cynnwys tua 14,000 gair Rwsieg a 8,200 gair Cymraeg, a'r 5,000 a 5,000 gair amlaf-eu-defnydd yn eu plith. Wrth gyfansoddi defnyddiwyd *Geiriadur Prifysgol Cymru* a *Geiriadur yr Academi*, geiriadur Saesneg-Rwsieg Müller a geiriadur Rwsieg-Saesneg Smirnitsky, a hefyd geiriaduron Almaeneg-Cymraeg a Ffrangeg-Cymraeg.

Nodwyd ffurfiau lluosog ar gyfer geiriau Cymraeg, ac mae rhediadau llawn ac ynganiad IPA pob air Rwsieg a Chymraeg ar-lein: http://www.cymraeg.ru /geiriadur/. Rhoddir rheolau ynganiad Rwsieg a Chymraeg yn y llyfr hwn.

Hoffwn ddiolch i'm gwraig annwyl am ei chariad ac amynedd, a hefyd i Anna Mwradofa, i Aled Llion, i Fichael Everson, ac i bob aelod o'r grŵp Iaith ar Facebook am eu cymorth. Fi sy'n gyfrifol am bob gwall a chamsyniad. Os oes gennych unrhyw syniadau neu gwestiynau, ysgrifennwch at hrapof@common-lisp.ru os gwelwch yn dda.

Yma o hyd!

Dmitri Hrapof

Ionawr 2023

ПРЕДИСЛОВИЕ

Спустя двадцать лет работы я рад представить на суд публики первые в мире русско-валлийский и валлийско-русский словари.

Валлийский язык относится к бриттской группе кельтских языков индоевропейской семьи. Он распространён в западной части Британии—Уэльсе, а также Чубуте—колонии валлийцев-иммигрантов в Патагонии в Аргентине. Ближайшими родственниками валлийского являются бретонский в Бретани во Франции, а также корнский в Корнуолле, вымерший в XVIII в., но получивший вторую жизнь в начале позапрошлого столетия. Они принадлежат к так называемым P-кельтским языкам, в противоположность Q-кельтским, ирландскому и шотландскому. Различие между P- и Q-языками состоит в развитии протокельтского *k^w*, превратившегося в **p* и в **k* соответственно. Например, слово 'голова' звучит как *pen* [pɛn] в бриттских языках, но *ceann* [kʲɑuŋ̊ˠ] в гойдельских; слово 'сын' звучит как *mab* [maːb] в бриттских, но *mac* [mˠɑk] в гойдельских.

На предках валлийского говорили Верцингеториг и Кассивелаун, Каратак и Боудикка, король Артур и Вортигерн, галлы и пикты. Дж. Р. Р. Толкин и Анджей Сапковский использовали валлийский для создания своих эльфийских языков. Современный валлийский—это самый живой ныне кельтский язык и второй язык в Великобритании по числу понимающих (после английского). На валлийском языке вещают радио и телевидение, существует валлийский интерфейс для Фейсбука, Виндоус, и Линукс. Правительство Уэльса имеет амбициозный план по достижению 1 млн. валлийскоговорящих к 2050 г.

Данные словари содержат около 14 000 русских и 8 200 валлийских слов, в том числе по 5 000 наиболее употребимых. В качестве источников использовались *Geiriadur Prifysgol Cymru* и *Geiriadur Yr Academi*, англо-русский словарь Мюллера и русско-английский словарь Смирницкого, в трудных случаях также немецкий-валлийский и франко-валлийский словари.

Для валлийских существительных даны формы множественного числа. Полные парадигмы и международные фонетические транскрипции всех слов можно найти онлайн: http://www.cymraeg.ru/geiriadur/. Помимо поиска с учетом морфологии, онлайн словарь автоматически понимает начальные мутации, являющиеся характерной чертой кельтских языков. Для удобства пользования словарем в конце книги приводится таблица мутаций, а также правила чтения.

Огромное спасибо моей дорогой жене за любовь и терпение, которые сделали возможным появление этих словарей. Также я хотел бы поблагодарить Анну Мурадову, Аледа Ллиона, Майкла Эверсона, и всех членов группы Iaith на Фейсбук за их неоценимые советы и помощь. Все ошибки, безусловно, мои. Если у вас есть вопросы или предложения, пишите, пожалуйста, по адресу hrapof@common-lisp.ru.

Yma o hyd!

Дмитрий Храпов
январь 2023 г.

LLYFRYDDIAETH • БИБЛИОГРАФИЯ

Davies, Meirion, Menna Wyn, Linda Russon, Stephanie Phillips Morgan, Meinir Lowry, & Bruce Griffiths. 2000. *Geiriadur Ffrangeg-Cymraeg Cymraeg-Ffrangeg: Dictionnaire français-gallois gallois-français*. Aberystwyth: Y Ganolfan Astudiaethau Addysg. ISBN 1-85644-418-X.

Greller, Wolfgang, Marcus Wells, Bethan Powell, Mererid Hopwood, & Heini Gruffudd. 1999. *Geiriadur Almaeneg-Cymraeg Cymraeg-Almaeneg: Wörterbich Deutsch-Walisisch Walisisch-Deutsch*. Aberystwyth: Y Ganolfan Astudiaethau Addysg. ISBN 1-85644-417-1.

Griffiths, Bruce, & Dafydd Glyn Jones. 1995. *Geiuriadur yr Academi: The Welsh Academy English-Welsh dictionary*. Caerdydd: Gawsg Prifysgol Cymru. ISBN 978-0-7083-1186-3

Jones, Morgan D. 1976. *A guide to correct Welsh*. Llandysul: Gomer.

Thomas, R. J., Gareth A. Bevan, & P. J. Donovan. 1967–2002. *Geiriadur Prifysgol Cymriu: A Dictionary of the Welsh Language*. 4 vols. Caerdydd: Gwasg Prifysgol Cymru. ISBN-10: 0-7083-1806-1, ISBN-13: 978-0-7083-1806-5.

Watkins, T. Arwyn. 1993. "Welsh", in *The Celtic Languages*. Martin B. Ball & James James (eds.). London & New York: Routledge.

Мюллер, Владимир Карлович (Vladimir Karlovich Müller). 1977. *Англо-русский словарь: English-Russian dictionary*. Москва: Русский язык.

Смирницкий, Александр Иванович (Aleksandr Ivanovich Smirnitsky). 1989. *Русско-английский словарь: Russian-English dictionary*. Москва: Русский язык. ISBN 5-200-00-718-6.

RHESTR O FYRFODDAU AMODOL

1.ll.: person cyntaf lluosog—*первое лицо множественное число*
1.un.: person cyntaf unigol—*первое лицо единственное число*
2.ll.: ail berson lluosog—*второе лицо множественное число*
2.un.: ail berson unigol—*второе лицо единственное число*
3.ll.: trydydd person lluosog—*третье лицо множественное число*
3.un.: trydydd person unigol—*третье лицо единственное число*
3.un.b.: trydydd person unigol benywaidd—*третье лицо единственное число женский род*
3.un.g.: trydydd person unigol gwrywaidd—*третье лицо единственное число мужской род*
adf.: adferf—*наречие*
amhff.3.un.: amherffaith trydydd person unigol—*прошедшее несовершенное время третье лицо единственное число*
ans.: ansoddair—*имя прилагательное*
ardd.: arddodiad—*предлог*
b.: benywaidd—*женский род*
bach.: bachigyn—*уменьшительно-ласкательный*
bach.b.: bachigyn benywaidd—*уменьшительно-ласкательный женский род*
bach.b.ll.: bachigyn benywaidd lluosog—*уменьшительно-ласкательный женский род множественное число*
bach.g.: bachigyn gwrywaidd—*уменьшительно-ласкательный мужской род*
bach.g.ll.: bachigyn gwrywaidd lluosog—*уменьшительно-ласкательный мужской род множественное число*
bach.ll.: bachigyn lluosog—*уменьшительно-ласкательный множественное число*
ban.: bannod—*артикль*
be.: berf—*глагол*
cfrt.: cyfartal—*уравнительная степень*
cmhr.: cymharol—*сравнительная степень*
cys.: cysylltair—*союз*
dib.pres.3.un.: dibynnol presennol trydydd person unigol—*сослагательное наклонение настоящее время третье лицо единственное число*
e.: enw—*имя существительное*
eith.: eithaf—*превосходная степень*
eith.ll.: eithaf lluosog—*превосходная степень множественное число*
g.: gwrywaidd—*мужской род*
gb.: gwrywaidd/benywaidd—*мужской/женский род*
gn.: geiryn—*частица*
grch.2.ll.: gorchmynnol ail berson lluosog—*повелительное наклонение второе лицо множественное число*
grch.2.un.: gorchmynnol ail berson unigol—*повелительное наклонение второе лицо единственное число*
ll.: lluosog—*множественное число*
pres.1.un.: presennol person cyntaf unigol—*настоящее время первое лицо единственное число*
pres.2.un.: presennol ail berson unigol—*настоящее время второе лицо единственное число*
pres.3.un.: presennol trydydd person unigol—*настоящее время третье лицо единственное число*
rh.: rhagenw—*местоимение*
rhagdd.: rhagddodiad—*приставка*
rhang.: rhangymeriad—*причастие*
rhif.: rhif—*имя числительное*
rhif.g.: rhif gwrywaidd—*имя числительное мужской род*

СПИСОК УСЛОВНЫХ СОКРАЩЕНИЙ

арт.: артикль—*bannod*
г.: глагол—*berf*
ж.: женский род—*benywaidd*
ж.мн.: женский род множественное число—*benywaidd lluosog*
ж.од.: женский род одушевленный—*benywaidd byw*
ж.од.мн.: женский род одушевленный множественное число—*benywaidd byw lluosog*
изр.: изредка—*weithiau*
лит.: литературный—*llenyddol*
м.: мужской род—*gwrywaidd*
м.ж.: мужской/женский род—*gwrywaidd/benywaidd*
м.ж.од.: мужской/женский род одушевленный—*gwrywaidd/benywaidd byw*
м.мн.: мужской род множественное число—*gwrywaidd lluosog*
м.од.: мужской род одушевленный—*gwrywaidd byw*
м.с.: мужской/средний род—*gwrywaidd/diryw*
мест.: местоимение—*rhagenw*
мн.: множественное число—*lluosog*
мн.неод.: неодушевленный множественное число—*anfyw lluosog*
нареч.: наречие—*adferf*
несов.: несовершенный—*amherffaith*
несов. и сов.: несовершенный и совершенный—*amherffaith a pherffaith*
предл.: предлог—*arddodiad*
прил.: имя прилагательное—*ansoddair*
прил.м.од.: имя прилагательное мужской род одушевленный—*ansoddair gyriwaidd byw*
прист.: приставка—*rhagddodiad*
с.: средний род—*diryw*
с.мн.: средний род множественное число—*diryw lluosog*
с.од.: средний род одушевленный—*diryw byw*
с.од.мн.: средний род одушевленный множественное число—*diryw byw lluosog*
сз.: союз—*cysylltair*
сов.: совершенный—*perffaith*
сущ.: имя существительное—*enw*
част.: частица—*geiryn*
числит.: имя числительное—*rhif*
числит.м.: имя числительное мужской род—*rhif gwrywaidd*

Geiriadur
Cymraeg-Rwsieg

Валлийско-русский
словарь

A

a[1] *cys.* и; да; а.
a[2] *rh.* который.
a[3] *gn.* вопросительная частица.
a[4] *gn.* ай.
â[1] *cys.* как. **mor ddu â'r frân** черный как ворона.
â[2] *ardd.* с; посредством; путём. **nes i agor 'y mys â chyllell fara** я порезал палец хлебным ножом.
ab *g.* сын.
âb *gb.* **abau** *ll.*, **abiaid** *ll.* обезьяна; примат.
abad *g.* **abadau** *ll.* аббат; настоятель.
abadaeth *b.* **abadaethau** *ll.* аббатство.
abades *b.* **abadesau** *ll.* аббатиса.
aball *b.* неудача; неуспех; обвал; обрушение; провал; разорение; разрушение; уничтожение.
abar *g.* труп.
abatir *g.* **abatiroedd** *ll.* аббатская земля.
abaty *g.* **abatai** *ll.* аббатство; монастырь.
aber *gb.* **aberoedd** *ll.*, **ebyr** *ll.* устье; эстуарий.
aberfa *b.* **aberfaoedd** *ll.* гавань; эстуарий.
abergofiant *g.* забывчивость.
aberth *gb.* **aberthau** *ll.* жертва; жертвоприношение.
aberthged *b.* пожертвование; жертвоприношение.
aberthol *ans.* жертвенный.
aberthu *be.* жертвовать.
aberthwr *g.* **aberthwyr** *ll.* жертвователь.
aberu *be.* впадать; втекать.
abid *gb.* ряса; облачение; одеяние.
abiéc *g.* азбука; алфавит.
abl *ans.* ❶ сильный. ❷ способный; умелый. ❸ богатый. ❹ достаточный. ❺ подходящий.
abladol *ans.* аблятив.
abledd *g.* ❶ умение; способность. ❷ множество; достаток; изобилие.
ablwch *g.* достаток; изобилие; множество.
abo *g.* труп; туша.
abred *g.* ❶ вынос. ❷ освобождение; избавление.
abrwysg *ans.* ❶ огромный. ❷ неуклюжий; неловкий. ❸ пьяный.
abrwysgl *ans.* ❶ огромный; громадный; гигантский. ❷ отвратительный; ужасный; страшный.
absen *gb.* **absennau** *ll.* ❶ отлучка; отсутствие. ❷ злословие.
absennol *ans.* отсутствующий.
absennu *be.* злословить (*за чьей-либо спиной*).
absennus *ans.* клеветнический.
absennwr *g.* **absenwyr** *ll.* клеветник.
absenoldeb *g.* пропуск; отсутствие.
absenoli *be.* отсутствовать.
absenoliad *g.* **absenoliadau** *ll.* отсутствие.
absenoliaeth *b.* **absenoliaethau** *ll.* недостаток; отлучка; отсутствие.
absolfen *b.* помилование; прощение.
absolfeniad *g.* **absolfeniadau** *ll.* помилование; прощение.
absolfennu *be.* прощать.
absolwt *g.* абсолютный.
abwth *g.* ❶ повреждение. ❷ испуг.
abwy *g.* труп; туша.
abwyd *g.* **abwydod** *ll.*, **abwydyn** *bach.* наживка; червь; червяк.
abwydo *be.* ❶ кормить. ❷ приманивать; завлекать; искушать.
ac *cys.* да; а; и.
academaidd *ans.* академический; академичный.
academi *g.* академия.
academig *ans.* академический; академичный.
acen *b.* **acenion** *ll.*, **acennau** *ll.* ❶ звук. ❷ насмешка. ❸ речь; слово. ❹ поговорка. ❺ привычка (*дурная*). ❻ ударение. ❼ произношение; акцент.
aceniad *g.* **aceniadau** *ll.* ❶ выделение; подчёркивание. ❷ переложение в стихотворную форму. ❸ просодика. ❹ акцент.
acennod *b.* **acennodau** *ll.* знак ударения; акут.
acennog *ans.* ударный; подчёркнутый.
acennu *be.* ❶ подчеркнуть; акцентировать; выделять; подчёркивать. ❷ петь под аккомпанемент арфы. ❸ говорить с акцентом.
acenyddiaeth *b.* выделение; подчёркивание.
acer *b.* **aceri** *ll.* акр.
acr *b.* **acri** *ll.* акр.
acses *gb.* лихорадка; приступ.
act *b.* **actau** *ll.* ❶ акт; декрет; постановление; приказ; решение; указ. ❷ действие; поступок.
actio *be.* ❶ играть; исполнять. ❷ действовать.
actiwr *g.* **actwyr** *ll.* актёр.
actol *ans.* исполнимый.
actor *g.* **actorion** *ll.* актёр.
actores *b.* **actoresau** *ll.* актриса.
acw *adf.* туда; там.
ach[1] *gn.* ах.

ach[2] *b.* **achau** *ll.*, **achoedd** *ll.* ❶ степень родства. ❷ родословная; происхождение; генеалогия.
acha *ardd.* верхом; на.
achenog *g.* **achenogion** *ll.* нищий.
aches *g.* ❶ море. ❷ прилив. ❸ течение. ❹ красноречие.
achfre *g.* ❶ внутренняя часть крыши. ❷ защита. ❸ частокол. ❹ покрытие; одежда.
achlân *adf.* всецело; полностью; целиком.
achles *g.* **achlesau** *ll.* ❶ убежище; прибежище. ❷ помощь; защита. ❸ причина. ❹ удобрение; навоз.
achlesol *ans.* ❶ помогающий; протекционистский. ❷ защищенный. ❸ удобряющий.
achlesu *be.* ❶ укрывать; предохранять; помогать; поддерживать; ограждать; защищать; прикрывать. ❷ унавоживать; удобрять.
achleswr *g.* **achleswyr** *ll.* защитник; протекционист.
achlesydd *g.* **achlesyddion** *ll.* заступник; покровитель.
achlin *b.* **achlinau** *ll.*, **achlinoedd** *ll.* ❶ потомок. ❷ происхождение; родословная.
achlod *gb.* стыд.
achlust[1] *ans.* внимательный.
achlust[2] *g.* молва; слух; толки.
achlwm *g.* **achlwmau** *ll.* надёжный узел.
achlysur *g.* **achlysuron** *ll.* ❶ возможность; случай. ❷ повод. ❸ событие.
achlysuraeth *b.* окказионализм.
achlysuriaeth *b.* окказионализм.
achlysuro *be.* вызывать; причинять.
achlysurol *ans.* редкий; случайный. **yn achlysurol** иногда.
achor *g.* боязнь; опасение; страх; суматоха.
achos[1] *cys.* потому что.
achos[2] *ardd.* из-за; для; за; ради.
achos[3] *g.* **achosion** *ll.* ❶ основание; повод; причина. ❷ процесс; дело.
achosi *be.* вызвать; причинять; заставлять; вызывать.
achosiaeth *g.* причинность.
achosiant *g.* причинение.
achre *g.* дрожь; лёгкий приступ болезни.
achres *b.* **achresau** *ll.*, **achresi** *ll.* генеалогическая таблица.
achub *be.* ❶ занять; ухватить; охватить; схватить; хватать; завладевать; занимать; захватывать. ❷ содержать. ❸ опередить; опережать. ❹ нападать. ❺ спасти; беречь; выручать; освобождать; избавлять; спасать. ❻ готовить.
achubiaeth *b.* **achubiaethau** *ll.* спасение.
achubol *ans.* ❶ строгий. ❷ спасительный.
achubwr *g.* **achubwrau** *ll.* избавитель; спаситель.
achubydd *g.* **achubyddion** *ll.* избавитель; спаситель.
achudd *g.* убежище; уединение.
achul *ans.* тонкий; худой.
achwre *g.* ❶ внутренняя часть крыши. ❷ защита. ❸ частокол. ❹ покрытие; одежда.
achwyngar *ans.* ❶ ворчливый. ❷ обвинительный.
achwyn[1] *g.* **achwynion** *ll.* жалоба.
achwyn[2] *be.* жаловаться.
achwyniad *g.* **achwyniadau** *ll.* жалоба; обвинение.
achwynwr *g.* **achwynwyr** *ll.* ворчун; жалобщик; истец.
achwynyddes *b.* **achwynyddesau** *ll.* истица.
achydd *g.* **achyddion** *ll.* специалист по геральдике.
achyddiaeth *b.* геральдика; генеалогия; родословная.
achyddol *ans.* генеалогический; родословный.
adacen *b.* **adacenion** *ll.* дополнительное ударение.
adail[1] *b.* здание; постройка; сооружение; строение.
adail[2] *be.* вить (*гнездо*); основываться; полагаться; создавать; сооружать; строить.
adain *b.* **adenedd** *ll.* ❶ крыло. ❷ птица. ❸ перо. ❹ плавник. ❺ лапа; рука. ❻ парус. ❼ фланг. ❽ спица.
adalw *be.* **adalw** *grch.2.un.*, **adeilw** *pres.3.un.* ❶ вспомнить; вспоминать. ❷ отменять; отзывать.
adamant *g.* ❶ адамант. ❷ магнетит. ❸ алмаз; бриллиант; диамант.
adamantaidd *ans.* несокрушимый.
adameg *b.* речь; загадка; рассказ; повесть.
adara *be.* ловить птиц.
adardy *g.* **adardai** *ll.* птичник.
adareg *b.* орнитология.
adarfogi *be.* перевооружать.
adargi *g.* **adargwn** *ll.* сеттер; спаниель.
adargraffiad *g.* **adargraffiadau** *ll.* переиздание; перепечатка.
adargraffu *be.* переиздавать; перепечатывать.
adariaeth *b.* орнитология.
adarwr *g.* **adarwyr** *ll.* птицелов.
adarwriaeth *b.* птицеловство.
adarydd *g.* **adaryddion** *ll.* орнитолог.
adaryddiaeth *b.* орнитология.
adbelydru *be.* отражать.
adblaned *b.* **adblanedau** *ll.* спутник; сателлит.

ad-dal *g.* **ad-dalau** *ll.* возмещение.
ad-daliad *g.* **ad-daliadau** *ll.* возмещение.
ad-dalu *be.* **ad-dâl** *grch.2.un.*, **ad-dâl** *pres.3.un.* отплатить; возмещать; отплачивать.
ad-drefnu *be.* переорганизовать; реорганизовать.
ad-ddail *ll.* рассада.
adeg *b.* **adegau** *ll.* век; раз; эпоха; срок; время.
adegol *ans.* ❶ непостоянный; неровный; спазматический; судорожный. ❷ периодический.
adeilad *gb.* **adeiladau** *ll.* строение; сооружение; постройка; здание.
adeiladaeth *b.* **adeiladaethau** *ll.* ❶ постройка; сооружение; строение; конструкция; здание. ❷ построение; строительство; стройка. ❸ архитектура; зодчество. ❹ поддержка; защита. ❺ выгода.
adeiladol *ans.* ❶ строительный. ❷ конструктивный.
adeiladu *be.* построить; строить; сооружать; воздвигать.
adeiladwr *g.* **adeiladwyr** *ll.* строитель.
adeiladydd *g.* **adeiladyddion** *ll.* строитель.
adeinio *be.* ❶ поддерживать; помогать. ❷ летать.
adeiniog *ans.* ❶ крылатый. ❷ быстрый. ❸ пернатый. ❹ со спицами.
adeiniol *ans.* относящийся к крыльям.
adeino *be.* ❶ поддерживать; помогать. ❷ летать.
adenedigaeth *b.* возрождение; восстановление.
adeni[1] *g.* **adenieiau** *ll.* ❶ послед. ❷ возобновление; возрождение; восстановление; оживление.
adeni[2] *be.* перерождать.
adenill *be.* выздоравливать; навёрстывать; регенерировать.
adenw *g.* **adenwau** *ll.* ❶ прилагательное. ❷ эпитет.
aderyn *g.* **adar** *ll.* птица; пташка; птичка. **aderyn y to** воробей. **aderyn du** черный дрозд. **aderyn yr eira** скворец. **aderyn y bwn** выпь. **aderyn drudwy** скворец.
adethol *be.* переизбрать; перевыбрать.
adfach *g.* **adfachau** *ll.* ❶ лапа (*якоря*); зазубрина (*стрелы, копья, рыболовного крючка*). ❷ печеночная двуустка.
adfail *g.* **adfeilion** *ll.* гибель; крах; крушение; развалины; разорение; руины.
adfannig *g.* **adfanigion** *ll.* половинная нота.
adfant[1] *ans.* ❶ преходящий. ❷ пустой; тщетный; напрасный. ❸ грустный; печальный; унылый.
adfant[2] *g.* пустота.
adfarn *b.* ❶ отмененное судебное решение. ❷ апелляция.
adfeddiad *g.* **adfeddiadau** *ll.* присвоение.
adfeddiannu *be.* ❶ вновь приобрести; получить обратно. ❷ прийти в себя.
adfeddu *be.* присваивать.
adfeiliad *g.* гибель; гниение; загнивание; крах; крушение; разложение; разорение; разрушение; распад; расстройство; упадок.
adfeiliant *g.* гибель; гниение; загнивание; крах; крушение; разложение; разорение; разрушение; распад; расстройство; упадок.
adfeiliedig *ans.* покинутый; развалившийся.
adfeilio *be.* изнашиваться; бледнеть; гибнуть; гнить; обваливаться; понижаться; портиться; разлагаться; разрушаться; распадаться; рассыпаться; слабеть; сникнуть; спадать; сходить; угасать; ухудшаться; хиреть; рассыпаться.
adfer *be.* **adfer** *grch.2.un.*, **adfer** *pres.3.un.*, **edfryd** *pres.3.un.*, **edfyr** *pres.3.un.* возвращать.
adferf *b.* **adferfau** *ll.* наречие.
adferfol *ans.* наречный.
adferiad *g.* ❶ возвращение; регенерация; выздоровление; восстановление; возобновление; возмещение; реконструкция; реставрация. ❷ реформация. ❸ переход в консонанс.
adferol *ans.* восстанавливающий.
adferu *be.* **adfer** *grch.2.un.*, **adfer** *pres.3.un.*, **edfryd** *pres.3.un.*, **edfyr** *pres.3.un.* возвращать; возвращаться; отплачивать.
adferwr *g.* **adferwyr** *ll.* ❶ судья. ❷ восстановитель; реставратор.
adferyd *be.* **adfer** *grch.2.un.*, **adfer** *pres.3.un.*, **edfryd** *pres.3.un.*, **edfyr** *pres.3.un.* ❶ возвращать; возвращаться; отплачивать. ❷ решать.
adfilwr *g.* **adfilwyr** *ll.* рекрут; новобранец; призывник.
adflas *g.* **adflasau** *ll.* послевкусие.
adfresychen *b.* **adfresych** *ll.* брюссельская капуста.
adfyd *g.* бедствие; горе; напасти; несчастье; огорчение; печаль.
adfydus *ans.* жалкий; несчастный; скудный; убогий; плохой.
adfynach *g.* расстрига.
adfynegi *be.* вновь заявить.
adfyw *ans.* ❶ оживший. ❷ полумертвый; полуживой.

adfywhau *be.* возобновлять; возрождать; воскрешать; восстанавливать; оживить; оживлять.

adfywiad *g.* **adfywiadau** *ll.* возобновление; возрождение; восстановление; оживление.

adfywio *be.* возобновлять; возрождать; воскресать; воскрешать; восстанавливать; оживать; оживлять.

adfywiol *ans.* восстанавливающий.

adgas *ans.* ❶ гнусный; злобный; ненавистный; отвратительный. ❷ удачный; странный; удобный; удивительный.

adiad *g.* ❶ селезень. ❷ суммирование; сложение.

adio[1] *be.* прибавлять; складывать.

adio[2] *g.* прибавление; сложение.

adladd *g.* ❶ резня. ❷ второй укос.

adlais *g.* **adleisiau** *ll.* отклик; отголосок; эхо.

adlam[1] *g.* **adlamau** *ll.* дом; жилище; приют.

adlam[2] *g.* отскок.

adlamu *be.* отскакивать.

adlaw[1] *g.* дождь.

adlaw[2] *g.* **adlawiaid** *ll.* ❶ человек или вещь второго сорта; простолюдин. ❷ представитель; заместитель. ❸ мутировавший согласный. ❹ второстепенный размер (*стих.*).

adlaw[3] *g.* **adlawiaid** *ll.* завершение; конец.

adlef *b.* отголосок; эхо.

adleisio *be.* вторить; повторять.

adlewyrch *g.* **adlewyrchau** *ll.* ❶ яркость. ❷ отсвет; отражение; отблеск. ❸ зеркало. ❹ раздумье; обдумывание; размышление; рефлексия.

adlewyrchiad *g.* **adlewyrchiadau** *ll.* ❶ яркость. ❷ отражение.

adlewyrchu *be.* ❶ блестеть. ❷ отражать. ❸ раздумывать; размышлять.

adlewyrchydd *g.* **adlewyrchyddion** *ll.* отражатель; рефлектор.

adlif *g.* **adlifoedd** *ll.* ❶ прилив; наводнение. ❷ отлив.

adlifo *be.* ❶ переливаться. ❷ течь обратно.

adlo *ardd.* вследствие.

adlodd *g.* ❶ резня. ❷ второй укос.

adlog *g.* **adlogau** *ll.* сложные проценты.

adloniadol *ans.* забавный; занимательный; развлекательный.

adloniant *g.* **adloniannau** *ll.* развлечение.

adlonni *be.* ❶ оживлять; освежать. ❷ занять; занимать; развлекать.

adnabod *be.* узнать; узнавать; знать.

adnabyddiaeth *b.* **adnabyddiaethau** *ll.* знакомство; знание; осведомлённость.

adnabyddus *ans.* известный.

adnabyddwr *g.* **adnabyddwyr** *ll.* ❶ знаток. ❷ сосед; знакомый.

adnaid *b.* **adneidiau** *ll.* отскок.

adnau *g.* **adneuon** *ll.* захоронение; вклад; депозит; задаток; заклад; залог.

adnawdd *g.* укрытие.

adneirio *be.* попрекать; укорять; упрекать.

adneuo *be.* ❶ хранить; заботиться. ❷ владеть. ❸ закладывать; вкладывать; депонировать; класть.

adneuwr *g.* **adneuwyr** *ll.* вкладчик; депозитор.

adnewyddiad *g.* **adnewyddiadau** *ll.* ❶ возобновление; возрождение; освежение; продление; обновление; восстановление; повторение; пролонгация; ремонт. ❷ нововведение; новшество.

adnewyddu *be.* восстановить; заменять; возобновлять; возрождать; восстанавливать; оживить; освежать; повторять; подновлять; ремонтировать; реставрировать; обновлять.

adnewyddwr *g.* **adnewyddwyr** *ll.* ❶ обновитель; реформатор. ❷ восстановитель; реставратор.

adnod *b.* **adnodau** *ll.* ❶ стих; строфа. ❷ статья; раздел.

adnodd *g.* ❶ ресурс. ❷ защита. ❸ выбор.

adnoddau *ll.* ресурсы.

adolesens *g.* юность.

adolesent *g.* подросток.

adolwg *b.* **adolygon** *ll.* ❶ ходатайство; петиция. ❷ обзор; взгляд назад, в прошлое.

adolwyn *g.* желание; пожелание; просьба.

adolygiad *g.* **adolygiadau** *ll.* обзор; обозрение; пересмотр; проверка; просмотр; рецензия; смотр.

adolygu *be.* рассмотреть; оглядеть; осмотреть; обозревать; осматривать; пересматривать; просматривать; рассматривать; рецензировать; оглядывать.

adolygwr *g.* **adolygwyr** *ll.* обозреватель; рецензент.

adolygydd *g.* **adolygyddion** *ll.* обозреватель; рецензент.

adran *b.* **adrannau** *ll.* ❶ отдел; департамент; факультет; кафедра. ❷ купе.

adref *adf.* домой; дома.

adrefu *be.* ❶ возвращать; восстанавливать. ❷ возвращаться домой.

adrodd *be.* **adrodd** *grch.2.un.*, **edrydd** *pres.3.un.* рассказать; рассказывать; излагать; декламировать; изложить.

adroddgan *b.* речитатив.

adroddiad *g.* **adroddiadau** *ll.* донесение; рапорт; сообщение; отчёт; доклад.

adroddreg *b.* **adroddregau** *ll.* чтец; проповедник; рассказчик.
adroddwedd *b.* **adroddweddau** *ll.*, **adroddweddion** *ll.* идиома.
adroddwr *g.* **adroddwyr** *ll.* проповедник мирянин; репортёр; декламатор; чтец.
adrywedd *g.* ❶ тропинка. ❷ запах (*дичи*). ❸ след.
adundeb *g.* воссоединение.
aduniad *g.* **aduniadau** *ll.* воссоединение.
aduno *be.* воссоединять.
adwaith *g.* **adweithiau** *ll.* ❶ брак (*плохая работа, которую нужно переделать заново*). ❷ результат. ❸ реакция (*хим.*).
adwedd[1] *g.* ❶ смерть. ❷ отдых. ❸ дом; приют; родина. ❹ бегство. ❺ восстановление; возвращение. ❻ отражение.
adwedd[2] *ans.* слабый.
adweinyddol *ans.* административный.
adweinyddu *be.* администрировать.
adweithiad *g.* **adweithiadau** *ll.* реакция.
adweithiol *ans.* реакционный; реактивный.
adweithydd *g.* **adweithyddion** *ll.* ❶ реактор. ❷ реагент; реактив. ❸ реакционер.
adweled *be.* снова видеть.
adwr *g.* трус; холоп.
adwy *b.* **adwyau** *ll.*, **adwyon** *ll.* ❶ брешь; пролом; разрыв. ❷ логово; нора. ❸ гол. ❹ переносной плетень. ❺ потеря. ❻ кризис.
adwyo *be.* проламывать.
adŵyr *ans.* изогнутый; кривой; непрямой; сгорбленный; согбенный.
adwyth *g.* **adwythau** *ll.* беда; бедствие; болезнь; вред; зло; злоключение; нездоровье; несчастье; неудача; порок.
adwythig *ans.* безжалостный; бессердечный; болезненный; болезнетворный; больной; воспалённый; вредный; гибельный; губительный; дурной; жестокий; злобный; зловещий; зловредный; злой; злокачественный; злостный; мучительный; нездоровый; пагубный.
adyn *g.* **adynod** *ll.* ❶ несчастный. ❷ негодник; негодяй; подлец.
adyrgop *g.* паук.
adyrgopyn *g.* паук.
adysgrif *b.* **adysgrifau** *ll.* расшифровка (*стенограммы*); копия.
adysgrifio *be.* копировать; переписывать; транскрибировать.
Adda *e.* Адам.
addail *ll.* ❶ листва. ❷ мусор. ❸ трава. ❹ салат.
addas *ans.* годный; подходящий.
addasrwydd *g.* пригодность; соответствие.
addasu *be.* подгонять; приспосабливать; адаптировать.
addaw *be.* пообещать; обещать; сулить.
addawol *ans.* многообещающий.
addawydd *g.* **addawyddion** *ll.* тот, кто обещает.
addef[1] *be.* признаться; исповедовать; признавать; признаваться; сознавать; сознаваться.
addef[2] *g.* дом; жилище.
addefedig *ans.* признанный.
addefiad *g.* **addefiadau** *ll.* вероисповедание; исповедь; признание; принятие.
addewid *gb.* **addewidion** *ll.* обещание.
addfain *ans.* хорошо сложенный; стройный.
addfed *ans.* возмужалый; готовый; зрелый; спелый.
addfwyn *ans.* ❶ приятный. ❷ послушный; мягкий; ласковый; смиренный; смирный; спокойный; тихий. ❸ смелый; благородный. ❹ веский; действительный.
addfwynbryd *g.* красота; прелесть.
addfwyndeg *ans.* прекрасный.
addfwynder *g.* благородство; доброта; кротость; мягкость.
addfwyneiddrwydd *g.* мягкость.
addfwynol *ans.* кроткий; ласковый; мягкий; нежный.
addfwynus *ans.* благородный.
addien *ans.* красивый; превосходный; прекрасный.
addo *be.* **addaw** *grch.2.un.*, **eddy** *pres.3.un.* обещать.
addod *g.* **addodau** *ll.* ❶ место; обиталище. ❷ сокровищница. ❸ сокровище.
addoed *g.* вред; гибель; повреждение; смерть; ущерб.
addoedi *be.* ❶ повреждать; ранить. ❷ задерживать; отложить; откладывать; мешкать; медлить; отсрочивать; отсрочить.
addoediad *g.* перерыв в работе парламента по указу главы государства.
addoer *ans.* холодный; безжалостный; бессердечный; грустный; жестокий; печальный; унылый.
addoldy *g.* **addoldai** *ll.* святилище.
addolgar *ans.* благоговейный; благочестивый; набожный.
addolgarwch *g.* благоговение.
addoli *be.* боготворить; обожать; поклоняться; почитать.
addoliad *g.* **addoliadau** *ll.* богослужение; культ; поклонение; почитание.
addolwr *g.* **addolwyr** *ll.* поклонник.
adduned *b.* **addunedau** *ll.* клятва; обет.
addunedu *be.* ❶ клясться. ❷ посвящать; предназначать.

addurn *g.* **addurnau** *ll.* ❶ орнамент; украшение. ❷ гороскоп.
addurniad *g.* **addurniadau** *ll.* орнамент; украшение.
addurno *be.* украсить; украшать.
addurnol *ans.* декоративный; орнаментальный.
addurnwr *g.* **addurnwyr** *ll.* украшатель; декоратор; иллюстратор.
addysg *b.* обучение; образование.
addysgfa *b.* **addysgfaoedd** *ll.*, **addysgfeydd** *ll.* семинария; школа.
addysgiadol *ans.* ❶ учебный; образовательный. ❷ поучительный. ❸ обучаемый.
addysgiaeth *b.* воспитание; дрессировка; инструктаж; обучение; тренировка.
addysgiaethwr *g.* **addysgiaethwyr** *ll.* педагог.
addysgol *ans.* воспитательный; образовательный; педагогический; учебный.
addysgu *be.* образовывать; воспитывать; инструктировать; обучать; преподавать; приучать; тренировать; учить.
addysgwr *g.* **addysgwyr** *ll.* воспитатель; инструктор; наставник; преподаватель; репетитор; учитель; педагог.
addysgydd *g.* **addysgyddion** *ll.* ❶ воспитатель; педагог; преподаватель; наставник; инструктор; репетитор; учитель. ❷ ученик.
aeddfed *ans.* матёрый; зрелый; возмужалый; готовый; спелый.
aeddfedrwydd *g.* зрелость; спелость.
aeddfedu *be.* поспевать; назревать; зреть; созревать.
ael[1] *b.* **aeliau** *ll.* бровь.
ael[2] *b.* **aeloedd** *ll.* помёт.
aelaw[1] *ans.* ❶ обильный; частый; многочисленный. ❷ богатый. ❸ щедрый. ❹ ценный; стоящий. ❺ дорогой.
aelaw[2] *g.* благосостояние; богатство; изобилие.
aelddu *ans.* чернобровый.
aele *ans.* грустный; несчастный; печальный; унылый.
aelgeth *b.* подбородок; челюсть; щека.
aelio *be.* выдаваться; торчать.
aelod *g.* **aelodau** *ll.* член.
aelodaeth *b.* членство.
aelodi *be.* ❶ расчленять. ❷ становиться членом; записываться.
aelwyd *b.* **aelwydydd** *ll.* ❶ очаг; камин. ❷ дом.
aer[1] *g.* **aerion** *ll.*, **aeron** *ll.* наследник.
aer[2] *g.* воздух.
aer[3] *b.* **aerau** *ll.*, **aeroedd** *ll.* битва; бой; сражение.
aeres *b.* **aeresau** *ll.* наследница.
aerfa *b.* ❶ резня; кровопролитие; избиение. ❷ сражение; битва; бой. ❸ войско.
aerio *be.* наследовать.
aeronen *b.* **aeron** *ll.* плод; ягода.
aeronoteg *g.* аэронавтика.
aeronotig *ans.* воздухоплавательный.
aerwy *g.* **aerwyau** *ll.*, **aerwyon** *ll.* ❶ гривна; ожерелье; цепочка. ❷ цепь; узы; оковы. ❸ хомут. ❹ коса (*волос*).
aes *b.* щит.
aeth *g.* **aethau** *ll.* беда; боль; боязнь; горе; опасение; печаль; страдание; страх.
aethnen *b.* осина.
aethus *ans.* ❶ ужасающий; ужасный. ❷ горестный; печальный.
af *rhgdd.* отрицательная приставка.
afal *g.* **afalau** *ll.* яблоко.
afaleua *be.* собирать яблоки.
afallen *b.* **afallennau** *ll.* яблоня.
afanc *g.* **afancod** *ll.* ❶ бобёр; бобр. ❷ водяное чудовище.
afanen *b.* **afan** *ll.* малина.
afar *g.* горе; грусть; огорчение; печаль; скорбь; сожаление.
afiach *ans.* вредный; нездоровый.
afiachus *ans.* вредный; нездоровый.
afiaith *g.* веселье; ликование; радость.
afiechyd *g.* **afiechydon** *ll.* болезнь; нездоровье; расстройство.
afieithus *ans.* весёлый; ликующий; радостный.
aflafar *ans.* ❶ немой. ❷ бессмысленный. ❸ невнятный. ❹ грубый.
aflan *ans.* нечистоплотный; аморальный; бесчестный; нечистый.
aflawen *ans.* ❶ лютый; свирепый. ❷ угрюмый; печальный; мрачный; невесёлый; грустный; унылый. ❸ неприятный. ❹ ужасный. **yn oer aflawen** ужасно холодно.
aflednais *ans.* бесстыдный; бестактный; наглый; неделикатный; неприличный; нескромный; нетактичный.
afledneisrwydd *g.* бесстыдство; бестактность; наглость; неделикатность; неприличие; нескромность.
aflem *ans.* тупой (*мат.*).
aflendid *g.* грязь; загрязнение; осквернение; разврат.
aflêr *ans.* ❶ прожорливый. ❷ неаккуратный; неопрятный; неряшливый.
aflerwch *g.* беспорядок; неаккуратность; неопрятность; неряшливость.
afles *g.* вред; невыгода; неудобство; повреждение; ущерб.
aflesol *ans.* невыгодный; нерентабельный.
afliwiog *ans.* бледный; тусклый.

aflonydd *ans.* беспокойный; взволнованный; неспокойный; неугомонный; озабоченный; тревожный.
aflonyddu *be.* мешать; беспокоить.
aflonyddus *ans.* ❶ неугомонный. ❷ беспокоящий.
aflonyddwch *g.* **aflonyddwchau** *ll.* беспокойство; волнение; нарушение; тревога.
aflonyddwr *g.* **aflonyddwyr** *ll.* нарушитель.
afloyw *ans.* мутный; непрозрачный; туманный; матовый.
afluniaidd *ans.* бесформенный; некрасивый; уродливый.
aflunio *be.* деформировать; искажать; обезображивать; портить; уродовать.
aflwydd *g.* **aflwyddau** *ll.*, **aflwyddion** *ll.* беда; бедствие; злоключение; недостаток; несчастье; неудача; неуспех.
aflwyddiannus *ans.* неудачный; безуспешный.
aflwyddiant *g.* **aflwyddiannau** *ll.* ❶ бедствие; злоключение; беда; несчастье; напасть. ❷ неудача; неуспех; провал.
aflwyddo *be.* ❶ вызывать неудачу; проваливать. ❷ не удаваться; проваливаться.
aflywodraeth *b.* ❶ анархия; беспорядок. ❷ плохое управление.
aflywodraethus *ans.* неуправляемый; необузданный; непокорный; неукротимый.
afon *b.* **afonydd** *ll.* река; речка.
afonfarch *g.* **afonfeirch** *ll.* гиппопотам.
afonig *b.* речушка; ручеёк; ручей.
afradlon *ans.* расточительный; нерациональный.
afradlonedd *g.* излишество; мотовство; расточительность.
afradloni *be.* разбазаривать; проматывать; расточать.
afradu *be.* портить; проматывать; расточать.
afraid *ans.* лишний; излишний; ненужный.
afraslon *ans.* грубый; некрасивый; нелюбезный; непривлекательный; непристойный; неприятный; нечестивый.
afrasol *ans.* грубый; некрасивый; нелюбезный; непривлекательный; непристойный; неприятный; нечестивый.
afreidiau *g.* избыток; избыточность; излишек; излишество.
afreidiol *ans.* излишний; ненужный.
afreol *b.* беспорядок; расстройство.
afreolaeth *b.* **afreolaethau** *ll.* нерегулярность; беспорядок; расстройство.
afreolaidd *ans.* беспорядочный; буйный; необузданный; нерегулярный; нестандартный.
afreoleidd-dra *g.* аномалия; беспорядочность; неправильность.
afreolus *ans.* беспокойный; беспорядочный; буйный; неаккуратный; недисциплинированный; необузданный.
afreswm *g.* **afreswmau** *ll.* абсурдность; глупость.
afresymol *ans.* беспричинный; абсурдный; безрассудный; глупый; неблагоразумный; нелепый; непомерный; иррациональный; нерациональный.
afresymoldeb *g.* абсурдность; неразумность.
afresymoliaeth *b.* **afresymoliaethau** *ll.* абсурдность; безрассудность.
afrifed *ans.* ❶ бессчётный; бесчисленный; неисчислимый. ❷ невыносимый.
afrllad *b.* **afrlladau** *ll.* вафля; облатка.
afrlladen *b.* **afrlladennau** *ll.* вафля; облатка.
afrosgo *ans.* неловкий; неповоротливый; нескладный; неуклюжий.
afrwydd *ans.* ❶ трудный; тяжёлый. ❷ несчастливый. ❸ неохотный. ❹ медленный. ❺ неуклюжий.
afrwyddineb *g.* **afrwyddinebau** *ll.* негибкость; затруднение; препятствие; трудность.
afrwyddo *be.* делать несчастливым, неудачливым; затруднять; мешать; препятствовать.
afryw *ans.* ❶ подлый. ❷ неправильный; неестественный; ненатуральный.
afrywiog *ans.* ❶ подлый. ❷ неправильный. ❸ грубый; жёсткий; резкий; суровый. ❹ пересечённый (*о местности*). ❺ восходящий (*о дифтонге*).
afrywiogrwydd *g.* грубость; неровность; резкость.
afu *gb.* печёнка; печень.
afwyn *b.* **afwynau** *ll.* вожжа.
affeithiad *g.* **affeithiadau** *ll.* ❶ склонность. ❷ перегласовка.
affeithio *be.* ❶ выполнять. ❷ задевать; воздействовать; затрагивать; влиять.
affeithiol *ans.* ❶ вспомогательный. ❷ эффективный.
affeithiwr *g.* **affeithwyr** *ll.* соучастник.
afflau *g.* ❶ владение; захват; хватка. ❷ лоно; колени (*верхняя часть ног у сидящего человека*).
affliw *g.* клочок; крупица; частица.
Affrig *e.* Африка.
affwysedd *g.* бездна; глубина.
affwysol *ans.* бездонный; глубокий.
ag[1] *cys.* как.
ag[2] *ardd.* с.
agen *b.* **agennau** *ll.* расселина; расщелина; трещина; щёлка; щель.

agendor *gb.* бездна; пропасть.
agennog *ans.* потрескавшийся; морщинистый.
agennu *be.* ❶ колоть; раскалывать; расщеплять; щёлкать. ❷ ломаться; трескаться.
ager *g.* пар.
agerdd *g.* пар.
agerfad *g.* **agerfadau** *ll.* пароход.
agerlong *b.* **agerlongau** *ll.* пароход.
ageru *be.* ❶ испарять; испаряться. ❷ парить.
agerw *ans.* горький; лютый; ожесточённый; свирепый.
agnostig *g.* агностик.
agolch *g.* **agolchau** *ll.* пойло.
agor *be.* **agor** *grch.2.un.*, **egyr** *pres.3.un.* ❶ открывать; открыть; развести; разводить; раскрыть; раскрывать; распахнуть; распахивать. ❷ резать. ❸ откапывать; отрывать. ❹ толковать. **newch chi agor y drws i mi?** не откроете ли вы мне дверь? **nes i agor 'y mys â chyllell fara** я порезал себе палец хлебным ножом.
agorawd *b.* **agorawdau** *ll.* увертюра.
agored *ans.* раскрытый; открытый.
agorfa *b.* **agorfaoedd** *ll.* апертура; отверстие; отдушина; проём.
agoriad *g.* **agoriadau** *ll.* ❶ ключ. ❷ толкование. ❸ отверстие. ❹ открытие. ❺ возможность.
agoriadol *ans.* ❶ слабительный. ❷ вступительный; начальный.
agorwr *g.* **agorwyr** *ll.* тот, кто открывает.
agoryd *be.* **agor** *grch.2.un.*, **egyr** *pres.3.un.* открывать.
agorydd *g.* **agoryddion** *ll.* тот, кто открывает.
agos[1] *adf.* почти.
agos[2] *ans.* **nes** *cmhr.*, **nesaf** *eith.*, **nesed** *cfrt.* недалекий; близкий; ближний; ближайший. **wela i di wythos nesa** увидимся на следующей неделе. **yn nes ymlaen** позже, позднее.
agosaol *ans.* приближающийся.
agosatrwydd *g.* близость; интимность.
agosáu *be.* приблизиться; подойти; приближаться; подходить.
agosrwydd *g.* близость.
agronomeg *b.* **agronomegau** *ll.* земледелие.
agwedd[1] *gb.* **agweddau** *ll.* ❶ форма; вид (*грам.*). ❷ состояние. ❸ позиция; отношение. ❹ поза. ❺ аспект; сторона. ❻ наклонение.
agwedd[2] *be.* относиться.
agweddi *g.* ❶ приданое. ❷ подарок жениха невесте.
agwrdd *ans.* крепкий; мощный; сильный.
angall *ans.* безрассудный; глупый; неумный; неблагоразумный.
angau *gb.* **angheuoedd** *ll.* гибель; смерть.
angel *g.* **angylion** *ll.*, **engyl** *ll.* ангел.
angen *g.* **anghenion** *ll.* потребность; нужда; необходимость; надобность; желание; жажда.
angennu *be.* соборовать.
angenoctid *g.* бедность; потребность; нужда; необходимость; недостаток.
angenrheidiol *ans.* непременный; необходимый; нужный; потребный.
angenrheidrwydd *g.* неизбежность; необходимость.
angerdd *g.* ❶ особенность; свойство. ❷ сила. ❸ гнев. ❹ насилие. ❺ страсть; страстность; пыл; энтузиазм. ❻ зной; теплота; жар; жара. ❼ пар.
angerddol *ans.* вспыльчивый; горячий; интенсивный; неистовый; необузданный; пылкий; ревностный; сильный; страстный; яростный.
angerddoldeb *g.* энергия; страстность; напряжённость; интенсивность; горячность.
anghaffael *g.* провал; препятствие; порок; помеха; неуспех; неудача; несчастье; неисправность; недочёт; недостаток; изъян; дефект.
anghallineb *g.* неблагоразумие; опрометчивость; неосторожность.
anghanonaidd *ans.* апокрифический; апокрифичный.
angharedig *ans.* недобрый.
angharedigrwydd *g.* жестокость (*немилосердность*).
anghariadoldeb *g.* жестокость (*немилосердность*).
anghefnogi *be.* обескураживать; расхолаживать.
anghelfydd *ans.* неуклюжий; неповоротливый; неловкий.
anghenfil *g.* **angenfilod** *ll.* изверг; чудовище.
anghenraid *g.* **angenrheidiau** *ll.* неизбежность; необходимость.
anghenu *be.* ❶ нуждаться. ❷ обездоливать.
anghenus *ans.* нуждающийся.
angheuol *ans.* смертельный; фатальный; убийственный; смертный; пагубный; губительный.
anghlod *g.* бесчестье.
anghoelio *be.* не верить.
anghofiedig *ans.* забытый.
anghofio *be.* забыть; забывать.
anghofrwydd *g.* забывчивость.

anghofus *ans.* ❶ забывчивый. ❷ незапамятный.
anghred *b.* язычество; неверие; безбожие.
anghredadun *g.* **anghredaduniaid** *ll.*, **anghredinwyr** *ll.* атеист; язычник; неверующий; скептик.
anghredadwy *ans.* ❶ невероятный; неслыханный; неправдоподобный. ❷ неверующий.
anghrediniaeth *b.* неверие; язычество; безбожие.
anghredinol *ans.* ❶ неверующий. ❷ невероятный.
anghredu *be.* ❶ не доверять; не верить. ❷ изменять.
anghrefyddol *ans.* неверующий.
anghrist *g.* **anghristion** *ll.* антихрист.
anghristionogol *ans.* не христианский.
anghristnogol *ans.* не христианский.
anghryno *ans.* ❶ неплотный. ❷ подробный; многословный. ❸ беспорядочный. ❹ ущербный. ❺ щедрый; расточительный.
anghwrtais *ans.* неучтивый; невоспитанный; невежливый.
anghydfod *g.* диссонанс; разлад; разногласие; ссора.
Anghydffurfiol *ans.* диссидентский.
Anghydffurfiwr *g.* **Anghydffurfwyr** *ll.* нонкомформист.
anghydmarus *ans.* ❶ несовместимый. ❷ бесподобный.
anghydnabyddus *ans.* незнакомый; неведомый; чуждый; непривычный.
anghydnaws *ans.* ❶ неподходящий. ❷ нелюдимый.
anghydrif[1] *ans.* нечётный.
anghydrif[2] *g.* **anghydrifau** *ll.* нечет.
anghydsynio *be.* не соглашаться.
anghydweddol *ans.* несовместимый.
anghydweld *be.* не соглашаться.
anghyfaddas *ans.* неподходящий; неподобающий; негодный.
anghyfaddasu *be.* дисквалифицировать.
anghyfamodol *ans.* не связанный договоренностью.
anghyfanhedd-dra *g.* запустение; опустошение; заброшенность.
anghyfanheddle *g.* **anghyfaneddleoedd** *ll.* пустошь.
anghyfanheddol *ans.* пустынный.
anghyfannedd *ans.* необитаемый.
anghyfansoddiadol *ans.* неконституционный.
anghyfartal *ans.* ❶ неравномерный; неуравновешенный; неровный; неравный; неравноценный. ❷ бесподобный.
anghyfartaledd *g.* неравенство; неодинаковость.
anghyfarwydd *ans.* незнакомый.
anghyfeb *ans.* бесплодный; не беременная (*о самке*).
anghyfeillgar *ans.* недружелюбный.
anghyfesur *ans.* иррациональный (*мат.*).
anghyfiaith *ans.* иностранный; инородный.
anghyfiawn *ans.* несправедливый; неправедный.
anghyfiawnder *g.* несправедливость.
anghyfieithus *ans.* иностранный.
anghyflawn *ans.* ❶ несовершенный; неполный; незаконченный; незавершённый. ❷ переходный (*грам.*).
anghyfleus *ans.* неподходящий; неудобный.
anghyfleuster *g.* **anghyfleusterau** *ll.* неудобство.
anghyfleustra *g.* **anghyfleusterau** *ll.* неудобство.
anghyflogaeth *g.* безработица.
anghyfnewidiol *ans.* неизменный; постоянный; непреложный.
anghyfraith *g.* беззаконие; проступок; преступление; нарушение.
anghyfranogol *ans.* неделящийся; неразделённый.
anghyfreithiol *ans.* незаконный; нелегальный; противозаконный.
anghyfreithlon *ans.* противозаконный; нелегальный; незаконный.
anghyfrifol *ans.* безответственный.
anghyfforddus *ans.* неудобный.
anghyffredin *ans.* необычный; необыкновенный; недюжинный.
anghyffyrddus *ans.* неудобный.
anghymarus *ans.* несовместимый.
anghymedrol *ans.* чрезмерный; неумеренный; несдержанный; излишний.
anghymen[1] *ans.* неопрятный; неаккуратный.
anghymen[2] *ans.* неразумный; поспешный; опрометчивый; неосторожный; необдуманный; глупый; безрассудный.
anghymeradwy *ans.* недопустимый; неприемлемый.
anghymeradwyo *be.* порицать; не одобрять.
anghymesur *ans.* ❶ чрезмерный. ❷ несимметричный.
anghymesuredd *g.* ❶ неумеренность. ❷ несимметричность.
anghymharol *ans.* несопоставимый; несравнимый; несравненный; бесподобный.
anghymharus *ans.* неподходящий.
anghymhendod *g.* неделикатность; нескромность; неопрятность; неаккурат-

ность; глупость; бестактность; беспорядок; безрассудство.

anghymhwyso *be.* ❶ дисквалифицировать. ❷ вывести из равновесия.

anghymhwyster *g.* неспособность; негодность.

anghymodlawn *ans.* неумолимый; непримиримый.

anghymodlon *ans.* непримиримый.

anghymwys *ans.* негодный; неподобающий; неподходящий.

anghynefin *ans.* непривычный; необычный; незнакомый; неведомый.

anghynefindra *g.* непривычность.

anghynnes[1] *ans.* холодный.

anghynnes[2] *ans.* гнусный; дикий; жестокий; ненавистный; одиозный; отвратительный; первобытный; противный; свирепый.

anghynnil *ans.* грубый; неуклюжий; расточительный.

anghysbell *ans.* отдалённый.

anghyson *ans.* непоследовательный; несовместимый; несообразный; противоречивый.

anghysonair *ans.* вздорный; придирчивый; сварливый; спорный.

anghysondeb *g.* **anghysondebau** *ll.* противоречие; несовместимость; несообразность; разногласие; спор.

anghysonder *g.* **anghysonderau** *ll.* несоответствие; несовместимость; несообразность.

anghysur *g.* **anghysuron** *ll.* неудобство; неловкость; беспокойство.

anghysuro *be.* стеснять; затруднять; беспокоить.

anghytbwys *ans.* неуравновешенный.

anghytgord *g.* **anghytgordiau** *ll.* разногласие; разлад; диссонанс.

anghytrig *ans.* корреспондентский. **aelod anghytrig** член-корреспондент.

anghytûn *ans.* несовместимый; противоречивый; несогласный.

anghytundeb *g.* **anghytundebau** *ll.* несогласие; ссора; разногласие; разлад.

anghytuno *be.* быть несогласным; не соглашаться.

anghywair[1] *ans.* нестройный; беспорядочный.

anghywair[2] *g.* неисправность; беспорядок.

anghyweithas *ans.* ❶ невежливый; неприятный; жестокий. ❷ независимый (*о притяжательном местоимении*).

anghywir *ans.* неправильный; некорректный; неверный; ложный.

anghywirdeb *g.* **anghywirdebau** *ll.* неточность; фальшь; ошибочность; обман; лживость; заблуждение; вероломство.

anghywrain *ans.* ❶ неумелый. ❷ неряшливый.

angiriol *ans.* ужасный; страшный; огромный; мучительный; жестокий; громадный; болезненный.

angladd *gb.* **angladdau** *ll.* похороны.

angladdol *ans.* похоронный.

angof *g.* забвение; забывчивость.

angor *g.* **angorau** *ll.*, **angorion** *ll.* якорь.

angorfa *b.* **angorfaoedd** *ll.*, **angorfeydd** *ll.* якорная стоянка.

angori *be.* бросить якорь; стать на якорь; ставить на якорь.

anguriol *ans.* жестокий; ужасный; страшный; огромный; мучительный; громадный; безжалостный.

angylaidd *ans.* ангельский.

angyles *b.* **angylesau** *ll.* ангел.

ai[1] *adf.* вопросительная частица.

ai[2] *cys.* или.

aidd *g.* пыл; рвение; усердие.

Aifft *e.* Египет.

aig *b.* **eigiau** *ll.* ❶ войско; воинство; отряд; сонм; толпа. ❷ косяк. ❸ море; океан.

ail[1] *rhif.* ❶ второй. ❷ подобный; похожий. **ail ran** вторая часть.

ail[2] *b.* ❶ плетень. ❷ кружево; плетение. ❸ нота.

ail[3] *rhgdd.* приставка, указывающая на повторение действия.

ailadrodd *be.* **ailadrodd** *grch.2.un.*, **ailedrydd** *pres.3.un.* повторить; повторять.

ailadroddiad *g.* **ailadroddiadau** *ll.* повторение.

ailagor *be.* открывать вновь.

ailbrisiad *g.* **ailbrisiadau** *ll.* ревальвация.

ail-drefnu *be.* перестраивать; переустраивать; поправлять; исправлять.

ailenedigaeth *b.* ❶ перерождение. ❷ плацента; послед.

aileni *be.* перерождать.

ail-law *ans.* бывший в употреблении; подержанный.

ailysgrifennu *be.* переписать; переписывать.

ailystyried *be.* пересматривать (*заново*).

aillt *g.* **eillt** *ll.*, **eilltiaid** *ll.* ❶ подчинённый; подданный; вассал. ❷ крепостной. ❸ раб; невольник. ❹ иноплеменник.

alaeth[1] *ans.* горестный; грустный; печальный; плачевный; прискорбный; скорбный; унылый.

alaeth[2] *g.* беда; горе; грусть; огорчение; печаль; плач; скорбь; сожаление.

alaethu *be.* горевать; оплакивать; плакать; сетовать; сокрушаться; стенать.
alaethus *ans.* грустный; печальный; плачевный; прискорбный; скорбный; траурный.
alaf *g.* **alafoedd** *ll.*, **elyf** *ll.* ❶ стадо. ❷ роскошь; благосостояние; богатство; изобилие.
alar *g.* **alarau** *ll.* пресыщение.
alarch *g.* **alarchau** *ll.*, **elyrch** *ll.* лебедь.
alarches *b.* **alarchesau** *ll.* лебедушка; лебёдка.
alaru *be.* чувствовать или вызывать тошноту; объедаться; переедать; перекармливать; пресыщать.
alaw *b.* **alawon** *ll.* ❶ напев; мотив; мелодия. ❷ лилия.
alban *g.* равноденствие; солнцестояние.
Alban *e.* Шотландия.
Albanes *b.* **Albanesau** *ll.* шотландка.
Albanwr *g.* **Albanwyr** *ll.* шотландец.
albwm *g.* альбом.
alcali *g.* щёлочь.
alcalïaidd *ans.* щелочной.
alcam *g.* ❶ бронза. ❷ олово.
alcemeg *b.* алхимия.
alcof *g.* альков.
alcohol *b.* алкоголь; спирт.
alch *b.* **alchau** *ll.*, **eilch** *ll.* ❶ решётка. ❷ ковчег.
ale *g.* аллея.
alegori *g.* аллегория.
algebra *g.* алгебра.
Almaen *e.* Германия.
Almaenaidd *ans.* германский; немецкий.
Almaeneg *b.* **Almaenegau** *ll.* немецкий (*язык*).
Almaenes *b.* **Almaenesau** *ll.* немка.
Almaenig *ans.* немецкий.
Almaenwr *g.* **Almaenwyr** *ll.* германец; немец.
almon *b.* миндаль.
aloi *g.* **aloeon** *ll.* сплав.
altro *be.* изменять; менять; переделывать.
alu *be.* телиться.
allafon *b.* **allafonydd** *ll.* рукав реки.
allan *adf.* наружу; извне; вон; вне; снаружи.
allanol *ans.* наружный; внешний.
allblyg *ans.* экстравертный.
allbwn *g.* **allbynnau** *ll.* вывод.
allforio *be.* вывозить (*товары*); экспортировать.
allforion *ll.* экспорт.
allfro *g.* ❶ иностранец. ❷ чужбина.
allgaredd *g.* **allgareddau** *ll.* альтруизм.
allgarwch *g.* альтруизм.
allgynnyrch *g.* **allgynhyrchion** *ll.* вывод; выход; выработка.
allor *b.* **allorau** *ll.* жертвенник; алтарь; престол.
allt *b.* **elltydd** *ll.* ❶ утёс; холм; возвышенность; возвышение. ❷ роща; лес. ❸ берег.
alltud[1] *ans.* иностранный; чуждый.
alltud[2] *g.* **alltudiaid** *ll.*, **alltudion** *ll.* ❶ чужестранец; иностранец. ❷ ссыльный; изгнанник. ❸ ссылка; изгнание. ❹ крепостной; раб.
alltudedd *g.* **alltudeddau** *ll.* ❶ положение, статут ненатурализованного иностранца; статут иностранного подданного. ❷ проживание в чужой стране. ❸ высылка; изгнание; ссылка. ❹ пленение.
alltudiaeth *b.* ❶ положение, статут ненатурализованного иностранца; статут иностранного подданного. ❷ высылка; изгнание; ссылка; депортация. ❸ пленение. ❹ эмиграция. ❺ конфискация.
alltudio *be.* ❶ высылать; изгонять; ссылать; выслать; депортировать. ❷ угонять (*в рабство*). ❸ эмигрировать.
allwedd *b.* **allweddau** *ll.*, **allweddi** *ll.* тональность; ключ.
allweddell *b.* **allweddellau** *ll.* клавиатура.
allweddol *ans.* ключевой; критический.
am *ardd.* обо; про; на; для; об; о; насчёт; за; вокруг; в. **mae'r ffordd yn mynd yn syth am ddwy filltir** дорога идет прямо на протяжении двух миль. **beth yw eich barn chi am hyn?** каково ваше мнение об этом? **faint dalest ti am y sgidiau 'na?** сколько ты заплатил за эти ботинки? **diolch yn fawr am eich cymorth** большое спасибо за вашу помощь. **rhowch rwymyn am ei ben o** сделайте ему повязку вокруг головы. **fe ddown ni yn ôl am dri o'r gloch** мы вернемся в три часа.
am-droi *be.* вертеть; виться; крутить; мотать; наматывать; обвивать; обращать; поворачивать.
amaeth[1] *g.* агрономия; земледелие.
amaeth[2] *g.* **amaethiaid** *ll.*, **emeith** *ll.*, **emyth** *ll.* земледелец; землепашец.
amaethdy *g.* **amaethdai** *ll.* ферма.
amaethu *be.* возделывать; культивировать; обрабатывать; пахать.
amaethwr *g.* **amaethwyr** *ll.* крестьянин; фермер.
amaethwraig *b.* **amaethwragedd** *ll.* крестьянка; фермерша.
amaethyddiaeth *b.* агрономия; земледелие; сельское хозяйство.
amaethyddol *ans.* земледельческий; сельскохозяйственный.
amal[1] *adf.* часто.

amal[2] *ans.* частый.
amarch *g.* **amarchau** *ll.* ❶ бесчестье; позор. ❷ угнетение.
amatur *g.* **amaturiaid** *ll.* дилетант; любитель.
amaturaidd *ans.* любительский.
amau[1] *be.* сомневаться; подозревать.
amau[2] *g.* **amheuon** *ll.* сомнение.
ambell *ans.* случайный.
ambiwlans *g.* машина скорой помощи; «скорая помощь».
amcangyfrif[1] *g.* **amcangyfrifon** *ll.* расчёт; оценка; наметка.
amcangyfrif[2] *be.* прикидывать; оценивать.
amcan *g.* **amcanion** *ll.* представление; предположение; назначение; идея; догадка; цель.
amcanu *be.* ❶ прицеливаться; целить. ❷ полагать; предполагать. ❸ исследовать; изучать. ❹ намереваться. ❺ предлагать. ❻ пытаться.
amcanus *ans.* ❶ преднамеренный. ❷ изобретательный. ❸ предположительный.
amchwaraefa *b.* **amchwaraefeydd** *ll.* амфитеатр.
amdaith *b.* **amdeithiau** *ll.* ❶ турне. ❷ объезд.
amdlawd *ans.* нищий.
amdo *g.* **amdoeau** *ll.* ❶ саван. ❷ покров. ❸ венчик; чашечка (*цветка*).
amdoi *be.* закутывать; обволакивать; окутывать.
amdorch *b.* **amdyrch** *ll.* венок; гирлянда.
amdrist *ans.* печальный; плачевный; прискорбный; скорбный.
amdro[1] *ans.* вращательный.
amdro[2] *g.* **amdroau** *ll.* оборот; поворот.
amddifad[1] *ans.* ❶ сиротский. ❷ лишённый. ❸ дефектный.
amddifad[2] *g.* **amddifaid** *ll.* сирота.
amddifadrwydd *g.* ❶ сиротство. ❷ потеря; лишение.
amddifadu *be.* лишить; отнять; отнимать; лишать.
amddifaty *g.* **amddifatai** *ll.* детский дом.
amddifedi *g.* ❶ сиротство. ❷ лишение. ❸ недостаток.
amddiffyn *be.* защищать; защитить; отстаивать; ограждать; оборонять; постоять; предохранять.
amddiffynfa *b.* **amddiffynfeydd** *ll.* ❶ укрепление; крепость. ❷ охрана; защита.
amddiffyniad *g.* защита; оборона; оправдание; охрана.
amddiffynnol *ans.* ❶ защищенный. ❷ оборонительный; защитный.
amddiffynnwr *g.* **amddiffynnwyr** *ll.* защитник; покровитель.
amddiffynnydd *g.* **amddiffynnyddion** *ll.* защитник; покровитель.
amddyfrwys *ans.* ❶ сильный; могущественный; крепкий; мощный. ❷ грубый; суровый; трудный; тяжёлый. ❸ болотистый; топкий; болотный.
amenio *be.* произносить «аминь».
Americanaidd *ans.* американский.
Americanwr *g.* **Americanwyr** *ll.* американец.
amfesur *g.* окружность; обхват.
amgaeëdig *ans.* окутанный; заключённый; окруженный.
amgant *g.* **amgannau** *ll.* ❶ окружность; круг. ❷ край; граница. ❸ область; округа.
amgarn *gb.* **amgarnau** *ll.* кольцо (*гимель*); круг; ободок; обруч.
amgáu *be.* заключить; заключать; огораживать; окружать.
amgen *ans.* ❶ различный; разный; другой; иной. ❷ больший; высший; лучший; превосходный; отличный.
amgenach *ans.* ❶ другой; иной; различный; разный. ❷ лучший; превосходный; отличный; высший; больший.
amgrwm *ans.* **amgrom** *ж.* выпуклый.
amgueddfa *b.* **amgueddfeydd** *ll.* музей.
amgyffred[1] *g.* **amgyffredion** *ll.* ❶ ширина. ❷ охват; захват. ❸ понимание. ❹ мысль.
amgyffred[2] *be.* ❶ представлять; понимать; постигать; знать; воспринимать. ❷ достигать. ❸ править. ❹ вмещать; охватывать; включать; содержать.
amgyffrediad *g.* понимание; понятливость.
amgylch *g.* **amgylchau** *ll.*, **amgylchoedd** *ll.* округ; окружение; кругооборот; контур.
amgylchedd *g.* **amgylcheddau** *ll.*, **amgylcheddion** *ll.* окружение; округа.
amgylchfyd *g.* среда (*окружающая*); окружение.
amgylchfydol *ans.* относящийся к окружающей среде; относящийся к борьбе с загрязнением окружающей среды.
amgylchiad *g.* **amgylchiadau** *ll.* ❶ окружность; круг. ❷ окружение. ❸ случай; событие. ❹ обстоятельство. ❺ положение; состояние. ❻ контекст.
amgylchiadol *ans.* ❶ случайный. ❷ внешний. ❸ контекстуальный. ❹ окружающий; вращающийся; окружённый.
amgylchu *be.* ❶ обступать; окружать. ❷ понимать. ❸ завершать. ❹ пересекать.
amgylchyn *ardd.* вокруг (*да около*).

amgylchynol *ans.* окружающий.
amgylchynu *be.* ❶ окружить; обступать; окружать; осаждать. ❷ вращаться; вращать. ❸ распространять. ❹ исполнять; завершать.
amharch *g.* непочтительность; неуважение.
amharchu *be.* не уважать; бесчестить; оскорблять; позорить.
amharchus *ans.* невежливый; непочтительный; позорный.
amhariad *g.* дефект; болезнь; вред; повреждение; ущерб.
amharod *ans.* неготовый.
amharodrwydd *g.* нежелание; неготовность.
amharu *be.* вредить; испортить; ослаблять; повредить; повреждать; портить; ухудшать.
amharus *ans.* гнилой.
amhechadurusrwydd *g.* безгрешность; непогрешимость.
amhendant *ans.* неопределённый; неясный; смутный.
amhenfenderfynol *ans.* нерешительный.
amhennodol *ans.* неопределённый; неясный.
amhenodol *ans.* неопределённый; неясный; смутный.
amherchi *be.* бесчестить; обижать; оскорблять; позорить.
amherffaith *ans.* дефектный; незавершённый; неполный; несовершенный.
amherffeithrwydd *g.* дефект; недостаток; неполнота; несовершенство.
amhersonol *ans.* безличный; обезличенный.
amherthnasol *ans.* не относящийся к делу.
amherthynasol *ans.* не относящийся к делу.
amherthynol *ans.* неуместный; не относящийся к делу.
amheuaeth *b.* **amheuaethau** *ll.* сомнение.
amheuedd *g.* сомнение.
amheugar *ans.* подозрительный.
amheuol *ans.* неопределённый; неясный; подозрительный; сомнительный.
amheus *ans.* двусмысленный; неопределённый; подозрительный; сомнительный; неясный; спорный.
amheuthun[1] *ans.* вкусный; лакомый; отборный; редкий.
amheuthun[2] *g.* **amheuthunion** *ll.* ❶ деликатес. ❷ редкость. ❸ разнообразие.
amheuwr *g.* **amheuwyr** *ll.* скептик.
amhiniog *g.* **amhiniogau** *ll.*, **amhiniogion** *ll.* косяк; порог.
amhinog *g.* **amhinogau** *ll.*, **amhinogion** *ll.* порог.
amhlaid *ans.* беспристрастный.
amhlantadwy *ans.* бездетный; бесплодный; неплодородный.
amhleidiaeth *b.* беспристрастие; нейтралитет.
amhleidiol[1] *ans.* беспристрастный.
amhleidiol[2] *ans.* средний (*грам.*).
amhleitgar[1] *ans.* беспристрастный.
amhleitgar[2] *ans.* нелицеприятный.
amhoblog *ans.* ❶ безлюдный. ❷ непопулярный.
amhoblogaidd *ans.* ❶ непопулярный. ❷ безлюдный.
amhosib *ans.* невозможный; невероятный.
amhosibl *ans.* неосуществимый; невозможный.
amhriodol *ans.* ❶ без права на землю. ❷ незамужний; неженатый; холостой. ❸ неприличный; неправильный; неподходящий; непристойный; неуместный. ❹ непереходный.
amhrisiadwy *ans.* бесценный; неоценимый.
amhrofiadol *ans.* неопытный.
amhrydlon *ans.* непунктуальный; преждевременный; несвоевременный.
amhûr *ans.* грязный; нечистый.
amhurdeb *g.* **amhurdebau** *ll.* загрязнение.
amhuredd *g.* **amhureddau** *ll.* грязь; загрязнение.
amhurol *ans.* грязный; нечистый.
amhwrpasol *ans.* бесцельный.
amhwyllo *be.* сойти с ума.
amhwyllog *ans.* безумный; безрассудный; глупый.
amhwyllter *g.* безумие; сумасшествие.
amhwylltod *g.* безумие; сумасшествие.
amhwylltra *g.* безумие; сумасшествие.
amhwyllus *ans.* безумный; безрассудный; глупый.
aml[1] *adf.* часто.
aml[2] *ans.* частый.
amlblwyfydd *g.* **amlblwyfyddion** *ll.* плюралист.
amlblyg *ans.* разнообразный; разный.
amlder *g.* изобилие; множество.
amldra *g.* изобилие; множество.
aml-ddiwylliannol *ans.* мультикультурный.
amldduwiad *g.* **amldduwiaid** *ll.* политеист.
amldduwiaeth *b.* многобожие; политеизм.
amleiriog *ans.* многословный.
amlen *b.* **amlenni** *ll.* конверт.

amlffurf *ans.* полиморфный.
amlgainc *ans.* ветвистый.
amlhad *g.* ❶ умножение; возрастание; прибавление; прирост; рост; увеличение; развод. ❷ множественное число.
amlhau *be.* ❶ множить; увеличивать; умножать. ❷ возрастать. ❸ распространять. ❹ расширять.
amlinell *b.* **amlinellau** *ll.* абрис; контур; очертание; силуэт.
amlinelliad *g.* **amlinelliadau** *ll.* абрис; контур; очертание.
amlinellu *be.* обрисовать.
amliwio *be.* ❶ менять цвет. ❷ краснеть. ❸ бледнеть. ❹ пачкать; красить. ❺ изображать.
amlochrog *ans.* многогранный; многосторонний.
amlosgfa *b.* **amlosgfeydd** *ll.* крематорий.
amlosgi *be.* кремировать.
amlwg *ans.* очевидный; несомненный; ясный; явный; прозрачный; понятный; недвусмысленный; выдающийся; видный; бесспорный.
amlwreiciaeth *b.* полигамия; многоженство; многобрачие.
amlwreiciwr *g.* **amlwreicwyr** *ll.* многоженец.
amlwreigiaeth *b.* многоженство; многобрачие; полигамия.
amlwreigiwr *g.* **amlwreigwyr** *ll.* многоженец.
amlygiad *g.* **amlygiadau** *ll.* объяснение; доказательство; обнародование; проявление.
amlygrwydd *g.* **amlygrwyddau** *ll.* ❶ ясность. ❷ доказательство. ❸ явление. ❹ известность.
amlygu *be.* проявить; обнаружить; выказывать; доказывать; обнародовать; обнаруживать; обнаруживаться; открывать; показывать; появляться; проявлять; проявляться; разоблачать.
amlygyn *g.* **amlygynnau** *ll.* ❶ цель. ❷ отметка; знак. ❸ флаг; стяг; знамя.
amlymu *be.* очищать; подстригать.
amnaid *b.* **amneidiau** *ll.* ❶ намёк; знак; кивок. ❷ приказ.
amneidio *be.* кивнуть; намекать; подмигивать; кивать.
amner *g.* **amnerau** *ll.* кошелёк; мошна.
amnewid *be.* переставлять.
amnewidiad *g.* **amnewidiadau** *ll.* перестановка.
amnifer[1] *ans.* ❶ неисчислимый; бесчисленный; несчётный. ❷ неравный. ❸ нечётный.
amnifer[2] *g.* **amniferoedd** *ll.* ❶ воинство; множество. ❷ нечетное число.
amod *gb.* **amodau** *ll.* условие.
amodi *be.* договориться; оговорить; оговаривать; договариваться; обусловливать; согласовывать; соглашаться; уславливаться.
amodig *ans.* условленный; согласованный.
amodol *ans.* ❶ назначенный; обещанный; гарантированный; определённый. ❷ условный.
amorffus *ans.* бесформенный.
amrant *g.* **amrannau** *ll.*, **amrantau** *ll.* веко.
amrantiad *g.* **amrantiadau** *ll.* мгновение.
amrantu *be.* подмигнуть; моргать; подмигивать; щуриться.
amrantun *gb.* дремота.
amrantuno *be.* дремать.
amrantyn *gb.* момент.
amrediad *g.* **amrediadau** *ll.* диапазон; палитра; выбор; ассортимент; серия; ряд.
amreiniol *ans.* не имеющий привилегий.
amrwd *ans.* необработанный; сырой; грубый.
amrydedd *g.* необработанность.
amryddawn *ans.* многосторонний; многогранный.
amryfal *ans.* различный; разнообразный; разнородный; разносторонний; разный.
amryfath *ans.* разнообразный.
amryfodd *ans.* разнообразный.
amryfus *ans.* ошибочный.
amryfusedd *g.* **amryfuseddau** *ll.* ошибка.
amryfuso *be.* ошибаться.
amrygyr *ans.* суетливый; неугомонный; неспокойный; занятый; занятой; деятельный; беспокойный.
amryliw *ans.* разноцветный.
amrysain *ans.* разноголосый.
amryw *ans.* разный; разнообразный; различный.
amrywedd *g.* разнообразие.
amrywiad *g.* **amrywiadau** *ll.* вариант; вариация; разновидность.
amrywiaeth *g.* **amrywiaethau** *ll.* многообразие; разнообразие; разнородность.
amrywio *be.* расходиться; разнообразить; разниться; различаться; отличаться; менять; изменять; варьировать.
amrywiol *ans.* переменный; разный; различный.
amrywiolyn *g.* **amrywiolion** *ll.* вариант.
amrywion *ll.* многообразие.
amser *g.* **amserau** *ll.*, **amseroedd** *ll.* время.

amseriad *g.* **amseriadau** *ll.* ❶ дата; число. ❷ выбор определённого времени; расчёт времени. ❸ темп (*муз.*).

amserlen *b.* **amserlenni** *ll.* расписание; график.

amserol *ans.* ❶ своевременный. ❷ временный; преходящий. ❸ временной. ❹ белый (*о священнике*).

amseroni *g.* **amseronïau** *ll.* альманах; календарь.

amseru *be.* устанавливать время; замерять время; датировать; приурочивать; хронометрировать; случаться.

amserydd *g.* **amseryddion** *ll.* ❶ таймер; хронометр. ❷ хроникёр. ❸ представитель белого духовенства.

amseryddiaeth *b.* хронология.

amseryddol *ans.* хронологический.

amsugniad *g.* поглощение; всасывание; абсорбция.

amsugno *be.* впитывать; поглощать; всасывать; абсорбировать.

amwisg *b.* **amwisgoedd** *ll.* ❶ саван. ❷ одеяние; одежда. ❸ покрывало; чехол; покрытие; покров; пелена; кожух.

amwisgo *be.* накрывать; окутывать; завёртывать.

amws *g.* **emys** *ll.* скакун; конь.

amwyll[1] *ans.* безумный.

amwyll[2] *g.* **amwyllion** *ll.* безумие.

amwyn *be.* хватать; ухватиться; схватить; состязаться; помогать; поддерживать; отстаивать; оборонять; защищать; захватывать; завладевать; бороться.

amwys *ans.* двусмысленный; неопределённый; неясный; сомнительный.

amwysedd *g.* двусмысленность; неопределённость; неясность.

amynedd *g.* терпение; терпеливость.

amyneddgar *ans.* терпеливый.

an *rhgdd.* не.

anabledd *g.* непригодность; невозможность; неспособность.

anach *gb.* **anachau** *ll.* помеха; препятствие; задержка.

anachaidd *ans.* ❶ противозаконный (*о близкородственных браках*); незаконный (*о близкородственных браках*). ❷ несовместимый.

anachubol *ans.* неискупимый.

anad[1] *ans.* особенный; особый; специальный.

anad[2] *ardd.* скорее; больше; впереди; до; перед.

anadferadwy *ans.* непоправимый.

anadl *gb.* **anadlau** *ll.*, **anadlon** *ll.* дыхание.

anadliad *g.* вдохновение; дуновение; дыхание; придыхание.

anadlu *be.* дышать; вздохнуть; дохнуть; затянуться; затягиваться.

anadnabyddus *ans.* неизвестный; незнакомый.

anaddas *ans.* недостойный; неподобающий; неподходящий; непригодный; негодный; неуместный.

anaddasu *be.* дисквалифицировать.

anaddef *ans.* неприятный.

anaddfed *ans.* неспелый.

anaddfedrwydd *g.* незрелость.

anaddfwyn *ans.* ❶ уродливый; противный; отталкивающий; неприятный; безобразный; скверный. ❷ некомпетентный.

anaeddfed *ans.* незрелый.

anaeddfedrwydd *g.* незрелость.

anaelau[1] *ans.* ужасный.

anaelau[2] *g.* страдание.

anaele *ans.* ужасный.

anaf *g.* **anafau** *ll.* травма; дефект; изъян; недостаток; недочёт; повреждение; порок; рана; ранение; ущерб.

anafdod *g.* дефект; изъян; недостаток; недочёт; неисправность; повреждение; порок.

anafraid *ans.* необходимый; нужный.

anafu *be.* ❶ увечить; калечить; повреждать. ❷ пострадать; повреждаться.

anafus *ans.* ❶ раненый; поврежденный. ❷ болезненный.

anair *g.* **aneiri** *ll.*, **aneiriau** *ll.* бесчестье; злословие; клевета; позор.

anallu *g.* **analluoedd** *ll.* бессилие; невозможность; неспособность; слабость.

analluedd *g.* бессилие; невозможность; неспособность.

analluog *ans.* неспособный.

analluogi *be.* дисквалифицировать; калечить.

anaml[1] *ans.* редкий.

anaml[2] *adf.* редко.

anamlwg *ans.* неприметный; скрытый; незаметный.

anamserol *ans.* несвоевременный; преждевременный.

anap *gb.* **anhapion** *ll.* невезение; неудача; несчастье.

anaraf *ans.* дикий; быстрый.

anaraul *ans.* ❶ унылый; угрюмый; мрачный. ❷ беспокойный.

anarchiaeth *g.* анархия.

anarchol *ans.* анархический.

anarchydd *g.* **anarchyddion** *ll.* анархист.

anarferol *ans.* ❶ незаурядный; необыкновенный; необычайный; необычный. ❷ непривычный.

anarfog *ans.* безоружный; невооружённый.

anataliad *g.* недержание; несдержанность; невоздержанность.
anatomaidd *ans.* анатомический.
anatomeg *b.* анатомия.
anatomi *b.* анатомия.
anawd *g.* **anodau** *ll.* аннаты.
anawdd *ans.* трудный; тяжёлый; непростой.
ancr *gb.* ❶ отшельник. ❷ анкер.
ancwyn *g.* **ancwynion** *ll.* ❶ рацион; паёк. ❷ пир; празднество; банкет. ❸ лакомство; деликатес. ❹ десерт.
anchwiliadwy *ans.* непостижимый.
andras *g.* **andrasiaid** *ll.* ❶ бедствие; вред; зло; несчастье; порок; проклятие. ❷ бес; дьявол; чёрт.
andros *g.* **androsiaid** *ll.* ❶ бедствие; вред; зло; несчастье; порок; проклятие. ❷ бес; дьявол; чёрт.
andwyo *be.* ❶ повредить; разрушать; разорять; портить; погубить; губить; вредить. ❷ портиться. ❸ баловать.
andwyol *ans.* вредный; гибельный; губительный; пагубный; разорительный; разрушительный; тлетворный.
anedifeiriol *ans.* нераскаянный; закоренелый.
aneffeithiol *ans.* бесплодный; безрезультатный; малоэффективный.
aneglur *ans.* неясный; смутный; нечёткий; неразборчивый; непонятный; неотчётливый; неизвестный; незаметный; невразумительный; невнятный; безвестный.
anegni *g.* инерция; инертность.
aneirif *ans.* неисчислимый; бесчисленный; бессчётный.
aneliad *g.* **aneliadau** *ll.* прицеливание; натягивание (*лука*).
anelio *be.* прокаливать; отжигать.
anelog *ans.* нацеленный; натянутый (*о луке*).
anelu *be.* целить; стремиться; прицеливаться; направлять.
anelw[1] *ans.* нерентабельный; невыгодный.
anelw[2] *g.* ущерб; утрата; урон; убыток; потеря.
anenwog *ans.* ❶ неизвестный. ❷ постыдный; низкий.
anerchiad *g.* **anerchiadau** *ll.* ❶ приветствие. ❷ выступление; речь.
anesboniadwy *ans.* необъяснимый.
anesgor *ans.* неизбежный; неминуемый; неисцелимый; неискоренимый; неизлечимый.
anesgorol *ans.* неизлечимый; неминуемый; неисцелимый; неискоренимый; неизбежный.
anesgusodol *ans.* непростительный.
anesmwyth *ans.* беспокойный; неспокойный; неугомонный; тревожный.
anesmwythder *g.* беспокойство; тревога; стеснённость; неудобство; неловкость; волнение.
anesmwythdra *g.* беспокойство; тревога; стеснённость; неудобство; неловкость; волнение.
anesmwytho *be.* ❶ беспокоить. ❷ беспокоиться.
anesmwythyd *g.* беспокойство; тревога; волнение.
anesthetig *g.* обезболивание; анестезия.
anewyllysgar *ans.* несклонный; нерасположенный.
anfad *ans.* гнусный; злой; ужасный; свирепый; нехороший; жестокий; безжалостный.
anfadrwydd *g.* злодейство; подлость; мерзость; злобность.
anfadwaith *g.* подлость; мерзость; злодейство.
anfadwr *g.* **anfadwyr** *ll.* негодяй; подлец; злодей.
anfaddeugar *ans.* неумолимый.
anfaddeuol *ans.* непростительный.
anfanol *ans.* ❶ грубый; шершавый; черновой; неровный; неотёсанный; необработанный. ❷ щедрый.
anfantais *b.* **anfanteision** *ll.* невыгода.
anfanteisiol *ans.* неблагоприятный; невыгодный.
anfanwl *ans.* приблизительный; грубый.
anfarwol *ans.* ❶ бессмертный; неувядаемый. ❷ незабвенный; незабываемый.
anfarwoldeb *g.* бессмертие.
anfarwoli *be.* обессмертить; увековечить.
anfedrus *ans.* ❶ неумелый; неловкий; неискусный. ❷ нескромный; неприличный.
anfedrusrwydd *g.* ❶ нескромность; неприличие. ❷ неумение; неловкость.
anfeddyginiaethol *ans.* неизлечимый; неисцелимый.
anfeidraidd *ans.* бесконечный.
anfeidredd *g.* бесконечность.
anfeidrol *ans.* бесконечный; несметный; бесчисленный; безграничный.
anfeidroldeb *g.* бесконечность; безграничность.
anfeidroledd *g.* необъятность; безмерность.
anferth *ans.* громадный; гигантский; огромный.
anferthedd *g.* чудовищность; уродство; огромность.
anferthol *ans.* ❶ гигантский; громадный; огромный. ❷ ужасный.

anferthrwydd *g.* уродство.
anferthu *be.* уродовать; портить; обезображивать.
anfodlon *ans.* ❶ неудовлетворенный; недовольный. ❷ неохотный; несклонный; неготовый; нерасположенный.
anfodloni *be.* ❶ расстраивать. ❷ расстраиваться.
anfodlonrwydd *g.* ❶ неудовлетворённость; недовольство; досада. ❷ нежелание.
anfodd *g.* ❶ неудовольствие; недовольство; досада. ❷ изнасилование.
anfoddio *be.* ❶ отказываться. ❷ раздражать; сердить; досаждать.
anfoddog *ans.* вынужденный; неудовлетворенный; недовольный.
anfoddogrwydd *g.* недовольство; неудовлетворённость.
anfoddol *ans.* ❶ недобровольный. ❷ неподобающий; непристойный.
anfoddus *ans.* ❶ нежелающий. ❷ неподобающий; непристойный.
anfoes *b.* **anfoesau** *ll.* аморальность; распущенность; безнравственность; невежливость.
anfoesgar *ans.* невежливый; неприличный; невоспитанный; невежественный; грубый.
anfoesgarwch *g.* грубость; неучтивость; невежливость; аморальность.
anfoesol *ans.* аморальный; распущенный; распутный; безнравственный; невежливый.
anfoesoldeb *g.* аморальность; распущенность; безнравственность.
anfon *be.* **anfon** *grch.2.un.*, **enfyn** *pres.3.un.* отправить; слать; прислать; присылать; послать; отправлять; посылать; отсылать; ниспосылать; насылать; подослать; высылать; выслать.
anfoneb *b.* **anfonebau** *ll.* фактура (*счет-фактура*); счёт.
anfonedig *ans.* посланный.
anfonedigaeth *g.* **anfonedigaethau** *ll.* миссия.
anfoneddigaidd *ans.* низкий; подлый.
anfonheddig *ans.* подлый.
anfoniad *g.* **anfoniadau** *ll.* отправка.
anfonog *g.* **anfonogion** *ll.* делегат.
anfri *g.* ❶ бесчестье; позор. ❷ непочтительность; неуважение. ❸ опала; немилость.
anfucheddol *ans.* аморальный; распущенный; распутный; безнравственный.
anfuddiol *ans.* убыточный; нерентабельный; невыгодный.
anfwriadol *ans.* неумышленный; непреднамеренный.
anfwyn *ans.* ❶ недобрый; невежливый; злой; грубый. ❷ невыгодный.
anfynud *ans.* недобрый; неучтивый; неотёсанный; неделикатный; невоспитанный; невежливый; грубый.
anfynych *ans.* редкий.
anfytynaidd *ans.* ❶ злодейский. ❷ неуклюжий; неловкий.
anfyw *ans.* неживой; безжизненный.
anfywiol *ans.* неподвижный; неодушевленный; неживой; инертный; безжизненный; бездеятельный; бездействующий.
anffaeledig *ans.* непогрешимый; надёжный; безошибочный.
anffaeledigrwydd *g.* непогрешимость.
anffafriol *ans.* неблагоприятный; неблагосклонный.
anffawd *b.* **anffodion** *ll.* напасть; неудача; несчастье; злоключение.
anffodus *ans.* неудачный; несчастный; несчастливый.
anffortunus *ans.* несчастливый; неудачный; несчастный.
anffrwythlon *ans.* бесплодный; неплодородный.
anffurf *g.* **anffurfiau** *ll.* обезображивание; уродство.
anffurfiad *g.* **anffurfiadau** *ll.* уродство; обезображивание.
anffurfio *be.* изуродовать; уродовать; портить; обезображивать; искажать; деформировать.
anffurfiol *ans.* ❶ деформированный. ❷ неформальный; неофициальный.
anffyddiaeth *b.* неверие; атеизм; безбожие.
anffyddiwr *g.* **anffyddwyr** *ll.* атеист; неверующий; неверный.
anffyddlon *ans.* вероломный; неверный.
anffyddlondeb *g.* неверие; предательство; неверность.
anffynadwy *ans.* безуспешный; неудачный.
anffynedig *ans.* безуспешный; неудачный; неудачливый.
anffyniannus *ans.* неблагополучный; неудачный; неудачливый; безуспешный.
anhaeddiannol *ans.* незаслуженный.
anhaeddol *ans.* незаслуженный.
anhael[1] *ans.* скаредный.
anhael[2] *g.* **anhaelau** *ll.* скупец; скряга.
anhaeledd *g.* скупость.
anhapus *ans.* несчастливый; несчастный; неудачный.
anhardd *ans.* некрасивый; уродливый; отталкивающий; непристойный; неподобающий; безобразный.

anharddu *be.* портить; делать некрасивым.
anharddwch *g.* некрасивость.
anhawdd[1] *ans.* непростой; затруднительный.
anhawdd[2] *ans.* **anhaws** *cmhr.*, **anhawsaf** *eith.*, **anhawsed** *cfrt.* трудный; тяжёлый.
anhawddgar *ans.* неприветливый; противный; неприятный; непривлекательный.
anhawster *g.* **anawsterau** *ll.* трудность; препятствие; затруднение.
anheddfa *b.* **anheddfaoedd** *ll.*, **anheddfeydd** *ll.* жилище; местопребывание; местожительство.
anheddfan *gb.* местопребывание; жилище.
anheddfod *gb.* жилище; местопребывание.
anheddle *g.* **aneddleoedd** *ll.* местопребывание; местожительство; жилище.
anheddol *ans.* обитаемый.
anheddu *be.* поселить; заселять.
anheddwch *g.* спор; ссора; раздор.
anhepgor[1] *ans.* необходимый; обязательный.
anhepgor[2] *g.* **anhepgorion** *ll.* то, что необходимо.
anhepgorol[1] *ans.* необходимый; обязательный.
anhepgorol[2] *ans.* неотъемлемый; необходимый.
anhraethadwy *ans.* невыразимый; неописуемый.
anhraethol *ans.* несказанный; невыразимый.
anhrefn *gb.* анархия; беспорядок; замешательство; неразбериха; путаница; расстройство; смятение; хаос.
anhrefnus *ans.* неопрятный; неаккуратный; беспорядочный.
anhreiddiol *ans.* непроницаемый.
anhreuliedig *ans.* ❶ непереваренный. ❷ неперевариваемый.
anhringar *ans.* неуправляемый.
anhrugarog *ans.* немилосердный; беспощадный; безжалостный.
anhudded *g.* покрывало.
anhuddo *be.* накрывать; укрывать; покрывать.
anhuddol *ans.* закрытый; укрытый.
anhun *g.* бессонница; бодрствование.
anhunawd *ans.* неспящий.
anhunedd *g.* беспокойство; бессонница.
anhunog *ans.* бессонный.
anhunol *ans.* бессонный.
anhwyl *g.* **anhwyliadau** *ll.*, **anhwyliau** *ll.* недомогание; болезнь.
anhwyldeb *g.* **anhwyldebau** *ll.* недомогание; расстройство; нездоровье; недуг; болезнь.
anhwylder *g.* **anhwylderau** *ll.* недомогание; расстройство; нездоровье; недуг; болезнь.
anhwylus *ans.* ❶ больной; нездоровый. ❷ неудачный. ❸ бесполезный. ❹ беспорядочный. ❺ неуправляемый. ❻ неловкий.
anhwyluso *be.* ухудшить; помешать.
anhwylustod *g.* недомогание; неудобство; нездоровье; болезнь; беспокойство.
anhyblyg *ans.* несгибаемый; упрямый; упорный; непреклонный; непоколебимый; косный; жёсткий.
anhydawdd *ans.* нерастворимый.
anhyder *g.* ❶ неуверенность; скромность; робость; застенчивость. ❷ сомнение; недоверие.
anhyderus *ans.* робкий; скромный; пугливый; осторожный; нерешительный; застенчивый.
anhydraidd *ans.* непроницаемый.
anhydrig *ans.* нежилой; необитаемый.
anhydrin *ans.* неуправляемый.
anhydwf *ans.* короткий; невысокий.
anhydyn *ans.* неподатливый; упрямый; упорный; трудновоспитуемый; непокорный; настойчивый.
anhydynder *g.* упрямство; упорство; настойчивость.
anhydynrwydd *g.* несговорчивость; упрямство; упорство; настойчивость.
anhyddwyn *ans.* невыносимый.
anhyddysg *ans.* несведущий; неопытный; неискусный; невежественный.
anhyfedr *ans.* ❶ неловкий; неуклюжий. ❷ непонятный.
anhyfreg *ans.* безупречный; идеальный; безукоризненный.
anhyfryd *ans.* неприятный; отталкивающий.
anhyfrydu *be.* ❶ огорчаться. ❷ беспокоиться. ❸ делать неприятным.
anhyfrydwch *g.* ❶ огорчение; печаль; кручина. ❷ непривлекательность.
anhyffordd *ans.* ❶ неумелый. ❷ упрямый. ❸ непроходимый; неприступный; недосягаемый; недоступный. ❹ непрямой.
anhygar *ans.* неприятный; отталкивающий.
anhyglyw *ans.* неслышный.
anhygoel *ans.* неслыханный; неправдоподобный; невероятный.
anhygof *ans.* ❶ незапамятный. ❷ незабываемый.
anhygyreb *ans.* недоступный.
anhylaw *ans.* ❶ неуклюжий. ❷ громоздкий. ❸ злой; дурной.

anhyludd *ans.* неудержимый.
anhylwydd *ans.* несчастный.
anhynod *ans.* неясный.
anhysbys *ans.* неведомый; анонимный; безымянный; неизвестный; неискусный, неопытный; несведущий.
anhysbysrwydd *g.* ❶ неуверенность; неопределённость; неизвестность. ❷ анонимность.
anhywaith *ans.* неподатливый; упрямый; упорный; непокорный.
anial[1] *ans.* ❶ пустынный; запущенный; дикий; безлюдный. ❷ одинокий. ❸ ужасный. ❹ хороший; прекрасный; превосходный.
anial[2] *g.* пустыня.
anialdir *g.* **anialdiroedd** *ll.* пустыня.
anialu *be.* опустошать; разорять.
anialwch *g.* ❶ пустыня. ❷ мусор.
anian *b.* **anianau** *ll.* ❶ природа. ❷ сущность; натура; естество; дух. ❸ инстинкт. ❹ сперма.
anianaeth *b.* ❶ физика. ❷ физиология.
anianawd *g.* темперамент; характер; нрав.
anianeg *b.* физиология.
anianol *ans.* ❶ врождённый; присущий; природный; натуральный; естественный. ❷ обычный; нормальный. ❸ телесный. ❹ законнорожденный. ❺ наследственный. ❻ великий. ❼ ужасный.
anianydd *g.* **anianyddion** *ll.* натуралист; философ; физик; естествоиспытатель.
anianyddol *ans.* физиологический; физический; телесный; материальный.
aniawn *ans.* ❶ согбенный; сгорбленный; непрямой; кривой; изогнутый. ❷ ошибочный; неправильный. ❸ нечестный; несправедливый.
anifail *g.* **anifeiliaid** *ll.* зверь; животное.
anifeilaidd *ans.* животный; звероподобный; зверский.
anifeileiddio *be.* зверствовать.
anifeilig *ans.* зверский; скотский; животный; звериный.
anifeilyn *g.* зверушка.
anlwc *g.* несчастье; неудача; беда.
anlwcus *ans.* несчастливый; неудачный.
anllad *ans.* страстный; похотливый; распутный; сладострастный.
anlladrwydd *g.* распутство.
anlladu *be.* распутничать.
anllathraid *ans.* невежливый; неучтивый; невоспитанный.
anllosgadwy *ans.* огнестойкий; негорючий.
anllygradwy *ans.* ❶ неподкупный. ❷ вечный.
anllygredig *ans.* ❶ неиспорченный. ❷ вечный.
anllygredigaeth *b.* ❶ неподкупность; непорочность. ❷ бессмертие.
anllythrennog *ans.* неграмотный; необразованный.
anllywodraeth *b.* беспорядок; анархия.
annatod *ans.* нерасторжимый; нерастворимый; цельный; не могущий быть распутанным.
annatodol *ans.* нерастворимый.
annaturiol *ans.* ❶ неестественный; противоестественный. ❷ чудовищный.
annaturus *ans.* вспыльчивый; сварливый; раздражительный; брюзгливый.
annealladwy *ans.* непонятный; неразборчивый.
anneallus *ans.* ❶ непонятливый; неумный; невежественный. ❷ непонятный.
annedwydd *ans.* несчастливый.
annedwyddwch *g.* несчастье.
annedd *gb.* **anheddau** *ll.* жилище; местопребывание; проживание.
anneddfol *ans.* беззаконный.
annefnyddiol *ans.* ❶ непригодный; бесполезный. ❷ невещественный; бестелесный.
anneilwng *ans.* недостойный.
annel *b.* **anelau** *ll.*, **anelion** *ll.* ❶ силок; ловушка; капкан; западня. ❷ цель; прицеливание. ❸ натягивание; натяжение. ❹ подставка; подпорка; опора. ❺ состояние; вид.
annelwig *ans.* ❶ бесформенный. ❷ смутный; неясный. ❸ ужасный.
anner *b.* **aneirod** *ll.*, **annerau** *ll.*, **anneri** *ll.* нетель; тёлка.
annerbyniol *ans.* неприемлемый.
annerch[1] *be.* обратиться; здороваться; обращаться; приветствовать; салютовать.
annerch[2] *g.* **anerchiadau** *ll.*, **anerchion** *ll.* обращение; приветствие.
annethau *ans.* ❶ неловкий; неуклюжий. ❷ грубый.
annewisol *ans.* нежелательный.
annhangnefedd *g.* война.
annhebyg *ans.* несходный; непохожий.
annhebygol *ans.* маловероятный; неправдоподобный; невероятный.
annhebygolrwydd *g.* неправдоподобие; невероятность; контраст; непохожесть; разница.
annhebygrwydd *g.* неправдоподобие; непохожесть; неравенство; разница.
annheg *ans.* нечестный; несправедливый.
annhegwch *g.* несправедливость.
annheilwng *ans.* недостойный.

annheilyngdod *g.* негодность.
annherfynol *ans.* бесконечный; несметный; нескончаемый; неопределённый; бесчисленный; безграничный.
annhiriog *ans.* безземельный.
annhirion *ans.* неприятный; ужасный; жестокий; бессердечный; безжалостный.
annhosturiol *ans.* беспощадный; немилосердный; безжалостный.
annhuedd *b.* неохота; нерасположение; нежелание.
annhueddol *ans.* ❶ неохотный. ❷ нейтральный.
annhyciannol *ans.* бесполезный; тщетный; бесплодный.
annhyciannus *ans.* бесполезный; тщетный; бесплодный.
annhyciant *g.* **annhyciannau** *ll.* неуспех; провал; неудача.
annhyfiant *g.* ❶ атрофия. ❷ аплазия. ❸ стагнация.
annhymer *b.* **annhymerau** *ll.*, **annhymeroedd** *ll.* болезнь; нездоровье.
annhymerus *ans.* больной; нездоровый.
annhymig *ans.* преждевременный.
annïau *ans.* неясный; сомнительный.
anniben *ans.* ❶ бесконечный. ❷ медленный. ❸ неопрятный. ❹ неопределённый. ❺ безнадёжный.
annibendod *g.* ❶ бесконечность. ❷ нежелание. ❸ беспорядок; неопрятность; неаккуратность. ❹ неопределённость.
annibyniaeth *b.* независимость.
annibynnol *ans.* независимый.
annibynnus *ans.* независимый.
Annibynnwr *g.* **Annibynnwyr** *ll.* конгрегационалист.
annichellgar *ans.* бесхитростный; простодушный; незамысловатый.
annichon *ans.* невозможный; невыполнимый; невероятный.
annichonadwy *ans.* невозможный; невыполнимый; невероятный.
anniddan *ans.* плохой; убогий; печальный; несчастный; жалкий.
anniddig *ans.* брюзгливый; капризный; раздражимый; раздражительный; сварливый.
anniddigrwydd *g.* ❶ тревога; беспокойство. ❷ сварливость.
anniddos *ans.* ❶ неуютный. ❷ протекающий; негерметичный.
annifai *ans.* злой; дурной; небезукоризненный; небезупречный.
annifeiriol *ans.* неисчислимый; бесчисленный; бессчётный.
annifer *ans.* неисчислимый; бесчисленный; бессчётный.
anniflanedig *ans.* неувядающий; неувядаемый; непреходящий.
annifyr *ans.* неприятный; жалкий.
annifyrrwch *g.* страдание.
annigonedd *g.* недостаточность.
annigonol *ans.* недостаточный.
annigonolrwydd *g.* ❶ несоответствие; несоразмерность; недостаточность. ❷ неудовлетворённость.
annileadwy *ans.* несмываемый; неизгладимый.
annilys *ans.* фальшивый; сомнительный; подозрительный; подложный; ошибочный; неправильный; неопределённый; ложный; лживый.
annillyn *ans.* некрасивый; неуклюжий; неподобающий.
anninasaidd *ans.* варварский; невежливый.
anninasol *ans.* варварский.
annioddefol *ans.* нестерпимый; несносный; невыносимый.
anniogel *ans.* небезопасный; ненадёжный.
anniolch *g.* ❶ неблагодарность. ❷ упрёк; укор; порицание; выговор.
anniolchgar *ans.* неблагодарный.
anniolchgarwch *g.* неблагодарность.
annirnadwy *ans.* непонятный; непостижимый; необъяснимый.
annisgrifadwy *ans.* неописуемый.
annisgwyl *ans.* внезапный; неожиданный; непредвиденный.
annisgwyliadwy *ans.* неожиданный; непредвиденный; внезапный.
anniwair *ans.* невоздержанный; распутный; похотливый; несдержанный; непристойный.
anniwall *ans.* ❶ ненасытный; жадный. ❷ неудовлетворительный.
anniwarth *ans.* постыдный; позорный.
anniweirdeb *g.* невоздержанность; неверность; разврат; похоть; проституция.
anniwylliedig *ans.* некультурный; невоспитанный; невозделанный.
annoeth *ans.* неблагоразумный.
annoethineb *g.* неосторожность; опрометчивость; недомыслие; неблагоразумие; глупость; безумие; безрассудство.
annof *ans.* дикий; необузданный.
annog *be.* **annog** *grch.2.un.*, **annog** *pres.3.un.*, **ennyg** *pres.3.un.* подбивать; советовать; возбуждать; заклинать; побуждать; подгонять; подстрекать; понуждать; убеждать; увещевать.
annormal *ans.* анормальный; ненормальный.
annos *be.* ❶ натравливать. ❷ преследовать. ❸ гнать. ❹ побуждать; науськи-

вать; подстрекать. ❺ освистывать; высмеивать.
annosbarth[1] *ans.* неорганизованный; необузданный; недисциплинированный; неаккуратный; беспорядочный.
annosbarth[2] *g.* беспорядок.
annosbarthus *ans.* непослушный; недисциплинированный; неаккуратный; беспорядочный.
annuw *g.* **annuwiaid** *ll.* атеист.
annuwiad *g.* **annuwiaid** *ll.* атеист.
annuwiaeth *b.* атеизм.
annuwiol *ans.* безбожный.
annuwioldeb *g.* безбожие.
annwfn *g.* ❶ иной мир. ❷ ад.
annwn *g.* ❶ иной мир. ❷ ад.
annwyd[1] *g.* **annwydon** *ll.*, **anwydau** *ll.* простуда.
annwyd[2] *b.* энтузиазм; эмоция; чувство; страстность; пыл; натура; естество; возбуждение.
annwyl *ans.* славный; милый; любимый; дорогой; возлюбленный.
annyledus *ans.* неподходящий; неправильный; неправомерный; несвоевременный; несправедливый; чрезмерный.
annymunol *ans.* отталкивающий; неприятный.
annynol *ans.* ❶ нечеловеческий; бесчеловечный; жестокий. ❷ сверхчеловеческий. ❸ женоподобный.
annysgedig *ans.* необразованный; неученый; неграмотный.
annywenydd *g.* грусть; уныние; печаль.
anobaith *g.* безысходность; отчаяние.
anobeithio *be.* отчаяться; отчаиваться.
anobeithiol *ans.* безнадёжный.
anochel *ans.* неизбежный; неминуемый.
anocheladwy *ans.* неизбежный; неминуемый.
anodd *ans.* **anaws** *cmhr.*, **anhaws** *cmhr.*, **anhawsaf** *eith.*, **anhawsed** *cfrt.*, **anos** *cmhr.* тяжкий; тяжёлый; трудный. **mae'n anodd dweud** трудно сказать.
anoddefgar *ans.* нетерпимый; нетерпеливый.
anoddun[1] *ans.* бездонный.
anoddun[2] *g.* ❶ бездна; пучина; пропасть; глубь. ❷ темница.
anogaeth *b.* **anogaethau** *ll.* подстрекательство; побуждение; увещевание; призыв; стимулирование; убеждение.
anolrheinadwy *ans.* непостижимый.
anolygus *ans.* неприглядный.
anonest *ans.* мошеннический; нечестный.
anonestrwydd *g.* нечестность; обман; недобросовестность.
anorchfygol *ans.* непобедимый; непреодолимый; неотразимый; неопровержимый.
anorfod *ans.* ❶ непобедимый. ❷ неизбежный; неминуемый; непреодолимый.
anorffen *ans.* бесконечный; нескончаемый.
anorffenedig *ans.* ❶ бесконечный. ❷ неполный; несовершенный; незаконченный; незавершённый.
anorffennol *ans.* ❶ бесконечный. ❷ несовершенный; незавершённый.
anorffwys *ans.* беспокойный.
anorthrech *ans.* непобедимый.
anos *ans.* более сложный.
anrasol *ans.* непристойный; непривлекательный; некрасивый.
anrhaith *b.* **anrheithi** *ll.*, **anrheithiau** *ll.* ❶ добыча; богатство. ❷ разорение.
anrheg *b.* **anrhegion** *ll.* подарок; дар.
anrhegu *be.* подарить; вручать; дарить; даровать; одаривать; преподносить; вручить.
anrheithio *be.* отобрать; воровать; грабить; отбирать; портить; расхищать; накладывать арест на имущество в обеспечение долга.
anrhydedd *gb.* **anrhydeddau** *ll.* честь.
anrhydeddu *be.* ❶ удостаивать; награждать. ❷ почтить; почитать; чтить. ❸ возвышать.
anrhydeddus *ans.* достопочтенный; почётный; почтенный; уважаемый.
anrhydeddwr *g.* **anrhydeddwyr** *ll.* почитатель.
anrhywiol *ans.* асексуальный; бесполый.
ansad *ans.* неустойчивый.
ansadrwydd *g.* неустойчивость; непостоянство.
ansafadwy *ans.* неустойчивый; переменчивый; нетвёрдый; нестойкий; непостоянный; ненадёжный; изменчивый.
ansathredig *ans.* ❶ нехоженый. ❷ устарелый.
ansawdd *gb.* **ansoddau** *ll.* свойство; природа; качество.
ansefydlog *ans.* неустроенный; переменчивый; неустойчивый; нетвёрдый; нестойкий; непостоянный; ненадёжный; изменчивый.
ansefydlogi *be.* дестабилизировать.
ansicr *ans.* ненадёжный; неопределённый; неясный; подозрительный; сомнительный; неуверенный.
ansicrwydd *g.* неизвестность; неопределённость; неуверенность; сомнение; изменчивость.
ansoddair *g.* **ansoddeiriau** *ll.* прилагательное.
ansoddeiriol *ans.* относящийся к прилагательному.
ansoddi *be.* составлять.

ansyber *ans.* невежливый; неучтивый; неряшливый; неопрятный; невоспитанный; неаккуратный.
antelop *g.* антилопа.
anterliwt *gb.* **anterliwtiau** *ll.* интерлюдия.
anterliwtiwr *g.* **anterliwtwyr** *ll.* сочинитель интерлюдий.
anterth *g.* зенит; верх.
antiseptig *g.* антисептик.
antur *b.* **anturiau** *ll.* авантюра; покушение; попытка; приключение; риск.
anturiaeth *b.* **anturiaethau** *ll.* предприятие; авантюра; предприимчивость; предпринимательство; приключение.
anturiaethus *ans.* авантюрный; предприимчивый.
anturiaethwr *g.* **anturiaethwyr** *ll.* авантюрист; предприниматель.
anturio *be.* рисковать; отважиться; отваживаться.
anturus *ans.* ❶ авантюрный; рискованный; опасный. ❷ предприимчивый.
anthem *b.* **anthemau** *ll.* гимн.
anthropoleg *b.* антропология.
anudon *g.* **anudonau** *ll.* лжесвидетельство; клятвопреступление.
anudoniaeth *b.* **anudoniaethau** *ll.* лжесвидетельство; клятвопреступление.
anudonwr *g.* **anudonwyr** *ll.* лжесвидетель.
anufudd *ans.* непослушный; непокорный.
anufudd-dod *g.* непослушание; неповиновение.
anufuddhau *be.* ослушаться.
anundeb *g.* разъединение.
anuniongyrchol *ans.* опосредованный; косвенный; непрямой; окольный.
anunion[1] *ans.* окольный; непрямой; косвенный.
anunion[2] *ans.* нечестный; несправедливый.
anuniondeb *g.* несправедливость.
anurddo *be.* ❶ уродовать; пятнать; портить; опорочить; опозорить. ❷ уволить.
anwadal *ans.* ненадёжный; переменчивый; неустойчивый; нетвёрдый; нестойкий; непостоянный; изменчивый.
anwadalu *be.* дрогнуть; колебаться.
anwahanadwy *ans.* неразлучный; неразделимый; неотделимый.
anwahaniaethol *ans.* ❶ неразличимый; неразделимый. ❷ неразборчивый.
anwar[1] *g.* **anwariaid** *ll.* дикарь; варвар.
anwar[2] *ans.* дикий; варварский.
anwastad *ans.* изменчивый; ненадёжный; непостоянный; неровный; нестойкий; нетвёрдый; неуравновешенный; неустойчивый; нечётный; переменчивый; шероховатый.
anwe *b.* **anweoedd** *ll.* уток.
anwedd *g.* пар.
anweddu *be.* ❶ испаряться; испарять; выпаривать. ❷ уродовать.
anweddus *ans.* негодный; неподобающий; неподходящий; непорядочный; неправильный; неприличный; непристойный; неуместный.
anwel *ans.* невидимый; незримый.
anweledig *ans.* непредвиденный; невидимый; незаметный; незримый; неразличимый.
anwes *g.* **anwesau** *ll.* ❶ желание; прихоть; слабость. ❷ нежность; ласка. ❸ индульгенция. ❹ недовольство; возмущение; негодование.
anwesu *be.* погладить; баловать; гладить; изнеживать; ласкать; лелеять; потакать; потворствовать; нежить.
anwir *ans.* неверный (*не являющийся истинным*).
anwiredd *g.* **anwireddau** *ll.* беззаконие; зло; ложь; неверность; неправда; несправедливость; обман.
anwybodaeth *gb.* **anwybodaethau** *ll.* неведение; невежество; незнание.
anwybodus *ans.* ❶ невежественный. ❷ несведущий. ❸ неизвестный. ❹ бессознательный.
anwybyddu *be.* игнорировать.
anwydog *ans.* ❶ страстный; свирепый; горячий. ❷ прохладный; зябкий; холодный. ❸ простывший; простуженный.
anwydwst *b.* грипп; инфлюэнца.
anwylaeth *b.* ласка.
anymwybodol *ans.* бессознательный; невольный; нечаянный.
anysbryd *g.* **anysbrydoedd** *ll.* злой дух.
ap *g.* сын.
apêl *gb.* **apelau** *ll.*, **apelion** *ll.*, **apelydd** *ll.* апелляция.
apelio *be.* взывать.
apostol *g.* **apostolion** *ll.* апостол.
ar *ardd.* на; о; в; над.
âr *g.* ❶ грунт; земля; пашня; почва. ❷ сотка; ар.
arab *ans.* весёлый; живой; забавный; комический; милый; приятный; радостный; славный; смешной; шутливый; шуточный; юмористический.
arabedd *g.* несерьезность; шутка.
arabus *ans.* шутливый; смешной.
aradr *b.* **erydr** *ll.* плуг.
aradru *be.* пахать; орать; распахать; распахивать.
aradrwr *g.* **aradrwyr** *ll.* пахарь.
aradu *be.* пахать.

araf *ans.* неторопливый; медлительный; медленный.
arafaidd *ans.* неторопливый; постепенный; медлительный; медленный.
arafu *be.* замедлять.
arail[1] *ans.* оберегающий.
arail[2] *be.* охранять; сторожить; караулить; защищать; выхаживать.
araith *b.* **areithiau** *ll.* адрес; красноречие; предложение; фраза; выступление; говор; диалект; звучание; обращение; произношение; реплика; речь; язык.
arall *rh.* **eraill** *ll.* иной; другой.
aralleg *gb.* **arallegau** *ll.* аллегория.
araul *ans.* ❶ безоблачный; солнечный; ясный. ❷ тихий; спокойный.
arbed *be.* **arbed** *grch.2.un.*, **arbed** *pres.3.un.*, **erbyd** *pres.3.un.* пощадить; щадить; экономить; копить; беречь; спасать.
arbenigedd *g.* **arbenigeddau** *ll.* особенность; специальность.
arbenigo *be.* специализировать; специализироваться.
arbenigol *ans.* ❶ королевский; царственный; царский. ❷ исключительный; специфический; особенный; особый.
arbenigrwydd *g.* ❶ специальность; отличие; различие; особенность; оригинальность; индивидуальность; различение. ❷ превосходство. ❸ суверенитет. ❹ торжественность; серьёзность. ❺ ударение.
arbenigwr *g.* **arbenigwyr** *ll.* специалист.
arbennig *ans.* ❶ особый; специальный; особенный; нарочный. ❷ превосходный; главный. ❸ священный.
arbrawf *g.* **arbrofion** *ll.* демонстрация; доказательство; опыт; эксперимент.
arbrofi *be.* ❶ доказывать. ❷ экспериментировать.
arch[1] *b.* **eirch** *ll.* гроб; корабль; талия; туловище; ящик.
arch[2] *b.* **eirchion** *ll.* запрос; заявка; молитва; мольба; петиция; повеление; приглашение; призыв; приказание; просьба; прошение; спрос; требование; ходатайство.
archaeoleg *b.* археология.
archdderwydd *g.* **archdderwyddon** *ll.* старший друид.
archeb *b.* **archebion** *ll.* ❶ заказ. ❷ перевод (*денежный, почтовый*). ❸ приказ.
archebu *be.* заказать; заказывать.
archesgob *g.* **archesgobion** *ll.* архиепископ.
archfarchnad *b.* **archfarchnadoedd** *ll.* супермаркет.
archwaeth *b.* **archwaethau** *ll.* ❶ аппетит; охота. ❷ вкус.
archwaethu *be.* ❶ смаковать; попробовать; отведать; вкусить. ❷ пахнуть. ❸ приправить.
archwiliad *g.* **archwiliadau** *ll.* аудит; исследование; освидетельствование; осмотр; проверка; экспертиза.
archwilio *be.* расследовать; выяснять; допрашивать; изучать; исследовать; обследовать; опрашивать; ревизовать; проверять отчетность.
archwiliwr *g.* **archwilwyr** *ll.* аудитор; исследователь; ревизор.
ardal *b.* **ardaloedd** *ll.* зона; район; округ; область.
ardalydd *g.* **ardalyddion** *ll.* маркиз.
ardalyddes *b.* **ardalyddesau** *ll.* маркиза.
ardrethu *be.* ❶ облагать налогом. ❷ платить налог. ❸ сдавать в аренду. ❹ брать в аренду.
arddangos *be.* **arddangos** *grch.2.un.*, **arddengys** *pres.3.un.* ❶ выставить; выставлять; демонстрировать; показывать. ❷ означать; указывать.
arddangosfa *b.* **arddangosfeydd** *ll.* демонстрация; зрелище; показ; экспозиция; выставка.
arddel *be.* одобрять; заявлять; претендовать; признавать; требовать; утверждать.
ardderchog *ans.* превосходный; прекрасный; отличный; замечательный; великолепный; блестящий.
arddodiad *g.* **arddodiaid** *ll.* предлог.
arddu *be.* орать; бороздить; пахать.
arddull *b.* **arddulliau** *ll.* ❶ образ; форма. ❷ стиль; манера.
arddwrn *g.* **arddyrnau** *ll.* запястье.
aredig *be.* **ardd** *grch.2.un.*, **ardd** *pres.3.un.* орать; пахать.
areithfa *b.* кафедра; трибуна.
aren *b.* **arennau** *ll.* почка.
arestio *be.* арестовать; арестовывать.
arf *gb.* **arfau** *ll.* ❶ оружие. ❷ орудие.
arfaeth *b.* **arfaethau** *ll.* ❶ замысел; план; намерение; цель; умысел; воля. ❷ назначение. ❸ совет. ❹ приказ; постановление; указ; декрет. ❺ знамение.
arfaethu *be.* затевать; намереваться; планировать; подразумевать; предназначать; проектировать.
arfbais *b.* **arfbaisiau** *ll.* герб.
arfer[1] *gb.* **arferion** *ll.* практика; привычка; обычай.
arfer[2] *be.* **arfer** *grch.2.un.*, **arfer** *pres.3.un.* иметь обыкновение.
arferiad *g.* **arferiadau** *ll.* ❶ привычка; обыкновение; обычай. ❷ использование; употребление; применение. ❸ трениров-

ка; практика; упражнение. ❹ знакомство.

arferol *ans.* нормальный; обычный; обыкновенный; привычный; очередной.

arfog *ans.* вооружённый.

arfogaeth *b.* вооружение; оружие.

arfogi *be.* вооружать.

arfordir *g.* **arfordiroedd** *ll.* побережье.

arffed *b.* **arffedau** *ll.* ❶ лоно; пах; колени (*верхняя часть ног у сидящего человека*); живот. ❷ наружные женские половые органы; матка; гениталии. ❸ передник. ❹ подол. **arffed ffenestr** подоконник.

arffedog *b.* **arffedogau** *ll.* ❶ покровитель; защитник. ❷ попечитель; опекун. ❸ передник; фартук.

argae *g.* **argaeau** *ll.* ❶ плотина; насыпь; мол; запруда; заграждение; дамба; барраж. ❷ ограничение.

argaen *g.* **argaeniau** *ll.* фанера; шпон.

argan *g.* **arganeuon** *ll.*, **arganiadau** *ll.* жалоба; плач.

argeisio *be.* стремиться; разыскивать; искать; добиваться.

arglwydd *g.* **arglwyddi** *ll.* властелин; господь; господин; лорд; владыка; властитель; повелитель.

arglwyddes *b.* **arglwyddesau** *ll.* госпожа; леди.

argoel *b.* **argoelion** *ll.* ❶ знамение; предзнаменование; симптом; примета; признак; знак. ❷ обычай; верование; суеверие.

argoeliad *g.* **argoeliadau** *ll.* ❶ предсказатель. ❷ знак; примета; предзнаменование; знамение. ❸ фракция.

argraff *b.* **argraffau** *ll.*, **argraffion** *ll.* впечатление; отпечаток; оттиск; перепечатка; печатание; печать; тиснение; шрифт; штамп; эстамп.

argraffiad *g.* **argraffiadau** *ll.* ❶ печать; печатание; отпечаток; оттиск; тиснение. ❷ впечатление. ❸ издание; допечатка; перепечатка.

argraffu *be.* напечатать; отпечатывать; печатать; штамповать; штемпелевать.

argraffwasg *b.* печатный станок.

argyfwng *g.* **argyfyngau** *ll.*, **argyfyngoedd** *ll.* кризис.

argyhoeddi *be.* убеждать.

argyhoeddiad *g.* **argyhoeddiadau** *ll.* ❶ обвинение; упрёк; осуждение. ❷ убеждённость; уверенность; осознание (*греховности*). ❸ убеждение.

argyllaeth *g.* ❶ ностальгия; тоска. ❷ траур; печаль; скорбь.

argymell *be.* ❶ вынуждать; понуждать; принуждать; заставлять. ❷ побуждать; подстрекать. ❸ рекомендовать; советовать.

argymhelliad *g.* **argymhelliadau** *ll.* рекомендация; увещевание; побуждение.

arial *gb.* пыл; ретивость; темперамент; характер; храбрость; энергия.

arian *g.* серебро; деньги; валюта.

ariannaid *ans.* серебряный; серебристый; посеребрённый.

ariannaidd *ans.* серебристый.

Ariannin *e.* Аргентина.

ariannog *ans.* ❶ серебристый. ❷ богатый.

ariannol *ans.* финансовый; монетный; денежный; валютный.

ariannu *be.* серебрить.

arien *g.* ❶ роса. ❷ иней; изморозь.

arlais *b.* **arleisiau** *ll.* висок.

arloesi *be.* ❶ расчищать; очищать; освобождать. ❷ прокладывать путь.

arloeswr *g.* **arloeswyr** *ll.* первопроходец; пионер.

arloesydd *g.* **arloesyddion** *ll.* ❶ пионер; новатор; инициатор; зачинатель; первопроходец. ❷ слабительное.

arlunydd *g.* **arlunwyr** *ll.* художник.

arlwy *b.* **arlwyau** *ll.*, **arlwyon** *ll.* ❶ снабжение; обеспечение; приготовление; заготовление; подготовка. ❷ меню.

arlywydd *g.* **arlywyddion** *ll.* президент (*страны*).

arlliw *b.* **arlliwiau** *ll.* ❶ глазурь; лак; глянец. ❷ оттенок; тон. ❸ след; намёк. **welis i ddim arlliw ohono** я и намека на него не видал.

arllwys *be.* выливать; сорвать; срывать.

armes *b.* ❶ пророчество. ❷ бедствие.

arogl *g.* **aroglau** *ll.*, **arogleuau** *ll.*, **arogleuon** *ll.* душок; благоухание; аромат; запах.

arogleuo *be.* ❶ пахнуть. ❷ обонять; нюхать.

arogli *be.* ❶ нюхать; обонять; чуять. ❷ пахнуть; пахнуть.

arolwg *g.* **arolygon** *ll.* съёмка; промер; осмотр; обследование; обозрение; обзор; инспектирование.

arolygu *be.* осматривать; обозревать; надзирать; инспектировать; контролировать; проверять; смотреть; межевать.

arolygwr *g.* **arolygwyr** *ll.* инспектор; контролёр; наблюдатель; надзиратель; ревизор; руководитель; управляющий. **arolygwr tir** геодезист.

arolygydd *g.* **arolygyddion** *ll.* инспектор; контролёр; наблюдатель; надзиратель; руководитель; управляющий.

aros *be.* **aros** *grch.2.un.*, **erys** *pres.3.un.* ❶ ждать; дождаться; дожидаться; подо-

ждать; погодить; постоять. ❷ остановиться; остаться; жить; останавливаться; гостить; оставаться; задерживаться. ❸ стать.
arswyd *g.* страх; ужас.
arswydus *ans.* ❶ страшный; ужасный. ❷ испуганный; робкий.
artaith *b.* **arteithiau** *ll.* агония; мука; мучение; пытка; страдание.
artist *g.* артист; художник.
artistig *ans.* артистический; художественный.
arth *gb.* **eirth** *ll.* медведь.
arthes *b.* **arthesau** *ll.* медведица.
arthio *be.* ворчать; рычать; рявкать.
arthu *be.* рявкать; рычать; лаять; ворчать.
aruthrol *ans.* огромный; громадный; гигантский.
arwain *be.* **arwain** *grch.2.un.*, **arwain** *pres.3.un.* ввести; вводить; развести; разводить; отвести; отводить; завести; повести; провести; проводить; руководить; направлять; возглавлять; вести; заводить.
arweiniad *g.* путеводитель; руководитель; введение; водительство; интродукция; руководство.
arweinydd *g.* **arweinyddion** *ll.* ❶ руководитель; лидер; вождь. ❷ проводник; гид. ❸ дирижёр.
arwerthiant *g.* **arwerthiannau** *ll.* продажа.
arwisg *b.* **arwisgoedd** *ll.* мантия; плащ; покров.
arwisgiad *g.* **arwisgiadau** *ll.* инвеститура.
arwr *g.* **arwyr** *ll.* герой.
arwres *b.* **arwresau** *ll.* героиня.
arŵy[1] *gb.* **arŵyion** *ll.* знак.
arŵy[2] *b.* **arŵyion** *ll.* похороны.
arwydd *gb.* **arwyddion** *ll.* сигнал; знак.
arwyddair *g.* **arwyddeiriau** *ll.* ❶ лозунг; девиз. ❷ пароль.
arwyddo *be.* подписывать.
arwyddocâd *g.* смысл; значение.
arwyddocaol *ans.* важный; существенный; значительный; значимый; знаменательный.
arwynebedd *g.* ❶ поверхность. ❷ площадь. ❸ уровень. ❹ поверхностность.
arwynebol *ans.* ❶ поверхностный; внешний; неглубокий. ❷ квадратный.
arysgrif *b.* **arysgrifau** *ll.*, **arysgrifion** *ll.* ❶ надпись. ❷ эпиграф.
arholiad *g.* **arholiadau** *ll.* экзамен. **sefyll arholiad** сдавать экзамен.
arholwr *g.* **arholwyr** *ll.* обследователь; экзаменатор.
arhosfa *b.* **arosfeydd** *ll.* ❶ местопребывание; место жительства; местожительство. ❷ стоянка; место остановки; пребывание; место отдыха. ❸ передышка; остановка; пауза.
as *b.* ❶ туз. ❷ крупица; частица. ❸ осёл.
asen[1] *b.* **ais** *ll.*, **asennau** *ll.* ❶ ребро. ❷ прожилка; жила. ❸ шпангоут; нервюра. ❹ жена.
asen[2] *b.* **asennod** *ll.* осёл.
asgell *b.* **esgyll** *ll.* ❶ крыло. ❷ перо. ❸ фланг. ❹ плавник. ❺ ребро; спица; древко; копьё. **asgell fraith** зяблик.
asgellwr *g.* **asgellwyr** *ll.* крайний нападающий.
asgellwynt *g.* **asgellwyntoedd** *ll.* ветер (*боковой*).
asglodyn *g.* **asglod** *ll.*, **asglodion** *ll.* лучина; микросхема; ломтик; осколок; стружка; щепка. **pysgod a sglodion** рыба с жареной картошкой.
asgwrn *g.* **esgyrn** *ll.* кость.
asiantaeth *b.* **asiantaethau** *ll.* агентство. **Центральное Разведывательное Управление (ЦРУ)**.
asid *g.* кислота.
asiedydd *g.* **asiedyddion** *ll.* столяр.
astalch *b.* **estylch** *ll.* щит.
astell *b.* **estyll** *ll.*, **ystyllod** *ll.* доска; планка; полка; рейка.
astrus *ans.* двусмысленный; затруднительный; неопределённый; неприятный; неясный; скрытый; сомнительный; трудный; тяжёлый.
astrusi *g.* осложнение; двусмысленность; замешательство; неопределённость; неразбериха; неясность; путаница; смущение; смятение.
astud *ans.* внимательный. **gwrandewch yn astud!** слушайте внимательно!
astudiaeth *b.* **astudiaethau** *ll.* ❶ исследование; изучение. ❷ учёба. ❸ размышление.
astudio *be.* ❶ проходить; обдумывать; размышлять; исследовать; изучать; учиться; учить; изучить. ❷ задумывать; замышлять; задумать. ❸ пытаться.
asu *be.* соединять.
aswy *ans.* левый.
asyn *g.* **asynnod** *ll.* осёл.
at *ardd.* к.
atafaeliad *g.* конфискация; реквизиция.
atafaelu *be.* конфисковать; реквизировать.
atal[1] *g.* **atalion** *ll.* препятствие; помеха; задержка.
atal[2] *be.* **atal** *grch.2.un.*, **eteil** *pres.3.un.*, **etyl** *pres.3.un.* остановить; удерживать; препятствовать; останавливать; мешать.
atalglawdd *g.* **atalgloddiau** *ll.* баррикада.

atblygol *ans.* ❶ рефлексивный; рефлекторный. ❷ возвратный (*грам.*). ❸ ретрофлексный.
ateb[1] *g.* **atebion** *ll.* ответ.
ateb[2] *be.* **ateb** *grch.2.un.*, **ateb** *pres.3.un.*, **etyb** *pres.3.un.* ответить; отвечать.
atebiad *g.* **atebiadau** *ll.* ❶ ответ. ❷ тот, кто дает ответ.
atebol *ans.* ❶ ответственный. ❷ соответственный; ответный. ❸ надёжный.
atebwr *g.* **atebwyr** *ll.* тот, кто отвечает; ответчик.
ategu *be.* конфирмовать; поддерживать; подкреплять; подпирать; подтверждать; помогать; поощрять.
atfydd *adf.* возможно.
atgas *ans.* ❶ злобный; ненавистный; отвратительный; гнусный. ❷ удобный; удачный; удивительный; странный.
atgasedd *g.* ненависть; отвращение.
atgof *g.* **atgofion** *ll.* воспоминание.
atgofio *be.* ❶ припоминать; вспоминать; спохватиться. ❷ напоминать.
atgoffa *be.* напомнить; напоминать.
atgyfannu *be.* снова сделать целым.
atgyfnerthu *be.* укрепляться; подкреплять; укреплять; усиливать.
atgyfodi *be.* возобновлять; возрождать; воскресать; воскрешать; восстанавливать; оживать; оживлять.
atgyfodiad *g.* воскресение; воскрешение; восстановление.
atgynhyrchu *be.* воспроизводить.
atgyweirio *be.* чинить; ремонтировать; исправлять. **Mae eisiau i ti gael atgyweirio'r oriawr 'na, on'd oes?** Тебе надо починить эти часы, не так ли?
atlas *b.* атлас.
atodi *be.* прибавить; прибавлять; привешивать; прикреплять; прилагать; приложить; присоединять.
atodiad *g.* **atodiadau** *ll.* добавление; дополнение; прибавление; придаток; приложение.
atodlen *b.* **atodlenni** *ll.* вложение; дополнение; приложение.
atodol *ans.* вспомогательный; второстепенный; добавочный; дополнительный.
atom *gb.* **atomau** *ll.* атом.
atomfa *b.* **atomfâu** *ll.*, **atomfeydd** *ll.* атомная электростанция (АЭС)
atomig *ans.* атомный.
atsain *b.* **atseiniau** *ll.* отголосок; эхо.
atseinio *be.* раздаться; раздаваться; вторить; греметь; звучать; оглашать; повторять.
atyniad *g.* **atyniadau** *ll.* ❶ привлечение. ❷ привлекательность. ❸ притяжение; тяготение. ❹ аттракцион.
atyniadol *ans.* магнетический; заманчивый; привлекательный; притягательный.
athrawes *b.* **athrawesau** *ll.* учительница.
athrawiaeth *b.* **athrawiaethau** *ll.* ❶ обучение. ❷ доктрина; учение.
athro *g.* **athrawon** *ll.* учитель; профессор; преподаватель.
athrodi *be.* оговорить; оговаривать; дискредитировать; клеветать; позорить; поносить; порочить.
athrofa *b.* **athrofâu** *ll.*, **athrofeydd** *ll.* академия; университет; школа.
athrofaol *ans.* академический.
athroniaeth *b.* **athroniaethau** *ll.* философия.
athronydd *g.* **athronwyr** *ll.*, **athronyddion** *ll.* философ.
athronyddol *ans.* теоретический; философский.
athrylith *b.* **athrylithoedd** *ll.* гений; гениальность; изобретательность; интуиция; искусность; мастерство; одарённость; талант.
athrylithgar *ans.* гениальный; одарённый; талантливый.
au *g.* **euon** *ll.* печёнка; печень.
aur[1] *ans.* золотой; златой.
aur[2] *g.* золото; злато. **nid aur popeth melyn** не всё то золото, что блестит.
awchus *ans.* ❶ ревностный; пылкий; жадный; горячий. ❷ острый; остроконечный.
awdl *b.* **awdlau** *ll.*, **odlau** *ll.* ода.
awdlaidd *ans.* относящийся к одам.
awdur *g.* **awduriaid** *ll.*, **awduron** *ll.* автор; создатель; творец.
awduraidd *ans.* ❶ авторитетный; властный; сильный. ❷ классический.
awdurdod *g.* **awdurdodau** *ll.* начальство; власть; авторитет.
awdurdodedig *ans.* правомочный; авторизованный.
awdurdodi *be.* поручить; аккредитовать; поручать; разрешать; санкционировать; уполномочивать.
awdurdodol *ans.* авторитетный.
awdures *b.* **awduresau** *ll.* писательница.
awduriaeth *b.* авторство.
awdwr *g.* **awdwyr** *ll.* автор.
awel *b.* **awelon** *ll.* ветер.
awelan *b.* бриз.
awelog *ans.* ветреный.
awen *b.* **awenau** *ll.* ❶ муза. ❷ повод; вожжа.
awenog *ans.* поэтический; поэтичный.
awenol *ans.* мелодичный; поэтический; поэтичный.
awenydd *g.* **awenyddion** *ll.* гений; поэт.

awenyddes *b.* **awenyddesau** *ll.* поэтесса.
awenyddiaeth *b.* поэзия.
awenyddol *ans.* поэтический; стихотворный.
awenyddu *be.* писать стихи.
awgrym *g.* **awgrymau** *ll.*, **awgrymiadau** *ll.* ❶ предложение; намёк. ❷ кивок. ❸ способ. ❹ поведение. ❺ цифирь.
awgrymiad *g.* **awgrymiadau** *ll.* намёк; предложение; указание.
awgrymiadol *ans.* знаменательный; намекающий на что-л.
awgrymog *ans.* ❶ предлагающий. ❷ восстанавливающий в памяти; вызывающий мысли. ❸ неприличный; намекающий на что-л. непристойное.
awgrymu *be.* предложить; предлагать. **fyddai neb yn awgrymu mynd yn ôl i'r hen ddyddiau, na fydden nhw?** никто не предложит вернуться к прежним дням, не так ли?
awr *b.* **oriau** *ll.* час.
awrlais *g.* **awrleisiau** *ll.* часы.
awrlestr *g.* **awrlestri** *ll.* песочные часы.
awron *b.* сейчас.
Awst *g.* август.
awtocratig *ans.* автократический.
awtomatig *ans.* автоматический.
awydd *g.* **awyddau** *ll.* желание.
awyddfryd *g.* рвение.
awyddfrydig *ans.* нетерпеливый; горячий.
awyddu *be.* хотеть; желать.
awyddus *ans.* энергичный; усердный; рьяный; острый; нетерпеливый; желающий; горячий.
awyr *b.* небо; воздух.
awyrdrom *b.* **awyrdromau** *ll.* аэродром.
awyren *b.* **awyrennau** *ll.*, **awyrenni** *ll.* самолёт; аэроплан.
awyrendy *g.* **awyrendai** *ll.* ангар.
awyrenfa *b.* **awyrenfeydd** *ll.* аэродром.
awyrennwr *g.* **awyrennwyr** *ll.* авиатор; лётчик; пилот.
awyrgylch *gb.* **awyrgylchau** *ll.*, **awyrgylchoedd** *ll.* атмосфера.
awyrgylchol *ans.* атмосферный.
awyriad *b.* вентиляция; проветривание.
awyrlong *b.* **awyrlongau** *ll.* дирижабль.
awyro *be.* проветривать.
awyrol *ans.* воздушный; эфирный; надземный.
awyru *be.* вентилировать.

B

baban *g.* **babanod** *ll.* младенец.
babandod *g.* младенчество.
bacas *b.* **bacasau** *ll.*, **bacsiau** *ll.* лосины.
baco *g.* табак.
bach[1] *gb.* **bachau** *ll.* петля; крюк.
bach[2] *ans.* **llai** *cmhr.*, **lleiaf** *eith.*, **lleied** *cfrt.* небольшой; мелкий; малый; маленький.
bachell *b.* **bachellau** *ll.*, **bachellion** *ll.* ❶ закоулок; угол; уголок. ❷ бухточка. ❸ бросок; приём; захват. **bachell ysgwydd** бросок через плечо.
bachgen *g.* **bechgyn** *ll.* мальчик; мальчишка; сын.
bacho *be.* ❶ схватить; поймать; подцепить; ловить; зацеплять; красть. ❷ прицеплять; застёгивать. ❸ искривить; согнуть; сгибать; гнуть.
bachog *ans.* ❶ крючковатый. ❷ острый; колкий. ❸ язвительный. ❹ извилистый; кривой.
bachu *be.* ❶ прицеплять; зацеплять; подцепить; застёгивать. ❷ ловить; поймать; схватить. ❸ красть. ❹ сцепиться. ❺ сгибать; изгибать; гнуть. ❻ прятаться; скрываться. ❼ красться.
bachyn *g.* **bachau** *ll.* крючок.
bad *g.* **badau** *ll.* ❶ лодка. ❷ чума; мор.
badd *g.* **baddau** *ll.* баня; ванна; купание.
bae *g.* **baeau** *ll.* залив.
baedd *g.* **baeddod** *ll.* вепрь; кабан; хряк.
baeddu *be.* ❶ побеждать; стучать; травить; ударять; мордовать; побивать; выколачивать; колотить; исколотить; отдубасить; избить; бить. ❷ запятнать; грязнить; загрязнять; пачкать.
baeol *g.* **baeolau** *ll.* бадья; ведро; горшок; ковш; котелок; кувшин; черпак.
bagad *gb.* **bagadau** *ll.* гроздь; кисть; группа; компания; множество; паства; пачка; пучок; рой; связка; скопление; сонм; стадо; стая; толпа.
bagadu *be.* толпиться; тесниться.
bagl *b.* **baglau** *ll.* ❶ посох. ❷ клюка; костыль. ❸ подпорка. ❹ нога; ножка. ❺ рукоятка; ручка. ❻ стебель.
baglor *g.* **baglorion** *ll.* бакалавр.
baglu *be.* ❶ спотыкаться; запинаться; оступаться; споткнуться. ❷ удирать.
bangor *gb.* **bangorau** *ll.*, **bengyr** *ll.* ❶ плетень. ❷ монастырь. ❸ колледж.
bangoren *b.* плетень.
bai *g.* **beiau** *ll.* дефект; ошибка; промах; вина; недостаток.
baich *g.* **beichiau** *ll.* ноша; нагрузка; груз; бремя.
bal *ans.* ❶ белолобый (*о лошади*). ❷ бестолковый; глупый; дурацкий; тупой.
bala *g.* исток (*реки из озера*).
balcon *g.* балкон.
balch *ans.* **beilch** *ll.*, **beilchion** *ll.* счастливый; радостный; довольный; гордый; горделивый.
balchder *g.* высокомерие; гордость; гордыня; достоинство; надменность; самонадеянность; слава; спесь; тщеславие.
balog *b.* **balogau** *ll.* ❶ язык пряжки. ❷ ширинка.
balŵn *gb.* **balŵnau** *ll.* воздушный шар.
ballasg[1] *g.* дикобраз.
ballasg[2] *g.* скорлупа; кожура.
bambŵ *g.* бамбук.
ban[1] *ans.* развязный; резкий; шумливый; шумный; величественный; возвышенный; высокомерный; горделивый; громкий; звучный; крикливый; кричащий; надменный.
ban[2] *gb.* **bannau** *ll.* ❶ вершина; пик. ❷ уголок; угол. ❸ часть; четверть.
banana *b.* **bananâu** *ll.* банан.
banc[1] *g.* **banciau** *ll.* банк.
banc[2] *g.* **bencydd** *ll.* курган.
bancr *g.* гобелен.
band *g.* **bandau** *ll.*, **bandiau** *ll.* ❶ обод; обруч; околыш; поясок. ❷ связь. ❸ диапазон.
baner *b.* **banerau** *ll.*, **baneri** *ll.* знамя; стяг.
banhadlen *b.* **banadl** *ll.* ракитник.
banllef *b.* **banllefau** *ll.* крик.
bannig *g.* **banigion** *ll.* ❶ целая нота. ❷ половинная нота.
bannod *b.* **banodau** *ll.* артикль; часть; пункт; предложение; линия; клаузула.
banon *b.* **banonau** *ll.* ❶ королева; царица. ❷ девушка; девица.
bar *g.* **barrau** *ll.* ❶ прут; брусок; стержень; станок (*балетный*); гриф. ❷ засов. ❸ бар; стойка. ❹ суд; суждение. ❺ адвокатура. ❻ скамья подсудимых. ❼ отмель. ❽ тактовая черта. **bar bws** шина (*в электрике*).
bara *g.* хлеб.
barbio *be.* подстригать.
barcud *g.* **barcudiaid** *ll.* ❶ коршун. ❷ воздушный змей.
bardd *g.* **beirdd** *ll.* бард; поэт. **gwlad beirdd a chantorion** земля поэтов и певцов.
barddol *ans.* поэтический; поэтичный.
barddoni *be.* писать стихи.
barddoniaeth *b.* поэзия.

barddonol *ans.* поэтический; поэтичный; стихотворный.
barf *b.* **barfau** *ll.* борода.
bargen *b.* **bargeinion** *ll.*, **bargeniau** *ll.*, **bargenion** *ll.* участок в свинцовой шахте
или сланцевой каменоломне, сдаваемый в аренду рабочим; дешево купленная
вещь; покупка (*выгодная*).
baril *gb.* **barilau** *ll.* ❶ бочка; бочонок; баррель. ❷ брюхо. ❸ дуло; ствол. ❹ барабан; вал. ❺ цилиндр.
bario *be.* ❶ понести; убегать; удирать. ❷ исключить; исключать; отстранять; преграждать.
barn *b.* **barnau** *ll.* мнение; приговор.
barnol *ans.* ❶ судебный; судейский; судный. ❷ обвинительный; критический. ❸ осуждённый. ❹ досадный; надоедливый.
barnu *be.* **barn** *grch.2.un.*, **barn** *pres.3.un.*, **beirn** *pres.3.un.* полагать; приговаривать; присуждать; судить; считать.
barnwr *g.* **barnwyr** *ll.* судья.
barrug *g.* изморозь; иней.
barus *ans.* ❶ злой. ❷ упрямый. ❸ жадный; ненасытный; прожорливый.
barwn *g.* **barwniaid** *ll.* барон.
bas[1] *ans.* басовый; низкий.
bas[2] *g.* **basau** *ll.* бас.
bas[3] *ans.* **bais** *ll.*, **beis** *ll.* неглубокий; мелкий.
basle *g.* **basleoedd** *ll.* банка; мелководье; мель.
basn *g.* **basnau** *ll.*, **basnys** *ll.* ❶ таз; чаша. ❷ бассейн.
bastard *g.* **bastardiaid** *ll.* бастард.
bastardiaeth *b.* рождение ребёнка вне брака.
bastardyn *g.* **bastardiaid** *ll.* ублюдок.
bastart *g.* **bastartiaid** *ll.* бастард.
bataliwn *g.* батальон.
bath *g.* **bathau** *ll.* ❶ подобие. ❷ образ; вид. ❸ разряд; вид; класс; сорт; род; разновидность. ❹ штамп; след; клеймо; отпечаток; медаль; монета; печать; оттиск; штемпель. ❺ деньги. ❻ ванна.
bathodyn *g.* **bathodau** *ll.*, **bathodynnau** *ll.* знак; значок.
bathu *be.* выбивать; чеканить; штамповать.
baw *g.* навоз; помёт; грунт; грязь; земля; почва.
bawd *gb.* **bodau** *ll.*, **bodiau** *ll.* палец (*большой*).
becso *be.* заботиться.
bedwen *b.* **bedw** *ll.* берёза.
bedydd *g.* **bedyddiau** *ll.* крещение.
bedyddio *be.* крестить.
Bedyddiwr *g.* **Bedyddwyr** *ll.* ❶ креститель. ❷ баптист.
bedd *g.* **beddau** *ll.*, **beddi** *ll.* могила.
Beibl *g.* **Beiblau** *ll.* библия.
Beiblaidd *ans.* библейский.
beic *g.* **beics** *ll.* велосипед.
beichio *be.* всхлипывать; рыдать.
beichiog *ans.* беременная; беременный.
beichiogi[1] *g.* **beichiogieiau** *ll.* ❶ утробный плод. ❷ беременность.
beichiogi[2] *be.* забеременеть; понести; зачать.
beichiogrwydd *g.* беременность.
beichus *ans.* обременительный; тягостный.
beiddgar *ans.* бесстрашный; дерзкий; отважный; смелый.
beiddio *be.* **baidd** *grch.2.un.*, **baidd** *pres.3.un.* сметь; осмеливаться; отваживаться; рисковать.
beio *be.* обвинять; осуждать; порицать; винить.
beirniad *g.* **beirniaid** *ll.* ❶ критик. ❷ арбитр; судья.
beirniadaeth *b.* **beirniadaethau** *ll.* критика.
beirniadol *ans.* критический.
beirniadu *be.* критиковать; порицать; судить.
beisle *g.* **beisleoedd** *ll.* мелководье.
beiston *b.* **beistonnau** *ll.* ❶ взморье; пляж. ❷ прибой.
bela *g.* **belâu** *ll.* белена (*черная*).
belau *g.* **bylau** *ll.* ❶ куница; соболь; ласка; хорёк. ❷ волк.
bellach *adf.* сейчас; тогда.
ben *b.* **benni** *ll.* повозка; подвода; телега; тележка; фургон.
bendigaid *ans.* блаженный; замечательный.
bendigedig *ans.* блаженный; замечательный; благословенный; сказочный; чудесный.
bendith *b.* **bendithion** *ll.* ❶ благословение. ❷ блаженство.
bendithio *be.* благословлять; освящать; славословить.
bendithiol *ans.* благословляющий.
benthyca *be.* занять; заимствовать; занимать; одалживать; ссужать.
benthyciad *g.* **benthyciadau** *ll.* ссуда; заимствование; заём.
benthycio *be.* одалживать; занимать; заимствовать.
benthyg[1] *ans.* ссудный; кредитный; заемный.
benthyg[2] *g.* заём; заимствование; ссуда.
benyw[1] *ans.* женский.
benyw[2] *b.* **benywod** *ll.* женщина.

benywaidd *ans.* женский; женственный; женоподобный.
bêr *gb.* **berau** *ll.*, **beri** *ll.* дротик; копьё.
berem *g.* дрожжи; закваска.
berf *b.* **berfau** *ll.* глагол.
berfa *b.* **berfâu** *ll.*, **berfeydd** *ll.* тачка.
berth *ans.* дорогой; красивый; превосходный; прекрасный; ценный.
berw[1] *ans.* кипящий.
berw[2] *g.* **berwon** *ll.* кипение; кипячение.
berwi *be.* бурлить; кипеть.
bet *b.* **betiau** *ll.*, **betys** *ll.* ❶ пари. ❷ ненависть.
betws *g.* капелла; молельня; часовня.
betysen *b.* **betys** *ll.* свёкла.
beth *rh.* что. **beth ddigwyddodd?** что случилось? **beth ydy hwn?** что это? **beth sy'n digwydd?** что происходит? **beth mae'ch brawd yn wneud dyddiau 'ma?** что ваш брат делает в эти дни? **beth bynnag dych chi eisiau, ewch ag e nawr** чего бы вы не хотели, возьмите это сейчас. **bydd hi'n rhy hwyr erbyn hyn, beth bynnag** всё равно сейчас будет уже поздно.
beudy *g.* **beudai** *ll.*, **beudyau** *ll.* хлев; коровник.
beunoeth *adf.* еженощно.
beunos *adf.* каждую ночь.
beunydd *adf.* всегда.
beunyddiol *ans.* повседневный; ежедневный.
bid *b.* **bidiau** *ll.* ❶ изгородь. ❷ куст.
bidog *gb.* **bidogau** *ll.* ❶ штык; кинжал. ❷ крестик.
bidogi *be.* ❶ колоть штыком. ❷ примкнуть штык.
biff *g.* говядина.
bil *g.* **biliau** *ll.* счёт (*об оплате*).
biliwn *g.* **biliwnau** *ll.* миллиард.
bîr *g.* пиво.
blaengar *ans.* смелый; видный; выдающийся; передовой; прогрессивный.
blaen[1] *ans.* передний; передовой.
blaen[2] *g.* **blaenau** *ll.*, **blaenion** *ll.* фасад; лицо; перёд.
blaendal *g.* **blaendaliadau** *ll.* депозит; вклад.
blaenllaw *ans.* ❶ предыдущий. ❷ передний; ранний; передовой. ❸ заблаговременный. ❹ готовый. ❺ выдающийся; видный; известный. ❻ нахальный; развязный. ❼ прогрессивный.
blaenor *g.* **blaenoriaid** *ll.* ❶ предводитель; лидер; вождь. ❷ старейшина. ❸ предок; предшественник. ❹ антецедент (*грам.*).
blaenori *be.* ❶ вести; возглавлять; опережать; превосходить; предшествовать. ❷ предпочитать.
blaenoriaeth *b.* **blaenoriaethau** *ll.* первенство; превосходство; предпочтение; преференция; старшинство; приоритет.
blaenorol *ans.* ❶ прежний; бывший; предыдущий; предшествующий. ❷ предварительный. ❸ ведущий; главный.
blaenwr *g.* **blaenwyr** *ll.* нападающий.
blaguryn *g.* **blagur** *ll.* бутон; побег; почка.
blaidd *g.* **bleiddiaid** *ll.*, **bleiddiau** *ll.* волк.
blaidd-ddyn *g.* оборотень.
blanced *b.* **blancedi** *ll.* одеяло.
blas *g.* **blasau** *ll.* привкус; вкус.
blasu *be.* ❶ иметь вкус. ❷ пробовать; попробовать; отведать; вкусить.
blasus *ans.* вкусный.
blasuso *be.* ❶ пробовать. ❷ заправить; приправлять; заправлять.
blawd *g.* **blodiau** *ll.*, **blodion** *ll.* мука. **blawd rhyg** ржаная мука.
ble *rh.* где.
blêr *ans.* неаккуратный; неопрятный; неряшливый.
blewog *ans.* лохматый; косматый; ворсистый; волосатый; волосяной.
blewyn *g.* **blew** *ll.* волосок; волос.
blif *g.* **blifiau** *ll.* ❶ катапульта. ❷ таран.
blingo *be.* свежевать.
blin *ans.* **blinion** *ll.* утомлённый; утомлённый; усталый.
blinder *g.* **blinderau** *ll.*, **blinderoedd** *ll.*, **blinderon** *ll.* ❶ усталость; утомлённость. ❷ страдание; боль. ❸ горе. ❹ затруднение. ❺ хлопоты. ❻ усилие.
blinedig *ans.* усталый.
blino *be.* ❶ утомить; утомлять; загонять. ❷ устать; уставать.
blith *g.* **blithion** *ll.* молоко.
blithdraphlith *adf.* беспорядочно.
blodeugerdd *b.* **blodeugerddi** *ll.* антология.
blodeuo *be.* цвести; расцветать; распускаться.
blodeuyn *g.* цветок.
blodyn *g.* **blodau** *ll.* цветок.
bloeddian *be.* вопить; кричать; орать.
bloeddio *be.* вопить; кричать; орать.
blwch *g.* **blychau** *ll.*, **blychod** *ll.* коробка.
blwmar *g.* **blwmari** *ll.* трусики; трусы (*женские*).
blwyddyn *b.* **blwydd** *ll.*, **blynedd** *ll.*, **blynyddoedd** *ll.* год.
blynyddol *ans.* ежегодный; годовой.
bocs *g.* **bocsys** *ll.* ящик; коробка; ложа.
bocyswydden *b.* **bocyswydd** *ll.* самшит.
boch *b.* **bochau** *ll.* щека.

bod[1] *gb.* **bodau** *ll.* ❶ бытие; существование. ❷ существо. ❸ местожительство.

bod[2] *be.* быть; побывать; являться; бывать; существовать; находиться; водиться; явиться; состоять. **a fo ben, bid bont** кто хочет быть главою, пусть будет мостом (*т. е. помогает людям*).

boda *gb.* **bodaod** *ll.* канюк. **boda tinwyn** лунь.

bodlon *ans.* согласный; довольный; готовый.

bodloni *be.* ❶ удовлетворить; понравиться; удовлетворять; нравиться. ❷ возмещать. ❸ соглашаться. ❹ хотеть.

bodolaeth *b.* наличие; существование.

bodoli *be.* быть; жить; находиться; существовать.

bodd *g.* удовольствие; наслаждение. **wrth 'y modd** с моим удовольствием.

boddhad *g.* наслаждение; удовлетворение; удовольствие.

boddhaol *ans.* удовлетворительный.

boddhau *be.* удовлетворять.

boddi *be.* **bawdd** *grch.2.un.*, **bawdd** *pres.3.un.* залить; заглушать; заливать; затоплять; наводнять; тонуть; топить.

bogail *gb.* **bogeiliau** *ll.* ❶ пуп; пупок. ❷ умбон; выпуклость; шишка. ❸ середина; центр. ❹ ступица. ❺ гласный.

bol *g.* **boliau** *ll.* живот; желудок; брюшко; брюхо.

bola *g.* **boliau** *ll.* живот; желудок; брюшко; брюхо.

bolgi *g.* **bolgwn** *ll.* обжора.

bolio *be.* ❶ поглощать; объедаться. ❷ выпячивать (*живот*).

boliog *ans.* ❶ тучный; дородный; жирный; полный. ❷ беременный.

bom *b.* **bomiau** *ll.* бомба; мина.

bôn *g.* **bonau** *ll.*, **bonion** *ll.* приклад; происхождение; корень; базис; база; основание; основа.

boncath *g.* **boncathod** *ll.* канюк.

boncyff *g.* **boncyffion** *ll.* бревно; пенёк; пень; ствол.

bonedd[1] *ans.* благородный.

bonedd[2] *g.* ❶ родовитость; знатность. ❷ дворянство; знать. ❸ источник; корень; начало.

boneddigaidd *ans.* ❶ благородный; знатный; титулованный. ❷ величавый; величественный; статный. ❸ замечательный; превосходный; прекрасный. ❹ великодушный. ❺ вежливый.

boneddiges *b.* **boneddigesau** *ll.* госпожа; дама.

boneddigwr *g.* **boneddigwyr** *ll.* пан; джентльмен; господин.

bonheddig *ans.* **boneddigion** *ll.* аристократический; благородный; знатный; родовитый; титулованный; величавый; замечательный; превосходный; прекрасный; статный; величественный.

bonllef *b.* **bonllefau** *ll.* крик.

bonllost *b.* **bonllostau** *ll.* ❶ пенис. ❷ кончик. ❸ хвост.

bonwr *g.* **bonwyr** *ll.* господин.

bonyn *g.* **bonau** *ll.*, **bonion** *ll.* ❶ пень; пенёк. ❷ окурок; бычок.

bord *b.* **bordau** *ll.*, **bordydd** *ll.* стол.

bore[1] *ans.* ранний.

bore[2] *g.* **boreau** *ll.* утро.

borefwyd *g.* завтрак.

boreol *ans.* утренний.

bors *b.* грыжа.

bos *b.* ладонь; кулак.

botasen *b.* **botasau** *ll.* ❶ сапог. ❷ один из поножей.

botwm *g.* **botymau** *ll.* кнопка; пуговица.

brad *g.* **bradau** *ll.* измена; предательство.

bradlofruddiaeth *b.* предательское убийство.

bradlofruddio *be.* предательски убивать.

bradwr *g.* **bradwyr** *ll.* изменник; предатель.

bradychu *be.* изменить; предать; предавать; изменять; выдать; выдавать; обманывать.

braenar *g.* **braenarau** *ll.* ❶ пар. ❷ болезнь скота, при которой животные едят сушащееся белье, камни, землю и т.д.

braf *ans.* прекрасный; хороший. **mae'n braf heddiw** сегодня хорошо.

brag *g.* солод.

bragod *g.* **bragodau** *ll.*, **bragodydd** *ll.* пиво с медом.

braich *b.* **breichiau** *ll.* ❶ рука. ❷ подлокотник. ❸ стрела (*крана*).

braidd *adf.* почти; отчасти; едва; довольно.

braint *b.* **breintiau** *ll.* преимущество; привилегия; честь.

brân *gb.* **brain** *ll.* ворона; ворон; грач. **gwyn y gwêl y frân ei chyw** хотя дитя криво, а отцу и матери мило.

bras *ans.* **breision** *ll.* приблизительный; широкий; грубый. **llythyren fras** прописная (*заглавная*) буква.

brasáu *be.* ❶ откармливать. ❷ жиреть.

braslun *g.* **brasluniau** *ll.* эскиз; скетч; набросок.

braster *g.* **brasterau** *ll.* ❶ тучность. ❷ жир; сало. ❸ смазка. ❹ резкость.

brathog *ans.* ❶ едкий. ❷ кусачий.

brathu *be.* **brath** *grch.2.un.*, **brath** *pres.3.un.* ❶ кусать; укусить; ранить; жалить;

уязвлять. ❷ пришпоривать. ❸ колоть; пронзать; закалывать; вонзать. ❹ срезать (*путь*). ❺ прервать; прерывать. ❻ добавлять; вставлять. ❼ врываться; вламываться; ворваться. ❽ проникать; втираться. ❾ раскрывать секрет. ❿ преувеличивать.

brau *ans.* **breuon** *ll.* ломкий; хрупкий.

braw[1] *ans.* ❶ ужасный; страшный. ❷ испуганный.

braw[2] *g.* **brawiau** *ll.* паника; боязнь; испуг; опасение; смятение; страх; ужас.

brawd[1] *b.* **brodiau** *ll.* вердикт; решение; приговор.

brawd[2] *g.* **brodyr** *ll.* брат; братец; собрат.

brawd-yng-nghyfraith *g.* **brodyr-yng-nghyfraith** *ll.* ❶ зять (*gŵr chwaer*). ❷ деверь (*brawd gŵr*). ❸ шурин (*brawd gwraig*).

brawdladdiad *g.* **brawdladdiadau** *ll.* братоубийство.

brawdlys *g.* **brawdlysoedd** *ll.* суд.

brawddeg *b.* **brawddegau** *ll.* сентенция; предложение.

brawl *g.* хвастовство; бормотание; болтовня.

brawychu *be.* ❶ пугать; ужасать. ❷ пугаться.

brawychus *ans.* ❶ страшный; ужасный. ❷ испуганный. ❸ пугливый.

bre *b.* **breoedd** *ll.*, **breon** *ll.* возвышенность; нагорье; плоскогорье; холм.

brech *b.* **brechau** *ll.*, **brechod** *ll.* высыпание; сыпь. **y frech goch** корь. **y frech wen** оспа. **y frech ieir** ветряная оспа, ветрянка.

brechdan *b.* **brechdanau** *ll.* сандвич; бутерброд.

brechiad *g.* **brechiadau** *ll.* инокуляция; прививка; вакцинация.

brechlyd *ans.* ❶ шелудивый. ❷ имеющий сыпь на коже.

brechu *be.* прививать.

bref *b.* **brefau** *ll.*, **brefiadau** *ll.* рёв; блеяние; мычание.

brefu *be.* реветь; блеять; мычать.

bregus *ans.* болезненный; бренный; ломкий; непрочный; неустойчивый; рахитичный; хилый; хрупкий; шаткий.

breichled *b.* **breichledau** *ll.*, **breichledi** *ll.* браслет.

breichrwyf *gb.* **breichrwyfau** *ll.* браслет.

breinlen *b.* **breinlennau** *ll.*, **breinlenni** *ll.* грамота; право; привилегия; устав; хартия; лицензия.

breintio *be.* ❶ дать привилегии. ❷ обладать.

brenhinaidd *ans.* королевский; царский; царственный.

brenhines *b.* **breninesau** *ll.* ❶ королева. ❷ ферзь.

brenhinfainc *b.* **brenhinfeinciau** *ll.* престол; трон.

brenhiniaeth *b.* **breniniaethau** *ll.* монархия; королевство; царство.

brenhinol *ans.* королевский.

brenhinyn *g.* царёк.

brenin *g.* **brenhinedd** *ll.*, **brenhinoedd** *ll.* король; шах.

bresychen *b.* **bresych** *ll.* капуста.

brethyn *g.* **brethynnau** *ll.* сукно; холст; материал; ткань; полотно.

breuan *b.* **breuanau** *ll.* ручная мельница.

breuddwyd *gb.* **breuddwydion** *ll.* видение; греза; сновидение; сон; мечта.

breuddwyd gwrach принятие желаемого за действительное.

breuddwydio *be.* грезить; мечтать.

breuddwydiol *ans.* воображаемый; мечтательный.

breuddwydiwr *g.* **breuddwydwyr** *ll.* мечтатель; фантазёр.

brëyr *g.* **brehyriaid** *ll.*, **brehyrion** *ll.* вождь; глава; дворянин; магнат; барон.

bri *g.* **brieiau** *ll.* ❶ известность; почёт; почтение; слава; уважение; честь. ❷ власть. ❸ ценность. ❹ самая страшная клятва.

brifo *be.* ушибить; повредить; задевать.

brig *g.* **brigau** *ll.* верх; верхушка; вершина; макушка.

brigâd *b.* **brigadau** *ll.* команда; бригада; отряд. **brigâd dân** пожарная команда.

brigyn *g.* **brigau** *ll.* ❶ ветка (*верхняя*); веточка. ❷ верхушка.

brith *ans.* **braith** *ж.* ❶ пёстрый; разноцветный. ❷ пятнистый; крапчатый. ❸ серый. ❹ испещрённый. ❺ неясный; невнятный; неопределённый; неотчётливый; половинчатый; смутный. ❻ болезненный. **bara brith** кекс с изюмом.

brithgi *g.* **brithgwn** *ll.* ❶ дворняга; дворняжка. ❷ полукровка.

brithlen *b.* **brithlenni** *ll.* гобелен.

britho *be.* ❶ расцвечивать; украшать; красить. ❷ татуировать. ❸ седеть. ❹ свертываться (*о молоке при сбивании*). ❺ испещрять; крапать; пятнать. ❻ ухудшаться. ❼ повреждать.

brithyll *g.* **brithylliaid** *ll.*, **brithyllod** *ll.* форель.

briw[1] *ans.* болезненный; ломаный; разбитый; сокрушённый.

briw[2] *g.* **briwiau** *ll.*, **briwydd** *ll.* болячка; рана; ранение; язва.

briwsioni *be.* ❶ крошить. ❷ рассыпаться; крошиться; рассыпаться.

briwsionyn *g.* **briwsion** *ll.* частица; крупица; крошка; (http) cookie; куки; печеньки.
bro *b.* **broydd** *ll.* район; область; край.
broch[1] *g.* **brochion** *ll.*, **brochod** *ll.* барсук.
broch[2] *g.* ❶ пена. ❷ суматоха; гнев; буйство; шум. ❸ мятеж.
brodor *g.* **brodorion** *ll.* абориген; уроженец; туземец.
brodorol *ans.* ❶ братский. ❷ коренной; природный; аборигенный; местный; прирождённый; родной; самородный; туземный; исконный; здешний.
broga *g.* **brogaed** *ll.*, **brogaod** *ll.* лягушка.
bronglwm *g.* **bronglwmau** *ll.* лифчик; бюстгальтер.
broliwr *g.* **brolwyr** *ll.* хвастун.
bron[1] *adf.* почти.
bron[2] *b.* **bronnau** *ll.*, **bronnydd** *ll.* грудь; сиська.
bronfraith *b.* **bronfreithiaid** *ll.*, **bronfreithod** *ll.* дрозд.
bronwen[1] *ans.* белогрудый.
bronwen[2] *b.* ласка.
brown *ans.* коричневый.
bru *g.* **bruoedd** *ll.* лоно; матка.
brwd[1] *ans.* страстный; пылкий.
brwd[2] *g.* пыл.
brwdfrydedd *g.* энтузиазм; рвение; пыл.
brwdfrydig *ans.* страстный; пылкий.
brwnt *ans.* **bront** *ж.*, **bryntion** *ll.* грязный.
brws *g.* **brwsys** *ll.* щётка; ершик.
brwsio *be.* чистить щеткой.
brwyd[1] *ans.* ❶ разноцветный; пёстрый. ❷ окровавленный. ❸ сломанный. ❹ хрупкий.
brwyd[2] *g.* **brwydau** *ll.* ❶ ремиза. ❷ вышивка. ❸ вертел; шампур.
brwydo *be.* вышивать; ткать.
brwydr *b.* **brwydrau** *ll.* сражение; битва.
brwydro *be.* сражаться; бороться.
brwydrwr *g.* **brwydrwyr** *ll.* боевик; боец.
brwydwaith *g.* вышивка.
brwyn *g.* беда; горе; огорчение; печаль; уныние.
brwynen *b.* **brwyn** *ll.* камыш; тростник.
brwysg *ans.* ❶ пьяный. ❷ пьющий. ❸ буйный.
brwysio *be.* тушить.
brych[1] *ans.* **brech** *ж.* веснушчатый; пёстрый; пятнистый; крапчатый.
brych[2] *g.* ❶ веснушка; пятнышко; пятно; крапинка. ❷ послед (*у коровы*).
brycheuyn *g.* **brychau** *ll.* ❶ веснушка. ❷ пятнышко.
brychu *be.* закапать; закапывать; пачкать; пятнать.
bryd *g.* **brydiau** *ll.* желание; намерение.
bryn *g.* **bryniau** *ll.* холм.
bryncyn *g.* **bryncynnau** *ll.* холмик.
brys[1] *ans.* торопливый; стремительный; поспешный; быстрый.
brys[2] *g.* спешка; поспешность.
brysio *be.* торопиться; спешить; поспешить.
brysiog *ans.* поспешный; торопливый.
Brython *g.* **Brythoniaid** *ll.* бритт; валлиец; британец.
bual *g.* **buail** *ll.*, **bualau** *ll.*, **bualod** *ll.* ❶ зубр; бизон. ❷ тур.
buan *ans.* **buain** *ll.*, **cynt** *cmhr.*, **cyntaf** *eith.*, **cynted** *cfrt.* ранний; скорый; быстрый.
buarth *g.* **buarthau** *ll.* загон; двор.
buchedd *b.* **bucheddau** *ll.* ❶ жизнь. ❷ поведение. ❸ житие; биография; жизнеописание. ❹ средства к существованию.
bucheddol *ans.* ❶ праведный; добродетельный. ❷ ревностный.
bucheddu *be.* жить.
budr *ans.* **budron** *ll.* подлый; противный; развращённый; скабрезный; скверный; грязный; гадкий; мерзкий; непотребный; неприличный; непристойный; отвратительный.
budd *g.* **buddion** *ll.* доход; выгода.
buddiant *g.* **buddiannau** *ll.* добыча; выгода; интерес; польза; преимущество.
buddio *be.* ❶ воспользоваться; пользоваться. ❷ быть полезным, выгодным.
buddiol *ans.* благоприятный; благотворный; выгодный; доходный; полезный; прибыльный; пригодный.
buddsoddi *be.* вложить; вкладывать; помещать.
buddsoddiad *g.* **buddsoddiadau** *ll.* инвестиция; вклад; капиталовложение.
buddugol *ans.* победоносный; победный.
buddugoliaeth *b.* **buddugoliaethau** *ll.* победа.
buddugwr *g.* **buddugwyr** *ll.* победитель.
bugad *g.* шум; мычание; рёв.
bugail *g.* **bugeiliaid** *ll.* пастух.
bugeilio *be.* пасти; смотреть; караулить; охранять; наблюдать; сторожить; присматривать; следить.
burgyn *g.* **burgyniaid** *ll.*, **burgynnod** *ll.* мертвечина; остов; падаль; труп.
busnes *gb.* **busnesau** *ll.*, **busnesion** *ll.* бизнес; дело.
busnesa *be.* вмешиваться; докучать; мешать; надоедать.
busnesgar *ans.* надоедливый; вмешивающийся не в свои дела.
busneslyd *ans.* вмешивающийся не в свои дела; надоедливый.
busnesol *ans.* ❶ деловой; деловитый. ❷ вмешивающийся не в свои дела.
bustach *g.* **bustych** *ll.* вол.

bustachu *be.* ❶ править. ❷ обижать. ❸ делать кое-как.

bustl *g.* **bustlau** *ll.* ❶ желчь. ❷ желчность.

buwch *b.* **buchod** *ll.* корова. **faint o fuchod sy gynnoch chi erbyn hyn?** сколько коров у вас сейчас?

bwa *g.* **bwâu** *ll.* арка; дуга; лук; смычок. **bwa croes** арбалет.

bwced *gb.* **bwcedi** *ll.* ведро; бадья.

bwch *g.* **bychod** *ll.* козёл; самец (*оленя, антилопы, зайца, кролика*).

bwngler *g.* **bwngleriaid** *ll.* ❶ растяпа. ❷ бракодел.

bŵl *g.* **bylau** *ll.* ❶ мяч. ❷ шар.

bwlch *g.* **bylchau** *ll.* пропуск; пробел; брешь.

bwlyn *g.* **bwliaid** *ll.* ❶ ручка. ❷ набалдашник.

bwmbeili *g.* **bwmbeilieiau** *ll.* пристав (*судебный*).

bwmp *g.* бум. **bwmp y gors** выпь.

bwncath *g.* **bwncathod** *ll.* канюк.

bwr *ans.* **byr** *ж.* толстый; сильный; большой.

bwrdeistref *b.* **bwrdeistrefi** *ll.* город.

bwrdd *g.* **byrddau** *ll.* ❶ стол; столик. ❷ борт. ❸ правление; коллегия. ❹ доска. ❺ плата. ❻ палуба.

bwriad *g.* **bwriadau** *ll.*, **bwriadon** *ll.* замысел; цель; намерение.

bwriadol *ans.* умышленный; намеренный.

bwriadu *be.* собраться; собираться; намереваться.

bwrlwm *g.* **byrlyau** *ll.* ❶ пузырёк; пузырь. ❷ журчание; бульканье.

bwrw[1] *be.* **bwra** *grch.2.un.*, **bwrw** *grch.2.un.* ❶ бросить; бросать; забросить; метать; отбрасывать; отбросить. ❷ бить; ударять. ❸ предполагать. **mae'n bwrw eira** идёт снег. **mae'n bwrw glaw** идёт дождь.

bwrw[2] *g.* бросок; бросание.

bws *g.* **bwsau** *ll.*, **bysys** *ll.* ❶ автобус. ❷ шина (*комп.*).

bwthyn *g.* **bythynnod** *ll.* хибарка; лачуга; изба; домик.

bwyall *b.* колун; секира; топор.

bwyd *g.* **bwydydd** *ll.* пища; еда.

bwydlen *b.* **bwydlenni** *ll.* меню.

bwydo *be.* питать; кормить.

bwyell *b.* **bwyeill** *ll.*, **bwyellau** *ll.*, **bwyelli** *ll.*, **bwyyll** *ll.* колун; секира; топор.

bwystfil *g.* **bwystfiledd** *ll.*, **bwystfilod** *ll.* животное; зверь; скотина; тварь.

bwyta *be.* **bwytâ** *grch.2.un.*, **bwyty** *pres.3.un.* есть; закусить; кушать; поесть; закусывать; жрать; съедать; съесть; поедать.

bwyty *g.* **bwytai** *ll.* кафе; ресторан.

bychan *ans.* **bechan** *ж.*, **bychain** *ll.* крохотный; крошечный; маленький; малый; мелкий; небольшой; незначительный.

bychander *g.* малость; мелочность; незначительность; ничтожность.

bychandra *g.* малость; мелочность; незначительность; ничтожность.

bychanig *ans.* ❶ уменьшительный. ❷ миниатюрный.

bychanu *be.* умалять; принижать; преуменьшать.

byd *g.* **bydau** *ll.*, **bydoedd** *ll.* ❶ мир; свет; вселенная. ❷ существование; жизнь. ❸ собственность. ❹ беспокойство. ❺ множество.

byd-eang *ans.* всемирный; мировой.

bydol *ans.* земной; мирской; светский.

bydwraig *b.* **bydwragedd** *ll.* акушерка; повитуха.

bydysawd *g.* крещеный мир; вселенная; космос; мир.

byddar[1] *g.* **byddair** *ll.*, **byddariaid** *ll.* глухой.

byddar[2] *ans.* **byddair** *ll.* глухой; глуховатый.

byddarol *ans.* оглушительный.

byddin *b.* **byddinoedd** *ll.* войско; армия.

bygwth[1] *be.* угрожать; грозить.

bygwth[2] *g.* **bygythiau** *ll.*, **bygythion** *ll.* угроза; опасность.

bygythiad *g.* **bygythiadau** *ll.* угроза.

bygythiol *ans.* ❶ угрожающий. ❷ угрожаемый.

bylchog *ans.* неполный; с пробелами.

bynnag *rh.* бы ни. **pwy bynnag ydyn nhw, dw i ddim eisiau gweld nhw** кем бы они ни были, я не хочу их видеть.

byr *ans.* **ber** *ж.*, **byrion** *ll.* короткий; недолгий; краткий.

byrder *g.* краткость.

byrhau *be.* укорачивать.

bys *g.* **bysedd** *ll.*, **bysiau** *ll.* ❶ палец; перст. ❷ стрелка (*часов*). **bys bawd** большой палец. **bys uwd** указательный палец. **bys perfedd, bys cogwrn** средний палец. **bys y fordrwy** безымянный палец. **bys bach** мизинец.

bysledr *g.* **bysledrau** *ll.* ❶ напёрсток. ❷ напальчник.

byth[1] *adf.* никогда; всегда. **anghofia i byth!** я никогда не забуду! **Cymru am byth!** Уэльс навсегда!

byth[2] *g.* **bythod** *ll.* вечность.

byw[1] *ans.* живой.

byw[2] *be.* жить; прожить; пожить; существовать; обитать.

bywgraffiadur *g.* **bywgraffiaduron** *ll.* биографический словарь.

bywiog *ans.* энергичный; живой; весёлый; активный.

bywiogi *be.* оживлять; оживить.

bywoliaeth *b.* **bywiolaethau** *ll.*, **bywioliaethau** *ll.*, **bywoliaethau** *ll.* жизнь. **sut mae e'n ennill ei fywoliaeth?** как он зарабатывает себе на жизнь?

bywyd *g.* **bywydau** *ll.* жизнь.

bywydeg *b.* биология.

bywydol *ans.* ❶ жизненный. ❷ существенный. ❸ энергичный.

bywyn *g.* **bywynnau** *ll.* сердцевина; центр; ядро; мякоть.

C

caban *g.* **cabanau** *ll.* ❶ лачуга; хижина. ❷ кабина; будка; палатка; киоск. ❸ каюта; рубка. **caban ffonio** телефонная будка.

cabidwl *g.* ❶ консистория; капитул; синод; конклав. ❷ хаос. ❸ клика. ❹ глава. ❺ капитель.

cablaidd *ans.* богохульный.

caboledd *g.* **caboleddau** *ll.* полировка.

cacynen *b.* **cacwn** *ll.* оса; шершень; шмель; трутень.

cachu *be.* гадить; какать.

cachwr *g.* **cachwyr** *ll.* трус.

cad *b.* **cadau** *ll.*, **cadoedd** *ll.* ❶ брань; битва; бой; сражение. ❷ сонм; воинство; войско; армия. ❸ заяц.

cadach *g.* **cadachau** *ll.* косынка; платок; тряпка.

cadair *b.* **cadeiriau** *ll.* ❶ стул; трон. ❷ кафедра. ❸ колыбель. ❹ гребень. ❺ вымя.

cadair freichiau кресло.

cadarn *ans.* **cedyrn** *ll.* стойкий; прочный; мощный; твёрдый; крепкий; здоровый; сильный; непоколебимый; состоятельный.

cadarnhad *g.* **cadarnhadau** *ll.* укрепление.

cadarnhaol *ans.* утвердительный.

cadarnhau *be.* утвердить; закреплять; крепить; поддерживать; подкреплять; подтверждать; ратифицировать; укреплять; усиливать; утверждать.

cadeirio *be.* ❶ избирать председателем. ❷ усаживать на трон (*победителя в состязании поэтов*).

cadeirydd *g.* **cadeirwyr** *ll.*, **cadeiryddion** *ll.* председатель.

cadeiryddes *b.* **cadeiryddesau** *ll.* председательница.

cadernid *g.* ❶ прочность; мощь; сила; могущество; крепость; крепость; твёрдость. ❷ подтверждение; гарантия. ❸ существительное.

cadfaes *gb.* **cadfaesau** *ll.* поле боя.

cadfridog *g.* **cadfridogion** *ll.* генерал; полководец.

cadfwyall *g.* **cadfwyeill** *ll.*, **cadfwyyll** *ll.* алебарда.

cadi *gb.* **cedion** *ll.* ❶ женоподобный мужчина; изнеженный мальчик. ❷ вмешивающийся во всё человек. ❸ танцор на Первомай, одетый женщиной.

cadis *g.* **cadisau** *ll.* вышивка.

cadlanc *g.* **cadlanciau** *ll.* кадет; курсант.

cadlong *b.* **cadlongau** *ll.* линкор.

cadlys *g.* **cadlysoedd** *ll.* стан; ограда; лагерь; бивак.

cadlyw *g.* **cadlywiaid** *ll.* ❶ генерал. ❷ маршал.

cadlywydd *g.* **cadlywyddion** *ll.* фельдмаршал; маршал.

cadno *g.* **cadnawon** *ll.*, **cadnoaid** *ll.*, **cadnoid** *ll.*, **cedny** *ll.* лис; лисица; лиса.

cadoediad *g.* **cadoediadau** *ll.* перемирие.

cadr *ans.* **ceidrion** *ll.* ❶ красивый. ❷ могучий.

cadw *be.* **cadw** *grch.2.un.*, **ceidw** *pres.3.un.* ❶ сохранить; оберегать; бронировать; удерживать; удержать; хранить; держать; сохранять; содержать. ❷ выдержать; выдерживать; держаться. ❸ сохраниться; оставаться.

cadweinydd *g.* **cadweinyddion** *ll.* адъютант.

cadwraeth *b.* ❶ соблюдение; охрана; присмотр; содержание; хранение. ❷ ритуал; обряд. ❸ заключение. ❹ ограничение.

cadwyn *b.* **cadwynau** *ll.*, **cadwyni** *ll.* цепь; цепочка.

caddug *g.* ❶ дымка; мгла; мрак; пасмурность; темнота; туман. ❷ покрытие. ❸ кольчуга; броня.

cae[1] *g.* **caeau** *ll.* поле. **fe werthon ni'r cae 'na flwyddyn yn ôl** мы продали это поле год назад.

cae[2] *g.* **caeau** *ll.* ❶ ограда; ограждение; изгородь. ❷ зажим; застёжка; брошь; пряжка.

caead[1] *ans.* закрытый.

caead[2] *g.* **caeadau** *ll.* пробка; обёртка; обложка; крышка.

caead[3] *be.* закрывать.

cael *be.* ❶ обрести; получать; получить; завести; заводить. ❷ съедать. ❸ порождать. ❹ служит для выражения просьбы. ❺ служит для образования страдательного залога. **ga i ddod?** могу я прийти? **caiff ef ei glywed gan y bobl** он будет услышан людьми. **yr wyf i'n cael fy nghosbi** меня наказывают.

caer *b.* **caerau** *ll.*, **ceyrydd** *ll.* кремль; град; город; крепость; замок. **Caer Arianrhod, Caer Gwydion** Млечный Путь.

caerog *ans.* ❶ крепостной. ❷ укрепленный. ❸ мощный. ❹ оборонительный. ❺ саржевый; парчовый.

caeth[1] *g.* **caethion** *ll.* виллан; крепостной; невольник; раб.

caeth² *ans.* **caethion** *ll.* пленный; зависимый; заключённый; крепостной; ограниченный; строгий.
caethes *b.* **caethesau** *ll.* рабыня; раба.
caethfasnach *b.* работорговля
caethferch *b.* **caethferched** *ll.* рабыня; раба.
caethforwyn *b.* **caethforynion** *ll.* рабыня.
caethglud *b.* плен; пленение.
caethineb *g.* **caethinebau** *ll.* зависимость.
caethiwed *g.* ❶ зависимость; плен; пленение; рабство; полон. ❷ затруднение; ограничение. ❸ холодность; отчуждение. ❹ сужение; сжатие. ❺ запор.
caethiwo *be.* связать; вязать; заточать; ограничивать; покорять; порабощать; связывать.
caethiwus *ans.* ❶ заключённый. ❷ ограниченный; тесный. ❸ астматический.
caethwas *g.* **caethweision** *ll.* ❶ невольник; раб. ❷ виллан; крепостной. ❸ пленник.
caethwraig *b.* **caethwragedd** *ll.* раба.
cafell *b.* **cafellau** *ll.* ❶ отсек; келья; камера. ❷ святилище.
cafn *g.* **cafnau** *ll.*, **cefnau** *ll.* ❶ кормушка; лоток; корыто; жёлоб; квашня. ❷ впадина. ❸ резонатор (*у арфы*); дека.
cafnio *be.* ❶ черпать; зачерпывать; вычерпывать. ❷ выдолбить; выдалбливать. ❸ выкопать; выкапывать. ❹ пересекать на пароме.
cafnu *be.* ❶ черпать; зачерпывать; вычерпывать. ❷ выдалбливать. ❸ выкапывать. ❹ пересекать на пароме.
caffaeliad *g.* **caffaeliadau** *ll.*, **caffaeliaid** *ll.* ❶ обнаружение; находка; добыча; приобретение. ❷ зачатие.
cangen *b.* **cangau** *ll.*, **canghennau** *ll.* ❶ ветвь; сук; ветка. ❷ филиал; отделение. ❸ хариус.
caib *b.* **ceibiau** *ll.* кайло; кирка; киркомотыга; мотыга.
cail *b.* **ceiliau** *ll.* ❶ овчарня. ❷ отара.
caill *b.* **ceilliau** *ll.* яичко (*анат.*).
cain *ans.* **ceinion** *ll.* утончённый; блестящий; красивый; лучший; превосходный; прекрасный; хороший.
cainc *b.* **cangau** *ll.*, **ceinciau** *ll.* ❶ ветвь; ветка; сук; ответвление; отрог. ❷ отделение; отрасль; филиал. ❸ нитка; прядь; стренга. ❹ песня; мелодия; напев. ❺ приступ; припадок. **Pedeir Keinc y Mabinogi** Четыре ветви Мабиноги.
cais *g.* **ceisiadau** *ll.* заявление; попытка; проба; прошение. **tri chais i Gymro** бог троицу любит.
cal *b.* **caliau** *ll.* член; фаллос; пенис.
cala *b.* **calâu** *ll.* член; пенис; фаллос.
calaf *b.* **calafau** *ll.*, **calafon** *ll.* тростинка; камыш; тростник.
calan *g.* первый день месяца. **Calan Gaeaf** Самайн (*1 ноября*). **Calan Mai** первомай. **Dydd Calan** Новый Год.
calc *g.* **calciau** *ll.* шип (*подковы лошади*).
calch *g.* мелок; мел; известка; известь.
calchen *b.* известняк.
caled *ans.* **caledion** *ll.*, **celyd** *ll.* ❶ твёрдый. ❷ тяжёлый; трудный. ❸ суровый; строгий.
caledi *g.* ❶ жёсткость; твёрдость. ❷ суровость. ❸ трудность. ❹ скупость. ❺ запор.
caledu *be.* ❶ твердеть; схватиться. ❷ высыхать. ❸ оглушать (*согласные*). ❹ становиться скупым, скаредным. ❺ страдать запором. ❻ закалять.
calendr *g.* **calendrau** *ll.* опись; реестр; календарь.
calennig *g.* новогодний подарок.
calon *b.* **calonnau** *ll.* сердце.
calonnog *ans.* душевный; весёлый; горячий; искренний; мужественный; отважный; пылкий; резвый; сердечный; энергичный.
calori *g.* **caloriau** *ll.* калория.
call *ans.* знающий; мудрый; осведомлённый.
callestr *b.* кремень.
cam¹ *g.* **camau** *ll.* ❶ ход; шаг; па. ❷ вред; заблуждение; зло; неправильность; ошибочность.
cam² *ans.* **ceimion** *ll.* согбенный; сгорбленный; ошибочный; нечестный; несправедливый; непрямой; неправильный; кривой; искажённый; изогнутый; извращённый; дурной.
camarfer¹ *gb.* **camarferion** *ll.* ❶ злоупотребление. ❷ катахреза.
camarfer² *be.* злоупотреблять.
camarwain *be.* вводить в заблуждение.
camarweiniol *ans.* вводящий в заблуждение; обманчивый.
cambren *g.* **cambrenni** *ll.* ❶ вага. ❷ вешало для туш. ❸ коромысло.
camdreuliad *g.* несварение желудка; нарушение, расстройство пищеварения.
camdystiolaeth *b.* **camdystiolaethau** *ll.* лжесвидетельство.
camddeall *be.* **camddeall** *grch.2.un.*, **camddeall** *pres.3.un.* неправильно понять.
camen *b.* **camennau** *ll.* ❶ кривизна; изгиб; искривление; петля. ❷ опора.
camfa *b.* **camfeydd** *ll.* перелаз.
camgymeriad *g.* **camgymeriadau** *ll.* ошибка.

camgymryd *be.* перепутывать; перепутать; обмануться; обманываться; ошибиться; заблуждаться; ошибаться.
camlas *gb.* **camlasau** *ll.*, **camlesi** *ll.*, **camlesydd** *ll.* ❶ канава; протока; канал. ❷ бухта. ❸ луг на берегу реки; займище.
camp *b.* **campau** *ll.* достижение; подвиг.
campus *ans.* блестящий; великолепный; восхитительный; грандиозный; замечательный; отличный; превосходный; роскошный.
camre *g.* ❶ прогулка. ❷ шаг.
camsefyll *be.* быть вне игры.
camsyniad *g.* **camsyniadau** *ll.* ошибка.
camu *be.* шагнуть; шагать.
camymddwyn *be.* дурно вести себя.
can[1] *ans.* белый.
can[2] *g.* мука.
cân *b.* **canau** *ll.*, **caneuon** *ll.*, **caniadau** *ll.* песня; песенка; песнь.
candryll *ans.* ❶ потрясенный; разбитый; сломанный. ❷ свободный; щедрый; открытый. ❸ очень быстрый.
canfed *rhif.* сотый.
canfod *be.* рассмотреть; разглядеть; замечать; различать; воспринимать.
canfyddiad *g.* **canfyddiadau** *ll.* ❶ восприятие; перцепция. ❷ открытие. ❸ идея.
canhwyllbren *gb.* **canwyllbrennau** *ll.*, **canwyllbrenni** *ll.* подсвечник.
caniad *g.* **caniadau** *ll.* звон; звонок (*телефонный*); пение; песня; поэма; стихотворение.
caniatâd *g.* позволение; разрешение; согласие.
caniataol *ans.* допустимый; разрешающий; терпимый; снисходительный.
caniatáu *be.* допустить; разрешить; дать; позволить; позволять; разрешать; давать; допускать.
canlyn *be.* ❶ гнаться; преследовать. ❷ провожать; следовать; сопровождать. ❸ посещать. ❹ ухаживать. ❺ упрашивать; выпрашивать; умолять.
canlyniad *g.* **canlyniadau** *ll.* последствие; исход; результат; итог; следствие. **o ganluniad** в результате.
canlynol *ans.* очередной; последующий; следующий.
canllaith *ans.* ❶ спокойный. ❷ нежный.
canllaw *g.* **canllawiau** *ll.* поручень; парапет; перила.
canmlwyddiant *g.* **canmlwyddiannau** *ll.* столетие (*годовщина*).
canmol[1] *g.* **canmolion** *ll.* восхваление; похвала.
canmol[2] *be.* хвалить; восхвалять.
canmoliaeth *b.* **canmoliaethau** *ll.* комплимент; восхваление; похвала.
cannu *be.* ❶ отбеливать. ❷ просеивать.
cannwyll *b.* **canhwyllau** *ll.* ❶ свеча. ❷ зеница; зрачок.
cannwyr *g.* **canwyrau** *ll.*, **canwyrion** *ll.* рубанок; калёвка.
canol[1] *ans.* средний; центральный.
canol[2] *g.* **canolau** *ll.* середина; центр; гуща.
canolbarth *g.* **canolbarthau** *ll.* центральная область.
canolbwynt *g.* **canolbwyntiau** *ll.* фокус; середина; центр.
canolbwyntio *be.* концентрировать; сосредоточивать.
canolfan *gb.* **canolfannau** *ll.* центр (*здание, организация*).
canoli *be.* ❶ посредничать. ❷ концентрировать; сосредоточивать; центрировать. ❸ заканчивать середину работы. ❹ ставить двоеточие.
canolig *ans.* средний.
canolog *ans.* центральный.
canolwr *g.* **canolwyr** *ll.* медиатор; посредник; центровой.
canon *gb.* **canonau** *ll.*, **canoniaid** *ll.* канон.
canonwr *g.* **canonwyr** *ll.* каноник.
canran *b.* **canrannau** *ll.* процент.
canrif *b.* **canrifau** *ll.*, **canrifoedd** *ll.* век; столетие.
canrhyg *g.* **canrhygau** *ll.* смесь пшеничной и ржаной или овсяной муки.
cant[1] *g.* **cantau** *ll.* ❶ обод; оправа; окружность; обруч; ободок; ограда. ❷ войско; толпа.
cant[2] *rhif.g.* **cannoedd** *ll.*, **cantoedd** *ll.* сто; сотня.
cantawd *b.* **cantawdau** *ll.* кантата.
cantor *g.* **cantorion** *ll.* исполнитель; певец.
cantores *b.* **cantoresau** *ll.* исполнительница; певица.
cantref *g.* **cantrefi** *ll.*, **cantrefydd** *ll.* уезд; округ (*ист.*).
canu[1] *g.* **canuau** *ll.*, **canuoedd** *ll.* ❶ песня; баллада; поэма. ❷ пение.
canu[2] *be.* **cân** *grch.2.un.*, **cân** *pres.3.un.* петь; сыграть; позвонить; звонить; звенеть; играть; попеть. **canu'n iach** прощаться.
canwr *g.* **canwyr** *ll.* исполнитель; певец.
canwriad *g.* **canwriaid** *ll.* сотник; центурион.
canys *cys.* ❶ ибо. ❷ ибо не его/её.... ❸ ибо его/её.... ❹ кто бы ни, что бы ни, как бы ни.
cap *g.* **capiau** *ll.* шляпа; шапка; кепка.

capan *g.* **capanau** *ll.* ❶ плащ. ❷ перемычка окна или двери. ❸ циркумфлекс. ❹ берет.

capel *g.* **capelau** *ll.*, **capeli** *ll.* капелла; молельня; часовня.

caplan *g.* **caplaniaid** *ll.* капеллан.

capten *g.* **capteiniaid** *ll.* капитан.

câr *g.* **ceraint** *ll.* ❶ родственник; родич. ❷ товарищ; приятель; друг.

car *g.* **ceir** *ll.* автомобиль; машина; машинка; колесница; повозка; тележка. **rhoi'r car o flaen y ceffyl** запрягать телегу впереди лошади.

carafan *b.* **carafanau** *ll.* ❶ автоприцеп; фургон. ❷ дом-фургон; жилой автоприцеп.

carcus *ans.* тревожный; точный; старательный; осторожный; озабоченный; заботливый; внимательный; беспокойный; аккуратный.

carchar *g.* **carcharau** *ll.* тюрьма.

carcharor *g.* **carcharorion** *ll.* пленник; арестованный; военнопленный; заключённый; узник.

carcharu *be.* посадить (*в тюрьму*); сажать (*в тюрьму*).

cardotyn *g.* **cardotwyr** *ll.* нищий.

cardd *g.* позор; стыд.

caredig *ans.* добрый; любезный.

caredigrwydd *g.* доброжелательность; доброта; любезность.

caregog *ans.* каменистый; каменный.

carennydd *g.* ❶ родня; родственник. ❷ родство. ❸ дружба.

cares *b.* **caresau** *ll.* родственница.

carfan *b.* **carfanau** *ll.* ❶ навой. ❷ брус; перекладина. ❸ рама. ❹ десна. ❺ слой; ряд. ❻ груда; куча. ❼ группировка.

cariad[1] *gb.* **cariadau** *ll.*, **cariadon** *ll.* любимая; любимый; любовница; любовник; возлюбленный; возлюбленная.

cariad[2] *g.* **cariadau** *ll.* любовь.

cariadus *ans.* влюблённый; возлюбленный; любимый; любящий; милый; нежный.

cario *be.* таскать; тащить; нести.

carlam *g.* **carlamau** *ll.* скачка; галоп.

carlamiad *g.* **carlamiadau** *ll.* скакание.

carlamu *be.* скакать; галопировать.

carn[1] *b.* **carnau** *ll.* курган; пирамида из камней.

carn[2] *g.* **carnau** *ll.* ❶ копыто. ❷ черенок; рукоятка; рукоять; ручка; эфес. ❸ рог (*для питья*). ❹ основание. ❺ ложа.

carnedd *b.* **carneddau** *ll.*, **carneddi** *ll.* ❶ курган; пирамида из камней (*памятник, межевой или какой-л. условный знак*). ❷ развалины.

carneddog *ans.* каменистый.

carol *b.* **carolau** *ll.* гимн.

carped *g.* **carpedau** *ll.*, **carpedi** *ll.* ковёр.

carrai *b.* **careiau** *ll.* ❶ ремень; шнурок; плеть. ❷ лента на ламбеле или титле (*в геральдике*). ❸ метка на ухе овцы: вырезанная длинная узкая полоска, начиная с кончика уха.

carreg *b.* **cerrig** *ll.* ❶ камень; скала. ❷ косточка; зёрнышко. ❸ яичко (*анат.*); яйцо (*анат.*).

cartref *g.* **cartrefi** *ll.*, **cartrefydd** *ll.* дом.

cartrefol *ans.* внутренний; гражданский; отечественный; родной; семейный; домашний.

cartrefu *be.* осесть; водворить; заселять; обосноваться; оседать; отстаиваться; поселить; устраивать.

carth *g.* **carthion** *ll.* ❶ кудель; очёс; пакля. ❷ экскремент. ❸ слабительное.

carthen *b.* **carthennau** *ll.*, **carthenni** *ll.* ❶ одеяло. ❷ плащ. ❸ парус.

carthffos *b.* **carthffosydd** *ll.* сточная труба.

carthu *be.* очищать; прочищать; счищать; чистить.

caru *be.* **câr** *grch.2.un.*, **câr** *pres.3.un.* любить; полюбить. **mi'th garaf** я тебя люблю.

carueiddrwydd *g.* доброта; привязанность; любовь.

carw *g.* **ceirw** *ll.* олень.

carwriaeth *b.* **carwriaethau** *ll.* ❶ роман; ухаживание. ❷ дружба.

cas[1] *ans.* отвратительный; неприятный; ненавистный; противный.

cas[2] *g.* **caseion** *ll.* неприятель.

cas[3] *g.* отвращение; ненависть; антипатия.

casáu *be.* ненавидеть.

caseg *b.* **cesig** *ll.* кобыла. **caseg eira** снежный ком.

casgen *b.* **casgeni** *ll.* бочонок; бочка.

casgliad *g.* **casgliadau** *ll.* вывод; заключение; умозаключение; коллекция; собрание; сбор.

casglu *be.* **casgl** *grch.2.un.*, **casgl** *pres.3.un.* ❶ подобрать; подбирать; набрать; набирать; собрать; собирать; сводить; свести; оборвать (*фрукты*); коллекционировать. ❷ вывести; выводить; умозаключать.

casineb *g.* антипатия; ненависть; отвращение.

cast *g.* **castiau** *ll.* ❶ трюк; уловка. ❷ проделка. ❸ ловкость; сноровка; умение. ❹ порок; привычка. ❺ бросок; метание; бросание. ❻ подсчёт.

castanwydden *b.* **castanwydd** *ll.* каштан.

castell *g.* **cestyll** *ll.* ❶ замок. ❷ ладья (*шахм.*).

cat *g.* **catiau** *ll.* ❶ кусок. ❷ трубка.

catrawd *b.* **catrodau** *ll.* полк.

cath *b.* **cathau** *ll.*, **cathod** *ll.* кошка; котик; кот.
cathod *b.* катод.
catholig *ans.* вселенский; католический.
cau[1] *ans.* ❶ полый; пустотелый; пустой. ❷ вогнутый; впалый. ❸ ложный.
cau[2] *be.* **cae** *pres.3.un.*, **caea** *grch.2.un.*, **cau** *grch.2.un.*, **caua** *grch.2.un.* закрывать; запереть; запирать; закрыть; заносить; занести.
caul *g.* **ceuliau** *ll.*, **ceulion** *ll.* ❶ творог. ❷ сычуг. ❸ утроба. ❹ подмаренник. ❺ кислица.
cawdd *g.* **coddion** *ll.* бедствие; гнев; горе; несчастье; обида; огорчение; оскорбление; печаль; ярость.
cawell *g.* **cewyll** *ll.* ❶ корзина. ❷ колчан. ❸ зыбка; колыбель; люлька. ❹ клетка.
cawg *g.* **cawgiau** *ll.* миска; таз.
cawl *g.* ❶ похлёбка; суп. ❷ беспорядок; путаница. ❸ капуста.
cawod *b.* **cawodau** *ll.*, **cawodydd** *ll.* душ; ливень.
cawr *g.* **cewri** *ll.* исполин; титан; гигант; великан.
cawraidd *ans.* гигантский; громадный; исполинский.
cawres *b.* **cawresau** *ll.* великанша.
cawrfarch *g.* **cawrfeirch** *ll.* верблюд.
cawrfil *g.* **cawrfilod** *ll.* слон.
cawrgarw *g.* **cawrgeirw** *ll.* лось; сохатый.
caws *g.* сыр.
ceden *b.* **cedenau** *ll.*, **cedenod** *ll.* ворс; пушок.
cedor *b.* **cedorau** *ll.* лобковые волосы.
cefngrwm *ans.* горбатый.
cefn *g.* **cefnau** *ll.* хребет; опора; спинка; спина.
cefnder *g.* **cefndyr** *ll.* двоюродный брат.
cefndir *g.* **cefndiroedd** *ll.* данные; квалификация; подготовка; подноготная; подоплёка; предпосылка; происхождение; фон.
cefnen *b.* **cefnennau** *ll.* ❶ склон. ❷ закидушка.
cefnog *ans.* ❶ храбрый. ❷ сильный. ❸ зажиточный; богатый. ❹ имеющий спину.
cefnogaeth *b.* поддержка.
cefnogi *be.* ❶ поддержать; поддерживать; болеть.
cefnogol *ans.* стимулирующий; поддерживающий; поощряющий.
cefnogwr *g.* **cefnogwyr** *ll.* ❶ приверженец; сторонник. ❷ помощник; пособник. ❸ секундант. ❹ болельщик.
cefnu *be.* ❶ отступить; отступать; отказываться; поворачиваться спиной. ❷ заканчивать. ❸ преодолевать. ❹ поддерживать; подкреплять. **cefnu ar rth** отказываться от чего-либо.
ceffyl *g.* **ceffylau** *ll.* лошадь.
ceg *b.* **cegau** *ll.* ❶ рот; уста. ❷ пасть. **ac fe agorodd y llew mwya ei geg** и самый большой лев открыл свою пасть. **cau dy geg!** заткни пасть!
cega *be.* ❶ чавкать. ❷ душить. ❸ болтать; разбалтывать.
cegid *b.* **cegidau** *ll.* сойка.
cegiden *b.* **cegid** *ll.*, **cegyr** *ll.* болиголов.
cegin *b.* **ceginau** *ll.* кухня.
cegrwth *ans.* разинув рот.
cegrythu *be.* зевать.
cenglu *be.* обматывать; опоясывать; обвивать; наматывать; мотать.
cei *g.* **ceiau** *ll.* набережная; причал.
ceidwad *g.* **ceidwaid** *ll.* ❶ хранитель. ❷ спаситель.
ceidwadol *ans.* консервативный.
Ceidwadwr *g.* **Ceidwadwyr** *ll.* консерватор.
ceiliagwydd *g.* **ceiliagwyddau** *ll.* гусак.
ceiliog *g.* **ceiliogod** *ll.* ❶ петух. ❷ курок. ❸ кран (*водопроводный*). **ceiliog rhedyn** кузнечик.
ceiniog *b.* **ceiniogau** *ll.* пенс.
ceirchen *b.* **ceirch** *ll.* овёс.
ceirchyn *g.* **ceirch** *ll.* овёс.
ceiriosen *b.* **ceirios** *ll.* вишня.
ceisiad *g.* **ceisiadau** *ll.*, **ceisiaid** *ll.* ❶ попытка. ❷ запрос.
ceisio *be.* **cais** *grch.2.un.*, **cais** *pres.3.un.* постараться; попытаться; стараться; пытаться; пробовать.
celain *b.* **celanedd** *ll.*, **celaneddau** *ll.* труп.
celf *b.* **celfau** *ll.* ловкость; умение; искусство; ремесло.
celficyn *g.* **celfi** *ll.* мебель.
celfydd *ans.* артистический; искусный; квалифицированный.
celfyddyd *b.* **celfyddydau** *ll.* искусство.
Celtiad *g.* **Celtiaid** *ll.* кельт.
celu *be.* маскировать; прятать; скрывать; умалчивать; утаивать.
celwydd *g.* **celwyddau** *ll.* ложь.
celwyddgi *g.* **celwyddgwn** *ll.* лжец.
celynnen *b.* **celyn** *ll.* падуб.
cell *b.* **cellau** *ll.*, **celloedd** *ll.* ячейка; ячея; камера; келья; клетка; комната; отсек.
celli *b.* **cellïau** *ll.*, **cellïoedd** *ll.* лесок; роща.
cellwair[1] *be.* пошутить; подтрунивать; поддразнивать; высмеивать; дразнить; насмехаться; острить; шутить; подшучивать.
cellwair[2] *g.* **cellweiriau** *ll.* анекдот; веселье; забава; острота; шутка.

cemeg *b.* химия.
cemegol *ans.* химический.
cemegwr *g.* **cemegwyr** *ll.* ❶ химик. ❷ аптекарь.
cen *g.* пурпур; чешуя; кожа; кожица; кожура; корка; лишай; лишайник; налёт; перхоть; плёнка; шелуха; шкура.
cenau *g.* **cenawon** *ll.* детёныш; щенок.
cenedl *b.* **cenhedloedd** *ll.* национальность; народ; народность; нация; племя; пол; порода; раса; род; род; сорт.
cenedlaethol *ans.* народный; национальный.
cenedlaetholdeb *g.* национализм; патриотизм.
cenedlaetholwr *g.* **cenedlaetholwyr** *ll.* националист.
cenfigen *b.* **cenfigennau** *ll.* зависть; ревность.
cenfigenllyd *ans.* завистливый; ревнивый.
cenfigennu *be.* ❶ ревновать. ❷ завидовать.
cenfigennus *ans.* завистливый; ревнивый.
cenhadaeth *b.* **cenadaethau** *ll.* ❶ миссия; делегация. ❷ призвание; поручение; цель; задача; задание.
cenhadol *ans.* ❶ миссионерский. ❷ позволительный. ❸ разрешающий.
cenhadwr *g.* **cenadwriau** *ll.* ❶ посланник; посланец. ❷ проповедник; миссионер.
cenhedlaeth *b.* **cenedlaethau** *ll.* поколение; колено.
cenhedlig *ans.* языческий.
cenhedlu *be.* порождать; рождать.
cenhinen *b.* **cennin** *ll.* лук-порей. **cenhinen Bedr** нарцисс.
cenllysg *g.* град.
cennu *be.* лущить; шелушиться.
cerbyd *g.* **cerbydau** *ll.* карета; колесница; машина; повозка; тележка; экипаж; автобус; автомобиль; вагон; вагонетка.
cerbydres *b.* **cerbydresi** *ll.* поезд.
cerdyn *g.* **cardiau** *ll.* карта; карточка; открытка.
cerdd[1] *b.* ходьба; путешествие.
cerdd[2] *b.* **cerddau** *ll.*, **cerddi** *ll.*, **cyrdd** *ll.* ❶ поэма; стихи; стихотворение. ❷ музыка. ❸ искусство; ремесло.
cerdded *be.* **cerdd** *grch.2.un.*, **cerdd** *pres.3.un.* ходить; шагать; идти; походить; брести; проходить; пройтись; гулять.
cerddediad *g.* **cerddediadau** *ll.* аллюр; поступь; походка; ходьба; шаг.
cerddedwr *g.* **cerddedwyr** *ll.* ❶ путешественник. ❷ бродяга. ❸ ходок; пешеход.
cerddinen *b.* **cerddin** *ll.* рябина.
cerddor *g.* **cerddorion** *ll.* бард; музыкант; певец.
cerddores *b.* **cerddoresau** *ll.* певица.
cerddorfa *b.* **cerddorfeydd** *ll.* оркестр.
cerddoriaeth *b.* музыка.
cerddorol *ans.* мелодичный; музыкальный.
cerfddelw *b.* **cerfddelwau** *ll.* изваяние; статуя.
cerflun *g.* **cerfluniau** *ll.* гравюра; изваяние; статуя.
cerfluniaeth *b.* ваяние; скульптура.
cerfwaith *g.* ваяние; изваяние; скульптура.
cern *b.* **cernau** *ll.* скула; щека.
cernod *b.* **cernodiau** *ll.* оплеуха; пощёчина; удар.
cernodio *be.* давать пощечину; бить по уху.
Cernyw *e.* Корнуолл.
Cernyweg *b.* корнский (*язык*).
cerrynt *gb.* дорога; курс; направление; поток; путь; течение; ток.
cerydd *g.* **ceryddon** *ll.* наказание; осуждение; выговор; упрёк; замечание; порицание; укор.
ceryddu *be.* ❶ корить; критиковать; порицать; упрекать. ❷ наказывать. ❸ корректировать; исправлять; поправлять; править.
cesail *b.* **ceseiliau** *ll.* подмышка.
cesair *ll.* град.
cetyn *g.* **catiau** *ll.* ❶ штука. ❷ кусок. ❸ свирель; свисток; дудка. ❹ трубка; мундштук.
cethr *b.* **cethrau** *ll.*, **cethri** *ll.* гвоздь; дротик; копьё.
cethren *b.* **cethrennau** *ll.* гвоздь; дротик; копьё.
ceudod *g.* ❶ впадина; полость; каверна; дупло. ❷ талия; поясница; брюшко; живот. ❸ сердце; душа; мысль; сердцевина.
ceufad *g.* **ceufadau** *ll.* пирога; байдарка; каноэ; челнок.
ceuffos *b.* **ceuffosydd** *ll.* слив; водоотвод; водосток; дренаж; канава; кювет; ров; траншея.
ceulfwyd *g.* **ceulfwydydd** *ll.* ❶ желе. ❷ сладкий крем (*из яиц и молока*).
ceulo *be.* свертываться; сгущаться; сворачиваться; застыть; коагулировать; оцепенеть; свёртывать; сгущать.
ceunant *g.* **ceunentydd** *ll.* балка; лощина; овраг; теснина; ущелье.
cewyn *g.* **cewynnau** *ll.*, **cewynnon** *ll.* подгузник; повязка; пелёнка; полотенце.
ci *g.* **cŵn** *ll.* пёс; собака.
cib *g.* **cibau** *ll.* ❶ сосуд; чаша; ёмкость; шкатулка; край (*посуды*). ❷ кожура; оболочка; шелуха; лузга; кокон; стручок.

cibyn *g.* **cibynnau** *ll.* ❶ шелуха; скорлупа. ❷ полбушеля (*около 18 л*).

cic *gb.* **ciciau** *ll.* пинок; удар ногой.

cicio *be.* лягать; давать пинок; ударять ногой.

cidwm *g.* **cidymiaid** *ll.*, **cidymod** *ll.* волк; волчина позорный.

cig *g.* **cigoedd** *ll.* мясо.

cigydd *g.* **cigyddion** *ll.* мясник.

cil *g.* **ciliau** *ll.*, **cilion** *ll.* ❶ угол; уголок; закоулок. ❷ затылок; спинка; спина. ❸ отступление. ❹ пристанище; приют; убежище. ❺ обух. ❻ голова (*арфы*). ❼ затмение.

cilagor *be.* приоткрывать; приоткрыть.

cilbost *g.* **cilbyst** *ll.* косяк.

cilfach *b.* **cilfachau** *ll.* ❶ закоулок. ❷ бухта; бухточка; залив.

cilgwthio *be.* теснить; спихнуть; отталкивать.

ciliad *g.* **ciliadau** *ll.* бегство; отступление.

cilio *be.* ❶ отойти; отступить; отходить; отступать. ❷ уменьшаться. ❸ прогнать; прогонять.

cilydd *g.* **cilyddion** *ll.* ❶ собрат; товарищ. ❷ ворог. **ei gilydd, ein gilydd, eich gilydd** друг друга. **gyda'i gilydd, gyda'n gilydd, gyda'ch gilydd** друг с другом. **at ei gilydd** в целом.

cimwch *g.* **cimychiaid** *ll.* ❶ омар. ❷ увалень. ❸ гримаса.

ciniawa *be.* обедать.

cinio *gb.* **ciniawau** *ll.* обед.

cip *g.* **cipion** *ll.* ❶ захват; сжатие. ❷ проблеск.

cipedrych *be.* ❶ заглядывать; заглянуть. ❷ смотреть хитро, злобно или с вожделением.

cipio *be.* подхватить; хватать; выхватить.

cipiog *ans.* ❶ хваткий. ❷ жадный.

cipolwg *gb.* **cipolygon** *ll.* намёк; проблеск. **ga i gipolwg?** можно взглянуть?

cist *b.* **cistiau** *ll.* ❶ коробка; ларь; сундук; ящик. ❷ гроб.

ciw *g.* **ciwiau** *ll.* очередь.

ciwdod *b.* клан; племя; шатия; триба; род; нация; народность; народ; компания; землячество.

claddu *be.* **cladd** *grch.2.un.*, **cladd** *pres.3.un.* ❶ похоронить; хоронить; погребать; погрести; закопать; закапывать. ❷ метать икру. ❸ копать. ❹ колоть.

claf[1] *g.* **cleifion** *ll.* больной; пациент.

claf[2] *ans.* **cleifion** *ll.* больной; нездоровый.

clafychu *be.* заболеть; хворать; болеть; заболевать.

clais *g.* **cleisiau** *ll.* ❶ ушиб; синяк; кровоподтёк. ❷ полоса. ❸ траншея; канава. ❹ одуванчик.

clap *g.* **clapiau** *ll.* ❶ хлопок. ❷ болтовня. ❸ ком; комок; опухоль; шишка. ❹ венерическое заболевание.

clas *g.* коллегия; монастырь.

clasur *g.* **clasuron** *ll.* ❶ произведение классической литературы (*греческой или римской*). ❷ классическое, образцовое произведение (*работа, труд*).

clasurol *ans.* классический.

clawdd *g.* **cloddiau** *ll.* ❶ копь; шахта; яма; канава; траншея; ров. ❷ вал; изгородь; ограда; насыпь; плотина; дамба.

clawr *g.* **cloriau** *ll.* футляр; крышка; обёртка; переплёт; обложка. **clawr gwyddbwyll** шахматная доска. **clawr y llygad** веко.

clebran *be.* болтать; сплетничать; стрекотать; судачить; щебетать.

clebren *b.* сплетница; болтунья.

clebryn *g.* болтун; сплетник.

clec *b.* **cleciau** *ll.*, **clecs** *ll.* ❶ треск; щелчок; щёлканье. ❷ удар. ❸ болтовня. ❹ болтунья; болтун; сплетница; сплетник.

clecian *be.* щелкнуть; защёлкивать; колоть; ломаться; раскалывать; расщеплять; трескаться; трещать; щёлкать.

cledr *b.* **cledrau** *ll.* рельс; жердь; кол; перекладина; поперечина; рейка; столб; шест. **cledr llaw** ладонь.

cledren *b.* **cledrennau** *ll.*, **cledrenni** *ll.* жердь; кол; перекладина; поперечина; рейка; столб; шест; рельс.

cledd[1] *ans.* левый.

cledd[2] *g.* **cleddyfau** *ll.* меч.

cleddyf *g.* **cleddyfau** *ll.* меч.

cleddyfan *g.* **cleddyfannau** *ll.* кинжал.

clefyd *g.* **clefydau** *ll.*, **clefydon** *ll.* болезнь; недуг; хворь.

clegar[1] *g.* **clegarau** *ll.* гогот.

clegar[2] *be.* гоготать.

cleisio *be.* ❶ подбивать; повредить; ушибать. ❷ рассветать. ❸ отрывать дренажную канаву.

clem *b.* **clemiau** *ll.* понятие; представление; взгляд; знакомство; знание; идея; мнение.

clep *b.* **clepiau** *ll.* ❶ сплетня; болтовня. ❷ треск; щёлканье. ❸ удар; хлопанье; хлопок.

clepgi *g.* **clepgwn** *ll.* болтун; сплетник.

clepian *be.* аплодировать; бахнуть; грохнуть; захлопывать; похлопать; стукнуть; хлопать; хлопнуть.

cleren *b.* **clêr** *ll.* муха.

clipfwrdd *g.* **clipfyrddau** *ll.* планшет.

clir *ans.* ❶ прозрачный; чистый. ❷ незанятый; свободный.

clo *g.* **cloeau** *ll.*, **cloeon** *ll.* замок.

cloch *b.* **clych** *ll.*, **clychau** *ll.* звонок; колокольчик; колокол. **faint o'r gloch ydy hi?** который час? **mae hi tua deg o'r gloch** около десяти.
clod *gb.* **clodydd** *ll.* восхваление; известность; похвала; репутация; слава.
clodfawr *ans.* похвальный; прославленный; знаменитый.
clodfori *be.* превозносить; расхваливать; хвалить; восхвалять.
cloddfa *b.* **cloddfeydd** *ll.* каменоломня; карьер; копь; прииск; рудник; шахта.
cloddio *be.* подкапывать; подрывать; откапывать; подкапываться; раскапывать; выкапывать; рыть; копать.
cloff *ans.* хромой; увечный; неудовлетворительный; неубедительный.
cloffi[1] *be.* ❶ хромать. ❷ калечить; увечить.
cloffi[2] *g.* хромота.
clogwyn *g.* **clogwynau** *ll.*, **clogwyni** *ll.* валун; обрыв; пропасть; скала; утёс.
cloi *be.* **clo** *grch.2.un.*, **cly** *pres.3.un.* запереть; закрыть; запирать; закрывать.
clorian *gb.* **cloriannau** *ll.* весы.
cloriannu *be.* сравнивать; взвешивать; оценивать; сопоставлять.
clos *g.* **closau** *ll.* брюки; штаны.
clud *gb.* кладь; багаж.
cludiant *g.* **cludiannau** *ll.* транспортировка; переноска; перевозка; доставка.
cludo *be.* повезти; относить; транспортировать; передавать; поносить; везти; возить; переносить; переправлять; перевозить; носить; нести; понести; отнести; доносить; доносить; донести; заносить; занести; отвезти; переть.
clun[1] *b.* **cluniau** *ll.* бедро; ляжка.
clun[2] *g.* ❶ луговина; луг. ❷ кустарник; заросль.
cluniadur *g.* **cluniaduron** *ll.* ноутбук.
clust *gb.* **clustiau** *ll.* ухо.
clustfeinio *be.* прислушиваться; подслушивать.
clustlws *g.* **clustlysau** *ll.* серёжка; серьга.
clustnodi *be.* выделять что-либо для какой-нибудь определенной цели; метить ухо овцы клеймом владельца.
clustog *gb.* **clustogau** *ll.* подушка.
clwb *g.* **clybiau** *ll.* клуб.
clwc[1] *ans.* ❶ испорченный; протухший. ❷ больной. ❸ склонный к высиживанию яиц (*о курице*).
clwc[2] *g.* **clwcion** *ll.* кудахтанье.
clwcian *be.* кудахтать.
clws *ans.* **clos** *ж.* изящный; миловидный; милый; прелестный; хорошенький.
clwstwr *g.* **clystyrau** *ll.* кластер.
clwt *g.* **clytiau** *ll.* заплата; клочок; лоскут; обрывок; тряпка.
clwyd *b.* **clwydau** *ll.*, **clwydi** *ll.*, **clwydydd** *ll.* ❶ калитка; ворота. ❷ плетень. ❸ насест. ❹ шлагбаум; барьер. ❺ стойка. ❻ подмости; леса.
clwydo *be.* ❶ спутывать; сплетать; плести; ограждать плетнём. ❷ устраиваться на ночлег.
clwyf *g.* **clwyfau** *ll.* ❶ рана. ❷ заболевание; болезнь.
clymblaid *b.* **clymbleidiau** *ll.* клика.
clymu *be.* ❶ привязать; связать; связывать; привязывать; скреплять. ❷ возобновлять борьбу после поражения; вновь собирать или сплачивать (*для совместных усилий*).
clyw *g.* слух.
clywadwy *ans.* внятный; слышимый; слышный.
clywed *be.* **clyw** *grch.2.un.*, **clyw** *pres.3.un.* услышать; слышать; слыхать; обонять; осязать; испытывать. **glywest ti'r newiddion?** ты слышал новости? **'na'r oglau glywon ni ddoe!** вот запах, который мы слышали вчера!
cnaf *g.* **cnafiaid** *ll.*, **cnafon** *ll.* ❶ плут; шельмец. ❷ валет.
cnawd *g.* мясо; плоть; тело.
cneuen *b.* **cnau** *ll.* орех.
cnewyllyn *g.* **cnewyll** *ll.* зёрнышко; сердцевина; ядро.
cnoad *g.* **cnoadau** *ll.* укус.
cnoi *be.* **cno** *grch.2.un.*, **cny** *pres.3.un.* укусить; грызть; глодать; жевать; кусать; закусить; закусывать.
cnu *b.* **cnuau** *ll.* руно.
cnuch *g.* **cnuchau** *ll.* ❶ спаривание. ❷ сустав.
cnuchio *be.* спариваться (*о животных*); совершать половой акт (*о человеке*).
cnwd *g.* **cnydau** *ll.* ❶ урожай; жатва. ❷ обилие. ❸ покров.
cocos *ll.* зубцы.
cocsen *b.* **cocos** *ll.*, **cocs** *ll.* съедобный моллюск.
coch *ans.* **cochion** *ll.* красный; рыжий; алый. **y ddraig goch** красный дракон.
cochddu *ans.* бурый.
cochi[1] *be.* покраснеть; краснеть.
cochi[2] *g.* краснота.
codi *be.* **cod** *grch.2.un.*, **cod** *pres.3.un.*, **cwyd** *grch.2.un.*, **cwyd** *pres.3.un.*, **cyfyd** *pres.3.un.* ❶ повысить; поднять; повышать; поднимать; воздвигать; приподнять; задрать; вскинуть; заносить; занести. ❷ подняться; подниматься; вставать; встать. ❸ происходить; проистекать. ❹ просить. **faint mae e'n ei godi am bwys o datws?** сколько он просит за фунт картошки?

codiad *g.* **codiadau** *ll.* ❶ прибавка; повышение; рост; восход; увеличение; возвышение; вставание; поднятие; подъём. ❷ восстание. ❸ возвышенность. ❹ опухоль.
codlo *be.* путать.
codwarth *g.* **codwarthau** *ll.* красавка (*обыкновенная*); белладонна.
coddi *be.* **cawdd** *grch.2.un.*, **cawdd** *pres.3.un.* обидеть; задевать; обижать; оскорблять; раздражать; сердить.
coeden *b.* **coed** *ll.* дерево; древесина; древо. **coed** лес.
coediog *ans.* лесистый; лесной.
coediwr *g.* **coedwyr** *ll.* ❶ лесничий; лесник. ❷ дровосек. ❸ лесовик.
coedwig *b.* **coedwigoedd** *ll.* бор; лес.
coel *b.* **coelion** *ll.* вера; верование; доверие; убеждение.
coelcerth *b.* **coelcerthi** *ll.* костёр; маяк; пламя.
coelio *be.* поверить; верить; полагать.
coes[1] *b.* **coesau** *ll.* ❶ ножка; нога. ❷ голень. ❸ стержень.
coes[2] *gb.* **coesau** *ll.* ❶ стебель; ствол. ❷ рукоять; рукоятка; ручка; черенок.
coesarf *b.* **coesarfau** *ll.* один из поножей.
coetir *g.* **coetiroedd** *ll.* лес; пуща.
coeth *ans.* ❶ чистый; рафинированный. ❷ изысканный; прекрасный; блестящий. ❸ болтливый; говорливый.
coethi *be.* ❶ усовершенствовать; совершенствовать. ❷ дразнить; преследовать; наказывать; бить; гнать; подгонять. ❸ перемешивать. ❹ испаряться. ❺ рявкать; лаять. ❻ бормотать; болтать.
cof *g.* **cofion** *ll.* память. **cof bach** флэшка. **cof hapgyrch** оперативная память, ОЗУ.
cofadail *b.* **cofadeiladau** *ll.*, **cofadeiliau** *ll.* монумент; памятник.
cofeb *b.* **cofebion** *ll.* меморандум; мемориал; памятник.
cofiadwy *ans.* ❶ достопамятный; незабвенный; незабываемый. ❷ памятливый.
cofiant *g.* **cofiannau** *ll.* биография; мемуары.
cofiedydd *g.* **cofiedyddion** *ll.* хроникёр; регистратор.
cofio *be.* помнить; вспомнить; вспоминать; припоминать; запомнить; запоминать.
coflech *b.* **coflechau** *ll.* мемориальная доска.
cofleidiad *g.* **cofleidiadau** *ll.* объятие.
cofleidio *be.* обнять; обнимать.
coflen *b.* **coflenni** *ll.* досье; дело.
cofnod *g.* **cofnodion** *ll.* ❶ памятная записка; меморандум. ❷ протокол (*заседания*).
cofnodi *be.* записать; провести; проводить; записывать; протоколировать; регистрировать; заносить; занести.
cofrestr *b.* **cofrestrau** *ll.*, **cofrestri** *ll.* ведомость; журнал; реестр; список.
cofrestru *be.* отмечать; регистрировать.
coffa[1] *g.* **coffaon** *ll.*, **coffeion** *ll.* воспоминание; память.
coffa[2] *be.* вспоминать; помнить.
coffi *g.* кофе.
coffr *g.* **coffrau** *ll.* сейф; сундук.
cog[1] *b.* **cogau** *ll.* кукушка.
cog[2] *g.* **cogau** *ll.* кок; повар.
coginio *be.* приготовить; готовить; состряпать; стряпать.
cogwrn *g.* **cegyrn** *ll.*, **cogyrnau** *ll.* выпуклость; оболочка; стог; холмик; шелуха; шишка.
cogydd *g.* **cogyddion** *ll.* повар.
cogyddes *b.* **cogyddesau** *ll.* повариха; кухарка.
congl *b.* **conglau** *ll.* закоулок; угол; уголок.
col *g.* **colion** *ll.* ость.
cola *g.* **colâu** *ll.* кола (*напиток*).
colegol *ans.* ❶ коллегиальный. ❷ академический; университетский.
colegwr *g.* **colegwyr** *ll.* лицо, окончившее колледж; член колледжа; студент колледжа.
coler *gb.* **colerau** *ll.*, **coleri** *ll.* воротник; воротничок.
colofn *b.* **colofnau** *ll.* ❶ колонна; стойка; столб; опора; столп. ❷ графа; колонка; столбец. ❸ поддержка.
colomen *b.* **colomennod** *ll.* голубка; голубь.
coluddyn *g.* **coludd** *ll.*, **coluddion** *ll.* кишка.
colwyn *g.* **colwynod** *ll.* щенок.
colyn *g.* **colynnau** *ll.* ❶ жало. ❷ ость. ❸ ось; стержень; шкворень. ❹ хвост.
coll[1] *e.* **collen** *Sing.*, **cyll** *ll.* орешник.
coll[2] *g.* **colliadau** *ll.* дефект; изъян; недостаток; недочёт; неисправность; повреждение; порок; потеря; проигрыш; пропажа; слабость; убыток; урон; утрата; ущерб.
colled *b.* **colledion** *ll.* потеря; проигрыш; убыток; урон; утрата.
colli *be.* **coll** *grch.2.un.*, **cyll** *pres.3.un.* ❶ растерять; проиграть; утратить; потерять; лишаться; пропустить; терять; упустить; задевать. ❷ опоздать. ❸ скучать. ❹ рассыпать; рассыпать; просыпаться; просыпаться. **dw i'n dy golli di** я скучаю по тебе.
collnod *g.* **collnodau** *ll.* апостроф.
comedi *gb.* **comedïau** *ll.* комедия.
comisiwn *g.* **comisiwnau** *ll.* комиссия.

comiwnydd *g.* **comiwnyddion** *ll.* коммунист.
comiwnyddiaeth *b.* коммунизм.
comiwnyddol *ans.* коммунистический.
conach *be.* ворчать; жаловаться.
concro *be.* завоёвывать; побеждать; подавлять; подчинять; покорять.
cont *b.* **contiau** *ll.* пизда.
copa *g.* **copaon** *ll.*, **copâu** *ll.* пик; верх; верхушка; вершина.
copïo *be.* копировать.
copr *g.* медь.
côr *g.* **corau** *ll.* ❶ хор. ❷ сиденье. ❸ стойло.
cor *g.* **corrod** *ll.* ❶ гном; карлик. ❷ паук.
corcyn *g.* **cyrc** *ll.* пробка.
cordeddu *be.* вить; виться; плести; свивать; скручивать; сплетать; сучить.
cordwal *g.* сафьян.
cordd[1] *b.* **corddau** *ll.*, **cyrdd** *ll.* отряд; семья; племя; клан.
cordd[2] *g.* маслобойка.
corddi *be.* сбить; взбалтывать; сбивать; взбивать; вспенивать; возбуждать.
corf *gb.* **corfau** *ll.* ❶ лука (*седла*). ❷ пара колонн, деливших зал на «верхнюю» и «нижнюю» половины.
corff *g.* **cyrff** *ll.* корпорация; корпус; кузов; организация; остов; станина; тело; труп; фюзеляж; туловище.
corffolaeth *b.* ❶ стан; фигура; стать. ❷ конституция. ❸ воплощение. ❹ полнота. ❺ корпорация.
corffori *be.* ❶ объединять; соединять. ❷ включать. ❸ воплощать. ❹ регистрировать.
corfforol *ans.* ❶ вещественный; материальный; телесный; физический. ❷ полный. ❸ трупный. ❹ зарегистрированный как корпорация.
corgi *g.* **corgwn** *ll.* корги (*порода собак*).
corgimwch *g.* **corgimychiaid** *ll.* креветка (*пильчатая*).
corn *g.* **cyrn** *ll.* ❶ усик; рог. ❷ рожок. ❸ мозоль. ❹ пелёнка.
cornel *gb.* **cornelau** *ll.*, **corneli** *ll.* угол; уголок.
cornicyll *g.* **cornicyllod** *ll.* зуёк; ржанка; чибис.
cornor *g.* **cornorion** *ll.* полковник.
coron *gb.* **coronau** *ll.* корона.
coroni *be.* венчать; короновать.
corrach *g.* **corachod** *ll.* гном; карлик; пигмей.
cors *b.* **corsydd** *ll.* болото; топь; трясина.
corun *g.* **corunau** *ll.* ❶ корона; венец. ❷ темя; макушка. ❸ тонзура.
corwg *g.* **corygau** *ll.* ❶ рыбачья лодка, сплетённая из ивняка и обтянутая кожей или брезентом (*в Ирландии и Уэльсе*). ❷ сосуд. ❸ тело.
corwgl *g.* **coryglau** *ll.*, **cwryglau** *ll.* ❶ рыбачья лодка, сплетённая из ивняка и обтянутая кожей или брезентом (*в Ирландии и Уэльсе*). ❷ сосуд. ❸ тело.
corwynt *g.* **corwyntoedd** *ll.* вихрь; смерч; торнадо; шквал; ураган.
cosb *b.* **cosbau** *ll.* взыскание; наказание. **cosb eithaf** высшая мера наказания.
cosbi *be.* наказать; карать; наказывать.
cosi *be.* зудеть; скрести; чесать; чесаться.
cost *gb.* **costau** *ll.* ❶ расход; стоимость; цена; трата; расходование. ❷ снабжение. ❸ затруднение.
costio *be.* ❶ стоить; обойтись; обходиться. ❷ платить; тратить. ❸ покупать. ❹ давать; обеспечивать. ❺ поддерживать. ❻ быть обязанным.
costrel *b.* **costrelau** *ll.*, **costreli** *ll.* ❶ флакон; фляга; бутыль. ❷ бочонок. ❸ бурдюк; мех.
côt *b.* **cotiau** *ll.* ❶ пальто. ❷ шерсть; шерстка. ❸ покров; слой.
cotwm *g.* **cotymau** *ll.* хлопок; хлопчатник.
cownter *g.* **cownterau** *ll.*, **cownteri** *ll.* прилавок; стойка. **dan y cownter** из-под полы.
craen *g.* **craeniau** *ll.* кран.
craf *g.* чеснок.
crafanc *b.* **crafangau** *ll.* ❶ коготь. ❷ кулак; лапа. ❸ патрон; захват. **crafanc safn** кулачковый патрон.
crafiad *g.* **crafiadau** *ll.* ❶ царапанье. ❷ царапина. ❸ риска; насечка. ❹ желобок; канавка. ❺ легкое касание струн арфы пальцами.
crafu[1] *be.* **craf** *grch.2.un.*, **craf** *pres.3.un.* наскрести; нацарапать; оцарапать; расцарапать; чесать; чиркать; скоблить; скрести; обдирать; царапать.
crafu[2] *g.* зуд; чесотка.
craff[1] *ans.* ❶ сильный. ❷ внимательный. ❸ подробный. ❹ проницательный; прозорливый; благоразумный; здравомыслящий; умный; дальновидный; сообразительный; хитрый. ❺ пронзительный.
craff[2] *gb.* **craffau** *ll.* ❶ зажатие; захват; хватка. ❷ ручка; рукоять. ❸ количество; сумма. ❹ владение. ❺ тиски; зажим.
craffu *be.* **craff** *grch.2.un.*, **craff** *pres.3.un.* ❶ обхватывать; зажимать; сжимать; держать; захватывать; хватать; обхватить; прилипать; действовать (*на*); влиять; затрагивать. ❷ разглядывать; замечать; смотреть; вглядываться; пялиться; глазеть.

cragen *b.* **cregyn** *ll.* ❶ ракушка; раковина. ❷ скорлупа; обшивка. ❸ черепок. ❹ жабра.

crai *ans.* ❶ свежий; новый. ❷ необработанный; сырой. ❸ грубый. ❹ грустный. ❺ пресный. ❻ чистый.

craidd *g.* **creiddiau** *ll.* середина; центр.

craig *b.* **creigiau** *ll.* утёс; скала.

crair *g.* **creiriau** *ll.* ❶ мощи. ❷ реликвия. ❸ оберег; талисман. ❹ колокольчик; колокол.

craith *b.* **creithiau** *ll.* рубец; шрам.

cranc *g.* **cranciau** *ll.*, **crancod** *ll.* ❶ краб; рак. ❷ гангрена; рак. ❸ лебёдка; ворот.

crand *ans.* важный; великолепный; величественный; восхитительный; грандиозный; импозантный; парадный; пышный; роскошный.

cras *ans.* **creision** *ll.* сухой. **creision** чипсы.

crasu *be.* ❶ сушить; опалять; печь; палить; подпаливать; обжигать; иссушать; жечь; выжигать; подсушивать. ❷ пороть; бить; наказывать.

crau[1] *g.* **creuau** *ll.* ❶ глазок; дыра; гнездо; отверстие. ❷ свинарник. ❸ частокол.

crau[2] *gb.* кровь.

crawn *g.* ❶ хранилище. ❷ сокровище. ❸ выделение; гной.

cread *g.* произведение; создание; созидание; сотворение.

creadigaeth *b.* **creadigaethau** *ll.* творчество; мироздание; произведение; создание; созидание; сотворение.

creadigol *ans.* ❶ созданный. ❷ первоначальный; оригинальный. ❸ созидательный; творческий.

creadur *g.* **creaduriaid** *ll.* ❶ творение; создание; тварь; креатура. ❷ животное. ❸ бедняжка. ❹ создатель.

creawdwr *g.* **creawdwyr** *ll.* создатель; творец.

crechwen[1] *be.* гоготать.

crechwen[2] *b.* гогот.

cred *b.* **credau** *ll.* ❶ религия; вера. ❷ убеждение; верование. ❸ доверие. ❹ обещание; обязательство. ❺ поручительство. ❻ кредит.

credo *gb.* **credoau** *ll.* вера; верование; кредо; убеждение.

credu *be.* **cred** *grch.2.un.*, **cred** *pres.3.un.* поверить; доверять; верить; думать; полагать.

credyd *g.* **credydau** *ll.* кредит; кредит.

crefydd *b.* **crefyddau** *ll.*, **crefyddon** *ll.* ❶ религия; культ; вера. ❷ монашество. ❸ таинство.

crefyddol *ans.* благочестивый; верующий; монашеский; набожный; религиозный.

crefyddwr *g.* **crefyddwyr** *ll.* верующий; священник; монах.

crefftwr *g.* **crefftwyr** *ll.* мастер; мастеровой; ремесленник.

crempog *b.* **crempogau** *ll.* блин; оладья.

crensio *be.* скрежетать.

creu *be.* творить; создать; создавать.

creulon *ans.* жестокий.

creulondeb *g.* **creulondebau** *ll.* жестокость.

cri[1] *ans.* ❶ необработанный; сырой. ❷ новый; свежий; новенький. ❸ грубый. ❹ пресный.

cri[2] *b.* **criau** *ll.* вопль; клич; крик; ропот; шум.

criafolen *b.* **criafol** *ll.* рябина.

crib *gb.* **cribau** *ll.* ❶ гребешок (*петуха*); гребень; расчёска. ❷ соты. ❸ конёк (*крыши*).

cribo *be.* кардовать; прочёсывать; расчёсывать; причёсывать; чесать. **mae'r athrawes yn cribo gwallt y plant ar ôl iddynt fod i'r pwll nofio** учительница расчесывает волосы детям после того, как они были в плавательном бассейне.

cricedwr *g.* **cricedwyr** *ll.* игрок в крикет.

crisial[1] *ans.* кристаллический; кристальный; хрустальный.

crisial[2] *g.* **crisialau** *ll.* кристалл; хрусталь.

Crist *e.* Христос.

Cristion *g.* **Cristnogion** *ll.* христианин.

Cristnogaeth *b.* христианство.

Cristnogol *ans.* христианский.

criw *g.* **criwiau** *ll.* ❶ команда; экипаж; расчёт. ❷ компания. ❸ шайка.

croch *ans.* зычный; громкий; звучный; шумный.

crochan *g.* **crochanau** *ll.* бойлер; горшок; котёл; котелок.

crochenydd *g.* **crochenyddion** *ll.* гончар.

croen *g.* **crwyn** *ll.* кожа; кожура; шкура; кожица.

croenio *be.* затягиваться; затянуться; зарасти.

croenog *ans.* ❶ кожаный. ❷ кожистый. ❸ толстокожий. ❹ кожный.

croes[1] *ans.* перекрёстный; поперечный; противный; противоположный.

croes[2] *b.* **croesau** *ll.* ❶ перекрестье; крестовина; распятие; крест. ❷ скрещивание. ❸ гибрид; помесь.

croesawu *be.* одобрять; приветствовать.

croesffordd *b.* **croesffyrdd** *ll.* перекрёсток.

croesgadwr *g.* **croesgadwyr** *ll.* крестоносец.

croesi *be.* пересечь; перейти; пересекать; переходить; перечеркивать; скрещивать; скрещиваться.

croeso *g.* привет; добро пожаловать; пожалуйста (*в ответ на «спасибо»*).

croesog *ans.* ❶ крестовидный; крестоносный; перекрещивающий. ❷ противоположный. ❸ тигель.

crogi *be.* ❶ повесить; вешать; распинать. ❷ развешивать; подвешивать; навешивать. ❸ висеть; повисать; повиснуть; свешиваться. ❹ прекращать.

crombil *b.* **crombiliau** *ll.* ❶ зоб; глотка; горло. ❷ живот.

cromen *b.* **cromennau** *ll.*, **cromenni** *ll.* ❶ купол; свод; крыша. ❷ чердак. ❸ арка.

cronfa *b.* **cronfeydd** *ll.* ❶ плотина; запруда. ❷ водохранилище. ❸ хранилище. ❹ собрание. ❺ фонд. ❻ база данных.

cronicl *g.* **croniclau** *ll.* летопись; хроника.

croth *b.* **crothau** *ll.* ❶ матка; лоно. ❷ икра.

crothell *b.* **crothellau** *ll.* бычок; колюшка.

croyw *ans.* **croew** *ж.*, **croywon** *ll.* пресный; прозрачный; простой; свежий; чистый.

crud *g.* **crudau** *ll.* ❶ колыбель; люлька. ❷ лоток для промывки золотоносного песка.

crug *g.* **crugiau** *ll.* ❶ курган; бугор; холмик; холм. ❷ груда; куча; масса; множество; толпа; уйма. ❸ гнойник; волдырь; абсцесс; нарыв.

crupl *g.* **cruplau** *ll.* калека; инвалид.

crwban[1] *ans.* горбатый.

crwban[2] *g.* **crwbanod** *ll.* ❶ черепаха. ❷ краб. ❸ горбун.

crwm *ans.* **crom** *ж.* выпуклый; кривой.

crwn *ans.* **cron** *ж.*, **crynion** *ll.* закругленный; округлённый; круглый.

crwt *g.* пацаненок; пацан.

crwth *g.* **crythau** *ll.* ❶ валлийский смычковый музыкальный инструмент с тремя или шестью струнами. ❷ виола; скрипка. ❸ бугор; горб; выпуклость.

crwthi *ans.* горбатый.

crwydro *be.* блуждать; бродить; заблудиться; скитаться; странствовать.

crwydryn *g.* **crwydriaid** *ll.* ❶ бродяга. ❷ кочевник.

crybwyll[1] *g.* **crybwyllion** *ll.* ссылка; упоминание.

crybwyll[2] *be.* упоминать; ссылаться; упомянуть.

crych[1] *g.* **crychiau** *ll.*, **crychion** *ll.* ❶ рябь; зыбь. ❷ дрожь. ❸ складка; морщина.

crych[2] *ans.* **crech** *ж.* ❶ мятый; измятый; морщинистый. ❷ вьющийся; волнистый; кудрявый; курчавый. ❸ дрожащий; трепещущий. ❹ бурный.

crychiad *g.* **crychiadau** *ll.* ❶ сморщивание; рябь. ❷ тремоло. ❸ спирант. ❹ курчавость.

crychu *be.* морщить; щурить; хмурить; морщить; мять; рябить.

crychyn *g.* **crychiadau** *ll.*, **crychiau** *ll.*, **crychion** *ll.*, **crychynnau** *ll.* ❶ морщина. ❷ ерш; ершик.

cryd *g.* **crydiau** *ll.* озноб, лихорадка.

crydd *g.* **cryddion** *ll.* сапожник.

cryf *ans.* **cref** *ж.*, **cryfion** *ll.* крепкий; сильный.

cryfder *g.* мощь; сила.

cryfhau *be.* усиливаться; укрепляться; крепить; подкреплять; укреплять; усиливать.

crygwst *g.* **crygwstiau** *ll.* круп (*мед.*).

cryman *g.* **crymanau** *ll.* серп.

crymgledd *g.* **crymgleddau** *ll.* сабля.

crymu *be.* поклониться; сутулиться; гнуть; изгибать; кланяться; нагибать; наклонить; наклонять; сгибать; сутулить.

cryn *ans.* значительный.

cryndo *g.* **cryndoeau** *ll.*, **cryndoeon** *ll.* купол.

cryndod *g.* ❶ дрожь; трепет. ❷ страх.

crynhoi *be.* ❶ накапливать; суммировать; собирать. ❷ получать. ❸ выгибаться; наклоняться; нагибаться; нагнуться. ❹ скруглять. ❺ свернуть; сворачивать; скатывать.

cryno *ans.* ❶ сжатый; компактный. ❷ чёткий; точный. ❸ лаконичный. ❹ аккуратный; опрятный. ❺ зажиточный; бережливый. ❻ подходящий; полезный; выгодный.

crynodeb *g.* **crynodebau** *ll.* ❶ краткость. ❷ точность. ❸ конспект; резюме; сводка. ❹ уверенность.

crynswth *g.* масса; совокупность; целое.

crynu *be.* **cryn** *grch.2.un.*, **cryn** *pres.3.un.*, **crŷn** *grch.2.un.*, **crŷn** *pres.3.un.* вздрогнуть; дрогнуть; вздрагивать; дрожать; качаться; колебаться; колыхаться; трепетать; трястись.

Crynwr *g.* **crynwyr** *ll.* квакер.

crys *g.* **crysau** *ll.* блуза; рубашка.

cu *ans.* возлюбленный; дорогой; любезный; любимый; милый; прелестный.

cuan *b.* **cuanod** *ll.* сова.

cucumer *g.* **cucumerau** *ll.* огурец.

cuchio *be.* хмуриться; насупиться; морщиться; поморщиться.

cudyn *g.* **cudynnau** *ll.* локон; клок; пучок; хохолок.

cudd *ans.* тайный; скрытый; секретный.

cuddfa *b.* **cuddfeydd** *ll.* ❶ укрытие. ❷ сокровище; клад.

cuddfan *b.* **cuddfannau** *ll.* убежище.

cuddio *be.* скрыть; запрятать; спрятать; скрывать; утаивать; прятать.

cul *ans.* **culion** *ll.* узкий.

culfor *g.* **culforoedd** *ll.* пролив.
cur *g.* **curiau** *ll.* ❶ тревога; страдание; беспокойство; боль. ❷ бой; удар; пульсация; биение; стук. **cur yn y pen** головная боль. **mae gen i gur yn y pen** у меня болит голова.
curan *g.* **curanau** *ll.* башмак.
curfa *b.* **curfeydd** *ll.* ❶ избиение; биение; битьё. ❷ поражение.
curiad *g.* **curiadau** *ll.* ❶ биение; удар. ❷ пульс; пульсация. ❸ такт; ритм.
curlaw *g.* ливень.
curo *be.* хлопать; хлопнуть; постучать; стукнуть; ударить; взбивать; побивать; стучать; ударять; бить. **хлопать в ладоши** curo dwylo.
cusanu *be.* целовать; поцеловать.
cwbl[1] *ans.* вовсе; весь; вполне; полный; целый; цельный.
cwbl[2] *g.* всё; итог; сумма; целое; полнота.
cwblhad *g.* реализация; выполнение; завершение; исполнение; осуществление; свершение; заключение.
cwblhau *be.* завершать.
cwch *g.* **cychod** *ll.* ❶ лодка. ❷ улей.
cwdyn *g.* **cydynnau** *ll.* мешок; сумка; сума.
cweir *b.* **cweiroedd** *ll.* наказание.
cwestiwn *g.* **cwestiynau** *ll.* вопрос.
cwis *g.* викторина; опрос; экзамен.
cwlwm *g.* связка; бант; завязка; связь; узел; узы. **cwlwm gwythi** сведение (*мышц*).
cwm *g.* **cymau** *ll.*, **cymoedd** *ll.* долина.
cwmni *g.* **cwmnïau** *ll.*, **cwmnïoedd** *ll.* ❶ компания; общество. ❷ товарищество; фирма. ❸ труппа. ❹ рота.
cwmpas *g.* **cwmpasau** *ll.*, **cwmpasoedd** *ll.* ❶ круг; окружение; контур; дуга; диапазон; орбита; окружность. ❷ подвиг. ❸ циркуль. ❹ компас. **y byd o'n cwmpas** мир вокруг нас. **aethon ni am dro o gwmpas y dre cyn cinio** мы прогулялись по городу перед обедом.
cwmpawd *g.* **cwmpodau** *ll.* ❶ окружность; круг. ❷ стандарт; мера. ❸ календарь. ❹ компас. ❺ циркуль.
cwmwd *g.* **cymydau** *ll.* волость.
cwmwl *g.* **cymylau** *ll.* облако; туча; клуб.
cwningen *b.* **cwningod** *ll.* кролик.
cwnnu *be.* подниматься; поднимать.
cwpan *gb.* **cwpanau** *ll.* кубок; чашечка; чашка.
cwpanaid *gb.* **cwpaneidiau** *ll.* кружка (*как мера объема*); полная чашка.
cwpla *be.* завершать; заканчивать; кончать.
cwpled *g.* **cwpledau** *ll.*, **cwpledi** *ll.* двустишие.
cwpwrdd *g.* **cypyrddau** *ll.* буфет; шкаф.
cwr *g.* **cyrrau** *ll.* уголок; угол; грань; край; кромка. **byddwn ni'n cyhoeddi erthyglau gan arbenigwyr o bob cwr o Gymru** мы будем печатать статьи экспертов со всего Уэльса.
cwrcwd *g.* корточки.
cwrdd[1] *be.* встретиться; встречать; встречаться.
cwrdd[2] *g.* **cyrddau** *ll.* встреча.
cwricwlwm *g.* **cwricwla** *ll.* курс обучения.
cwrs *g.* **cyrsiau** *ll.* курс. **wrth gwrs** конечно, разумеется.
cwrtais *ans.* вежливый; обходительный; учтивый.
cwrw *g.* **cyrfau** *ll.* пиво.
cwrwg *g.* **cwrygau** *ll.* ❶ рыбачья лодка, сплетённая из ивняка и обтянутая кожей или брезентом (*в Ирландии и Уэльсе*). ❷ сосуд. ❸ тело.
cwsg[1] *ans.* спящий; сонный.
cwsg[2] *g.* сон; спячка.
cwsmer *g.* **cwsmeriaid** *ll.* ❶ клиент; покупатель; потребитель. ❷ сборщик податей. ❸ проститутка.
cwt[1] *gb.* **cytau** *ll.*, **cytiau** *ll.* ❶ хвост; зад. ❷ фалда; пола; подол; край. ❸ очередь. ❹ неприятное послевкусие.
cwt[2] *g.* **cytau** *ll.*, **cytiau** *ll.* лачуга; свинарник; хибарка; хижина.
cwta *ans.* **cota** *ж.* короткий; краткий; невысокий; низкий; сжатый.
cwtogi *be.* сокращать; укорачивать; урезывать.
cwthr *g.* **cythrau** *ll.* ❶ задний проход. ❷ матка. ❸ влагалище. ❹ живот.
cwymp *g.* **cwympau** *ll.* ❶ упадок; спад; падение; выпадение. ❷ схватка (*родовая*).
cwympo *be.* **cwymp** *grch.2.un.*, **cwymp** *pres.3.un.* свалиться; сложиться; рухнуть; опадать; опасть; попадать; ронять; валить; обваливаться; падать; проваливаться.
cwyn *gb.* **cwynau** *ll.*, **cwynion** *ll.* жалоба.
cwyno *be.* горевать; плакаться; сетовать; скорбеть; сокрушаться; стенать; жаловаться.
cwyr *g.* **cwyrau** *ll.* воск.
cwyro *be.* вощить.
cwys *b.* **cwysau** *ll.*, **cwysi** *ll.* борозда.
cybydd[1] *ans.* скупой.
cybydd[2] *g.* **cybyddion** *ll.* скряга; скупец.
cychio *be.* помещать пчел в улей.
cychwyn[1] *be.* **cychwyn** *pres.3.un.* ❶ начать; начинать; приняться; приниматься; взяться; браться. ❷ стартовать; пускать; запускать; запустить. ❸ начаться; начинаться. ❹ отправиться; трогаться; отправляться; тронуться.

cychwyn[2] *g.* старт; запуск; начало; отправление.

cychwyniad *g.* **cychwyniadau** *ll.* ❶ запуск; начало; отправление; происхождение; старт. ❷ судебный процесс.

cychwynnol *ans.* ❶ начальный. ❷ поднимающийся; стартующий; трогающийся. ❸ движимый.

cyd[1] *ans.* общий; совместный.

cyd[2] *g.* **cydau** *ll.*, **cydiau** *ll.* связь; скрещение; скрещивание; слияние; совокупление; соединение; сопряжение; спаривание; стыковка; сцепление.

cydadrodd *be.* **cydadrodd** *grch.2.un.*, **cydedrydd** *pres.3.un.* декламировать (*хором*).

cydbwysedd *g.* баланс; равновесие.

cyd-destun *g.* контекст.

cyd-ddigwyddiad *g.* **cyd-ddigwyddiadau** *ll.* совпадение.

cyd-fynd *be.* гармонировать; совпадать; согласоваться; соответствовать; уживаться.

cyd-fyw *be.* сожительствовать; уживаться.

cydio *be.* взяться; браться; хватать; схватиться; прихватывать; прихватить.

cydnabod[1] *g.* **cydnabodau** *ll.* знакомый.

cydnabod[2] *be.* допустить; допускать; подтверждать; признавать; сознавать.

cydnabod[3] *g.* знакомство.

cydnabyddiaeth *b.* **cydnabyddiaethau** *ll.* знакомство; опознание; признание; узнавание.

cydnabyddus *ans.* знакомый; знающий; осведомлённый.

cydol[1] *ans.* весь; целый; цельный.

cydol[2] *gb.* всё; итог; целое.

cydradd *ans.* одинаковый; равноправный; равносильный; равный.

cydraddoldeb *g.* равенство; равноправие.

cydraniad *g.* **cydraniadau** *ll.* разрешение (*комп.*).

cydrannu *be.* делить; распределять.

cydsyniad *g.* **cydsyniadau** *ll.* ❶ согласие; санкция; разрешение. ❷ размышление. ❸ консультация.

cydsynio *be.* ❶ соглашаться; разрешать; позволять. ❷ сочувствовать. ❸ сравнивать. ❹ делать непротиворечивым.

cydwedd[1] *ans.* подходящий; похожий; аналогичный.

cydwedd[2] *gb.* **cydweddau** *ll.*, **cydweddiaid** *ll.*, **cydweddion** *ll.* ❶ партнёр; сотоварищ; товарищ; супруг; супруга. ❷ партнерство. ❸ соглашение. ❹ пристойность; уместность; правильность. ❺ аналогия; сравнение.

cydweddiad *g.* **cydweddiadau** *ll.*, **cydweddiaid** *ll.* согласование; аналогия; сходство.

cydweddog[1] *ans.* в одной упряжке с кем-либо; супружеский.

cydweddog[2] *g.* **cydweddogion** *ll.* супруга; супруг; товарищ.

cydweddol *ans.* соответствующий; подходящий; приемлемый; согласный.

cydweddoldeb *g.* соразмерность; уместность; совместимость; согласованность; симметрия.

cydweddu *be.* ❶ соответствовать; согласоваться; гармонировать. ❷ соглашаться. ❸ уживаться; сожительствовать.

cydweddus *ans.* подходящий; уместный.

cydweithio *be.* сотрудничать.

cydweithiol *ans.* кооперативный; совместный.

cydweithiwr *g.* **cydweithwyr** *ll.* сослуживец; сотрудник; коллега.

cydweithrediad *g.* **cydweithrediadau** *ll.* взаимодействие; кооперация; сотрудничество.

cydweithredu *be.* взаимодействовать; кооперироваться; содействовать; сотрудничать.

cydweithredwr *g.* **cydweithredwyr** *ll.* кооператор; сотрудник.

cydweithredydd *g.* **cydweithredyddion** *ll.* кооператор; сотрудник.

cydwladol *ans.* интернациональный; международный.

cydwladwr *g.* **cydwladwyr** *ll.* соотечественник.

cydwybod *b.* **cydwybodau** *ll.* совесть.

cydwybodol *ans.* сознательный; сознающий.

cydwybodoldeb *g.* самосознание.

cydwybodolder *g.* **cydwybodolderoedd** *ll.* самосознание.

cydymaith *g.* **cymdeithion** *ll.* ❶ компаньон; коллега; спутник; соучастник; союзник; сообщник; попутчик; партнёр; товарищ. ❷ справочник.

cydymdeimlad *g.* **cydymdeimladau** *ll.* симпатия; сострадание; сочувствие. **mae'n amlwg fod gan yr awdur gryn gydymdeimlad â'i brif gymeriad** очевидно, что автор испытывает сильную симпатию к своему главному герою.

cydymdeimlo *be.* симпатизировать; сочувствовать.

cydymffurfio *be.* соответствовать.

cydyn *g.* **cydau** *ll.*, **cydiadau** *ll.*, **cydiau** *ll.*, **cydynnau** *ll.* мешок.

cyfadeilad *g.* **cyfadeiladau** *ll.* комплекс.

cyfaddawd *g.* **cyfaddawdau** *ll.*, **cyfaddodau** *ll.* ❶ компромисс. ❷ договор.

cyfaddawdu *be.* пойти на компромисс.
cyfaddef *be.* **cyfaddef** *grch.2.un.*, **cyfaddef** *pres.3.un.* признать; подтверждать; принимать; соглашаться; сознавать; сознаваться; признавать; допускать.
cyfagos *ans.* ближайший; близкий; смежный; соседний.
cyfaill *g.* **cyfeillion** *ll.* друг; товарищ; приятель; дружок.
cyfair[1] *g.* направление; область.
cyfair[2] *g.* **cyfeiri** *ll.*, **cyfeiriau** *ll.* акр (*площадь, вспахиваемая за день*).
cyfalaf *g.* капитал.
cyfalafiaeth *b.* **cyfalafiaethau** *ll.* капитализм.
cyfamod *g.* **cyfamodau** *ll.* контракт; договор; договорённость; соглашение.
cyfamodwr *g.* **cyfamodwyr** *ll.* ковенантер (*член религиозной организации в Шотландии XVII века*).
cyfamser *g.* **cyfamserau** *ll.*, **cyfamseroedd** *ll.* промежуток. **yn y cyfamser** тем временем, между тем.
cyfamserol *ans.* ❶ своевременный. ❷ синхронный; одновременный.
cyfan[1] *g.* **cyfanion** *ll.* всё; итог; целое.
cyfan[2] *ans.* **cyfain** *ll.* сплошной; весь; целый.
cyfandir *g.* **cyfandiroedd** *ll.* материк; континент.
cyfandirol *ans.* материковый; континентальный.
cyfanrwydd *g.* полнота; цельность.
cyfansawdd[1] *ans.* сложный; составной.
cyfansawdd[2] *g.* **cyfansoddion** *ll.* компаунд; смесь; соединение; состав.
cyfansoddair *g.* **cyfansoddeiriau** *ll.* сложное (*составное*) слово.
cyfansoddi *be.* слагать; набрать; составить; набирать; основывать; писать; создавать; составлять; сочинять; учреждать.
cyfansoddiad *g.* **cyfansoddiadau** *ll.* сочинение; композиция; компоновка; конституция; образование; построение; склад; соединение; состав; составление; структура; телосложение; установление; устройство; учреждение.
cyfansoddwr *g.* **cyfansoddwyr** *ll.* композитор.
cyfanswm *g.* **cyfansymiau** *ll.* итог; сумма.
cyfarch *be.* обратиться (*к кому-л.*); поздороваться; встречать; здороваться; салютовать; обращаться (*к кому-л.*); приветствовать.
cyfarchiad *g.* **cyfarchiadau** *ll.* приветствие.
cyfaredd *b.* **cyfareddau** *ll.*, **cyfareddion** *ll.* ❶ заклинание; обаяние; очарование; чары. ❷ снадобье; противоядие; лекарство; средство.
cyfarfod[1] *g.* **cyfarfodydd** *ll.* встреча; свидание.
cyfarfod[2] *be.* встретиться; встречаться; встретить; встречать.
cyfarpar[1] *be.* обеспечивать; подготавливать.
cyfarpar[2] *g.* ❶ намерение; цель; подготовка. ❷ обеспечение; оборудование; оснащение. ❸ аппарат. ❹ режим; диета.
cyfartal *ans.* равномерный; равноправный; равносильный; равный; ровный.
cyfartaledd *g.* ❶ пропорция; отношение; коэффициент. ❷ соразмерность. ❸ среднее. ❹ равенство; ровность. ❺ справедливость.
cyfarth[1] *be.* облаивать; тявкать; брехать; лаять; рявкать.
cyfarth[2] *g.* лай.
cyfarwydd[1] *ans.* знакомый; сведущий; близкий; интимный; осведомлённый; привычный.
cyfarwydd[2] *g.* **cyfarwyddion** *ll.* ❶ сказочник; рассказчик; сказитель. ❷ проводник; вождь; эксперт; знаток. ❸ совет; указание; инструкция. ❹ очевидец; свидетель.
cyfarwyddo *be.* ❶ направлять; нацеливать; руководить; управлять. ❷ информировать; советовать; инструктировать; подсказывать; подсказать. ❸ прописывать (*о враче*).
cyfarwyddol *ans.* указывающий; направляющий.
cyfarwyddwr *g.* **cyfarwyddwyr** *ll.* ❶ директор. ❷ режиссёр.
cyfarwyddyd *g.* **cyfarwyddiadau** *ll.* ❶ инструкция; директива; указание. ❷ знакомство; опыт; знание; информация. ❸ искусство. ❹ рецепт (*врача*). ❺ сопровождение; эскорт. ❻ рассказ; история.
cyfateb *be.* соответствовать; совпадать; согласоваться.
cyfatebol *ans.* соответственный; соразмерный.
cyfathrach *b.* **cyfathrachiadau** *ll.* альянс; близость; общность; объединение; родственность; родство; свойство; связь; союз; сродство; федерация.
cyfathrebol *ans.* коммуникационный; общительный.
cyfathrebu *be.* сноситься; сообщаться.
cyfeb *ans.* жеребый.
cyfebol *ans.* жеребый.
cyfeddach[1] *b.* **cyfeddachau** *ll.* пирушка; попойка.
cyfeddach[2] *be.* кутить; пировать.

cyfeddachwr *g.* **cyfeddachwyr** *ll.* собутыльник; кутила.
cyfeiliant *g.* **cyfeiliannau** *ll.* аккомпанемент (*муз.*).
cyfeiliornus *ans.* ложный; ошибочный.
cyfeillach *b.* **cyfeillachau** *ll.* братство, товарищество.
cyfeillachu *be.* связываться; общаться; водиться.
cyfeilles *b.* **cyfeillesau** *ll.* подружка; подруга.
cyfeillgar *ans.* дружелюбный; дружеский; дружественный.
cyfeillgarwch *g.* дружба; дружелюбие.
cyfeirgi *g.* **cyfeirgwn** *ll.* легавая.
cyfeiriad *g.* **cyfeiriadau** *ll.* справка; ориентация; упоминание; адрес; направление; ссылка; указание; курс.
cyfeirio *be.* направить; указать; направлять; отсылать; ссылаться; указывать; упоминать; сослаться.
cyfeiriwr *g.* **cyfeirwyr** *ll.* ❶ штурман. ❷ правитель.
cyfenw *g.* **cyfenwau** *ll.* ❶ фамилия. ❷ тёзка. ❸ титул. ❹ эпитет. ❺ годовщина.
cyfer *g.* направление. **ar gyfer** для. **darparwyd amrywiaeth o weithgareddau ar eu gyfer** им было предложено много занятий. **rydym yn byw ar gyfer y capel** мы живём напротив церкви.
cyferbyn *ans.* противоположный.
cyfergyr *b.* ❶ битва; бой; борьба; соперничество; соревнование; состязание; сражение. ❷ замысел.
cyfernod *g.* **cyfernodau** *ll.* коэффициент.
cyfiawn *ans.* беспристрастный; верный; добродетельный; праведный; справедливый.
cyfiawnder *g.* **cyfiawnderau** *ll.* праведность; справедливость.
cyfiawnhau *be.* оправдать; оправдывать.
cyfieithiad *g.* **cyfieithiadau** *ll.* перевод.
cyfieithu *be.* перевести; переводить.
cyfieithydd *g.* **cyfieithwyr** *ll.* переводчик.
cyflafan *b.* **cyflafanau** *ll.* ❶ бойня; избиение; резня. ❷ удар; укус; рана. ❸ преступление; произвол. ❹ ряска.
cyflawn *ans.* ❶ цельный; совершенный; полный; законченный. ❷ непереходный (*грам.*). ❸ кубический (*мат.*).
cyflawni *be.* совершить; исполнить; выполнить; провести; проводить; выполнять; добиваться; достигать; исполнять; совершать; завершать.
cyflawniad *g.* **cyflawniadau** *ll.* проведение; выполнение; достижение; исполнение; свершение.
cyflawnwr *g.* **cyflawnwyr** *ll.* исполнитель.
cyfle *g.* **cyfleadau** *ll.*, **cyfleoedd** *ll.*, **cyfleon** *ll.* возможность; шанс; удобный случай.
cyflegr *g.* **cyflegrau** *ll.* ❶ орудие; пушка. ❷ батарея. ❸ артиллерия.
cyflenwad *g.* **cyflenwadau** *ll.* запас; питание; подача; подвод; поставка; предложение; припасы; приток; снабжение. **mae cyflenwadau tanwydd yn isel iawn** запасы топлива очень малы.
cyflenwi *be.* подвести; подать; доставить; поставить; подводить; поставлять; снабжать; давать; доставлять; питать; подавать.
cyfleu *be.* ❶ класть; налаживать; ставить; устанавливать; возлагать; устраивать. ❷ передать (*мысли, чувства*); передавать (*мысли, чувства*).
cyfleus *ans.* подходящий; удобный.
cyfleuster *g.* **cyfleusterau** *ll.* ❶ удобство. ❷ пригодность. ❸ возможность.
cyfleustra *g.* **cyfleusterau** *ll.* возможность; удобство.
cyflog *gb.* **cyflogau** *ll.* наём; жалованье; зарплата; содержание.
cyflogaeth *b.* **cyflogaethau** *ll.* зарплата.
cyflogi *be.* нанимать.
cyflogwr *g.* **cyflogwyr** *ll.* наниматель; работодатель.
cyflwr *g.* **cyflyrau** *ll.* ❶ положение; состояние; вид. ❷ падеж.
cyflwyniad *g.* **cyflwyniadau** *ll.* подарок; подношение; показ; посвящение; представление.
cyflwyno *be.* выставить; выставлять; ввести; вводить; подать; подавать; представить; даровать; дарить; преподносить; представлять; поднести. **cyflwynwyd basgedaid o flodau iddi gan ddau o'r plant lleiaf** корзина цветов была подарена ей двумя из самых маленьких детей. **ga i gyflwyno Mr Jones?** разрешите представить г-на Джонса?
cyflwynwr *g.* **cyflwynwyr** *ll.* ❶ предъявитель. ❷ даритель. ❸ ведущий.
cyflwynydd *g.* **cyflwynyddion** *ll.* ❶ предъявитель. ❷ даритель. ❸ ведущий.
cyflym *ans.* **cynt** *cmhr.*, **cyntaf** *eith.*, **cynted** *cfrt.* быстрый; борзый; резвый; скорый; оперативный.
cyflymder *g.* темп; быстрота; скорость.
cyflymdra *g.* скорость; темп; быстрота.
cyflymu *be.* ускорять; разойтись; расходиться.
cyfnewid[1] *g.* **cyfnewidiau** *ll.* обмен; товарообмен.

cyfnewid[2] *be.* меняться; обменивать; заменять; менять; разменивать; разменять; сменять; торговаться.

cyfnewidfa *b.* **cyfnewidfaoedd** *ll.*, **cyfnewidfau** *ll.*, **cyfnewidfeydd** *ll.* биржа; коммутатор; мена; обмен.

cyfnewidiad *g.* **cyfnewidiadau** *ll.* ❶ обмен; изменение. ❷ параллакс.

cyfnither *b.* **cyfnitheroedd** *ll.* двоюродная сестра.

cyfnod *g.* **cyfnodau** *ll.* время; период; эпоха.

cyfnodolyn *g.* **cyfnodolion** *ll.* периодическое издание.

cyfoed[1] *ans.* одновременный; современный.

cyfoed[2] *g.* **cyfoedion** *ll.* ❶ сверстник; современник. ❷ хотя.

cyfoes *ans.* нынешний; современный.

cyfoeswr *g.* **cyfoeswyr** *ll.* сверстник; современник.

cyfoeth *g.* благосостояние; богатство; состояние.

cyfoethog *ans.* богатый; обильный; состоятельный.

cyfoethogi *be.* ❶ обогащать. ❷ обогащаться.

cyfog *g.* тошнота.

cyfogi *be.* ❶ блевать; извергать. ❷ тошнить. ❸ сбросить; сбрасывать; бросать. ❹ ударять. ❺ сражаться.

cyfosod[1] *g.* **cyfosodiadau** *ll.* синтез; сочетание.

cyfosod[2] *be.* соединять; синтезировать.

cyfradd[1] *ans.* равнозначный.

cyfradd[2] *b.* **cyfraddau** *ll.* курс; уровень; коэффициент; расценка; ставка; степень; тариф. **cyfradd gyfnewid** курс обмена, валютный курс. **cyfradd log** процентная ставка.

cyfraith *b.* **cyfreithiau** *ll.* закон.

cyfran *b.* **cyfrannau** *ll.* ❶ доля; порция; часть; партия. ❷ надел. ❸ участь; удел. ❹ участие. ❺ распределение. ❻ пай; акция. ❼ частное.

cyfraniad *g.* **cyfraniadau** *ll.* взнос; вклад; содействие.

cyfrannog[1] *ans.* участвующий.

cyfrannog[2] *g.* **cyfranogion** *ll.* соучастник; участник.

cyfrannu *be.* жертвовать; отдавать; содействовать; способствовать.

cyfranogi *be.* разделять; участвовать.

cyfranogwr *g.* **cyfranogwyr** *ll.* соучастник; участник.

cyfreithiol *ans.* законный; легальный; правовой; юридический.

cyfreithiwr *g.* **cyfreithwyr** *ll.* адвокат; законовед; юрист.

cyfreithlon *ans.* законнорожденный; законный; легальный; правильный.

cyfres *b.* **cyfresau** *ll.*, **cyfresi** *ll.* ряд; серия.

cyfresol *ans.* серийный; последовательный.

cyfrif[1] *g.* **cyfrifau** *ll.*, **cyfrifon** *ll.* счёт. **mae angen rhifau'ch cyfrif cadw a'ch cyfrif cyfredol** требуются номера ваших сберегательного и текущего счетов.

cyfrif[2] *be.* исчислять; считать; рассчитать; рассчитывать; подсчитывать.

cyfrifiad *g.* **cyfrifiadau** *ll.* перепись; расчёт; оценка; подсчёт.

cyfrifiadur *g.* **cyfrifiaduron** *ll.* компьютер.

cyfrifiannell *b.* **cyfrifianellau** *ll.* калькулятор.

cyfrifol *ans.* ответственный.

cyfrifoldeb *g.* **cyfrifoldebau** *ll.* ответственность.

cyfrifydd *g.* **cyfrifyddion** *ll.* актуарий; бухгалтер.

cyfrifyddiaeth *b.* бухгалтерия; учёт (*бухгалтерский*).

cyfrin *ans.* потайной; секретный; скрытый; тайный.

cyfrinach *b.* **cyfrinachau** *ll.* секрет; тайна.

cyfrinachol *ans.* конфиденциальный; потайной; секретный; скрытый; тайный; укромный.

cyfrinair *g.* **cyfrineiriau** *ll.* пароль.

cyfrinfa *b.* **cyfrinfaoedd** *ll.*, **cyfrinfau** *ll.*, **cyfrinfeydd** *ll.* ложа.

cyfrol *b.* **cyfrolau** *ll.* том.

cyfrwng[1] *ardd.* среди; между.

cyfrwng[2] *g.* **cyfryngau** *ll.* средство. **dysgir drwy gyfrwng y Gymraeg** обучение ведется по-валлийски. **y cyfryngau torfol** средства массовой информации.

cyfrwy *g.* **cyfrwyau** *ll.* седло.

cyfrwys *ans.* ловкий; изобретательный; хитрый; искусный; хитроумный; коварный; дошлый.

cyfryw *ans.* таковой; таков; подобный; похожий; равный; такой; такой-то.

cyfun *ans.* объединенный; единодушный; согласный.

cyfundeb *g.* **cyfundebau** *ll.* единение; объединение; согласие; соединение; союз.

cyfundrefn *b.* **cyfundrefnau** *ll.* система.

cyfuniad *g.* **cyfuniadau** *ll.* комбинация; объединение; соединение; сочетание.

cyfuno *be.* объединить; сливать; соединять; объединять; слить.

cyfweld *be.* интервьюировать.

cyfweliad *g.* **cyfweliadau** *ll.* интервью.
cyfyng *ans.* ограниченный; точный.
cyfyngder *g.* **cyfyngderau** *ll.* беда; бедствие; горе; затруднение; несчастье; нищета; нужда; страдание; тревога; хлопоты.
cyfyngu *be.* ❶ ограничивать. ❷ уменьшать; суживать. **cwmni cyfyngedig (Cyf.)** Общество с ограниченной (limited) ответственностью (ООО). **"Cyfrifiaduron Cymru" Cyf.** ООО «Валлийские компьютеры».
cyfyl *g.* ❶ граница. ❷ близость; соседство. ❸ округа; район. ❹ конец.
cyfyrder *g.* **cyfyrdyr** *ll.* троюродный брат.
cyfystyr *ans.* равносильный; равноценный; синонимический; синонимичный.
cyff *g.* **cyffiau** *ll.*, **cyffion** *ll.* ❶ ствол; болван; бревно; пень; чурбан; блок; колода. ❷ сундук; коробка; ящик. ❸ колодка. ❹ раса; племя; порода; род; семья; стапель. ❺ запас. ❻ ложа.
cyffelyb *ans.* ❶ похожий; равный; одинаковый; подобный; сходный. ❷ вероятный; возможный.
cyffesu *be.* исповедовать; признавать; сознаваться.
cyffin *gb.* **cyffiniau** *ll.*, **cyffinydd** *ll.* граница; край; предел.
cyffio *be.* ❶ сводить; затекать; застывать; свести. ❷ спутывать; сковывать; заковывать.
cyfforddus *ans.* уютный; комфортабельный; удобный.
cyffredin *ans.* рядовой; банальный; всеобщий; общепринятый; общий; обыкновенный; обычный; распространённый. **Tŷ'r Cyffredin** Палата Общин. **ysgol gyffredin oedd hi** это была обычная школа.
cyffredinol *ans.* универсальный; общий. **fel sy'n digwydd gyda pob rheol gyffredinol, mae'na eithriadau** как у каждого общего правила, у этого есть исключения.
cyffro *g.* **cyffroadau** *ll.*, **cyffroau** *ll.* страсть; ярость; возбуждение; волнение; движение; переполох; суета; суматоха.
cyffroi *be.* **cyffry** *pres.3.un.* тронуть; беспокоить; возбуждать; волновать; встряхнуться; побуждать; пробуждать; провоцировать; раздражать; расстраивать; растрогать; трогать; шевелить.
cyffrous *ans.* возбуждающий; волнующий; захватывающий.
cyffur *g.* **cyffuriau** *ll.* лекарство; медикамент; наркотик.
cyffwrdd *be.* ❶ коснуться; касаться; прикасаться; притрагиваться; трогать. ❷ соприкасаться; примыкать; прилегать. ❸ волновать.
cyffylog *g.* **cyffylogod** *ll.* вальдшнеп.
cyffyrddiad *g.* **cyffyrddiadau** *ll.* ❶ прикосновение; касание; соприкосновение. ❷ контакт. ❸ упоминание.
cyffyrddus *ans.* уютный; комфортабельный; удобный.
cyngaws *g.* **cyngawsion** *ll.*, **cynghawsau** *ll.* ❶ иск; тяжба. ❷ бой. ❸ адвокат.
cyngerdd *gb.* **cyngherddau** *ll.*, **cyngherddi** *ll.* концерт.
cynghanedd *b.* **cynganeddion** *ll.* созвучие; гармония; согласие; музыка.
cynghorfynt *g.* **cynghorfyntiau** *ll.* ❶ ревность. ❷ зависть.
cynghori *be.* посоветовать; советовать.
cynghorwr *g.* **cynghorwyr** *ll.* советник.
cynghorydd *g.* **cynghoryddion** *ll.* советник.
cynghrair *gb.* **cynghreiriau** *ll.* альянс; лига; объединение; союз; федерация.
cyngor *g.* **cynghorion** *ll.* совет; собор.
cyngwystl *gb.* **cyngwystlion** *ll.*, **cyngwystlon** *ll.* ❶ пари. ❷ заклад; залог. ❸ приз.
cyhoedd[1] *ans.* гласный; общедоступный; общенародный; общественный; открытый; публичный.
cyhoedd[2] *g.* народ; общественность; публика.
cyhoeddi *be.* выпустить; опубликовать; выпускать; издать; оглашать; издавать; опубликовывать; публиковать.
cyhoeddiad *g.* **cyhoeddiadau** *ll.* ❶ публикация; издание; опубликование. ❷ сообщение; объявление; уведомление; извещение; оглашение. ❸ встреча.
cyhoeddus *ans.* гласный; коммунальный; общественный; публичный.
cyhoeddusrwydd *g.* известность; гласность; публичность.
cyhoeddwr *g.* **cyhoeddwyr** *ll.* ❶ глашатай. ❷ диктор. ❸ издатель.
cyhuddiad *g.* **cyhuddiadau** *ll.* обвинение.
cyhuddo *be.* обвинять.
cyhyr *g.* **cyhyrau** *ll.* мускул; мышца; мякоть; мясо; плоть.
cyhyrog *ans.* мускулистый; мускульный; мышечный.
cyhyryn *g.* мускул; мышца.
cylch[1] *ardd.* ❶ вокруг. ❷ относительно.
cylch[2] *g.* **cylchau** *ll.*, **cylchoedd** *ll.* круг; зона; сфера; область; раунд; округ; кружок; окружность; кольцо; тур; цикл.
cylchdaith *b.* **cylchdeithiau** *ll.* цикл; кругооборот; объезд; орбита.
cylchen *b.* **cylchennau** *ll.* кружок.
cylchgrawn *g.* **cylchgronau** *ll.* журнал.

cylchrediad *g.* циркуляция; обращение; круговорот.
cylchwyl *b.* **cylchwyliau** *ll.* фестиваль; празднество; юбилей; годовщина.
cylionen *b.* **cylion** *ll.* муха.
cylionyn *g.* **cylion** *ll.* комар; мошка.
cyllell *b.* **cyllyll** *ll.* нож; ножик.
cyllid *g.* **cyllidau** *ll.* доход; приход.
cyllideb *b.* **cyllidebau** *ll.* бюджет.
cyllidol *ans.* акцизный; фискальный; финансовый.
cymal *g.* **cymalau** *ll.* ❶ соединение; сочленение; стык; сустав; узел; шарнир. ❷ предложение; клаузула.
cymalwst *b.* ❶ подагра. ❷ ревматизм.
cymanfa *b.* **cymanfaoedd** *ll.* ассамблея; сбор; собрание; фестиваль.
cymar *g.* **cymheiriaid** *ll.* ❶ собрат; товарищ. ❷ супруга; супруг.
cymathu *be.* ассимилировать; поглощать; приравнивать; усваивать.
cymdeithas *b.* **cymdeithasau** *ll.* ❶ общество. ❷ дружба.
cymdeithasol *ans.* общественный; социальный.
cymdeithasu *be.* общаться.
cymdogaeth *b.* **cymdogaethau** *ll.* близость; округа; район; соседство.
cymedroli *be.* умерять; урезонивать; смягчать; сдерживать; обуздывать.
cymell *be.* **cymell** *grch.2.un.*, **cymell** *pres.3.un.* заставлять; побуждать; подгонять; подстрекать; понуждать; склонить; склонять; стимулировать; убеждать.
cymer *g.* **cymerau** *ll.* слияние.
cymeradwy *ans.* приемлемый.
cymeradwyaeth *b.* **cymeradwyaethau** *ll.* ❶ одобрение; утверждение. ❷ рекомендация. ❸ рукоплескание; аплодисменты.
cymeradwyo *be.* ❶ советовать; рекомендовать. ❷ утвердить; санкционировать; утверждать; одобрять. ❸ рукоплескать; аплодировать.
cymeriad *g.* **cymeriadau** *ll.* ❶ характер. ❷ свойство. ❸ личность. ❹ персонаж; герой. ❺ чудак; оригинал.
cymeryd *be.* брать; завладевать.
cymesuredd *g.* пропорциональность; пропорция; соразмерность.
cymhariaeth *b.* **cymariaethau** *ll.* сравнение.
cymharol *ans.* относительный; сравнительный.
cymharu *be.* сравнить; сравнивать. **sut mae'r sefyllfa fan'na'n cymharu â'r un fan hyn?** как ситуация там по сравнению с ситуацией здесь? **mae'r farchnad yn edrych yn well o'i chymharu â llynedd** рынок выглядит лучше по сравнению с тем годом.
cymhelliad *g.* **cymhellion** *ll.* принуждение; мотив; побуждение; повод; приманка; стимул.
cymhendod *g.* ❶ мастерство; знание; умение; сноровка; осведомлённость. ❷ красноречие. ❸ жеманство.
cymhleth[1] *ans.* запутанный; сложный; трудный. **mae'r sefyllfa'n un gymhleth dros ben** это весьма запутанная ситуация.
cymhleth[2] *g.* комплекс.
cymhlethdod *g.* запутанность; сложность.
cymhlyg *ans.* комплексный; сложный.
cymhwysiad *g.* ❶ приложение; прикладывание; применение; употребление. ❷ применимость. ❸ равновесие.
cymhwyso *be.* ❶ прилаживать; пригонять; приспосабливать. ❷ регулировать. ❸ применять; употреблять. ❹ измерять. ❺ уравновешивать.
cymhwyster *g.* **cymwysterau** *ll.* компетентность; квалификация; способность; пригодность; соответствие.
cymod *g.* ❶ примирение; согласование. ❷ согласие; мир. ❸ возмещение; искупление.
cymodi *be.* искупать; умиротворять; соглашаться; примирять; согласовывать; улаживать.
cymorth[1] *be.* помогать; содействовать; способствовать.
cymorth[2] *g.* помощь.
Cymraeg *b.* валлийский (*язык*).
Cymraes *b.* валлийка.
cymrawd *g.* **cymrodyr** *ll.* собрат.
Cymreictod *g.* «валлийскость».
Cymreig *ans.* уэльский; валлийский.
Cymro *g.* **Cymry** *ll.* валлиец.
cymrodedd *g.* примирение; компромисс; арбитраж.
cymrodeddu *be.* примирить.
cymrodeddwr *g.* **cymrodeddwyr** *ll.* примиритель.
cymrodoriaeth *b.* ❶ братство; товарищество. ❷ членство (*в научном обществе и т.п.*).
Cymru *b.* Уэльс.
cymrwd *g.* раствор (*строительный*); цемент; штукатурка.
cymryd *be.* **cymer** *grch.2.un.*, **cymer** *pres.3.un.* принять; принимать; взять; брать; занять; занимать. **mae hi heb gymryd ei moddion** она не принимала лекарства. **faint gymerith y daith?** сколько займет путешествие?
cymun *g.* причастие (*рел.*).

cymundeb *g.* причастие (*рел.*).
cymundod *g.* **cymundodau** *ll.* ❶ причастие. ❷ коллектив.
cymuned *b.* **cymunedau** *ll.* общество; община; общность; объединение; сообщество.
cymuno *be.* причащаться; причаститься.
cymunol *ans.* относящийся к причастию.
cymunwr *g.* **cymunwyr** *ll.* причастник.
cymwynas *b.* **cymwynasau** *ll.* доброта; любезность; одолжение; польза; помощь.
cymwynasgar *ans.* добрый; любезный; обязательный; услужливый.
cymwys *ans.* аккуратный; верный; годный; достойный; надлежащий; настоящий; подобающий; подходящий; правильный; соответствующий; строгий; точный.
cymwysedig *ans.* прикладной.
cymydog *g.* **cymdogion** *ll.* сосед.
cymydoges *b.* **cymydogesau** *ll.* соседка.
cymylog *ans.* облачный.
cymylu *be.* омрачать; затуманивать; затмевать; затемнять; затягиваться; затянуться.
cymysg *ans.* смешанный.
cymysgedd *gb.* ❶ смесь; препарат. ❷ путаница; мешанина. ❸ отвращение.
cymysgu *be.* ❶ мешать; смешивать; примешивать; перепутать; перепутывать; путать. ❷ спутывать; смущать.
cŷn *g.* **cynion** *ll.* долото; зубило; клин; резец; стамеска.
cyn[1] *adf.* так. **a chyn belled â'ch bod chi'n parchau i ddom yma** и так долго, как вы будете продолжать приходить сюда. **cyn gynted ag y bo modd** как можно скорее.
cyn[2] *cys.* хотя.
cyn[3] *ardd.* перед; до; прежде. **ffonia i chi eto cyn Nadolig** я позвоню вам снова до Рождества. **y gobaith yw y bydd y sefyllfa'n fwy eglur cyn bo hir** есть надежда, что ситуация вскоре прояснится. **well inni glirio'r llanast'ma cyn i Elwyn gyrraedd** нам лучше убрать этот беспорядок до того, как придет Элвин.
cyn-drigolion *ll.* туземцы; аборигены.
cynaniad *g.* **cynaniadau** *ll.* транскрипция; выговор; произнесение; произношение.
cyndad *g.* **cyndadau** *ll.* праотец; прародитель; предок.
cyndyn *ans.* настойчивый; неподатливый; упорный; упрямый.
cynddaredd *b.* безумие; бешенство; водобоязнь; сумасшествие.
cynddeiriogi *be.* ❶ взбеситься; обезуметь. ❷ раздражать; бесить.
cynddeiriogrwydd *g.* бешенство; безумие; ярость; неистовство.
cynefin[1] *ans.* близкий; знакомый; обычный; привычный.
cynefin[2] *g.* пастбище (*овечье*); среда (*обитания*); логовище; родина; убежище.
cynefino *be.* ❶ привыкнуть; привыкать. ❷ знакомиться. ❸ знакомить.
cynfardd *g.* **cynfeirdd** *ll.* бард (*раннесредневековый*).
cynfas *gb.* **cynfasau** *ll.* брезент; парусина; полотно; простыня; холст.
cynffon *b.* **cynffonnau** *ll.* хвост.
cynhadledd *b.* **cynadleddau** *ll.* конференция; совещание; съезд.
cynhaeaf *g.* **cynaeafau** *ll.* урожай.
cynhaig *ans.* течная.
cynhaliad *g.* **cynheiliaid** *ll.* опора; поддержка; упор.
cynhaliaeth *b.* ❶ поддержание; поддержка; содержание; сохранение; уход. ❷ опора. ❸ пропитание; средства к жизни.
cynhenid *ans.* ❶ врождённый; природный. ❷ перворожденный.
cynhennus *ans.* ❶ спорный. ❷ сварливый; вздорный.
cynhesrwydd *g.* теплота; пыл; жар; горячность; запальчивость; сердечность; тепло.
cynhesu *be.* греть; нагревать; разгорячать; согревать.
cynhwysfawr *ans.* всесторонний; исчерпывающий; обстоятельный; объемлющий.
cynhyrchiad *g.* **cynyrchiadau** *ll.* ❶ изготовление. ❷ продукция. ❸ появление. ❹ встреча. ❺ развитие; рост; увеличение. ❻ производитель; изготовитель.
cynhyrchu *be.* **cynnyrch** *grch.2.un.*, **cynnyrch** *pres.3.un.* создать; произвести; вырабатывать; производить; создавать.
cynhyrchydd *g.* **cynhyrchyddion** *ll.* производитель.
cynhyrfu *be.* потрясти; волноваться; возбуждать; волновать; трясти; шевелить.
cynhyrfus *ans.* взволнованный; возбуждающий; возбуждённый; волнующий; захватывающий.
cyni *g.* **cynion** *ll.* беда; бедствие; боль; горе; мука; напасти; несчастье; нищета; нужда; страдание.
cynifer *ans.* так же много; так много; столько.
cynilo *be.* копить; откладывать; экономить.
cyniwair *be.* часто посещать.
cynllun *g.* **cynlluniau** *ll.* сюжет; диаграмма; замысел; композиция; конструкция;

намерение; план; проект; структура; схема; умысел; чертёж; эскиз.

cynllunio *be.* задумывать; замышлять; затевать; конструировать; намереваться; планировать; проектировать; задумать.

cynllunydd *g.* **cynllunwyr** *ll.*, **cynllunyddion** *ll.* ❶ планировщик; плановик; проектировщик. ❷ архитектор. ❸ конструктор.

cynllwyn[1] *g.* **cynllwynion** *ll.* ❶ заговор; засада; интрига. ❷ убийца; убийство. ❸ негодяй.

cynllwyn[2] *be.* ❶ интриговать; сговариваться. ❷ подстерегать. ❸ осаждать. ❹ сопровождать; преследовать.

cynnal *be.* **cynnal** *grch.2.un.*, **cynnal** *pres.3.un.*, **cynneil** *pres.3.un.* поддерживать; подпирать; проводить; содержать; сохранять. **bydd gwrandawiadau'n cael eu cynnal ymhob cwr o Gymru ym mis Chwefror** в феврале по всему Уэльсу будут проведены прослушивания.

cynnar *ans.* **cynt** *cmhr.*, **cyntaf** *eith.*, **cynted** *cfrt.* ранний. **mae'n rhy gynnar i bobol greadigol fel fi** это слишком рано для творческих людей вроде меня. **ynghynt** раньше.

cynnau *be.* **cynnau** *pres.3.un.* воспламенять; зажигать; зажечь; развести; разводить. **beth am gynnau tân fel y tân yn Llŷn?** что насчет зажечь огонь как огонь на Ллине?

cynnen *b.* **cynhennau** *ll.* борьба; раздор; спор; ссора.

cynnes *ans.* тёплый.

cynnig[1] *be.* выставить; выставлять; пробовать; пытаться; предлагать.

cynnig[2] *g.* **cynigion** *ll.* опыт; попытка; предложение.

cynnil *ans.* ❶ искусный. ❷ щекотливый; изысканный; нежный; изящный; деликатный; тонкий; утончённый. ❸ точный. ❹ любопытный. ❺ хозяйственный; бережливый; экономный; экономический.

cynnwrf *g.* взбалтывание; возбуждение; волнение; движение; переполох; потрясение; смятение; суета; суматоха; тревога; шевеление.

cynnwys[1] *be.* заключаться; сложиться; слагаться; заключить; состоять; включать; вмещать; заключать; содержать; включить.

cynnwys[2] *g.* **cynhwysion** *ll.* оглавление; содержание.

cynnwys[3] *g.* ❶ содержимое. ❷ вместимость. ❸ разрешение. ❹ принятие; усыновление; удочерение.

cynnydd *g.* ❶ прибавление; прирост; возрастание; рост; увеличение. ❷ прогресс; продвижение; ход.

cynnyrch *g.* **cynhyrchion** *ll.* изделие; продукт; продукция.

cynorthwyo *be.* помочь; помогать; содействовать; способствовать.

cynorthwyol *ans.* помогающий; вспомогательный.

cynorthwywr *g.* **cynorthwywyr** *ll.* помощник; ассистент; подручный.

cynradd *ans.* начальный (*о школе*).

cynrychiolaeth *b.* ❶ представление; изображение. ❷ представительство. ❸ избирательный округ.

cynrychioli *be.* ❶ представлять; представить. ❷ символизировать.

cynrychiolwr *g.* **cynrychiolwyr** *ll.* делегат; представитель; уполномоченный.

cynrychiolydd *g.* **cynrychiolyddion** *ll.* делегат; представитель.

cynrhoni *be.* разводить опарышей; «метать икру».

cynrhonyn *g.* **cynrhon** *ll.* личинка.

cyntaf[1] *adf.* сперва; во-первых.

cyntaf[2] *rhif.* первый. **rhan gyntaf** первая часть.

cyntedd *g.* **cynteddau** *ll.* холл; часть зала, где сидит король; передняя; прихожая; крыльцо; вестибюль; двор.

cyntefig *ans.* **cyntefigion** *ll.* ❶ первичный; первобытный; первозданный; первоначальный. ❷ примитивный; простой. ❸ основной.

cynulleidfa *b.* **cynulleidfaoedd** *ll.* аудитория; паства; публика; скопление; собрание; сосредоточение.

cynulliad *g.* **cynulliadau** *ll.* конгресс; ассамблея; собрание.

cynyddol *ans.* растущий, увеличивающийся.

cynyddu *be.* увеличить; возрастать; расти; усиливать; увеличивать; прибывать; нарастать.

cyrcydu *be.* садиться на корточки; сидеть на корточках.

cyrchu *be.* **cyrch** *grch.2.un.*, **cyrch** *pres.3.un.* ❶ доставать; достать; достигать; приближаться. ❷ приводить. ❸ стремиться; добиваться; тянуться. ❹ посещать. ❺ нести. ❻ брать. ❼ собирать. ❽ нападать; атаковать. ❾ рифмоваться.

cyrnen *b.* **cyrn** *ll.*, **cyrnennau** *ll.* стожок.

cyrnig *ans.* ❶ рогатый. ❷ серповидный.

cyrraedd *be.* **cyrraedd** *grch.2.un.*, **cyrraedd** *pres.3.un.*, **cyrraidd** *pres.3.un.* добраться; достигнуть; достигать; выйти; выходить; прибыть; прибывать; попадать;

попасть; очутиться; угодить; поступить; поступать.

cyrhaeddiad *g.* **cyraeddiadau** *ll.* ❶ достижение; прибытие. ❷ приобретение. ❸ сфера; досягаемость; охват; протяжение; радиус действия. ❹ кругозор.

cyrhaeddyd *be.* достигать.

cysawd *g.* **cysodau** *ll.* система; созвездие; формация.

cysegredig *ans.* святой; священный.

cysegru *be.* посвятить; освящать; посвящать.

cysgadrwydd *g.* дремота; сонливость.

cysgadur *g.* **cysgaduriaid** *ll.* соня.

cysglyd *ans.* сонливый; сонный.

cysgod *g.* **cysgodau** *ll.*, **cysgodion** *ll.* ❶ сень; тень. ❷ призрак. ❸ символ. ❹ убежище; укрытие; прикрытие; защита.

cysgodi *be.* затенять; осенять; прикрывать; укрывать; укрыться; осенить.

cysgodlen *b.* **cysgodlenni** *ll.* навес; маркиза; тент; зонт.

cysgodol *ans.* ❶ дающий тень. ❷ тенистый; укрытый. ❸ мистический; эмблематический; символический.

cysgu *be.* **cwsg** *grch.2.un.*, **cwsg** *pres.3.un.* дремать; спать.

cysodwr *g.* **cysodwyr** *ll.* ❶ наборщик. ❷ составитель.

cyson *ans.* ❶ регулярный; постоянный. ❷ последовательный. **yn gyson** регулярно.

cysondeb *g.* аналогия; симметрия; гармония; лаконичность; логичность; непрерывность; последовательность; постоянство; регулярность; согласованность.

cystadleuaeth *b.* **cystadleuaethau** *ll.* конкуренция; конкурс; соперничество; состязание; соревнование.

cystadleuol *ans.* конкурентный.

cystadleuwr *g.* **cystadleuwyr** *ll.* соперник; конкурент.

cystadleuydd *g.* **cystadleuyddion** *ll.* конкурент; соперник.

cystadlu *be.* конкурировать; соревноваться; состязаться.

cystrawen *b.* **cystrawennau** *ll.* конструкция; синтаксис.

cysur *g.* **cysuron** *ll.* ❶ ободрение; поддержка; успокоение; утешение. ❷ храбрость. ❸ настроение.

cysuro *be.* ❶ успокоить; утешать; успокаивать. ❷ воодушевлять; ободрять. ❸ мужаться.

cysurus *ans.* уютный; комфортабельный; удобный.

cyswllt *g.* **cysylltau** *ll.*, **cysylltiadau** *ll.* союз; скрещение; скрещивание; слияние; соединение; сочленение; стык; сустав; шарнир.

cysylltair *g.* **cysyllteiriau** *ll.* союз (*грам.*).

cysylltiad[1] *g.* **cysylltiadau** *ll.* сложение; совокупление; связывание; соединение.

cysylltiad[2] *g.* **cysylltiaid** *ll.* ❶ связь; соединение. ❷ контекст. ❸ правописание. ❹ союз. ❺ контакт (*эл.*).

cysylltiedig *ans.* связанный; связный; соединённый.

cysylltu *be.* связаться; связать; присоединить; присоединять; связывать; соединять; соединяться; связываться. **cysylltwch â ni** свяжитесь с нами.

cytbwys *ans.* равновесный.

cytgan *gb.* **cytganau** *ll.* припев; рефрен.

cytio *be.* загонять (*скот в стойло*).

cytras *ans.* близкий; похожий; родственный; связанный; сходный.

cytsain *b.* **cytseiniaid** *ll.* согласный.

cytser *g.* **cytserau** *ll.* созвездие.

cytundeb *g.* **cytundebau** *ll.* согласование; согласие; соглашение; контракт; договор; подряд.

cytuno *be.* согласиться; согласоваться; соглашаться.

cythraul *g.* **cythreuliaid** *ll.* бес; демон; дьявол; сатана; чёрт.

cythruddo *be.* ❶ пугаться; возбуждаться; сердиться; раздражаться; беспокоиться. ❷ возбудить; пугать; раздражать; вызывать; надоедать; провоцировать; досаждать; докучать; побуждать; сердить; возбуждать.

cyw *g.* **cywion** *ll.* цыплёнок; птенец. **peidiwch cyfri'r cywion cyn iddyn nhw ddeor** цыплят по осени считают.

cywair[1] *ans.* исправленный; правильный; упорядоченный; отремонтированный; оборудованный; готовый; настроенный.

cywair[2] *g.* **cyweiriau** *ll.*, **cyweirion** *ll.* ❶ настроенность; исправность; порядок. ❷ подготовка. ❸ погребение. ❹ выздоровление; ремонт; исправление. ❺ настроение. ❻ положение; состояние. ❼ порка; наказание. ❽ тональность; гармония; высота (*тона, звука и т.п.*); мелодия; мотив; напев; ключ; строй; тон. ❾ сычужок. ❿ подошва (*плуга*).

cywarch *b.* конопля; пенька.

cyweirio *be.* ❶ штопать; исправлять; чинить. ❷ настраивать. ❸ засаливать; бальзамировать; солить; консервировать; приправлять. ❹ бить; наказывать. ❺ кастрировать. **cyweirio gwely** стелить постель.

cyweirnod *g.* **cyweirnodau** *ll.* ❶ тоника. ❷ лейтмотив.

cywely *gb.* **cywelyaid** *ll.*, **cywelyau** *ll.* супруга; супруг; жена; муж; партнёр.

cywilydd *g.* ❶ стыд. ❷ позор. **mae cywilydd arna i** мне стыдно.

cywilyddio *be.* ❶ конфузить; позорить; посрамить; пристыдить; смущать; стыдить. ❷ стесняться; смущаться; стыдиться; краснеть.

cywilyddus *ans.* ❶ бесславный; стыдный; позорный; постыдный. ❷ стыдливый.

cywir *ans.* верный; искренний; истинный; правильный; точный. **yr eiddoch yn gywir** искренне Ваш.

cywirdeb *g.* правильность; точность; целостность; честность.

cywiro *be.* исправлять; корректировать; поправлять; править.

cywrain *ans.* ❶ искусный. ❷ точный.

cywydd *g.* **cywyddau** *ll.* ❶ валлийский стихотворный размер; стихотворение, написанное таким размером. ❷ гармония.

cywydda *be.* писать стихи.

CH

chan *ardd.* ❶ посредством; при; с. ❷ хан.
chdi *rh.* ты.
chi *rh.* вы. **dych chi'n darllen** вы читаете. **mae eich tad yn eich gweld chi** ваш отец вас видит. **mi'ch garais** я вас любил.
chithau *rh.* вы. **Nadolig Llawen i chi!—a chithau!** счастливого вам Рождества!—и вам также! **beth am eich car chithau?** а что насчет *вашей* машины?
chwa *b.* **chwaoedd** *ll.*, **chwaon** *ll.* дуновение; дутьё; порыв.
chwaer *b.* **chwiorydd** *ll.* сестра.
chwaer-yng-nghyfraith *b.* **chwiorydd-yng-nghyfraith** *ll.* ❶ золовка (*chwaer ŵr*). ❷ невестка (*gwraig frawd*). ❸ свояченица (*chwaer wraig*).
chwaeth *b.* **chwaethau** *ll.* вкус.
chwaith *adf.* тоже (*в отрицательных предложениях*); также. **dw i ddim yn nabod e, ac dw i ddim eisiau nabod e chwaith** я его не знаю, да и знать не хочу.
chwalu *be.* **chwâl** *grch.2.un.*, **chwâl** *pres.3.un.* срывать; срыть; взорвать; взрывать; разбивать; разбрасывать; разгонять; размазывать; разносить; разрушать; раскидывать; расплющивать; рассеивать; сносить; снести.
chwannen *b.* **chwain** *ll.* блоха.
chwant *g.* **chwantau** *ll.* аппетит; вожделение; желание; мечта; охота; пожелание; похоть; склонность; страсть; стремление.
chwarae[1] *be.* **chwery** *pres.3.un.* играть; сыграть; выступить; выступать.
chwarae[2] *g.* **chwaraeon** *ll.* игра.
chwaraegar *ans.* игривый.
chwaraewr *g.* **chwaraewyr** *ll.* игрок; тот, кто играет; проигрыватель; музыкант; актёр.
chwarel *b.* **chwarelau** *ll.* арбалетная стрела.
chwarelwr *g.* **chwarelwyr** *ll.* рабочий на каменоломне.
chwarren *b.* **chwarennau** *ll.* ❶ железа. ❷ опухоль; шишка; узелок; узел. ❸ язва; нарыв. ❹ ящур; чума.
chwart *g.* **chwartiau** *ll.* кварта.
chwarter *g.* **chwarterau** *ll.*, **chwarteri** *ll.* квартал; четверть.
chwarterol *ans.* квартальный; трёхмесячный.
chwech *rhif.* шесть; шестеро; шестёрка.
chweched *rhif.* шестой.
chwedl *b.* **chwedlau** *ll.* легенда; байка; история; повесть; предание; рассказ; сказка.
chwedloniaeth *b.* ❶ мифология. ❷ роман.
chwedlonol *ans.* вымышленный; легендарный; мифический; мифологический; фантастический; сказочный.
Chwefror *g.* февраль.
chweg *ans.* ❶ сладкий. ❷ приятный.
chwegr *b.* свекровь; тёща.
chwegrwn *g.* свёкр; тесть.
chwen *b.* **chwyn** *ll.* сорняк; плевел.
chwerthin[1] *be.* **chwardd** *grch.2.un.*, **chwardd** *pres.3.un.* смеяться; рассмеяться; хохотать; засмеяться. **peidiwch â chwerthin am ei ben o!** не смейтесь над ним!
chwerthin[2] *g.* смех; хохот.
chwerthinllyd *ans.* забавный; нелепый; смехотворный; смешной.
chwerw *ans.* ❶ горький. ❷ мучительный. ❸ ожесточённый.
chwerwder *g.* горечь.
chwerwdod *g.* горечь.
chwerwi *be.* ❶ становиться горьким; делать горьким. ❷ растравлять; озлоблять; раздражать.
chweugain[1] *rhif.* сто двадцать.
chweugain[2] *g.* **chweugeiniau** *ll.* десять шиллингов, полфунта.
chwi *rh.* вы.
chwiban[1] *be.* насвистывать; свистеть.
chwiban[2] *g.* свист.
chwibanu *be.* насвистывать; свистеть.
chwifio *be.* ❶ махнуть; размахивать; махать. ❷ виться; развеваться. ❸ качаться.
chwiffiad *g.* **chwiffiadau** *ll.* дуновение ветра; струя воздуха.
chwil *gb.* **chwilod** *ll.* жук.
chwil-lys *g.* инквизиция.
chwilen *b.* **chwilod** *ll.* жук. **chwilen ddu** таракан. **mae chwilan yn i ben o** у него тараканы в голове.
chwilfrydedd *g.* любознательность; любопытство.
chwilfrydig *ans.* любознательный; любопытный; пытливый.
chwiliad *g.* **chwiliadau** *ll.* поиск.
chwilio *be.* искать; поискать; обыскивать; выглядывать.
chwiliwr *g.* **chwilwyr** *ll.* ❶ искатель. ❷ шпион. ❸ инквизитор.
chwilog *g.* **chwilogion** *ll.* кайра.
chwiloges *b.* **chwilogesau** *ll.* колдунья.

chwim *ans.* быстрый; живой; подвижный; проворный; скорый.
chwip[1] *ans.* ❶ быстрый. ❷ вислый.
chwip[2] *adf.* сразу.
chwip[3] *b.* **chwipiau** *ll.* ❶ кнут; хлыст. ❷ порка.
chwisgi *g.* виски.
chwith *ans.* левый; неправильный.
chwithau *rh.* вы.
chwithig *ans.* левый; странный; неудобный; причудливый; неправильный; неловкий; неуклюжий; удивительный; дурной.
chwychwi *rh.* вы.
chwydu *be.* блевать.
chwydd *g.* выпуклость; опухоль; разбухание; увеличение.
chwyddi *g.* припухлость; опухоль.
chwyddiant *g.* **chwyddiannau** *ll.* ❶ инфляция. ❷ вздутие; увеличение.
chwyddo *be.* ❶ набухать; опухать; пухнуть; раздуваться. ❷ надувать. ❸ важничать.
chwyddwydr *g.* **chwyddwydrau** *ll.* микроскоп.
chwyf *g.* **chwyfau** *ll.* взбалтывание; качание; колебание; шевеление; движение.
chwyldro *g.* **chwyldroeon** *ll.*, **chwyldroion** *ll.* революция.
chwyldroad *g.* **chwyldroadau** *ll.* ❶ кругооборот; оборот. ❷ переворот; революция.
chwyldroadol *ans.* революционный.
chwyn *adf.* постепенно.
chwynnog *ans.* заросший сорняками.
chwynnu *be.* прополоть; пропалывать; полоть.
chwyrn *ans.* ❶ быстрый; скорый. ❷ живой. ❸ суровый; жестокий; яростный. ❹ щелевой.
chwyrniad *g.* ворчание; рычание; храп.
chwyrnu *be.* урчать; гудеть; жужжать; мурлыкать; огрызаться; рычать; храпеть.
chwys *g.* испарина; пот; потение.
chwysigen *b.* **chwisigod** *ll.* волдырь; пузырь; раковина.
chwyslyd *ans.* потный.
chwysu *be.* запотевать; потеть.
chwyth *g.* ❶ вздох; дуновение; дыхание. ❷ шип. ❸ кладка яиц (*мухами и некоторыми другими насекомыми*).
chwythbib *b.* **chwythbibau** *ll.* паяльная трубка.
chwythu *be.* ❶ выдувать; веять; дуть. ❷ пыхтеть; шипеть. ❸ высморкаться; сморкаться. ❹ взрывать. ❺ класть яйца (*о мухах и некоторых других насекомых*).

D

da[1] *g.* **daoedd** *ll.* благо; добро; имущество; скот.
da[2] *ans.* **cystal** *cfrt.*, **gorau** *eith.*, **goreuon** *eith.ll.*, **gwell** *cmhr.* хороший; добрый; ладный; честной.
dacw *adf.* там (*вон*).
dadansoddi *be.* разбираться; разобраться; разобрать; анализировать; разбирать.
dadansoddiad *g.* **dadansoddiadau** *ll.* анализ; разбор; разложение.
dadebru *be.* ❶ восстановить; возобновлять; восстанавливать; возрождать; оживлять; воскрешать; приводить в чувство. ❷ очнуться; приходить в себя; воскресать; оживать; опомниться.
dadelfennu *be.* разлагать; разбирать; анализировать.
dadeni[1] *be.* регенерировать; оживить; восстанавливать; перерождать; воодушевить.
dadeni[2] *g.* возрождение; оживление; ренессанс.
dadl *b.* **dadlau** *ll.*, **dadleuon** *ll.* ❶ ссора; спор. ❷ прения; полемика; дебаты; дискуссия. ❸ аргумент; довод.
dadlau *be.* ❶ оспаривать; спорить. ❷ дебатировать; обсуждать. ❸ доказывать; убеждать; аргументировать. ❹ защищать; отстаивать; поддерживать.
dadlennol *ans.* ❶ разоблачительный. ❷ пророческий.
dadleuol *ans.* дискуссионный; полемический; спорный.
dadleuwr *g.* **dadleuwyr** *ll.* ❶ адвокат. ❷ спикер. ❸ тяжебщик. ❹ спорщик.
dadlwytho *be.* выгружать; разгружать; разряжать.
dadmer[1] *g.* **dadmeroedd** *ll.* оттепель.
dadmer[2] *be.* оттаять.
dadwisgo *be.* раздевать; раздеть.
dadwneud *be.* разобрать; отменить; отменять; аннулировать; разбирать; уничтожать.
daear *b.* **daearoedd** *ll.* грунт; почва; суша; земля.
daeareg *b.* геология.
daearegol *ans.* геологический.
daeargryn *gb.* **daeargrynfâu** *ll.*, **daeargrynfeydd** *ll.* землетрясение.
daearol *ans.* ❶ земной; наземный; земляной; землистый. ❷ житейский; светский; суетный.
daearyddol *ans.* географический.
dafad *b.* **defaid** *ll.* ❶ овца. ❷ бородавка.
dafn *g.* **dafnau** *ll.* капля.
dagr *g.* **dagrau** *ll.* кинжал.
dangos *be.* **dangos** *grch.2.un.*, **dengys** *pres.3.un.* показать; показывать; предъявлять; предъявить.
daioni *g.* благо; добро.
dal *be.* **dail** *pres.3.un.*, **dal** *grch.2.un.*, **deil** *pres.3.un.* ❶ задержать; арестовать; застать; ловить; схватывать; задерживать; сдерживать; останавливать; схватить; арестовывать; поймать; тормозить; удерживать; уловить; хватать; перехватить. ❷ сохраняться; продолжать; длиться; оставаться; пребывать; продолжаться; сохранять. ❸ держать; вмещать. ❹ считать; полагать.
dalen *b.* **dail** *ll.*, **dalennau** *ll.*, **dalenni** *ll.* ❶ лист. ❷ створка. ❸ полотнище (*ворот*); пластинка; пластина. ❹ доля (*анат.*). ❺ лист.
dalfa *b.* **dalfeydd** *ll.* ❶ тюрьма. ❷ арест; задержание; захват; заточение; заключение. ❸ верша; ловушка. ❹ резервуар. ❺ крепость.
daliad *g.* **daliadau** *ll.* ❶ задержание; задержка; арест; поимка. ❷ доктрина; догмат. ❸ смена (*рабочая*).
dall[1] *g.* **deillion** *ll.* слепой.
dall[2] *ans.* **deillion** *ll.* слепой.
dallu *be.* ❶ слепить; ослеплять. ❷ слепнуть. ❸ меркнуть.
damcaniaeth *b.* **damcaniaethau** *ll.* гипотеза; предположение; теория.
damcaniaethol *ans.* спекулятивный; теоретический; умозрительный.
dameg *b.* **damhegion** *ll.* иносказание; притча.
damwain *b.* **damweiniau** *ll.* ❶ несчастный случай; авария; катастрофа. ❷ случайность; случай. ❸ падеж.
damweiniol *ans.* случайный.
dan *ardd.* ❶ под. ❷ меньше. **mae'r llyfrau dan y bwrdd** книги под столом. **dim yn addas i blant dan dair blwydd oed** не подходит для детей младше трех лет.
danas *g.* **danasod** *ll.* олень; лань.
dandi *g.* ❶ денди; щёголь. ❷ петух бентамской породы.
danfon *be.* **danfon** *grch.2.un.*, **denfyn** *pres.3.un.* провожать; проводить; насылать; отсылать; передавать; посылать; сообщать; сопровождать.
danhadlen *b.* **danadl** *ll.* крапива.
dannodd *b.* **dannoddau** *ll.* зубная боль.
dannoedd *b.* зубная боль.

dant *g.* **dannedd** *ll.* зуб.
darbwyllo *be.* убедить; склонить; уверять; уговорить; урезонивать; уговаривать; склонять; убеждать.
darfod *be.* ❶ заканчивать; завершать; губить; прекращать; прикончить; убить; кончать. ❷ кончиться; погибать; кончаться; завершаться; умирать; финишировать. ❸ происходить; случаться.
darganfod *be.* раскрыть; обнаружить; открывать; раскрывать; обнаруживать.
darganfyddiad *g.* **darganfyddiadau** *ll.* обнаружение; открытие.
darganfyddwr *g.* **darganfyddwyr** *ll.* первооткрыватель.
dargludo *be.* провести; проводить.
dargludydd *g.* **dargludyddion** *ll.* проводник.
darlith *b.* **darlithiau** *ll.*, **darlithoedd** *ll.* лекция.
darlithio *be.* читать лекции.
darlithiwr *g.* **darlithwyr** *ll.* лектор.
darlithydd *g.* **darlithyddion** *ll.* лектор.
darlun *g.* **darluniau** *ll.* портрет; картина.
darlunio *be.* вывести; выводить; нарисовать; живописать; изображать; начертить; обрисовывать; описать; описывать; рисовать.
darllaw *be.* ❶ варить; заваривать. ❷ приготовлять; затевать; замышлять. ❸ назревать; надвигаться.
darllawdy *g.* **darllawdai** *ll.* пивоварня.
darllawr *g.* **darllorion** *ll.* пивовар.
darllawydd *g.* **darllawwyr** *ll.*, **darllawyddion** *ll.* пивовар.
darllediad *g.* **darllediadau** *ll.* ❶ радиорепортаж; радиотрансляция; радиопередача; радиовещание. ❷ распространение.
darlledu *be.* передать; передавать; транслировать (*по радио или телевидению*).
darllen *be.* **darllen** *grch.2.un.*, **darllen** *pres.3.un.* читать; почитать; прочесть; прочитать; считывать; считать.
darlleniad *g.* **darlleniadau** *ll.* ❶ чтение; прочтение. ❷ показание. **darlleniadau mesuryddion dŵr** показания водяных счетчиков.
darllenwr *g.* **darllenwyr** *ll.* ❶ читатель. ❷ чтец. ❸ лектор.
darllenydd *g.* **darllenyddion** *ll.* ❶ читатель. ❷ корректор. ❸ лектор. ❹ рецензент.
darn *g.* **darnau** *ll.* осколок; обломок; фрагмент; часть; кусок; пьеса; фигура (*шахм.*).
darogan[1] *be.* предвещать; сулить; предвидеть; предсказывать; предчувствовать; пророчить.
darogan[2] *b.* **daroganau** *ll.* предсказание; предчувствие; прогноз; пророчество.
daroganol *ans.* вещий.
darostwng *be.* опускать; подчинять; покорять; понижать; смирять; снижать; спускать; уменьшать; унижать.
darpar[1] *ans.* предполагаемый; потенциальный.
darpar[2] *g.* **darpariadau** *ll.*, **darparion** *ll.* обеспечение; снабжение.
darpariaeth *b.* **darpariaethau** *ll.* ❶ приготовление; подготовка; заготовка; заготовление. ❷ снабжение; обеспечение. ❸ условие.
darparu *be.* **darpar** *grch.2.un.*, **darpar** *pres.3.un.* обеспечить; предоставить; обеспечивать; предоставлять; снабжать.
daru *be.* используется на севере Уэльса для образования прошедшего времени. **ddaru mi fynd** я пошел. **ddaru chi weld nhw?** вы видели их? **mi ddaru nhw wneud hynny yn y Drenewydd** они сделали это в Треневите. **ddaru ni ddim dechrau tan ar ôl cinio** мы не начинали до обеда.
darymred[1] *g.* **darymredi** *ll.* ❶ понос; дизентерия. ❷ блуждание. ❸ стечение.
darymred[2] *be.* ❶ блуждать. ❷ посещать. ❸ перелетать. ❹ подавать; прислуживать.
das *b.* **dasau** *ll.*, **deisi** *ll.* стог; груда; омёт; скирда.
datblygiad *g.* **datblygiadau** *ll.* ❶ улучшение; усовершенствование; эволюция; развитие; расширение. ❷ создание; разработка. ❸ проявление. ❹ развёртывание.
datblygu *be.* развить; развивать; проявить (*фото*); проявлять (*фото*); эволюционировать; разрабатывать; развиваться; разработать.
datgan *be.* заявить; заявлять; извещать; провозглашать.
datganiad *g.* **datganiadau** *ll.* ❶ объявление; заявление; декларация. ❷ исполнение.
datganoli *be.* децентрализировать.
datganu *be.* ❶ распевать. ❷ объявлять.
datgeiniad *g.* **datgeiniaid** *ll.* ❶ рассказчик. ❷ певец.
datgelu *be.* обнаружить; разрешать; выдавать; обнаруживать.
datguddiad *g.* **datguddiadau** *ll.* апокалипсис; обнаружение; откровение; открытие; разоблачение; раскрытие.
datguddio *be.* обнаруживать; открывать; показывать; разоблачать.
datgysylltu *be.* разобщать; разъединять; расцеплять.

datod *be.* **datod** *grch.2.un.*, **datod** *pres.3.un.*, **detyd** *pres.3.un.* ❶ распутывать; развязывать; развернуть; разворачивать. ❷ решать. ❸ расстегнуть; открывать; распускать; расстегивать. ❹ разуваться. ❺ объяснять. ❻ сочинять (*стихотворение*). ❼ губить; аннулировать. ❽ разжижать; растворять. ❾ таять. ❿ сниматься с якоря.
datrys *be.* разрешить; решить; распутывать; развязывать; разрешать; решать.
datrysiad *g.* **datrysiadau** *ll.* разрешение; расшифровка.
dathliad *g.* **dathliadau** *ll.* празднование.
dathlu *be.* праздновать; отмечать; отметить.
dau *rhif.* **dwy** *ж.* два; двое; двойка; оба. **dau fab** два сына. **dwy ferch** две дочери. **y ddau fab** те два сына. **y ddwy ferch** те две дочери.
daufiniog *ans.* обоюдоострый.
daw *g.* **dofion** *ll.* зять.
dawn *b.* **doniau** *ll.* дар; дарование; способность; талант.
dawns *b.* **dawnsiau** *ll.* ❶ танец; пляска. ❷ бал. **dawns werin** народный танец.
dawnsio *be.* плясать; танцевать.
dawnsiwr *g.* **dawnswyr** *ll.* плясун; танцовщик; танцор.
de[1] *ans.* правый.
de[2] *gb.* юг.
deall[1] *be.* **deall** *grch.2.un.*, **deall** *pres.3.un.* понимать; сообразить; соображать; осознать; понять; разбираться.
deall[2] *g.* интеллект; понятливость; разум; рассудок; смышлёность; ум.
dealladwy *ans.* ❶ вразумительный; понятный. ❷ понятливый.
dealltwriaeth *b.* **dealltwriaethau** *ll.* ❶ разум; рассудок; понятливость; понимание; смышлёность; ум. ❷ взаимопонимание; согласие. ❸ значение; смысл. ❹ предложение.
deallus *ans.* сообразительный; понятливый; разумный; смышлёный; умный.
dechrau[1] *be.* **dechrau** *grch.2.un.*, **dechrau** *pres.3.un.* начинать; начать; приступить; стать; завести; заводить.
dechrau[2] *g.* начало.
dechreuad *g.* **dechreuadau** *ll.* начало.
dechreuol *ans.* начальный; первоначальный.
dechreuwr *g.* **dechreuwyr** *ll.* начинающий.
dedfryd *b.* **dedfrydau** *ll.*, **dedfrydon** *ll.* вердикт; мнение; приговор.
dedfrydu *be.* осуждать; приговаривать.
dedwydd *ans.* весёлый; довольный; удачный; счастливый.
deddf *b.* **deddfau** *ll.* акт; закон; постановление; статут.
deddflyfr *g.* **deddflyfrau** *ll.* свод законов; кодекс.
deddfwriaeth *b.* **deddfwriaethau** *ll.* ❶ законодательство. ❷ юриспруденция.
defeidiog *b.* **defeidiogau** *ll.* овечье пастбище.
defnydd *g.* **defnyddiau** *ll.* ❶ применение; употребление; использование. ❷ материя; материал; вещество.
defnyddio *be.* **defnydd** *grch.2.un.*, **defnydd** *pres.3.un.* использовать; применять; пользоваться; распоряжаться; распорядиться; употреблять.
defnyddiol *ans.* полезный.
defnyddiwr *g.* **defnyddwyr** *ll.* ❶ пользователь; потребитель. ❷ автор; изготовитель.
defod *b.* **defodau** *ll.* ❶ церемония; ритуал; обряд. ❷ привычка; обычай. ❸ порядок. ❹ закон.
deffro *be.* **deffro** *grch.2.un.*, **deffry** *pres.3.un.* ❶ проснуться; пробуждаться; просыпаться. ❷ будить; разбудить; пробуждать.
deffroad *g.* **deffroadau** *ll.* пробуждение.
deffroi *be.* будить; возбуждать; воодушевлять; пробуждать; пробуждаться; просыпаться.
deg *rhif.* десять; десяток; десятеро; десятка.
degaid *g.* **degeidiau** *ll.* ❶ десятилетие. ❷ десятка. ❸ десятая.
degfed *rhif.* десятый.
degwm *g.* **degymau** *ll.* десятина.
deng *rhif.* десять (*в таких словосочетаниях как «десять лет» и т.д.*).
dengair *g.* **dengairoedd** *ll.* десять заповедей.
dehau[1] *ans.* ❶ южный. ❷ правый.
dehau[2] *gb.* ❶ юг. ❷ право.
deheu[1] *ans.* ❶ южный. ❷ правый.
deheu[2] *gb.* ❶ юг. ❷ право.
deheuol *ans.* южный.
dehongli *be.* интерпретировать; толковать.
dehongliad *g.* **dehongliadau** *ll.* интерпретация; объяснение; перевод; толкование.
deial *g.* **deialau** *ll.* теодолит; круговая шкала; солнечные часы; циферблат; диск набора.
deifio *be.* ❶ опалить. ❷ взорвать.
deigryn *g.* **dagrau** *ll.* слеза.
deilen *b.* **dail** *ll.* лист.
deiliad *g.* **deiliadon** *ll.*, **deiliaid** *ll.* ❶ наниматель; арендатор; съёмщик. ❷ вассал. ❸ владелец; держатель. ❹ гражда-

нин; подданный. ❺ субъект (*договора*). ❻ приверженец; поборник; сторонник. ❼ обитатель; житель; жилец. ❽ лицо, задерживающее или изымающее (*имущество*) либо принимающее или сдающее на хранение (*в суд*).

deillio *be.* вытекать; выходить; истекать; исходить; накопляться; происходить; родиться.

deintydd *g.* **deintyddion** *ll.* зубной врач; дантист.

deiseb *b.* **deisebau** *ll.* челобитная; петиция; прошение; ходатайство.

del *ans.* ❶ суровый. ❷ упорный. ❸ угрюмый. ❹ хорошенький. ❺ приятный; хороший. ❻ опрятный; аккуратный.

delfryd *gb.* **delfrydau** *ll.* ❶ идеал. ❷ идея.

delfrydedd *g.* идеальность.

delfrydeg *g.* идеология.

delfrydegol *ans.* идеологический.

delfrydiaeth *b.* идеализм.

delfrydol *ans.* ❶ идеальный; безукоризненный; безупречный; совершенный. ❷ идеалистический.

delfrydu *be.* идеализировать.

delio *be.* ❶ общаться; обходиться; обойтись. ❷ торговать. ❸ сдать (*карты*); сдавать (*карты*).

delor *g.* **delorion** *ll.* ❶ дятел. ❷ славка.

delw *b.* **delwau** *ll.* ❶ статуя; фигурка; идол; фигура. ❷ изображение; портрет; образ. ❸ образ; отражение; очертание; подобие. ❹ стиль; манера; способ; метод.

delwedd *b.* **delweddau** *ll.*, **delweddiadau** *ll.* метафора.

delweddu *be.* ❶ изобразить; изображать. ❷ слепить; лепить.

dellten *b.* **dellt** *ll.*, **delltennau** *ll.*, **delltenni** *ll.* шина; дранка; осколок; планка; рейка; решётка; щепка.

deniadol *ans.* заманчивый; соблазнительный; привлекательный; притягательный.

denu *be.* привлечь; пленять; соблазнять; прельщать; притягивать; привлекать; завлекать; заманивать.

deon *g.* **deoniaid** *ll.* ❶ дьякон. ❷ декан. ❸ знать; лепшие люди; воины.

dera *b.* ❶ дьяволица. ❷ фурия. ❸ акула.

derbyn *be.* **derbyn** *grch.2.un.*, **derbyn** *pres.3.un.* получить; принять; получать; принимать.

derbyniad *g.* **derbyniadau** *ll.* ❶ приём; восприятие; приход; допущение; встреча; принятие; получение. ❷ застёжка. ❸ ёмкость. ❹ жилище.

derbyniol *ans.* угодный; приемлемый.

derbynnydd *g.* **derbynyddion** *ll.* ❶ акцептант; реципиент; получатель; приемщик. ❷ служащий в приемной. ❸ радиоприёмник; приемник; ресивер. ❹ трубка (*телефонная*). ❺ управляющий конкурсной массой.

derwen *b.* **deri** *ll.*, **derw** *ll.* дуб.

derwydd *g.* **derwyddon** *ll.* друид.

desg *b.* **desgiau** *ll.* рабочий стол; письменный стол.

dethol[1] *ans.* избранный; отборный.

dethol[2] *be.* отобрать; подобрать; выбирать; избирать; отбирать; подбирать; перебирать.

detholiad *g.* **detholiadau** *ll.*, **detholion** *ll.* выбор; набор; отбор; подбор; селекция.

deuddeg *rhif.* двенадцать.

deuddegfed *rhif.* двенадцатый. **deuddegfed a deugain** пятьдесят второй.

deuddeng *rhif.* двенадцать.

deuddydd *g.* **deuddyddion** *ll.* два дня.

deugain *rhif.* сорок.

deugeinfed *rhif.* сороковой.

deunaw *ans.* восемнадцать.

deunawfed *ans.* восемнадцатый.

deunydd *g.* **deunyddiau** *ll.* вещество; материал; материя.

deuparth *g.* две трети.

dewin *g.* **dewiniaid** *ll.* заклинатель; колдун; кудесник; маг; прорицатель; чародей; волшебник.

dewis[1] *be.* отобрать; выбрать; отбирать; выбирать; избирать.

dewis[2] *g.* отбор; выбор; выделение.

dewislen *b.* **dewislenni** *ll.* меню (*комп.*).

dewr[1] *g.* **dewrion** *ll.* герой.

dewr[2] *ans.* **dewrion** *ll.* смелый; храбрый.

dewrder *g.* отвага; смелость; храбрость; мужество.

di *rhgdd.* не.

dial[1] *g.* **dialau** *ll.*, **dialon** *ll.* месть; мщение; отмщение; реванш.

dial[2] *be.* **dial** *grch.2.un.*, **dial** *pres.3.un.* мстить; отомстить.

diamau *ans.* несомненный.

diamod *g.* безусловный; абсолют.

dianc *be.* **dianc** *grch.2.un.*, **dianc** *pres.3.un.* ❶ вырваться; вырываться; убежать; бежать; удирать; скрываться; избежать; избегать; убегать; ускользать; деться; деваться. ❷ освобождать; спасать.

diannod *ans.* тотчас.

diarchenu *be.* ❶ разуваться; разувать. ❷ раздевать; раздеваться.

diarwybod *ans.* ❶ внезапный. ❷ неизвестный. ❸ невежественный.

diasbedain *be.* греметь; звенеть; звонить; звучать; оглашать; повторять.

diau *ans.* верный; истинный; надёжный; настоящий; несомненный; определённый; подлинный; правильный; точный; уверенный.

diawch *ans.* ❶ незаостренный; затупленный; тупой. ❷ безразличный; равнодушный; апатичный.

diawchu *be.* ❶ затуплять (*ся*); притуплять (*ся*). ❷ лишиться мужества; пасть духом.

diawl *g.* **diawliaid** *ll.* чёрт; дьявол; бес. **be' ddiawl wyt ti'n wneud?** какого черта ты тут делаешь?

diawledig *ans.* чертовский.

di-baid *ans.* безостановочный; непрерывный; непрестанный.

diben *g.* **dibenion** *ll.* ❶ граница; конец; край; предел; окончание. ❷ результат; следствие. ❸ намерение; назначение; цель.

di-ben-draw *ans.* безостановочный; непрерывный; непрестанный.

diberfeddu *be.* ❶ потрошить. ❷ выхолащивать.

dibriod *ans.* незамужний; неженатый; одинокий; холостой.

dibwys *ans.* неважный; незначительный.

dibyn *g.* **dibynnau** *ll.* круча; обрыв; пропасть.

dibyniaeth *b.* **dibyniaethau** *ll.* зависимость.

dibynnol *ans.* ❶ зависимый. ❷ висячий. ❸ сослагательный.

dibynnu *be.* полагаться; рассчитывать; зависеть.

dicter *g.* **dicterau** *ll.* злоба; злость; гнев; досада; недовольство; неудовольствие; раздражение; ярость.

dichon[1] *adf.* может быть; возможно.

dichon[2] *be.* ❶ мочь. ❷ делать возможным. ❸ вызывать; делать.

didoli *be.* отделять; разделять; разлучать.

didostur *ans.* безжалостный.

didrafferth *ans.* без сучка, без задоринки; гладкий.

didrugaredd *ans.* безжалостный.

diddan *ans.* забавный; занимательный; занятный; милый; приятный; славный; смешной; шутливый.

diddefnydd *ans.* бесполезный.

diddig *ans.* удовлетворенный; довольный.

diddordeb *g.* **diddordebau** *ll.* заинтересованность; интерес.

diddori *be.* ❶ заинтересовывать; интересовать. ❷ поинтересоваться; интересоваться. ❸ заботиться.

diddorol *ans.* интересный.

diddymu *be.* аннулировать; истреблять; отменять; уничтожать; упразднять.

dieflig *ans.* дьявольский.

dieithr[1] *ans.* зарубежный; инородный; нездешний; незнакомый; неизвестный; необыкновенный; непривычный; чудной; чуждый; чужой; иностранный; иноземный; чужестранный.

dieithr[2] *g.* **dieithriaid** *ll.* незнакомец; посторонний; чужестранец; чужой.

dieithriad *ans.* без исключения.

dieithryn *g.* **dieithriaid** *ll.* чужой; посторонний; чужестранец; незнакомец.

dienyddiad *g.* **dienyddiadau** *ll.* казнь; уничтожение.

difa *be.* истреблять; поглощать; пожирать; потреблять; разрушать; расточать; расходовать; съедать; уничтожать.

difaol *ans.* уничтожающий.

difarw *ans.* бессмертный.

difaterwch *g.* апатия; безразличие; беспристрастность; равнодушие.

diferu *be.* капать; сочиться; выделяться; проливать; пролить.

diferyn *g.* **diferion** *ll.*, **diferynnau** *ll.* капля.

difetha *be.* ❶ уничтожать; опустошать; разрушать; портить; истреблять; расточать. ❷ изгонять; выселять.

diflannu *be.* исчезнуть; исчезать; пропадать; скрываться; пропасть; деваться; деться.

diflas *ans.* ❶ скучный; неинтересный. ❷ пресный; безвкусный. ❸ скверный (*о погоде*); жалкий; плохой.

diflastod *g.* ❶ страдание; неприятность; непривлекательность. ❷ отвращение; омерзение. ❸ безвкусие.

diflasu *be.* ❶ надоедать; пресыщать; утомлять; надоесть. ❷ скучать.

difrif[1] *ans.* серьёзный.

difrif[2] *g.* серьёзность. **o ddifrif** серьезно.

difrifol *ans.* ❶ серьёзный. ❷ веский; важный. ❸ торжественный. ❹ тяжёлый; опасный.

difrïo *be.* ❶ ругать; поносить; бесчестить; распекать; оскорблять; бранить. ❷ богохульствовать.

difrod *g.* **difrodiau** *ll.* вред; опустошение; повреждение; порча; разорение; разрушение; убыток; ущерб.

difrodi *be.* недооценивать; отрицать; грабить; опустошать; портить; разрушать; расточать.

difyr *ans.* ❶ славный; милый; приятный. ❷ занятный; занимательный; забавный; увеселительный; развлекательный.

difyrru *be.* ❶ занять; коротать; занимать; забавлять; отвлекать; развлекать. ❷ отвести; отклонять; отводить. ❸ укорачивать.

difyrrwch *g.* веселье; забава; развлечение; увеселение.

diffaith[1] *ans.* бесплодный; голый; негодный; ненужный; опустошённый; пустынный; плохой.

diffaith[2] *g.* **diffeithydd** *ll.* пустыня.

diffiniad *g.* **diffiniadau** *ll.* определение.

diffodd *be.* **diffodd** *grch.2.un.*, **diffydd** *pres.3.un.* ❶ отключать; выключать. ❷ тушить; гасить. ❸ погаснуть; затухать; гаснуть; тухнуть.

diffuant *ans.* искренний; истинный; настоящий; неподдельный; подлинный; чистосердечный.

diffyg *g.* **diffygion** *ll.* ❶ недостача; дефицит; отсутствие (*чего-л.*); нехватка; недостаток. ❷ недочёт; изъян; порок; дефект. ❸ затмение.

diffygiol *ans.* утомлённый; дефективный; дефектный; недостаточный; неисправный; неполный; несовершенный.

dig[1] *ans.* гневный; разъяренный; сердитый; разгневанный; рассерженный.

dig[2] *g.* гнев; ярость.

digalon *ans.* грустный; печальный; подавленный; унылый.

digalonni *be.* обескураживать; расхолаживать.

digartref *ans.* бездомный.

digio *be.* ❶ раздражать; задевать; оскорблять; обижать; злить; сердить. ❷ обидеться; злиться; обижаться; рассердиться; возмущаться; возмутиться.

digofaint *g.* возмущение; гнев; негодование; раздражение; ярость.

digon[1] *ans.* достаточный.

digon[2] *adf.* достаточно; довольно. **oes digon o le fan hyn?** здесь достаточно места?

digonedd *g.* достаток; изобилие.

digoni *be.* ❶ утолять; удовлетворять; хватать; удовлетворить; хватить. ❷ готовить; стряпать. ❸ трудиться; действовать; делать; выполнять. ❹ мочь.

digonol *ans.* достаточный.

digrif *ans.* весёлый; потешный; радостный; смешной; забавный.

digrifwch *g.* веселье; забава; радость; развлечение; увеселение.

digwydd *be.* **digwydd** *grch.2.un.*, **digwydd** *pres.3.un.* ❶ состояться; твориться; делаться; произойти; случиться; приключаться; происходить; случаться; оказываться; оказаться; водиться. ❷ пасть; упасть; падать. ❸ обращаться в бегство. ❹ заходить (*о солнце, луне*); садиться (*о солнце, луне*). ❺ истекать (*о времени*). ❻ подлежать.

digwyddiad *g.* **digwyddiadau** *ll.* событие; происшествие; явление; случай.

digywilydd *ans.* бесстыдный; дерзкий; наглый; нахальный.

dihangfa *b.* **dihangfâu** *ll.*, **dihangfeydd** *ll.* запасный выход.

dihareb *b.* **diarhebion** *ll.* афоризм; изречение; поговорка; пословица.

dihiren *b.* **dihirennau** *ll.* ❶ сволочь. ❷ потаскуха; потаскушка; шлюха.

dihiryn *g.* **dihirod** *ll.*, **dyhirod** *ll.* гад; подонок; мерзавец; мошенник; негодяй; плут; подлец; шельмец.

dihuno *be.* ❶ очнуться; пробуждаться; просыпаться; проснуться. ❷ будить; пробуждать.

dileu *be.* вывести; выводить; отменить; удалять; аннулировать; вычеркивать; изглаживать; отменять; стирать; уничтожать; упразднять; сводить; свести.

dilyn *be.* **dilyn** *grch.2.un.*, **dilyn** *pres.3.un.* последовать; имитировать; копировать; подражать; преследовать; придерживаться; сопровождать; следовать.

dilyniant *g.* **dilyniannau** *ll.* последовательность.

dilynol *ans.* последовательный; последующий; следующий.

dilys *ans.* аутентичный; верный; достоверный; искренний; истинный; надёжный; настоящий; неподдельный; несомненный; определённый; подлинный; уверенный.

dilysrwydd *g.* ❶ истинность; подлинность; действительность. ❷ обеспечение; страховка; гарантия. ❸ безопасность. ❹ стабильность. ❺ неоспоримое право собственности. ❻ непорочность; девственность; целомудрие. ❼ плата или штраф за лишение девственности.

dilysu *be.* ❶ удостоверять; подтверждать; заверять; гарантировать. ❷ аннулировать; отказываться; оставлять.

dilyw *g.* **dilywiau** *ll.* наводнение; паводок; половодье; потоп; разлив.

dillad *g.* **dilladau** *ll.* туалет; одеяние; одежда. **tynnu dillad** снимать одежду.

dilledyn *g.* **dillad** *ll.* элемент одежды, предмет туалета.

dim[1] *ans.* никакой. **does dim lle yma** здесь нет места. **dim byd** ничего. **dim ots!** не волнуйся! забей!

dim[2] *g.* не; нисколько; нечего; ничто; ноль; ничего; нуль. **dw i ddim eiasiau mynd** я не хочу уходить. **wi'n gwybod dim am y peth** я ничего об этом не знаю. **dim ond** только.

dimai *b.* **dimeiau** *ll.* полушка.

din *g.* **dinau** *ll.* форт; крепость; град; замок.
dinas *b.* **dinasoedd** *ll.* город.
dinasyddiaeth *b.* гражданство.
dincod *g.* оскомина.
dinesig *ans.* ❶ городской. ❷ муниципальный. ❸ гражданский; штатский. ❹ благородный. ❺ вежливый; воспитанный.
dinesydd *g.* **dinasyddion** *ll.* горожанин; гражданин.
dinistr *g.* **dinistroedd** *ll.* разорение; разрушение; уничтожение.
dinistrio *be.* разрушить; истреблять; разрушать; уничтожать.
dinistriol *ans.* ❶ вредный; гибельный; разрушительный; губительный; пагубный. ❷ опустошённый.
diniwed *ans.* ❶ безобидный; безвредный. ❷ невинный; невиновный.
diniweidrwydd *g.* безвредность; наивность; невинность; простодушие; простота; чистота.
dinoethi *be.* выставить; отобрать; выставлять; обнажать; оголять; отбирать; разоблачать; раскрывать.
diod *b.* **diodydd** *ll.* напиток; питьё.
diodi *be.* ❶ поить. ❷ убирать; снимать.
dioddef[1] *g.* **dioddefiadau** *ll.* страдание.
dioddef[2] *be.* ❶ мучиться; претерпевать; испытывать; страдать; пострадать. ❷ вынести; перенести; терпеть; переносить; выносить; выдерживать; снести; сносить.
dioddefaint *g.* ❶ страдание. ❷ выносливость.
di-oed *ans.* безотлагательный; немедленный.
diog *ans.* вялый; инертный; праздный; нерадивый; ленивый.
diogel *ans.* уверенный; безопасный; верный; надёжный; уверенный.
diogelu *be.* ❶ обеспечивать; гарантировать. ❷ страховать; охранять; предохранять; защищать.
diogelwch *g.* безопасность.
diogi[1] *be.* бездельничать; лениться.
diogi[2] *g.* леность; лень.
diogyn *g.* лодырь; ленивец; бездельник; лентяй.
diolch[1] *g.* **diolchiadau** *ll.* благодарность.
diolch[2] *be.* **diolch** *pres.3.un.*, **diylch** *pres.3.un.* благодарить.
diolchgar *ans.* признательный; благодарный.
diolchgarwch *g.* благодарность; признательность.
di-os *ans.* несомненный.
diosg *be.* ❶ снимать. ❷ обнажать; раздевать. ❸ сорвать; срывать; обдирать; сдирать. ❹ лишить; лишать; отнимать. ❺ раздеваться.
dir *ans.* неизбежный; несомненный; нужный; определённый.
direidus *ans.* непослушный; озорной; вредный; игривый; лукавый.
dirfawr *ans.* здоровенный; здоровый; гигантский; громадный; огромный.
dirgel[1] *g.* **dirgelion** *ll.* загадка; секрет; тайна.
dirgel[2] *ans.* потайной; секретный; скрытный; скрытый; тайный.
dirgelu *be.* прятаться; маскировать; прятать; скрывать; укрывать; умалчивать; утаивать.
dirgelwch *g.* **dirgelychau** *ll.* ❶ загадка; таинство; скрытность; секрет; мистерия; секретность; тайна. ❷ половые органы.
di-rif *ans.* бесчисленный; бессчётный.
dirmyg *g.* неуважение; презрение.
dirnad *be.* ❶ различать; распознавать; понимать. ❷ значить. ❸ объяснять.
dirprwy *g.* **dirprwyon** *ll.* ❶ заместитель. ❷ депутат; представитель; делегат.
dirprwywr *g.* **dirprwywyr** *ll.* представитель; делегат; заместитель; комиссар.
dirwen *g.* **dirwennau** *ll.* ликование.
dirwy *b.* **dirwyon** *ll.* пеня; штраф.
dirwymedi *ans.* неисцелимый; неизлечимый; непоправимый.
dirwyn *be.* свить; умиротворять; оголять; обнажать; изматывать; вертеть; вить; виться; извиваться; изгибать; искажать; искривлять; крутить; мотать; наматывать; обвивать; обматывать; плести; поворачивать; свивать; скручивать; сплетать; сучить.
dirwynen *b.* **dirwynennau** *ll.*, **dirwynenni** *ll.* винт.
dirwynlath *b.* **dirwynlathau** *ll.* лебёдка.
dirwynwr *g.* **dirwynwyr** *ll.* ❶ мотальщик. ❷ завершитель. ❸ неутомимый бегун или всадник.
dirwyo *be.* наказывать; штрафовать.
dirybudd *ans.* внезапный.
diryw *ans.* ❶ вырожденный. ❷ средний (*грам.*).
dirywiad *g.* вырождение; дегенерация; изнашивание; износ; порча; ухудшение.
dirywio *be.* ❶ вырождаться; разрушаться; ухудшаться. ❷ портить; ухудшать.
dis *g.* **disiau** *ll.* кость (*игральная*).
disbaddu *be.* кастрировать; холостить.
disg *b.* **disgiau** *ll.* ❶ диск; пластинка; грампластинка.
disglair *ans.* блестящий; сверкающий; светлый; яркий; ясный.
disgleirdeb *g.* блеск; великолепие; яркость.

disgleirio *be.* блестеть; блистать; сиять; сверкать.
disgrifiad *g.* **disgrifiadau** *ll.* изображение; описание.
disgrifio *be.* описать; описывать.
disgwyl[1] *g.* **disgwyliadau** *ll.*, **disgwylion** *ll.* ожидание.
disgwyl[2] *be.* ждать; ожидать; рассчитывать; чаять.
disgwyliad *g.* **disgwyliadau** *ll.* надежда; ожидание; предвкушение.
disgybl *g.* **disgyblion** *ll.* ❶ ученик; учащийся. ❷ апостол. **faint o ddisgyblion sy gynnoch chi yn yr ysgol 'ma?** сколько у Вас учеников в школе?
disgyblaeth *b.* дисциплина.
disgyn *be.* **disgyn** *grch.2.un.*, **disgyn** *pres.3.un.* ❶ выпасть; сходить; спуститься; спускаться; снижаться; понижаться; падать; опускаться; спасть; спадать; упасть; проваливаться. ❷ пасть. ❸ сесть; приземляться; садиться. ❹ спешиваться; спешить. ❺ высаживаться.
disgynnydd *g.* **disgynyddion** *ll.* потомок.
disodli *be.* вытеснять; выживать; выжить; вытеснить.
distaw *ans.* безмолвный; бесшумный; мирный; молчаливый; мягкий; немой; неслышный; спокойный; тихий.
distawrwydd *g.* безмолвие; молчание; покой; спокойствие; тишина.
distewi *be.* **distau** *pres.3.un.*, **distaw** *grch.2.un.* ❶ замолкать; молчать. ❷ умиротворяться; успокаиваться; покоиться. ❸ заглушать; успокаивать; умиротворять.
distyllu *be.* выделить; выделять; гнать; дистиллировать; капать; опреснять; перегонять; сочиться.
diswyddo *be.* рассчитать; рассчитывать; уволить; смещать (*с поста*); освобождать (*от выполняемых обязанностей*); увольнять.
disyfyd *ans.* внезапный; мгновенный; немедленный; неожиданный.
disymwth *ans.* внезапный; мгновенный; немедленный; неожиданный; поспешный; резкий; стремительный.
di-waith *ans.* безработный.
diwallu *be.* ❶ снабжать; удовлетворять; утолять. ❷ исправлять.
diwedd *g.* **diweddau** *ll.* завершение; окончание; конец. **o'r diwedd** наконец.
diweddar *ans.* ❶ свежий; последний; недавний. ❷ умерший; покойный. ❸ запоздалый; поздний. **dw i heb weld e'n ddiweddar** я не видел его в последнее время.
diweddaru *be.* ❶ модернизировать; осовременить. ❷ становиться поздним.
diweddu *be.* заключить; завершать; завершаться; заканчивать; заключать; кончать; кончаться; прекращать; финишировать.
diweithdra *g.* безработица.
diwethaf *ans.* прошлый; последний (*по времени*).
diwinyddiaeth *b.* богословие.
diwinyddol *ans.* богословский.
diwrnod *g.* **diwrnodau** *ll.*, **diwrnodiau** *ll.* сутки; день (*период времени*).
diwrthnysig *ans.* необрезанный (*о мальчике или мужчине*).
diwyd *ans.* неутомимый; прилежный; старательный; трудолюбивый; усердный.
diwydiannol *ans.* производственный; индустриальный; промышленный.
diwydiant *g.* **diwydiannau** *ll.* промышленность; индустрия; комплекс.
diwygiad *g.* **diwygiadau** *ll.* ❶ оживление; реформа; исправление; восстановление; возрождение; возобновление; возмещение; преобразование; реформация; улучшение. ❷ образ. ❸ наряд. ❹ способ. ❺ обращение.
diwygio *be.* изменять; исправлять; перерабатывать; пересматривать; преобразовывать; реформировать; улучшать.
diwygiwr *g.* **diwygwyr** *ll.* ❶ преобразователь; реформатор. ❷ корректор. ❸ цензор.
diwylliannol *ans.* культурный.
diwylliant *g.* **diwylliannau** *ll.* культура.
diwylliedig *ans.* ❶ культурный; развитой; интеллигентный. ❷ боготворимый.
diwyllio *be.* культивировать.
diymadferth *ans.* беспомощный.
diystyr *ans.* ❶ бессмысленный; беспричинный; бездумный. ❷ презренный. ❸ презрительный; высокомерный; пренебрежительный.
diystyru *be.* игнорировать; презирать; пренебрегать.
do *gn.* да (*в ответах на вопросы о прошлом*).
doctor *g.* **doctoriaid** *ll.* доктор; врач.
dod *be.* ❶ доходить; подъехать; дойти; приходить; приезжать; приехать; прийти; наступить. ❷ становиться; настать. ❸ приносить. ❹ находить; найти; отыскать. **ddaethoch chi ar y trên?** вы приехали на поезде? **dere 'mlaen!** вперед! **doed a ddelo** будь, что будет. **mi ddaw'n amlwg cyn bo hir** это вскоре станет ясным. **dewch â'ch arian** приносите ваши деньги. **daethpwyd o hyd i'w gorff y bore wedyn** его тело нашли на следующее утро.
dodi[1] *ans.* искусственный.

dodi[2] *be.* **dod** *grch.2.un.*, **dŷd** *pres.3.un.* задавать; задать; посадить; сажать; ставить; класть.

dodrefnyn *g.* **dodrefn** *ll.* мебель; обстановка.

dodwy *be.* отложить (*яйцо*); откладывать (*яйца*); нестись.

doe *adf.* вчера.

doeth *ans.* **doethion** *ll.* благоразумный; знающий; осведомлённый; мудрый.

doethineb *g.* мудрость.

dof *ans.* **dofion** *ll.* культурный; покорный; ручной; садовый.

dogfen *b.* **dogfennau** *ll.*, **dogfenni** *ll.* документ.

dogn *g.* **dognau** *ll.* ❶ порция; часть; доля. ❷ доза. ❸ содержание; паёк; довольствие. ❹ мера.

dôl *b.* **dolau** *ll.*, **doliau** *ll.*, **dolydd** *ll.* луг; луговина.

dolen *b.* **dolennau** *ll.*, **dolenni** *ll.* лука (*реки*); ссылка (*в Интернете*); дуга; звено; колечко; кольцо; ободок; обруч; петля; ручка; связь; скоба; соединение.

doler *b.* **doleri** *ll.* доллар.

doli *b.* **doliau** *ll.* кукла.

dolio *be.* делиться; давать; поделиться.

dolur *g.* **doluriau** *ll.* ❶ боль. ❷ рана. ❸ печаль; огорчение; горе.

doniol *ans.* забавный; комический; остроумный; смешной; юмористический.

dôr *b.* **dorau** *ll.* ❶ дверь. ❷ защита.

dosbarth *g.* **dosbarthau** *ll.*, **dosbarthiadau** *ll.* категория; округ; разряд; район; сорт; класс.

dosbarthiad *g.* **dosbarthiadau** *ll.* ❶ распространение; распределение; раздача. ❷ группировка. ❸ резюме; конспект; сводка; объяснение.

dosbarthu *be.* ❶ классифицировать; делить. ❷ раздавать; распределять; распространять; размещать.

dosraniad *g.* **dosraniadau** *ll.* выделение.

dotio *be.* любить до безумия.

draenen *b.* **drain** *ll.* ❶ колючка; шип. ❷ терновник.

draenog *g.* **draenogiaid** *ll.*, **draenogod** *ll.* ёж.

draenoges *b.* **draenogesau** *ll.* ежиха.

drafers *g.* **drafersi** *ll.* трусы (*мужские*).

draig *b.* **dreigiau** *ll.* дракон. **y Ddraig Goch** Красный Дракон.

drama *b.* **dramâu** *ll.* драма; пьеса.

draw *adf.* ❶ там. ❷ обратно. ❸ прочь. **draw fan'na** вон там. **fe allwn ni alw draw yfory** мы можем зайти завтра. **pam na ddoi di draw wedyn?** почему бы тебе не вернуться попозже? **cadwch draw!** не подходите!

drewi[1] *be.* вонять; смердеть.

drewi[2] *g.* вонь; зловоние.

drewllyd *ans.* вонючий.

dringo *be.* залезть; влезть; полезть; лезть; виться (*о растениях*); влезать; карабкаться; лазить; подниматься.

drud *ans.* **drudion** *ll.* дорогой. **glywes i fod bwyd yn ddrutach draw fan 'na** я слыхал, что еда там дороже.

drudwy *g.* скворец.

drwg[1] *ans.* **cynddrwg** *cfrt.*, **gwaeth** *cmhr.*, **gwaethaf** *eith.* ❶ вредный; злой; нехороший; дурной; плохой; скверный; порочный; худой. ❷ шаловливый; озорной. **gwaetha'r modd** к сожалению, к несчастью.

drwg[2] *g.* **drygau** *ll.*, **drygiau** *ll.* вред; зло; повреждение; порок. **mae'n ddrwg gen i** прошу прощения.

drwgdybio *be.* подозревать.

drws *g.* **drysau** *ll.* дверь; дверца.

drych *g.* **drychau** *ll.* ❶ зеркало. ❷ зрелище.

dryll[1] *g.* **drylliau** *ll.* член; часть; кусок; обломок.

dryll[2] *gb.* ❶ пушка; револьвер; мушкет; винтовка; ружьё; орудие; пищаль. ❷ копьё.

dryslwyn *g.* гуща; кустарник; чаща.

dryslyd *ans.* сбивающий с толку.

drysu *be.* сбить; запутывать; мешать; смущать; сбивать.

dryswch *g.* ❶ растерянность; смущение; замешательство; недоумение; смятение. ❷ дилемма; затруднение. ❸ подлесок. ❹ пустошь.

dryw *gb.* **drywod** *ll.* ❶ крапивник. ❷ друид.

du[1] *g.* чёрный.

du[2] *ans.* **duon** *ll.* чёрный.

dueg *b.* ❶ селезёнка. ❷ желчь. ❸ уныние; сплин; хандра.

dug *g.* **dugiaid** *ll.* герцог.

dull *g.* **dulliau** *ll.* приём; манера; метод; способ; стиль.

duo *be.* чернеть; чернить; пачкать.

dur[1] *ans.* стальной.

dur[2] *g.* **duroedd** *ll.* сталь.

durio *be.* ❶ закаливать; закалять. ❷ снабжать стальным наконечником.

duw *g.* **duwiau** *ll.* бог; божество.

düwch *g.* мрачность; темнота; чернота.

duwies *b.* **duwiesau** *ll.* богиня.

duwiol[1] *ans.* ❶ набожный; религиозный; благочестивый. ❷ ханжеский. ❸ божий; божественный.

duwiol[2] *g.* пиетист.

dwbl *ans.* удвоенный; двойной.

dweud *be.* **dywed** *grch.2.un.*, **dywed** *pres.3.un.* сказать; говорить; высказать; сообщить; сообщать; приговаривать. **be'**

wedson nhw wrthat ti? что они тебе сказали? **dw i ddim yn siwr, a dweud y gwir** сказать по правде, я не уверен.
dwfn *ans.* **dofn** *ж.*, **dyfn** *ll.*, **dyfnion** *ll.* глубокий.
dwl *ans.* **dol** *ж.* безрадостный; бестолковый; вялый; глупый; дурацкий; монотонный; пасмурный; понурый; скучный; тупой; тусклый; унылый.
dwli *g.* **dwlieiau** *ll.* чепуха; вздор; дичь.
dŵr *g.* **dyfroedd** *ll.* вода.
dwrdio *be.* бранить; брюзжать; ворчать; распекать.
dwrn *g.* **dyrnau** *ll.* ❶ кулак. ❷ лапа; рука. ❸ рукоять; ручка; эфес; рукоятка. ❹ головка; набалдашник. ❺ бабка (*станка*).
dwsin *g.* **dwsinau** *ll.* дюжина.
dwthwn *g.* день.
dwyflynyddol *ans.* двухгодичный; двухлетний.
dwyfol *ans.* **dwyfolion** *ll.* божий; божественный.
dwyfoldeb *g.* божественность.
dwyieithog *ans.* двуязычный.
dwyieithrwydd *g.* двуязычие.
dwyn *be.* **dwg** *grch.2.un.*, **dwg** *pres.3.un.* ❶ красть; воровать; переть. ❷ взять; брать. ❸ вынести; выносить; нести; носить; понести; снести. ❹ переносить; перевозить; сносить. ❺ приносить. ❻ выносить; рождать. ❼ наносить; нанести. **mae rhywun wedi dwyn ein tocynnau** кто-то украл наши билеты.
dwyno *be.* портить.
dwyrain *g.* восток; восход; подъём.
dwyreiniol *ans.* восточный.
dwys *ans.* **dwysion** *ll.* важный; глубокий; интенсивный; напряжённый; насыщенный; серьёзный; сильный; степенный; тяжёлый.
dwythell *b.* **dwythellau** *ll.* проток (*анат.*).
dwywaith *adf.* вдвое; дважды. **dyn ni'n dysgwyl dwywaith gymaint o bobol heddiw** сегодня мы ожидаем вдвое больше народу. **bydd y Tywysog yn ymweld â ni ddwywaith bob tro** принц каждый раз посещает нас дважды.
dy *rh.* твой; свой; себя. **dy galon** твое сердце. **dy arian di** твои деньги. **a'th gadair** и твой стул.
dyblu *be.* ❶ сдваивать; удваивать. ❷ повторять. ❸ повторяться. ❹ подбивать.
dyblyg *ans.* двойной; двойственный; двоякий; двуличный; двусмысленный; парный; удвоенный.
dybryd *ans.* ❶ бесформенный. ❷ страшный; ужасающий; ужасный. ❸ серьёзный. ❹ опасный. ❺ грубый.
dychanol *ans.* сатирический.
dychmygol *ans.* воображаемый; мнимый; нереальный.
dychmygu *be.* представить; предполагать; воображать; представлять.
dychryn[1] *g.* **dychryniadau** *ll.* испуг; страх; ужас.
dychryn[2] *be.* **dychryn** *grch.2.un.*, **dychryn** *pres.3.un.* ❶ напугать; испугать; пугать; попугать. ❷ напугаться; испугаться; пугаться; бояться.
dychrynllyd *ans.* страшный; ужасный.
dychwel *g.* **dychweliadau** *ll.*, **dychwelion** *ll.* ❶ возврат; поворот. ❷ курс. ❸ падеж; число.
dychwelyd *be.* **dychwel** *grch.2.un.*, **dychwel** *pres.3.un.* ❶ возвратиться; вернуться; возвращаться. ❷ возвращать; вернуть. ❸ случаться. ❹ отражать (*свет*). ❺ сокращать (*матем.*). ❻ спрягать; склонять.
dychymyg *g.* **dychmygion** *ll.* ❶ фантазия; воображение. ❷ химера; фикция. ❸ затея; мысль; идея. ❹ проект; план; схема. ❺ загадка.
dydd *g.* **dyddiau** *ll.* день. **dydd Llun** понедельник. **dydd Mawrth** вторник. **dydd Mercher** среда. **dydd Iau** четверг. **dydd Gwener** пятница. **dydd Sadwrn** суббота. **dydd Sul** воскресение.
dyddiad *g.* **dyddiadau** *ll.* число; дата.
dyddiadur *g.* **dyddiaduron** *ll.* дневник.
dyddio *be.* ❶ рассветать. ❷ датировать; восходить. ❸ согласовывать; посредничать.
dyddiol *ans.* дневной; ежедневный; повседневный; суточный.
dyfais *b.* **dyfeisiau** *ll.* аппарат; выдумка; затея; измышление; изобретательность; изобретение; механизм; план; прибор; приём; приспособление; проект; способ; средство; схема; устройство; хитрость; эмблема.
dyfalu *be.* ❶ угадывать; угадать; догадаться; гадать; предполагать; догадываться. ❷ пародировать; передразнивать. ❸ сравнивать; уподоблять.
dyfarniad *g.* **dyfarniadau** *ll.* вердикт; решение; заключение; приговор.
dyfarnu *be.* приговаривать; присуждать.
dyfeisio *be.* придумать; придумывать.
Dyfnaint *e.* Девон.
dyfnder *g.* **dyfnderau** *ll.*, **dyfnderoedd** *ll.* ❶ глубина; глубь. ❷ густота. ❸ пучина; пропасть; бездна. ❹ океан. ❺ середина; разгар.
dyfnhau *be.* углублять.
dyfodiad[1] *g.* **dyfodiadau** *ll.* прибытие; приезд; приход; пришествие.

dyfodiad[2] *g.* **dyfodiaid** *ll.* посетитель; приходящий; пришелец; чужестранец; чужой.
dyfodol[1] *ans.* будущий; предстоящий.
dyfodol[2] *g.* будущее; будущность.
dyfrgi *g.* **dyfrgwn** *ll.* выдра.
dyfrhau *be.* ❶ полить; орошать; поливать. ❷ слезиться.
dyfyniad *g.* **dyfyniadau** *ll.* ❶ цитата. ❷ цитирование. ❸ вызов; повестка.
dyfynnu *be.* ❶ призывать; вызывать. ❷ цитировать.
dyffryn *g.* **dyffrynnoedd** *ll.* долина.
dygn *ans.* сильный; безжалостный; вопиющий; горестный; жёсткий; жестокий; мучительный; неприятный; печальный; прискорбный; страшный; строгий; суровый; трудный; тяжёлый; ужасный.
dygymod *be.* соглашаться.
dyhead *g.* **dyheadau** *ll.* ❶ придыхание. ❷ стремление.
dyheu *be.* ❶ задыхаться; пыхтеть; дышать (*часто и тяжело*). ❷ биться (*сильно*) (*о сердце*); трепетать. ❸ жаждать; желать.
dylanwad *g.* **dylanwadau** *ll.* влияние; воздействие.
dylanwadol *ans.* влиятельный.
dylanwadu *be.* влиять.
dyled *b.* **dyledion** *ll.* ❶ обязанность; долг; обязательство. ❷ привилегия; право.
dyledog *ans.* ❶ должный; обязанный. ❷ благородный; привилегированный; аристократический.
dyledus *ans.* ❶ надлежащий; соответствующий; должный. ❷ законный. ❸ достойный. ❹ обязанный. ❺ обязательный. ❻ благородный. ❼ разумный.
dyledwr *g.* **dyledwyr** *ll.* ❶ дебитор; должник. ❷ нарушитель.
dyletswydd *b.* **dyletswyddau** *ll.* обязательство; обязанность; долг; дежурство; работа; исполнение. **ar ddyletswydd** при исполнении.
dylu *be.* полагаться; быть должным; следовать. **dylwn i fynd** я должен идти. **ddylit ti ddim gwneud pethau felly** тебе не следует так поступать.
dylunio *be.* ❶ обрисовывать. ❷ формировать.
dylyfu *be.* чесать; лизать. **dylyfu gên** зевать.
dyma *adf.* здесь; вот.
dymchwel *be.* опрокинуть; ниспровергать; опрокидывать; разрушать; свергать; уничтожать; свалить.
dymuniad *g.* **dymuniadau** *ll.* пожелание; желание.
dymuno *be.* пожелать; хотеть; желать.
dymunol *ans.* желанный; желательный; милый; приятный; славный; хороший.
dyn *g.* **dynion** *ll.* мужчина; человек.
dyna *adf.* вот; там.
dyneiddiwr *g.* **dyneiddwyr** *ll.* гуманитарий.
dynes *b.* **dynesau** *ll.* женщина.
dynesiad *g.* подъезд; подступ; подход; приближение.
dynesu *be.* подходить; приближаться.
dyn-laddiad *g.* убийство (*непредумышленное*).
dynodi *be.* ❶ выказывать; значить; обозначать; означать; показывать. ❷ характеризовать. ❸ различать.
dynol *ans.* ❶ человеческий; людской. ❷ отважный; мужественный.
dynoliaeth *b.* ❶ человечество. ❷ мужество. ❸ гуманность; человеколюбие; человечность.
dynolryw *b.* человечество.
dynwared *be.* имитировать; копировать; обезьянничать; пародировать; передразнивать; подделывать; подражать.
dyrannu *be.* разделять; раздавать; распределять.
dyrchafu *be.* **dyrchaf** *grch.2.un.*, **dyrchaif** *pres.3.un.* повысить; возвышаться; воздвигать; возрастать; восходить; всходить; выдвигать; повышать; поднимать; подниматься; продвигать; растить; увеличиваться; усиливаться.
dyri *b.* **dyrïau** *ll.* баллада.
dyrnaid *g.* **dyrneidiau** *ll.* горстка; горсточка; горсть; пригоршня.
dyrnu *be.* **dyrn** *grch.2.un.*, **dyrn** *pres.3.un.* молотить.
dyrys *ans.* ❶ дикий. ❷ неотёсанный; необработанный; невозделанный. ❸ дремучий; тернистый. ❹ запутанный. ❺ затруднительный; трудный; тяжёлый. ❻ упрямый. ❼ хитрый; умный; умелый.
dysg *gb.* изучение; учение; учёность; эрудиция.
dysgedig *ans.* образованный; учёный; эрудированный.
dysgeidiaeth *b.* ❶ доктрина; учение. ❷ образование; обучение.
dysgl *b.* **dysglau** *ll.* ❶ чаша (*плоская*); миска; тарелка; блюдо. ❷ кушанье.
dysgu *be.* **dysg** *grch.2.un.*, **dysg** *pres.3.un.* ❶ научить; преподавать; учить; обучать. ❷ научиться; учиться.
dysgwr *g.* **dysgwyr** *ll.* ученик; учащийся.
dywediad *g.* **dywediadau** *ll.* произнесение; произношение; высказывание; изречение; поговорка; пословица; присловье.
dyweddïo *be.* помолвить; обручить.

E

e *rh.* он.
eang *ans.* обширный; просторный; пространный; широкий.
eb *be.* изрекать; изречь.
ebargofiant *g.* **ebargofiannau** *ll.* забвение.
ebe *be.* сказать; дескать; мол.
ebill *g.* **ebillion** *ll.* ❶ бур; бурав; сверло. ❷ шпилька; штифт. ❸ колок.
ebol *g.* **ebolion** *ll.* жеребёнок.
Ebrill *g.* апрель.
ebychiad *g.* **ebychiadau** *ll.* ❶ вздох. ❷ междометие; восклицание.
ebychu *be.* ❶ ахнуть; вздыхать; стонать; произносить задыхаясь. ❷ кричать; воскликнуть; восклицать.
ebyr *g.* плут.
ebyrth *ll.* пожертвование.
economaidd *ans.* хозяйственный; экономический.
economeg *b.* экономика.
echdoe *adf.* позавчера.
echnos *adf.* позапрошлой ночью.
echrydus *ans.* страшный; ужасающий; ужасный.
edau *b.* **edafedd** *ll.* ❶ нить; нитка. ❷ резьба; нарезка. ❸ кромка.
edifaru *be.* пожалеть; раскаиваться; сожалеть; сокрушаться.
edifeirwch *g.* покаяние; раскаяние; сожаление.
edmygedd *g.* ❶ восторг; восхищение. ❷ поклонение; почитание.
edmygu *be.* любоваться; восторгаться; восхищаться.
edrych *be.* **edrych** *pres.3.un.*, **edrych** *grch.2.un.* глядеть; смотреть; поглядывать; поглядеть; глянуть; взглянуть; посмотреть; выглядеть.
ef *rh.* он.
Efa *e.* Ева.
efallai *adf.* возможно; может быть; поди.
efe *rh.* он.
efengyl *b.* **efengylau** *ll.* евангелие.
efengylaidd *ans.* евангелический; евангельский.
efelychu *be.* имитировать; копировать; подражать.
efo *ardd.* с.
efô *rh.* он.
efrydd *ans.* **efryddion** *ll.* увечный.
efydd *g.* бронза; латунь; медь.
efyddaid *ans.* бронзовый; медный.
efydden *b.* **efyddennau** *ll.*, **efyddynnau** *ll.* латунный котел.
effaith *b.* **effeithiau** *ll.* эффект; действие.
effeithio *be.* поразить; влиять; воздействовать; задевать; затрагивать; поражать.
effeithiol *ans.* эффективный.
effeithiolrwydd *g.* действенность; эффективность.
effro *ans.* ❶ бодрствующий. ❷ проворный; живой. ❸ неусыпный; бдительный.
eglur *ans.* бесспорный; недвусмысленный; несомненный; отчётливый; очевидный; понятный; прозрачный; светлый; явный; ясный.
eglurdeb *g.* прозрачность; чистота; ясность; резкость; фокус.
eglurder *g.* резкость; прозрачность; чистота; ясность.
egluro *be.* пояснить; объяснить; объяснять.
eglurhad *g.* ❶ объяснение; разъяснение; легенда (*на карте*). ❷ проявление.
eglwys *b.* **eglwysi** *ll.*, **eglwysydd** *ll.* церковь.
eglwysig *ans.* церковный.
eglwyswr *g.* **eglwyswyr** *ll.* ❶ церковник. ❷ верующий.
egni *g.* **egnïon** *ll.* мощь; сила; энергия.
egnïol *ans.* ударный; энергичный.
egwyd *b.* **egwydydd** *ll.* ❶ оковы; путы; узы. ❷ бабка; щётка (*волосы за копытом у лошади*).
egwyddor *b.* **egwyddorion** *ll.* правило; принцип.
egwyl *b.* **egwyliau** *ll.* антракт; перерыв; перемена.
enghraifft *b.* **enghreifftiau** *ll.* пример.
englyn *g.* **englynion** *ll.* традиционная валлийская короткая поэтическая форма; четверостишие.
ehangder *g.* **eangderau** *ll.* простор; пространство; безмерность; необъятность; ширина; широта.
ehangu *be.* вытягивать; освобождать; продлить; простирать; протягивать; распространять; распространяться; расширять; увеличивать; удлинять; укрупнять; усиливать.
eheb *g.* емейл (*электронная почта*).
ehediad[1] *g.* **ehediadau** *ll.* перелёт; полёт.
ehediad[2] *g.* **ehediaid** *ll.* птица.
ehedwr *g.* **ehedwyr** *ll.* авиатор; лётчик.
ehedydd *g.* **ehedyddion** *ll.* жаворонок.
ei *rh.* её; его; свой; себя. **ei chalon** её сердце. **ei harian hi** её деньги. **a'i chadair** и её стул. **i'w chadair** в её стул. **ei galon**

его сердце. **ei arian o** его деньги. **a'i gadair** и его стул. **i'w gadair** в его стул.
eich *rh.* ваш; свой; себя. **eich calon** ваше сердце. **eich arian chi** ваши деньги. **a'ch cadair** и ваш стул.
Eidal *e.* Италия.
eidion *g.* **eidionnau** *ll.* бык; буйвол; вол.
eiddew *g.* плющ.
eiddgar *ans.* горячий; пылкий; ревностный; рьяный; страстный; усердный.
eiddi *rh.* её.
eiddigedd *g.* зависть; подозрительность; рвение; ревнивость; ревность; усердие.
eiddigeddu *be.* подозревать; усердствовать; ревновать; завидовать.
eiddigeddus *ans.* завистливый; ревнивый; ревностный.
eiddigus *ans.* завистливый; ревнивый; ревностный; рьяный; усердный.
eiddo[1] *rh.* его.
eiddo[2] *g.* имущество; собственность.
eiddoch *rh.* ваш. **yr eiddoch yn gywir** искренне Ваш.
eiddof *rh.* мой.
eiddom *rh.* наш.
eiddot *rh.* твой.
eiddynt *rh.* их.
eigion *g.* **eigionau** *ll.* глубина; глубь; океан; пучина.
Eingl *ll.* ❶ англичане; англы. ❷ чужаки.
eiliad *gb.* **eiliadau** *ll.* секунда.
eilradd *ans.* ❶ второсортный. ❷ средний (*об образовании*).
eilwaith *adf.* опять; снова; сызнова; сначала.
eillio *be.* брить.
ein *rh.* наш; свой; себя. **ein calon** наше сердце. **ein harian ni** наши деньги. **a'n cadair** и наш стул.
einioes *b.* жизнь. **eich arian neu'ch einioes!** кошелек или жизнь!
einion *b.* **einionau** *ll.* наковальня.
eira *g.* снег; снежок. **mae'n bwrw eira** идет снег.
eiraog *ans.* снежный.
eirias *ans.* огненно-красный; огненный; пламенный; пылкий.
eiriasu *be.* пылать.
eirinen *b.* **eirin** *ll.* слива. **eirinen dagu** терновник.
eirinllys *gb.* **eirinllysau** *ll.* зверобой (*Hypericum perforatum*).
eirlaw *g.* дождь со снегом; мокрый снег.
eirlys *g.* **eirlysiau** *ll.* подснежник.
eisiau *g.* желание; необходимость; хотеть; потребность; нужда; недостаток; надобность. **mae eisiau cynnal cyfarfod** надо устроить собрание. **dw i eisiau** я хочу. **oes eisiau bwyd arnat ti?** ты голоден? **byddwn ni'n gweld eich eisiau** мы будем по вам скучать. **oes eisiau dweud wrthi?** ей надо сказать?
eisin *ll.* высевки; отруби; шелуха.
eisoes *adf.* уже.
eistedd *be.* **eistedd** *gch.2.un.*, **eistedd** *pres.3.un.* сидеть; посидеть; присесть; усесться; сесть; садиться; высиживать; насиживать; просидеть. **eisteddwch fan hyn!** садитесь здесь!
eisteddfod *b.* **eisteddfodau** *ll.* ❶ песенный фестиваль. ❷ собрание бардов. ❸ заседание; сессия. ❹ трон. ❺ сидение. ❻ седалище; задница.
eisteddfodol *ans.* относящийся к Эйстедводу.
eitem *b.* **eitemau** *ll.* номер; пункт (*в списке*).
eithaf[1] *ans.* величайший; высочайший; крайний; последний; превосходный; чрезвычайный.
eithaf[2] *adf.* довольно; вполне. **maen nhw'n edrych yn eitha hyderus** они выглядят довольно уверенно.
eithaf[3] *g.* **eithafion** *ll.*, **eithafoedd** *ll.* вершина; крайность; кульминация.
eithafol *ans.* ❶ чрезмерный; чрезвычайный; крайний; последний. ❷ превосходный.
eithinen *b.* **eithin** *ll.* дрок.
eithr[1] *cys.* а; но.
eithr[2] *ardd.* исключая; кроме.
eithriad *g.* **eithriadau** *ll.* возражение; исключение.
eithriadol *ans.* исключительный.
eithrio *be.* исключить; исключать. **ac eithrio** за исключением.
elain *b.* **elanedd** *ll.* олениха; олененок; лань.
eleni *adf.* в этом году.
elfen *b.* **elfennau** *ll.* элемент.
elfennol *ans.* элементарный.
eli *g.* **eliau** *ll.* бальзам; притирание; мазь. **eli haul** (*косметическое*) средство, крем против загара.
elin *b.* **elinau** *ll.*, **elinoedd** *ll.* локоть; изгиб; угол; сгиб; колено.
elor *b.* **elorau** *ll.*, **elorydd** *ll.* ❶ одр. ❷ носилки.
elusen *b.* **elusennau** *ll.* милостыня.
elw *g.* барыш; выгода; доход; заработок; интерес; корысть; нажива; прибыль; сбор.
elwa *be.* выгадывать; выигрывать; зарабатывать; приобретать.
elwlen *b.* **elwlod** *ll.* почка.
Ellmynaidd *ans.* германский; немецкий.
Ellmynwr *g.* **Ellmynwyr** *ll.* немец; германец.
ellyll *g.* **ellyllon** *ll.* дьявол; демон. (*Средиземье*) эльф.

ellyllaidd *ans.* дьявольский.
ellylles *b.* **ellyllesau** *ll.* фурия. (*Средиземье*) эльф.
ellyn *g.* **ellynau** *ll.*, **ellynnau** *ll.*, **ellynnod** *ll.*, **ellynod** *ll.* бритва.
emrallt *g.* изумруд.
emyn *g.* **emynau** *ll.* гимн (*церковный*); пеан.
emynwr *g.* **emynwyr** *ll.* гимнописец.
emynydd *g.* **emynyddion** *ll.* гимнописец.
enaid *g.* **eneidiau** *ll.* существо; дух; душа; жизнь.
enbyd *ans.* опасный; рискованный.
enbydus *ans.* опасный; рискованный.
enfawr *ans.* гигантский; громадный; огромный.
enfys *b.* **enfysau** *ll.* радуга.
enillwr *g.* **enillwyr** *ll.* победитель; призёр; получатель.
enillydd *g.* **enillwyr** *ll.* победитель; призёр.
enllyn *g.* то, что кладут на бутерброд.
ennaint *g.* **eneiniau** *ll.* елей; мазь; притирание.
ennill[1] *be.* **ennill** *grch.2.un.*, **ennill** *pres.3.un.* добыть; выгадывать; выиграть; выигрывать; добиваться; добиться; добывать; достигать; достигнуть; зарабатывать; заработать; заслуживать; победить; получать; получить; приобретать; приобрести.
ennill[2] *g.* **enillion** *ll.* усиление; прирост; рост; увеличение; барыш; выгода; выигрыш; доход; заработок; корысть; нажива; польза; прибыль.
ennyd *gb.* ❶ мгновение; миг; момент. ❷ небольшое расстояние.
ennyn *be.* **ennyn** *grch.2.un.*, **ennyn** *pres.3.un.* зажечь; воспаляться; воспламенять; воспламеняться; вспыхивать; вспыхнуть; гореть; жечь; загораться; загореться; зажечься; зажигать; обжигать; палить; пылать; сгорать; сжигать.
entrych *g.* **entrychion** *ll.*, **entrychoedd** *ll.* ❶ зенит. ❷ небосвод.
enw *g.* **enwau** *ll.* ❶ имя; обозначение; название; наименование. ❷ репутация. ❸ существительное.
enwad *g.* **enwadau** *ll.* ❶ секта; вероисповедание. ❷ обозначение; название; называние; наименование. ❸ имя.
enwadol *ans.* ❶ сектантский. ❷ именительный.
enwedig *ans.* специальный; особый; особенный.
enwi *be.* назвать; именовать; называть.
enwog *ans.* **enwogion** *ll.* известный; прославленный; знаменитый.
enwyn *g.* используется в выражении. **llaeth enwyn** пахта.
enynfa *b.* **enynfeydd** *ll.* ❶ воспламенение. ❷ воспаление.
eog *g.* **eogiaid** *ll.* лосось.
eos *b.* **eosiaid** *ll.* соловей.
epil *g.* детище; выводок; отпрыск; потомок.
eples *g.* ❶ дрожжи; закваска; фермент. ❷ влияние (*перен.*); воздействие (*перен.*).
eplesu *be.* бродить; заквашивать; вызывать брожение.
er[1] *cys.* хоть; пусть; хотя. **er hynny, mae tystiolaeth yn dangos nad oes gwahaniaeth mawr** тем не менее, доказательства показывают, что нет большой разницы. **mae disgwyl i'r gêm fynd yn ei blaen er gwaetha'r tywydd oer** ожидается, что игра продолжится несмотря на холодную погоду. **er bod y bechgyn wedi pysgota'n dda...** хотя мальчики рыбачили хорошо... **er iddo honni fod dim byd o'i le...** хотя он утверждал, что все было верно... **er na fyddai'r cwmnïau awyrennau'n cyfadde hynny...** хотя авиакомпании этого не признают...
er[2] *ardd.* для; ради. **er mwyn rhoi cyfle i ddysgwyr ymarfer eu Cymraeg** чтобы дать ученикам возможность попрактиковаться в валлийском. **er mwyn i fi gael gwneud y trefniadau priodol** чтобы я мог сделать необходимые приготовления. **mi arhoson nhw efo'i gilydd er mwyn y plant** они остались вместе ради детей. **er dy fwyn di naethon ni hyn!** мы сделали это ради тебя!
erbyn *ardd.* против; к. **mi fydd yr adeilad newydd yn barod erbyn diwedd y mis** новое здание будет готово к концу месяца. **rhaid cofrestru erbyn y degfed o fis Awst** вы должны зарегистрироваться к десятому августа. **oedd pawb wedi mynd adre erbyn hynny** к тому времени все ушли домой. **rhaid i'r stafell fod yn daclus erbyn i mi ddod yn ôl** комната должна быть убрана, когда я вернусь. **roedd y cyfarfod wedi dod i ben erbyn inni gyrraedd** когда мы пришли, собрание уже закончилось.
erchi *be.* **eirch** *pres.3.un.* ❶ просить; запросить; спрашивать; умолять; попросить; требовать. ❷ командовать; приказывать; наказать; наказывать.
erchyll *ans.* жуткий; чудовищный; отвратительный; страшный; ужасный; жестокий.
eres *ans.* замечательный; необыкновенный; странный; удивительный; чудной.
erfyn[1] *g.* **erfyniadau** *ll.* молитва; мольба; запрос; призыв; просьба.

erfyn[2] *be.* **erfyn** *grch.2.un.*, **erfyn** *pres.3.un.* ❶ взывать; просить; заклинать; упрашивать; умолять. ❷ ожидать; ждать.
ergyd *b.* **ergydion** *ll.* ❶ удар. ❷ выстрел. ❸ бросок. ❹ взрыв.
ergydiol *ans.* ❶ метательный. ❷ ударный.
erioed *adf.* никогда; всегда; когда-либо.
erlid[1] *g.* **erlidiau** *ll.* гонение; преследование.
erlid[2] *be.* преследовать.
erlyn *be.* **erlyn** *pres.3.un.* гнаться; преследовать.
erlynydd *g.* **erlynyddion** *ll.* прокурор; истец; обвинитель.
ern *b.* **ernau** *ll.* задаток; заклад; залог; обет; обещание; поручительство.
ers *ardd.* с. **mae'r frech goch arni ers dydd Llun** У нее корь с понедельника. **ers faint dych chi'n dysgu Cymraeg?** на протяжении какого времени вы изучаете валлийский? **dan ni heb weld chi ers tro** мы не видели вас долгое время.
erthygl *b.* **erthyglau** *ll.* пункт; статья.
erthylu *be.* иметь выкидыш.
erw *b.* **erwau** *ll.* акр.
eryr *g.* **eryrod** *ll.* ❶ орёл. ❷ опоясывающий лишай.
esblygiad *g.* **esblygiadau** *ll.* эволюция.
esboniad *g.* **esboniadau** *ll.* комментарий; объяснение; разъяснение; толкование.
esbonio *be.* толковать; разъяснять; излагать (*подробно*); объяснять.
esgeuluso *be.* забрасывать; запускать; пренебрегать; запустить.
esgid *b.* **esgidiau** *ll.* башмак; ботинок; туфля.
esgob *g.* **esgobion** *ll.* ❶ епископ. ❷ слон (*в шахматах*).
esgobaeth *b.* **esgobaethau** *ll.* епархия.
esgor *be.* ❶ рожать. ❷ рождаться. ❸ поправляться. ❹ изнашивать. ❺ избегать. ❻ избавляться. ❼ переживать.
esgus *g.* **esgusion** *ll.* извинение; оправдание; отговорка; предлог.
esgusodi *be.* извинить; простить; прощать; извинять.
esgyn *be.* **esgyn** *grch.2.un.*, **esgyn** *pres.3.un.* взлететь; забираться; всходить; подниматься; взлетать; восходить; забраться; оторваться.
esgynnol *ans.* восходящий.
esmwyth *ans.* пологий; кроткий; ласковый; лёгкий; нежный; нетрудный; плавный; приятный; ровный; тихий; удобный; мягкий; гладкий.
estron *ans.* пришлый; иностранный; чужой.
estyllen *b.* **estyll** *ll.* полка; планка; доска; дранка; гонт; лонжерон.
estyn *be.* **estyn** *grch.2.un.*, **estyn** *pres.3.un.* вытянуть; дотягиваться; вытягивать; оттянуть; продлевать; продлить; продолжать; пролонгировать; простирать; простираться; распространять; растягивать; расширять; удлинять; протягивать.
estyniad *g.* **estyniadau** *ll.* вытягивание; вытяжение; продление; продолжение; пролонгация; протяжение; распространение; расширение; удлинение.
etifedd *g.* **etifeddion** *ll.* наследник.
etifeddes *b.* наследница.
etifeddiaeth *b.* **etifeddiaethau** *ll.* наследование; наследство; унаследование.
etifeddu *be.* наследовать; унаследовать.
eto *adf.* ❶ снова; опять. ❷ уже. ❸ ещё. **mae'r un peth wedi digwydd eto** то же самое случилось опять. **ydyn nhw wedi cyrraedd eto?** они уже прибыли?
ethol *be.* выбирать; избирать.
etholadwy *ans.* ❶ подходящий; имеющий право быть избранным. ❷ выборный.
etholaeth *b.* **etholaethau** *ll.* ❶ электорат; избиратели. ❷ избирательный округ. ❸ выбор.
etholedig *ans.* **etholedigion** *ll.* избранник; избранный.
etholedigaeth *b.* **etholedigaethau** *ll.* ❶ выборы; избрание. ❷ предопределение (*рел.*).
etholfraint *b.* **etholfreiniau** *ll.*, **etholfreintiau** *ll.* избирательное право.
etholiad *g.* **etholiadau** *ll.* избрание; выборы.
etholwr *g.* **etholwyr** *ll.* выборщик; избиратель.
etholydd *g.* **etholyddion** *ll.* выборщик; избиратель.
eu *rh.* их; ихний; свой; себя. **eu calon** их сердце. **eu harian nhw** их деньги. **a'u cadair** и их стул. **i'w cadair** в их стул.
euog *ans.* виноватый; виновный.
euogrwydd *g.* вина; виновность.
euro *be.* золотить.
eurof *g.* **eurofaint** *ll.* ювелир.
euron *b.* **euronnau** *ll.* ракитник золотой дождь.
euros *ll.* подсолнух.
ewig *b.* **ewigod** *ll.* ❶ лань. ❷ олениха.
ewin *gb.* **ewinedd** *ll.* коготь; копыто; ноготь.
ewro *b.* **ewros** *ll.* евро.
Ewrop *b.* Европа.
Ewropeaidd *ans.* европейский.
ewyllys *gb.* **ewyllysiau** *ll.* воля; желание; завещание.
ewyn *g.* пена.
ewythr *g.* **ewythredd** *ll.*, **ewythrod** *ll.* дядя.

F

faint *rh.* сколько; насколько. **faint sy'n dod?** сколько придут?
fe *rh.* он.
fel *ardd.* как; как; словно; вроде; будто.
felly *adf.* ❶ соответственно; следовательно; поэтому; вследствие этого; по этой причине; так. ❷ таким образом; итак; значит. **a ballu** и так далее, и тому подобное.
fersiwn *g.* **fersiynnau** *ll.* вариант; версия.
fesul *ardd.* по. **fesul un** по одному.
ficer *g.* **ficeriaid** *ll.* викарий.
fideo *ans.* видео.
Fieniad *g.* **Fieniaid** *ll.* венец.
firws *g.* **firwsau** *ll.* вирус.
fo *rh.* он.
fory *adf.* завтра.
fry *adf.* выше; наверх; наверху; раньше.
fwltur *g.* **fwlturiaid** *ll.* гриф.
fy *rh.* мой; свой; себя. **fy nghalon** мое сердце. **fy arian i** мои деньги. **a'm cadair** и мой стул.
fyny *adf.* наверх; вверх; ввысь (*разг.*).

FF

ffacbys *ll.* вика.
ffactor *b.* **ffactorau** *ll.* фактор.
ffâen *b.* **ffa** *ll.* боб.
ffafriol *ans.* благосклонный; подходящий; расположенный; удобный; благоприятный.
ffaglen *b.* **ffaglennau** *ll.* ❶ факел. ❷ пламя.
ffair *b.* **ffeiriau** *ll.* ярмарка.
ffaith *b.* **ffeithiau** *ll.* обстоятельство; явление; событие; факт.
ffan *b.* **ffannau** *ll.* ❶ веер. ❷ вымпел. ❸ поклонница.
ffansïo *be.* представлять себе; воображать.
ffarm *b.* **ffermydd** *ll.* ферма.
ffarmwr *g.* **ffarmwyr** *ll.*, **ffermwyr** *ll.* фермер.
ffarmwraig *b.* **ffarmwragedd** *ll.* фермерша.
ffarwél *gb.* прощай!; до свидания!.
ffarwelio *be.* попрощаться; прощаться.
ffasiwn *b.* **ffasiynau** *ll.* ❶ мода. ❷ такой. **well i mi beidio deud ffasiwn bethau!** я бы не говорил таких вещей!
ffasiynol *ans.* фешенебельный; модный.
ffatri *b.* **ffatrïoedd** *ll.* завод; фабрика.
ffawd *b.* **ffodion** *ll.* жребий; рок; судьба; счастье; удача; удел.
ffawydden *b.* **ffawydd** *ll.* бук.
ffederal *ans.* федеральный.
ffedog *b.* **ffedogau** *ll.* фартук; передник.
ffefryn *g.* **ffefrynion** *ll.* ❶ персона грата. ❷ одолжение; любезность.
ffeil *b.* ❶ файл. ❷ скоросшиватель; досье; дело. ❸ напильник.
ffenestr *b.* **ffenestri** *ll.* окно; окошко.
ffens *b.* ❶ фехтование. ❷ забор; изгородь; ограда; ограждение.
ffêr *b.* **fferau** *ll.* лодыжка.
fferm *b.* **ffermydd** *ll.* ферма.
ffermdy *g.* **ffermdai** *ll.* жилой дом на ферме.
ffermio *be.* ❶ обрабатывать землю. ❷ сдавать в аренду.
ffermwr *g.* фермер.
fferru *be.* замерзать; замораживать; застывать; затвердевать; мёрзнуть; свертываться; стынуть.
fferyllydd *g.* **fferyllyddion** *ll.* фармацевт; аптекарь.
ffetus *ans.* ❶ умный. ❷ умелый. ❸ красивый.
ffiaidd *ans.* отвратительный; противный.
ffigur *gb.* **ffigurau** *ll.* ❶ фигура. ❷ символ; образ; изображение. ❸ число; цифра. ❹ диаграмма.
ffilm *b.* **ffilmiau** *ll.* кинокартина; фильм; кино.
ffin *b.* **ffiniau** *ll.* граница; край; межа; предел.
ffiseg *b.* физика.
ffisegol *ans.* физический.
ffisig *g.* **ffisigau** *ll.* ❶ лекарство. ❷ медицина.
ffiws *g.* **ffiwsiau** *ll.* пробка.
fflam *b.* **fflamau** *ll.* пламя.
fflasg *b.* **fflasgiau** *ll.* ❶ корзина. ❷ фляга.
fflat[1] *ans.* ❶ плоский; ровный. ❷ унылый; скучный.
fflat[2] *b.* **fflatau** *ll.*, **fflatiau** *ll.* квартира.
fflat[3] *g.* **fflatiau** *ll.* утюг.
fflaw *g.* ❶ трещина. ❷ фрагмент; осколок.
ffluwch *g.* **ffluwchau** *ll.* прядь; локон.
ffluwchyn *g.* **ffluwchynion** *ll.* прядь; локон.
fflwcs *ll.* ❶ пух. ❷ понос; дизентерия.
fflwr *g.* **fflwyr** *ll.* мука.
ffo *g.* бегство; побег.
ffoadur *g.* **ffoaduriaid** *ll.* ❶ беженец. ❷ беглец.
ffodus *ans.* удачливый; счастливый.
ffog *b.* **ffogion** *ll.* печь; очаг.
ffoi *be.* **ffo** *grch.2.un.*, **ffy** *pres.3.un.* сбежать; бежать; убежать; сбегать; свалить.
ffôl *ans.* глупый.
ffolen *b.* **ffolennau** *ll.* ❶ ягодица; бедро; ляжка; круп (*лошади*). ❷ геморрой.
ffoli *be.* ❶ сходить с ума; дуреть. ❷ дурить; дурачить; сводить с ума; обманывать; одурачивать. ❸ дурачиться. ❹ осмеивать.
ffolineb *g.* глупость; недомыслие.
ffon *b.* **ffyn** *ll.* палка; клюшка; посох.
ffôn *g.* **ffonau** *ll.* телефон.
ffonio *be.* телефонировать; звонить по телефону.
fforc *b.* **ffyrc** *ll.* вилка.
fforch *b.* **fforchau** *ll.*, **ffyrch** *ll.* ❶ вилы. ❷ вилка. ❸ развилка; ответвление. ❹ пах. ❺ циркумфлекс.
fforchog *ans.* раздвоенный (*разделенный надвое наподобие вилки*).
ffordd *b.* **ffyrdd** *ll.* путь; дорога.
fforddio *be.* позволить себе (*что-л.*); быть в состоянии (*сделать что-л.*); иметь возможность.
fformwla *b.* **fformwlâu** *ll.* формула.

ffortiwn *b.* **ffortiynau** *ll.* фортуна; богатство; состояние; судьба; счастье; удача.
ffos *b.* **ffosydd** *ll.* канава; кювет; окоп; ров; траншея.
ffotograffydd *g.* **ffotograffwyr** *ll.* фотограф.
ffrae *b.* **ffraeau** *ll.*, **ffraeon** *ll.* перебранка; ссора.
Ffrangeg *b.* французский (*язык*).
Ffrainc *e.* Франция.
ffrâm *b.* **fframiau** *ll.* каркас; костяк; остов; рама; рамка; скелет; станина.
fframwaith *g.* структура; каркас; остов; рама.
Ffrances *b.* **Ffrancesau** *ll.* француженка.
Ffrancwr *g.* **Ffrancod** *ll.*, **Ffrancwyr** *ll.* француз.
ffres *ans.* свежий.
ffreutur *g.* **ffreuturiau** *ll.* трапезная; столовая.
ffrewyll *b.* **ffrewyllau** *ll.* бич; кнут; плеть; хлыст.
ffridd *b.* **ffriddoedd** *ll.* горное пастбище.
ffrig *g.* **ffrigadau** *ll.* инжир.
ffroen *b.* **ffroenau** *ll.* ❶ ноздря. ❷ жерло; дуло.
ffroeni *be.* ❶ фыркать; пыхтеть; сопеть. ❷ чуять; нюхать. ❸ задирать нос.
ffroenuchel *ans.* высокомерный; надменный; презрительный; пренебрежительный.
ffroesen *b.* **ffroes** *ll.* ❶ омлет. ❷ блин.
ffrog *b.* **ffrogiau** *ll.* платье (*дамское или детское*).
ffrwcsio *be.* ❶ торопиться. ❷ волноваться.
ffrwd *b.* **ffrydiau** *ll.* поток; струя; ручей.
ffrwgwd *g.* **ffrygydau** *ll.* драка; перебранка; скандал.
ffrwst *g.* поспешность; спешка; суета; суматоха; торопливость.
ffrwydrad *g.* **ffrwydradau** *ll.* взрыв.
ffrwydro *be.* ❶ взрывать; подрывать. ❷ взрываться; взорваться.
ffrwydrol *ans.* взрывной; взрывчатый.
ffrwyth *g.* **ffrwythau** *ll.*, **ffrwythydd** *ll.* фрукт; плод.
ffrwythlon *ans.* ❶ плодоносный; плодородный. ❷ плодотворный.
ffrwytho *be.* ❶ плодоносить. ❷ оплодотворять. ❸ решаться.
ffug[1] *ans.* бутафорский; воображаемый; вымышленный; искусственный; лживый; ложный; обманчивый; поддельный; притворный; фальшивый; фиктивный.
ffug[2] *g.* **ffugion** *ll.* выдумка; вымысел; обман; подделка; притворство; фикция.
ffugenw *g.* **ffugenwau** *ll.* псевдоним.
ffurf *b.* **ffurfiau** *ll.* форма; фигура; стать; вид.
ffurfafen *b.* **ffurfafennau** *ll.* небесный свод; твердь небесная; небеса; небо.
ffurfaidd *ans.* стройный; миловидный; фигуристый.
ffurfio *be.* построить; строить; формировать; формовать.
ffurfiol *ans.* формальный.
ffurflen *b.* **ffurflenni** *ll.* анкета; образец; бланк; форма.
ffust *b.* **ffustiau** *ll.* цеп.
ffwdan *b.* беспокойство; волнение; затруднение; смятение; суматоха; хлопоты; суета.
ffwdanu *be.* суетиться; носиться.
ffwr *g.* **ffyrrau** *ll.* мех; пушнина.
ffwrch *g.* **ffyrch** *ll.* пах.
ffwrdd *adf.* в выражении. **i ffwrdd** прочь.
ffwrn *b.* **ffyrnau** *ll.* духовка; печь; плитка; плита.
ffwrnais *b.* **ffwrneisiau** *ll.* горн; очаг; печь; топка.
ffydd *b.* вера.
ffyddlon *ans.* ❶ правоверный; верующий. ❷ верный; преданный. ❸ точный; правдивый.
ffyddlondeb *g.* верность; лояльность; преданность.
ffynhonnell *b.* **ffynonellau** *ll.* ключ; первопричина; исток; источник; родник; исходный код (*комп.*). **Meddalwedd ffynhonnell agored** Программное обеспечение (ПО) с открытым исходным кодом.
ffyniant *g.* **ffyniannau** *ll.* ❶ процветание. ❷ преобладание. ❸ сила. ❹ отвага.
ffynidwydden *b.* **ffynidwydd** *ll.* ❶ ёлка; ель. ❷ сосна.
ffynnon *b.* **ffynhonnau** *ll.* ❶ источник; колодец; родник; скважина; фонтан. ❷ железа.
ffynnu *be.* благоденствовать; преуспевать; процветать.
ffyrf *ans.* **fferf** *ж.* крепкий; плотный; прочный; толстый.
ffyrnig *ans.* жестокий; лютый; свирепый.
ffyrnigrwydd *g.* ❶ гнев; жестокость; бешенство; свирепость; дикость. ❷ мошенничество. ❸ адюльтер.

G

gadael *be.* **gad** *grch.2.un.*, **gad** *pres.3.un.*, **gato** *dib.pres.3.un.*, **gedy** *pres.3.un.* ❶ пускать; пустить; предоставить; разрешать; предоставлять; позволять; давать. ❷ забросить; бросать; покинуть; бросить; покидать; оставлять.

gaeaf *g.* **gaeafau** *ll.*, **gaeafoedd** *ll.* зима.

gaeafol *ans.* зимний.

gaeafu *be.* зимовать; перезимовать.

Gaeleg *b.* шотландский (*язык*).

gafael[1] *be.* **gafael** *grch.2.un.* браться; взяться; захватить; захватывать; хватать; уцепиться; зажимать (*в руке*); сжимать; схватывать; схватиться.

gafael[2] *b.* **gafaelion** *ll.* ❶ захват; хватка. ❷ рукоятка. ❸ аккорд. ❹ беда. ❺ заклад; залог. ❻ владение. ❼ опора.

gafaelfach *g.* **gafaelfachau** *ll.* скоба; захват.

gafaelgar *ans.* хваткий; цепкий.

gafl *b.* **gaflau** *ll.*, **geifl** *ll.* ❶ разветвление. ❷ пах. ❸ угол.

gaflach *b.* **gaflachau** *ll.* ❶ стрела; дротик; копьё; рогатина. ❷ серп. ❸ пах. ❹ задние ноги. ❺ внутренняя поверхность бедра.

gafr *b.* **gafrod** *ll.*, **geifr** *ll.* коза; козёл; козерог.

gafrewig *b.* **gafrewigod** *ll.* серна; антилопа; газель.

gagendor *gb.* брешь; пролом; пучина; щель.

gaing *b.* **geingau** *ll.*, **geingiau** *ll.*, **geingion** *ll.* долото; клин; стамеска; зубило.

gair *g.* **geiriau** *ll.* ❶ слово. ❷ сообщение; известие; весть. ❸ речь; разговор. ❹ замечание. ❺ обещание.

galaeth *gb.* **galaethau** *ll.* ❶ Млечный Путь. ❷ галактика.

galanas *b.* **galanasau** *ll.* ❶ убийство; резня; избиение; бойня. ❷ вира.

galanastra *g.* ❶ резня; кровопролитие; избиение. ❷ отвод свидетеля, не заплатившего виру. ❸ вира.

galar *g.* горе; грусть; печаль; плач; рыдание; скорбь; сожаление; траур.

galargan *b.* **galarganau** *ll.* элегия.

galargerdd *b.* **galargerddi** *ll.* элегия.

galarnad *b.* **galarnadau** *ll.* ❶ плач; сетование; рыдание. ❷ элегия.

galarnadu *be.* горевать; оплакивать; плакать; сетовать; скорбеть; сокрушаться; стенать.

galaru *be.* печалиться; плакать; сетовать; скорбеть; оплакивать; сокрушаться; стенать; убиваться; горевать.

galarus *ans.* грустный; печальный; плачевный; прискорбный; скорбный; траурный.

galarwr *g.* **galarwyr** *ll.* плакальщик.

galiwn *b.* **galiynau** *ll.* галеон.

galw *be.* **galw** *grch.2.un.*, **geilw** *pres.3.un.* ❶ созывать; звать; называть; призывать; вызывать; позвать; вызвать; назвать. ❷ позвонить (*по телефону*); звонить (*по телефону*). ❸ зайти; навещать; заходить.

galwad *gb.* **galwadau** *ll.* ❶ звонок (*телефонный*). ❷ оклик; зов; вызов. ❸ призыв. ❹ запрос; требование. ❺ призвание.

galwedig *ans.* названый; призванный.

galwedigaeth *b.* **galwedigaethau** *ll.* занятие; призвание; профессия.

galwedigaethol *ans.* профессиональный.

gallu[1] *g.* **galluoedd** *ll.* власть; влияние; сила; умение; возможность; способность.

gallu[2] *be.* **gall** *grch.2.un.*, **gall** *pres.3.un.*, **geill** *pres.3.un.*, **gelli** *pres.2.un.* мочь; смочь.

galluog *ans.* ❶ умелый; талантливый; способный. ❷ могучий; могущественный; мощный; сильный.

galluogi *be.* ❶ позволять; давать возможность. ❷ уполномочивать; разрешать.

gan *ardd.* у; с; посредством.

gar *gb.* **garrau** *ll.* окорок; ветчина.

garan *gb.* **garanod** *ll.* аист; журавль; цапля.

gardd *b.* **gerddi** *ll.* сад.

garddio[1] *be.* возделывать; разводить.

garddio[2] *g.* садоводство.

garddu[1] *be.* ❶ разводить; возделывать; развести. ❷ выжимать; сжимать. ❸ трястись; трясти. ❹ скрипеть; стонать.

garddu[2] *g.* садоводство.

garddwr *g.* **garddwyr** *ll.* садовник.

gartref *adf.* домой; дома.

garth *gb.* холм; возвышенность; возвышение.

garw[1] *g.* **garwiau** *ll.* послед.

garw[2] *ans.* **geirw** *ll.*, **geirwon** *ll.* неделикатный; суровый; ухабистый; шершавый; бурный; грубоватый; грубый; невежливый; необработанный; неотёсанный; неровный; черновой; шероховатый.

gast *b.* **geist** *ll.* ❶ сука. ❷ шлюха.

gau *ans.* вероломный; лживый; ложный; неправильный; обманчивый; ошибочный; поддельный; фальшивый; фиктивный.

gawr *b.* **gewri** *ll.* ❶ клич; крик; шум. ❷ атака; бой. ❸ воинство (*шумное*).

gefail *b.* **gefeiliau** *ll.* кузница.

gefel *b.* **gefeiliau** *ll.* клещи; пинцет; щипцы; щипчики.

gefell *g.* **gefeilliaid** *ll.* близнец; двойник.

gefyn *g.* **gefynnau** *ll.* наручник; кандалы; оковы; путы; узы.

geirfa *b.* **geirfaoedd** *ll.* глоссарий; лексикон; словарь.

geiriad *g.* редакция; формулировка; фразеология.

geiriadur *g.* **geiriaduron** *ll.* словарь.

geirio *be.* выразить; диктовать; озвучивать; произносить; формулировать; выражать; фразировать.

geiryddiaeth *b.* **geiryddiaethau** *ll.* филология; этимология; фразеология.

geiryn *g.* **geirynnau** *ll.* частица (*грам.*).

gelen *b.* **gelenod** *ll.*, **gelod** *ll.* пиявка.

gelyn *g.* **gelynion** *ll.* неприятель; противник; враг.

gelyniaethus *ans.* враждебный; вражеский; неблагоприятный; недружелюбный; неприятельский.

gellygen *b.* **gellyg** *ll.* груша.

gem *b.* **gemau** *ll.* ❶ драгоценный камень; самоцвет; жемчужина. ❷ сокровище; драгоценность. ❸ бутон; ягода. ❹ чешуя; шкура.

gemwaith *g.* украшение; драгоценность.

gemydd *g.* **gemyddion** *ll.* ювелир.

gên *b.* **genau** *ll.* подбородок; челюсть.

genau *g.* **genaueuau** *ll.* рот; горлышко; жерло; зев; отверстие; уста; устье.

genau-goeg *b.* **genau-goegion** *ll.* тритон; ящерица.

genedigaeth *b.* ❶ рождение; роды. ❷ происхождение; начало; источник.

genedigol *ans.* ❶ родной. ❷ природный; естественный; прирождённый. ❸ аборигенный; местный; туземный.

geneth *b.* **genethod** *ll.* девушка.

geni *be.* родить; рожать; рождать.

genidol *ans.* родительный (*падеж*).

genwair *b.* **genweiriau** *ll.* ❶ удочка; удилище. ❷ дротик; копьё.

ger *ardd.* возле; около; при; у.

gerain *be.* завывать; плакаться; подвывать; скулить; хныкать.

gerbron *ardd.* впереди; перед.

gerfydd *ardd.* ❶ за. ❷ по. **cafodd ei lusgo gerfydd ei dei** был затащен за галстук. **gerfydd ei enw** по имени.

gerllaw[1] *adf.* близ; около.

gerllaw[2] *ardd.* возле; у.

geudy *g.* **geudai** *ll.* ❶ уборная; сортир; туалет. ❷ анус. ❸ живот.

geugred *b.* **geugredi** *ll.* ❶ ересь. ❷ суеверие.

gewai *g.* **geweiod** *ll.* ❶ обжора. ❷ росомаха.

gewyn *g.* **gewynnau** *ll.*, **gïau** *ll.* сухожилие.

gewynnol *ans.* ❶ жилистый. ❷ нервный.

gieuol *ans.* нервный.

gildio *be.* ❶ уступать; поддаваться; подаваться; даваться. ❷ приносить; давать. ❸ золотить. ❹ потрошить.

glafoerio *be.* распустить слюни; слюнявить; пускать слюну.

glafoeriog *ans.* слюнявый; с пеной у рта.

glafoerion *ll.* плевок; слюна; слюни.

glain *g.* **gleiniau** *ll.*, **gleinion** *ll.* ❶ драгоценный камень; самоцвет; жемчужина. ❷ сокровище; драгоценность. ❸ бусина; шарик; бисерина. ❹ амулет.

glân *ans.* ❶ опрятный; чистый. ❷ непорочный; безгрешный; праведный; святой. ❸ прекрасный; красивый.

glan *b.* **glannau** *ll.*, **glennydd** *ll.* берег. **glan y môr** берег моря. **ar lan y môr** на море, у моря.

glanfa *b.* **glanfeydd** *ll.* ❶ пирс; мол; причал; пристань. ❷ аэродром.

glanhau *be.* чистить; очищать.

glaniad *g.* высадка; приземление; посадка.

glanio *be.* пристать; приставать; выгружать (*на берег*); высаживать; приземляться; причаливать.

glas[1] *g.* синь.

glas[2] *ans.* **gleision** *ll.* бледный; голубой; зелёный; лазурный; серый; синий.

arian gleision серебряные деньги.

glaslanc *g.* **glaslanciau** *ll.* подросток; юноша.

glaswellt *g.* трава.

glaswelltyn *g.* **glaswellt** *ll.* ❶ травинка. ❷ тигридия (*Tigridia pavonia*).

glaswenu *be.* усмехнуться; усмехаться; ухмыляться; саркастически улыбаться.

glaw *g.* **glawogydd** *ll.* дождь.

glawlen *b.* **glawlenni** *ll.* зонт; зонтик.

gleision *ll.* сыворотка.

glendid *g.* ❶ чистота; незапятнанность. ❷ красота. ❸ святость.

glesni *g.* ❶ бледность; зелень; синева. ❷ хлороз.

glew *ans.* **glewion** *ll.* бесстрашный; дерзкий; отважный; превосходный; прекрасный; проницательный; смелый; хитрый; храбрый.

glin *g.* **gliniau** *ll.* колено.

glo *g.* уголь.

glob *b.* **globau** *ll.* ❶ шар; сфера. ❷ глобус. ❸ земля (*планета*).
gloes *b.* **gloesau** *ll.*, **gloesion** *ll.* внезапная острая боль; приступ дурноты, тошноты.
glofa *b.* **glofeydd** *ll.* угольная шахта.
glöwr *g.* **glowyr** *ll.* углекоп; угольщик; шахтёр.
gloyw *ans.* **gloywon** *ll.* блестящий; глянцевитый; лощёный; полированный; прозрачный; светлый; чистый; яркий; ясный.
gloywi *be.* ❶ очищать; прояснять; полировать. ❷ проясняться. ❸ фильтровать. ❹ удирать; улепетнуть; улепетывать.
glud *g.* **gludion** *ll.* клей.
gludiog *ans.* ❶ клейкий; липкий. ❷ слизистый.
gludo *be.* ❶ приклеивать; клеить. ❷ вставить (*комп.*); вставлять (*комп.*).
glwth[1] *ans.* **gloth** *ж.*, **glythion** *ll.* жадный; прожорливый.
glwth[2] *g.* **glythau** *ll.* ❶ диван; тахта; ложе; кушетка. ❷ нора; берлога; логовище.
glwth[3] *g.* **glythion** *ll.* обжора.
glwysedd *g.* **glwyseddau** *ll.* ❶ красота. ❷ чистота. ❸ святость.
glyn *g.* **glynnoedd** *ll.* глен (*узкая горная долина*); долина.
glynu *be.* **glŷn** *grch.2.un.*, **glŷn** *pres.3.un.* ❶ пристать; липнуть; приклеиваться; прилипать; приставать. ❷ наклеивать; приклеивать; прикреплять. ❸ придерживаться; держаться.
gne *g.* цвет; тон; оттенок; окраска.
go *adf.* довольно; отчасти; скорее. **go iawn** настоящий, реальный, истинный. **go lew** OK, хорошо, нормально.
gobaith *g.* **gobeithion** *ll.* надежда.
gobeithio *be.* надеяться; чаять; уповать.
gobeithiol *ans.* многообещающий.
goben *g.* **gobennau** *ll.* предпоследний слог.
gobennydd *g.* **gobenyddiau** *ll.*, **gobenyddion** *ll.* ❶ подушка. ❷ опора. ❸ шпала. ❹ окончания 1 л. ед. ч. пяти времен глагола и соответствующие безличные окончания. ❺ последнее слово в строке стихотворения; последний слог слова.
goblygiad *g.* **goblygiadau** *ll.* ❶ значение. ❷ склонность. ❸ обёртка.
godard *b.* **godardau** *ll.* кружка; кубок; чашка.
godidog *ans.* блестящий; великолепный; отличный; превосходный; роскошный.
godineb *g.* разврат; адюльтер; прелюбодеяние.
godre *g.* **godreon** *ll.* бордюр; грань; кайма; край; кромка; низ; обрез; окраина; основание; подол; пола.
godro[1] *g.* **godroau** *ll.* надой.
godro[2] *be.* доить; сосать.
godywynnu *be.* мерцать.
goddef *be.* **goddef** *grch.2.un.*, **goddef** *pres.3.un.* вынести; потерпеть; выдерживать; выносить; испытывать; переносить; претерпевать; терпеть; страдать.
goddefgarwch *g.* допуск; снисходительность; терпеливость; терпимость; толерантность.
goddefol *ans.* ❶ пассивный; страдательный. ❷ допустимый; сносный; терпимый; удовлетворительный. ❸ бездеятельный; инертный.
goddiweddyd *be.* **goddiwedd** *grch.2.un.*, **goddiwedd** *pres.3.un.* обогнать; обгонять; догонять; навёрстывать; овладеть; догнать; наверстать; овладевать; застигнуть врасплох.
goddiwes *be.* **goddiwedd** *grch.2.un.*, **goddiwedd** *pres.3.un.* обогнать.
goddrych *g.* **goddrychau** *ll.* подлежащее.
gof *g.* **gofaint** *ll.* кузнец.
gofal *g.* **gofalon** *ll.* ❶ внимание; уход; попечение; забота. ❷ внимательность; осторожность.
gofalaeth *b.* **gofalaethau** *ll.* забота.
gofalu *be.* ❶ заниматься; заботиться; заняться. ❷ смотреть; помнить; остерегаться; беречься. **pwy fydd yn gofalu am y plant?** кто позаботится о детях? **gowalwch bod chi ddim yn niweidio'r peth'ma!** смотрите, не повредите это!
gofalus *ans.* внимательный; осторожный.
gofalwr *g.* **gofalwyr** *ll.* тот, кто заботится; хранитель; опекун; надзиратель; сторож; дворник.
gofer *g.* **goferoedd** *ll.*, **goferydd** *ll.* источник; родник; ручеёк.
goferu *be.* исходить; изливаться.
gofid *g.* **gofidiau** *ll.*, **gofidion** *ll.* ❶ печаль; горе; грусть; скорбь; огорчение; сожаление. ❷ тревога; хлопоты; беспокойство; волнение. ❸ беда; затруднение. ❹ битва. ❺ болезнь.
gofidio *be.* беспокоиться.
gofod *g.* ❶ пространство; место. ❷ срок; протяжение. ❸ интервал; расстояние. ❹ шпация. ❺ космос.
gofodol *ans.* пространственный.
gofuned *b.* **gofunedi** *ll.* ❶ клятва; обет. ❷ просьба. ❸ уважение.
gofyn[1] *g.* **gofynion** *ll.* нужда; запрос; потребность; спрос; требование.
gofyn[2] *be.* **gofyn** *grch.2.un.*, **gofyn** *pres.3.un.* ❶ спрашивать; просить; осведомиться;

спросить; расспрашивать. ❷ потребовать; требовать; нуждаться.

gofynnol *ans.* ❶ необходимый; нужный. ❷ вопросительный. ❸ вопрошающий.

goglais[1] *be.* щекотать.

goglais[2] *g.* ❶ щекотание; щекотка. ❷ удар (*легкий*). ❸ рана. ❹ раздражение. ❺ боль.

gogledd *g.* север.

gogleddol *ans.* северный.

gogoneddus *ans.* ❶ знаменитый; славный. ❷ великолепный; восхитительный; чудесный.

gogoniant *g.* **gogoniannau** *ll.* великолепие; красота; ореол; сияние; слава; триумф.

gogr *g.* **gograu** *ll.* сито; грохот; решето.

gogwydd *g.* **gogwyddiadau** *ll.* наклонение; наклонность; отклонение; предвзятость; предубеждение; пристрастие; склонение; склонность; смещение; тенденция; уклон.

gogwyddiad *g.* **gogwyddiadau** *ll.* отклонение; откос; скат; склонение; склонность; уклон; наклон; наклонение; наклонность.

gogyfer[1] *ans.* противоположный; находящийся напротив.

gogyfer[2] *ardd.* для; за; к; ради.

gogynfardd *g.* **gogynfeirdd** *ll.* один из поэтов князей.

gohebiaeth *b.* корреспонденция; переписка.

gohebol *ans.* корреспондентский.

gohebu *be.* ❶ переписываться. ❷ общаться; разговаривать. ❸ говорить. ❹ отвечать. ❺ отказываться. ❻ сопротивляться. ❼ отрицать. ❽ проходить; пропускать. ❾ избегать.

gohebydd *g.* **gohebyddion** *ll.*, **gohebyddwyr** *ll.* корреспондент; репортёр.

gohirio *be.* перенести; переносить; откладывать; отсрочивать.

golaith *be.* ❶ обойти; ускользать; избегать; обходить; сторониться; уклоняться; остерегаться. ❷ погибать.

golau[1] *ans.* освещенный; светлый.

golau[2] *be.* осветить; светить; освещать.

golau[3] *g.* **goleuadau** *ll.* ❶ свет. ❷ светофор; фонарь; источник света; лампа.

golch *g.* **golchion** *ll.* ❶ мытьё; стирка. ❷ лосьон. ❸ щёлок. ❹ моча. ❺ покрытие.

golchi *be.* **golch** *grch.2.un.*, **gylch** *pres.3.un.* ❶ стирать; очищать; купать; отмывать; омывать; смывать; промывать; обмывать; мыть; домыть; покупать; выкупать; искупать. ❷ обелять. ❸ струиться. ❹ залить; покрывать тонким слоем; заливать. ❺ намыливать. ❻ пороть; колотить; бить. **nei di olchi'r llestri i mi?** ты не помоешь для меня посуду?

goleuad *g.* **goleuadau** *ll.* огонь; освещение; свет; светило.

goleudy *g.* **goleudai** *ll.* маяк.

goleuni *g.* ❶ освещение; свет. ❷ разъяснение.

goleuo *be.* осветить; иллюминировать; озарять; освещать; светить.

golud *g.* **goludoedd** *ll.* благосостояние; богатство; изобилие; обилие.

goludog *ans.* богатый; изобильный; обильный; состоятельный.

golwg *gb.* **golygon** *ll.* внешность; зрение; взгляд; вид.

golwyth *g.* **golwythion** *ll.* ломоть; ломтик; кусок мяса.

golwythen *b.* **golwythennau** *ll.* ломоть.

golwythyn *g.* **golwythion** *ll.* ломоть; кусок мяса.

golygfa *b.* **golygfeydd** *ll.* ❶ зрелище; вид. ❷ явление; сцена. ❸ декорация.

golygiad *g.* **golygiadau** *ll.* ❶ вид. ❷ картина; сцена. ❸ надзор; осмотр. ❹ взгляд; мнение. ❺ редактирование; редакция.

golygu *be.* ❶ означать; значить; подразумевать. ❷ редактировать. ❸ смотреть.

golygus *ans.* хорошенький; видный; красивый; миловидный.

golygydd *g.* **golygwyr** *ll.*, **golygyddion** *ll.* редактор.

golygyddol *ans.* редакторский; редакционный.

gollwng *be.* **gollwng** *grch.2.un.*, **gollwng** *pres.3.un.* ❶ слагать; выпустить; уронить; отпустить; пролить; распускаться; открыть; открывать; разряжать; спускать; выпускать; пропускать; расснащивать; распускать; отпускать; проливать; проронить; разгружать; ронять; освобождать; ослаблять; отвязывать; развязывать; спустить; складывать; сложить; травить. ❷ отправлять. ❸ прощать. ❹ выстрелить. ❺ демобилизовать; увольнять. ❻ выделить; выделять.

gooer *ans.* ❶ прохладный. ❷ тенистый. ❸ прохладительный.

gooeri *be.* ❶ охлаждать. ❷ затенять.

gor *rhgdd.* пере.

gorchest *b.* **gorchestion** *ll.* достижение; подвиг.

gorchfygu *be.* завоёвывать; обуять; охватить; победить; побеждать; побороть; подавлять; подчинять; покорять; превозмогать; превозмочь; преодолевать; преодолеть.

gorchudd *g.* **gorchuddion** *ll.* вуаль; завеса; покров; покрывало; покрытие; покрышка; чадра; пелена.

gorchuddio *be.* ❶ накрыть; накрывать; покрыть; прикрыть; закрыть; крыть; прикрывать; покрывать; перекрывать; укрывать; закрывать; выложить. ❷ скрывать; маскировать. ❸ хоронить. ❹ заключать в тюрьму.
gorchwyl *g.* **gorchwylion** *ll.* ❶ задание; задача; урок. ❷ служба.
gorchymyn[1] *g.* **gorchmynion** *ll.* ❶ распоряжение; команда; приказ; заповедь. ❷ командование.
gorchymyn[2] *be.* **gorchymyn** *grch.2.un.*, **gorchymyn** *pres.3.un.* велеть; приказать; назначать; приказывать; скомандовать; распорядиться; распоряжаться.
gordd *b.* **gyrdd** *ll.* колотушка; молот; молоток.
gordderch *b.* **gordderchadon** *ll.* любовница; наложница.
goresgyn *be.* ❶ захватить; подавлять; превозмогать; покорять; подчинять; поражать; побеждать; оккупировать; овладеть; захватывать; завоёвывать; вторгаться; преодолевать. ❷ владеть. ❸ пожаловать; наделять. ❹ спасать.
goresgyniad *g.* **goresgyniadau** *ll.* ❶ завоевание; покорение. ❷ вторжение; нашествие. ❸ введение священника в право распоряжения имуществом церковного прихода.
gorfod *be.* **goryw** *pres.3.un.* быть должным; быть обязанным. **pryd dych chi'n gorfod mynd ?** когда вам надо уходить?
gorfodaeth *b.* ❶ победа; триумф. ❷ превосходство. ❸ поражение. ❹ долг; обязанность; обязательство. ❺ отстранение (*от должности*). **gorfodaeth filwrol** воинская повинность.
gorfodi *be.* заставить; принуждать; заставлять.
gorfodol *ans.* обязательный; принудительный.
gorfoledd *g.* веселье; празднование; радость; торжество; триумф.
gorfynt[1] *ans.* горделивый; гордый; ревностный; ретивый; честолюбивый.
gorfynt[2] *g.* гордость; гордыня; зависть; ревнивость; ревность; спесь.
gorffen *be.* **gorffen** *grch.2.un.*, **gorffen** *pres.3.un.* окончить; покончить; закончиться; кончить; закончить; завершать; заканчивать; кончать; заканчиваться.
Gorffennaf *g.* июль.
gorffennol[1] *ans.* минувший; прошедший; прошлый.
gorffennol[2] *g.* прошедшее; прошлое.
gorffwyll *ans.* безрассудный; безумный; бешеный; помешанный; сумасбродный; сумасшедший.
gorffwys[1] *be.* отдохнуть; передохнуть; отдыхать.
gorffwys[2] *g.* отдых.
gori *be.* выводиться; вынашивать; высиживать; насиживать.
gorlawn *ans.* переполненный; избыточный.
gorlenwi *be.* переполнить; переполнять; заставить; заставлять.
gorlwytho *be.* перегружать (*чем-либо*).
gorllewin *g.* запад.
gorllewinol *ans.* западный.
gormes *g.* угнетатель; тиран; агрессор; агрессивность; агрессия; гнёт; деспотизм; жестокость; нападение; притеснение; тиранство; угнетение; тирания.
gormod *adf.* слишком много.
gormodol *ans.* чрезмерный.
gornest *b.* **gornestau** *ll.* матч; бой; борьба; дуэль; поединок; соревнование; состязание; схватка.
goroesi *be.* выживать; переживать; выжить; пережить; уцелеть.
goroeswr *g.* **goroeswyr** *ll.* выживший.
goror *g.* **gororau** *ll.* рубеж; предел; граница.
gorsaf *b.* **gorsafoedd** *ll.* вокзал; пост; пункт; станция.
gorsedd *b.* **gorseddau** *ll.* ❶ могила; холм; курган. ❷ престол; трон. ❸ зал; двор. ❹ трибунал; суд. ❺ сборище; собрание. ❻ сцена; театр. ❼ место для хранения оружия в церкви, суде и т.д.
gorthrymu *be.* притеснять; угнетать.
goruchafiaeth *b.* повышение; примат; верховенство; власть; победа; превосходство; торжество; триумф.
goruchwyliwr *g.* **goruchwylwyr** *ll.* агент; контролёр; надзиратель; надсмотрщик; представитель; распорядитель; сенешаль; управляющий; эконом.
goruwchnaturiol *ans.* сверхъестественный.
gorwedd *be.* **gorwedd** *grch.2.un.*, **gorwedd** *pres.3.un.* ❶ лежать. ❷ лечь; прилечь; ложиться.
gorwel *g.* **gorwelion** *ll.* горизонт; кругозор.
gorwydd[1] *g.* **gorŵydd** *ll.* конь; лошадь.
gorwydd[2] *g.* **gorŵydd** *ll.* ❶ опушка (*леса*). ❷ лесистый склон.
gorymdaith *b.* **gorymdeithiau** *ll.* парад; процессия; шествие.
gorymdeithio *be.* шествовать; маршировать.
gorynys *b.* **gorynysoedd** *ll.* полуостров.
gorhendad *g.* **gorhendadau** *ll.* прадедушка; прадед.

gorhenfam *b.* **gorhenfamau** *ll.* прабабушка; прабабка.
gosgeiddig *ans.* грациозный; изящный; миловидный; приятный; хорошенький; элегантный.
gosgordd *b.* **gosgorddion** *ll.* ❶ дружина; кортеж; охрана; свита; сопровождение; эскорт. ❷ графство. ❸ спутник.
goslef *b.* **goslefau** *ll.* звук; тон.
gosod[1] *ans.* ненастоящий; фальшивый; искусственный. **dannedd gosod** вставные зубы. **gwallt gosod** парик.
gosod[2] *be.* **gesyd** *pres.3.un.*, **gosod** *grch.2.un.* ❶ уложить; положить; посадить; установить; устанавливать; сажать; укладывать (*с осторожностью*); класть; ставить; ввести; вводить; развести; разводить; развернуть; разворачивать; вставить; вставлять. ❷ накрывать; накрыть. **gosod y bwrdd** накрыть на стол. ❸ атаковать. ❹ сдать (*внаем, в аренду*); сдавать (*внаем, в аренду*). ❺ назначать (*время встречи*).
gosodiad *g.* **gosodiadau** *ll.* ❶ установление; основание; помещение. ❷ осанка; поза. ❸ ситуация. ❹ порядок. ❺ слой. ❻ утверждение; заявление; положение; тезис. ❼ участок в свинцовой шахте или сланцевой каменоломне, сдаваемый в аренду рабочим; сдача (*в аренду*). ❽ нападение; атака. ❾ цезура.
gostegu *be.* ❶ успокаивать; подавлять; снижать; уменьшать; ослаблять; прекращать; заглушать; притуплять; умерять; утихомиривать; утолять. ❷ стихнуть; стихать; успокаиваться; утихать; ослабевать; уменьшаться.
gostwng *be.* **gostwng** *grch.2.un.*, **gostwng** *pres.3.un.* ❶ опустить; сокращать; понижать; снижать; спускать; опускать; умерять; уменьшать; ослаблять; сбить; сбивать. ❷ сгибать; покорять; принижать; унижать; смирять.
gostyngiad *g.* ❶ понижение; скидка; снижение; сокращение; уменьшение. ❷ подавление; покорение; унижение.
gradd *b.* **graddau** *ll.* ❶ ступенька; ступень. ❷ ступень; стадия; фаза; этап. ❸ степень. ❹ положение; ранг. ❺ звание. ❻ градус.
graddfa *b.* **graddfeydd** *ll.* ❶ градация; шкала; масштаб. ❷ размер; ступень; уровень. ❸ гамма.
graddio *be.* **graddedig** *rhang* ❶ получать ученую степень. ❷ градуировать. ❸ классифицировать.
graddol *ans.* последовательный; постепенный.
graean *g.* щебень; гравий.
graen[1] *ans.* безобразный; вопиющий; горестный; грустный; мучительный; неприятный; опасный; отталкивающий; печальный; прискорбный; противный; скверный; тяжёлый; ужасный; унылый; уродливый.
graen[2] *gb.* ❶ боязнь; печаль; огорчение; опасение; страх. ❷ глянец; лоск. ❸ зернистость. ❹ зерно; крупинка; зёрнышко. ❺ гран.
graff *g.* **graffau** *ll.*, **graffiau** *ll.* граф.
gramadeg *g.* **gramadegau** *ll.* грамматика.
gramadegol *ans.* грамматический.
gras *g.* **grasau** *ll.*, **grasusau** *ll.* ❶ изящество; грация; привлекательность. ❷ любезность; благосклонность; благоволение; милость; милосердие. ❸ светлость. ❹ прощение. ❺ отсрочка; передышка. ❻ молитва.
grawn *g.* ❶ крупа; зерно. ❷ виноград. ❸ икра. ❹ дробь.
grawnafal *g.* **grawnafalau** *ll.* гранат.
grawnwin *ll.* виноград.
greal *g.* **grealau** *ll.* ❶ Грааль. ❷ градуал.
greddf *b.* **greddfau** *ll.* ❶ инстинкт; интуиция. ❷ природа. ❸ сила. ❹ стабильность.
greddfol *ans.* ❶ инстинктивный; бессознательный; интуитивный. ❷ мощный; великий; сильный; крепкий; прочный. ❸ обычный.
gresynu *be.* пожалеть; сострадать; жалеть; соболезновать; сочувствовать.
griddfan[1] *g.* **griddfannau** *ll.* жалоба; стон.
griddfan[2] *be.* жаловаться; охать; стонать.
gris *b.* **grisiau** *ll.* ❶ ступень; ступенька. ❷ шаг. **grisiau** лестница.
grisial *g.* ❶ кристалл. ❷ хрусталик.
Groeg[1] *ans.* греческий.
Groeg[2] *gb.* Греция.
Groegwr *g.* **Groegwyr** *ll.* эллин; грек.
gronyn *g.* **grawn** *ll.*, **gronynnau** *ll.* ❶ семечко; крупинка; зёрнышко. ❷ ягода; виноградина. ❸ икринка. ❹ дробинка; дробина. ❺ капелька; крошечка. ❻ частица; атом.
grudd *gb.* **gruddiau** *ll.* щека.
grug *g.* вереск.
grŵp *g.* **grwpiau** *ll.* группа.
grwpio *be.* группировать.
grym *g.* **grymoedd** *ll.* власть; возможность; действенность; значение; могущество; мощность; мощь; полномочие; сила; способность; энергия; смысл.
grymus *ans.* влиятельный; крепкий; могучий; могущественный; мощный; проч-

ный; ревностный; сильнодействующий; сильный; усердный; энергичный.

gwacsaw *ans.* ветреный; легкомысленный; мелкий; незначительный; непостоянный; поверхностный; пустой; пустячный; тривиальный; фривольный.

gwad *g.* **gwadnau** *ll.* опровержение; отказ; отречение; отрицание.

gwadn *g.* **gwadnau** *ll.* ❶ подошва. ❷ стелька. ❸ подмётка. ❹ сандалия. ❺ основание.

gwadnu *be.* ❶ подбивать. ❷ основывать. ❸ улепетывать.

gwadu *be.* **gwad** *grch.2.un.*, **gwad** *pres.3.un.* отвергать; отказывать; отклонять; отпираться; отрекаться; отказываться; отрицать.

gwadd[1] *be.* приглашать.

gwadd[2] *b.* **gwaddod** *ll.* крот.

gwaddod *g.* **gwaddodion** *ll.* гуща; осадок; отложение; отстой; подонки.

gwae *gb.* **gwaeau** *ll.* горе; скорбь.

gwaed *g.* кровь.

gwaedlif *g.* дизентерия; кровоизлияние; кровотечение.

gwaedlyd *ans.* кровавый; кровожадный; кровопролитный.

gwaedu *be.* кровоточить.

gwaedd *b.* **gwaeddau** *ll.* возглас; вопль; клич; крик.

gwaeg *b.* **gwaegau** *ll.* пряжка.

gwael *ans.* ❶ убогий; жалкий; несчастный; бедный. ❷ дурной; скверный; плохой. ❸ подлый; гнусный; низкий; ничтожный; неблагородный; низменный; отвратительный. ❹ болезненный; больной; нездоровый. ❺ малоимущий; неимущий.

gwaeledd *g.* ❶ нездоровье; болезнь. ❷ убожество; посредственность; подлость; низость.

gwaelod *g.* **gwaelodion** *ll.* днище; дно; конец; низ; осадок; основание; отложение; отстой; дно.

gwaelodi *be.* ❶ осесть; оседать. ❷ обосноваться. ❸ основать.

gwaell *b.* **gweill** *ll.*, **gwëyll** *ll.* палочка; прут; стержень.

gwaetgi *g.* **gwaetgwn** *ll.* бладхаунд (*порода собак*).

gwaethygu *be.* ухудшать.

gwag *ans.* **gweigion** *ll.* пустой; свободный; холостой; бессодержательный; порожний.

gwagedd *g.* пустота; суетность; тщеславие; тщета.

gwagnod *g.* **gwagnodau** *ll.* нуль; ноль; ничто.

gwahanglwyf *g.* проказа.

gwahân *g.* ❶ распад; разделение. ❷ отдельность. ❸ различие; разница. ❹ разнообразие. **ar wahân** по отдельности.

gwahaniad *g.* **gwahaniadau** *ll.* разделение; выделение.

gwahaniaeth *g.* **gwahaniaethau** *ll.* отличие; различие; разница.

gwahaniaethu *be.* ❶ различаться; отличаться; разойтись; расходиться. ❷ отличать; различить; распознавать; различать; выделить; выделять; отмечать.

gwahanol *ans.* ❶ иной; непохожий; разный; различный; несходный; отличный. ❷ разнообразный.

gwahanu *be.* ❶ разойтись; расставаться; расходиться; разводиться; расстаться. ❷ поделиться; делиться; разделяться. ❸ развести; разводить; разделить; подразделять; разлучать; отделять; делить; разделять; разнимать; разъединять. ❹ различать.

gwahardd[1] *g.* **gwaharddau** *ll.* запрещение; запрет.

gwahardd[2] *be.* **gwaheirdd** *pres.3.un.* запретить; запрещать.

gwahodd *be.* пригласить; приглашать.

gwahoddiad *g.* **gwahoddiadau** *ll.* приглашение.

gwahoddwr *g.* **gwahoddwyr** *ll.* хозяин.

gwain *b.* **gweiniau** *ll.* ❶ ножны. ❷ оболочка; футляр. ❸ влагалище. ❹ убийство.

gwair *g.* **gweiriau** *ll.* сено.

gwaith[1] *b.* **gweithiau** *ll.* ❶ раз. ❷ раз.

gwaith[2] *g.* **gweithiau** *ll.* ❶ работа; дело; творчество. ❷ укрепление. ❸ облик; форма. ❹ битва. ❺ сочинение.

gwal *b.* **gwalau** *ll.*, **gwaliau** *ll.*, **gwelydd** *ll.* стена.

gwâl *b.* **gwâlau** *ll.* ❶ нора; берлога; логовище. ❷ постель; ложе.

gwala *b.* достаток; избыток; изобилие; множество.

gwalch *g.* **gweilch** *ll.* ❶ сокол; ястреб. ❷ жулик; шельмец; плут; негодяй; мошенник; обманщик.

gwalio *be.* огораживать.

gwall *g.* **gwallau** *ll.* дефект; изъян; недостаток; недочёт; неисправность; ошибка; погрешность; порок.

gwallgof *ans.* бешеный; душевнобольной; ненормальный; помешанный; безумный; сумасшедший.

gwallt *g.* **gwalltiau** *ll.* волосы; шевелюра; кудри.

gwallus *ans.* неверный; некорректный; неправильный; несовершенный; неточный; ошибочный.

gwan *ans.* **gweiniaid** *ll.*, **gweinion** *ll.* слабый.

gwanhau *be.* ❶ ослаблять; развести; разводить. ❷ слабеть.

gwanu *be.* **gwân** *grch.2.un.*, **gwân** *pres.3.un.* ❶ проходить; протыкать; просверливать; прорываться; проникать; пронизывать; пронзать; прокалывать; пробуравливать; вонзать; пробить; закалывать. ❷ ранить. ❸ нападать. ❹ натыкаться; наткнуться. ❺ вводить член (*при совокуплении*); делать беременной; брюхатить.

gwanwyn *g.* **gwanwynau** *ll.*, **gwanwyni** *ll.* весна.

gwanwynol *ans.* весенний.

gwâr *ans.* вежливый; кроткий; культурный; ласковый; нежный; покорный; послушный; ручной; смирный; спокойный; тихий.

gwar *gb.* **gwarrau** *ll.* холка; затылок; загривок; шея.

gwarchae[1] *be.* ❶ окружить; обложить; блокировать; осаждать. ❷ заметить.

gwarchae[2] *g.* ❶ осада; блокада. ❷ затор. ❸ тюрьма. ❹ мат; шах.

gwarcheidiol *ans.* опекунский.

gwarchod *be.* дежурить; заботиться; караулить; наблюдать; охранять; следить; смотреть; сторожить.

gwarchodlu *g.* **gwarchodluoedd** *ll.* стража; охрана; гарнизон.

gwarchodwr *g.* **gwarchodwyr** *ll.* телохранитель; охранник; опекун; страж; защитник; стражник; часовой; хранитель; сторож; протекционист.

gwared[1] *be.* ❶ избавляться. ❷ освобождать; выручать; избавлять; спасать.

gwared[2] *g.* **gwaredi** *ll.* ❶ избавление; спасение. ❷ послед.

gwaredigaeth *b.* **gwaredigaethau** *ll.* избавление; освобождение.

gwaredu *be.* **gwared** *grch.2.un.*, **gwared** *pres.3.un.*, **gweryd** *pres.3.un.* ❶ спасать; освобождать; избавлять. ❷ избавиться; избавляться. ❸ исправляться; исправлять. ❹ пригождаться. ❺ удивляться. ❻ показывать.

gwaredwr *g.* **gwaredwyr** *ll.* избавитель; спаситель.

gwareiddiad *g.* цивилизация.

gwario *be.* расходовать; тратить (*деньги*).

gwarth *g.* позор; срам; стыд.

gwartheg *ll.* скот.

gwarthol *b.* **gwartholion** *ll.* стремя; скоба.

gwarthus *ans.* стыдный; позорный; постыдный.

gwas *g.* **gweision** *ll.* ❶ юноша; парень; мальчик. ❷ слуга; служитель; служащий. ❸ голубчик.

gwasaidd *ans.* рабский; холопский.

gwasanaeth *g.* **gwasanaethau** *ll.* обслуживание; одолжение; сервис; услуга; служба.

gwasanaethu *be.* ❶ обслуживать; служить. ❷ подать (*на стол*); подавать (*на стол*). ❸ годиться; удовлетворять; благоприятствовать. ❹ снабжать. ❺ отправлять (*правосудие*).

gwasg[1] *b.* **gwasgau** *ll.*, **gwasgoedd** *ll.*, **gweisg** *ll.* издательство; давка; жим; печатание; печать; пресс; пресса; типография.

gwasg[2] *g.* **gwasgau** *ll.*, **gwasgoedd** *ll.*, **gweisg** *ll.* ❶ талия. ❷ лиф; корсаж.

gwasgaru *be.* **gwasgar** *grch.2.un.*, **gwasgar** *pres.3.un.*, **gwesgyr** *pres.3.un.* расходиться; разойтись; разбивать; разбрасывать; развёртывать; разгонять; размазывать; разносить; раскидывать; распространять; рассеивать; рассеиваться; рассыпать; расточать.

gwasgod[1] *b.* **gwasgodau** *ll.* жилет.

gwasgod[2] *g.* ❶ прикрытие; кров; приют; укрытие; убежище. ❷ защита. ❸ предлог. ❹ маска. ❺ тень. ❻ тень. ❼ отражение. ❽ образ. ❾ одеяние.

gwasgu *be.* **gwasg** *grch.2.un.*, **gwasg** *pres.3.un.* подавить; зажать; прижать; нажать; сжать; втискивать; выдавливать; выжимать; давить; жать; мять; нажимать; подавлять; прессовать; прижимать; протискиваться; раздавить; сдавливать; сжимать; сокрушать; стеснять; стискивать; теснить; штамповать; помять.

gwasod[1] *ans.* в охоте (*о корове*). **rhoi tarw i'r fuwch pan fydd hi'n wasod** куй железо, пока горячо.

gwasod[2] *g.* **gwasodau** *ll.* соломенная и т.п. подстилка для скота.

gwastad[1] *ans.* ❶ гладкий; прямой; горизонтальный; плоский; ровный. ❷ непрерывный; постоянный. ❸ чётный. ❹ непереходный.

gwastad[2] *g.* **gwastadau** *ll.* ❶ плоскость. ❷ порядок.

gwastadedd *g.* **gwastadeddau** *ll.* ❶ равнина. ❷ плоскость. ❸ равенство.

gwastatáu *be.* ❶ сравнивать; сровнять; выравнивать; сглаживать; плющить. ❷ сравнять; уравнивать; сравнивать; нивелировать. ❸ выпрямлять. ❹ успокаивать. ❺ устанавливать; устраивать. ❻ покорять. ❼ осесть; успокаиваться; обосноваться; оседать.

gwastraff *g.* перевод; трата; мотовство; расточительность.
gwastraffu *be.* перевести; переводить; тратить; расточать; проматывать; растрачивать.
gwatwarus *ans.* саркастический; насмешливый.
gwau *be.* связать; соткать; плести; сплетать; ткать; вязать.
gwaudd *b.* невестка; сноха.
gwaun *b.* **gweunydd** *ll.* луг; луговина.
gwawd *g.* ❶ осмеяние; насмешка. ❷ панегирик.
gwawdio *be.* высмеивать; глумиться; издеваться; насмехаться; осмеивать; пародировать; передразнивать.
gwawl *g.* ❶ свет; освещение. ❷ стена.
gwawr *b.* ❶ заря; рассвет; зоря. ❷ цвет; оттенок. ❸ цвет.
gwawrio *be.* рассветать.
gwayw *gb.* **gwewyr** *ll.* ❶ дротик; пика; копьё. ❷ боль; спазм; схватка. **gwewyr esgor** родовые схватки.
gwaywffon *b.* **gwaywffyn** *ll.* дротик; копьё.
gwden *b.* **gwdennau** *ll.*, **gwdenni** *ll.*, **gwdyn** *ll.* ❶ вица; лоза. ❷ удавка; петля.
gwden y coed повой заборный. **gwden y mynydd** гладыш шершавый.
gwdihŵ *gb.* сова.
gwddf *g.* **gyddfau** *ll.* глотка; горло; шея; выя.
gwe *b.* **gweoedd** *ll.* ❶ полотно; ткань; марля. ❷ паутина.
gwead *g.* ❶ вязание; тканье; плетение. ❷ ткань; трикотаж. ❸ структура; текстура.
gwedd[1] *b.* **gweddau** *ll.*, **gweddiau** *ll.* аспект; вид; видимость; наружность; очертание; состояние; форма.
gwedd[2] *b.* **gweddoedd** *ll.* ❶ хомут; ярмо. ❷ запряжка; выезд; упряжка. ❸ рабство; иго; узы.
gwedder *g.* **gweddrod** *ll.* валух.
gweddi *b.* **gweddïau** *ll.* молебен; молитва; мольба.
gweddill *g.* **gweddillion** *ll.* останки; сальдо; остаток.
gweddïo *be.* молиться; просить; умолять.
gweddlys *b.* **gweddlysiau** *ll.* вайда (*растение*).
gweddol[1] *ans.* вежливый; значительный; красивый; неплохой; порядочный; справедливый.
gweddol[2] *adf.* довольно.
gweddu *be.* устроить; подойти; устраивать; годиться; подобать; подходить; приличествовать; соответствовать.
gweddw[1] *b.* **gweddwon** *ll.* вдова.
gweddw[2] *ans.* **gweddwon** *ll.* одинокий; холостой.
gwefan *g.* **gwefannau** *ll.* сайт.
gwefr *b.* ❶ янтарь. ❷ электричество; трепет; колебание; возбуждение.
gwefreb *b.* **gwefrebau** *ll.* ❶ телеграмма. ❷ телеграф.
gwefrog *ans.* ❶ янтарный. ❷ электрический.
gwefus *b.* **gwefusau** *ll.*, **gwefusedd** *ll.* губа.
gwehydd *g.* **gwehyddion** *ll.* ткач.
gweiddi *be.* заорать; вскричать; вскрикнуть; закричать; крикнуть; вопить; орать; кричать.
gweilgi *b.* ❶ море. ❷ поток.
gweini *be.* подать; заботиться; обслуживать; подавать; помогать; прислуживать; следить; служить; ухаживать.
gweinidog *g.* **gweinidogion** *ll.* ❶ священник. ❷ министр. **Prif Weinidog** премьер-министр. **Gweinidog Cartref** министр внутренних дел. **Gweinidog Tramor** министр иностранных дел.
gweinidogaeth *b.* **gweinidogaethau** *ll.* обслуживание; пастырство; служба.
gweinydd *g.* **gweinyddion** *ll.* ❶ официант. ❷ сервер.
gweinyddes *b.* **gweinyddesau** *ll.* ❶ официантка. ❷ сиделка; медсестра. ❸ няня; нянька; мамка; кормилица.
gweinyddiaeth *b.* **gweinyddiaethau** *ll.* администрация; министерство; правительство; управление.
gweinyddol *ans.* ❶ служащий. ❷ служебный. ❸ раболепный. ❹ административный; исполнительный.
gweinyddu *be.* вести; отправлять; управлять.
gweithdy *g.* **gweithdai** *ll.* мастерская; цех.
gweithfa *b.* **gweithfaoedd** *ll.*, **gweithfeydd** *ll.* завод; фабрика.
gweithgar *ans.* ❶ прилежный; трудолюбивый; усердный. ❷ рабочий. ❸ эффективный. ❹ украшенный. ❺ хорошо сделанный.
gweithgaredd *g.* **gweithgareddau** *ll.* активность; деятельность.
gweithgarwch *g.* активность; деятельность.
gweithgor *g.* **gweithgorion** *ll.* рабочая группа; комиссия.
gweithio *be.* ❶ действовать; функционировать; работать. ❷ возбуждать; волновать. ❸ бродить (*о пиве, браге, вине*). ❹ обрабатывать; ковать; вышивать. ❺ прочищать; слабить. **lle mae'ch gŵr yn gweithio?** где работает ваш муж?
gweithiol *ans.* рабочий.

gweithiwr *g.* **gweithwyr** *ll.* работник; рабочий.

gweithred *b.* **gweithredoedd** *ll.* ❶ поступок; труд; действие; дело; деятельность; занятие; работа. ❷ произведение. ❸ документ; крепость. ❹ акт; закон.

gweithrediad *g.* **gweithrediadau** *ll.* акция; воздействие; выступление; действие; деятельность; операция; работа.

gweithredol *ans.* оперативный; активный; действительный; действующий; деятельный; подлинный; текущий; фактический; энергичный; эффективный; рабочий.

gweithredu *be.* действовать; оперировать; работать.

gweithredwr *g.* **gweithredwyr** *ll.* исполнитель; агент; деятель.

gweladwy *ans.* видный; видимый; заметный; очевидный; ощутимый; различимый; явный.

gweld *be.* **gwêl** *grch.2.un.*, **gwêl** *pres.3.un.*, **gwŷl** *pres.3.un.* ❶ видеть; смотреть; глядеть; поглядеть; посмотреть; увидеть; зреть; видать. ❷ считать. **os gwelwch yn dda** пожалуйста.

gweledigaeth *b.* **gweledigaethau** *ll.* ❶ видение; мечта. ❷ зрелище. ❸ видение; зрение. ❹ вид. ❺ предвидение; проницательность; дальновидность.

gweledol *ans.* ❶ зрительный. ❷ умозрительный.

gwelw *ans.* **gwelwon** *ll.* бледный.

gwelwi *be.* бледнеть; бледнить; тускнеть.

gwely *g.* **gwelâu** *ll.*, **gwelyau** *ll.* ❶ постель; кровать; койка. ❷ клан.

gwella *be.* поправить; латать; поправлять; поправляться; ремонтировать; совершенствовать; чинить; штопать; исправлять; улучшать.

gwellaif *g.* **gwelleifiau** *ll.* ножницы.

gwellen *b.* **gweill** *ll.* спица.

gwelliant *g.* **gwelliannau** *ll.* поправка; исправление; усовершенствование; улучшение.

gwellt *g.* солома; сено; трава.

gwelltglas *g.* трава.

gwelltyn *g.* **gwellt** *ll.* травинка; соломина; соломинка.

gwên *b.* **gwenau** *ll.* улыбка.

gwenci *b.* **gwencïod** *ll.* горностай; ласка.

gwendid *g.* **gwendidau** *ll.* недостаток; необоснованность; непрочность; слабость; хрупкость.

Gwener *b.* Венера. **Dydd Gwener** пятница.

gweniaith *b.* лесть.

gwenith *g.* пшеница.

gwenithen *b.* **gwenith** *ll.* пшеничное зерно.

gwenithfaen *g.* гранит.

gwennol *b.* **gwenoliaid** *ll.* ❶ ласточка. ❷ челнок (*ткацкого станка, швейной машины*). ❸ стрелка (*копыта*).

gwenu *be.* улыбнуться; улыбаться.

gwenwyn *g.* **gwenwynau** *ll.* ❶ отрава; яд. ❷ зависть; злоба; ревнивость; подозрительность; ревность.

gwenwynig *ans.* ядовитый; злобный.

gwenwynllyd *ans.* ❶ ядовитый. ❷ завистливый. ❸ ревнивый. ❹ сварливый; брюзгливый.

gwenwyno *be.* ❶ травить; отравлять. ❷ разъедать. ❸ портить; развращать. ❹ жаловаться; ворчать.

gwenynen *b.* **gwenyn** *ll.* пчела. **gwenynen ormes** трутень. **gwenynen wyllt** шмель. **gwenynen farch ddu** шершень. **gwenynen farch felyn** оса.

gwep *b.* **gwepau** *ll.* ❶ харя; рожа; морда; лицо. ❷ вид. ❸ ужимка; гримаса. ❹ клюв.

gwêr *g.* жир; сало.

gwerin *b.* **gwerinoedd** *ll.* ❶ население; нация; люди; простонародье; пролетариат; народ. ❷ войско; шайка; компания. ❸ команда; экипаж. ❹ демократия; демократизм.

gweriniaeth *b.* **gweriniaethau** *ll.* демократизм; демократия; республика.

gwerinol *ans.* ❶ народный. ❷ плебейский; простонародный. ❸ демократический. ❹ грубый; вульгарный. ❺ общий; обычный.

gwerinwr *g.* **gwerinwyr** *ll.* ❶ простолюдин. ❷ демократ. ❸ пешка.

gwern *b.* **gwerni** *ll.*, **gwernydd** *ll.* болото; луговина; топь.

gwernen *b.* **gwern** *ll.* ❶ ольха. ❷ древко; мачта.

gwers *b.* **gwersau** *ll.*, **gwersi** *ll.* урок. **gwers rydd** свободный час; белый стих.

gwerslyfr *g.* **gwerslyfrau** *ll.* учебник.

gwersyll *g.* **gwersylloedd** *ll.* бивак; стан; стоянка; лагерь.

gwersyllog *ans.* лагерный.

gwersyllty *g.* **gwersylltai** *ll.* казарма.

gwersyllu *be.* разбивать лагерь, располагаться лагерем.

gwerth *b.* **gwerthau** *ll.*, **gwerthoedd** *ll.* оценка; стоимость; цена; ценность.

gwerthfawr *ans.* драгоценный; дорогостоящий; дорогой; ценный.

gwerthfawrogi *be.* оценить; оценивать; ценить.

gwerthfawrogiad *g.* ❶ оценка. ❷ признательность.

gwerthiant *g.* **gwerthiannau** *ll.* реализация; продажа.
gwerthu *be.* **gwerth** *grch.2.un.*, **gwerth** *pres.3.un.* продать; продавать.
gwerthuso *be.* оценить; оценивать.
gwerthwr *g.* **gwerthwyr** *ll.* продавец; торговец.
gweryru *be.* ржать.
gwestai *g.* **gwesteion** *ll.* гость.
gwesty *g.* **gwestai** *ll.*, **gwestyau** *ll.* гостиница; отель.
gwgu *be.* насупиться; хмуриться; нахмуриться.
gwialen *b.* **gwiail** *ll.*, **gwialenni** *ll.*, **gwialennod** *ll.* лоза; жезл; палочка; прут; рейка; розга; скипетр; стержень; хлыст.
gwialenodio *be.* сечь; стегать; пороть.
gwib[1] *ans.* ❶ блуждающий; бродячий. ❷ внезапный.
gwib[2] *b.* **gwibiau** *ll.* ❶ рывок. ❷ нападение. ❸ странствие. ❹ кивок.
gwibdaith *b.* **gwibdeithiau** *ll.* поездка; экскурсия.
gwibio *be.* ❶ метаться; носиться; мелькнуть; мелькать; замелькать; пронестись. ❷ скитаться; шататься; странствовать; шляться; блуждать; бродить.
gwichian *be.* визжать; пищать; пропищать; скрипеть; хрипеть.
gwiddon *b.* **gwiddonod** *ll.* ведьма; колдунья; чародейка.
gwiddonyn *g.* **gwiddon** *ll.* червяк; червь; долгоносик; клещ.
gwifren *b.* **gwifrennau** *ll.* проволока; провод.
gwingo *be.* сучить ногами; лягаться; биться; бороться; брыкать; вилять; ёрзать; извиваться; корчиться; лягать; отбиваться; противиться; моргать; брыкаться.
gwin *g.* **gwinoedd** *ll.* вино.
gwinau *ans.* ❶ смуглый; коричневый; карий; загорелый; гнедой; бурый. ❷ облачный.
gwinllan *b.* **gwinllannau** *ll.*, **gwinllannoedd** *ll.* виноградник.
gwinwydden *b.* **gwinwydd** *ll.* виноградная лоза; виноград.
gwir[1] *ans.* истинный; подлинный; правильный; правдивый; настоящий.
gwir[2] *g.* истина; правда.
gwireddu *be.* реализовать; доказывать; исполнять; подтверждать; проверять; удостоверять.
gwirfoddol *ans.* ❶ непринужденный; добровольный; добровольческий. ❷ умышленный; сознательный. ❸ стихийный; спонтанный.
gwirfoddolwr *g.* **gwirfoddolwyr** *ll.* волонтёр; доброволец.
gwirio *be.* гарантировать; доказывать; подтверждать; проверять; ручаться; свидетельствовать; уверять; удостоверять; утверждать.
gwirion *ans.* **gwirioniaid** *ll.* ❶ невинный; чистый. ❷ безобидный; безвредный; невиновный. ❸ простодушный; простой; наивный; бесхитростный. ❹ слабоумный; глупый.
gwirionedd *g.* **gwirioneddau** *ll.* истинность; неподдельность; правдивость; действительность; реальность; правда; истина.
gwirioneddol *ans.* истинный; настоящий; неподдельный; непритворный; подлинный; правдивый; реальный.
gwirioni *be.* ❶ внушить безрассудную страсть; свести с ума; вскружить голову. ❷ любить до безумия. ❸ подтвердить.
gwirod *g.* **gwirodau** *ll.*, **gwirodydd** *ll.* спиртное; алкоголь; спирт.
gwirodol *ans.* алкогольный; спиртной.
gwisg *b.* **gwisgoedd** *ll.* туалет; наряд; одежда; одеяние; платье.
gwisgo *be.* одеться; одеваться; надевать; надеть; одеть; поносить; наряжать; носить; одевать.
gwiw *ans.* годный; готовый; достойный; здоровый; подобающий; подходящий; сильный; соответствующий; способный.
gwiwer *b.* **gwiwerod** *ll.* белка.
gwlad *b.* **gwledydd** *ll.* земля; страна.
gwladfa *b.* **gwladfeydd** *ll.* колония; поселение; сеттльмент.
gwladgarol *ans.* патриотический.
gwladgarwr *g.* **gwladgarwyr** *ll.* патриот.
gwladol *ans.* ❶ национальный; государственный; казенный. ❷ штатский; гражданский; мирской. ❸ деревенский; сельский.
gwladoli *be.* ❶ национализировать. ❷ жить сельской жизнью.
gwladwr *g.* **gwladwyr** *ll.* ❶ крестьянин; сельский житель. ❷ абориген. ❸ земляк; соотечественник. ❹ гражданин. ❺ патриот. ❻ политик.
gwladwriaeth *b.* **gwladwriaethau** *ll.* государство.
gwlân *g.* **gwlanau** *ll.*, **gwlanoedd** *ll.* руно; шерсть.
gwlanen *b.* **gwlanenni** *ll.* ❶ фланелька; фланель; байка. ❷ тряпка.
gwledig[1] *ans.* аграрный; деревенский; сельский.
gwledig[2] *g.* **gwledigion** *ll.* воевода; правитель.
gwledd *b.* **gwleddoedd** *ll.* банкет; пир.

gwleidydd *g.* **gwleidyddion** *ll.* политик; политикан.
gwleidyddiaeth *b.* политика.
gwleidyddol *ans.* политический.
gwlith *g.* **gwlithoedd** *ll.* роса.
gwlithen *b.* **gwlithenni** *ll.* ❶ панариций. ❷ ячмень. ❸ слизняк; слизень. ❹ дождик.
gwlyb[1] *ans.* **gwleb** *ж.*, **gwlybion** *ll.* влажный; жидкий; мокрый; сырой.
gwlyb[2] *g.* влажность; жидкость; сырость.
gwlybaniaeth *g.* ❶ влажность; сырость. ❷ осадки. ❸ влага. ❹ выпивка.
gwlych *g.* ❶ влага; влажность; жидкость. ❷ бульон; подливка.
gwlychfa *b.* **gwlychfeydd** *ll.* пропитывание; смачивание.
gwlychu *be.* **gwlych** *grch.2.un.*, **gwlych** *pres.3.un.* ❶ вспрыснуть; мочить; обрызгивать; оросить; смачивать; увлажнять. ❷ макать; окунать; погружать. ❸ увлажняться; промокнуть.
gwn *g.* **gynnau** *ll.* орудие; пушка; револьвер; ружьё.
gŵn *g.* **gynau** *ll.* халатик; халат; мантия; платье.
gwneud *be.* **gwna** *grch.2.un.* ❶ делать; сделать; произвести; производить; поделать; учинить; чинить. ❷ служит для образования будущего и прошедшего времени. **mi wnes i brynu** я купил. **wnewch chi edrych ar yr olew?** не проверите ли Вы масло?
gwneuthur *be.* **gwna** *grch.2.un.* поделать.
gwneuthuriad *g.* выработка; изготовление; производство.
gwneuthurwr *g.* **gwneuthurwyr** *ll.* делатель; агент; деятель; исполнитель; создатель; созидатель; творец.
gwnïad *g.* **gwnïadau** *ll.* ❶ шитьё; зашивание. ❷ шов; стрелка. ❸ плетение.
gwnïo *be.* шить; нашить; сшивать; вышивать; пришивать; зашивать; стегать.
gwobr *gb.* **gwobrau** *ll.* вознаграждение; награда; премия; приз.
gwobrwyo *be.* вознаграждать; награждать.
gŵr *g.* **gwŷr** *ll.* ❶ муж; муж. ❷ мужчина; мужик.
gwra *be.* ❶ хотеть замуж. ❷ выходить замуж. ❸ выдавать замуж. ❹ приносить вассальную присягу.
gwrach *b.* **gwrachïod** *ll.*, **gwrachod** *ll.* ведьма; колдунья; чародейка.
gwraig *b.* **gwragedd** *ll.* жена; женщина; баба.
gwrandawr *g.* **gwrandawyr** *ll.* слушатель.
gwrando *be.* **gwrando** *grch.2.un.*, **gwrendy** *pres.3.un.* слушать; выслушать; послушать; прислушаться. **dw i'n hoff o wrando ar y radio** я люблю слушать радио. **gwrandwch ar hyn!** слушайте это!
gwregys *g.* **gwregysau** *ll.* кушак; пояс; ремень.
gwreichionen *b.* **gwreichion** *ll.* искра; вспышка; проблеск.
gwreichioni *be.* искриться; блистать; сверкать.
gwreiddio *be.* ❶ вкоренять. ❷ приняться; приниматься; укореняться. ❸ происходить.
gwreiddiol *ans.* исходный; коренной; корневой; оригинальный; первоначальный; подлинный.
gwreiddyn *g.* **gwraidd** *ll.*, **gwreiddiau** *ll.* корень.
gwres *g.* ❶ теплота; пыл; жара; горячность; жар; тепло. ❷ отопление. ❸ температура (*о человеке, животном*).
gwresogi *be.* обогревать; топить.
gwridog *ans.* румяный; красноватый; обагренный.
gwriog *ans.* замужний.
gwrogaeth *b.* ❶ принесение феодальной присяги. ❷ вассальная зависимость. ❸ феодальная присяга. ❹ преданность; лояльность; верность. ❺ покорность; повиновение; подчинение.
gwron *g.* **gwroniaid** *ll.* храбрец; смельчак; герой.
gwrtaith *g.* ❶ навоз; удобрение. ❷ возделывание. ❸ разведение. ❹ культура. ❺ покрывало.
gwrth *rhgdd.* контр; анти; противо.
gwrthban *g.* **gwrthbanau** *ll.*, **gwrthbannau** *ll.* ❶ покрывало; одеяло. ❷ плащ.
gwrthdaro *be.* столкнуться; сталкиваться.
gwrthdroadol *ans.* обратный.
gwrthdystiad *g.* **gwrthdystiadau** *ll.* митинг; выступление; демонстрация; протест.
gwrthdystio *be.* возразить; возражать; опротестовывать; протестовать.
gwrthdystiwr *g.* **gwrthdystwyr** *ll.* протестант.
gwrthgiliwr *g.* **gwrthgilwyr** *ll.* изменник; отступник.
gwrthgyferbyniad *g.* **gwrthgyferbyniadau** *ll.* антитеза; контраст; противоположение; противоположность.
gwrthod *be.* **gwrthod** *grch.2.un.*, **gwrthyd** *pres.3.un.* отвести; отводить; отказать; отказаться; отбрасывать; отказываться;

отпираться; отрекаться; отказывать; отрицать; отвергать; отбросить.

gwrthrych *g.* **gwrthrychau** *ll.* ❶ объект; предмет; вещь. ❷ цель. ❸ ожидание. ❹ образ; отражение. ❺ преемник; наследник.

gwrthrychol *ans.* ❶ беспристрастный; объективный. ❷ действительный; вещественный; предметный; реальный. ❸ переходный; винительный; объектный.

gwrthryfel *g.* **gwrthryfeloedd** *ll.* бунт; восстание; мятеж.

gwrthryfelwr *g.* **gwrthryfelwyr** *ll.* бунтовщик; мятежник; повстанец.

gwrthsefyll *be.* выдержать; препятствовать; противиться; противостоять; сопротивляться.

gwrthsur *g.* **gwrthsurion** *ll.* щёлочь.

gwrthsuraidd *ans.* щелочной.

gwrthwyneb[1] *ans.* обратный; противный; противоположный.

gwrthwyneb[2] *g.* ❶ противоположность. ❷ сопротивление. ❸ отвращение. ❹ реверс.

gwrthwynebiad *g.* **gwrthwynebiadau** *ll.* ❶ протест; неодобрение; возражение. ❷ отвращение; антипатия.

gwrthwynebu *be.* препятствовать; противиться; противопоставлять; противостоять; сопротивляться.

gwrthwynebwr *g.* **gwrthwynebwyr** *ll.* антагонист; враг; оппонент; противник; соперник.

gwrthwynebydd *g.* **gwrthwynebwyr** *ll.* антагонист; враг; оппонент; противник; соперник.

gwrych *g.* **gwrychoedd** *ll.* ❶ ограда; изгородь. ❷ пена.

gwrychyn *g.* **gwrych** *ll.* ❶ щетина. ❷ веточка; сучок. ❸ щупальце; усик.

gwryd *g.* сажень.

gwrysgen *b.* **gwrysg** *ll.* ветка; ствол; стебель; черенок. **y wrysgen lwyd** полынь.

gwryw[1] *ans.* мужской.

gwryw[2] *g.* **gwrywod** *ll.* мужчина; самец.

gwthio *be.* ткнуть; толкнуть; толкать; тыкать; пихать; проталкивать; запускать; запустить.

gwybedyn *g.* **gwybed** *ll.* комар.

gwybod[1] *g.* **gwybodau** *ll.* знание.

gwybod[2] *be.* знать; ведать.

gwybodaeth *b.* **gwybodaethau** *ll.* ❶ знание. ❷ информация; сведение.

gwych *ans.* **gwech** *ж.* отличный; блестящий; великолепный; превосходный; прекрасный; мировой.

gwydnwch *g.* прочность; упорство.

gwydr *g.* **gwydrau** *ll.* ❶ стекло. ❷ рюмка; стакан; бокал. ❸ зеркало. ❹ бинокль; микроскоп; очки; телескоп.

gwydraid *g.* **gwydreidiau** *ll.* рюмка (*как мера объема*); бокал (*как мера объема*); стакан (*как мера объема*).

gwydryn *g.* **gwydrau** *ll.* ❶ зеркало. ❷ рюмка; бокал; стакан. ❸ линза.

gwŷdd *g.* **gwehyddion** *ll.*, **gwyddion** *ll.* ❶ плуг. ❷ ткацкий станок.

gŵydd[1] *ans.* буйный; дикий; необитаемый; необузданный.

gŵydd[2] *b.* **gwyddau** *ll.* ❶ гусь; гусыня. ❷ простофиля; простак; простушка.

gŵydd[3] *g.* ❶ присутствие; наличие. ❷ вид. ❸ могила.

gwyddbwyll *b.* шахматы.

Gwyddel *g.* **Gwyddelod** *ll.*, **Gwyddyl** *ll.* ирландец.

Gwyddeleg *b.* ирландский (*язык*).

Gwyddeles *b.* **Gwyddelesau** *ll.* ирландка.

Gwyddelig *ans.* ирландский.

gwydden *b.* **gwŷdd** *ll.* мачта; копьё; стебель; ствол; дерево; древо.

gwyddfa *b.* курган.

gwyddfid *g.* жимолость.

gwyddfod *g.* наличие; присутствие.

gwyddon *g.* **gwyddoniaid** *ll.* друид; мудрец; философ; учёный.

gwyddoniadur *g.* **gwyddoniaduron** *ll.* энциклопедия.

gwyddoniaeth *b.* знание; наука.

gwyddonol *ans.* научный.

gwyddonydd *g.* **gwyddonyddion** *ll.* учёный.

gwyddor *b.* **gwyddorau** *ll.*, **gwyddorion** *ll.* ❶ алфавит; азбука. ❷ начатки. ❸ наука.

gwyddwalch *gb.* **gwyddwalchau** *ll.* тетеревятник (*птица*).

gwyfyn *g.* **gwyfod** *ll.*, **gwyfynod** *ll.* ❶ моль. ❷ мотылёк. ❸ долгоносик. ❹ клещ.

gwyngalch *g.* побелка.

gwyngalchu *be.* белить.

gŵyl[1] *ans.* застенчивый; робкий; скромный.

gŵyl[2] *g.* **gwyliau** *ll.* праздник; отпуск; выходной; празднество; фестиваль; каникулы.

gwylan *b.* **gwylanod** *ll.* чайка.

gwylio *be.* ❶ наблюдать; смотреть. ❷ опасаться; остерегаться; беречься. ❸ следить; караулить; заботиться; охранять; сторожить; дежурить.

gwyliwr *g.* **gwylwyr** *ll.* обозреватель; зритель; надсмотрщик; наблюдатель; сторож; караульный; страж; часовой.

gwyll *g.* **gwyllion** *ll.* сумерки; мрак; темнота.

gwyllt[1] *g.* **gwylltoedd** *ll.* дебри; пустыня.
gwyllt[2] *ans.* **gwylltion** *ll.* ❶ пугливый; дикорастущий; дикий. ❷ варварский; первобытный. ❸ безрассудный; рассерженный; безумный; сумасшедший; раздражённый; помешанный; сумасбродный; неистовый; бешеный; буйный; свирепый; исступлённый; необузданный. ❹ необитаемый. ❺ жестокий. ❻ штормовой; бурный. ❼ быстрый.
gwylltio *be.* бесить; пугать.
gwylltu *be.* ❶ злить; бесить. ❷ дичать; взбеситься; вспылить. ❸ пугать. ❹ пугаться.
gwymp *ans.* **gwemp** *ж.* блестящий; изящный; красивый; превосходный; прекрасный.
gwyn[1] *ans.* **gwen** *ж.*, **gwynion** *ll.* ❶ белый. ❷ блаженный.
gwyn[2] *g.* **gwynion** *ll.* белок.
gwŷn *g.* **gwyniau** *ll.* боль; вожделение; горе; печаль; похоть; страсть.
gwynfydedig *ans.* блаженный; весёлый; довольный; счастливый.
gwyniad *g.* **gwyniaid** *ll.* ❶ мерланг (*рыба*). ❷ отбеливание.
gwynt *g.* **gwyntoedd** *ll.* ❶ ветер; ветерок. ❷ дуновение; дыхание. ❸ запах.
gwyntog *ans.* ветреный.
gŵyr *ans.* изогнутый; косой; кривой; наклонный; непрямой; покатый; сгорбленный; согбенный.
gwyrdd[1] *ans.* **gwerdd** *ж.*, **gwyrddion** *ll.* зелёный.
gwyrdd[2] *g.* зелень.
gwyro *be.* наклонять; сгибать; скашивать; сутулить; гнуть; изгибать; клониться; нагибать; заносить; занести.
gwyrth *b.* **gwyrthiau** *ll.* ❶ чудо. ❷ сила. ❸ достоинство.
gwyryf *b.* **gwyryfon** *ll.* дева; девственница.
gwyryfdod *g.* невинность.
gwŷs *b.* **gwysion** *ll.* ❶ повестка; вызов. ❷ свиноматка; свинья.
gwysio *be.* вызывать; призывать; собирать; созывать.
gwystl *g.* **gwystlon** *ll.* заклад; залог; заложник; поручительство; ставка.
gwythïen *b.* **gwythi** *ll.*, **gwythiennau** *ll.* ❶ артерия; жилка; жила; вена; сосуд (*кровеносный*). ❷ сухожилие; мышца. ❸ прожилка. ❹ канал. ❺ склонность; настроение. ❻ происхождение; родовитость.
gwywo *be.* блекнуть; выгорать; вянуть; иссушать; линять; обесцвечивать; ослабевать; сохнуть; увядать.
gyda *ardd.* у; с. **mae dau o blant 'da nhw** у них двое детей. **oes car 'da chi?** у Вас есть машина? **es i gyda ffrind** я пошёл с другом. **fe ddaw'n amlwg gydag amser** это станет ясно со временем. **gyda'i gilydd** друг с другом.
gyferbyn *ardd.* напротив; против.
gylfin *g.* **gylfinau** *ll.*, **gylfinod** *ll.* клюв; рыло; нос (*острый*); рот; губа.
gylfinir *g.* кроншнеп.
gynnau *adf.* только что.
gynt *adf.* ранее; прежде; раньше.
gyr[1] *ans.* кованый.
gyr[2] *g.* **gyrroedd** *ll.* гурт; стадо.
gyrfa *b.* **gyrfaoedd** *ll.*, **gyrfeydd** *ll.* ❶ течение; ход. ❷ гонка; гонки; скачки. ❸ карьер. ❹ карьера. ❺ стадо.
gyrru *be.* ❶ гнать; править; вести; управлять; довести; загнать; гонять; выгнать; пригонять; перегонять. ❷ преследовать. ❸ отправить; посылать; передавать; отсылать; насылать; отправлять; ниспосылать. ❹ причинять; вызывать. ❺ выковывать; ковать.
gyrrwr *g.* **gyrrwyr** *ll.* гуртовщик; коногон; кучер; шофер; водитель.

H

had *g.* **hadau** *ll.* семя.
haearn *g.* **haearnau** *ll.*, **heyrn** *ll.* ❶ железо. ❷ утюг.
haeddiant *g.* **haeddiannau** *ll.* заслуга.
haeddu *be.* заслуживать; заслужить.
hael *ans.* великодушный; щедрый.
haelioni *g.* щедрость.
haen *b.* **haenau** *ll.*, **haenen** *bach.* пласт; слой.
haerllug *ans.* настойчивый; бесстыдный; дерзкий; наглый; нахальный; смелый.
haeru *be.* ❶ заявлять; отстаивать; уверять; настаивать; утверждать; защищать; подтверждать; доказывать; гарантировать. ❷ укорять; упрекать. ❸ насмехаться. ❹ вменять; приписывать. ❺ обвинять. ❻ возражать.
haf *g.* **hafau** *ll.* лето.
hafaidd *ans.* летний.
hafal *ans.* одинаковый; подобный; похожий; равный.
hafan *b.* главная страница веб-сайта; гавань.
hafod *b.* **hafodydd** *ll.* дача; ферма.
hagen *cys.* ❶ однако; но. ❷ почти.
haid *b.* **heidiau** *ll.* банда; ватага; гурт; компания; куча; масса; орда; полчище; рой; стадо; стая; толпа; шайка.
haidd *g.* **heiddiau** *ll.* ячмень.
haint *gb.* **heintiau** *ll.* мор; поветрие; чума; эпидемия.
halen *g.* соль.
hallt *ans.* **heilltion** *ll.* ❶ пикантный; солоноватый; солёный. ❷ резкий; суровый; горький; едкий; жгучий.
halltu *be.* ❶ солить. ❷ бранить; упрекать.
hambwrdd *g.* **hambyrddau** *ll.* поднос.
hamdden *b.* досуг; передышка; свободное время.
hamddenol *ans.* медленный; неторопливый; осмотрительный.
hances *b.* **hancesau** *ll.* носовой платок.
hanes *g.* **hanesion** *ll.* ❶ история. ❷ секрет.
hanesydd *g.* **haneswyr** *ll.* историк.
hanesyddol *ans.* исторический.
hanfod[1] *be.* спуститься; исходить; опускаться; опуститься; происходить; спускаться; сходить.
hanfod[2] *g.* сущность.
hanfodol *ans.* необходимый; неотъемлемый; существенный.
haniaethol *ans.* абстрактный; отвлечённый.
hanner[1] *ans.* половинный.
hanner[2] *g.* **hanerau** *ll.* половина.
hanu *be.* исходить; происходить.
hapus *ans.* удачный; счастливый.
hardd *ans.* **heirdd** *ll.*, **heirddion** *ll.* красивый; прекрасный.
harddwch *g.* красота.
harneisio *be.* ❶ запрячь; впрягать; запрягать. ❷ одевать; вооружать. ❸ использовать.
hau *be.* засевать; разбрасывать; распространять; рассеивать; сеять.
haul *g.* **heuliau** *ll.* солнце.
hawdd *ans.* **haws** *cmhr.*, **hawsaf** *eith.*, **hawsed** *cfrt.* простой; лёгкий; нетрудный.
hawddgar *ans.* любезный; миловидный; хорошенький.
hawl *b.* **hawliau** *ll.*, **holion** *ll.* ❶ требование; притязание; претензия; иск. ❷ утверждение; заявление. ❸ право; привилегия.
hawlfraint *b.* **hawlfreintiau** *ll.* авторское право.
hawlio *be.* заявить; заявлять; претендовать; спрашивать; требовать; утверждать.
heb *ardd.* без.
heblaw *ardd.* помимо; исключая; кроме.
hebog *g.* **hebogau** *ll.* сокол; ястреб.
Hebraeg *b.* иврит.
hebrwng *be.* ❶ передавать; сопутствовать; проводить; переправлять; сопровождать; транспортировать; перевозить; конвоировать; вести; посылать; отправлять; провожать; эскортировать. ❷ утверждать; подтверждать; показывать; настаивать.
hedfa *b.* **hedfeydd** *ll.* перелёт; полёт.
hedfan *be.* лететь; летать; вылететь; прилететь; улететь; полететь.
hedydd *g.* **hedyddion** *ll.* жаворонок.
hedyn *g.* **hadau** *ll.* зародыш; зёрнышко; семечко; семя.
hedd *g.* мир; покой; спокойствие; тишина.
heddiw *adf.* сегодня.
heddlu *g.* **heddluoedd** *ll.* полиция; милиция.
heddwas *g.* **heddweision** *ll.* полицейский; милиционер; полисмен.
heddwch *g.* мир; покой; спокойствие; тишина.
heddychlon *ans.* мирный; миролюбивый; спокойный.
heddychwr *g.* **heddychwyr** *ll.* ❶ миротворец; примиритель. ❷ пацифист.
hefyd *adf.* также; тоже.

heffer *b.* **heffrod** *ll.* нетель; тёлка.
hegl *b.* **heglau** *ll.* нога.
heglog *ans.* длинноногий.
heglu *be.* ❶ шагать. ❷ делать ноги. ❸ протянуть ноги.
heibio *adf.* рядом; мимо.
heini *ans.* спортивный; сильный; деятельный; живой; ловкий; оживлённый; подвижный; проворный; энергичный; активный. **cadw'n heini** поддерживать хорошую физическую форму.
heintus *ans.* заразительный; заразный; инфекционный.
hel *be.* ❶ охотиться. ❷ гнаться; гнать; преследовать. ❸ прогонять; посылать. ❹ накоплять; собирать. ❺ собираться; скопляться. ❻ тратить. ❼ бранить.
hela *be.* ❶ охотиться. ❷ гонять; травить; преследовать; гнать. ❸ посылать. ❹ собирать.
helaeth *ans.* богатый; достаточный; обильный; обширный; просторный; пространный; экстенсивный.
helbul *g.* **helbulon** *ll.* беда; усилие; беспокойство; волнение; затруднение; помеха; тревога; хлопоты.
helfa *b.* **helfâu** *ll.*, **helfeydd** *ll.* ❶ охота; ловля; лов. ❷ дичь. ❸ улов; добыча. ❹ район охоты. ❺ свора. ❻ сбор (*денег*).
helgi *g.* **helgwn** *ll.* борзая; гончая; собака (*охотничья*).
helgorn *g.* **helgyrn** *ll.* горн.
heli *g.* рассол.
heliwr *g.* **helwyr** *ll.* охотник; егерь.
helm *b.* **helmau** *ll.*, **helmydd** *ll.* шлем; каска.
helwriaeth *b.* **helwriaethau** *ll.* ❶ погоня; преследование; травля; охота. ❷ дичь.
helygen *b.* **helyg** *ll.* ива.
helynt *b.* **helyntion** *ll.* беда; беспокойство волнение; помеха; тревога; усилие; хлопоты; затруднение.
hen *ans.* **hŷn** *cmhr.* старый; древний; давний; античный.
henaint *g.* старина; старость.
hendaid *g.* **hendeidiau** *ll.* прадедушка; прадед.
henfam *b.* **henfamau** *ll.* бабушка.
heno *adf.* этим вечером.
henoed *g.* **henoedi** *ll.* ❶ старость. ❷ старик.
henwr *g.* **henwyr** *ll.* старик; старикашка; старикан; старичок.
henwraidd *ans.* стариковский; старковатый; стариков.
heol *b.* **heolydd** *ll.* ❶ дорога. ❷ улица.
hepgor[1] *g.* **hepgorion** *ll.* то, без чего можно обойтись.
hepgor[2] *be.* обойтись; беречь; воздерживаться; обходиться; экономить.
hepian *be.* дремать; спать.
her *b.* **heriau** *ll.* вызов.
herfeiddiol *ans.* бесстрашный; вызывающий; дерзкий; отважный; смелый.
herio *be.* вызвать; отрицать; вызывать; подзадоривать.
herw *b.* набег; рейд.
herwfilwr *g.* **herwfilwyr** *ll.* партизан.
herwgipio *be.* похищать; угонять.
herwydd *ardd.* причина. **o'i herwydd** из-за него.
hesbwrn *g.* **hesbyrniaid** *ll.* ягнёнок (*годовалый*).
heulog *ans.* солнечный.
heulwen *b.* солнечный свет.
heyrn *ll.* кандалы; оковы.
hi *rh.* она. **mae hi'n darllen** она читает. **mae ei thad yn ei gweld hi** её отец видит её. **fe'i garaf** я её люблю.
hidl[1] *ans.* проливной.
hidl[2] *b.* **hidlau** *ll.* дуршлаг; решето; сито; фильтр.
hil *b.* семя; народ; племя; порода; потомство; раса; род.
hiliaeth *b.* расизм.
hilio *be.* вывести; вскармливать; выводить; порождать; разводить; размножаться.
hiliol *ans.* расистский; расовый.
hinsawdd *b.* **hinsoddau** *ll.* климат.
hir *ans.* **cyhyd** *cfrt.*, **hirion** *ll.*, **hwy** *cmhr.*, **hwyaf** *eith.* длительный; долгий; продолговатый; длинный.
hiraeth *g.* ностальгия; тоска.
hiraethu *be.* ❶ томиться; тосковать; скучать. ❷ горевать; печалиться; скорбеть.
hirbarhaol *ans.* хронический; продолжительный.
hirddydd *g.* **hirddyddiau** *ll.* долгий день (*долгий световой день летом*).
hirnod *g.* **hirnodau** *ll.* циркумфлекс.
hithau *rh.* она. **Cer i ofyn i hithau!** Пойди и её спроси!
hobyd *g.* **hobydion** *ll.* (*Средиземье*) хоббит.
hoeden *b.* **hoedennau** *ll.*, **hoedennod** *ll.* девчонка; девка; шлюшка; кокетка.
hoel *b.* **hoelion** *ll.* гвоздь.
hoelio *be.* пригвоздить; пригвождать; набить; прибивать.
hofran *be.* ❶ парить; нависать. ❷ колебаться; мешкать.
hofrennydd *g.* **hofrenyddion** *ll.* вертолёт.
hoff *ans.* ❶ излюбленный; любимый. ❷ любящий.
hoffi *be.* полюбить; желать; хотеть; любить. **dw i'n hoffi coffi** я люблю кофе.

hoffter *g.* **hoffterau** *ll.* восторг; восхищение; любовь; наслаждение; удовольствие.
hoffus *ans.* любезный; любящий; милый; привлекательный.
hoffwr *g* **hoffwyr** *ll* любитель
hogi *be.* возбуждать; заострять; обострять; править; разжигать; раззадорить; точить.
hogwr *g.* **hogwyr** *ll.* точильщик.
hogyn *g.* **hogiau** *ll.* парень.
hongian *be.* вешать; висеть; качаться; навешивать; подвешивать; развешивать; повисать; повиснуть.
holi *be.* **hawl** *grch.2.un.*, **hawl** *pres.3.un.* расспрашивать; вопрошать; допрашивать; запросить; опрашивать; попросить; осведомляться; спрашивать.
holiad *g.* **holiadau** *ll.* ❶ вопрос. ❷ запрос; опрос; расследование; экзамен; допрос. ❸ вопросительный знак.
holiadur *g.* **holiaduron** *ll.* вопросник.
holwyddoreg *b.* **holwyddoregau** *ll.* катехизис.
holl *ans.* **hyllion** *ll.* целый; весь.
hollalluog *ans.* всемогущий.
hollddoeth *ans.* премудрый.
hollfyd *g.* ❶ вселенная. ❷ человечество.
hollgyfoethog *ans.* всемогущий.
hollol *ans.* полностью; вполне; всецело; совсем.
hollt *gb.* **holltau** *ll.* раскол; расселина; расщелина; трещина; щель; щепка.
hollti *be.* разбивать; разрезать; раскалывать; расщеплять.
honiad *g.* **honiadau** *ll.* предположение; утверждение.
honni *be.* выдать; выдавать; заявить; доказывать; защищать; заявлять; изображать; отстаивать; прикидываться; притворяться; утверждать.
hosan *b.* **hosanau** *ll.* чулок; носок.
hoyw *ans.* **hoywon** *ll.* ❶ радостный; оживлённый; живой; весёлый. ❷ гомосексуальный; голубой.
hual *g.* **hualau** *ll.* кандалы; оковы; путы; узы.
huawdl *ans.* беглый; выразительный; красноречивый.
hud *g.* **hudion** *ll.* иллюзия; магия; очарование; чары; волшебство; колдовство.
hudlath *b.* **hudlathau** *ll.* волшебная палочка.
hudol[1] *ans.* ❶ обворожительный; очаровательный. ❷ магический; волшебный; колдовской. ❸ обманчивый.
hudol[2] *g.* **hudolion** *ll.* волшебник; чародей.
hufen *g.* сливки. **hufen iâ** мороженое.
hugan *b.* **huganau** *ll.* ❶ халат; мантия; плащ. ❷ маска.
hun[1] *rh.* собственный; сам. **eich car eich hun ydy hwn?** это ваша собственная машина? **bydd rhaid trefnu'n hun yn well y tro nesa** нужно будет лучше организоваться в следующий раз.
hun[2] *b.* **hunau** *ll.* дремота; сон.
hunangofiant *g.* **hunangofiannau** *ll.* автобиография.
hunangynhaliol *ans.* самостоятельный.
hunan[1] *rh.* **hunain** *ll.* собственный; сам. **nghar 'n hunan yw hwn** это моя собственная машина. **mae ein gallu i dwyllo'n hunain yn anhygoel** у нас невероятная способность обманывать самих себя.
hunan[2] *rhgdd.* приставка со значением само-.
hunanddigonol *ans.* ❶ самодостаточный; самостоятельный. ❷ самоуверенный.
hunaniaeth *b.* **hunaniaethau** *ll.* ❶ тождественность; тождество; идентичность. ❷ индивидуальность; личность. ❸ эгоизм. ❹ самонадеянность; самомнение.
hunanladdiad *g.* **hunanladdiadau** *ll.* самоубийство.
hunllef *b.* **hunllefau** *ll.* кошмар.
huno *be.* ❶ спать. ❷ уснуть; заснуть; засыпать. ❸ усыплять.
hurio *be.* брать на работу; нанимать.
hurt *ans.* бестолковый; глупый; дурацкий; тупой.
hwb *g.* **hybiau** *ll.* ❶ нажим; напор; поддержка; поднятие; подъём; попытка; продвижение; толчок; усилие. ❷ ограничение.
hwch *b.* **hychod** *ll.* ❶ свиноматка; свинья. ❷ козёл.
hwde *be.* **hwdiwch** *grch.2.ll.*, **hwriwch** *grch.2.ll.* бери; на!.
hwn *rh.* **hon** *ж.*, **hyn** *e.*, **rhain** *ll.* этот; сей.
hwnnw *rh.* **honno** *ж.*, **hynny** *e.*, **rheina** *ll.*, **rheini** *ll.*, **rheiny** *ll.* тот.
hwnt *adf.* вдали; прочь.
hwrdd[1] *g.* **hyrddiau** *ll.* импульс; порыв; толчок; удар; очередь (mil.).
hwrdd[2] *g.* **hyrddod** *ll.* ❶ баран; овен. ❷ таран.
hwre! *be.* ❶ послушай(те)! ❷ на!; бери(те)!
hwy *rh.* они.
hwyad *b.* **hwyaid** *ll.* утка.
hwyaden *b.* **hwyaid** *ll.* утка.
hwyl *b.* **hwyliau** *ll.* ❶ парус. ❷ путешествие; плавание. ❸ нападение. ❹ нрав. ❺ настроение. ❻ забава; юмор. **pob hwyl!** чао! пока!
hwylio *be.* ❶ плавать. ❷ управлять; направлять. ❸ нападать. ❹ шествовать.

❺ настраивать. ❻ подготавливать; готовить.
hwyliog *ans.* ❶ живой; остроумный; весёлый; красноречивый. ❷ парусный. ❸ бодливый.
hwylus *ans.* лёгкий; непринужденный; нетрудный; подходящий; спокойный; комфортабельный; уютный; удобный.
hwyluso *be.* облегчать; продвигать; содействовать; способствовать.
hwynt *rh.* они.
hwynt-hwy *rh.* они.
hwyr[1] *ans.* запоздалый; поздний. **gwell hwyr na hwyrach** лучше поздно, чем никогда.
hwyr[2] *g.* вечер.
hwyrach *adf.* может быть; возможно.
hwyrol *ans.* вечерний.
hwythau *rh.* они в значении: и они тоже. **cafodd y merched fraw, ac nid oedd y bechgyn hwythau'n gyfforddus iawn** девочки испугались, но и мальчикам тоже было не по себе.
hy *ans.* храбрый; бесстыдный; дерзкий; наглый; самоуверенный; смелый.
hybarch *ans.* маститый; почтенный; преподобный.
hyblyg *ans.* гибкий; податливый; уступчивый; эластичный.
hybu *be.* ❶ улучшаться; выздоравливать. ❷ способствовать; продвигать; помогать. ❸ сопротивляться; мешать; ограничивать.
hyd[1] *g.* **hydau** *ll.*, **hydion** *ll.*, **hydoedd** *ll.* продолжительность; протяжение; длина. **o hyd** все ещё.
hyd[2] *ardd.* до. **hyd yn oed** даже. **hyd yn hyn** до сих пор.
hyder *g.* вера; доверие; кредит; надежда; самонадеянность; самоуверенность; убеждённость; уверенность.
hyderus *ans.* ❶ уверенный; самоуверенный; самонадеянный. ❷ неустрашимый; мужественный; смелый; храбрый.
hydred *g.* **hydredion** *ll.* долгота.
hydref *g.* **hydrefau** *ll.* осень.
Hydref *g.* октябрь.
hydrefol *ans.* осенний.
hydd *g.* **hyddod** *ll.* олень-самец (*старше пяти лет*).
hyddysg *ans.* ❶ учёный; эрудированный. ❷ понятливый. ❸ удобопонятный.
hyfdra *g.* наглость; самонадеянность; самоуверенность; смелость; убеждённость; уверенность.
hyfryd *ans.* восхитительный; очаровательный; симпатичный; славный; милый; приятный; хороший.
hyfrydu *be.* услаждать; восхищать; наслаждаться; доставлять наслаждение.
hyfforddi *be.* воспитывать; готовить; дрессировать; инструктировать; наводить; направлять; нацеливать; обучать; объезжать; руководить; тренировать; управлять; учить.
hyfforddiadol *ans.* тренировочный; учебный.
hyfforddiant *g.* **hyfforddiannau** *ll.* воспитание; дрессировка; инструктаж; обучение; тренировка.
hyfforddwr *g.* **hyfforddwyr** *ll.* ❶ советчик; руководитель; проводник; преподаватель; инструктор; гид; учитель. ❷ учебник; руководство; путеводитель.
hyglyw *ans.* внятный; слышимый; слышный.
hygyrchedd *g.* **hygyrcheddau** *ll.* ❶ доступность. ❷ сборище; толпа.
hyhi *rh.* она.
hylif[1] *ans.* ликвидный; жидкий; текучий.
hylif[2] *g.* **hylifau** *ll.* жидкость.
hylifrwydd *g.* ликвидность.
hyll *ans.* **hell** *ж.*, **hyllion** *ll.* безобразный; вздорный; неприятный; опасный; отвратительный; отталкивающий; противный; скверный; склочный; страшный; угрожающий; ужасный; уродливый; некрасивый.
hyn *rh.* тот.
hynafiad *g.* **hynafiaid** *ll.* сенатор; старейшина; прародитель; предок.
hynafol *ans.* архаический; древний; старинный; старый; устарелый.
hynaws *ans.* вежливый; добродушный; добрый; любезный; мягкий; податливый; послушный; приветливый; радушный; сердечный.
hynod *ans.* **hynodion** *ll.* удивительный; выдающийся; достопримечательный; заметный; замечательный; значительный.
hynt *b.* **hyntiau** *ll.*, **hyntoedd** *ll.* ❶ путь. ❷ ход; течение. **holi hynt rhywun** интересоваться ходом чьей-либо жизни. **hynt a helynt** судьба.
hyrddio *be.* ❶ толкать. ❷ бросать; метать; швырять. ❸ бить. ❹ нападать. ❺ побуждать; принуждать.
hyrwyddo *be.* выдвигать; облегчать; поддерживать; помогать; поощрять; продвигать; содействовать; способствовать; стимулировать.
hysbio *be.* стать бесплодным, перестать давать молоко (*о корове*).
hysbys *ans.* ❶ известный. ❷ очевидный; явный; ясный. ❸ знающий; осведомлённый.

hysbyseb *b.* **hysbysebion** *ll.* объявление; реклама.

hysbysebu *be.* рекламировать; извещать; объявлять.

hysbysebwr *g.* **hysbysebwyr** *ll.* рекламист; рекламодатель.

hysbysiad *g.* **hysbysiadau** *ll.* анонс; извещение; объявление; реклама; сообщение; уведомление.

hysbyslen *b.* **hysbyslenni** *ll.* плакат; программка; афиша.

hysbysrwydd *g.* оповещение; объявление; знание; информация.

hysbysu *be.* доложить; объявить; докладывать; доносить; заявлять; знакомить; извещать; информировать; объявлять; публиковать; рекламировать; сообщать; уведомлять; донести.

hysbyswr *g.* **hysbyswyr** *ll.* доносчик; информант; осведомитель; рекламист.

hytrach *adf.* вернее; скорее. **mi ddylen ni anelu at gyfaddawdu yn hytrach na gwrthdaro** нам следует стремиться к компромиссу, а не к столкновению.

hytrawst *g.* **hytrawstiau** *ll.* ферма.

hywyn *ans.* белый (*очень*).

I

i[1] *rh.* я. **dw i'n darllen** я читаю. **mae fy nhad yn fy ngweld i** мой отец видит меня. **a adnabuasit fi, pe'm gwelsit?** ты узнал бы меня, если бы увидел меня?
i[2] *ardd.* **ichi** *2.ll.*, **ichwi** *2.ll.*, **iddi** *3.un.b.*, **iddo** *3.un.g.*, **iddyn** *3.ll*, **iddynt** *3.ll*, **imi** *1.un.*, **inni** *1.ll.*, **iti** *2.un.* ❶ к; в; внутрь. ❷ ради; для. ❸ чтобы; что. **mae gen i anrheg fach i ti** у меня для тебя маленький подарок. **dw i'n siwr i mi ei chlywed hi'n canu** я уверен, что слышал, как она пела. **ydych chi'n gwadu iddyn nhw alw arnoch chi neithiwr, te?** так вы отрицаете, что они заходили к вам вчера вечером?
iâ *g.* лёд. **hufen iâ** мороженое.
iach *ans.* здравый; здоровый.
iachâd *g.* исцеление; излечение; лечение.
iachaol *ans.* ❶ целебный; спасительный; лечебный. ❷ спасенный; вылеченный. ❸ поддающийся лечению.
iacháu *be.* избавлять; излечивать; исцелять; спасать.
iachawdwr *g.* **iachawdwyr** *ll.* избавитель; спаситель.
iachawdwriaeth *b.* спасение.
iachawr *g.* **iachawyr** *ll.* исцелитель; целитель.
iachol *ans.* спасительный; полезный; здравый; здоровый.
iachus *ans.* благотворный; здоровый; здравый; полезный; целебный.
iachusol *ans.* благотворный; здоровый; здравый; полезный; целебный.
iachusrwydd *g.* здоровье.
iad *b.* **iadau** *ll.* родничок; голова; макушка.
iaen *b.* **iaennau** *ll.* кусок льда; ледник.
iaennol *ans.* льдистый; ледяной.
iangaidd *ans.* молодёжный; юный; юношеский; молодой.
iangwr *g.* **iangwyr** *ll.* ❶ отрок; юноша; юнец. ❷ паж; оруженосец; слуга. ❸ простолюдин. ❹ мужик; деревенщина. ❺ крепостной.
iaith *b.* **ieithoedd** *ll.* язык.
iâr *b.* **ieir** *ll.* курица.
iarll *g.* **ieirll** *ll.* ярл; граф.
iarllaeth *b.* **iarllaethau** *ll.* графство.
iarlles *b.* **iarllesau** *ll.* графиня.
ias *b.* **iasau** *ll.* ❶ кипение; кипячение. ❷ теплота. ❸ возбуждение. ❹ дрожь; трепет. ❺ пайка; сварка. ❻ холод. ❼ припадок; приступ.
iasoer *ans.* холодный.
iasol *ans.* ❶ очень холодный. ❷ бросающий в дрожь.
iasu *be.* ❶ кипеть (*на медленном огне*); кипятить. ❷ сваривать; варить. ❸ нагревать. ❹ бросать в дрожь; шокировать.
iau[1] *g.* **ieuau** *ll.* печёнка; печень.
iau[2] *b.* **ieuau** *ll.*, **ieuoedd** *ll.* ❶ хомут; ярмо. ❷ коромысло. ❸ иго.
Iau *g.* Юпитер. **dydd Iau** четверг.
iawn[1] *ans.* надлежащий; подходящий; верный; здоровый; исправный; правильный; правый; справедливый.
iawn[2] *adf.* весьма; очень.
iawn[3] *g.* правильность.
iawndal *g.* возмещение; компенсация.
iawnder *g.* **iawnderau** *ll.* беспристрастность; правильность; право; справедливость.
iawndyllwr *g.* **iawndyllwyr** *ll.* инструмент для расширения скважин.
iawndda *ans.* ❶ отличный. ❷ удовлетворительный.
iawnffydd *b.* **iawnffyddion** *ll.* истинная вера; православие.
iawnffyddiog *ans.* правоверный; православный.
iawnongl *b.* **iawnonglau** *ll.* прямой угол.
iawnonglog *ans.* прямоугольный.
iawnol *ans.* ❶ искупительный. ❷ правовой.
Iddew *g.* **Iddewon** *ll.* еврей; иудей; жид (*оскорб.*).
Iddewaidd *ans.* еврейский; иудейский; жидовский (*оскорб.*).
Iddewes *b.* **Iddewesau** *ll.* еврейка; иудейка; жидовка (*оскорб.*).
Iddewig *ans.* еврейский.
iddwf *g.* ❶ рожа (*мед.*). ❷ проказа (*мед.*). ❸ фистула.
ie *gn.* да (*при ответе на эмфатический вопрос*); ага; так.
iechyd *g.* здоровье. **iechyd da!** доброго здоровья! (*тост*).
iechydfa *b.* **iechydfeydd** *ll.* санаторий.
iechydiaeth *b.* гигиена; санитария.
iechydol *ans.* гигиенический; здоровый; санитарный.
iechydwriaeth *b.* спасение.
ieitheg *b.* грамматика; лингвистика; филология.
ieithegol *ans.* грамматический; лингвистический; филологический.
ieithegydd *g.* **ieithegwyr** *ll.*, **ieithegyddion** *ll.* филолог; языковед.
ieithol *ans.* лингвистический.

ieithwedd *b.* **ieithweddau** *ll.*, **ieithwedd-ion** *ll.* ❶ идиома. ❷ диалект.
ieithydd *g.* **ieithyddion** *ll.* лингвист; языковед.
ieithyddiaeth *b.* лингвистика; филология; языковедение; языкознание.
ieithyddol *ans.* лингвистический; филологический; языковедческий.
iet *b.* **ietau** *ll.*, **ietiau** *ll.* ворота; калитка.
ieuaf *ans.* младший.
ieuanc *ans.* **ieuainc** *ll.* ❶ юный; молодой. ❷ юношеский. ❸ недавний. ❹ неопытный. ❺ незамужний; неженатый; холостой.
ieuengaidd *ans.* юношеский; моложавый; молодой.
ieuenctid *g.* ❶ молодость; юность. ❷ молодёжь.
ieuo *be.* ❶ впрягать в ярмо. ❷ соединять; сочетать. ❸ соединяться.
ieuol *ans.* ❶ впряженный в ярмо. ❷ относящийся к ярму.
ifanc *ans.* **iau** *cmhr.*, **ifainc** *ll.* ❶ молодой; юный; молоденький. ❷ юношеский. ❸ недавний. ❹ неопытный. ❺ незамужний; холостой; неженатый.
ifancaidd *ans.* моложавый; юношеский; молодой.
ifori *g.* слоновая кость.
ig *g.* **igion** *ll.* икота.
igam-ogam *ans.* зигзагообразный.
igam-ogamu *be.* делать зигзаги.
igian *be.* икать.
igio *be.* икать.
ing *g.* **ingoedd** *ll.* агония; бедствие; боль; мука; мучение; несчастье; страдание.
ingol *ans.* мучительный.
ildio *be.* ❶ сдаваться; уступать; податься; сдавать; отступать. ❷ производить.
imp *g.* **impen** *bach.b.*, **impennod** *bach.b.ll.*, **impiau** *ll.*, **impoedd** *ll.*, **impyn** *bach.g.*, **impynnau** *bach.g.ll.* ❶ привой; почка; отросток; бутон; веточка; росток; побег; отпрыск. ❷ поросль. ❸ отпрыск; потомок. ❹ девушка. ❺ бесёнок.
impiad *g.* **impiadau** *ll.* ❶ прорастание. ❷ прививка. ❸ пересадка.
impio *be.* ❶ распускаться. ❷ отращивать. ❸ прививать. ❹ пересаживать.
impiwr *g.* **impwyr** *ll.* тот, кто прививает, сажает.
inc *g.* чернила.
incil *g.* ❶ лента; тесьма. ❷ рулетка; сантиметр.
innau *rh.* я.
iod *g.* йота.
Ionawr *g.* январь.
ionc *g.* **ionciau** *ll.* дуралей; дурак.
ioncyn *g.* **ioncynion** *ll.* дурачок.
iorwg *g.* плющ.
iota *g.* **iotâu** *ll.* йота.
ir *ans.* **irion** *ll.* зелёный; молодой; свежий; сырой; цветущий.
irad *ans.* горестный; горький; жестокий; мучительный; неприятный; несчастный; отчаянный; печальный; прискорбный; скорбный; страшный; суровый; тяжёлый; ужасный.
irai *g.* заострённый прут или палка (*для понукания животных*).
iraid *g.* **ireidiau** *ll.* масло; мазь; смазка; жир.
iraidd *ans.* пышный; бодрый; буйный; мясистый; новенький; свежий; сочный; цветущий.
irder *g.* сочность; свежесть; зелень.
irdwf *g.* **irdwfau** *ll.* цветущий; пышный; буйный.
irddail *ll.* свежие зеленые листья.
iredd *g.* **ireddau** *ll.* ❶ гнев. ❷ сочность; свежесть.
ireidlyd *ans.* маслянистый; жирный.
ireidd-dra *g.* сочность; свежесть; живость.
ireiddio *be.* ❶ освежать; свежеть. ❷ поливать; увлажнять. ❸ полировать.
irgig *g.* **irgigau** *ll.* свежее мясо.
iriad *g.* **iriadau** *ll.* ❶ смазка. ❷ помазание.
irlanc *g.* **irlanciau** *ll.* юноша.
irlas *ans.* зелёный.
irlesni *g.* **irlesnieiau** *ll.* зелень.
irllawn *ans.* гневный; разгневанный; рассерженный; сердитый.
iro *be.* ❶ смазывать; намазывать; мазать. ❷ помазывать. ❸ замасливать; засаливать. ❹ растирать; натирать; тереть. ❺ бальзамировать.
irwellt *ll.* зеленая трава.
irwr *g.* **irwyr** *ll.* смазчик.
irwydd *ll.* зеленые деревья.
is *ardd.* ниже; под.
is-gadeirydd *g.* **is-gadeiryddion** *ll.* заместитель председателя.
is-ganghellor *g.* ❶ вице-канцлер. ❷ проректор.
is-gapten *g.* **is-gapteiniaid** *ll.*, **is-gapteniaid** *ll.* лейтенант.
is-gil *g.* **is-gilau** *ll.* ❶ под. ❷ за.
isadran *b.* **isadrannau** *ll.* подотдел.
isafbwynt *g.* **isafbwyntiau** *ll.* надир.
isafon *b.* **isafonydd** *ll.* приток.
isalaw *b.* **isalawon** *ll.* бас.
Isalmaen *e.* Голландия.
isarn *b.* **isarnau** *ll.* совна.
isathro *g.* **isathrawon** *ll.* помощник учителя.
isbridd *g.* **isbriddau** *ll.* подпочва.

isel *ans.* **is** *cmhr.*, **isaf** *eith.*, **ised** *cfrt.* ❶ невысокий; низкий. ❷ незначительный; небольшой. ❸ подавленный; слабый. **mae hi'n edrych braidd yn isel ei hysbryd** она выглядит довольно подавленной.

iselder *g.* **iselderau** *ll.* скромность; незначительность; униженность; унижение; депрессия.

Iseldiroedd *e.* Нидерланды.

iselfryd *ans.* скромный; низкий; униженный.

iselfrydedd *g.* покорность; скромность; смирение.

iselhau *be.* снижаться; уменьшаться; деградировать; опускать; понижать; разжаловать; снижать; спускать; убавлять; уменьшать; унижать; спустить.

iseliad *g.* **iseliadau** *ll.* деградация; депрессия; снижение; понижение; унижение.

iselradd *ans.* низкопробный; низкокачественный; низкосортный.

iselu *be.* оседать; уменьшаться; понижаться; снижаться; деградировать; опускать; понижать; снижать; спускать; убавлять; уменьшать; унижать.

iselwael *ans.* подлый; низкий.

iselwr *g.* **iselwyr** *ll.* простолюдин.

isgell *g.* **isgellion** *ll.* ❶ бульон. ❷ погреб.

isgeudod *g.* **isgeudodau** *ll.* таз.

isgilio *be.* ❶ отвергать; отбрасывать. ❷ недооценивать; пренебрегать. ❸ ехать с кем-либо на одной лошади.

isgynnyrch *g.* **isgynnyrchau** *ll.* побочный продукт.

isiarll *g.* **isieirll** *ll.* виконт.

isiarllaeth *b.* **isiarllaethau** *ll.* титул виконта.

islaw *ardd.* ниже; под.

islif *g.* **islifau** *ll.* подводное течение.

isod *adf.* внизу; ниже.

isop *g.* иссоп.

isradd[1] *ans.* подчинённый.

isradd[2] *g.* **israddau** *ll.*, **israddiaid** *ll.* ❶ подчинённый. ❷ корень (*мат.*).

israddol *ans.* низший; худший.

israddoldeb *g.* более низкое положение, достоинство, качество, количество.

iswasanaethgar *ans.* вспомогательный; услужливый; раболепный; подчинённый.

isweryd *g.* **iswerydau** *ll.* подпочва.

isymwybod *g.* **isymwybodau** *ll.* подсознание.

isymwybodol *ans.* подсознательный.

isymwybyddiaeth *b.* подсознание.

ithfaen *g.* гранит.

Iwerddon *e.* Ирландия.

Iwerydd *e.* атлантический.

iwrch *g.* **iyrchod** *ll.* косуля.

iyrchell *b.* **iyrchellion** *ll.* олениха.

iyrches *b.* **iyrchesod** *ll.* олениха.

J

jet *b.* **jetiau** *ll.* реактивный.

ji-binc *b.* **ji-bincod** *ll.* зяблик.

jiwbilî *b.* **jiwbiliau** *ll.* юбилей.

L

labordy *g.* **labordai** *ll.* лаборатория.
lamp *b.* **lampau** *ll.* фонарик; лампа.
lapio *be.* запахнуть; завёртывать; закутывать; обертывать; окутывать; свёртывать; сворачивать; складывать; завернуть; заворачивать.
larwm *g.* ❶ тревога. ❷ сирена. ❸ будильник.
lawr *g.* **loriau** *ll.* красная водоросль.
ledled *adf.* везде; повсюду.
lefel *b.* **lefelau** *ll.* уровень.
lifrai *g.* **lifreion** *ll.* ❶ форма; униформа; ливрея. ❷ рацион, порция еды, выдаваемая слугам или вассалам. ❸ формальная передача собственности другому лицу.
lifft *g.* **lifftiau** *ll.* лифт.
lincs *g.* **lincsod** *ll.* рысь.
lindys *g.* гусеница.
lodes *b.* **lodesi** *ll.* девица; девочка; девушка.
lol *b.* **loliaid** *ll.* ❶ болтовня. ❷ галиматья; вздор; ерунда; бессмыслица; чепуха. ❸ визг; кошачий концерт.
lolfa *b.* **lolfeydd** *ll.* гостиная (*особенно в отеле*); комната для отдыха с удобными креслами, диванами; салон.
lôn *b.* **lonydd** *ll.* тропинка; переулок.
loncian *be.* бегать трусцой.
lori *b.* **loriau** *ll.* грузовик; грузовой автомобиль.
losin *g.* сладости; конфеты.
lwcus *ans.* удачливый; счастливый; удачный.
lwfans *g.* ❶ допуск; допущение; разрешение; позволение. ❷ содержание; довольствие; паёк.

LL

llabyddio *be.* забить камнями (*до смерти*).
llac *ans.* небрежный; неплотный; неточный; расхлябанный; свободный.
llachar *ans.* блестящий; сверкающий; ясный; кричащий; яркий.
lladrata *be.* ❶ украсть; своровать; воровать; красть. ❷ грабить.
lladd *be.* **lladd** *grch.2.un.*, **lladd** *pres.3.un.* ❶ убить; губить; бить; уничтожать; убивать; перебивать; перебить; морить; задрать. ❷ гасить; заглушить. ❸ отрезать; срезать; разрезать; резать. ❹ косить; жать.
llaes *ans.* свободный; щелевой; длинный; долгий; продолговатый; просторный; распущенный; расхлябанный; удлинённый. **treiglad llaes** щелевая мутация.
llaeth *g.* **lleithion** *ll.* молоко. **llaeth enwyn** пахта.
llaethdy *g.* **llaethdai** *ll.* молочная.
llaethog *ans.* молочный; млечный.
llafar[1] *ans.* вокальный; гласный; голосовой; громкий; звучащий; звучный; устный; разговорный. **iaith lafar** разговорный язык.
llafar[2] *g.* высказывание; говор; диалект; дикция; звучание; произнесение; произношение; речь.
llafariad *b.* **llafariaid** *ll.* гласный.
llafn *g.* **llafnau** *ll.* ❶ лезвие; клинок. ❷ полотнище; лист. ❸ лопасть; лопатка. ❹ парень.
llafur *g.* **llafuriau** *ll.* урожай; работа; труд; усилие. **y blaid Lafur** лейбористская партия.
llafurio *be.* пахать; работать; трудиться.
llafurus *ans.* ❶ трудолюбивый; старательный; усердный. ❷ кропотливый; тщательный. ❸ тяжёлый; трудоёмкий; трудный; утомительный.
llaid *g.* **lleidiau** *ll.* ❶ грязь; ил; слякоть; тина. ❷ болото; трясина.
llain *b.* **lleiniau** *ll.* ❶ меч; копьё; лезвие; клинок. ❷ полоска; клочок; лоскут; участок.
llais *g.* **lleisiau** *ll.* голос.
llaith[1] *g.* гибель; смерть.
llaith[2] *ans.* **lleithion** *ll.* влажный; сырой.
llall *rh.* **lleill** *ll.* другой; остальной; прочий.
llam *g.* **llamau** *ll.* ❶ скачок; прыжок; отскок. ❷ случай; судьба.
llamhidydd *g.* **llamidyddion** *ll.* ❶ морская свинья. ❷ дельфин.
llamu *be.* скакать; подпрыгивать; прыгать.
llan *b.* **llannau** *ll.* погост; церковь; церковное подворье.
llanast *g.* **llanastau** *ll.* разруха; беспорядок; неразбериха; путаница.
llanastr *g.* **llanastrau** *ll.* разруха; неразбериха; путаница; беспорядок. **edrych ar y llanast 'ma** посмотри-ка на этот беспорядок!
llanc *g.* **llanciau** *ll.* паренёк; мальчик; юноша; парень.
llances *b.* **llancesau** *ll.*, **llancesi** *ll.* девчонка; девка; девочка; девушка.
llannerch *b.* **llanerchau** *ll.*, **llanerchi** *ll.*, **llanerchydd** *ll.*, **llennyrch** *ll.* место; поляна.
llanw[1] *be.* **llanw** *grch.2.un.*, **lleinw** *pres.3.un.* заполнить; занять; занимать; насыщать; удовлетворять; заполнять; наполнять.
llanw[2] *g.* ❶ струя; прилив; поток. ❷ наполнитель.
llariaidd *ans.* добрый; кроткий; ласковый; лёгкий; мягкий; нежный; послушный; смиренный; смирный; спокойный; тихий; умеренный.
llarpio *be.* кромсать; раздирать; разрывать; рвать; терзать.
llarwydden *b.* **llarwydd** *ll.* лиственница.
llaswyr *g.* **llaswyrau** *ll.* ❶ псалтырь. ❷ гусли. ❸ чётки.
llath *b.* **llathau** *ll.* палочка; прут; рей; ярд.
llathen *b.* **llathenni** *ll.* палочка; прут; рей; ярд.
llathr *ans.* блестящий; великолепный; гладкий; глянцевитый; лощёный; яркий; ясный.
llathrudd *g.* **llathruddion** *ll.* умыкание; изнасилование; соблазнение; похищение (*женщины*).
llathruddo *be.* насиловать; соблазнять; умыкать; похищать.
llaw[1] *b.* **dwylaw** *ll.*, **dwylo** *ll.* рука (*кисть*); кисть; длань.
llaw[2] *ans.* маленький.
llawdio *be.* хотеть спариваться (*о свинье*).
llawdr *g.* **llodrau** *ll.* портки; брюки; шаровары; штаны.
llawddryll *g.* **llawddrylliau** *ll.* пистолет.
llawen *ans.* рад; счастливый; радостный; весёлый.
llawenhau *be.* веселить; веселиться; радовать.

llawenychu *be.* веселить; обрадовать; обрадоваться; радоваться; веселиться; радовать.
llawenydd *g.* веселье; радость.
llawer *g.* **llaweroedd** *ll.* ❶ множество; много; немало; многие. ❷ гораздо; намного. **colli llawer** много потерять. **ers llawer dydd** (*прошло*) уже много дней.
llawes *b.* **llewys** *ll.* рукав.
llawesrwyd *b.* **llawesrwydau** *ll.*, **llawesrwydi** *ll.* невод.
llawfeddyg *g.* **llawfeddygon** *ll.* хирург.
llawfeddygaeth *b.* хирургия.
llawfeddygol *ans.* хирургический.
llaw-fer *b.* стенография.
llawfom *b.* **llawfomiau** *ll.* граната.
llawlyfr *g.* **llawlyfrau** *ll.* справочник.
llawn[1] *adf.* вполне; полностью.
llawn[2] *ans.* **llawnion** *ll.* полный; полный.
llawnodi *be.* подписывать.
llawnodiad *g.* **llawnodiadau** *ll.* подпись; сигнатура.
llawr *g.* **lloriau** *ll.* этаж; пол; гумно; дно; земля; ярус.
llawysgrif *b.* **llawysgrifau** *ll.* рукопись; кодекс.
llawysgrifen *b.* почерк.
lle *g.* **llefydd** *ll.*, **lleoedd** *ll.* место; пост. **cofiwch eu rhoi nhw'n ôl yn y lle iawn** не забудьте положить их на место. **lle mae'r lleill?** где остальные?
llecyn *g.* **llecynnau** *ll.* местечко.
llech *b.* **llechau** *ll.*, **llechi** *ll.* ❶ сланец; шифер. ❷ плита; пластина. ❸ таблица. ❹ валун; камень. ❺ укрытие. ❻ рахит; свинка. ❼ лига (*мера длины*).
llechen *b.* **llechennau** *ll.* ❶ сланец. ❷ планшет.
llechu *be.* скрыться; красться; прятаться; скрываться; спрятаться; таиться; укрыться.
llechwedd *b.* **llechweddau** *ll.*, **llechweddi** *ll.* ❶ скат; склон. ❷ висок; скула; щека.
lled[1] *adf.* довольно; отчасти; скорее.
lled[2] *g.* **lledau** *ll.* широта; ширина.
lledaenu *be.* распространить; разносить; распространять.
llednais *ans.* деликатный; безоблачный; благопристойный; вежливый; кроткий; мягкий; нежный; сдержанный; скромный; смиренный; умеренный; учтивый.
lledr *g.* **lledrau** *ll.* кожа.
lledred *g.* **lledredion** *ll.* широта.
lledu *be.* развести; разводить; развёртывать; размазывать; разносить; раскидывать; расправлять; распространять; распространяться; расстилать; растягивать; расширять.
lleddfu *be.* ❶ облегчать; ослаблять; утолять; уменьшать; утешать; успокаивать; смягчать. ❷ быть звонким (*о согласных*).
llefain *be.* плакать.
llefaru *be.* **llefair** *pres.3.un.* проговорить; издать; произнести; сказать; высказывать; говорить; издавать; изъясняться; произносить; разговаривать.
llefarydd *g.* **llefaryddion** *ll.* оратор; спикер.
llefrith *g.* **llefrithod** *ll.* молоко.
lleng *b.* **llengoedd** *ll.* легион.
llengar *ans.* литературный; учёный; эрудированный.
lleiafrif *g.* **lleiafrifau** *ll.*, **lleiafrifoedd** *ll.* меньшинство.
lleiafrifol *ans.* относящийся к меньшинству.
lleiafswm *g.* **lleiafswmau** *ll.* минимум.
lleian *b.* **lleianod** *ll.* монахиня.
lleidlif *g.* **lleidlifoedd** *ll.* сель.
lleidr *g.* **lladron** *ll.* вор; грабитель; разбойник.
lleihad *g.* сведение; вычитание; затухание; истощение; ослабление; понижение; разжижение; сокращение; спад; убавление; убывание; уменьшение.
lleihau *be.* ослабевать; ослаблять; притуплять; смягчать; снижать; убавлять; убывать; уменьшать; уменьшаться; умерять; сворачиваться; сводить; свести.
lleisio *be.* издать; озвучивать; голосовать; звучать; издавать; кричать; орать; произносить.
lleisiol *ans.* гласный; вокальный; голосовой; звонкий; звучащий; звучный; устный.
lleithder *g.* ❶ влажность; сырость. ❷ влага. ❸ изнеженность.
llen *b.* **llenni** *ll.* вуаль; диафрагма; завеса; занавеска; лист; листок; пелена; занавес; покров; покрывало; штора.
llên *b.* учёность; литература.
llenor *g.* **llenorion** *ll.* писатель.
llenwi *be.* набить; наполнить; заполнить; занять; заливать; залить; выполнять; занимать; заполнять; исполнять; наполнять; насыщать; удовлетворять.
llenwi'r tanc â phetrol заливать горючее в бак.
llenydda *be.* литераторствовать.
llenyddiaeth *b.* **llenyddiaethau** *ll.* литература.
llenyddol *ans.* литературный.
lleol *ans.* местный.
lleoli *be.* расположить; размещать; располагать; локализовать.

lleoliad *g.* дислокация; местожительство; нахождение; размещение.
lles *g.* барыш; благо; добро; доход; интерес; нажива; прибыль; выгода; польза.
llesg *ans.* апатичный; вялый; медленный; медлительный; немощный; слабый; томный; хилый.
llestair *be.* задерживать; затруднять; мешать; препятствовать.
llesteiriant *g.* **llesteiriannau** *ll.* ❶ помеха. ❷ расстройство; разочарование.
llesteirio *be.* задерживать; затруднять; мешать; препятствовать.
llestr *g.* **llestri** *ll.* ❶ судно; сосуд; горшок; кубок; блюдо; тарелка. ❷ судно; корабль. **llestr blodau** цветочный горшок.
lletchwith *ans.* неуклюжий; неловкий.
lletwad *b.* **lletwadau** *ll.* половник.
llety *g.* **lletyau** *ll.* общежитие; комната; аккомодация; жилище; жильё; квартира; приют; убежище; помещение; пристанище; дом.
llethol *ans.* гнетущий; неодолимый; непреодолимый; тягостный; подавляющий.
llethr *b.* **llethrau** *ll.*, **llethri** *ll.* откос; покатость; скат; склон.
llethu *be.* ❶ подавлять; притеснять; сокрушать; угнетать; удручать. ❷ заспать. ❸ быть угнетенным.
lleuad *b.* **lleuadau** *ll.* луна; месяц (*луна*).
lleuadol *ans.* лунный.
lleuen *b.* **llau** *ll.* вошь.
lleufer *g.* **lleuferoedd** *ll.* ❶ яркость; сияние; освещение; свет. ❷ видение; взгляд; зрение.
llew *g.* **llewod** *ll.*, **llewys** *ll.* лев.
llewes *b.* **llewesau** *ll.* львица.
llewyg *g.* **llewygon** *ll.* обморок; припадок; экстаз; транс; слабость. **llewyg yr iâr** белена черная.
llewygu *be.* лишаться чувств; терять сознание; падать в обморок.
llewyrch *g.* блеск; великолепие; вспышка; отблеск; проблеск; сияние.
llewyrchus *ans.* ❶ цветущий; успешный. ❷ яркий; светящийся; сияющий; блестящий.
lleyg *ans.* **lleygion** *ll.* мирской.
lleygwr *g.* **lleygwyr** *ll.* ❶ мирянин. ❷ неспециалист.
lli *g.* пила.
lliain *g.* **llieiniau** *ll.* скатерть; бельё; полотно (*льняное*); ткань; холст; парусина; полотенце.
lliaws *g.* воинство; войско; масса; множество; сонм; толпа.
llid *g.* **llidau** *ll.* ❶ возбуждение; гнев; ярость; страсть. ❷ воспаление; раздражение.
llidiart *gb.* **llidiardau** *ll.* ворота.
llidus *ans.* ❶ недовольный; возмущенный; негодующий; гневный; сердитый; рассерженный; злой. ❷ воспалённый; раздражённый.
llif[1] *b.* **llifiau** *ll.*, **llifion** *ll.* пила.
llif[2] *g.* **llifogydd** *ll.* наводнение; поток; разлив; струя; течение; ток.
llifeiriant *g.* **llifeiriaint** *ll.* наводнение; паводок; половодье; поток; прилив; разлив; разлитие.
llifeirio *be.* хлынуть; течь; струиться; литься; лить; вытекать; затекать.
llifiad *g.* **llifiadau** *ll.* наводнение; поток; истечение; течение.
llifio *be.* пилить; распиливать.
llifo *be.* ❶ течь; литься; вытекать; струиться. ❷ шлифовать; точить; пилить; выпилить.
llin *g.* ❶ лён. ❷ линия. ❸ кровотечение; гной.
llinach *b.* ❶ родословная; происхождение; генеалогия. ❷ потомство.
llinell *b.* **llinellau** *ll.* линия; полоса; строка; ряд; черта.
llinos *b.* **llinosod** *ll.* коноплянка.
llinyn *g.* **llinynnau** *ll.* череда; бечёвка; верёвка; вереница; жилка; завязка; леса; линия; линь; нитка; очередь; поведение; ряд; строка; струна; тесёмка; тетива; установка; черта; шнур; шнурок; шпагат; экватор; леска.
llipa *ans.* безвольный; вялый; дряблый; мягкий; мягкотелый; отвислый; слабохарактерный; слабый.
llith[1] *b.* **llithiau** *ll.*, **llithoedd** *ll.* лекция; наставление; нотация; урок.
llith[2] *g.* ❶ пойло из отрубей; запарка; корм. ❷ приманка. ❸ заслонная лошадь.
llithren *b.* **llithrennau** *ll.*, **llithrenni** *ll.* ❶ горка (*ледяная, деревянная*). ❷ оползень. ❸ лига (*муз.*).
llithrig *ans.* беглый; гладкий; ненадёжный; плавный; текучий; скользкий.
llithro *be.* выскользнуть; поскользнуться; проскользнуть; скользить; соскользнуть; ускользнуть.
lliw *g.* **lliwiau** *ll.* колер; краситель; краска; пигмент; цвет.
lliwgar *ans.* яркий; красочный.
lliwio *be.* приукрашивать; красить; краснеть; окрашивать; окрашиваться; раскрашивать; морить.
lliwiog *ans.* ❶ крашеный; цветной. ❷ румяный. ❸ обманчивый.
llo *g.* **lloeau** *ll.*, **lloi** *ll.* опоек; телёнок.

lloches *b.* **llochesau** *ll.* землянка; берлога; каморка; кров; логово; нора; прибежище; прикрытие; приют; убежище; укрытие.
llodi *be.* хотеть спариваться (*о свинье*).
llodig *ans.* находящаяся в течке (*о свинье*).
Lloegr *b.* Англия.
lloer *b.* **lloerau** *ll.* луна; спутник.
lloeren *b.* **lloerennau** *ll.*, **lloerenni** *ll.* спутник (*искусственный*).
lloerol *ans.* лунный.
llofnod *g.* **llofnodau** *ll.*, **llofnodion** *ll.* автограф; сигнатура; подпись.
llofnodi *be.* подписать; подписывать.
llofnodiad *g.* **llofnodiadau** *ll.* подпись; сигнатура.
llofrudd *g.* **llofruddion** *ll.* убийца.
llofruddiaeth *b.* **llofruddiaethau** *ll.* убийство.
llofruddio *be.* убить; убивать.
llofft *b.* **llofftydd** *ll.* спальня; хоры; чердак; часть дома вверх по лестнице; верхний этаж.
llog *g.* **llogau** *ll.* ❶ жалование; плата; зарплата; прибыль; доход; налог; процент; пошлина. ❷ место. ❸ монастырь; церковь; святилище.
llogell *b.* **llogellau** *ll.*, **llogelli** *ll.* комнатка; ящичек; карман; кармашек; ларь; комнатушка.
llogi *be.* ❶ занять; снять; нанимать; снимать; занимать; арендовать. ❷ сдать; сдавать; одалживать. ❸ бронировать. **gallen ni hedfan yno, a llogi car wedyn** мы могли бы полететь туда, а затем взять напрокат машину.
llong *b.* **llongau** *ll.* корабль; судно; ладья.
llongborth *b.* **llongbyrth** *ll.* ❶ гавань; порт. ❷ док. ❸ пристань; причал.
llongddrylliad *g.* **llongddrylliadau** *ll.* кораблекрушение.
llongwr *g.* **llongwyr** *ll.* матрос; моряк.
llongyfarch *be.* поздравлять.
llongyfarchiad *g.* **llongyfarchiadau** *ll.*, **llongyfarchion** *ll.* поздравление.
llon *ans.* довольный; жизнерадостный; счастливый; радостный; весёлый.
llond *g.* полный.
llonydd[1] *ans.* мирный; безмятежный; спокойный; тихий.
llonydd[2] *g.* затишье; тишина; покой; мир; спокойствие.
llonyddu *be.* успокоиться; заштилеть; облегчать; смягчать; ублажать; умиротворять; успокаивать; успокаиваться; утихомиривать; утолять.
llorlen *b.* **llorlenni** *ll.* ковёр.
llorp *b.* **llorpiau** *ll.* дышло.
llosgach *g.* кровосмешение.
llosgfynydd *g.* **llosgfynyddoedd** *ll.* вулкан.
llosgi *be.* **llysg** *pres.3.un.* попалить; спалить; сгореть; сжечь; обжечь; выгорать; выжигать; обжигать; опалять; палить; подгорать, подпаливать; прижигать; прожигать; пылать; сгорать; жечь; сжигать; гореть. **mae'r pentre wedi'i losgi'n ulw** деревня была сожжена дотла.
llostlydan *g.* **llostlydanod** *ll.* бобёр; бобр.
llu *g.* **lluoedd** *ll.* воинство; войско; сонм; толпа; множество.
llucheden[1] *b.* **lluched** *ll.* фейерверк; вспышка; молния.
llucheden[2] *b.* приступ; лихорадка; мор; поветрие; чума.
lluchedo *be.* блеснуть; вспыхивать; сверкать.
lluchedu *be.* блеснуть; вспыхивать; сверкать.
lluchio *be.* сбросить; выбросить; заметать; выбрасывать; бросать; забрасывать; кидать; метать; набрасывать; обстреливать; сбрасывать; швырять; выкидывать; выкинуть.
lludw *g.* зола; пепел; прах.
lludd *g.* **lluddiau** *ll.* ❶ препятствие. ❷ возражение; запрет.
lludded *g.* усталость; утомительность; утомление; утомлённость.
lluest *g.* **lluestau** *ll.* барак; будка; киоск; палатка.
llun *g.* **lluniau** *ll.* ❶ образ; облик; очертание; вид; фигура; форма; стать; фигурка. ❷ снимок; образ; фотография; картинка; рисунок; портрет; изображение; картина; кадр. ❸ олицетворение. ❹ подобие; отражение. ❺ образец. ❻ способ; порядок.
Llundain *e.* Лондон.
lluniaeth *g.* ❶ управление; способ; форма; упорядочение; порядок. ❷ продовольствие; провизия; пища; питание; корм; еда.
lluniaidd *ans.* фигуристый.
llunio *be.* составить; образовать; вырабатывать; делать; кроить; моделировать; образовывать; получаться; приспосабливать; создавать; составлять; строиться; формировать; формовать.
lluniwr *g.* **llunwyr** *ll.* художник; изобретатель; создатель; составитель; творец.
lluosi *be.* множить; размножать; увеличивать; умножать.
lluosog *ans.* множественный; многочисленный.
lluosogi *be.* множить; размножать; увеличивать; умножать.
lluoswm *g.* **lluoswmau** *ll.* произведение.

llurig *b.* **llurigau** *ll.* доспехи; броня; латы; кольчуга; кираса; панцирь.
llusern *b.* **llusernau** *ll.* светильник; фонарь.
llusgo *be.* таскать; сволакивать; сволочь; вытащить; протянуть; волочить; ползать; ползти; тащить; тянуть; тянуться; поползти.
lluwch *g.* позёмка; занос; сугроб; брызги; прах; пыль.
lluwchwynt *g.* **lluwchwyntoedd** *ll.* метель; буран; пурга.
llw *g.* **llwon** *ll.* клятва; присяга; божба.
llwch *g.* прах; пыль.
llwfrgi *g.* **llwfrgwn** *ll.* трус.
llwg *g.* **llygadau** *ll.*, **llygod** *ll.* цинга.
llwgrwobraeth *b.* ❶ дача взятки; подкуп. ❷ взяточничество.
llwgrwobrwy *g.* **llwgrwobrwyon** *ll.* взятка.
llwgrwobrwyo *be.* давать взятку; подкупать.
llwgrwobrwywr *g.* **llwgrwobrwywyr** *ll.* взяткодатель.
llwgu *be.* голодать; истощать.
llwm *ans.* **llom** *ж.*, **llymion** *ll.* ❶ обнажённый; голый. ❷ скудный; пустой; неплодородный. ❸ поношенный. ❹ простой. ❺ скверный; бедный; невзрачный; убогий.
llwnc *g.* **llynciadau** *ll.* ❶ глотание; глоток. ❷ пищевод; глотка. ❸ тост (*за здоровье*).
llwncdestun *g.* **llwncdestunau** *ll.* тост.
llwy *b.* **llwyau** *ll.* ложка; ковш; черпак.
llwyaid *b.* **llwyeidiau** *ll.* полная ложка чего-л.
llwybig *gb.* **llwybigau** *ll.* колпица (*птица*).
llwybr *g.* **llwybrau** *ll.* тропинка; тропа; дорожка; колея; курс; путь; стезя; траектория. **Y Llwybr Llaethog** Млечный Путь.
llwybro *be.* ❶ обойти; брести; идти; обходить; ходить. ❷ вываживать; прогуливать.
llwyd *ans.* **llwydion** *ll.* седой; серый; бледный; коричневый.
llwydd *g.* **llwyddiannau** *ll.* процветание; удача; успех.
llwyddiannus *ans.* удачный; успешный.
llwyddiant *g.* **llwyddiannau** *ll.* процветание; удача; успех.
llwyddo *be.* суметь; благоденствовать; преуспевать; процветать; иметь успех.
llwyfan *gb.* **llwyfannau** *ll.* площадка; подмости; эстрада; сцена; платформа; помост.
llwyfannu *be.* поставить; инсценировать; ставить.
llwyfen *b.* **llwyf** *ll.* вяз; ильм.
llwyn[1] *b.* **llwynau** *ll.* поясница.
llwyn[2] *g.* **llwyni** *ll.* куст; кустарник; лесок; роща; чаща; чащоба.
llwynog *g.* **llwynogod** *ll.* лисичка; лис; лиса; лисица.
llwyr *ans.* полный.
llwyth[1] *g.* **llwythau** *ll.* племя.
llwyth[2] *g.* **llwythi** *ll.* ❶ нагрузка; груз; бремя. ❷ заряд.
llwytho *be.* погрузить; загружать; заряжать; обременять; отягощать; нагружать; грузить. **llwytho i lawr** скачивать (*из сети*).
llychlyd *ans.* пыльный.
llychlyn *g.* **llychlynion** *ll.* залив.
Llychlyn *b.* Скандинавия.
llydan *ans.* **cyfled** *cfrt.*, **lled** *cmhr.*, **llydain** *ll.*, **llydanion** *ll.* широкий.
Llydaw *e.* Бретань.
Llydaweg *b.* бретонский (*язык*).
llyfn *ans.* **llefn** *ж.*, **llyfnion** *ll.* гладкий; плавный; ровный; спокойный.
llyfnder *g.* ровность; гладкость.
llyfr *g.* **llyfyrau** *ll.* книга; книжка. **llyfr ysgrifennu** тетрадь.
llyfrgell *b.* **llyfrgelloedd** *ll.* библиотека.
llyfrgellydd *g.* **llyfrgellyddion** *ll.* библиотекарь.
llyfrol *ans.* книжный.
llyfrothen *b.* **llyfrothennod** *ll.* поронот (*рыба*).
llyfryn *g.* **llyfrynnau** *ll.* проспект; брошюра; книжечка.
llyfu *be.* **llyf** *grch.2.un.*, **llyf** *pres.3.un.* слизнуть; слизывать; лизнуть; лизать; облизывать.
llyffant *g.* **llyffaint** *ll.*, **llyffantod** *ll.* лягушка; жаба. **clo llyffant** висячий замок.
llyffethair *b.* **llyffetheiriau** *ll.* кандалы; оковы; путы; узы.
llyg *b.* **llygod** *ll.* землеройка.
llygad *gb.* **llygaid** *ll.* ❶ глаз; око; зрачок; зеница; глазок. ❷ взор; зрение; взгляд. ❸ глазок. ❹ ушко. ❺ линза. ❻ источник. ❼ проблеск. **yr ydych yn llygad eich lle** вы совершенно правы.
llygadu *be.* глазеть; таращиться; пялиться; наблюдать; смотреть.
llygoden *b.* **llygod** *ll.* мышь; мышка. **llygoden fawr** крыса.
llygredd *g.* заражение; загрязнение; порочность; развращённость.
llygru *be.* изнасиловать; насиловать; искажать; портить; развращать; разлагаться; коррумпировать.
llynges *b.* **llyngesau** *ll.* флот; флотилия; эскадра.
llyngesydd *g.* **llyngesyddion** *ll.* адмирал.
llyngyren *b.* **llyngyr** *ll.* глист.

llym *ans.* **llem** *ж.*, **llymion** *ll.* быстрый; едкий; жестокий; колкий; остроконечный; острый; продувной; пронзительный; ревностный; резкий; сильный; сообразительный; строгий; суровый; энергичный.

llymru *g.* пудинг из заквашенной овсяной муки.

llyn *g.* **llynnau** *ll.*, **llynnoedd** *ll.* ❶ озеро; водоём; омут; пруд. ❷ питьё; напиток.

llyncu *be.* **llwnc** *grch.2.un.*, **llwnc** *pres.3.un.* проглотить; абсорбировать; впитывать; всасывать; поглощать; проглатывать; глотать.

llynedd *adf.* в прошлом году.

llys *g.* **llysoedd** *ll.* ❶ двор. ❷ суд. ❸ дворец.

llysenw *g.* **llysenwau** *ll.* псевдоним; кличка; прозвище.

llysfab *g.* **llysfeibion** *ll.* пасынок.

llysfam *b.* **llysfamau** *ll.* мачеха.

llysferch *b.* **llysferched** *ll.* падчерица.

llysgenhadaeth *b.* **llysgenadaethau** *ll.* посольство.

llysgennad *g.* **llysgenhadon** *ll.* посланец; посол; представитель.

llysieuol *ans.* овощной; растительный; травяной.

llysieuyn *g.* **llysiau** *ll.* овощ.

llysnafedd *g.* слизь; сопли.

llystad *g.* **llystadau** *ll.* отчим.

llysywen *b.* **llyswennod** *ll.*, **llysywod** *ll.* угорь.

llythrennedd *g.* грамотность; грамота.

llythrennol *ans.* точный; буквальный; буквенный; дословный.

llythyr *g.* **llythyrau** *ll.*, **llythyron** *ll.* письмо.

llythyren *b.* **llythrennau** *ll.* буква.

llyw *g.* **llywiau** *ll.* ❶ руль, штурвал; румпель; кормило. ❷ хвост. ❸ правитель; рулевой.

llywaeth *ans.* ❶ комнатный; ручной. ❷ культурный. ❸ покорный; пассивный. ❹ тупой.

llywio *be.* ❶ регулировать; править; руководить; направлять; рулить; вести; управлять. ❷ бить. ❸ торопить.

llywodraeth *b.* **llywodraethau** *ll.* правительство; режим; управление.

llywodraethol *ans.* правящий; управляющий; правительственный; главный; господствующий; доминирующий; основной; преобладающий; руководящий.

llywodraethu *be.* властвовать; господствовать; направлять; править; регулировать; руководить; управлять.

llywodraethwr *g.* **llywodraethwyr** *ll.* господин; губернатор; заведующий; комендант; начальник; правитель; регулятор; хозяин.

llywydd *g.* **llywyddion** *ll.* президент (*компании, общества*); губернатор; председатель; ректор.

llywyddiaeth *b.* **llywyddiaethau** *ll.* председательство; президентство.

llywyddu *be.* председательствовать; управлять.

M

mab *g.* **meibion** *ll.* сын.
mab-yng-nghyfraith *g.* **meibion-yng-nghyfraith** *ll.* зять.
maban *g.* **mabanod** *ll.* сынок.
mabolgamp *b.* **mabolgampau** *ll.* атлетика; подвиг; спорт.
mabolgampwr *g.* **mabolgampwyr** *ll.* атлет; спортсмен.
mabwysiad *g.* усыновление; принятие; заимствование (*лингв.*).
mabwysiadu *be.* выбирать; заимствовать; перенимать; принимать; удочерять; усваивать; усыновлять.
machlud[1] *be.* зайти; сесть; заходить; садиться.
machlud[2] *g.* **machludiadau** *ll.* закат; заход.
mad *ans.* счастливый; удачный; годный; добрый; красивый; миловидный; милый; надлежащий; прекрасный; приятный; хороший.
madalch *g.* поганка.
madarchen *b.* **madarch** *ll.* гриб.
madfall *b.* **madfallion** *ll.* тритон; ящерица.
maddau *be.* отпустить; простить; воздерживаться; извинять; освобождать; отпускать; помиловать; прощать.
maeden *b.* проститутка; шлюха.
maen *g.* **meini** *ll.* камень.
maenol *b.* **maenolau** *ll.* поместье.
maenor *b.* **maenorau** *ll.* поместье.
maer *g.* **maerod** *ll.*, **meiri** *ll.* городской голова; мэр.
maeres *b.* **maeresau** *ll.* женщина-мэр.
maes *g.* **meysydd** *ll.* ❶ поле. ❷ снаружи. ❸ бассейн. **maes awyr** аэропорт. **maes o law** сейчас, вскоре, вскорости.
maestref *b.* **maestrefi** *ll.*, **maestrefydd** *ll.* пригород.
maeth *g.* **maethion** *ll.* ❶ питание; корм; пища; поддержка. ❷ приёмный.
mafonen *b.* **mafon** *ll.* малина.
magl *b.* **maglau** *ll.* ❶ петля. ❷ западня; ловушка; силок. ❸ наручник. ❹ бельмо; ячмень. ❺ недостаток; пятно. ❻ 12 акров. ❼ узел; ячейка. ❽ сеть. ❾ ромб.
maglu *be.* ❶ запутать; зацеплять. ❷ спотыкаться. ❸ марать. ❹ развивать катаракту или бельмо в глазу.
magnel *b.* **magnelau** *ll.* ❶ баллиста; катапульта; порок; таран. ❷ пушка; орудие. ❸ кран; лебёдка. ❹ батарея (*эл.*); батарейка.
magnelfa *b.* ❶ батарея. ❷ аккумулятор.
magnelwr *g.* **magnelwyr** *ll.* пушкарь; артиллерист; канонир; комендор.
magu *be.* **mag** *grch.2.un.*, **mag** *pres.3.un.* ❶ вывести; вскармливать; выращивать; нянчить; ухаживать; выкармливать; культивировать; выводить; разводить; растить; воспитывать; развести. ❷ приобретать. ❸ размножаться. **mae'n bwysig bod nhw'n gallu magu hyder yn yr iaith** важно, чтобы они смогли обрести уверенность в языке.
magwraeth *b.* воспитание; выращивание; обучение; питание.
mangre[1] *b.* **mangreau** *ll.* табун.
mangre[2] *b.* ❶ место; местечко. ❷ жилище. ❸ район.
maharen *g.* **meheryn** *ll.* баран; валух; овен.
mai *cys.* что. **wedodd e mai Iwan dorodd y ffenest** он сказал, что окно разбил Иван. **mae ofnau mai dyfnhau mae'r argyfwng ym Mosnia** есть опасения, что кризис в Боснии углубляется. **rhaid i mi'ch atgoffa chi mai chi sy'n gyfrifol am hyn** я должен напомнить Вам, что за это отвечаете Вы. **efallai mai chi fydd chi!** это могли быть вы!
Mai *g.* май.
maidd *g.* **meiddion** *ll.* сыворотка.
mail *b.* **meiliau** *ll.* кубок; резервуар; таз; чаша; чашка.
main *ans.* **meinion** *ll.* закрытый (*о гласном; характерно английский*); водянистый; жидкий; изящный; мелкий; небольшой; острый; разреженный; редкий; скудный; слабый; стройный; тонкий; утончённый; худой; худощавый.
mainc *b.* **meinciau** *ll.* лавка; скамейка; скамья.
maint *g.* ❶ величина; объём; размер. ❷ число; количество.
Mair *e.* Мария.
maith *ans.* **meithion** *ll.* длинный; длительный; долгий; долгосрочный; медленный; медлительный; многочисленный; обширный; скучный; утомительный.
malais *g.* злоба.
malio *be.* беречься; беспокоиться; возражать; заботиться; заниматься; остерегаться; помнить; тревожиться.
malu *be.* **mâl** *grch.2.un.*, **mâl** *pres.3.un.* ❶ молоть; растирать; крошить; перемалывать; толочь; потолочь. ❷ нарезать; рубить. ❸ оттачивать; точить. ❹ гро-

мить; уничтожить; разбить; сокрушить. ❺ угнетать. ❻ декламировать; произносить; говорить. ❼ ломаться; крошиться.
malwoden *b.* **malwod** *ll.* улитка.
mall *g.* гибель; мрачность; уныние; упадок.
malltod *g.* глупость; зло; болезнь; гниение; гниль.
mam *b.* **mamau** *ll.* мамочка; мама; мамаша; матушка; мать.
mam-gu *b.* бабка; бабушка.
mam-yng-nghyfraith *b.* **mamau-yng-nghyfraith** *ll.* свекровь; тёща.
mamaeth *b.* **mamaethau** *ll.*, **mamaethod** *ll.* кормилица; мамка; нянька; няня; сиделка.
mamiaith *b.* **mamiaithau** *ll.* родной язык.
mamog *b.* **mamogiaid** *ll.*, **mamogion** *ll.* матка.
mamwlad *b.* **mamwledydd** *ll.* родина.
man[1] *adf.* куда; где.
man[2] *gb.* **mannau** *ll.* ❶ место. ❷ пятнышко; пятно. **yn y fan yna** в том месте, там. **yn y man** скоро (*букв. «на месте»*). **haul gwyn gwan, glaw yn y man** букв. «белое неяркое солнце—скоро будет дождь» (*поговорка*). **fe gawn wybod hyd a lled y golled yn y man** мы скоро узнаем весь масштаб потерь. **man a man** с тем же успехом. **man geni** родимое пятно.
mân *ans.* маленький; малый; мелкий; небольшой; незначительный.
man-werthu *be.* продавать в розницу.
manblu *ll.* пух.
mandwll *g.* **mandyllau** *ll.* пора.
maneg *b.* **menig** *ll.* ❶ перчатка; рукавица. ❷ влагалище (*у животных*).
mant *gb.* **mantau** *ll.* рот; уста; зев; губа; челюсть; клюв; жерло.
mantach *ans.* беззубый; щербатый.
mantais *b.* **manteision** *ll.* ❶ преимущество. ❷ польза; выгода.
manteisio *be.* иметь преимущество; выгадывать; приобретать; воспользоваться.
manteisiol *ans.* благоприятный; выгодный; полезный.
mantell *b.* **mantelloedd** *ll.*, **mentyll** *ll.* кожух; мантия; накидка; покров.
mantol *b.* **mantolion** *ll.* баланс; балансир; весы; противовес; равновесие; сальдо.
mantolen *b.* **mantolenni** *ll.* баланс (*бухгалтерский*).
mantoli *be.* ❶ взвешивать. ❷ балансировать. ❸ оценивать; сопоставлять; сравнивать. ❹ влиять.
manwl *ans.* ❶ подробный; детальный. ❷ точный; строгий.
manyldeb *g.* пунктуальность; аккуратность; чёткость; подробность; точность.
manylu *be.* вдаваться в подробности.
manylyn *g.* **manylion** *ll.* частность; деталь; подробность.
map *b.* **mapiau** *ll.* карта; план.
march *g.* **meirch** *ll.* конь; жеребец.
marchnad *b.* **marchnadoedd** *ll.* базар; рынок.
marchnata *be.* обменивать; продавать; сбывать; торговать.
marchocáu *be.* ездить верхом (*на лошади*).
marchog *g.* **marchogion** *ll.* ❶ конник; наездник; рыцарь; кавалерист; всадник; седок; витязь. ❷ конь (*в шахматах*).
marchogaeth *be.* ехать верхом (*на лошади*).
marchoglu *g.* **marchogluoedd** *ll.* кавалерия; конница.
marchus *ans.* течная (*о кобыле*).
marian *g.* ❶ галька. ❷ пляж. ❸ пойма. ❹ морена.
marmor *g.* мрамор.
marsiandïwr *g.* **marsiandwyr** *ll.* купец.
marsiandwr *g.* **marsiandwyr** *ll.* купец; лавочник.
marw[1] *be.* умирать; помереть; умереть; скончаться; дохнуть; передохнуть.
marw[2] *g.* **meirw** *ll.*, **meirwon** *ll.* ❶ смерть. ❷ покойник; мёртвый.
marw[3] *ans.* **meirw** *ll.*, **meirwon** *ll.* мёртвый; умерший; дохлый.
marwgwsg *g.* транс; анестезия; ступор; летаргия; обморок; кома.
marwnad *b.* **marwnadau** *ll.* элегия.
marwol[1] *g.* **marwolion** *ll.* смертный.
marwol[2] *ans.* **marwolion** *ll.* пагубный; роковой; смертельный; смертоносный; губительный; смертный; убийственный; фатальный.
marwolaeth *b.* **marwolaethau** *ll.* гибель; смерть.
mas *adf.* снаружи.
masarnen *b.* **masarn** *ll.* ❶ клён. ❷ платан.
masnach *b.* **masnachau** *ll.* занятие; коммерция; общение; сделка; торговля.
masnachol *ans.* торговый; коммерческий.
masnachwr *g.* **masnachwyr** *ll.* бизнесмен; купец; лавочник; торговец.
mat *g.* **matiau** *ll.* коврик; ковёр; мат.
mater *g.* **materion** *ll.* вопрос; дело. **materion cyfoes** текущие дела.
materol *ans.* важный; вещественный; материалистический; материальный; существенный; телесный; физический.
math *g.* **mathau** *ll.* разновидность; класс; разряд; сорт; тип; род; вид.
mathemateg *b.* математика.
mathemategol *ans.* математический.

mathemategwr *g.* **mathemategwyr** *ll.* математик.
mau *rh.* мой.
mawl *g.* восхваление; похвала.
mawnen *b.* **mawn** *ll.* торф.
mawr *ans.* **cymaint** *cfrt.*, **mawrion** *ll.*, **mwy** *cmhr.*, **mwyaf** *eith.* великий; большой; немалый; крупный.
mawredd *g.* ❶ величество; величие; величавость; величественность. ❷ грандиозность; пышность; великолепие.
mawreddog *ans.* благородный; важный; великолепный; величественный; возвышенный; грандиозный; импозантный; напыщенный; парадный; претенциозный; пышный; роскошный.
Mawrth *g.* март; Марс. **dydd Mawrth** вторник. **nos Fawrth** вечер вторника.
mawrhydi *g.* высочество; величавость; величественность; величество; величие.
mebyd *g.* ❶ детство; младенчество; молодость; отрочество; юность. ❷ юноша.
mecanyddol *ans.* механический.
mechdeyrn *g.* **mechdeyrnedd** *ll.* монарх; король.
mechni *g.* **mechnïon** *ll.* ❶ залог; поручительство; порука; гарантия. ❷ поручитель. ❸ крёстный; крёстная.
mechnïaeth *b.* порука; поручительство.
Medi *g.* сентябрь.
medi *be.* **med** *grch.2.un.*, **med** *pres.3.un.* пожинать; пожать; сжать; жать.
medr *g.* ❶ способность; сноровка; мастерство; умение; ловкость; компетенция. ❷ мера. ❸ власть. ❹ намерение; цель.
medru *be.* **medr** *grch.2.un.*, **medr** *pres.3.un.* ❶ мочь. ❷ уметь; знать; владеть. ❸ стрелять; ударять. ❹ целить. ❺ действовать. ❻ править. **dw i'n medru'r Gymraeg** я знаю валлийский.
medrus *ans.* правильный; вежливый; искусный; ловкий; способный; умный; умелый.
medd *g.* мёд.
meddaf *be.* **medd** *pres.3.un.* сказать.
meddal *ans.* уступчивый; деликатный; ласковый; нежный; незрелый; слабый; мягкий.
meddalwedd *b.* программное обеспечение.
meddiannu *be.* занять; аннексировать; владеть; завладевать; занимать; захватывать; обладать; овладевать; оккупировать; присваивать; присоединять.
meddiant *g.* **meddiannau** *ll.* управление (*грам.*); владение; имущество; обладание; одержимость; пожитки; собственность.
meddu *be.* ❶ располагать; владеть; иметь; обладать; овладевать. ❷ изречь; изрекать.
meddw *ans.* **meddwon** *ll.* пьяный.
meddwi *be.* напиться; напиваться; опьянять; пьянствовать; пьянеть.
meddwl[1] *be.* **meddwl** *grch.2.un.*, **meddwl** *pres.3.un.* ❶ подумать; думать; мыслить; обдумывать. ❷ подразумевать; означать.
meddwl[2] *g.* **meddyliau** *ll.* мышление; размышление; мысль.
meddwol *ans.* хмельной.
meddwyn *g.* **meddwon** *ll.* алкоголик; пьяница.
meddyg *g.* **meddygon** *ll.* доктор; врач.
meddyginiaeth *b.* **meddyginiaethau** *ll.* ❶ лекарство. ❷ медицина.
meddygol *ans.* ❶ врачебный; медицинский. ❷ лекарственный; целебный.
meddyleg *b.* психология.
meddylgar *ans.* заботливый; задумчивый.
meddyliol *ans.* душевный; психологический; психический; интеллектуальный; мысленный; мыслящий; разумный; умственный.
meddyliwr *g.* **meddylwyr** *ll.* мыслитель.
mefusen *b.* **mefus** *ll.* клубника; земляника.
megin *b.* **meginau** *ll.* мехи.
megis *ardd.* как. **megis yn y nef felly ar y ddaear hefyd** яко на небеси и на земли.
Mehefin *g.* июнь.
meicroffon *g.* **meicroffonnau** *ll.* микрофон.
meilwng *g.* **meilyngau** *ll.* ❶ бабка; лодыжка. ❷ подъём (*ноги, ботинка*).
meillionen *b.* **meillion** *ll.* клевер.
meinhau *be.* ушивать; ушить; сужаться; сужать; уменьшаться; уменьшать; худеть; заострять.
meinir *b.* красотка; высокая и стройная девушка; красавица.
meipen *b.* **maip** *ll.* репа; турнепс.
meirioli *be.* плавиться; растворяться; оттаивать; таять.
meistr *g.* **meistradoedd** *ll.*, **meistri** *ll.*, **meistriaid** *ll.* ❶ барин; босс; владелец; шеф; хозяин; господин. ❷ учитель. ❸ мастер.
meistres *b.* **meistresi** *ll.* ❶ хозяйка; госпожа; повелительница; владычица. ❷ учительница. ❸ возлюбленная; любовница. ❹ миссис.
meistroli *be.* ❶ овладевать; одолеть. ❷ руководить; управлять.
meitin *g.* ❶ момент; период; срок. ❷ утро.
meithrin *be.* благоприятствовать; вынашивать; выращивать; выхаживать; лелеять; питать; поощрять; обучать; воспи-

тывать; выходить. **ysgol feithrin** детский сад.
meithrinfa *b.* **meithrinfaoedd** *ll.* детская; инкубатор; питомник; рассадник; ясли.
mêl *g.* мёд.
mela *be.* собирать нектар для меда.
melan *b.* ❶ меланхолия; грусть; подавленность; уныние. ❷ сталь. ❸ чёрная лаковая краска (*для подмёток*).
melin *b.* **melinau** *ll.* мельница.
melyngoch *ans.* оранжевый.
melyn *ans.* **melen** *ж.*, **melynion** *ll.* жёлтый.
melynddu *ans.* смуглый.
melys *ans.* **melysion** *ll.* сладкий.
mellten *b.* **mellt** *ll.* молния.
melltigedig *ans.* проклятый.
melltith *b.* **melltithion** *ll.* проклятие.
melltithio *be.* кощунствовать; ругаться; проклинать.
men *b.* **menni** *ll.* телега; фургон.
menter *b.* **menteroedd** *ll.* ❶ предприятие; инициатива. ❷ ставка. ❸ смелость; предприимчивость. ❹ предпринимательство.
mentro *be.* ❶ ставить на карту; рисковать. ❷ отважиться; решиться; осмелиться; отваживаться; осмеливаться. ❸ биться об заклад; держать пари.
mentrus *ans.* предприимчивый; азартный; смелый.
menyn *g.* масло.
mêr *g.* **merion** *ll.* мозг (*костный*); сердцевина; сущность.
merch *b.* **merched** *ll.* ❶ женщина; девочка; девушка; баба. ❷ дочка; дочь; дочурка; дщерь.
merch-yng-nghyfraith *b.* **merched-yng-nghyfraith** *ll.* невестка; сноха.
Mercher *g.* Меркурий. **dydd Mercher** среда. **Nos Fercher** вечер среды.
merlen *b.* **merlod** *ll.* пони.
merlyn *g.* **merlod** *ll.*, **merlynnod** *ll.* пони.
merthyr *g.* **merthyri** *ll.*, **merthyron** *ll.* мученик; мученица; страдалец; страдалица.
merywen *b.* **meryw** *ll.* можжевельник.
mesa *be.* собирать желуди.
mesen *b.* **mes** *ll.* жёлудь.
mesur[1] *g.* **mesurau** *ll.* ❶ мера; единица измерения. ❷ измерение. ❸ размер. ❹ мерило; мерка; измерительный инструмент. ❺ алгоритм; манера; образ действий. ❻ законопроект. ❼ мероприятие. ❽ предел. ❾ метр.
mesur[2] *be.* оценить; снимать мерку; мерить; измерять; определять; назначать; отмерять; оценивать; покрывать; распределять; регулировать; соразмерять.
mesuriad *g.* **mesuriadau** *ll.* ❶ измерение. ❷ единица измерения. ❸ доля. ❹ размер.
mesuro *be.* ❶ измерять, мерить. ❷ снимать мерку. ❸ регулировать; определять.
metel *g.* **metelau** *ll.*, **meteloedd** *ll.* ❶ металл. ❷ храбрость; мужество.
metelaidd *ans.* металлический.
metr *g.* метр.
methdaliad *g.* **methdaliadau** *ll.* банкротство; несостоятельность.
methiant[1] *ans.* неудачный; бесполезный; слабый.
methiant[2] *g.* **methiannau** *ll.* облом; недостаток; несостоятельность; неспособность; неудача; неудачник; неуспех; провал.
methu *be.* ❶ не мочь; завалить; сорваться; провалиться; провалить; засыпать; засыпать; обломаться. ❷ жаждать; тосковать; скучать.
meudwy *g.* **meudwyaid** *ll.*, **meudwyod** *ll.* анахорет; аскет; затворник; отшельник; пустынник.
mewn *ardd.* ❶ в; внутри. ❷ через. **oes diddordeb gennych chi mewn dysgu Cymraeg fel ail iaith?** вы заинтересованы в изучении валлийского как второго языка? **mewn pedwar mis** через четыре месяца.
mewnol *ans.* внутренний.
mi *rh.* я.
miaren *b.* **mieri** *ll.* ежевика.
migwrn *g.* **migyrnau** *ll.* ❶ щиколотка; лодыжка. ❷ сустав пальца.
mil[1] *g.* **milod** *ll.* животное.
mil[2] *b.* **miloedd** *ll.* тысяча.
milain[1] *ans.* безжалостный; беспощадный; бессердечный; горячий; дикий; жестокий; лютый; неистовый; свирепый; сердитый; сильный; ужасный.
milain[2] *g.* **mileiniaid** *ll.* ❶ крепостной. ❷ крестьянин. ❸ негодяй.
mileinig *ans.* беспощадный; дикий; жестокий; злобный; зловредный; злостный; свирепый; ужасный.
milfed *rhif.* тысячный.
milfeddyg *g.* **milfeddygon** *ll.* коновал; ветеринар.
milfeddygol *ans.* ветеринарный.
milgi *g.* **milgwn** *ll.* борзая.
miliwn *b.* **miliynau** *ll.* миллион.
miliwnydd *g.* **miliwnyddion** *ll.* миллионер.
milwr *g.* **milwyr** *ll.* военный; воин; солдат; витязь; солдатик.

milwrol *ans.* солдатский; военный; воинский.
milltir *b.* **milltiroedd** *ll.* миля.
min *g.* **minion** *ll.* острие; острота; порог; эрекция; берег; бордюр; грань; губа; край; кромка; лезвие; обрез.
minio *be.* ❶ заострять; точить. ❷ обрамлять; окаймлять.
miniog *ans.* остроконечный; острый; едкий.
miniwr *g.* **miniwyr** *ll.* ❶ точильщик. ❷ точилка.
minlliw *g.* **minlliwiau** *ll.* губная помада.
minnau *rh.* я. **a finnau!** и я тоже! **a finnau newydd dod o'r ysbyty** я же недавно вернулся из больницы.
mintai *b.* **minteioedd** *ll.* войско; толпа; отряд; стадо; стая.
mintys *g.* мята.
miri *g.* ❶ веселье; забава; развлечение. ❷ суета; суматоха. ❸ хлопоты. ❹ переделка.
mis *g.* **misoedd** *ll.* месяц.
misglwyf *g.* **misglwyfau** *ll.* менструация; месячные.
mislif *g.* менструация; месячные.
misol *ans.* ежемесячный.
misolyn *g.* **misolion** *ll.* ежемесячный журнал.
miswrn *g.* **misyrnau** *ll.* ❶ забрало. ❷ маска; личина.
miwsig *g.* музыкальное произведение; музыка.
mo *ardd.* ничего.
mocha *be.* пороситься.
mochi *be.* насвинячить.
mochyn *g.* **moch** *ll.* свинья; свинка; поросёнок; боров; подсвинок. **mochyn daear** барсук.
model *g.* **modelau** *ll.* модель.
modfedd *b.* **modfeddi** *ll.* дюйм.
modrwy *b.* **modrwyau** *ll.* ❶ кольцо; перстень; бухта.
modryb *b.* **modrybedd** *ll.* тётя; тётка.
modur *g.* **moduron** *ll.* ❶ мотор; двигатель. ❷ машина; автомобиль. ❸ вождь; князь; король; правитель.
modurdy *g.* **modurdai** *ll.* гараж.
modurfa *b.* **modurfeydd** *ll.* гараж.
moduro *be.* вести (*машину*); водить (*машину*).
modurwr *g.* **modurwyr** *ll.* автомобилист.
modd *g.* **moddau** *ll.*, **moddion** *ll.* ❶ метода; приём; способ; метод; манера. ❷ наклонение. ❸ режим.
moddion *ll.* средство; лекарство. **does dim moddion yn erbyn twpdra** глупость не лечится.
moel[1] *b.* **moelydd** *ll.* холм (*лишенный растительности*); возвышение; возвышенность; куча.
moel[2] *ans.* **moelion** *ll.* лысый; пустой; голый; обнажённый; неприкрашенный; простой.
moes[1] *b.* **moesau** *ll.* мораль; этика.
moes[2] *be.* дай!.
moesgar *ans.* благовоспитанный; вежливый; воспитанный; изысканный; изящный; любезный; обходительный; утончённый; учтивый.
moesol *ans.* моральный; нравственный; этический; этичный; высоконравственный; добродетельный; духовный.
moesoldeb *g.* ❶ мораль; этика. ❷ добродетель. ❸ вежливость. ❹ цивилизованность.
moethus *ans.* роскошный.
mogfa *b.* **mygfeydd** *ll.* астма.
mogi *be.* ❶ душить. ❷ подавлять; сокрушать; уничтожать. ❸ выкуривать.
moli *be.* **mawl** *grch.2.un.*, **mawl** *pres.3.un.* восхвалять; славить; хвалить.
moliannu *be.* **mawl** *grch.2.un.*, **mawl** *pres.3.un.* превозносить; прославлять.
moliant *g.* **moliannau** *ll.* восхваление; похвала.
moment *b.* **momentau** *ll.* момент.
mor *adf.* столь; настолько; так.
môr *g.* **moroedd** *ll.* океан; море. **Môr Iwerydd** Атлантический океан. **Y Môr Tawel** Тихий океан. **Môr y Canoldir** Средиземное море. **Y Môr Tawch, Môr y Gogledd** Северное море.
môr-fochyn *g.* **morfoch** *ll.* ❶ морская свинья. ❷ дельфин; касатка.
môr-forwyn *b.* **môr-forynion** *ll.* сирена; русалка.
môr-leidr *g.* **môr-ladron** *ll.* пират.
mordaith *b.* **mordeithiau** *ll.* плавание.
morddwyd *b.* **morddwydydd** *ll.* бедро.
morfil *g.* **morfilod** *ll.* кит.
morfran *b.* **morfrain** *ll.* баклан.
morgi *g.* **morgwn** *ll.* акула.
morgrugyn *g.* **morgrug** *ll.* муравей.
morlo *g.* **morloi** *ll.* тюлень.
morlys *g.* адмиралтейство.
morlywiwr *g.* **morlyw-wyr** *ll.* штурман.
morlywydd *g.* **morlywyddau** *ll.* коммодор.
morol *ans.* морской; приморский.
moronen *b.* **moron** *ll.* морковка; морковь.
morthwyl *g.* **morthwylion** *ll.* курок; молоточек; ударник; молот; молоток.
morthwylio *be.* ковать; прибивать; молотить.
morthwyliwr *g.* **morthwylwyr** *ll.* молотобоец.

morwr *g.* **morwyr** *ll.* матрос; моряк.
morwriaeth *b.* кораблевождение; мореходство; навигация; плавание; судоходство.
morwyn *b.* **morynion** *ll.* ❶ девица; девушка; девственница; дева. ❷ служанка; горничная.
moryd *b.* **morydiau** *ll.* эстуарий; лиман; устье; канал.
mud *ans.* безгласный; беззвучный; безмолвный; бессловесный; тупой; немой.
mudiad *g.* **mudiadau** *ll.* движение; жест; передвижение; переезд; перемещение; переселение; смещение; телодвижение; ход.
mudo *be.* ❶ перемещаться; переселяться; переезжать. ❷ убрать; передвигать; смещать; убирать; перемещать; уносить; передвигать; двигать; устранять. ❸ уступать.
mudwr *g.* **mudwyr** *ll.* ❶ мигрант; эмигрант. ❷ перевозчик.
mul *g.* **mulod** *ll.* ❶ мул; осёл. ❷ колодка. ❸ козлы.
munud[1] *gb.* **munudau** *ll.* минута; минутка; мгновение; момент.
munud[2] *g.* **munudiau** *ll.* жест; знак; кивок.
mur *g.* **muriau** *ll.* стена; стенка.
musgrell *ans.* ветхий; дряхлый; изношенный; немощный; слабый; хилый.
mwg *g.* дым; чад.
mwgwd *g.* **mygyau** *ll.* намордник; забрало; личина; маска.
mwng *g.* **myngau** *ll.* грива.
mwll *ans.* **moll** *ж.* душный; жаркий; знойный; спёртый.
mwmial *be.* пробормотать; буркнуть; бормотать.
mwnwgl *g.* **mynyglau** *ll.* ❶ шея; шейка. ❷ подъём (*ноги, ботинка*). ❸ ворот; воротник.
mwy *adf.* опять; снова.
mwyach *adf.* больше; впредь.
mwyafrif *g.* **mwyafrifau** *ll.* большинство.
mwyalch *b.* **mwyalchod** *ll.*, **mwyeilch** *ll.* чёрный дрозд.
mwyaren *b.* **mwyar** *ll.* ягода. **mwyaren du** ежевика.
mwydo *be.* ❶ смачивать; пропитывать; размачивать; мочить; погружать; увлажнять. ❷ заваривать.
mwydro *be.* смутиться; смущаться; смущать.
mwyfwy *adf.* все больше и больше.
mwynglawdd *g.* **mwyngloddiau** *ll.* копь; рудник; шахта.
mwyngloddio *be.* добывать (*руду*).
mwyn[1] *g.* **mwynau** *ll.* минерал; руда.
mwyn[2] *g.* **mwynau** *ll.* удовольствие; благо. **er dy fwyn di naethon ni hyn!** мы сделали это ради тебя!
mwyn[3] *ans.* добрый; ласковый; любезный; мягкий; умеренный; нежный.
mwynhad *g.* наслаждение; обладание; развлечение; удовольствие.
mwynhau *be.* наслаждаться; обладать; пользоваться.
myfi *rh.* я.
myfyr *g.* **myfyrion** *ll.* ❶ раздумье; размышление; мышление. ❷ памятник; напоминание; поминовение; воспоминание; память. ❸ библиотека.
myfyrdod *g.* **myfyrdodau** *ll.* ❶ медитация; раздумье; размышление; созерцание. ❷ воспоминание.
myfyrgell *b.* **myfyrgelloedd** *ll.* кабинет.
myfyrio *be.* замышлять; изучать; исследовать; обдумывать; размышлять; созерцать.
myfyriwr *g.* **myfyrwyr** *ll.* студент.
myfyrwraig *b.* **myfyrwragedd** *ll.* студентка.
myglyd *ans.* ❶ дымчатый; дымный; коптящий; дымящий. ❷ спёртый; удушающий; душный. ❸ астматический.
mygu *be.* ❶ дымить; дымиться. ❷ окуривать; выкуривать; курить. ❸ коптить. ❹ душить; удушать.
mymryn *g.* **mymrynnau** *ll.* толика; йота; крупица; кусочек; частица.
myn[1] *ardd.* именем, ценой (*употребляется в формулах клятв, обещаний*). **myn Duw** клянусь Богом.
myn[2] *g.* **mynnod** *ll.* козлёнок.
mynach *g.* **mynachod** *ll.*, **mynaich** *ll.* монах.
mynachaeth *b.* монашество.
mynachdy *g.* **mynachdai** *ll.* монастырь.
mynaches *b.* **mynachesau** *ll.* монашка; монахиня.
mynachlog *b.* **mynachlogydd** *ll.* аббатство; монастырь.
mynawyd *g.* **mynawydau** *ll.* шило.
mynd *be.* ❶ уйти; пойти; уходить; ходить; идти; проехать; пройти; проходить; выехать; уехать; поехать; ехать; уезжать; ездить; съездить; переть; сходить. ❷ становиться; стать. ❸ брать; уносить; унести; увезти. ❹ собираться. **a ei di drosta'i i Gydweli?** слетаешь для меня в Кидвели? **wrth fynd yn hŷn, mae rhywun yn sylweddoli mwy** становясь старше, человек понимает больше. **beth bynnag dych chi eisiau, ewch ag e nawr** чего бы вы ни хотели, берите это сейчас. **aethpwyd â tri o bobol i'r**

ysbyty трех человек забрали в больницу.

mynedfa *b.* **mynedfaoedd** *ll.*, **mynedfeydd** *ll.* подъезд; вход; въезд; выход; доступ; коридор; передняя; проезд; проход; прохождение; путь; течение; ход.

mynediad *g.* **mynediadau** *ll.* впуск; вход; допущение; отъезд; проход; допуск; доступ.

mynegai *g.* **mynegeion** *ll.* индекс; каталог; указатель.

mynegi *be.* выразить; доложить; объяснять; отвечать; выбалтывать; выдавать; выражать; высказываться; говорить; докладывать; заявлять; называть; объявлять; провозглашать; рассказывать; свидетельствовать; сказать; сообщать.

mynegiant *g.* **mynegiannau** *ll.* выражение; экспрессия; выразительность.

mynnu *be.* **myn** *grch.2.un.*, **myn** *pres.3.un.* ❶ добиваться; настаивать. ❷ желать; хотеть; пожелать; захотеть. ❸ приобретать; брать; получать. **gwnewch fel y mynnoch (chi)** делайте как хотите или знаете.

mynwent *b.* **mynwentau** *ll.*, **mynwentydd** *ll.* кладбище (*при церкви*); погост.

mynwes *b.* **mynwesau** *ll.* ❶ грудь. ❷ пазуха. ❸ лоно. ❹ душа.

mynych *ans.* частый.

mynychu *be.* ❶ присутствовать. ❷ посещать. ❸ повторять; повторяться. ❹ частить.

mynydd *g.* **mynyddoedd** *ll.* гора.

mynyddig *ans.* гористый.

myrdd *g.* **myrddiynau** *ll.* тьма.

myrr *g.* мирра.

mysg *g.* ❶ смесь. ❷ середина.

N

na[1] *cys.* чем. **gwell hwyr na hwyrach** лучше поздно, чем никогда.

na[2] *adf.* не; ни. **ga i edrych?—na chei!** позвольте взглянуть?—нафиг, нафиг! **fedr o ddim rhedeg, na cherdded yn iawn hyd yn oed** он не может ни бегать, ни даже нормально ходить.

nabod *be.* узнавать; знать (*какого-л. человека, кого-л.*). **fe ddaethon ni i ('w) nabod nhw drwy'n gwaith** мы узнали их во время нашей работы.

nac *gn.* не.

nacáu *be.* отвергать; отказывать; отказываться; отпираться; отрекаться; отрицать.

nad *adf.* не; ни.

nâd *b.* **nadau** *ll.* ❶ песня; стихотворение; поэзия. ❷ крик; рёв; мольба; плач; ропот; клич; звук; завывание; вопль; вой; стон; шум.

Nadolig *g.* рождество (*Христово*).

nadu *be.* ❶ стонать; реветь; рыдать; кричать; выть; завывать. ❷ останавливать; препятствовать; прекращать; преграждать; кончать; мешать; удерживать; блокировать.

naddo *adf.* нет (*в ответах на вопросы о прошлом*). **welest ti'r ffilm nethiwr?—naddo** ты смотрел фильм прошлым вечером?—нет.

naddu *be.* **nadd** *grch.2.un.*, **nadd** *pres.3.un.* высекать; вытёсывать; обтёсывать; отбивать; откалывать; разрубать; рубить; срубать; стругать; сечь.

nag *cys.* ни.

nage *gn.* нет (*при ответе на эмфатический вопрос*). **i Lanelli dych chi'n mynd heddiw?—nage** ты в Лланелли едешь?—нет.

nai *g.* **neiaint** *ll.*, **nyaint** *ll.* племянник.

naid *b.* **nadau** *ll.*, **neidiau** *ll.* препятствие; прыжок; скачок; отскок. **blwyddyn naid** високосный год.

naill[1] *cys.* или. **naill ai dan ni'n mynd yn syth, neu dan ni'n gorfod aros fan hyn** или мы идем прямо, или нам придется ждать здесь.

naill[2] *rh.* один. **weles i nhw'n mynd i mewn, y naill ar ôl y llall** я видел, как они вошли, один за другим.

nain *b.* **neiniau** *ll.* бабушка.

nam *g.* **namau** *ll.* брак; изъян; недостаток; ошибка; порок; пятно; упущение.

namyn *ardd.* ❶ кроме; без; исключая. ❷ скорее; вернее. ❸ именно.

nant *b.* **nentydd** *ll.* теснина; ущелье; ручей.

nard *g.* нард (растение).

nardus *g.* нард (растение).

natur *b.* существо; естество; класс; натура; нрав; природа; род; сорт; сущность; тип; характер.

naturiol *ans.* натуральный; природный; естественный.

naw *rhif.* девять; девятеро; девятка.

nawdd *g.* заступничество; защита; охрана; покровительство; попечительство; шефство.

nawfed *rhif.* девятый.

nawr *adf.* ныне; теперь; сейчас; нынче. **dw i eisiau i chi wneud y gwaith nawr** я хочу, чтобы ты сделал эту работу сейчас же. **nawr te** ну. **nawr 'te, pwy sy am helpu fan hyn?** ну, кто хочет здесь помочь?

naws *b.* **nawsau** *ll.* качество; сущность; налёт; нрав; оттенок; привкус; характер.

neb *g.* никто; некого. **weles i neb** я никого не видел. **does neb fan hyn** здесь никого нет. **neb arall** никто другой.

nef *b.* **nefoedd** *ll.* небеса; небо.

nefol *ans.* ❶ небесный. ❷ священный.

neges *b.* **negesau** *ll.*, **negeseuau** *ll.* ❶ миссия; поручение. ❷ послание; сообщение.

negeseua *be.* вести переговоры, дела; торговать.

negyddol *ans.* негативный; отрицательный.

neidio *be.* **naid** *grch.2.un.*, **naid** *pres.3.un.* прыгнуть; вздрагивать; подпрыгивать; подскакивать; скакать; прыгать; спрыгнуть. **wedi neidio, rhy hwyr peidio** поздно пить боржоми, когда почки отвалились.

neidr *b.* **nadredd** *ll.*, **nadroedd** *ll.* змея. **neidr y glaswellt** уж.

neilltu *g.* сторона.

neilltuo *be.* отложить; отвести; отводить; выделить; выделять; откладывать; отделять; отсеивать; разделять; разлагать; увольнять.

neilltuol *ans.* отдельный; своеобразный; специфический; специальный; особенный; особый.

neilltuoli *be.* ❶ вдаваться в подробности; подробно останавливаться на чём-л. ❷ выделить; выделять.

neithior *b.* **neithiorau** *ll.* свадебный пир.

neithiwr *adf.* вчера вечером. **oedd neithiwr yn waeth fyth** вчерашний вечер был ещё хуже.
nemor *ans.* многие; много; мало; немногие; немного.
nenfwd *g.* **nenfydau** *ll.* потолок.
nepell *adf.* далеко.
nerf *g.* **nerfau** *ll.* нерв.
nerfus *ans.* нервный.
nerfusrwydd *g.* нервозность.
nerth *g.* **nerthoedd** *ll.* крепость; множество; могущество; мощность; мощь; сила; энергия.
nerthol *ans.* крепкий; могучий; могущественный; мощный; сильнодействующий; сильный.
nes *ardd.* до; пока. **bydd rhaid aros nes iddyn nhw gyrraedd** придётся ждать, пока они не прибудут.
nesáu *be.* наступать; подойти; подходить; приближаться; приступить.
neu *cys.* либо; или. **naill ai nofio neu foddi** или плыть, или тонуть.
neuadd *b.* **neuaddau** *ll.* ❶ зал; чертог. ❷ общежитие.
newid[1] *g.* ❶ перемена; смена; изменение; замена. ❷ сдача; мелочь. ❸ пересадка. ❹ переход.
newid[2] *be.* **newid** *grch.2.un.* ❶ заменить; изменять; заменять; сменить; изменить; обменивать; разменять; сменять; менять. ❷ измениться; изменяться. ❸ переодевать; переодеваться.
newidiad *g.* **newidiadau** *ll.* изменение; перемена; смена; мена; обмен.
newidiol *ans.* переменный; непостоянный; переменчивый; изменчивый.
newidyn *g.* **newidiadau** *ll.* переменная.
newydd[1] *adf.* едва; только; только что.
newydd[2] *g.* **newyddion** *ll.* новость.
newydd[3] *ans.* **newyddion** *ll.* новый; новенький.
newydd-ddyfodiad *g.* **newydd-ddyfodiaid** *ll.* пришлый; приезжий; новоприбывший.
newyddiadur *g.* **newyddiaduron** *ll.* газета.
newyddiadurwr *g.* **newyddiadurwyr** *ll.* корреспондент; газетчик; журналист.
newyddian *g.* **newyddianod** *ll.* новообращённый; новичок; неофит; начинающий.
newyn *g.* голод; голодание.
newynllyd *ans.* ❶ голодающий; голодный. ❷ неплодородный; скудный.
newynog *ans.* ❶ голодающий; голодный. ❷ неплодородный; скудный.
newynu *be.* ❶ голодать. ❷ морить голодом.
newynwr *g.* **newynwyr** *ll.* голодный.
nhw *rh.* они. **maen nhw'n darllen** они читают. **mae eu tad yn eu gweld nhw** их отец видит их. **fe'u garaf** я люблю их.
nhwthau *rh.* они.
ni[1] *rh.* мы. **dyn ni'n darllen** мы читаем. **mae ein tad yn ein gweld ni** наш отец видит нас. **ni'n gwelodd** он нас не видел.
ni[2] *adf.* не. **ni chaniateir cŵn** с собаками нельзя. **nid ydynt yn dda** они не хороши. **ni wyddwn y'i gwelasech** я не знал, что вы его видели. **nid euthum** я не ходил.
nicyrs *ll.* трусики; трусы (*женские*).
nid *adf.* не.
nifer *gb.* **niferi** *ll.*, **niferoedd** *ll.* количество; число.
niferus *ans.* многочисленный.
ninnau *rh.* мы. **mae gwledydd eraill yn rhuthro ymlaen, a ninnau wedi'n hanwybyddu** прочие страны рвутся вперед, а нас игнорируют. **mae'n dadleuon ninnau'n gryfach nag eiddo'r Wrthblaid** наши-то аргументы сильнее, чем у оппозиции. **dan ni ddim yn danfon cardiau Nadolig—na ninnau chwaith** мы не отправили поздравлений с Рождеством—Мы тоже.
nionyn *g.* **nionod** *ll.* луковица; лук.
nis *adf.* не его, не её. **nis cafodd** он не нашел его.
nith *b.* **nithoedd** *ll.* племянница.
niwclear *ans.* ядерный; атомный.
niwed *g.* **niweidiau** *ll.* ❶ вред. ❷ убыток; урон; ущерб.
niweidio *be.* вредить; испортить; повредить; повреждать; портить.
niweidiol *ans.* вредный; губительный; пагубный; тлетворный.
niwl *g.* **niwloedd** *ll.* дымка; мгла; туман.
niwlog *ans.* туманный.
nod *gb.* **nodau** *ll.*, **nodion** *ll.* ❶ намерение; мишень; цель. ❷ репутация; известность. ❸ знак; символ. ❹ примета; признак; показатель. ❺ клеймо; тавро; отметка; след; метка; помета; гриф. ❻ штамп; марка; штемпель. ❼ заметка; записка. ❽ банкнот. ❾ нота. ❿ клавиша.
nodedig *ans.* выдающийся; замечательный.
nodi *be.* назначить; отметить; замечать; записывать; маркировать; метить; назначать; обозначать; отмечать.
nodiad *g.* **nodiadau** *ll.* заметка; примечание.

nodwedd *b.* **nodweddion** *ll.* черта; качество; особенность; признак; свойство; характеристика.
nodweddiadol *ans.* типичный; характерный.
nodweddu *be.* отличаться; характеризоваться; отличать; характеризовать.
nodwydd *b.* **nodwyddau** *ll.* иголка; игла.
nodyn *g.* **nodau** *ll.*, **nodion** *ll.*, **nodynnau** *ll.* нота; нотка; примечание; символ; сноска; заметка; записка; запись; знак; клеймо.
nodded *g.* ❶ прибежище; убежище. ❷ покровительство; охрана; защита.
noddi *be.* финансировать; содействовать.
noddwr *g.* **noddwyr** *ll.* благодетель; заступник; защитник; патрон; покровитель.
noe *b.* **noeau** *ll.* блюдо; миска; посуда; тарелка; кадушка; кадка.
noeth *ans.* **noethion** *ll.* голый; нагой; обнажённый.
noethi *be.* обнажать; оголять; раскрывать.
noethlymun *ans.* голый; нагой; неприкрытый; обнажённый.
nofel *b.* **nofelau** *ll.* роман.
nofelwr *g.* **nofelwyr** *ll.* романист.
nofelydd *g.* **nofelyddion** *ll.* романист.
nofiad *g.* **nofiadau** *ll.* плавание.
nofio *be.* **nawf** *grch.2.un.*, **nawf** *pres.3.un.* плыть; плавать; поплыть; переплывать.
nofiwr *g.* **nofwyr** *ll.* пловец.
nogio *be.* упереться; упираться.
nôl *be.* привезти; привести; доставлять; достать; приводить; привозить; принести; приносить; поднести.
nos *b.* **nosau** *ll.*, **nosweithiau** *ll.* ночь; вечер.
nosi *be.* **nos** *3.un.* наступать (*о ночи*); вечереть.
nosol *ans.* ночной.
noson *b.* **nosweithiau** *ll.* вечер; ночь.
noswaith *b.* **nosweithiau** *ll.* вечер; ночь.
noswylio *be.* заканчивать работу в конце дня.
nunlle *adf.* ❶ где-то. ❷ нигде.
nwy *g.* **nwyau** *ll.*, **nwyon** *ll.* газ.
nwyd *g.* **nwydau** *ll.* ❶ страсть; чувство; эмоция. ❷ манера; способ.
nwydd *g.* **nwyddau** *ll.* товар.
nyddu *be.* вертеть; изгибать; искажать; искривлять; крутить; поворачивать; прясть; скручивать; сучить.
nyddwr *g.* **nyddwyr** *ll.* ❶ пряха; прядильщица; прядильщик. ❷ козодой.
nyni *rh.* мы.
nyth *gb.* **nythod** *ll.* гнездо; гнёздышко.
nythu *be.* гнездиться.

O

o[1] *gn.* ох; о.
o[2] *rh.* он. **mae o'n darllen** он читает. **mae ei dad yn ei weld o** его отец видит его. **fe'i garaf** я люблю его.
o[3] *ardd.* из; от.
oblegid[1] *adf.* относительно.
oblegid[2] *cys.* ибо.
oblegid[3] *ardd.* для; за; из-за; ради.
ochenaid *b.* **ocheneidiau** *ll.* вздох.
ochneidio *be.* вздохнуть; вздыхать.
ochr *b.* **ochrau** *ll.* край; бок; сторона. **ochr yn ochr** рядом, бок о бок. **mae 'na ddadleuon cryf ar y ddwy ochor** у обеих сторон есть сильные доводы. **o'n byw ochor draw i'r afon** они жили на другой стороне реки.
ochrol *g.* **ochrolion** *ll.* боковой.
od *cys.* ли.
odi *be.* сыпаться (*как снег*).
odid *adf.* ❶ возможно; случайно. ❷ исключительный.
odl *b.* **odlau** *ll.* ❶ рифма. ❷ песня; стихотворение; ода.
odli *be.* рифмовать.
odliadur *g.* **odliaduron** *ll.* словарь рифм.
odyn *g.* **odynau** *ll.* печь для обжига и для сушки.
oddeutu[1] *adf.* вокруг; кругом; около; приблизительно.
oddeutu[2] *ardd.* около.
oddi *ardd.* из; с; от.
oed *g.* **oedau** *ll.* ❶ возраст. ❷ время. ❸ свидание (*влюбленных*). ❹ задержка.
oedfa[1] *b.* **oedfaon** *ll.* укрытие.
oedfa[2] *b.* **odfaon** *ll.* ❶ момент; время; возможность. ❷ встреча; собрание.
oedi *be.* задержать; задерживать; медлить; мешкать; откладывать; отсрочивать; задержаться; затянуться; затягиваться.
oediad *g.* **oediadau** *ll.* задержка; замедление; отсрочка; приостановка; проволочка; промедление.
oedolyn *g.* **oedolion** *ll.* совершеннолетний; взрослый.
oedran *g.* **oedrannau** *ll.* век; возраст; период; совершеннолетие.
oedrannus *ans.* пожилой; старый.
oen *g.* **ŵyn** *ll.* барашек; ягнёнок.
oer *ans.* ❶ прохладный; студёный; холодный. ❷ печальный; мрачный; грустный; унылый. ❸ безучастный; бесчувственный; безразличный; равнодушный.
oeraidd *ans.* прохладный; холодноватый.
oerfel *g.* холод.
oerfelgarwch *g.* охлаждение; прохлада; холод; холодность; холодок.
oerfelog *ans.* зябкий; прохладный; холодный.
oergell *b.* **oergelloedd** *ll.* рефрижератор; холодильник.
oeri *be.* остыть; холодеть; остывать; холодать.
oerllyd *ans.* зябкий; прохладный; холодный.
oerni *g.* холод; холодность.
oes *b.* **oesau** *ll.*, **oesoedd** *ll.* век; эпоха; возраст; жизнь.
oesi *be.* проживать; жить; существовать.
oesol *ans.* ❶ старинный; древний; старый. ❷ постоянный; пожизненный; нескончаемый; вечный; бессрочный; беспрестанный; бесконечный.
of *ans.* сырой.
ofer *ans.* бесполезный; напрасный; ненужный; пустой; тщетный.
ofergoel *b.* **ofergoelion** *ll.* суеверие.
ofergoeledd *g.* суеверие.
ofergoeliaeth *b.* суеверие.
ofergoelus *ans.* суеверный.
oferiaith *b.* **oferiaithau** *ll.* пустословие.
ofn *g.* **ofnau** *ll.* боязнь; опасение; ужас; страх.
ofnadwy *ans.* грозный; отвратительный; страшный; ужасный.
ofni *be.* опасаться; страшиться; бояться.
ofnus *ans.* ❶ робкий; застенчивый; боязливый; испуганный. ❷ ужасный; страшный.
offeiriad *g.* **offeiriaid** *ll.* жрец; священник.
offeren *b.* **offerennau** *ll.* месса; обедня.
offeryn *g.* **offer** *ll.*, **offerynnau** *ll.* снаряд; приспособление; инструмент; прибор; орудие.
og *b.* **ogau** *ll.* борона.
oged *b.* **ogedau** *ll.*, **ogedi** *ll.* борона.
ogof *b.* **ogofau** *ll.*, **ogofâu** *ll.*, **ogofeydd** *ll.* пещера.
ogystal *adf.* также.
ongl *b.* **onglau** *ll.* угол. **ongl fain** острый угол. **ongl gywir** прямой угол. **ongl aflem** тупой угол.
oherwydd[1] *ardd.* благодаря; из-за.
oherwydd[2] *cys.* поскольку; ведь; потому что; так как.
ôl[1] *ans.* задний.
ôl[2] *g.* **ôlion** *ll.* след; метка; отметка; отпечаток. **ar ôl** вслед; после. **yn ôl** назад; согласно.

olaf *ans.* последний. **Rhagfyr yw mis ola'r flwyddyn** декабрь—последний месяц года.
olew *g.* **olewau** *ll.* ❶ масло. ❷ нефть.
olrhain *be.* выводить; выслеживать; записывать; находить; прослеживать; следить; установить; фиксировать.
olwyn *b.* **olwynion** *ll.* колёсико; колесо.
olwyno *be.* поворачивать; катиться; двигаться на колесах; ехать на велосипеде; вращать; вращаться; везти; подкатить; катить; поворачиваться.
olynol *ans.* непрерывный; следующий; последовательный; последующий.
oll *adf.* вполне; всецело; полностью; целиком; всё.
ond[1] *cys.* но; зато; лишь; однако; только; ж; же; ведь; а.
ond[2] *ardd.* исключая; кроме.
onest *ans.* правдивый; честный.
oni[1] *cys.* если не; не.
oni[2] *ardd.* без; исключая; кроме.
onid[1] *cys.* разве; если не; не.
onid[2] *ardd.* без; исключая; кроме.
onis *cys.* разве; если не.
onnen *b.* **onn** *ll.*, **ynn** *ll.* ясень.
ordeinio *be.* ❶ предписывать. ❷ рукополагать; посвящать в духовный сан.
oren *g.* **orennau** *ll.* апельсин.
organ *gb.* **organau** *ll.* ❶ орган. ❷ орган.
organydd *g.* **organyddion** *ll.* ❶ органист. ❷ организм.
orgraff *b.* **orgraffau** *ll.* орфография; правописание.
oriawr *b.* **oriorau** *ll.* наручные часы.
oriel *b.* **orielau** *ll.* галерея.
orig *b.* короткий промежуток времени.
oriog *ans.* изменчивый; ненадёжный; непостоянный; неустойчивый; переменчивый.
os *cys.* если; коли; ежели.
osgo *g.* откос; скат; осанка; наклон; наклонение; наклонность; отклонение; поза; позиция; склон; склонение; склонность; уклон; стойка.
osgoi *be.* уклоняться; избегать.
ots *g.* **otsau** *ll.* разница. **does dim ots** неважно, все равно, не имеет значения.
ow *gn.* ой.
owns *b.* **ownsiau** *ll.* унция (= *28,35 г*).

P

pa *rh.* какой; который; каков; кой; каковой.
pab *g.* **pabau** *ll.* папа; священник; поп.
pabell *b.* **pebyll** *ll.* палатка; тент; чум.
pabi *b.* **pabiau** *ll.* мак.
pabydd *g.* **pabyddion** *ll.* папист.
pabyddol *ans.* папистский.
pac *g.* **paciau** *ll.* ❶ свёрток; пачка; пакет; ранец; вьюк; колода. ❷ свора; группа; банда; стая.
paced *g.* **pacedi** *ll.* упаковка; пакет; пачка.
pacio *be.* паковать; упаковывать.
padell *b.* **padellau** *ll.*, **padelli** *ll.*, **pedyll** *ll.* миска; чаша; сковорода.
pader *g.* **paderau** *ll.* «Отче наш» (*молитва*).
paentiad *g.* **paentiadau** *ll.* ❶ живопись. ❷ картина (*написанная краской*); живописное полотно. **gwerthodd un o'i baentiadau** он продал одну из своих картин.
paffio *be.* боксировать.
paffiwr *g.* **paffwyr** *ll.* боксёр.
pagan *g.* **paganiaid** *ll.* ❶ язычник. ❷ неуч; варвар.
paganaidd *ans.* языческий.
paganiaeth *b.* язычество.
paham *adf.* почему.
pair *g.* **peiriau** *ll.* ❶ бойлер; котёл; топка; горн. ❷ правитель.
pais *b.* **peisiau** *ll.* ❶ юбка; комбинация. ❷ туника; рубашка; рубаха. ❸ китель; мундир; пиджак; френч. ❹ одеяние; риза. ❺ кольчуга; кираса. ❻ галево ремизки.
paith *g.* **peithiau** *ll.* прерия; степь.
pâl *gb.* **palau** *ll.*, **palod** *ll.* лопата.
paladr *g.* **pelydr** *ll.* древко; жезл; ножка; опора; палка; посох; род; рукоятка; ствол; стебель; стержень; столп; флагшток; черенок.
palas *g.* **palasau** *ll.*, **palasoedd** *ll.* дворец.
palf *b.* **palfau** *ll.* ❶ лапа; ладонь. ❷ лопасть; лопатка.
palfais *b.* **palfeisiau** *ll.* лопатка; плечо.
palfalu *be.* тронуть; лапать; нащупывать; ощупывать; трогать; шарить.
palmant *g.* **palmantau** *ll.*, **palmentydd** *ll.* тротуар.
palu *be.* копать; рыть; взрыть; вскапывать; вскопать; взрывать.
pallu *be.* заартачиться; недоставать; ослабевать; отказывать; отказываться; переставать; прекращать; приостанавливать.
pam *adf.* отчего; почему; зачем. **pam lai** почему нет?
pamffled *g.* **pamffledau** *ll.*, **pamffledi** *ll.* брошюра; памфлет.
pân *g.* мех; пушнина.
pan[1] *ans.* валяный.
pan[2] *adf.* ❶ откуда. ❷ как.
pan[3] *cys.* когда.
pan[4] *b.* чашка.
panasen *b.* **pannas** *ll.* пастернак.
pandy *g.* **pandai** *ll.* валяльная мельница.
paned *g.* полная чашка.
panel *g.* **paneli** *ll.* ❶ чепрак. ❷ панель. ❸ жюри; комиссия.
pant *g.* **pantiau** *ll.* впадина; долина; ложбина; лощина; полость. **bant â ni!** начали! **troi'r cyfrifiadur bant** выключить компьютер. **i'r pant y rhed y dŵr** деньги к деньгам. **o bant i bentan** от Понтия к Пилату.
pantis *ll.* трусики; трусы (*женские*).
papur *g.* **papurau** *ll.* бумага; бумажка.
papuro *be.* ❶ завертывать в бумагу. ❷ оклеивать обоями.
pâr[1] *g.* **parau** *ll.* пара; чета.
pâr[2] *g.* **peri** *ll.* копьё.
paradwys *b.* рай.
paraffin *g.* керосин; парафин.
paragraff *g.* **paragraffau** *ll.* абзац; параграф.
paratoad *g.* **paratoadau** *ll.* ❶ сбор; подготовка; приготовление. ❷ препарат.
paratoi *be.* приготовить; подготовить; приготавливать; готовить; подготавливать.
parc *g.* **parciau** *ll.* ❶ парк. ❷ поле.
parch *g.* **parciau** *ll.* почтение; почтительность; уважение.
parchu *be.* **peirch** *pres.3.un.* почитать; чтить; уважать.
parchus *ans.* уважительный; уважаемый; почтенный; почтительный; респектабельный.
pared *g.* **parwydydd** *ll.* стена; стенка.
parod *ans.* ❶ готовый. ❷ согласный (*сделать что-л.*); расположенный; склонный. **ydych chi'n barod?** вы готовы?
parodrwydd *g.* готовность; подготовленность.
parti *g.* **partïon** *ll.* вечеринка; вечер; прием гостей.
parth *g.* **parthau** *ll.* домашний очаг; пол (*особ. в кухне*); частица (*грам.*); доля; область; партия; район; сторона; участие; часть.
parthed *ardd.* касательно; насчёт; о; об; относительно.
parthu *be.* делить; делиться; дробить; отделять; подразделять; разделять; раз-

деляться; разлучать; разнимать; разрывать; разъединять; распределять; расставаться; поделиться.
parhad *g.* возобновление; длительность; продолжение; продолжительность.
parhaol *ans.* длительный; продолжительный; постоянный.
parhau *be.* **para** *grch.2.un.*, **pery** *pres.3.un.* ❶ продолжить; продолжаться; продолжать; длиться. ❷ носиться.
parhaus *ans.* ❶ бесконечный; нескончаемый; длительный; бессрочный; беспрестанный; непрерывный; вечный; постоянный. ❷ прочный.
Pasg *g.* пасха (*рел.*). **welwn ni chi ar ôl y Pasg** мы Вас увидим после пасхи. **Sul y Pasg** первый день пасхи. **(Dydd) Llun y Pasg** второй день пасхи.
pasgedig *ans.* **pasgedigion** *ll.* откормленный; тучный; упитанный.
past *g.* паштет; клейстер; мастика; паста; тесто.
pastai *b.* **pasteiod** *ll.* пирог; пирожок.
pastwn *g.* **pastynau** *ll.* палица; булава; дубина; дубинка; жезл.
pathew *g.* **pathewod** *ll.* соня.
pau *b.* **peuoedd** *ll.* ❶ местность; область; провинция; страна; территория. ❷ дом.
paun *g.* **peunod** *ll.* павлин.
pawb *rh.* каждый; всё; всякий.
pe *cys.* если.
pechadur *g.* **pechaduriaid** *ll.* ❶ грешник. ❷ правонарушитель; преступник.
pechod *g.* **pechodau** *ll.* грех.
pechu *be.* грешить; погрешить; согрешить.
pedol *b.* **pedolau** *ll.* подкова. **u bedol** буква «u» (*а не* «i»).
pedoli *be.* подковывать.
Pedr *e.* Пётр.
pedrain *b.* **pedreiniau** *ll.* круп (*лошади*).
pedwar *rhif.* **pedair** *ж.* четыре; четверо; четвёрка. **pedwar mab** четыре сына. **pedair merch** четыре дочери.
pedwarawd *g.* **pedwarawdau** *ll.* квартет.
pedwerydd *rhif.* **pedwaredd** *ж.* четвёртый.
pegwn *g.* **pegynau** *ll.* ❶ полюс. ❷ ось.
pegynol *ans.* ❶ полярный; полюсный. ❷ осевой.
penglog *b.* **penglogau** *ll.* череп.
penguwch *g.* женский головной убор (*любой*)
peidio *be.* **paid** *grch.2.un.*, **paid** *pres.3.un.* прекратить; перестать; остановиться; служит для выражения отрицания в повелительном наклонении; воздерживаться; кончать; останавливать; останавливаться; переставать; прекращать; приостанавливать; удержаться. **paid!** прекрати! **paid ti â deud pethau felly!** не говори такие вещи! **peidiwch anghofio!** не забудьте! **peidiwch â sôn!** не стоит упоминания! **ydy'r glaw wedi peidio?** дождь закончился?
peint *g.* **peintiau** *ll.* пинта.
peiriannydd *g.* **peirianyddion** *ll.* инженер; механик.
peiriant *g.* **peiriannau** *ll.* машинка; автомат; аппарат; двигатель; машина; механизм; мотор.
peirianwaith *g.* **peirianweithiau** *ll.* аппарат; механизм; техника; устройство.
pêl *b.* **pelau** *ll.*, **peli** *ll.* глобус; клубок; пуля; шар; ядро; мячик; мяч.
pêl-droed *b.* футбол.
pelen *b.* **pelennau** *ll.*, **pelenni** *ll.* ❶ шарик. ❷ пилюля. ❸ пуля. ❹ ядро. ❺ отравление свинцом у шахтеров.
pelydr *g.* **pelydrau** *ll.* луч.
pelydru *be.* лучиться; излучать; светить; светиться; сиять.
pell[1] *adf.* вдалеке.
pell[2] *ans.* отдалённый; далёкий; дальний.
pellebru *be.* телеграфировать.
pellhau *be.* удалять; удаляться; откладывать.
pellter *g.* **pellterau** *ll.*, **pellteroedd** *ll.* даль; дальность; дистанция; отдалённость; расстояние; вилка (*расстояние между точками перелета и недолета*).
pen[1] *ans.* головной; важнейший; величайший; верховный; высочайший; высший; крайний; основной; последний; предельный; руководящий.
pen[2] *g.* **pennau** *ll.* ❶ голова; глава; головка; башка. ❷ окончание; конец. ❸ верхушка; вершина. **pen ôl** зад.
penadur *g.* **penaduriaid** *ll.* монарх; повелитель; соверен.
penaduriaeth *b.* суверенитет.
penagored *ans.* доступный; незавершённый; неограниченный; неопределённый; неясный; открытый; свободный.
penaig *g.* вождь; глава; командир; лидер; начальник; руководитель; шеф.
penbleth *gb.* недоумение; растерянность; смущение.
pen-blwydd *g.* день рождения.
pencadlys *g.* штаб; штаб-квартира; ставка.
pencampwr *g.* **pencampwyr** *ll.* герой; чемпион.
pendant *ans.* ❶ специальный; конкретный; особый; определённый. ❷ подчёркнутый; несомненный; ясный; явный. ❸ положительный (*об электрическом заряде, о степени сравнения*). ❹ изъявительный (*о наклонении*).

pendefig *g.* **pendefigion** *ll.* аристократ; государь; князь; король; лорд; магнат; правитель; принц.

penderfyniad *g.* **penderfyniadau** *ll.* приговор; разрешение; резолюция; решение; решимость; решительность.

penderfynol *ans.* решающий; непреклонный; непоколебимый; решительный; твёрдый.

penderfynu *be.* решить; решать; определяться.

pendramwnwgl *ans.* безудержный; бурный; опрометчивый.

pendroni *be.* беспокоиться; волноваться.

penelin *gb.* **penelinoedd** *ll.* подлокотник; локоть.

peneuryn *g.* ❶ златоглавый; златокудрый; златовласый. ❷ овсянка (*Emberiza citrinella*); щегол. ❸ губан (*Crenilabrus melops*).

penfras[1] *ans.* ❶ большеголовый. ❷ тупоголовый.

penfras[2] *g.* **penfrasau** *ll.* треска.

penhwyad *g.* **penhwyaid** *ll.* ❶ щука. ❷ окунь.

penigamp *ans.* блестящий; роскошный; чудный; прекраснейший; великолепный; отличный; превосходный.

pen-lin *b.* **penliniau** *ll.* колено.

penlinio *be.* стоять на коленях.

penlliain *g.* **penllieiniau** *ll.* женский головной убор (*любой*).

penllwyd *ans.* седой.

pennaeth *g.* **penaethiaid** *ll.* начальство; начальник; руководитель; глава; шеф.

pennaf *ans.* важнейший; ведущий; главный; основной.

pennawd *g.* **penawdau** *ll.* заглавие; заголовок; шапка.

pennill *g.* **penillion** *ll.* стих; строфа; станс.

pennod *b.* **penodau** *ll.* ❶ раздел; глава. ❷ предложение. ❸ цель. ❹ предел. ❺ сумма. ❻ точка. ❼ период.

pennog *g.* **penwaig** *ll.* селёдка; сельдь.

pennu *be.* определить; уточнить; установить; детерминировать; истекать; кончаться; назначать; обусловливать; ограничивать; определять; предписывать; специфицировать; указывать; устанавливать; уточнять.

penodi *be.* назначить; назначать; определять; предназначать; предписывать; предназначить.

penodiad *g.* **penodiadau** *ll.* ❶ назначение. ❷ определение. ❸ место; должность.

penodol *ans.* положенный; особенный; особый; подробный; специфический; точный; прописной; детальный; конкретный; определённый.

penrhyn *g.* **penrhynnau** *ll.*, **penrhynnoedd** *ll.* мыс.

pensaer *g.* **penseiri** *ll.* зодчий; архитектор.

pensaernïaeth *b.* архитектура; зодчество.

pensaernïol *ans.* архитектурный.

pensil *g.* **pensiliau** *ll.* карандаш.

pensiwn *g.* **pensiynau** *ll.* пенсия.

pensiynwr *g.* **pensiynwyr** *ll.* ❶ наймит; наёмник; телохранитель (*короля*). ❷ пенсионер.

pensynnu *be.* ❶ мечтать. ❷ удивляться. ❸ обалдевать. ❹ глазеть. ❺ удивлять.

pentan *g.* **pentanau** *ll.* ❶ полка в камине для подогревания пищи. ❷ пята свода.

pentir *g.* **pentiroedd** *ll.* коса; мыс.

pentref *g.* **pentrefi** *ll.*, **pentrefydd** *ll.* деревня; село; весь.

pentrefwr *g.* **pentrefwyr** *ll.* сельский житель.

pentwr *g.* **pentyrrau** *ll.* стопа; груда; кипа; куча; множество; уйма; штабель.

pentyrru *be.* **pentwr** *grch.2.un.*, **pentwr** *pres.3.un.* сложить; аккумулировать; громоздить; заваливать; копить; нагромождать; накапливать; накоплять; складывать; скопляться; скучивать; собирать; снести; сносить; сносить; свалить; наносить; нанести.

penwisg *b.* **penwisgoedd** *ll.* ❶ головной убор; шапка; чепец. ❷ тюрбан. ❸ капюшон. ❹ парик.

penwythnos *b.* **penwythnosau** *ll.* уикэнд; выходные дни в конце недели.

pêr *ans.* ароматный; благовонный; душистый; приятный; сладкий.

perchen *g.* **perchenogion** *ll.* ❶ собственник; хозяин; владелец. ❷ владение.

perchennog *g.* **perchenogion** *ll.* владелец; собственник; хозяин.

perchenogi *be.* ❶ обладать; иметь; владеть. ❷ признавать.

pereiddio *be.* ❶ приправлять; подслащивать. ❷ консервировать.

pererin *g.* **pererinion** *ll.* паломник; пилигрим.

pererindod *gb.* **pererindodau** *ll.* паломничество.

perfedd *g.* **perfeddion** *ll.* внутренность; сердцевина; середина.

perffaith *ans.* прекрасный; идеальный; безупречный; совершенный.

perffeithio *be.* совершенствовать.

perffeithrwydd *g.* завершение; безупречность; законченность; совершенство; совершенствование.

perfformiad *g.* **perfformiadau** *ll.* ❶ исполнение; представление; спектакль. ❷ выполнение. ❸ производительность.
peri *be.* **pair** *pres.3.un.*, **pâr** *grch.2.un.*, **pâr** *pres.3.un.* привести; приводить; порождать; причинять; вызывать.
Periw *b.* Перу.
perl *g.* **perlau** *ll.*, **perlen** *bach.b.*, **perlyn** *bach.g.* ❶ жемчужина; жемчуг. ❷ катаракта.
perlewyg *g.* **perlewygon** *ll.* транс; экстаз.
perlog *ans.* жемчужный.
perllan *b.* **perllannau** *ll.* сад.
persawr *g.* **persawrau** *ll.* ❶ благоухание; аромат; букет (*вина*). ❷ духи.
person[1] *g.* **personau** *ll.* лицо; лицо; личность; особа; человек.
person[2] *g.* **personiaid** *ll.* пастор; священник.
personol *ans.* персональный; личный.
personoliaeth *b.* ❶ личность; индивидуальность. ❷ приход; пасторат.
pert *ans.* приятный; симпатичный; хорошенький; прелестный; миловидный.
perth *b.* **perthi** *ll.* ❶ изгородь. ❷ куст; кустарник.
perthnasau *ll.* родня.
perthnasol *ans.* ❶ соответствующий; уместный; относящийся к делу; подходящий. ❷ связанный; родственный. ❸ коррелятивный; корреляционный; относительный.
perthyn *be.* относиться; принадлежать.
perthynas *gb.* **perthnasau** *ll.*, **perthynasau** *ll.*, **perthynasoedd** *ll.* ❶ связь; отношение. ❷ родство; родственник; родственница. ❸ принадлежность; собственность; приложение. **mewn perthynas â** по отношению к.
perthynol *ans.* близкий; взаимный; относительный; похожий; родственный; соответственный; соотносительный; сравнительный; сродный.
perwyl *g.* **perwylion** *ll.* ❶ намерение; цель. ❷ дело. ❸ событие. ❹ опасность.
perygl *g.* **peryglon** *ll.* риск; угроза; опасность.
peryglus *ans.* рискованный; опасный; критический.
peswch[1] *be.* кашлять.
peswch[2] *g.* кашель.
pesychu *be.* кашлять.
petrol *g.* бензин.
petrus *ans.* сомневающийся; неопределённый; неясный; подозрительный; сомнительный.
petruso *be.* пугаться; сомневаться; стесняться; приводить в недоумение; запинаться; колебаться.
petryal *ans.* квадратный; прямоугольный.
peth *g.* **pethau** *ll.* вещь; дело.
pi *b.* **pïod** *ll.* сорока.
piano *gb.* игра на фортепьяно; фортепьяно.
piau *be.* **piau** *pres.3.un.*, **pioedd** *amhff.3.un.* иметь; обладать; владеть.
pib *b.* **pibau** *ll.* дудка; свирель; трубка; труба.
pibell *b.* **pibellau** *ll.*, **pibelli** *ll.* дудка; труба; трубка; трубопровод.
picell *b.* **picellau** *ll.* пика; дротик; копьё.
picfforch *b.* **picffyrch** *ll.* вилы.
pidlen *b.* фаллос; пенис; член.
piff *g.* **piffiau** *ll.* порыв; дуновение.
pig *b.* **pigau** *ll.* кончик; наконечник; острие; шип.
pigiad *g.* **pigiadau** *ll.* точка; прокол; укол.
pigo *be.* сорвать; выбирать; выискивать; жалить; клевать; ковырять; накалывать; очищать; прокалывать; протыкать; снимать; собирать; срывать; уколоть; уязвлять; чистить.
pigog *ans.* колючий; вспыльчивый; раздражительный; обидчивый.
pilcodyn *g.* **pilcod** *ll.* гольян.
pili-pala *gb.* бабочка.
pin *gb.* **pinnau** *ll.* болт; булавка; гвоздь; кнопка; колок; ось; палец; цапфа; чека; шейка; шкворень; шпиль; шпилька; шплинт; штифт; штырь. **pin cau** английская булавка. **pin bawd** канцелярская кнопка.
pinafal *g.* **pinafalau** *ll.* ананас.
pinc[1] *ans.* розовый.
pinc[2] *gb.* **pincod** *ll.* зяблик.
pinwydden *b.* **pinwydd** *ll.* сосна.
pioden *b.* **piod** *ll.* сорока.
piogen *b.* **piod** *ll.* сорока.
piser *g.* **piserau** *ll.*, **piseri** *ll.* бидон; кувшин.
pisgwydden *b.* **pisgwydd** *ll.* липа.
piso *be.* мочиться; писать.
pistyll *g.* **pistylloedd** *ll.* ❶ водопад. ❷ водосточный желоб; водосточная труба.
pistyllio *be.* струиться; фонтанировать; хлынуть.
pisyn *g.* **pisiau** *ll.*, **pisynnau** *ll.* ❶ часть; деталь. ❷ монета. ❸ речь; сочинение. ❹ заплата. ❺ крошка; красотка. ❻ член.
pitw *ans.* жалкий; маленький; маловажный; мелкий; мелочный; небольшой; незначительный; ничтожный; пустяковый; слабый; тщедушный; хилый.
piw *g.* **piwau** *ll.*, **piwod** *ll.* вымя.
Piwritan *g.* **Piwritaniaid** *ll.* пуританин.
piwritanaidd *ans.* пуританский.
pla *gb.* **plâu** *ll.* ❶ поветрие; мор; чума. ❷ казнь.

pladur *b.* **pladuriau** *ll.* коса.
pladuro *be.* косить.
plaen[1] *ans.* гладкий; недвусмысленный; обыкновенный; отчётливый; очевидный; понятный; простой; ровный; скромный; чистый; явный; ясный.
plaen[2] *gb.* **plaenau** *ll.*, **plaeniau** *ll.* струг; рубанок; мастерок; калёвка; гладилка.
plaid *b.* **pleidiau** *ll.* ❶ сторона (*в споре, дискуссии*). ❷ партия (*политическая*). **y Blaid Geidwadol** Консервативная партия. **y Blaid Gomiwnyddol** Коммунистическая партия. **y Blaid Lafur** Лейбористская партия. **y Blaid Ryddfrydol** Либеральная партия (*в Великобритании*). **Plaid Cymru** Валлийская националистическая партия.
planed *b.* **planedau** *ll.* планета.
planhigyn *g.* **planhigion** *ll.* растение.
planiad *g.* **planiadau** *ll.* ❶ посадка. ❷ колонизация; колония. ❸ плантация.
plannu *be.* усаживать; посадить; насаждать; высаживать (*растения*); сажать.
plantos *ll.* ребятишки; ребята.
plas *g.* **plasau** *ll.* дворец.
plasty *g.* **plastai** *ll.* особняк; усадьба.
plât *g.* **platiau** *ll.* ❶ тарелка. ❷ блюдо. ❸ штык (*лопаты*); лезвие. ❹ дощечка; пластинка. ❺ плита.
ple[1] *rh.* где.
ple[2] *g.* иск по суду.
pleidiol *ans.* ❶ благосклонный; пристрастный; расположенный. ❷ партийный.
pleidlais *b.* **pleidleisiau** *ll.* баллотировка; голос; голосование.
pleidleisio *be.* голосовать.
plentyn *g.* **plant** *ll.* ребёнок; чадо; дитя.
plentyndod *g.* детство; младенчество.
plentynnaidd *ans.* детский; незрелый; ребяческий.
pleserus *ans.* милый; приятный; славный.
plesio *be.* радовать; угождать; угодить.
pleth *b.* **plethau** *ll.*, **plethen** *bach.b.*, **plethenni** *bach.b.ll.*, **plethi** *ll.*, **plethyn** *bach.*, **plethynnau** *bach.ll.* коса.
plethu *be.* ❶ плести; вплетать; заплетать; оплетать; сплетать; сплести. ❷ сгибать; загибать.
plith *g.* середина.
ploryn *g.* **plorod** *ll.*, **plorynnod** *ll.* прыщ; угорь.
pluen *b.* **plu** *ll.* перо. **pluen eira** снежинка.
plufyn *g.* **pluf** *ll.* перо.
plwc *g.* **plyciau** *ll.* ❶ рывок; дёрганье. ❷ срок; интервал. ❸ расстояние. ❹ смелость; отвага; мужество. ❺ потроха; ливер.
plwg *g.* **plygiadau** *ll.*, **plygiau** *ll.*, **plygion** *ll.* вилка.
plwm *g.* свинец.
plwyf *g.* **plwyfi** *ll.*, **plwyfydd** *ll.* приход (*церковный*).
plycio *be.* ❶ срывать; выдёргивать; щипать; ощипывать; рвануть. ❷ перебирать (*струны*). ❸ проваливать (*кандидата*).
plyg *g.* **plygiau** *ll.*, **plygion** *ll.* ❶ сгиб; складка; морщина; стрелка. ❷ слой. ❸ толщина. ❹ десть. ❺ валун.
plygain *g.* **plygeiniau** *ll.* ❶ заутреня. ❷ рассвет.
plygeiniol *ans.* ранний; утренний. **yn blygeiniol** ни свет ни заря.
plygell *g.* **plygellau** *ll.* папка; папочка.
plygu *be.* **plyg** *grch.2.un.*, **plyg** *pres.3.un.* ❶ гнуть; сгибать; сложиться; складываться; наклоняться; нагибать; наклониться; изгибать; загибать; кланяться; наклонить; перегибать; наклонять; подобрать; завёртывать; подбирать; откидывать; откинуть. ❷ покорять. ❸ подчиняться; преклоняться.
plymen *b.* ❶ грузило. ❷ свинцовый лист. ❸ свинцовый карандаш. ❹ свинцовый сосуд. ❺ слой льда.
plymio *be.* ❶ измерять глубину воды лотом. ❷ нырять. ❸ свинцевать; освинцевать; освинцовывать. ❹ подключать к канализации или водопроводу; проводить водопровод или канализацию. ❺ работать водопроводчиком. ❻ быть вертикальным; делать вертикальным.
pnawn *g.* послеобеденное время.
pob *ans.* всякий; каждый.
pobi *be.* обжечь; сушить; жарить; печь; запекать; обжигать; поджаривать.
pobl *b.* **pobloedd** *ll.* люди; народ.
poblogaeth *b.* **poblogaethau** *ll.* население.
poblogaidd *ans.* популярный.
poblogeiddio *be.* популяризировать.
poced *b.* **pocedi** *ll.* карман; луза.
poen *gb.* **poenau** *ll.* горе; огорчение; боль; мука; мучение; страдание.
poeni *be.* беспокоить; болеть; докучать; досаждать; изводить; огорчать; терзать; убиваться; мучить; переживать. **peidiwch â phoeni!** не волнуйтесь! **paid â phoeni!** забей!
poenus *ans.* болезненный; мучительный; неприятный.
poer *g.* **poerion** *ll.* слюна.
poeri[1] *g.* **poerieiau** *ll.* слюна.
poeri[2] *be.* плюнуть; отхаркивать; плевать.
poeth *ans.* **poethion** *ll.* ❶ жгучий; горячий; тёплый; жаркий. ❷ пряный; ост-

рый. ❸ возбуждённый; пылкий. ❹ раздражённый.

poethi *be.* горячить; нагревать; накаливать; накаляться; подогревать; разгорячить; разогревать; согревать.

polisi *g.* **polisïau** *ll.* ❶ курс; политика. ❷ полис.

polyn *g.* **polion** *ll.* кол; жердь; шест; столб.

pomgranad *g.* **pomgranadau** *ll.* гранат.

pompiwn *g.* **pompiynau** *ll.* тыква.

ponc *b.* **ponciau** *ll.* ❶ бугорок; холмик; лежачий полицейский. ❷ штольня.

pont *b.* **pontydd** *ll.* ❶ мост. ❷ акведук; путепровод; виадук.

popeth *g.* всё. **popeth yn iawn?** все в порядке? **ydy popeth yn barod?** все готово?

poplysen *b.* **poplys** *ll.* тополь.

popty *g.* **poptai** *ll.* ❶ печка; духовка; печь; плитка; плита. ❷ пекарня.

porchell *g.* **perchyll** *ll.* поросёнок.

porfa *b.* **porfaoedd** *ll.*, **porfeydd** *ll.* ❶ трава. ❷ выгон; пастбище.

porfedog *ans.* травянистый.

porfel *b.* **porfeloedd** *ll.* выпас; выгон; пастбище.

porfelaeth *b.* **porfelaethau** *ll.* пастьба; выпас.

porffor *ans.* малиновый; фиолетовый; лиловый; багровый; пурпуровый; пурпурный; порфироносный; царский.

pori *be.* **pawr** *grch.2.un.*, **pawr** *pres.3.un.* пасти; пастись.

portread *g.* **portreadau** *ll.* ❶ описание; рисование; изображение. ❷ рисунок. ❸ шаблон; образец.

portreadu *be.* изображать; рисовать.

porth[1] *g.* поддержка; помощник; помощь.

porth[2] *b.* **pyrth** *ll.* ❶ гавань; порт. ❷ паром.

porth[3] *g.* **pyrth** *ll.* ворота; вход; калитка; портик; шлюз.

porthi *be.* ❶ кормить; питать; поддерживать. ❷ питаться. ❸ нести. ❹ выдерживать; переносить.

porthladd *g.* **porthladdoedd** *ll.* гавань; порт.

porthmon *g.* **porthmyn** *ll.* ❶ скотопрогонщик; скототорговец. ❷ горожанин. ❸ купец.

porwr *g.* **porwyr** *ll.* ❶ пасущееся животное. ❷ веб-браузер.

pos *g.* **posau** *ll.* головоломка; загадка.

posib *ans.* вероятный; возможный.

posibilrwydd *g.* вероятность; возможность.

posibl *ans.* вероятный; возможный.

post *g.* **pyst** *ll.* ❶ мачта; опора; подпорка; столп; стойка; колонна; столб. ❷ почта.

postio *be.* отправлять по почте.

pot *g.* **potiau** *ll.* ❶ банка; горшок; котелок. ❷ марихуана.

potel *b.* **potelau** *ll.*, **poteli** *ll.* бутыль; бутылка.

potelaid *b.* **poteleidiau** *ll.* бутылка (*как мера емкости*).

powdwr *g.* **powdwyr** *ll.* порох; пудра; порошок.

praff *ans.* **preiffion** *ll.* дородный; крепкий; прочный; сильный; толстый.

praidd *g.* **preiddiau** *ll.* стая; стадо.

praw *g.* **profion** *ll.* испытание; опробование; проба; проверка.

prawf *g.* **profion** *ll.* тест; испытание; опробование; проба; проверка; реакция.

pregeth *b.* **pregethau** *ll.* проповедь.

pregethu *be.* проповедовать.

pregethwr *g.* **pregethwyr** *ll.* проповедник.

preifat *ans.* ❶ личный; частный. ❷ неофициальный. ❸ конфиденциальный; тайный.

pren *g.* **prennau** *ll.* дерево; древесина; лес.

prentisiaeth *b.* учение; ученичество.

prepian *be.* разбалтывать; проболтаться; выболтать; болтать; ябедничать; доносить; донести.

pres *g.* ❶ латунь; бронза. ❷ деньги. **oes gen ti ddigon o bres** у тебя достаточно денег?

preseb *g.* **presebau** *ll.* ясли.

presennol *ans.* настоящий; присутствующий; современный; теперешний.

presenoldeb *g.* наличие; присутствие.

preswyl *g.* дом; жилище; местопребывание; проживание.

preswylfa *b.* **preswylfeydd** *ll.* дом; жилище; местопребывание; проживание.

preswylio *be.* жить; населять; находиться; обитать; пребывать; проживать.

prid[1] *ans.* ценный; дорогой.

prid[2] *g.* ❶ ипотека. ❷ платёж. ❸ цена; ценность; стоимость. ❹ покупка. ❺ закладная; заклад; залог. ❻ ставка.

pridwerth *g.* **pridwerthau** *ll.*, **pridwerthoedd** *ll.* выкуп; искупление.

pridd *g.* грязь; глина; грунт; прах; земля; почва.

priddfaen *g.* **priddfeini** *ll.* кирпич.

priddlech *b.* **priddlechau** *ll.*, **priddlechi** *ll.* кафель; плитка; изразец; черепица.

prif *ans.* генеральный; основной; первый; важнейший; главный. **beth yw prif ddiddordebau'ch plant?** какие главные интересы у Ваших ребят?

prifardd *g.* **prifeirdd** *ll.* главный поэт.

prifathro *g.* **prifathrawon** *ll.* директор (*школы*).
prifddinas *b.* **prifddinasoedd** *ll.* столица.
prifddinasol *ans.* столичный.
prifysgol *b.* **prifysgolion** *ll.* университет.
priffordd *b.* **priffyrdd** *ll.* трасса; большак; шоссе.
prin[1] *adf.* еле; чуть; едва.
prin[2] *ans.* **prinion** *ll.* дефицитный; недостаточный; скудный; редкий.
prinder *g.* дефицит; недостаток; нехватка; редкость.
prinhau *be.* убавлять; уменьшать.
priod *ans.* женатый; замужний.
priod-ddull *g.* **priod-ddulliau** *ll.* ❶ идиома. ❷ говор; диалект.
priodas *b.* **priodasau** *ll.* соединение; свадьба; замужество; женитьба; бракосочетание; венчание; брак.
priodfab *g.* **priodfeibion** *ll.* новобрачный; жених.
priodferch *b.* **priodferched** *ll.* новобрачная; невеста.
priodi *be.* ❶ выходить замуж; жениться. ❷ выдавать замуж; женить.
priodol *ans.* должный; надлежащий; настоящий; подходящий; свойственный; собственный; соответствующий; удачный; уместный; правильный; приличный; пристойный; присущий.
priodoli *be.* ❶ относить; приписывать; отнести. ❷ применять. ❸ присваивать.
problem *b.* **problemau** *ll.* задача; проблема.
profedigaeth *b.* **profedigaethau** *ll.* искушение; испытание; переживание; попытка; проба.
profi *be.* **prawf** *grch.2.un.*, **prawf** *pres.3.un.* проверить; испытать; испытывать; отведать; отведывать; подтверждать; попробовать; пробовать; проверять; доказывать.
profiad *g.* **profiadau** *ll.* испытание; опыт.
profiadol *ans.* опытный.
proffesiynol *ans.* профессиональный.
proffwyd *g.* **proffwydi** *ll.* предсказатель; пророк.
proffwydo *be.* предсказывать; пророчить.
proffwydol *ans.* пророческий.
proffwydoliaeth *b.* **proffwydoliaethau** *ll.* пророчество.
Protestannaidd *ans.* протестантский.
Protestant *g.* **Protestaniaid** *ll.* протестант.
prudd *ans.* благоразумный; грустный; мудрый; серьёзный; унылый; меланхоличный; мрачный; печальный.
pryd[1] *adf.* когда.
pryd[2] *g.* **prydau** *ll.* еда.
pryd[3] *g.* **prydiau** *ll.* пора; время; период; срок.
pryd[4] *g.* вид; фигура; форма.
Prydain *g.* Британия.
Prydeinig *ans.* британский.
Prydeiniwr *g.* **Prydeinwyr** *ll.* британец.
pryder *g.* **pryderon** *ll.* беспокойство; забота; опасение; тревога.
pryderu *be.* беспокоиться.
pryderus *ans.* ❶ озабоченный; беспокойный; тревожный. ❷ внимательный; заботливый. ❸ страшный.
prydferth *ans.* прекрасный; красивый.
prydferthwch *g.* прелесть; красота.
prydles *b.* **prydlesau** *ll.*, **prydlesi** *ll.*, **prydlesydd** *ll.* аренда; наём.
prydlon *ans.* пунктуальный; своевременный; точный.
prydlondeb *g.* пунктуальность; точность.
prydydd *g.* **prydyddion** *ll.* бард; поэт.
pryddest *b.* **pryddestau** *ll.* песня; поэма.
pryf *g.* **pryfed** *ll.*, **pryfyn** *bach.* червь; червяк; насекомое.
prynhawn *g.* **prynhawnau** *ll.* день (*время после полудня*).
prynu *be.* **pryn** *grch.2.un.*, **pryn** *pres.3.un.*, **prŷn** *grch.2.un.*, **prŷn** *pres.3.un.* выкупать; купить; закупать; покупать; приобрести; приобретать. **ga i brynu diod i ti?** купить тебе чего-нибудь выпить?
prynwr *g.* **prynwyr** *ll.* ❶ покупатель. ❷ искупитель.
prys *g.* дерево; куст.
prysur *ans.* ❶ занятый; занятой. ❷ деятельный; оживлённый. ❸ поспешный; стремительный; быстрый. ❹ серьёзный. ❺ прилежный.
prysurdeb *g.* ❶ деловитость; занятость. ❷ поспешность; спешка; торопливость. ❸ серьёзность. ❹ забота; грусть.
prysuro *be.* ❶ спешить; торопиться. ❷ торопить; ускорять.
pumed *rhif.* пятый.
pump *rhif.* пять; пяток; пятеро; пятёрка.
punt *b.* **punnau** *ll.*, **punnoedd** *ll.* фунт (*денежная единица*).
pupur *g.* перец.
pur[1] *adf.* довольно; очень; скорее; слегка.
pur[2] *ans.* **purion** *ll.* чистый.
purdeb *g.* искренность; непорочность; чистота.
putain *b.* **puteiniaid** *ll.* блудница; проститутка; шлюха.
pwdin *g.* пудинг.
pwdr *ans.* **pydron** *ll.* ❶ испорченный; гнилой; тухлый. ❷ продажный; развращённый.
pwdu *be.* дуться.

pwerus *ans.* веский; влиятельный; значительный; могучий; могущественный; мощный; сильнодействующий; сильный.
pŵl *ans.* **pôl** *ж.* ❶ тупой. ❷ неясный; смутный; туманный; приглушённый; тусклый. ❸ туповатый; глупый.
pwll *g.* **pyllau** *ll.* ❶ шахта; копь; впадина; углубление; ямка; яма. ❷ прудок; пруд; бассейн; лужа. ❸ преисподняя.
pwn *g.* **pynnau** *ll.* бремя; вьюк; груз; кипа; ноша; тюк.
pwnc *g.* **pynciau** *ll.* ❶ вопрос; предмет; тема; пункт. ❷ точка. ❸ момент.
pwnio *be.* бить; колотить; отбивать; побивать; поколотить; стучать; ударять.
pwrcas *g.* **pwrcasau** *ll.* ❶ закупка; покупка; приобретение. ❷ выкуп. ❸ искупление. ❹ охота.
pwrs *g.* **pyrsau** *ll.* ❶ кошелёк; мошна; мешок; кошёлка; сумка. ❷ вымя. ❸ мошонка.
pwy *rh.* кто. **pwy dorodd y ffenest'ma?** кто разбил это окно? **pwy ydy'r dyn'na?** кто тот человек? **pwy sy'n dod i'r parti?** кто придет на вечеринку? **pwy mae Alun yn helpu?** кому помогает Алин? **pwy bynnag ydyn nhw, dw i ddim eisiau gweld nhw** кто бы они ни были, я не хочу их видеть.
Pwyl *e.* поляк.
Pwylaidd *ans.* польский.
Pwyleg *b.* польский (*язык*).
pwyll *g.* такт; осторожность; благоразумие; значение; ощущение; разум; смысл; сознание; ум; усмотрение; чувство.
pwyllgor *g.* **pwyllgorau** *ll.* комиссия; комитет.
pwyllo *be.* рассмотреть; учесть; обдумывать; раздумывать; размышлять; рассматривать; учитывать.
pwyllog *ans.* благоразумный; обдуманный; осмотрительный; осторожный; предусмотрительный; расчетливый; сдержанный.
pwynt *g.* **pwyntiau** *ll.* ❶ точка. ❷ пункт. ❸ очко. ❹ цель. ❺ острие. ❻ клетка (*на шахматной доске*). ❼ состояние; ситуация.
pwyntio *be.* ❶ указывать; наводить; прицеливаться. ❷ заострить; наточить; чинить; точить. ❸ ставить точки. ❹ толстеть; жиреть. ❺ расшивать швы. ❻ назначать.
pwys *g.* **pwysau** *ll.*, **pwysi** *ll.* давление; вес; фунт (*единица веса*); бремя; важность; гиря; гнёт; груз; значение; значительность; масса; нажим; ноша; тяжесть.
pwysig *ans.* значительный; важный.
pwysigrwydd *g.* значение; важность; значительность.
pwyslais *g.* **pwysleisiau** *ll.* акцент; ударение; эмфаза.
pwysleisio *be.* выделить; подчеркнуть; акцентировать; выделять; подчёркивать.
pwyso *be.* ❶ весить. ❷ взвешивать. ❸ прислоняться; облокачиваться; опираться; упираться; упереться. ❹ откидываться; откинуться.
pwyth *g.* **pwythau** *ll.*, **pwython** *ll.* ❶ вознаграждение; компенсация; воздаяние. ❷ стёжка; стежок. ❸ пункт.
pydew *g.* **pydewau** *ll.* ❶ колодец. ❷ цистерна. ❸ яма (*волчья*); западня. ❹ грязь. ❺ преисподняя.
pydredd *g.* разложение; гниение; гнилость; гниль; испорченность.
pydru *be.* гноить; разлагаться; портиться; загнивать; гнить; тухнуть. **wedi pydru** сгнивший, испортившийся.
pymtheg *rhif.* пятнадцать.
pymthegfed *rhif.* пятнадцатый.
pysen *b.* **pys** *ll.* горошина; горох.
pysgodyn *g.* **pysgod** *ll.* рыба.
pysgota *be.* рыбачить; ловить рыбу.
pysgotwr *g.* **pysgotwyr** *ll.* рыбак; рыболов.
pythefnos *gb.* **pythefnosau** *ll.* четырнадцать дней; две недели.

R

radio *g.* радио.
ras *b.* **rasys** *ll.* ❶ гонки; гонка; бег на скорость; состязание в беге. ❷ быстрое течение. ❸ прожилок (*руды*); пласт (*геол.*); слой (*геол.*).
record *gb.* **recordiau** *ll.* ❶ записывание; запись (*музыкальная*). ❷ достижение; рекорд.
reis *g.* рис.
rŵan *adf.* теперь; ныне; сейчас; нынче.
rwber *g.* каучук; резина.
Rwsia *b.* Россия.
Rwsiad *g.* **Rwsiaid** *ll.* русский.
Rwsiaidd *ans.* русский.
Rwsieg *b.* русский (*язык*).
rygbi *g.* регби.

RH

rhad[1] *ans.* дешёвый. **yn rhad ac am ddim** бесплатный.
rhad[2] *g.* **rhadau** *ll.* милость; благосклонность; благословение.
rhaeadr *b.* **rhaeadrau** *ll.* катаракт; водопад.
rhaff *b.* **rhaffau** *ll.* верёвка.
rhag[1] *ardd.* больше; впереди; перед; от; против; напротив.
rhag[2] *rhgdd.* пред.
rhagair *g.* **rhageiriau** *ll.* ❶ введение; предисловие. ❷ приставка. ❸ предлог. ❹ частица.
rhagarweiniad *g.* **rhagarweiniadau** *ll.* интродукция; предисловие; вступление; введение.
rhagarweiniol *ans.* предварительный; вступительный; вводный.
rhagchwiliad *g.* **rhagchwiliadau** *ll.* разведка.
rhagdybio *be.* предполагать.
rhagddodiad *g.* **rhagddodiaid** *ll.* префикс; приставка.
rhagddweud *be.* предсказывать.
rhagenw *g.* **rhagenwau** *ll.* местоимение.
rhagfarn *b.* **rhagfarnau** *ll.* предвзятость; предрассудок; предубеждение.
rhagflaenydd *g.* **rhagflaenwyr** *ll.*, **rhagflaenyddion** *ll.* предвестник; предок; предтеча; предшественник.
rhagflas *g.* предвкушение.
Rhagfyr *g.* декабрь.
rhaglen *b.* **rhaglenni** *ll.* программа.
rhaglennu *be.* программировать.
rhaglennwr *g.* **rhaglenwyr** *ll.* программист.
rhagod[1] *g.* **rhagodion** *ll.* засада.
rhagod[2] *be.* ❶ подстерегать; перехватить; ловить. ❷ препятствовать; мешать. ❸ защищать.
rhagolwg *g.* **rhagolygon** *ll.* предварительный просмотр; прогноз; перспектива.
rhagor[1] *adf.* ещё; больше. **unwaith yn rhagor, os gwelwch yn dda** ещё раз, пожалуйста. **oes rhagor o goffi ar gael?** осталось ещё кофе? **dw i ddim eisiau clywed rhagor!** не хочу больше ничего слышать!
rhagor[2] *g.* **rhagorau** *ll.*, **rhagorion** *ll.* ❶ авангард. ❷ превосходство. ❸ разница; различие.
rhagori *be.* перегонять; превосходить; превышать.
rhagorol *ans.* блестящий; великолепный; восхитительный; замечательный; роскошный; превосходный; отличный.
rhagrith *g.* **rhagrithion** *ll.* лицемерие; притворство.
rhagrithiol *ans.* лицемерный; притворный; ханжеский.
rhagrithiwr *g.* **rhagrithwyr** *ll.* лицемер; ханжа.
rhagweld *be.* предвидеть.
rhagweled *be.* предвидеть.
rhagymadrodd *g.* **rhagymadroddion** *ll.* введение; предисловие; интродукция; пролог.
rhangymeriad *g.* **rhangymeriaid** *ll.* причастие (*грам.*).
rhaid[1] *g.* **rheidiau** *ll.* надобность; недостаток; необходимость; нужда.
rhaid[2] *ans.* нужный; необходимый; надо.
rhamant *b.* **rhamantau** *ll.* ❶ роман (*рыцарский*); романс; романтика. ❷ пророчество; предсказание.
rhamantaidd *ans.* романтический.
rhamantus *ans.* романтичный; романтический.
rhan *b.* **rhannau** *ll.* часть; роль; деталь; доля; удел.
rhanbarth *g.* **rhanbarthau** *ll.* округ; район; участок; часть.
rhanbarthol *ans.* областной.
rhaniad *g.* **rhaniadau** *ll.* ❶ деление. ❷ распределение; разделение; сдача (*в картах*). ❸ доля; часть. ❹ дивизия; дивизион.
rhannol *ans.* частичный.
rhannu *be.* **rhan** *grch.2.un.*, **rhan** *pres.3.un.* назначить; разделить; распределять; делить; разделять; ассигновать; дробить; назначать; отделять; подразделять; раздавать; размещать; разъединять; распространять.
rhathu *be.* подпиливать; скрести; соскабливать; стирать; строгать.
rhaw *b.* **rhawiau** *ll.*, **rhofiau** *ll.* заступ; лопатка; совок; лопата.
rhechain *be.* пукать; пердеть.
rhechu *be.* пердеть; пукать.
rhedeg *be.* **rhed** *grch.2.un.*, **rhed** *pres.3.un.* ❶ бегать; бежать; побежать; сбегать; побегать; пробежать; подбежать. ❷ работать. ❸ управлять. **rhedwch ar ei ôl e!** бегите за ним! **peiriant sy'n rhedeg ar olew** машина, работающая на масле. **pwy fydd yn rhedeg y cwmni wedyn?** кто будет управлять компанией потом?

rhediad *g.* **rhediadau** *ll.* ❶ беготня; беганье; бег; ход. ❷ наклон; склон. ❸ направление; тенденция. ❹ склонение; спряжение.
rhedynen *b.* **rhedyn** *ll.* папоротник.
rhefr *g.* ❶ прямая кишка. ❷ зад.
rheg *b.* **rhegau** *ll.*, **rhegfeydd** *ll.* брань; проклятие; ругательство.
rhegi *be.* ругаться; проклинать; богохульствовать; ругать.
rheng *b.* **rhengau** *ll.*, **rhengoedd** *ll.* ❶ ряд; шеренга. ❷ звание; разряд; ранг; чин.
rheidrwydd *g.* надобность; необходимость; нужда.
rheiddiadur *g.* **rheiddiaduron** *ll.* радиатор; батарея.
rheilffordd *b.* **rheilffyrdd** *ll.* железная дорога.
rheithgor *g.* **rheithgorion** *ll.* жюри (*присяжных*).
rheithiwr *g.* **rheithwyr** *ll.* присяжный.
rheithor *g.* **rheithoriaid** *ll.*, **rheithorion** *ll.* пастор; ректор.
rhelyw *g.* ❶ остаток. ❷ осадок.
rhemp *b.* дефект; избыток; излишек; изъян; крайность; недостаток; недочёт; неисправность; неумеренность; повреждение; порок; эксцесс.
rhent *g.* **rhenti** *ll.* рента.
rheol *b.* **rheolau** *ll.* владычество; власть; господство; линейка; норма; правление; принцип; правило.
rheolaeth *b.* **rheolaethau** *ll.* командование; режим; владычество; власть; господство; заведование; контроль; правление; регулирование; регулировка; руководство; управление.
rheolaidd *ans.* монашеский; нормальный; обычный; постоянный; правильный; регулярный.
rheoli *be.* поправить; властвовать; господствовать; заправлять; контролировать; направлять; править; регулировать; руководить; управлять.
rheolwr *g.* **rheolwyr** *ll.* контролёр; директор; администратор; руководитель; заведующий; управляющий; правитель; регулятор.
rheolydd *g.* контроллер.
rhes *b.* **rhesau** *ll.*, **rhesen** *bach.*, **rhesi** *ll.* борозда; линия; очередь; полоса; шеренга; ряд.
rhesen *b.* **rhesi** *ll.* полоска.
rhestr *b.* **rhestrau** *ll.*, **rhestri** *ll.* перечень; реестр; список.
rhestru *be.* составлять список; вносить в список.
rheswm *g.* **rhesymau** *ll.* ❶ причина; повод; основание; мотив; стать. ❷ мотивировка; объяснение; оправдание. ❸ аргумент; довод. ❹ разум; рассудок; благоразумие; соображение. ❺ смысл. ❻ фраза; предложение. **wrth reswm** конечно, разумеется.
rhesymegol *ans.* логический; логичный; последовательный.
rhesymol *ans.* рассудительный; благоразумный; разумный; приемлемый; рациональный; сносный; умеренный; целесообразный.
rhesymu *be.* аргументировать; доказывать; обсуждать; рассуждать; убеждать; уговаривать.
rhew *g.* **rhewoedd** *ll.*, **rhewogydd** *ll.* ❶ иней. ❷ лёд. ❸ стужа; мороз.
rhewgell *b.* **rhewgelloedd** *ll.* морозильник.
rhewglai *g.* **rhewglaieiau** *ll.* валунная глина.
rhewi *be.* замерзнуть; морозить; замерзать; замораживать; застывать; затвердевать; мёрзнуть; стынуть; зябнуть; дрогнуть.
rhewlif *g.* **rhewlifau** *ll.*, **rhewlifoedd** *ll.* ледник.
rhewllyd *ans.* ледяной; морозный; холодный.
rhewydd *ans.* развратный; распутный; чувственный; сладострастный; похотливый.
rhi *g.* господь; владыка; властитель; господин; король; лорд; монарх; повелитель; царь.
rhiain *b.* **rhianedd** *ll.* королева; девица; девушка.
rhialtwch *g.* великолепие; веселье; помпа; пышность; увеселение.
rhiant *g.* **rhieni** *ll.* родитель.
rhif *g.* **rhifau** *ll.* числительное; количество; размер; номер; ритм; сумма; цифра; число.
rhifo *be.* учесть; зачислять; насчитывать; нумеровать; пересчитывать; полагать; учитывать; считать; подсчитывать.
rhifyn *g.* **rhifynnau** *ll.* выпуск; номер; экземпляр.
rhingyll *g.* **rhingylliaid** *ll.* ❶ сержант. ❷ пристав (*судебный*). ❸ глашатай. ❹ нарочный; курьер; посланец; посыльный.
rhiniog *b.* **rhiniogau** *ll.* ❶ порог; преддверие. ❷ притолока. ❸ подоконник. ❹ косяк. ❺ петля (*дверная*).
rhinwedd *b.* **rhinweddau** *ll.* свойство; сила; целомудрие; добродетель; достоинство.
rhinweddol *ans.* добродетельный; целомудренный.
rhisgl *g.* кора.

rhith *g.* **rhithiau** *ll.* ❶ форма; видимость; наружность; облик; очертание; образ; вид. ❷ разновидность; вид. ❸ призрак. ❹ эмбрион. ❺ малёк. ❻ сперма. ❼ халаза.

rhiw *b.* **rhiwiau** *ll.* ❶ холм. ❷ откос; склон.

rhod *b.* **rhodau** *ll.* колёсико; колесо; круг; кружение; орбита; сфера.

rhodfa *b.* **rhodfeydd** *ll.* бульвар; аллея; гулянье; дорога; прогулка; проспект.

rhodiad *g.* ❶ ходьба. ❷ шаг. ❸ тропа.

rhodio *be.* хаживать; обойти; бродить; идти; обходить; прогуливать; прогуливаться; странствовать; ходить.

rhodd *b.* **rhoddion** *ll.* дарование; пожертвование; подношение; подарок; дар.

rhoddi *be.* задавать.

rhoddiad *g.* **rhoddiadau** *ll.* награда; подарок; дар; дача.

rhoi *be.* **dyry** *pres.3.un.*, **rho** *grch.2.un.*, **rhof** *pres.1.un.*, **rhy** *pres.3.un.*, **rhydd** *pres.3.un.* ❶ дать; давать; задать; задавать; выдать; выдавать; отдавать; отдать; подавать; подать; придать; придавать. ❷ посадить; сажать; класть; положить; помещать; поставить; сунуть; засунуть; совать. ❸ девать; деть. ❹ оказать; оказывать. ❺ наносить; нанести.

rholbren *g.* **rholbrenni** *ll.* скалка.

rholio *be.* ❶ укатывать; раскатывать; прокатывать; катить; вращать; вертеть. ❷ свёртывать; завёртывать. ❸ плющить; вальцевать. ❹ грохотать; греметь. ❺ кататься.

rholyn *g.* булочка; вал; каток; реестр; ролик; рулет; рулон; свёрток; свиток; скатка; список; цилиндр.

rhonc *ans.* абсолютный; буйный; отъявленный; полный; противный; совершенный; сущий; явный.

rhos *b.* **rhosydd** *ll.* пустошь (*поросшая вереском*); луг; равнина.

rhosyn *g.* **rhos** *ll.*, **rhosod** *ll.*, **rhosynnau** *ll.* роза.

rhudd *ans.* **rhuddion** *ll.* рудый; алый; багровый; багряный; красный; тёмно-красный; малиновый.

Rhufain *e.* Рим. **nid mewn undydd y codwyd Rhufain** Рим не сразу строился; Москва не сразу строилась. **pan foch yn Rhufain, gwnewch fel y Rhufeiniaid** в чужой монастырь со своим уставом не ходят. **i Rufain yr arwain pob ffordd** все дороги ведут в Рим.

Rhufeiniad *g.* **Rhufeiniaid** *ll.* римлянин.

Rhufeinig *ans.* римский.

Rhufeiniwr *g.* **Rhufeinwyr** *ll.* римлянин.

rhugl *ans.* беглый; свободный. **ydy hi'n rhugl yn y Gymraeg?** она свободно говорит по-валлийски?

rhuglo *be.* ❶ тереть; натирать; обдирать; сдирать; стирать. ❷ греметь; грохотать; дребезжать; трещать. ❸ вызывать действие кишечника.

rhuo *be.* мычать; орать; реветь; рычать; храпеть; шуметь.

rhuthr *g.* **rhuthrau** *ll.* рывок; нападение; вылазка; напор; натиск; порыв; атака; бросок; наступление.

rhuthro *be.* кинуться; атаковать; набрасываться; нападать; торопить; нестись; мчаться; устремляться; кидаться; бросаться; понести; носиться; помчаться; рвануться. **rhuthro ar** наступать, атаковать, нападать внезапно и яростно.

rhwng *ardd.* между; меж. **mynd rhwng eich bysedd** проскальзывать между вашими пальцами.

rhwngwyneb *g.* **rhwngwynebau** *ll.* интерфейс.

rhwy *g.* **rhwyau** *ll.* кольцо.

rhwyd *b.* **rhwydau** *ll.*, **rhwydi** *ll.* сетка; сеть.

rhwyden *b.* **rhwydenni** *ll.* ❶ сетка; сеточка. ❷ брюшина. ❸ сетчатка.

rhwydo *be.* ловить сетью.

rhwydwaith *g.* **rhwydweithiau** *ll.* сеть.

rhwydd *ans.* естественный; лёгкий; непринужденный; нетрудный; свободный.

rhwyddhau *be.* облегчать; продвигать; содействовать; способствовать.

rhwyddineb *g.* ❶ лёгкость; беглость; непринуждённость; плавность; облегчение; гибкость; свобода. ❷ помощь; продвижение; поддержка.

rhwyf *b.* **rhwyfau** *ll.* ❶ весло. ❷ вождь; король. ❸ надменность; высокомерие; гордыня; гордость.

rhwyflong *b.* **rhwyflongau** *ll.* галера.

rhwyfo *be.* грести; погрести.

rhwyfus *ans.* ❶ честолюбивый; самоуверенный; надменный; гордый. ❷ распутный; похотливый. ❸ королевский. ❹ тревожный; неугомонный; неспокойный; беспокойный.

rhwyfwr *g.* **rhwyfwyr** *ll.* гребец.

rhwyg *g.* **rhwygau** *ll.*, **rhwygiadau** *ll.* брешь; дыра; нарушение; перелом; прободение; пробой; пролом; прорезь; прореха; прорыв; разрыв; раскол; расселина; схизма; трещина; щель.

rhwygiad *g.* **rhwygiadau** *ll.* раскол; разрыв.

rhwygo *be.* оторвать; отдирать; отрывать; раздирать; разрывать; раскалывать; расщеплять; рвать; рваться.

rhwyll *b.* **rhwyllau** *ll.* ❶ обрешетка; решётка. ❷ факел. ❸ огниво; кресало. ❹ спичка. ❺ трут. ❻ петлица; петля. ❼ ракетка. ❽ сетка; сеть. **rhwyllau** бородка ключа.

rhwyllen *b.* **rhwyllenni** *ll.* сетка; газ; марля.

rhwyllwaith *g.* **rhwyllwaithau** *ll.* решётка; сеть; ажурная работа.

rhwym[1] *ans.* связанный; хранящийся на таможенных складах; обеспеченный облигациями, бонами; заложенный; переплетенный; скованный; вынужденный; непременный; обязанный; обязательный.

rhwym[2] *g.* **rhwymau** *ll.* ❶ узы; оковы. ❷ соединение; связь. ❸ завязка; перевязка. ❹ обязательство; обязанность. ❺ закладная; облигация. ❻ крёстный. ❼ запор.

rhwymo *be.* привязать; связать; вызывать запор; пеленать; свивать; бинтовать; вязать; завязывать; задерживать; обвязывать; обязывать; ограничивать; перевязывать; переплетать; привязывать; связывать; скреплять; шнуровать.

rhwymyn *g.* **rhwymynnau** *ll.* пелёнка; переплёт; бандаж; перевязка; повязка.

rhwystr *g.* **rhwystrau** *ll.* помеха; преграда; препятствие.

rhwystro *be.* ❶ задержать; затруднять; задерживать; мешать; препятствовать. ❷ предупредить; предотвращать; предохранять; предупреждать. ❸ преграждать; блокировать; заграждать; заставлять.

rhy *adf.* слишком; чересчур; очень; больно.

rhybudd *g.* **rhybuddion** *ll.* заметка; замечание; знак; извещение; объявление; предостережение; предупреждение; уведомление; увещевание; указание.

rhybuddio *be.* предупредить; напоминать; предостерегать; предупреждать; убеждать; увещевать.

rhych *b.* **rhychau** *ll.* ложбинка; борозда; желобок; канавка; колея.

rhyd *b.* **rhydau** *ll.*, **rhydiau** *ll.* брод.

rhydlyd *ans.* заржавленный; ржавый.

rhydu *be.* ржаветь.

Rhydychen *e.* Оксфорд.

rhydd *ans.* **rhyddion** *ll.* вольный; независимый; свободный.

rhyddfrydol *ans.* либеральный.

Rhyddfrydwr *g.* **Rhyddfrydwyr** *ll.* либерал.

rhyddhad *g.* ❶ освобождение; эмансипация. ❷ выделение.

rhyddhau *be.* ❶ освободить; освобождать. ❷ избавлять. ❸ выпустить; отпустить; пускать; отпускать; выпускать. ❹ сбросить; сбрасывать.

rhyddiaith *b.* проза.

rhyddid *g.* вольность; независимость; свобода; воля.

rhyfedd *ans.* загадочный; таинственный; забавный; замечательный; незнакомый; неизвестный; необыкновенный; необычный; непривычный; потешный; причудливый; смешной; странный; чудаковатый; чудной; чуждый; чужой; эксцентричный; удивительный.

rhyfeddod *gb.* **rhyfeddodau** *ll.* диво; изумление; удивление; чудо.

rhyfeddol *ans.* замечательный; изумительный; удивительный.

rhyfeddu *be.* ❶ удивиться; изумляться; удивляться. ❷ удивлять; изумлять; поражать.

rhyfel *gb.* **rhyfeloedd** *ll.* война. **rhyfel cartref** гражданская война.

rhyfela *be.* воевать.

rhyfelwr *g.* **rhyfelwyr** *ll.* боец; воин; воитель.

rhyg *g.* рожь.

rhyngrwyd *b.* интернет.

rhyngu *be.* ❶ доставлять. ❷ достигать.

rhyngwladol *ans.* интернациональный; международный.

rhythu *be.* ❶ пялиться; глазеть. ❷ зиять. ❸ открывать. ❹ увеличивать; расширять. ❺ набухать; увеличиваться.

rhyw[1] *ans.* любой; некий; некоторый; какой-нибудь; какой-то; какой-либо.

rhyw[2] *gb.* **rhywiau** *ll.* пол; секс; сорт; тип.

rhywbeth *g.* кое-что; нечто; что-нибудь; что-то.

rhywbryd *adf.* когда-то; некогда; когда-нибудь.

rhywdro *adf.* когда-нибудь; когда-то; некогда.

rhywfaint *g.* **rhywfaintiau** *ll.* несколько; сколько-то; сколько-нибудь.

rhywfodd *adf.* как-нибудь.

rhywiol *ans.* половой; сексуальный.

rhywle[1] *adf.* куда-нибудь; куда-то; где-нибудь; где-то; где-либо; куда-либо.

rhywle[2] *g.* где-то.

rhywogaeth *g.* **rhywogaethau** *ll.* вид (*биол.*); класс; порода; разновидность; разряд; род; семейство; сорт.

rhywsut *adf.* ❶ как-то; как-нибудь; как-либо. ❷ почему-то. **dyw'r syniad 'ma ddim yn gweithio rywsut** эта идея почему-то не работает.

rhywun *g.* **rhywrai** *ll.* кто-то; кто-нибудь; некто.

S

Saboth *g.* **Sabothau** *ll.* священный день отдохновения; шабаш.
sach *b.* **sachau** *ll.* куль; мешок.
Sadwrn *gb.* **Sadyrnau** *ll.* Сатурн. **dydd Sadwrn** суббота.
saer *g.* **seiri** *ll.* столяр; каменотёс; каменщик; плотник; ремесленник.
Saesneg *b.* английский (*язык*).
Saesnes *b.* **Saesnesau** *ll.* англичанка.
saeth *b.* **saethau** *ll.* стрела; стрелка.
saethiad *g.* **saethiadau** *ll.* стрельба.
saethu *be.* стрелять; кидать; бросать; палить; взрывать; метать; снять (*кино*); снимать (*кино*); подбивать.
saethydd *g.* **saethyddion** *ll.* лучник; стрелец; стрелок.
saethyddiaeth *b.* искусство стрельбы.
safbwynt *g.* **safbwyntiau** *ll.* взгляд; точка зрения.
safiad *g.* ❶ стойка; стояние. ❷ подпора; подставка. ❸ сопротивление. ❹ позиция; взгляд. ❺ местоположение; положение. ❻ стоянка; остановка. ❼ продолжительность.
safle *g.* **safleoedd** *ll.* сайт; остановка; должность; место; местоположение; позиция; расположение; станция; положение. **safle bysiau** автобусная остановка.
safn *b.* **safnau** *ll.* пасть; зев; рот.
safon *b.* **safonau** *ll.* ❶ образец; стандарт; норма; класс; критерий; мерило. ❷ качество.
safonol *ans.* нормальный; нормативный; образцовый; общепринятый; стандартный; типовой.
sang *b.* **sangau** *ll.* гнёт; давление; нажим; прессование; сжатие. **dan ei sang** набит под завязку.
sangu *be.* **sang** *grch.2.un.*, **sang** *pres.3.un.* вставлять; впихивать; вдавливать; давить; наступать; подавлять; попирать; протаптывать; растаптывать; ступать; топтать.
saib *g.* **seibiau** *ll.* остановка; пауза; передышка; перемена; перерыв; цезура.
saig *b.* **seigiau** *ll.* блюдо; кушанье.
sail *b.* **seiliau** *ll.* база; базис; основа; основание; подножие; фундамент.
saim *g.* **seimiau** *ll.* жир.
sain *b.* **seiniau** *ll.* звук.
Sais *g.* **Saeson** *ll.* англичанин.
saith *rhif.* семь; семеро; семёрка.
sâl *ans.* хворый; нездоровый; больной.
salm *b.* **salmau** *ll.* псалом.
salw *ans.* нездоровый; больной; жалкий; невзрачный; неприятный; нечестный; низкий; ничтожный; отвратительный; отталкивающий; подлый; посредственный; противный; скверный; скудный; слабый; убогий; уродливый; плохой.
salwch *g.* болезнь; нездоровье.
sanctaidd *ans.* праведный; святой; священный.
sant *g.* **saint** *ll.*, **seintiau** *ll.* святой; святой.
santaidd *ans.* святой.
santes *b.* **santesau** *ll.* святая.
sarff *b.* **seirff** *ll.* ❶ змей; змея; змий. ❷ скорпион.
sarn[1] *b.* **sarnau** *ll.* гать; дамба; мостовая; тротуар.
sarn[2] *g.* ❶ беспорядок; сор. ❷ соломенная и т.п. подстилка для скота.
sarnu *be.* ❶ давить; подавлять; попирать; растаптывать; топтать. ❷ подстилать.
sarhad *g.* **sarhadau** *ll.* вред; обида; оскорбление; повреждение.
sarhau *be.* обидеть; обижать; оскорблять.
sarhaus *ans.* обидный; оскорбительный.
sasiwn *gb.* **sasiynau** *ll.* Ассоциация пресвитериан (*кальвинистских методистов*).
sathredig *ans.* банальный; вульгарный; общий; обыкновенный; плебейский; пошлый; простой; простонародный; распространённый.
sathru *be.* **sathr** *grch.2.un.*, **sathr** *pres.3.un.* идти; наступать; протаптывать; растаптывать; ступать; топтать; шагать.
sawdl *gb.* **sodlau** *ll.* каблук; пята; пятка.
sawl[1] *ans.* несколько; сколько.
sawl[2] *rh.* который; кто.
Sbaen *b.* Испания.
Sbaeneg *b.* испанский (*язык*).
sbectol *b.* очки.
sbel *b.* **sbelau** *ll.*, **sbeliau** *ll.* ❶ период. ❷ пауза.
sboncen *b.* **sboncennau** *ll.* сквош.
sebon *g.* **sebonau** *ll.* ❶ мыло. ❷ сперма; семя.
sedd *b.* **seddau** *ll.* сиденье; место.
seddi *be.* ❶ посадить; сажать; усаживать. ❷ сидеть.
sef *cys.* то есть; именно.
sefydliad *g.* **sefydliadau** *ll.* введение; ведомство; заведение; институт; основание; установление; учреждение.
sefydlog *ans.* крепкий; неизменный; неподвижный; непоколебимый; постоянный;

прочный; стационарный; стойкий; твёрдый; устойчивый.

sefydlogrwydd *g.* непоколебимость; остойчивость; постоянство; прочность; стабильность; твёрдость; устойчивость.

sefydlu *be.* завести; установить; осесть; водворить; доказать; завещать; закладывать; закреплять; заложить; назначать; обосноваться; обосновывать; оплачивать; определять; оседать; основывать; основываться; разделываться; расплачиваться; решать; создавать; улаживать; успокаивать; устанавливать; устраивать; учреждать; заводить.

sefyll *be.* **saf** *grch.2.un.*, **saif** *pres.3.un.* ❶ стоять; вставать; встать; стать; постоять. ❷ вынести; выносить; выдерживать. ❸ сдать (*экзамен*); сдавать (*экзамен*). ❹ настаиваться.

sefyllfa *b.* **sefyllfaoedd** *ll.* ❶ обстановка; состояние; положение; ситуация. ❷ местоположение; место; позиция; расположение.

segur *ans.* бездействующий; ленивый; праздный; холостой.

seiat *b.* **seiadau** *ll.* религиозное собрание у методистов.

seibiant *g.* **seibiannau** *ll.* досуг; отсрочка; передышка.

seicolegol *ans.* психологический.

seidir *g.* сидр.

seilio *be.* базировать; грунтовать; заземлять; закладывать; обосновывать; опираться; основывать; основываться; создавать; учреждать.

seimlyd *ans.* жирный; сальный.

Seisnig *ans.* английский (*относящийся к, принадлежащий Англии*).

seithfed *rhif.* седьмой.

seithongl *b.* **seithonglau** *ll.* семиугольник.

seithug *ans.* тщетный; пустой; бесполезный; бесплодный.

sêl *b.* рвение; усердие.

seler *b.* **selerau** *ll.*, **seleri** *ll.*, **selerydd** *ll.* погреб; подвал.

selog *ans.* горячий; пылкий; ревностный; рьяный; страстный; усердный.

selsig *b.* **selsigod** *ll.* колбаса; сосиска.

senedd *b.* **seneddau** *ll.* парламент; рада; конгресс; дума; синод; сенат.

seneddol *ans.* парламентский; сенатский; сенаторский; думский; синодский; парламентарный.

serch[1] *ardd.* хоть; вопреки; хотя. **serch hynny** тем не менее.

serch[2] *g.* **serchiadau** *ll.* любовь.

serchus *ans.* ❶ влюблённый; любящий. ❷ приятный.

seren *b.* **sêr** *ll.* звёздочка; звезда.

serio *be.* ❶ опалять; прижигать. ❷ ожесточать.

sero *g.* **seroau** *ll.* ноль; нуль.

serog *ans.* звёздный.

serol *ans.* астральный; звёздный.

serth *ans.* ❶ отвесный; крутой; обрывистый. ❷ похабный; непотребный; неприличный; непристойный.

seryddiaeth *b.* астрономия.

seryddwr *g.* **seryddwyr** *ll.* астроном.

setlo *be.* приходить в порядок; стабилизироваться; успокаиваться.

sgert *b.* **sgerti** *ll.*, **sgyrtiau** *ll.* юбка.

sgîl *g.* седельная подушка. **yn sgîl** вслед за, после. **sgîl-effaith** побочный эффект.

sglefrio *be.* кататься на коньках; скользить.

sgôr *g.* **sgorion** *ll.* счёт.

sgrech *b.* крик; скрип; визг; вопль.

sgrechian *be.* кричать; орать; вопить.

sgrin *b.* **sgrinau** *ll.* экран.

sgwar[1] *ans.* квадратный.

sgwar[2] *gb.* каре; квадрат; площадь; прямоугольник; сквер.

sgwario *be.* ❶ придавать квадратную форму. ❷ возводить в квадрат. ❸ выпрямлять; распрямлять. ❹ улаживать; рассчитаться; расплатиться; урегулировать.

sgwennu *be.* писать.

sgwrs *b.* **sgyrsiau** *ll.* беседа; разговор.

sgwrsio *be.* болтать; говорить; разговаривать.

sgyrt *b.* **sgyrtiau** *ll.* юбка.

si *g.* **siadau** *ll.*, **sion** *ll.* ворчание; гул; ропот; толки; шёпот; шум; молва.

siaced *b.* **siacedi** *ll.* жакет; камзол; куртка.

sianel *b.* **sianeli** *ll.* канал.

Siapanaeg *b.* японский.

Siapanaidd *ans.* японский.

siarad[1] *g.* беседа; разговор.

siarad[2] *be.* **siarad** *grch.2.un.*, **sieryd** *pres.3.un.* разговаривать; говорить; изъясняться; проговорить; поговорить; заговорить; выступить; выступать. **ydy e wedi siarad â hi am hyn oll, 'te?** так он разговаривал с ней обо всем этом? **ydych chi'n siarad Cymraeg?** вы говорите по-валлийски?

siaradus *ans.* болтливый; говорливый; разговорчивый; словоохотливый.

siaradwr *g.* **siaradwyr** *ll.* тот, кто говорит; говорящий; говорун; болтун; диктор; оратор.

siart *b.* **siartiau** *ll.* график; диаграмма; карта; схема; таблица; чертёж.

siartr *b.* **siartrau** *ll.* ❶ хартия; грамота. ❷ устав.

siawns *b.* шанс.

sibrwd[1] *be.* **sibrwd** *grch.2.un.*, **sibrwd** *pres.3.un.* прошептать; шепнуть; ворчать; роптать; шептаться; шептать.

sibrwd[2] *g.* **sibrydion** *ll.* ворчание; ропот; шёпот.

sicr *ans.* ❶ убеждённый; уверенный. ❷ прочный; надёжный. ❸ безопасный. **mi wn yn sicr ei bod e wedi siarad â hi** я точно знаю, что он поговорил с ней.

sicrwydd *g.* гарантия; заверение; убеждённость; уверение; уверенность.

sicrhau *be.* ❶ подтверждать; заверять; уверять. ❷ обеспечить; гарантировать; обеспечивать; бронировать. ❸ прикреплять; скреплять; закреплять.

sidan *g.* **sidanau** *ll.* шёлк.

sidydd *g.* зодиак.

siec *b.* **sieciau** *ll.* ❶ чек. ❷ клеточка; клетка.

siêd *b.* **siêdiau** *ll.* ❶ конфискованная вещь. ❷ выморочное имущество (*оставшееся без хозяина после смерти владельца, не имевшего наследников или преемников*).

sifil *ans.* ❶ гражданский. ❷ цивильный.

sifiliad *g.* **sifiliaid** *ll.* гражданский.

siffrwd *be.* ❶ шелестеть; шуршать. ❷ шелест; шорох. ❸ тасовать.

sigaret *b.* **sigaretau** *ll.*, **sigarets** *ll.* папироса; сигарета.

siglen *b.* **siglenni** *ll.*, **siglennydd** *ll.* ❶ трясина; топь; болото. ❷ качели.

siglo *be.* покачать; покачиваться; разбалтывать; потрясти; потрясти; махнуть; шататься; размахивать; качать; колебать; раскачивать; встряхивать; сотрясать; дрожать; трясти; вилять; вертеть; качаться; кивать; колебаться; махать; потрясать; размахивать; трястись; болтать; болтаться.

sil *g.* **silod** *ll.* мелюзга; отродье; порождение.

sillaf *b.* **sillafau** *ll.* слог.

sillafu *be.* писаться; писать. **Sut mae sillafu hynny?** Как это пишется?

simnai *b.* **simneiau** *ll.* ❶ дымоход; труба (*дымовая или вытяжная*). ❷ кратер (*вулкана*).

simsan *ans.* зыбкий; ненадёжный; нетвёрдый; неустойчивый; хрупкий; шаткий.

sinach *g.* **sinachod** *ll.*, **sinechydd** *ll.* ❶ невспаханная полоса земли (*особо как граница*). ❷ маленький человек. ❸ скряга.

sinc *gb.* **sinciau** *ll.* ❶ цинк. ❷ раковина (*для умывания*). ❸ сточная труба.

sinema *b.* **sinemâu** *ll.* кинотеатр; кино.

sïo *be.* ворчать; жужжать; журчать; роптать; свистеть; шелестеть; шептать; шипеть.

siocled *g.* **siocledi** *ll.* шоколад. **bar siocled** плитка шоколада.

sioe *b.* **sioeau** *ll.* шоу; показ; выставка.

siom *b.* **siomau** *ll.* ❶ разочарование; неприятность. ❷ обман. ❸ позор; стыд.

siomedig *ans.* ❶ огорчённый; разочарованный. ❷ неутешительный. ❸ лживый; ложный.

siomi *be.* ❶ разочаровывать. ❷ расстраивать; препятствовать; мешать; подвести; подводить. ❸ давать неверное представление; вводить в заблуждение; обманывать.

Siôn *e.* Иоанн; Иван; Джон; Шон. **Siôn Barrug** морозко (*персонификация мороза, морозной погоды*). **Siôn Corn** рождественский дед, Дед мороз. **cilfach Siôn Corn ar y llawr isaf** уголок Деда мороза—на первом этаже (*магазина*).

siop *b.* **siopau** *ll.* лавка; магазин.

siopa *be.* **siopa** *grch.2.un.*, **siopa** *pres.3.un.* ходить по магазинам; делать покупки.

siopwr *g.* **siopwyr** *ll.* владелец магазина.

sip *g.* **sipiau** *ll.* молния.

sir *b.* **siroedd** *ll.* графство (*в Уэльсе*).

siswrn *g.* **sisyrnau** *ll.* ножницы.

siw *g.* **siwiau** *ll.* чириканье.

siwgr *g.* сахар.

siwrnai *adf.* какое-то время тому назад; однажды.

siwt *b.* **siwtiau** *ll.* костюм. **siwt swyddfa** костюм для службы, деловой костюм.

siwtces *g.* **siwtcesys** *ll.* чемодан.

siwtio *be.* устраивать; подходить; удовлетворять требованиям.

sleifio *be.* красться; пробраться; пробираться.

slogan *gb.* **sloganau** *ll.* слоган.

smotyn *g.* **smotiau** *ll.* пятно; пятнышко. **cic o'r smotyn** пенальти.

smwddio *be.* погладить (*утюгом*); гладить (*утюгом*).

sobr *ans.* ❶ трезвый. ❷ воздержанный; непьющий. ❸ рассудительный; серьёзный.

soced *gb.* **socedau** *ll.* розетка; патрон.

Sofietaidd *ans.* советский.

soled *g.* **soledau** *ll.* ❶ цельный; твёрдый; сплошной. ❷ тело.

sôn[1] *g.* беседа; болтовня; молва; разговор; слух; толки; упоминание.

sôn[2] *be.* **sonni** *pres.2.un.*, **sonnit** *grch.2.un.* болтать; говорить; разговаривать; упоминать.

sosban *b.* **sosbannau** *ll.*, **sosbenni** *ll.* кастрюля.

soser *b.* **soseri** *ll.* блюдце.

sosialaeth *b.* социализм.

sosialaidd *ans.* социалистический.

sosialydd *g.* **sosialyddion** *ll.* социалист.
sothach *g.* дрянь; ерунда; мусор; отбросы; хлам.
sownd *ans.* надежно закрепленный; крепкий; тугой. **bod yn sownd ynddo fel gele** вцепиться мертвой хваткой (*во что-л.*), присосаться (*к чему-л.*) как пиявка. **wi'n sownd!** я застрял!; я попал в переплет!
staen *g.* **staenau** *ll.* развод; пятно.
stafell *g.* комната.
stamp *g.* **stampiau** *ll.* ❶ почтовый штемпель; штамп. ❷ марка.
stiward *g.* **stiwardiaid** *ll.* мажордом; стюард.
strwythur *g.* **strwythurau** *ll.* структура.
stryd *b.* **strydoedd** *ll.* улица.
stumog *b.* **stumogau** *ll.* ❶ живот; брюхо; чрево. ❷ аппетит. ❸ склонность (*к чему-л.*); вкус; наслаждение; удовольствие.
sudd *g.* **suddion** *ll.* сок.
suddo *be.* ❶ тонуть; углубляться; опускаться; нырять; погружаться; проваливаться. ❷ углублять; погружать; опускать; затоплять; топить. ❸ вложить; помещать; вкладывать; инвестировать. **suddodd ei galon** его сердце замерло.
sugno *be.* абсорбировать; вдыхать; впитывать; всасывать; поглощать; сосать.
sugnwr *g.* **sugnwyr** *ll.* ❶ сосущий; сосун. ❷ насос; помпа. **sugnwr llwch** пылесос.
Sul *g.* **Suliau** *ll.* солнце. **dydd Sul** воскресенье.
Sulgwyn *g.* пятидесятница; троицын день.
sur[1] *g.* кислота.
sur[2] *ans.* **surion** *ll.* болотистый; едкий; кислотный; кислый.
suran *g.* **surannau** *ll.* щавель.
suro *be.* заквашивать; закисать; окислять; прокисать; скисать.
sut[1] *adf.* как. **Sut mae?** Как дела? **Sut ydych chi?** Здравствуйте!
sut[2] *g.* манера; метод; род; сорт; способ; стиль.
sŵ *g.* зоопарк.
swch *b.* **sychau** *ll.* ❶ лемех. ❷ рыло. ❸ кончик.
swil *ans.* застенчивый; нерешительный; робкий.
swildod *g.* **swildodau** *ll.* робость; застенчивость; скромность.
swllt *g.* **sylltau** *ll.* шиллинг.
swm *g.* **symiau** *ll.* ❶ итог; сумма. ❷ объём; количество. ❸ сущность.
swmpus *ans.* внушительный.
sŵn *g.* шум; гам; гвалт; грохот; звук.
swnian *be.* ворчать; жаловаться; ныть; роптать.
swnio *be.* ❶ звучать; прозвучать. ❷ произносить. ❸ декларировать; заявлять; объявлять; провозглашать.
swnllyd *ans.* шумный; громкий; ворчливый; брюзгливый; сварливый.
swper *gb.* **swperau** *ll.* ужин.
swrth *ans.* **sorth** *ж.* вялый; инертный; мрачный; печальный; сонный; угрюмый.
sws *gb.* **swsau** *ll.* поцелуй.
swta *ans.* внезапный; краткий; обрывистый; резкий; сжатый; сырой и противный (*о погоде*).
swydd *b.* **swyddau** *ll.*, **swyddi** *ll.* ❶ служба; место; должность; работа; пост. ❷ графство. **o'n i'n gobeithio cael swydd barhaol yn hytrach nag un dros dro** я надеялся получить постоянную работу, а не временную.
swyddfa *b.* **swyddfeydd** *ll.* бюро; кабинет; канцелярия; контора.
swyddog *g.* **swyddogion** *ll.* офицер; полицейский; служащий; чиновник; должностное лицо.
swyddogaeth *b.* **swyddogaethau** *ll.* ведомство; должность; служба; функция.
swyddogol *ans.* служебный; формальный; официальный.
swyn *g.* **swynion** *ll.* ❶ заговор; заклинание; чары. ❷ волшебство; магия; колдовство. ❸ амулет. ❹ обаяние; очарование.
swyno *be.* заколдовать; заговорить; заклинать; заколдовывать; околдовывать; очаровывать.
swynol *ans.* обворожительный; очаровательный.
sych *ans.* **sech** *ж.*, **sychion** *ll.* ❶ сухой; высохший; засушливый; безводный. ❷ холодный; бесстрастный. ❸ скучный; неинтересный.
syched *g.* жажда. **mae syched arna i** я хочу пить. **gobeithio na fydd gormod o syched ar y plant** я надеюсь, что дети не захотят пить слишком сильно.
sychedig *ans.* испытывающий жажду; жаждущий.
sychu *be.* **sych** *grch.2.un.*, **sych** *pres.3.un.* осушать; высыхать; сохнуть; сушить; посохнуть; высушивать; сливать; слить; иссякать; вытирать; протирать; утирать; вытереть.
sydyn *ans.* ❶ внезапный; неожиданный. ❷ быстрый; скорый.
syflyd *be.* **syfl** *grch.2.un.*, **syfl** *pres.3.un.* ❶ шевелить; пошевельнуть; передвигать; двигать. ❷ подвигаться; шевелиться. ❸ волновать; трогать; растрогать.
syfrdan *ans.* ветреный; головокружительный; легкомысленный; непостоянный.

syfrdanol *ans.* поразительный; удивительный; наркотический.
syfrdanu *be.* изумить; изумлять; оглушать; ошеломить; ошеломлять; поражать; удивить.
sylfaen *b.* **sylfeini** *ll.* базис; основа; основание; подножие; пьедестал; фундамент; цоколь.
sylfaenol *ans.* фундаментальный; коренной; основной.
sylfaenydd *g.* **sylfaenyddion** *ll.* основатель; учредитель.
sylw *g.* **sylwadau** *ll.* высказывание; забота; замечание; наблюдение; примечание; уведомление; внимание. **rhoddir sylw manwl i gymwysterau pob ymgeisydd** пристальное внимание будет уделено квалификации каждого претендента.
sylwebaeth *b.* **sylwebaethau** *ll.* комментарий.
sylwebydd *g.* **sylwebyddion** *ll.* комментатор. **sylwebydd chwaraeon** спортивный комментатор. **sylwebydd rygbi** комментатор матчей по регби.
sylwedd *g.* **sylweddau** *ll.* объемность; вещество; густота; материя; плотность; реальность; субстанция; суть; сущность; твёрдость.
sylweddol *ans.* солидный; важный; значительный; существенный.
sylweddoli *be.* осуществить; представлять; выполнять; осуществлять; реализовать; осознавать; понимать.
sylwi *be.* заметить; наблюдать; отмечать; уведомлять; упоминать; замечать; обращать внимание.
syllu *be.* уставиться; вглядываться; глазеть; смотреть. **paid syllu arna i felly!** кончай так на меня пялиться!
symbylu *be.* побуждать; подгонять; подстрекать; поощрять; пришпоривать; стимулировать.
symio *be.* подводить итог; суммировать; складывать.
syml *ans.* **seml** *ж.* нетрудный; лёгкий; простой; несложный; наивный; незамысловатый; незатейливый; простодушный. **mae'n symlach nag o'n i'n feddwl** это проще, чем я думал.
symledd *g.* наивность; непритязательность; простодушие; простота; скромность.
symleiddio *be.* упрощать.
symol *ans.* ❶ посредственный; сносный; средний. ❷ нездоровый; больной.
symud *be.* двинуться; двигаться; двигать; шевелиться; податься; подаваться; отодвинуть; сдвинуть; перемещать; передвигать; переехать; переселяться; переезжать; сворачивать.
symudiad *g.* **symudiadau** *ll.* движение; изменение; передвижение; переезд; перемещение; переселение; смещение; телодвижение; ход.
symudol *ans.* движимый; движущий; изменчивый; мобильный; переносный; передвижной; подвижной; подвижный.
syn *ans.* изумительный; неожиданный; озадаченный; поразительный; смущённый; удивительный.
synagog *g.* **synagogau** *ll.* синагога.
syndod *g.* изумление; неожиданность; сюрприз; удивление.
synfyfyrio *be.* задуматься; мечтать; задумываться; размышлять.
synhwyro *be.* образумиться; осознавать; ощущать.
synhwyrol *ans.* чувствующий; благоразумный; здравомыслящий.
syniad *g.* **syniadau** *ll.* мысль; идея; понятие; дума; представление.
syniadaeth *b.* **syniadaethau** *ll.* ❶ идеология. ❷ идея; понимание; мышление. ❸ чувственность; чувствительность; чувство.
synnu *be.* поразить; изумляться; поражаться; восхищаться; удивляться; изумлять; поражать; удивлять. **mi fasech chi'n synnu mor debyg ydy ngwaith i a'ch gwaith chi** ты был бы удивлен тому, насколько схожа моя работа с твоей.
synnwyr *g.* **synhwyrau** *ll.* ❶ ощущение; чувство. ❷ ум; рассудок; сознание; разум. ❸ смысл; значение. ❹ фраза; предложение. **y pum synnwyr** пять чувств. **synnwyr cyffredin** здравый смысл.
syr *g.* сударь (*обращение*); господин; сэр.
syrcas *b.* **syrcasau** *ll.* цирк.
syrthio *be.* **syrth** *grch.2.un.*, **syrth** *pres.3.un.* выпасть; сорваться; нападать; гибнуть; шлепаться; оступаться; скатываться; сваливаться; спотыкаться; впадать; валяться; падать; валиться; валить; выпадать; спадать; понижаться; опускаться; ниспадать; упасть; прийтись; приходиться.
syrthni *g.* вялость; инертность; инерция; косность; леность; лень; медлительность.
syth *ans.* **seth** *ж.* прямой.
sythu *be.* ❶ выправлять; выпрямлять. ❷ выпрямиться; выпрямляться. ❸ замереть; замирать. ❹ замерзнуть; замерзать. ❺ затвердеть; твердеть.

T

tabernacl *g.* **tabernaclau** *ll.* скиния.
tabl *g.* **tablau** *ll.* ❶ доска; стол. ❷ табель; таблица. ❸ скрижаль. ❹ расписание. ❺ щипец; фронтон.
tabled *b.* **tabledau** *ll.* ❶ таблетка. ❷ дощечка.
tabwrdd *g.* **tabyrddau** *ll.* барабан.
taclus *ans.* чистый; аккуратный; опрятный.
tacluso *be.* убрать; приводить в порядок; убирать.
Tachwedd *g.* ноябрь.
tad *g.* **tadau** *ll.* отец; батюшка; папочка; папа.
tad-cu *g.* **tadau-cu** *ll.* дед; дедушка.
tad-yng-nghyfraith *g.* **tadau-yng-nghyfraith** *ll.* свёкр; тесть.
taenu *be.* штукатурить; покрывать; развёртывать; намазывать; размазывать; разносить; раскидывать; расплющивать; расправлять; распространять; распространяться; расстилать; растягивать; расширять; усеивать; устилать.
taeog[1] *ans.* ❶ грубый; грубоватый; невоспитанный. ❷ крепостной.
taeog[2] *g.* **taeogau** *ll.*, **taeogion** *ll.* ❶ холоп; раб; крепостной. ❷ простолюдин; землепашец; земледелец; фермер; крестьянин; деревенщина.
taer *ans.* безотлагательный; горячий; настойчивый; настоятельный; ревностный; спешный; срочный; упорный. **taer yw'r gwir am y golau** шила в мешке не утаишь; все тайное станет явным.
taeru *be.* заявлять; настаивать; отстаивать; повздорить; поспорить; пререкаться; спорить; утверждать.
tafarn *gb.* **tafarnau** *ll.* кабак; пивная; таверна; трактир.
tafarndy *g.* **tafarndai** *ll.* таверна; закусочная; пивная; бар; паб.
tafarnwr *g.* **tafarnwyr** *ll.* кабатчик; трактирщик.
tafell *b.* **tafellau** *ll.*, **tafelli** *ll.*, **tefyll** *ll.* ломоть; ломтик.
tafl *b.* **taflau** *ll.* ❶ катапульта; праща. ❷ метание; бросок; бросание.
taflegryn *g.* **taflegrau** *ll.* ракета; снаряд.
taflen *b.* **taflennau** *ll.*, **taflenni** *ll.* листик; листовка; листочек; перечень; реестр; скрижаль; список; табель; таблица.
taflu *be.* **tafl** *grch.2.un.*, **teifl** *pres.3.un.* забросить; кинуть; швырнуть; бросить; кидать; бросать; метать; швырять; откидывать; откинуть; запускать; запустить; покидать.
taflunydd *g.* **taflunyddion** *ll.* проектор.
tafod *g.* **tafodau** *ll.* ❶ язык (*орган*); язычок. ❷ стрелка (*узкий и длинный полуостров*).
tafodi *be.* ❶ ругать; распекать; ворчать; брюзжать; бранить. ❷ лизать (*о пламени*).
tafodiaith *b.* **tafodieithoedd** *ll.* говор; диалект; наречие.
tafodieithol *ans.* диалектный.
tafol[1] *g.* щавель.
tafol[2] *b.* весы.
tagfa *b.* **tagfeydd** *ll.* асфиксия; удушение; удушье; пробка (*автомобильная*).
tagu *be.* давиться; душить; заглушать; задушить; задыхаться; удавить; удушать.
tangiad *g.* **tangiadau** *ll.* тангенс.
tangnefedd *gb.* мир.
taid *g.* **teidiau** *ll.* дед; дедушка.
tail *g.* навоз; помёт.
taith *b.* **teithiau** *ll.* поездка; путешествие.
tal *ans.* высокий; рослый.
tâl[1] *g.* **talau** *ll.*, **taloedd** *ll.* лоб.
tâl[2] *g.* **taliadau** *ll.* взнос; вознаграждение; выплата; жалованье; плата; платёж; расплата; уплата.
taladwy *ans.* ❶ ценный; полноценный. ❷ совершенный; безупречный. ❸ подлежащий уплате. ❹ заслуженный.
talai *g.* **taleion** *ll.* ❶ получатель (*платежа*). ❷ платёж.
talaith *b.* **taleithiau** *ll.* ❶ штат; провинция; область. ❷ недоуздок; повязка; шапка; венок; корона; диадема; венец.
talcen *g.* **talcennau** *ll.*, **talcenni** *ll.* ❶ чело; лоб. ❷ щипец; фронтон.
taldra *g.* рост.
taleb *b.* **talebau** *ll.*, **talebion** *ll.* расписка; квитанция; чек; ваучер.
talent *b.* **talentau** *ll.* талант.
talentog *ans.* одарённый; талантливый.
talfyriad *g.* **talfyriadau** *ll.* аббревиатура; сокращение.
talfyrru *be.* ❶ урезывать; сокращать. ❷ извлечь (*корень*); извлекать (*корень*).
taliad *g.* **taliadau** *ll.* взнос; вознаграждение; плата; платёж; уплата.
talu *be.* **tâl** *grch.2.un.*, **tâl** *pres.3.un.* оплачивать; платить; заплатить.
talwm *g.* ❶ время; срок. ❷ пространство; расстояние; протяжение. ❸ множество; количество. **ers talwm** давным-давно.
talwr *g.* **talwyr** *ll.* плательщик.

talwrn *g.* **talyrnau** *ll.* ❶ поляна; луг; поле. ❷ ток; двор. ❸ клумба. ❹ площадка для петушиных боев. ❺ форум; поэтическое состязание.

tamaid *g.* **tameidiau** *ll.* кусочек; кусок.

tan *ardd.* до. **na i aros yma tan wyth** я подожду здесь до восьми.

tân *g.* **tanau** *ll.* ❶ огонь. ❷ пожар. ❸ печь; камин.

tanbaid *ans.* блестящий; возбуждённый; вспыльчивый; горячий; жаркий; жгучий; огненный; острый; пламенный; пылкий; сверкающий; страстный; темпераментный.

tanc *g.* **tanciau** *ll.* ❶ перемирие; мир. ❷ бак. ❸ танк.

tanddaearol *ans.* подземный; подпольный.

tanfor *ans.* подводный.

tanforol *ans.* подводный.

taniad *g.* **taniadau** *ll.* ❶ зажигание. ❷ взрыв. ❸ пальба; выстрел; очередь (*mil.*). ❹ распространение.

tanio *be.* попалить; завести (*машину, мотор*); зажечь; возбуждать; воодушевлять; воспламенять; загораться; зажигать; палить; поджигать; стрелять; заводить (*машину, мотор*).

tanlinellu *be.* подчеркнуть; подчёркивать.

tanlli *ans.* огненный. **newydd sbon danlli** с иголочки.

tanseilio *be.* подкапывать; подрывать.

tant *g.* **tannau** *ll.* тетива; связка; струна. **tannau llais** голосовые связки.

tanwydd *g.* горючее; дрова; растопка; топливо.

tanysgrifiad *g.* **tanysgrifiadau** *ll.* подписка; подпись.

tanysgrifio *be.* подписываться; подписывать.

tap *g.* **tapiau** *ll.*, **teipiau** *ll.* кран (*водопроводный*). **agor y tap** открыть кран.

taradr *g.* **terydr** *ll.* буравчик; бур; бурав; сверло; шило; трепан.

taran¹ *adf.* вернее; довольно; пожалуй; скорее.

taran² *b.* **taranau** *ll.* гром.

taranfollt *b.* **taranfolltau** *ll.* удар молнии.

taranu *be.* греметь.

tarddiad *g.* **tarddiadau** *ll.* возникновение; деривация; исток; источник; ключ; первопричина; происхождение; словопроизводство.

tarddu *be.* **tardd** *grch.2.un.*, **tardd** *pres.3.un.* произойти; происходить; выйти; выходить. **o ba wlad mae'r bwydydd 'ma'n tarddu?** из какой страны происходят эти продукты?

tarfu *be.* **tarf** *grch.2.un.*, **teirf** *pres.3.un.* помешать; беспокоить; мешать; вспугивать; отпугивать; пугать; разбрасывать; разгонять; рассеивать; рассеиваться.

targed *g.* **targedau** *ll.* ❶ легкий круглый щит. ❷ цель.

tarian *b.* **tarianau** *ll.* щит.

tario *be.* ❶ жить; проживать. ❷ медлить; мешкать.

taro¹ *g.* **taroau** *ll.* удар.

taro² *be.* **taro** *grch.2.un.*, **tery** *pres.3.un.* ❶ бить; постучать; ударять; стучать; колотить; пробить; поразить; поражать; выбить; съездить. ❷ высекать; обстукивать; постукивать; выбивать; чеканить. ❸ напасть. ❹ биться. ❺ удариться. ❻ засунуть; сунуть; совать; класть; ставить.

tarw *g.* **teirw** *ll.* бык.

tas *b.* **teisi** *ll.* груда; куча; омёт; скирда; стог.

tasg *b.* **tasgau** *ll.* задача; задание.

tasgu *be.* броситься; вскочить; забрызгивать; плескать; брызгать; расплескивать; разбрызгивать.

taten *b.* **tato** *ll.*, **tatws** *ll.* картофелина.

tatysen *b.* **tato** *ll.*, **tatws** *ll.* картошка; картофелина; картофель.

tau *rh.* твой.

taw¹ *cys.* что. **o'n i'n meddwl taw fe wedodd 'ny** я думал, что это сказал он. **glywes i taw heno maen nhw'n dod** я слышал, что они придут сегодня. **mae'n amlwg taw nhw sy'n gyfrifol** очевидно, что за это отвечают они. **efallai taw Sioned oedd yn iawn wedi'r cwbwl** вероятно, в результате права оказалась Шонед.

taw² *g.* безмолвие; молчание; тишина.

tawedog *ans.* безмолвный; бесшумный; молчаливый; немой; неразговорчивый; тихий.

tawel *ans.* тихонький; бесшумный; мирный; тихий; спокойный; смирный.

tawelu *be.* **tawela** *grch.2.un.*, **tawela** *pres.3.un.* успокоить; замирать; замереть; заглушать; успокаивать.

tawelwch *g.* безмолвие; затишье; мир; покой; спокойствие; тишина; штиль.

te *g.* чай; чаек.

tebyg *ans.* подобный; сходный; похожий.

tebygol *ans.* вероятный; возможный; правдоподобный; предполагаемый.

tebygolrwydd *g.* вероятность; правдоподобие.

tebygrwydd *g.* подобие; сходство.

teclyn *g.* **teclynion** *ll.* гаджет; устройство; прибор; инструмент.

techneg *b.* техника.

technegol *ans.* технический.

technegydd *g.* **technegyddion** *ll.* техник.
technoleg *b.* технология.
technolegwr *g.* **technolegwyr** *ll.* технолог.
teg *ans.* ❶ справедливый; честный. ❷ прекрасный; красивый. ❸ хороший (*о погоде*); ясный; сухой. ❹ чистый. **yn araf deg** медленно.
tegan *g.* **teganau** *ll.* побрякушка; безделушка; забава; игрушка.
tegeirian *g.* **tegeiriannau** *ll.* орхидея.
tegell *g.* **tegellau** *ll.*, **tegelli** *ll.* чайник.
tegwch *g.* приятность; честность; красота; прелесть; справедливость.
tei *gb.* **teiau** *ll.* галстук.
teiar *g.* **teiarau** *ll.* шина. **mae'r teiar ffrynt yn fflat ofnadwy** передняя шина сильно сдутая.
teigr *g.* **teigrod** *ll.* тигр.
teiliwr *g.* **teilwyr** *ll.* ❶ портной. ❷ гусеница.
teilwng *ans.* достойный; заслуженный; подобающий.
teimlad *g.* **teimladau** *ll.* ощущение; чувство.
teimladol *ans.* волнующий; эмоциональный.
teimlo *be.* ❶ щупать; прикасаться; трогать; притрагиваться; шарить; осязать; ощупывать; дотрагиваться; касаться. ❷ ощутить; счесть; почувствовать; ощущать; чувствовать; считать. ❸ затрагивать; обсуждать. ❹ обращаться; обходиться.
teipiadur *g.* **teipiaduron** *ll.* пишущая машинка.
teipio *be.* набирать (*текст*); печатать (*на машинке*).
teipydd *g.* **teipyddion** *ll.* машинистка.
teipyddes *b.* **teipyddesau** *ll.* машинистка.
teisen *b.* **teisennau** *ll.*, **teisenni** *ll.*, **teisennod** *ll.* ❶ кекс; торт; пирожное. ❷ послед; плацента.
teitl *g.* **teitlau** *ll.* право (*на что-либо*) (*юр.*); заглавие; название; титр; титул.
teitheb *b.* **teithebau** *ll.* ❶ паспорт. ❷ виза.
teithglud *b.* **teithgludau** *ll.* багаж.
teithi *g.* ❶ характеристики; свойства. ❷ обязанности. ❸ месячные; менструация. ❹ право (*на что-либо*) (*юр.*). ❺ цена; стоимость.
teithio *be.* разъезжать; путешествовать.
teithiol *ans.* странствующий.
teithiwr *g.* **teithwyr** *ll.* ❶ путешественник. ❷ пассажир.
teithlyfr *g.* **teithlyfrau** *ll.* путеводитель.
telediad *g.* **telediadau** *ll.* телепередача.
teledu[1] *g.* телевидение.
teledu[2] *be.* передавать по телевидению.
teledydd *g.* **teledyddion** *ll.* телевизор.
teler *g.* **telerau** *ll.* положение; условие.
telyn *b.* **telynau** *ll.* арфа.
telyneg *b.* **telynegion** *ll.* лирическое стихотворение.
telynor *g.* **telynorion** *ll.* арфист.
telynores *b.* **telynoresau** *ll.* арфистка.
teml *b.* **temlau** *ll.* ❶ храм. ❷ груда; куча. ❸ трон; сиденье. ❹ собрание.
tenau *ans.* **teneuon** *ll.* ❶ стройный; тощий; худощавый; худой; тонкий; тоненький. ❷ скудный; водянистый; разреженный; слабый; жидкий; редкий; ничтожный; незначительный. ❸ пронзительный; острый; высокий.
tenis *g.* тенис.
tennyn *g.* **tenynnau** *ll.* шнур; трос; повод; нитка; недоуздок; корд; канат; верёвка; петля; аркан.
têr *ans.* безупречный; беспримесный; блестящий; изысканный; изящный; недвусмысленный; понятный; превосходный; прекрасный; прозрачный; рафинированный; утончённый; чистейший; чистокровный; чистый; ясный.
terfyn *g.* **terfynau** *ll.* край; граница; конец; межа; ограничение; окончание; предел.
terfyniad *g.* **terfyniadau** *ll.* конец; окончание; предел; заключение; флексия.
terfynnell *b.* **terfynellau** *ll.* терминал.
terfynol *ans.* заключительный; конечный; окончательный.
terfynu *be.* ❶ прекращать; кончать; заканчивать; завершать. ❷ истекать; кончаться; завершаться. ❸ ограничивать. ❹ граничить. ❺ устанавливать; решать; определять; детерминировать.
terfysg *g.* **terfysgoedd** *ll.* буйство; бунт; мятеж; необузданность; разгул; ссора; суматоха; шум.
terfysgaeth *b.* ❶ терроризм. ❷ восстание. ❸ анархия.
terfysgwr *g.* **terfysgwyr** *ll.* террорист; анархист; бунтовщик; инсургент; мятежник; повстанец.
term *g.* **termau** *ll.* ❶ срок. ❷ семестр. ❸ предел. ❹ кутёж; гулянка; попойка. ❺ месячные; менструация. ❻ условие. ❼ термин.
tes *g.* дымка; жар; жара; тепло.
tesog *ans.* горячий; жаркий; пылкий; солнечный.
testament *g.* **testamentau** *ll.* завет.
testun *g.* **testunau** *ll.* ❶ текст. ❷ тема.
teth *b.* **tethau** *ll.* сосок. **teth lwgu** соска.
teulu *g.* **teuluoedd** *ll.* ❶ семейство; семья. ❷ дружина.
teuluol *ans.* семейный.

tew *ans.* **tewion** *ll.* ❶ густой; плотный; толстый. ❷ откормленный; жирный; полный; пухлый; упитанный; тучный. ❸ плодородный; обильный; богатый. ❹ неразборчивый; невнятный; неясный. ❺ тупоумный; тупой; глупый.

tewder *g.* полнота; плотность; толщина.

tewi *be.* **tau** *pres.3.un.*, **taw** *grch.2.un.* промолчать; помолчать; затихнуть; заткнуться; смолкнуть; замолчать; молчать.

tewychu *be.* раздаться; раздаваться; жиреть; конденсировать; сгущать; толстеть; уплотнять; утолщать.

teyrngar *ans.* верный.

teyrngarwch *g.* ❶ верность; лояльность; преданность. ❷ монархизм.

teyrnged *b.* **teyrngedau** *ll.* дань; должное; подношение.

teyrnas *b.* **teyrnasoedd** *ll.* королевство; царство. **y Deyrnas Unedig** Соединенное Королевство.

teyrnasiad *g.* **teyrnasiadau** *ll.* правление; царствование.

teyrnasu *be.* господствовать; царить; царствовать.

ti *rh.* ты. **rwyt ti'n darllen** ты читаешь. **mae dy dad yn dy weld di** твой отец видит тебя. **mi'th garaf** я люблю тебя.

tic *g.* **ticiau** *ll.* тик.

tila *ans.* бессодержательный; маленький; незначительный; немощный; несущественный; ничтожный; пустяковый; слабый; тщедушный; хилый.

tin *b.* **tinau** *ll.* попа; задница; дно; зад; конец; хвост; ягодица.

tipyn *g.* **tipiau** *ll.*, **tipynnau** *ll.* кусочек; частица.

tir *g.* **tiroedd** *ll.* земля; страна; суша; почва; грунт.

tirio *be.* высаживать; достигать; прибывать; приземляться; причаливать.

tiriog *ans.* многоземельный.

tiriogaeth *b.* **tiriogaethau** *ll.* территория.

tiriogaethol *ans.* земельный; территориальный.

tirion *ans.* вежливый; великодушный; вкрадчивый; деликатный; добрый; за ботливый; кроткий; ласковый; любезный; любящий; милосердный; милостивый; мягкий; нежный; спокойный; чувствительный; чуткий.

tirionwch *g.* **tirionwchau** *ll.* учтивость; вежливость; доброта; нежность; приятность; дружелюбие; мягкость; обходительность.

tirlun *g.* **tirluniau** *ll.* пейзаж.

tirwedd *b.* **tirweddau** *ll.* пейзаж; ландшафт.

tisian *be.* чихать.

titw *gb.* киска; кошечка.

tithau *rh.* ты. **Nadolig Llawen i ti!—a tithau!** счастливого тебе Рождества!—и тебе также!

tlawd *ans.* **tlodion** *ll.* ❶ бедный; неимущий; малоимущий; убогий; недостаточный; скудный; жалкий; несчастный. ❷ плохой; низкий; скверный.

tlodi[1] *g.* бедность; нужда; оскудение; скудность.

tlodi[2] *be.* истощать; обеднять; разорять.

tlotyn *g.* **tlodion** *ll.* бедняк; нищий.

tlws[1] *ans.* **tlos** *ж.*, **tlysion** *ll.* изящный; привлекательный; прелестный; милый; миловидный; хорошенький.

tlws[2] *g.* **tlysau** *ll.* брошь; драгоценность; самоцвет; сокровище.

to *g.* **toeau** *ll.* ❶ крыша. ❷ поколение. **aderyn y to** воробей (*Passer*).

toc[1] *ans.* стриженый; краткий; куцый.

toc[2] *adf.* вскоре; сейчас; скоро; теперь; тотчас.

toc[3] *g.* **tociau** *ll.* ❶ кипа; куча. ❷ короткий хвост. ❸ ломтик; бутерброды, которые берут с собой на работу или в школу. ❹ овчарня.

tocyn[1] *g.* **tocyniau** *ll.* ❶ холмик. ❷ пачка; пакет. ❸ ломтик. ❹ полдник.

tocyn[2] *g.* **tocynnau** *ll.* билет; карточка; квитанция; удостоверение; ярлык.

toddadwy *ans.* ❶ растворимый; плавкий. ❷ плавящий.

toddi *be.* **tawdd** *grch.2.un.*, **tawdd** *pres.3.un.* топить; оттаивать; плавить; распускать; растапливать.

toddiad *g.* **toddiadau** *ll.* растворение; плавка.

toddiant *g.* **toddiannau** *ll.* ❶ раствор. ❷ растворение.

toddydd *g.* **toddyddion** *ll.* ❶ литейщик; плавильщик; сталевар. ❷ растворитель. ❸ плавный согласный.

toes *g.* тесто; паста.

toi *be.* крыть; покрывать; перекрывать; укрывать; накрывать; закрывать; скрывать.

tolach *be.* ласкать.

toli *be.* **tawl** *grch.2.un.*, **tawl** *pres.3.un.* экономить; скупиться; понижать; сокращать; срезать; уменьшать; урезывать.

tollfa *b.* **tollfeydd** *ll.* таможня.

tom *b.* дерьмо; грязь; навоз; нечистоты; помёт; сор.

tomen *b.* **tomennydd** *ll.* навозная куча; бугор; пригорок; холмик; груда; куча; отвал.

ton[1] *b.* **tonnau** *ll.* волна; бурун.

ton[2] *g.* **tonnau** *ll.* ❶ луг; лужайка. ❷ дёрн. ❸ газон. ❹ поверхность. ❺ корка; кожица; кожура. ❻ внешность.
tôn *b.* **tônau** *ll.* тон; интонация; характер; мотив; мелодия; звук.
tonfedd *b.* **tonfeddi** *ll.* длина волны.
top *g.* **topiau** *ll.* ❶ юла; волчок. ❷ верх.
tor[1] *g.* **torion** *ll.* брешь; пролом; раскол; нарушение; разрыв; прорыв; трещина; перерыв; прерывание; начало (*дня*).
tor[2] *b.* **torrau** *ll.* брюхо; желудок; живот. **tor llaw** ладонь.
torch *b.* **torchau** *ll.* бухта; ошейник; гривна; недоуздок; ожерелье; хомут; воротник; венок; гирлянда; кольцо.
torchi *be.* свертываться; засучить; закатать; сворачиваться; извиваться; наматывать; обвивать; обматывать; свёртывать; свивать. **torchi llewys** засучить рукава, закатать рукава.
torf *b.* **torfeydd** *ll.*, **torfoedd** *ll.* масса; компания; множество; отряд; толпа.
torfol *ans.* коллективный; массовый.
toriad *g.* **toriadau** *ll.* ❶ обрыв; трещина; брешь; щель; отверстие; разрыв; пролом. ❷ ломка; взлом; резание. ❸ сечение; разрез; порез. ❹ уменьшение; снижение; сокращение. ❺ дробь. ❻ резьба; зарубка; засечка. ❼ крой. **toriad Cesaraidd** кесарево сечение. **toriad cyffredin** обыкновенная дробь. **toriad degrannau** десятичная дробь.
torri *be.* **tor** *grch.2.un.*, **tor** *pres.3.un.*, **torr** *grch.2.un.*, **tyr** *pres.3.un.* ❶ сломать; биться; разбивать; ломать; разбиваться; ломаться. ❷ отрубить; вырезать; вырезать; разрезать; резать. ❸ оборвать; разорвать; разрывать; рвать. ❹ разоряться; разориться; обанкротиться. ❺ нарушать. ❻ начинаться. ❼ заканчиваться; заканчивать. ❽ разразиться. ❾ кастрировать. ❿ свернуться; сворачиваться. ⓫ гранить. ⓬ лопаться; лопнуть. ⓭ перебить; перебивать. **nes i dorri nghoes llynedd** я сломал ногу в прошлом году. **torri ar draws** прерывать. **peidiwch torri ar nhraws i!** не перебивайте меня!
torth *b.* **torthau** *ll.* булка; каравай; буханка.
torheulo *be.* жариться на солнце; принимать солнечные ванны; загорать.
tost[1] *ans.* суровый; острый; нездоровый; мучительный; болезненный; больной; горький; едкий; жестокий; злой; резкий; сильный.
tost[2] *g.* тост; гренок.
tosturi *g.* **tosturiaethau** *ll.* жалость; сожаление; сострадание; сочувствие.
tra[1] *adf.* ж; же; очень; сверх; слишком; чересчур. **sustem dra effeithiol** очень эффективная система.
tra[2] *cys.* ж; же; в то время, как; пока. **ac un peth arall, tra bo fi 'ma...** и вот ещё что, пока я здесь...
tractor *g.* **tractorau** *ll.* трактор. **wyddwn i ddim sut oedd tanio'r tractor** я не знал, как завести трактор.
trachefn *adf.* сначала; вновь; опять; снова.
traddodi *be.* сдать; предавать; поставлять; представлять; сдавать; передавать; доставлять; вверять; выдавать; выдать; уступать; уступить; произносить.
traddodiad *g.* **traddodiadau** *ll.* ❶ традиция. ❷ сдача; поставка; подача; выдача; доставка; передача.
traddodiadol *ans.* традиционный.
traean *g.* треть.
traeth *g.* **traethau** *ll.* берег; взморье; пляж.
traethawd *g.* **traethodau** *ll.* сочинение; диссертация; учебник; брошюра; трактат; эссе.
traethu *be.* высказываться; заявлять; называть; объявлять; провозглашать; произносить; трактовать.
trafnidiaeth *b.* ❶ транспорт. ❷ торговля. **bydd eisiau buddsoddi mewn addysg, iechyd, trafnidiaeth ac ati** нам потребуется инвестировать в образование, здравоохранение, транспорт и так далее.
trafod *be.* ❶ дискутировать; обсуждать. ❷ обращаться; обходиться. ❸ организовывать; устраивать; управлять. ❹ обрабатывать. ❺ биться; стараться; бороться. ❻ двигаться.
trafodaeth *b.* **trafodaethau** *ll.* ❶ обсуждение; прения; дискуссия; переговоры; дебаты. ❷ сделка; дело.
trafferth *gb.* **trafferthion** *ll.* ❶ тревога; волнение; беспокойство. ❷ проблема; злоключение; беда; неприятность. **ges i drafferthion ar ffordd yn ôl** по дороге назад у меня возникли трудности. **gyda chryn drafferth** с большим трудом.
trafferthu *be.* надоесть; пристать; баламутить; беспокоить; беспокоиться; волноваться; затруднять; надоедать; приставать; стараться; суетиться; тревожить; трудиться; хлопотать.
trafferthus *ans.* беспокойный.
traffordd *b.* **traffyrdd** *ll.* автотрасса; шоссе.
tragwyddol *ans.* беспрерывный; вековечный; вечный; постоянный.
tragywydd *ans.* длительный; беспрерывный; вековечный; вечный; извечный;

неизменный; непреложный; постоянный.

trai *g.* отлив.

trais *g.* изнасилование; добыча; гнёт; насилие; принуждение; притеснение; сила; угнетение.

tramgwydd *g.* **tramgwyddau** *ll.*, **tramgwyddiadau** *ll.* препятствие; нарушение; обида; оскорбление; преступление.

tramor[1] *ans.* заморский; нездешний; зарубежный; заграничный; чужеземный; иностранный.

tramor[2] *adf.* за границу.

tramwyfa *b.* **tramwyfeydd** *ll.* галерея; дорога; коридор; пассаж; перевал; переезд; перелёт; переправа; переход; проезд; проход; прохождение; путь; течение; ход.

trancedig *ans.* смертельный; смертный; покойный; умерший.

trannoeth *adf.* на следующий день.

tras *b.* клан; род; родственность; свойство; сродство.

trasiedi *g.* **trasiediau** *ll.* трагедия.

traul *b.* **treuliau** *ll.* изнашивание; износ; изнурение; истощение; расход; расходование; трата.

trawiad *g.* **trawiadau** *ll.* ❶ удар; биение. ❷ такт; ритм. ❸ осанка; походка.

trawiadol *ans.* поразительный.

traws *ans.* ❶ могущественный; могучий; мощный; сильный. ❷ свирепый; суровый; жестокий; злой. ❸ противоположный; поперечный; перекрёстный. ❹ косвенный (*грам.*); косой. **ar draws** поперек. **siarad ar draws rywun** перебивать кого-нибудь.

trawsblaniad *g.* **trawsblaniadau** *ll.* пересадка.

trawsblannu *be.* пересаживать; переселять.

trawst *g.* **trawstiau** *ll.* шпала; балка; брус.

trawswch *g.* усы; ус.

tre *g.* ❶ городок; город. ❷ дом. **tua tre** домой.

trebl *ans.* тройной.

trech *ans.* более сильный; больший.

trechu *be.* охватить; пересиливать; победить; побеждать; побороть; подавлять; подчинять; покорять; превозмогать; превозмочь; преодолевать; преодолеть; завоёвывать; обуять.

tref *b.* **trefi** *ll.*, **trefydd** *ll.* ❶ город; городок. ❷ дом.

trefgordd *b.* **trefgorddau** *ll.* городок; местечко; посёлок.

trefn *b.* **trefnau** *ll.* ❶ последовательность; строй; строй; порядок; система; режим. ❷ аранжировка; подготовка; построение; организация; расположение; расстановка. ❸ план. ❹ орден. ❺ методика; метод; способ. ❻ степень; ранг. ❼ вид; род; подкласс; сорт. ❽ внешность; вид. ❾ дом; здание; камера; палата; комната. ❿ мебель.

trefniad *g.* **trefniadau** *ll.* аранжировка; договорённость; план; приготовление; расположение; соглашение; систематизация; классификация; расстановка; упорядочение.

trefniadaeth *g.* процедура; система; устройство; формация.

trefniant *g.* **trefniannau** *ll.* аранжировка; договорённость; классификация; приготовление; расположение; соглашение; устройство; формирование; организация; упорядочение.

trefnu *be.* расставить; договориться; организовать; расположить; устроить; успокаиваться; организовывать; группировать; устраивать; сортировать; классифицировать; приказывать; предписывать; систематизировать; упорядочивать; предопределять; размещать; расставлять; располагать; подготавливать; аранжировать; договариваться; распоряжаться; сговариваться; улаживать; уславливаться. **mae cangen Penyrheol y blaid yn cwrdd bob mis yn ddiffael, yn dosbarthu newyddlenni rheolaidd yn y ward ac yn trefnu digwyddiadau cymdeithasol** пениреольское отделение партии обязательно собирается ежемесячно, распространяет листовки в палате и организовывает неофициальные встречи.

trefnus *ans.* методический; методичный; организованный; регулярный; опрятный; аккуратный; систематический.

trefnydd *g.* **trefnyddion** *ll.* организатор.

trefol *ans.* городской.

treftadaeth *b.* вотчина; наследие; наследование; наследственность; наследство; унаследование.

trengi *be.* погибнуть; пропадать; пропасть; истекать; кончаться; погибать; скончаться; умереть; умирать.

treiddgar *ans.* пронзительный; проницательный.

treiddio *be.* **traidd** *grch.2.un.*, **traidd** *pres.3.un.* переехать; войти; вникать; входить; переезжать; пересекать; понимать; постигать; пробуравливать; прокалывать; пронзать; пронизывать; проникать; прорываться; протыкать; проходить; прорваться.

treiglad *g.* **treigladau** *ll.* ❶ поворот; превратность; перемена; изменение. ❷ движение; брожение. ❸ последовательность. ❹ спряжение; склонение. ❺ мутация. ❻ умляут; перегласовка. **treiglad llaes** щелевая мутация. **treiglad meddal** мягкая мутация, леницияя. **treiglad trwynol** носовая мутация, эклипсис.

treiglo *be.* перемещать; двигать; вертеть; видоизменять; вращать; завёртывать; катить; прокатывать; раскатывать; свёртывать; склонять; спрягать; склоняться.

treio *be.* ❶ убывать; угасать; ослабевать. ❷ стараться; пробовать; судить; пытаться; испытывать; отведывать. **mae bywyd y claf yn treio** жизнь больного кончена, пациент умирает.

treisio *be.* заставлять; изнасиловать; навязывать; насиловать; попирать; принуждать; притеснять; угнетать.

treisiol *ans.* гнетущий; жестокий.

trên *g.* **trenau** *ll.* поезд; эшелон; состав.

trennydd *adf.* послезавтра.

treth *b.* **trethi** *ll.* подать; бремя; дань; награда; налог; пошлина; сбор.

trethdalwr *g.* **trethdalwyr** *ll.* налогоплательщик.

trethol *ans.* налоговый.

treulio *be.* провести; изнашивать; истощать; переваривать; потреблять; проводить; съедать; тратить; сносить; снашивать; заносить; просидеть.

tri *rhif.* **tair** *ж.*, **trioedd** *ll.* три; тройка; триада. **tri cheffyl** три лошади. **tair merch** три женщины. **tair coeden** три дерева.

triawd *g.* **triawdau** *ll.* троица; трилогия; три; трио; трое; тройка.

tric *g.* **triciau** *ll.* ❶ трюк; фокус. ❷ взятка (*карт.*).

tridiau *ll.* три дня.

trigain *rhif.* шестьдесят.

trigeinfed *rhif.* шестидесятый.

trigo *be.* ❶ обитать; гостить; жить; останавливаться; оставаться; пребывать; проживать. ❷ соглашаться; придерживаться; решать. ❸ издыхать; подыхать; умереть.

trigolion *ll.* жители, обитатели.

trin[1] *b.* **trinoedd** *ll.* битва; бой; сражение.

trin[2] *be.* поступить; поступать; лечить; обрабатывать; обходиться; ухаживать; обращаться.

trindod *b.* **trindodau** *ll.* троица (*рел.*); трое.

triniaeth *b.* лечение; обработка; обращение; уход.

trist *ans.* скорбный; унылый; плачевный; прискорбный; печальный; грустный.

tristwch *g.* **tristwchau** *ll.* горе; скорбь; сожаление; уныние; грусть; печаль.

tro[1] *ans.* ❶ вращающийся. ❷ извращённый. ❸ завернутый. ❹ сложный.

tro[2] *g.* **troeau** *ll.*, **troeon** *ll.* ❶ перемена; изменение; смена. ❷ обращение; изгиб; виток; оборот; разворот; поворот. ❸ раз; время; период; срок. ❹ ход (*в игре*); очередь. **dyna'r tro cyntaf** это первый раз. **dyma'r pedwerydd tro i mi ofyn** я спрашиваю уже в четвертый раз. **am y tro cyntaf** в первый раз.

troad *g.* **troadau** *ll.* вращение; изгиб; поворот; превращение; сгиб.

trobwynt *g.* **trobwyntiau** *ll.* поворотная точка.

trochi *be.* **trych** *pres.3.un.* погрузить; окунуть; ввергать; грязнить; запятнать; окунать; опускаться; пачкать; погружать; погружаться.

troed *gb.* **traed** *ll.* стопа; нога; ступня.

troedfedd *b.* **troedfeddi** *ll.* фут.

troedio *be.* наступить; пнуть; пинать; идти; лягать; наступать; протаптывать; ступать; танцевать; топтать; шагать.

troednoeth *ans.* босой; босоногий.

troelli *be.* завести; вертеть; виться; заводить; крутить; мотать; наматывать; обвивать; поворачивать; прясть; сучить.

troellog *ans.* вращающийся; крутящийся; витой; спиральный.

troellwr *g.* **troellwyr** *ll.* ❶ прядильщик; прядильщица; пряха. ❷ колесник. ❸ гончар. ❹ токарь. ❺ диск-жокей. ❻ козодой.

troeth *g.* **troethau** *ll.* моча.

trofannol *ans.* тропический.

troi *be.* **tro** *grch.2.un.*, **try** *pres.3.un.* ❶ развернуть; разворачивать; свернуть; повернуть; заворачивать; сворачивать; поворачивать; завернуть. ❷ обратить; обращать; повёртывать; вращать; вертеть; крутить; свёртывать. ❸ подвернуть. ❹ превратить; превращать; конвертировать. ❺ перевернуть; перевёртывать; переворачивать. ❻ выворачивать. ❼ перелицовывать. ❽ пахать; бороздить. ❾ помешать; перемешивать; мешать. ❿ искажать; извращать. ⓫ скисать (*о молоке*). ⓬ развернуться; разворачиваться; обратиться; кружиться; вертеться; обернуться; крутиться; вращаться; повернуться; поворачиваться; оборачиваться. ⓭ переворачиваться. ⓮ обращаться. ⓯ прибегнуть; прибегать. ⓰ превратиться; превращаться. **troi i ffwrdd** выключить. **troi ymlaen** включить. **troi i lawr** уменьшить громкость, сделать потише; отказать. **troi lan** увеличить громкость, сделать погромче. **troi'r stori** сменить тему. **troi migwrn** подвернуть ногу.

troi dalen newydd начать с нового листа.

trôns *g.* **tronsys** *ll.* трусы (*мужские*).

tros *ardd.* больше; для; за; над; по; через; сверх. **mae dros fil o bobol fan hyn yn barod** здесь уже больше тысячи человек. **newch chi fynd i'r siop drosti?** вы не сходите в магазин для нее? **fydda i byth yn pleidleisio drostyn nhw 'to** я никогда больше за них не проголосую. **maen nhw wedi mynd drost y bont** они ушли по мосту. **mi oedd teganau dros y lle i gyd** повсюду были игрушки. **dros dro** временный. **dros ben** чрезвычайно.

trosedd *gb.* **troseddau** *ll.* ❶ проступок; преступление; нарушение; злодеяние. ❷ превосходство.

troseddol *ans.* уголовный; криминальный; преступный.

troseddu *be.* совершать преступление; грешить; нарушать; нарушить; погрешить.

troseddwr *g.* **troseddwyr** *ll.* правонарушитель; преступник.

trosglwyddiad *g.* ❶ перенесение; пересадка; перенос; перемещение; перевод; трансферт. ❷ уступка (*юр.*); передача (*юр.*). ❸ переливание (*крови*). ❹ переселение (*души*).

trosglwyddo *be.* перевезти; перенести; передать; передавать; перевести; переводить; перевозить; передавать; перемещать; переносить.

trosi *be.* перевести; вертеть; вращать; обращать; перевёртывать; переводить; переворачиваться; повёртывать; поворачивать; превращать; транслировать.

trosiad *g.* **trosiadau** *ll.* переход; метафора; перевод; трансляция.

trosodd *adf.* ❶ указывает на окончание, прекращение действия. ❷ снова. ❸ на ту сторону, по ту сторону, на другой стороне; поперёк. **bellach mae'r dyddiau'na drosodd** теперь эти деньки прошли. **trosodd a throsodd** снова и снова. **Cymraeg drosodd** валлийский на обороте.

trothwy *g.* **trothwyau** *ll.*, **trothwyon** *ll.* порог; преддверие.

trowr *g.* **trowyr** *ll.* пахарь; тот, кто вращает, переворачивает.

trowynt *g.* **trowyntoedd** *ll.* вихрь; смерч; торнадо; ураган; шквал.

truan[1] *ans.* **truain** *ll.* жалкий; несчастный; бедный; убогий.

truan[2] *g.* **trueiniaid** *ll.* несчастный.

truanes *b.* **truanesau** *ll.* несчастная.

trueni *g.* бедность; жалость; нищета; сожаление; сострадание; страдание.

truenus *ans.* жалкий; несчастный; никудышный; печальный; скудный; убогий; ужасный; плохой.

trugaredd *gb.* **trugareddau** *ll.* сочувствие; сострадание; помилование; прощение; милосердие; милость; жалость.

trugarhau *be.* пощадить; щадить; прощать.

trulliad *g.* **trulliaid** *ll.* чашник; виночерпий.

truth *g.* чушь; ложь; лесть.

truthio *be.* врать; льстить.

trwbl *g.* волнение; беспокойство; затруднение; помеха; усилие; хлопоты.

trwblo *be.* беспокоиться; баламутить; беспокоить; надоедать; повреждать; тревожить.

trwch[1] *ans.* **troch** *ж.* злой; испорченный; ломаный; неприятный; несчастливый; несчастный; неудачный; нехороший; противный; разбитый; сокрушённый.

trwch[2] *g.* **trychiadau** *ll.*, **trychion** *ll.* гуща; плотность; слой (*толстый*); диаметр; толщина; глубина. **treuliodd drwch ei fagwraeth yno** он провел там большую часть своего детства.

trwchus *ans.* толстый; тучный; густой; жирный; плотный; глубокий (*о снеге*).

trwm *ans.* **trom** *ж.*, **trymion** *ll.* тяжёлый; тяжкий.

trwmgwsg *g.* глубокий сон.

trwnc[1] *g.* моча; щёлок.

trwnc[2] *g.* **tryncïau** *ll.* ❶ хобот. ❷ ствол. ❸ чемодан. ❹ жёлоб.

trwodd *adf.* насквозь.

trwsgl *ans.* **trosgl** *ж.* ❶ неповоротливый; неуклюжий; неловкий. ❷ грубый; топорный. ❸ сильный. ❹ толстый.

trwsiadus *ans.* модный; нарядный; щеголеватый.

trwsio *be.* восстанавливать; исправлять; наряжать; одевать; отделывать; подрезать; подстригать; приготовлять; приправлять; причёсывать; удобрять; украшать; унавоживать; чистить; шлифовать; штопать; ремонтировать; латать; чинить.

trwsiwr *g.* **trwswyr** *ll.* ремонтник.

trwst *g.* **trystau** *ll.* бум; гам; гвалт; грохот; гудение; гул; шум; шумиха.

trwy *ardd.* путём; посредством; сквозь; через.

trwyadl *ans.* доскональный; законченный; основательный; полный; совершенный; тщательный.

trwydded *b.* **trwyddedau** *ll.* пропуск; гостеприимство; лицензия; позволение;

разрешение; индульгенция; допуск. **trwydded yrru** права.
trwyddedu *be.* разрешать; давать право, патент, привилегию.
trwyn *g.* **trwynau** *ll.* ❶ нос; носик; рыло. ❷ острие; кончик; мыс; наконечник.
trwytho *be.* ❶ погружать; напитывать; замачивать; мочить; пропитывать. ❷ заваривать; настаивать. ❸ мочиться.
tryblith *g.* беспорядок; неразбериха; хаос.
trychfil *g.* **trychfilod** *ll.*, **trychfilyn** *bach.* бацилла; микроб; насекомое.
trychineb *gb.* **trychinebau** *ll.* трагедия; бедствие; несчастье.
trychinebus *ans.* трагический; бедственный; гибельный; пагубный.
trydan *g.* электричество.
trydanol *ans.* электрический.
trydanwr *g.* **trydanwyr** *ll.* электрик.
trydydd *rhif.* **trydedd** *ж.* третий.
tryloyw *ans.* **tryloywon** *ll.* прозрачный.
trylwyr *ans.* доскональный; законченный; основательный; полный; совершенный; тщательный.
trymaidd *ans.* гнетущий; густой; душный; мрачный; обременительный; спёртый; тесный; тягостный; тяжеловатый; тяжёлый.
trysorydd *g.* **trysoryddion** *ll.* казначей.
trywanu *be.* вонзать; закалывать; прокалывать; пронзать; пронизывать; проникать; протыкать; проходить.
trywydd *g.* ❶ запах. ❷ след. ❸ тропа.
Tsieineaidd *ans.* китайский.
Tsieinëeg *b.* китайский (*язык*).
tu *g.* бок; сторона. **tu allan** снаружи. **tu cefn** за, сзади. **tu draw** сверх; по ту сторону. **tu fas** снаружи. **tu fewn** внутри. **tu hwnt** сверх; по ту сторону. **tu ôl** за, сзади.
tua *ardd.* ❶ почти; приблизительно; около; примерно. ❷ вокруг; относительно; напротив; к.
tud *b.* **tudion** *ll.* земля; страна; семья; народность; нация; племя; народ.
tudalen *gb.* **tudalennau** *ll.* страница.
tuedd *gb.* **tueddau** *ll.*, **tueddiadau** *ll.* ❶ область; район. ❷ граница. ❸ направление. ❹ предубеждение; предвзятость; необъективность; наклонность; наклонение; пристрастие; склонение; склонность; стремление; тенденция; уклон.
tueddiad *g.* **tueddiadau** *ll.* ❶ предрасположение; расположение; пристрастие; наклонность; стремление; склонность. ❷ тенденция. ❸ ориентация (*сексуальная*). ❹ отношение. ❺ курс; направление. ❻ цель.
tueddol *ans.* наклонный; расположенный; склонный.
tueddu *be.* направиться; расположить; клониться; наклонять; направляться; отклоняться; располагать; склонять; склоняться.
tun *g.* ❶ олово. ❷ банка.
tunnell *b.* **tunellau** *ll.*, **tunelli** *ll.* тонна.
turio *be.* рыться; рыть; копаться; копать; рыть нору, ход.
tusw *g.* **tusŵau** *ll.* букет; кисточка; кисть; метёлка; пучок; связка.
tuth *g.* **tuthiau** *ll.* рысь. **ar duth** на рысях.
twb *g.* **tybiau** *ll.* бадья; ванна; кадка; лохань; ушат.
twf *g.* **twfau** *ll.* прирост; рост.
twlc *g.* **tylciau** *ll.* ❶ свинарник. ❷ шалаш; хибарка; лачуга.
twll[1] *ans.* **toll** *ж.* мощный.
twll[2] *g.* **tyllau** *ll.* дырка; нора; течь; отверстие; дыра.
twn *ans.* **ton** *ж.* ломаный; разбитый; сокрушённый.
twnel *g.* **twnelau** *ll.* тоннель.
twp *ans.* бестолковый; глупый; тупой; недалекий.
twpdra *g.* тупость; глупость.
twpsyn *g.* **twpsynion** *ll.* идиот; дурак; тупица.
twr *g.* **tyrrau** *ll.* ❶ куча; груда; масса. ❷ группа; толпа; группировка. ❸ созвездие.
tŵr *g.* **tyrau** *ll.* башня.
twrch *g.* **tyrchod** *ll.* ❶ вепрь; кабан; свинья; боров. ❷ крот.
twrnai *g.* **twrneiod** *ll.* адвокат.
twt *ans.* аккуратный; опрятный; чистый.
twyll *g.* жульничество; лживость; ложь; мошенничество; обман; подделка.
twyllo *be.* ❶ обманывать; обмануть; провести; надувать. ❷ совращать.
twyllwr *g.* **twyllwyr** *ll.* лгун; обманщик; предатель.
twym *ans.* ❶ знойный; горячий; жаркий; тёплый. ❷ возбуждённый; темпераментный; пылкий; страстный; опасный.
twymo *be.* разогреваться; нагреваться; разогревать; подогревать; горячить; греть; нагревать; накаливать; накаляться; разгорячать; разгорячить; согревать.
twymyn *b.* **twymynau** *ll.* жар; лихорадка. **twymyn goch** скарлатина.
twyn *g.* **twyni** *ll.* дюна; бугор; возвышенность; холмик.
tŷ *g.* **tai** *ll.* дом; терем; хата. **tŷ bach** туалет. **tŷ bychan** маленький дом.
tyb *gb.* **tybiau** *ll.* взгляд; догадка; идея; мнение; подозрение; понятие; предположение; представление.

tybed *adf.* разве; «хотелось бы узнать»; «интересно».
tybiaeth *b.* **tybiaethau** *ll.* предположение.
tybied *be.* **tyb** *grch.2.un.*, **tyb** *pres.3.un.* догадаться; счесть; догадываться; допускать; думать; полагать; считать.
tybio *be.* **tyb** *grch.2.un.*, **tyb** *pres.3.un.* предположить; воображать; мечтать; мыслить; обдумывать; предполагать; придумывать; принимать.
tydi *rh.* ты.
tyddyn *g.* **tyddynnau** *ll.*, **tyddynnod** *ll.* ферма (*маленькая*); хозяйство; хутор.
tyddynnwr *g.* **tyddynnwyr** *ll.* мелкий крестьянин.
tyfiant *g.* прирост; развитие; рост; увеличение.
tyfu *be.* **tyf** *grch.2.un.*, **tyf** *pres.3.un.* ❶ вырасти; усиливаться; произрастать; вырастать; расти; зарасти; нарастать. ❷ отращивать; культивировать; выращивать.
tynged *b.* **tynghedau** *ll.* ❶ удел; жребий; рок; судьба. ❷ пророчество; предсказание.
tyngedfennol *ans.* судьбоносный.
tynghedu *be.* ❶ обречь; обрекать; назначать; предназначать; предопределять; предназначить. ❷ клясться; проклинать; заклинать.
tyngu *be.* **twng** *grch.2.un.*, **twng** *pres.3.un.* предопределять; предназначать; богохульствовать; заклинать; клясться; молить; присягать; ругать; ругаться.
tylino *be.* замешивать; массировать; месить.
tylinwr *g.* **tylinwyr** *ll.* ❶ тестомес. ❷ массажист.
tylwyth *g.* **tylwythau** *ll.* племя; род; триба; клан; семья; семейство. **tylwyth teg** эльфы.
tyllu *be.* бурить; перфорировать; пробуравливать; продырявить; прокалывать; пронзать; пронизывать; проникать; прорываться; прорыть; просверливать; просверлить; протыкать; проходить; сверлить; пробить; прорваться.
tylluan *b.* **tylluanod** *ll.* сова.
tymer *b.* **tymherau** *ll.* ❶ характер; нрав. ❷ расположение (*духа*); настроение. ❸ ровность; выдержка; спокойствие; сдержанность; самообладание. ❹ склад; состав. ❺ температура; погода; климат. ❻ закалка. **tymer ddrwg iawn sy gynno fo** у него очень скверный характер.
tymestl *b.* **tymhestloedd** *ll.* буря; гроза; ураган; шторм.
tymheredd *g.* температура.
tymhorol *ans.* ❶ сезонный. ❷ своевременный. ❸ временный. ❹ временной. ❺ светский; мирской; преходящий. ❻ мягкий (*о погоде*).
tymor *g.* **tymhorau** *ll.* ❶ сезон; время года. ❷ четверть; семестр. ❸ срок. **tymor hir** долгосрочный. **tymor bur** краткосрочный.
tyn *ans.* **ten** *ж.* ❶ натянутый; тугой. ❷ сжатый; тесный. ❸ плотный; крепкий. ❹ трудный; тяжёлый. ❺ скупой; скудный.
tyndra *g.* напряжённость; напряжение; натянутость; натягивание; натяжение; растяжение.
tyndro *g.* **tyndroeon** *ll.* разводной гаечный ключ.
tyner *ans.* хрупкий; мягкий; нежный; ласковый; заботливый; лёгкий; любящий; молодой; незрелый; спокойный; тихий; уязвимый; чувствительный; чуткий; щекотливый; деликатный.
tynerwch *g.* мягкость; нежность.
tynhau *be.* затягиваться; сжиматься; уплотняться; затягивать; сжимать; уплотнять; затянуться.
tynnu *be.* **tyn** *grch.2.un.*, **tyn** *pres.3.un.* ❶ таскать; дернуть; дёргать; тащить; тянуть; волочить; вытащить; протянуть; вытаскивать; вытянуть; извлечь; извлекать; выхватить. ❷ убрать; стирать; удалять; смещать; убирать; устранять. ❸ вбирать; втягивать; всасывать; вдыхать. ❹ снять; снимать. ❺ натягивать; потянуть; растягивать; натянуть. ❻ привлечь; пленять; привлекать; прельщать; притягивать. ❼ собирать. ❽ отнять; вычитать; отнимать. ❾ вырвать; вырывать. ❿ пускать (*кровь, воду*). ⓫ провести; проводить; рисовать; чертить. ⓬ оформлять. **tynna'r lenni, nei di?** задернешь занавески? **pam ne ddewch chi draw i gael tynnu'ch llun?** почему бы Вам не зайти и не сфотографироваться? **tynnu llun** фотографировать. **tynnwch eich dillad** разденьтесь.
tyrchwr *g.* **tyrchwyr** *ll.* ❶ ловец кротов. ❷ бульдозер.
tyrfa *b.* **tyrfaoedd** *ll.* ❶ воинство; компания; множество; войско; сонм; толпа. ❷ итог; сумма; количество.
tyrru *be.* **twr** *grch.2.un.*, **twr** *pres.3.un.* ❶ копить; накоплять; нагромождать; собирать. ❷ собраться; толпиться; собираться.
tyst *g.* **tystion** *ll.* ❶ очевидец; понятой; свидетель. ❷ доказательство; свидетельство. ❸ заповедь.
tystio *be.* заверять; подтверждать; свидетельствовать; удостоверять.

tystiolaeth *b.* **tystiolaethau** *ll.* показание; доказательство; заявление; свидетельство; улика; утверждение.
tystysgrif *b.* **tystysgrifau** *ll.* справка; аттестат; диплом; сертификат; удостоверение; свидетельство.
tywallt *be.* ❶ налить; пролить; разлить; проливать (*кровь, слезы*); разливать; наливать; вливать; лить; полить; поливать. ❷ выбросить (*гормоны*); выделить (*гной*); выделять (*гной*); выбрасывать (*гормоны*).
tywod *g.* песок.
tywydd *g.* погода. **sut dywydd gest ti ar dy wiliau?** какая погода стояла во время твоего отпуска?
tywyll *ans.* мрачный; неясный; слепой; тёмный.
tywyllu *be.* ❶ чернить; затемнять; чернеть; темнеть. ❷ ослеплять; слепить. ❸ слепнуть.
tywyllwch *g.* мрак; темнота; тьма.
tywyn *g.* **tywynnau** *ll.* ❶ сияние; блеск. ❷ дюна; побережье; пляж; взморье; берег.
tywys *be.* вести; возглавлять; командовать; направлять; руководить; управлять.
tywysen *b.* **tywys** *ll.*, **tywysennau** *ll.* колос.
tywysog *g.* **tywysogion** *ll.* князь; принц.
tywysogaeth *b.* **tywysogaethau** *ll.* княжество.
tywysoges *b.* **tywysogesau** *ll.* княгиня; княжна; принцесса.

TH

theatr *b.* **theatrau** *ll.* театр.
thema *b.* **themâu** *ll.* тема.
therapydd *g.* **therapyddion** *ll.* терапевт.
thermomedr *g.* термометр.
thus *g.* ладан.

U

uchafbwynt *g.* **uchafbwyntiau** *ll.* зенит.
uchafrif *g.* **uchafrifau** *ll.* максимум.
uchder *g.* высокомерие; верх; верхушка; вершина; возвышенность; высота; вышина; рост.
uchel *ans.* **cuwch** *cfrt.*, **cyfuwch** *cfrt.*, **uchaf** *eith.*, **uched** *cfrt.*, **uwch** *cmhr.* ❶ высший; возвышенный; высокий. ❷ громкий.
ucheldir *g.* **ucheldiroedd** *ll.* нагорье; плоскогорье.
uchelgais *gb.* амбиция; честолюбие.
uchelgeisiol *ans.* амбициозный; честолюбивый.
uchelseinydd *g.* **uchelseinyddion** *ll.* репродуктор; громкоговоритель.
uchelwr *g.* **uchelwyr** *ll.* землевладелец; дворянин; джентльмен.
uchelwydd *g.* омела.
uchenaid *g.* **ucheneidiau** *ll.* ❶ вздох; стон. ❷ придыхание.
uchgapten *g.* **uchgapteiniaid** *ll.* майор.
uchod *adf.* выше.
udo *be.* выть; завывать; реветь; стонать.
ufel *g.* огонь; пламя; пожар.
ufudd *ans.* покорный; послушный; смиренный.
ufudd-dod *g.* повиновение; покорность; послушание.
ufuddhau *be.* повиноваться; подчиняться; слушаться.
uffern *b.* **uffernau** *ll.* ад; преисподняя; пекло.
uffernol *ans.* инфернальный; адский.
ugain *rhif.* **ugeiniau** *ll.* двадцать.
ugeinfed *rhif.* двадцатый.
ulw[1] *adf.* крайне; чрезвычайно.
ulw[2] *g.* пепел; порошок; пыль. **llosgi'n ulw** сжечь дотла.
un[1] *rhif.* **unau** *ll.* один; единица. **mae 'na un peth o'n i am drafod â ti cyn mynd** есть одна вещь, которую я хотел обсудить с тобой перед уходом. **un mab** один сын. **un ferch** одна дочь. **un ar ddeg** одиннадцать.
un[2] *rh.* **rhai** *ll.* всякий; какой-нибудь; какой-то; любой; неопределённый; сколько-нибудь.
unawd *gb.* **unawdau** *ll.* соло.
unben *g.* **unbeniaid** *ll.*, **unbyn** *ll.* автократ; деспот; самодержец.
undeb *g.* **undebau** *ll.* профсоюз; единение; единство; объединение; согласие; соединение; союз; сплочённость; тредюнион. **yr Undeb Sofietaidd** Советский Союз.
undod *g.* **undodau** *ll.* ❶ сплочённость; соединение; единение; дружба; согласие; единство. ❷ единица. ❸ подразделение; часть.
undonog *ans.* монотонный.
undydd *ans.* однодневный.
uned *b.* **unedau** *ll.* ❶ блок; узел; член; элемент; часть. ❷ агрегат; прибор; установка; устройство. ❸ секция; соединение; подразделение; отделение. ❹ единица. ❺ единство. **unedau cegin o ansawdd ar gael bob amser** всегда имеются качественные кухонные комбайны.
unedig *ans.* соединённый; объединенный. **y Deyrnas Unedig** Соединенное Королевство. **y Cenhedloedd Unedig** Организация Объединенных Наций (ООН).
unfan *b.* **unfannau** *ll.* место (*одно и то же*).
unfathiant *g.* **unfathiannau** *ll.* тождество.
unfed *ans.* первый. **unfed peth ar ddeg** одиннадцатая вещь. **unfed peth ar hugain** двадцать первая вещь.
uniaith *ans.* одноязычный.
unig *ans.* ❶ одинокий. ❷ единственный; единый. **y plentyn unig** одинокий ребенок. **yr unig plentyn** единственный ребенок.
unigol[1] *ans.* единичный; единственный; индивидуальный; особенный; отдельный.
unigol[2] *g.* **unigolion** *ll.* индивидуум.
unigolyn *g.* **unigolion** *ll.* ❶ индивидуум. ❷ цифра.
unigrwydd *g.* единичность; одиночество; уединение.
unigryw *ans.* уникальный.
uniongred *ans.* общепринятый; ортодоксальный; правоверный; православный.
uniongyrchol *ans.* безотлагательный; немедленный; непосредственный; прямой; ясный.
union *ans.* верный; искренний; открытый; правдивый; правильный; прямой; ровный; справедливый; строгий; точный; честный; ясный; самый.
unlle *g.* **unlleoedd** *ll.* место. **yn unlle** где угодно.
unman *g.* **unmannau** *ll.* место. **dim yn unman** нигде.
uno *be.* соединить; объединить; амальгамировать; объединиться; объединять; присоединить; присоединяться; сливаться; соединять; соединяться.
unochrog *ans.* односторонний.

unol *ans.* единый; соединённый. **yr Unol Daleithiau** Соединенные Штаты.
unrhyw[1] *ans.* ❶ уникальный. ❷ простой.
unrhyw[2] *adf.* ❶ одинаковый. ❷ любой.
unrhywbeth *g.* что-либо; что-нибудь; что-то. **unrhywbeth arall?** что-нибудь ещё?
unrhywun *g.* любой; всякий. **mi fasai unrhywun yn deall hynny** любой понял бы это.
unsain *ans.* унисон.
unsillafog *ans.* односложный.
unswydd *ans.* специальный.
untu *ans.* односторонний.
unwaith *adf.* когда-то; некогда; как только; раз; однажды. **unwaith ag am byth** окончательно, раз и навсегда. **unwaith bod y llong wedi mynd, bydd y lle 'ma'n tawelu** как только корабль уйдет, это место затихнет. **unwaith eto** снова, ещё раз.
unwr *g.* **unwyr** *ll.* объединитель.
urael *g.* асбест.
urdd *b.* **urddau** *ll.* ❶ орден; орден. ❷ порядок. ❸ ряд.
urddas *g.* **urddasau** *ll.* ❶ честь; достоинство. ❷ благородство. ❸ сан; звание; титул. ❹ знать. ❺ порядок. ❻ список. ❼ орден. ❽ вид. ❾ форма.
urddasol *ans.* августейший; благородный; великодушный; величавый; величественный; достойный; знатный; титулованный.
urddo *be.* ❶ назначать. ❷ возвеличивать; повышать. ❸ короновать. ❹ канонизировать. ❺ посвятить; посвящать. ❻ награждать; удостаивать. ❼ предписывать.
ust *g.* молчание; тишина.
uthr *ans.* ❶ страшный; ужасный. ❷ громадный. ❸ замечательный; удивительный.
uwch *ardd.* над.
uwchben *ardd.* поверх; сверху; над; поверх. **welwch chi'r arwydd 'na uwchben y siop?** видите тот знак над магазином?
uwchlaw *ardd.* сверху; над.
uwchradd[1] *ans.* больший; высший; старший. **yr ysgol uwchradd** средняя школа.
uwchradd[2] *g.* старший.
uwd *g.* овсянка; каша.

W

wedi[1] *adf.* после.
wedi[2] *ardd.* спустя; после. **ydy'r lleil wedi mynd?** остальные ушли? **pwy fasai wedi meddwl?** кто бы мог подумать? **ffenest wedi'i chau** закрытое окно. **bwydydd wedi'u rhewi** замороженные продукты. **daethon nhw'n ôl wedi'r rhyfel** они вернулись назад после войны.
wedyn *adf.* ❶ потом; затем. ❷ впоследствии; позднее. **troch i'r dde fan hyn, wedyn yn syth ymlaen am filltir** поверните здесь направо, затем (*пройдите*) прямо одну милю. **pam na ddoi di draw wedyn?** почему ты не зашел попозже?
weithiau *adf.* иногда; временами.
wel *gn.* итак (*используется при возобновлении прерванного разговора или как вступительное слово при каком-л. замечании*); ну (*выражает удивление, сомнение, уступки, согласие, чувство облегчения, удовлетворения*).
wele *gn.* вот.
wrth *ardd.* служит для образования деепричастий; близ; для; до; из-за; к; около; при; с; у. **o'n i'n teimlo'n annifyr rywsut wrth siarad ag e** я чувствовал себя как-то неловко, разговаривая с ним.
wtra *b.* дорожка.
wtre *b.* **wtreau** *ll.* дорожка.
ŵy *g.* **ŵyau** *ll.* яйцо; яичко.
wybren *b.* **wybrennau** *ll.*, **wybrennydd** *ll.* небо; небеса.
wybrennol *ans.* ❶ небесный. ❷ облачный.
wylo *be.* плакать; заплакать.
wylofain *be.* вопить; выть; плакать; причитать; рыдать; стенать.
wyneb *g.* **wynebau** *ll.* ❶ физиономия; лицо. ❷ вид. ❸ гримаса; выражение. ❹ фасад; фас; фронт. ❺ циферблат. ❻ поверхность. ❼ площадь.
wynebu *be.* ❶ смотреть в лицо (*чему-л.*); встречать смело (*что-л.*). ❷ выходить.
ŵyr *g.* **wyrion** *ll.* внук.
wyres *b.* **wyresau** *ll.* внучка.
wysg *g.* дорожка; путь; трек; тропинка.
wyth *rhif.* восемь; восьмеро; восьмёрка.
wythfed *rhif.* восьмой.
wythnos *b.* **wythnosau** *ll.* неделя.
wythnosol *ans.* **wythnosolion** *ll.* недельный; еженедельный.
wythnosolyn *g.* **wythnosolion** *ll.* еженедельник (*журнал*).

Y

y *ban.* определенный артикль.
ych *g.* **ychen** *ll.* бык.
ychwaith *adf.* тоже (*в отрицательных предложениях*); также.
ychwaneg *g.* **ychwanegion** *ll.* дополнительное количество.
ychwanegiad *g.* **ychwanegiadau** *ll.* ❶ дополнение; прибавление; добавление. ❷ приложение.
ychwanegol *ans.* добавочный; дополнительный.
ychwanegu *be.* доложить; докладывать; прибавить; сложить; добавить; возрастать; прибавлять; прилагать; складывать; увеличивать; усиливать; добавлять; придать; придавать.
ychydig *adf.* немножко; чуточку; немного; мало.
ychydigyn *g.* ничтожно малое количество.
ŷd *g.* **ydau** *ll.* зерно.
yfed *be.* **yf** *grch.2.un.*, **yf** *pres.3.un.* пить; выпить; выпивать.
yfory *adf.* завтра.
ynganiad *g.* **ynganiadau** *ll.* произношение.
ynganu *be.* издать; высказывать; говорить; издавать; произносить; сказать.
ynghanol *ardd.* между; посреди; среди.
ynghlwm *adf.* связанный.
ynghyd *adf.* заодно; вместе; сообща.
ynghylch *ardd.* насчёт; об; касательно; относительно; о.
ynglŷn *adf.* касательно; относительно.
ym *rhgdd.* возвратная приставка.
yma *adf.* тут; сюда; здесь.
ymadael *be.* **ymâd** *grch.2.un.*, **ymedy** *pres.3.un.* уйти; выйти; оставить; отступать; покидать; умирать; уходить; оставлять; выходить.
ymadawiad *g.* выступление; кончина; отбытие; отклонение; отправление; отъезд; смерть; уход.
ymadrodd *g.* **ymadroddion** *ll.* высказывание; выражение.
ymaelodi *be.* поступить; поступать; вступать; присоединяться; вступить; присоединиться.
ymaflyd *be.* **ymafael** *grch.2.un.*, **ymafael** *pres.3.un.*, **ymeifl** *pres.3.un.* хватить; бороться; захватывать; охватить; схватить; схватывать; ухватиться; хватать; хвататься; вцепиться.
ymagor *be.* **ymagor** *grch.2.un.*, **ymegyr** *pres.3.un.* ❶ открыться; открываться; раскрываться; распахиваться; распахнуться. ❷ зевать.
ymagweddu *be.* ❶ вести себя. ❷ занять определенную позицию (*по отношению к чему-л.*). ❸ соответствовать. ❹ принимать форму.
ymaith *adf.* вон; прочь.
ymarfer[1] *b.* **ymarferion** *ll.* упражнение; тренировка; практика.
ymarfer[2] *be.* упражнять; тренировать; практиковать.
ymarferol *ans.* практический.
ymatal *be.* **ymatal** *grch.2.un.*, **ymetyl** *pres.3.un.* воздерживаться; удержаться.
ymateb[1] *g.* **ymatebau** *ll.* реакция; ответ.
ymateb[2] *be.* ❶ отозваться; отзываться; отвечать; откликаться; реагировать; откликнуться. ❷ подойти; исполнять; подходить; соответствовать; удовлетворять.
ymbalfalu *be.* искать (*в темноте*); нащупывать; ощупывать.
ymbaratoi *be.* готовиться.
ymbelydredd *g.* **ymbelydreddau** *ll.* радиация; излучение.
ymbelydrol *ans.* радиоактивный.
ymbil[1] *be.* заклинать; просить; умолять; упрашивать.
ymbil[2] *g.* **ymbiliau** *ll.* мольба; просьба.
ymchwil *g.* дознание; изучение; изыскание; исследование.
ymchwiliad *g.* **ymchwiliadau** *ll.* исследование; расследование; следствие.
ymchwilio *be.* исследовать; расследовать.
ymchwiliwr *g.* **ymchwilwyr** *ll.* ❶ исследователь. ❷ следователь.
ymdaith[1] *be.* ❶ маршировать. ❷ путешествовать.
ymdaith[2] *b.* **ymdeithiadau** *ll.*, **ymdeithiau** *ll.* ❶ марш; маршировка. ❷ путешествие; поездка. ❸ переход.
ymdeimlad *g.* ощущение; предчувствие; разум; смысл; сознание; ум; чувство; эмоция.
ymdeithgan *b.* **ymdeithgannau** *ll.* марш.
ymdoddi *be.* расплавляться; растапливаться; плавиться; таять.
ymdopi *be.* совладать; справиться; справляться.
ymdrech *gb.* **ymdrechion** *ll.* попытка; старание; стремление; усилие.
ymdrechu *be.* **ymdrech** *grch.2.un.*, **ymdrech** *pres.3.un.* постараться; бороться; пытаться; стараться.
ymdreiglo *be.* кататься; катиться.

ymdrin *be.* ❶ относиться; обходиться; обращаться. ❷ бороться. ❸ обсуждать.
ymdriniaeth *b.* **ymdriniaethau** *ll.* ❶ обращение; обработка; уход. ❷ прения; дискуссия; обсуждение. ❸ критика.
ymdyrru *be.* ❶ скапливаться. ❷ стесняться; столпиться.
ymddangos *be.* **ymddangos** *grch.2.un.*, **ymddengys** *pres.3.un.* ❶ возникнуть; возникать; появиться; выйти; явиться; являться; показываться; выходить; явствовать; проявляться; предстать; представать (*перед судом*); появляться; выглядывать; выглянуть. ❷ представиться; показаться; представляться; казаться. ❸ выражаться; выразиться.
ymddangosiad *g.* **ymddangosiadau** *ll.* ❶ вид; наружность. ❷ появление. ❸ привидение; призрак. ❹ видимость. ❺ выступление. ❻ фаза (*луны*). ❼ выход из печати; опубликование. ❽ феномен; явление.
ymddeol[1] *ans.* отставной.
ymddeol[2] *be.* оставлять должность; уходить на пенсию.
ymddeoliad *g.* **ymddeoliadau** *ll.* отставка.
ymddiddan[1] *g.* **ymddiddanion** *ll.* беседа; разговор.
ymddiddan[2] *be.* болтать; говорить; общаться; разговаривать; беседовать.
ymddihatru *be.* ❶ раздеться; раздеваться; обнажаться. ❷ раздевать; снимать.
ymddiheuro *be.* извиняться.
ymddiried[1] *g.* вера; доверие; надежда; уверенность.
ymddiried[2] *be.* **ymddiried** *grch.2.un.*, **ymddiried** *pres.3.un.* поверить; вверять; доверять; надеяться; полагаться.
ymddiriedolaeth *b.* трест.
ymddiswyddo *be.* подавать в отставку.
ymddwyn *be.* поступить; вести себя; действовать; поступать.
ymddygiad *g.* **ymddygiadau** *ll.* поведение.
ymennydd *g.* **ymenyddiau** *ll.* мозг.
ymenyn *g.* масло.
ymerawdwr *g.* **ymerawdwyr** *ll.* император.
ymerodraeth *b.* **ymerodraethau** *ll.* империя.
ymestyn *be.* вытянуть; потянуться; протянуть; распространять; растягиваться; простираться; тянуться; вытягивать; натягивать; простирать; протягивать; растягивать; расширять; тянуть; удлинять; натянуть; вытянуться. **roedd y gath yn ymestyn o flaen y tân fel arfer** кот, как обычно, расстянулся перед камином.
ymfudiad *g.* **ymfudiadau** *ll.* переезд; эмиграция.
ymfudo *be.* переезжать; эмигрировать.
ymfudwr *g.* **ymfudwyr** *ll.* переселенец; эмигрант.
ymfyddino *be.* ❶ мобилизовать; собирать; строить; разворачивать. ❷ развернуться; разворачиваться; мобилизоваться; собираться; строиться.
ymffrostio *be.* бахвалиться; гордиться; кичиться; хвастать; хвастаться.
ymgais *gb.* **ymgeisiadau** *ll.* ❶ усилие; проба; попытка; опыт. ❷ расследование. ❸ инквизиция. ❹ соперничество. ❺ петиция.
ymgasglu *be.* собираться.
ymgeisio *be.* обратиться (*с просьбой*); баллотироваться; обращаться (*с просьбой*); заниматься; испытывать; пробовать; пытаться; расследовать; стараться.
ymgeisydd *g.* **ymgeiswyr** *ll.* кандидат; претендент; проситель.
ymgodi *be.* ❶ восставать; вставать; возвышаться; подниматься. ❷ возникать; возникнуть.
ymgodymu *be.* бороться; драться; схватиться.
ymgorffori *be.* ❶ объединяться. ❷ воплощать. ❸ регистрироваться.
ymgyfoethogi *be.* обогащаться.
ymgynghori *be.* консультироваться; советоваться; совещаться; справляться.
ymgynghoriad *g.* **ymgynghoriadau** *ll.* консилиум; консультация; опрос; совещание.
ymgynghorol *ans.* совещательный; консультативный.
ymgymryd *be.* взяться; браться; предпринять; предпринимать.
ymgynnull *be.* сойтись; собраться; собираться; скопляться; сходиться.
ymgyrch *gb.* **ymgyrchoedd** *ll.* кампания; поход; экспедиция.
ymgyrchu *be.* ❶ биться; нападать. ❷ добраться; добираться; достигать. ❸ собираться.
ymhell *adf.* ❶ вдалеке. ❷ задолго. ❸ намного.
ymhellach *adf.* далее; дальше.
ymhen *ardd.* через. **bydd popeth drosodd ymhen mis** все закончится через месяц.
ymhlith *ardd.* между; посреди; среди. **yn ein plith** среди нас. **yn eu plith** среди них.
ymhlyg *ans.* неявный.
ymhob *ans.* в каждом.
ymhobman *adf.* везде; всюду.
ymholi *be.* **ymhawl** *grch.2.un.*, **ymhawl** *pres.3.un.* спрашивать; узнавать.

ymholiad *g.* **ymholiadau** *ll.* вопрос; запрос; исследование; расследование; следствие.
ymhyfrydu *be.* восхищаться; наслаждаться.
ymlacio *be.* расслабляться; ослаблять; расслаблять.
ymlâdd *be.* выматываться; убиваться.
ymladd[1] *g.* **ymladdau** *ll.* драка; сражение; бой; борьба.
ymladd[2] *be.* бороться; воевать; драться; сражаться.
ymlaen *adf.* ❶ перед; вперёд. ❷ указывает на наличие или наступление действия или процесса. ❸ указывает на включение, соединение, включенность или работу аппарата, механизма, при переводе может передаваться глагольными приставками. **ymlaen llaw** заранее.
ymlid *be.* гнаться; преследовать.
ymlusgiad *g.* **ymlusgiaid** *ll.* рептилия; пресмыкающееся; гад.
ymlwybro *be.* прокладывать себе дорогу; пробираться; пробраться.
ymlyniad *g.* ❶ верность; привязанность; преданность. ❷ сцепление; прилипание. ❸ спайка. ❹ последователь; преследователь.
Ymneilltuaeth *b.* ❶ непринадлежность к Англиканской церкви, Церкви Англии; движение нонконформистов; диссидентство. ❷ отделение; отступление.
Ymneilltuol *ans.* диссентерский; нонкомформистский.
Ymneilltuwr *g.* **Ymneilltuwyr** *ll.* нонконформист.
ymnoethi *be.* обнажаться.
ymofyn[1] *g.* **ymofynion** *ll.* вопрос; запрос; исследование; расследование; следствие; спрос.
ymofyn[2] *be.* узнать; желать; хотеть; доставать; добывать; добиваться; запросить; искать; осведомляться; попросить; просить; разузнавать; разыскивать; спрашивать; стремиться; требовать; узнавать.
ymofynnydd *g.* **ymofynnyddion** *ll.* опросчик.
ymolchi *be.* купаться; мыться.
ymollwng *be.* осесть; проваливаться; западать; обваливаться; опускаться; оседать; ослабевать; падать; погружаться; понижаться; проигрывать; рушиться; снижаться; спадать; убывать.
ymosod *be.* **ymesyd** *pres.3.un.*, **ymosod** *grch.2.un.* атаковать; нападать.
ymosodiad *g.* **ymosodiadau** *ll.* атака; нападение; приступ; штурм.
ymosodol *ans.* агрессивный; нападающий; наступательный.
ymostwng *be.* сдаваться; склоняться; сгибаться; унижаться; покоряться; склониться.
ymostyngiad *g.* капитуляция; сдача; повиновение; подчинение; покорность.
ympryd *g.* **ymprydion** *ll.* пост; голодовка.
ymrannu *be.* делиться; разделяться; расставаться; поделиться.
ymresymiad *g.* **ymresymiadau** *ll.* рассуждение; дискуссия.
ymrithio *be.* превратиться; превращаться.
ymroddgar *ans.* тщательный; прилежный; старательный; усердный.
ymroddi *be.* отдаваться; предаваться; уступать; уступить.
ymroddiad *g.* **ymroddiadau** *ll.* ❶ преданность; прилежание; рвение; старание; увлечение. ❷ сдача.
ymroi *be.* ❶ предаваться; отдаваться; увлекаться. ❷ сдать; поддаваться; отказываться; сдавать; подчиняться; уступать.
ymron *adf.* около; почти; приблизительно.
ymrwymiad *g.* **ymrwymiadau** *ll.* соглашение; обязательство.
ymrwymo *be.* обязываться.
ymryson[1] *g.* **ymrysonau** *ll.* борьба; конкуренция; раздор; соперничество; соревнование; спор; ссора.
ymryson[2] *be.* бороться; соперничать; состязаться; спорить.
ymsefydlu *be.* обосноваться; располагаться.
ymuno *be.* ❶ вступать (*в какую-л. организацию*). ❷ объединиться; принимать участие (*в чем-л.*); присоединяться; соединяться. **ymuno â llyfrgell leol** записаться в местную библиотеку. **ymuno yn nathliadau** присоединиться к празднованиям.
ymwahanu *be.* разойтись; делиться; разделяться; расставаться; расступаться; расходиться; поделиться.
ymwasgaru *be.* рассеиваться; рассыпаться; бросаться врассыпную; рассыпаться.
ymwasgu *be.* ❶ сжиматься. ❷ прижиматься; прижаться. ❸ обнимать. ❹ прилипать; цепляться.
ymweld *be.* **ymwêl** *grch.2.un.*, **ymwêl** *pres.3.un.* заглянуть; заглядывать; посетить; пожаловать; навещать; посещать; навестить.
ymweliad *g.* **ymweliadau** *ll.* визит; посещение.
ymwelwr *g.* **ymwelwyr** *ll.* ❶ посетитель; гость; визитер. ❷ инспектор; ревизор.
ymwelydd *g.* **ymwelwyr** *ll.* ❶ гость; посетитель; турист. ❷ инспектор.

ymwneud *be.* ❶ касаться; относиться. ❷ общаться; обходиться; обойтись.
ymwrthod *be.* воздерживаться; отвергать; отказываться; отклонять; отрекаться.
ymwthio *be.* проталкиваться; толкаться; впихиваться; выдаваться; высовываться; высунуться.
ymwybodol *ans.* знающий; осведомлённый; сознательный.
ymwybyddiaeth *b.* самосознание; сознательность; сознание.
ymyl *gb.* **ymylau** *ll.*, **ymylon** *ll.* поле; берег; бордюр; грань; кайма; кромка; предел; граница; край. **yn ymyl** недалеко от, рядом, по соседству.
ymylol *ans.* крайний.
ymylu *be.* граничить.
ymylwe *b.* опушка; кайма; кромка.
ymyrraeth[1] *b.* вмешательство; интерференция; помеха; препятствие.
ymyrraeth[2] *be.* надругательство (*сексуальное*).
ymyrryd *be.* помешать; надругаться (*насиловать*); вмешиваться; мешать; вмешаться.
ymysg *ardd.* между; посреди; среди.
ymysgwyd *be.* встряхнуться; встряхиваться.
yn *ardd.* в.
yna *adf.* ❶ там; туда. ❷ тогда; потом; затем.
ynad *g.* **ynadon** *ll.* мировой судья.
ynni *g.* ❶ энергия; сила; мощность. ❷ желание; намерение.
yno *adf.* туда; там.
yntau *rh.* он. **y feistres yn marw, ac aderyn yn proffwydo fod angau ar y ffordd i'w nôl yntau** госпожа мертва, и птица предвещает, что смерть на пути и к нему.
yntefê *gn.* не так ли.
ynteu[1] *adf.* следовательно; тогда; потом; затем.
ynteu[2] *cys.* иначе; или. **beth gawson nhw, bachgen ynteu merch?** кто у них появился: мальчик или девочка?
Ynyd *g.* масленица.
ynys *b.* **ynysoedd** *ll.* островок; остров.
ynysol *ans.* островной.
ynysu *be.* изолировать.
yr *ban.* определенный артикль.
ysbaid *gb.* **ysbeidiau** *ll.* интервал; пространство; срок.
ysbail *gb.* **ysbeiliau** *ll.* грабёж; добыча.
ysbardun *gb.* **ysbardunau** *ll.* ❶ шпора. ❷ педаль газа; акселератор; газ. ❸ спусковой крючок.
ysbarduno *be.* газовать; побуждать; подстрекать; пришпоривать.
ysbeiliwr *g.* **ysbeilwyr** *ll.* громила; бандит; грабитель; разбойник.
ysbïo *be.* осматривать; следить; шпионить.
ysbïwr *g.* **ysbwyr** *ll.* разведчик; шпион.
ysblander *g.* блеск; великолепие; величие; пышность.
ysbryd *g.* **ysbrydion** *ll.*, **ysbrydoedd** *ll.* дух; душа; дух.
ysbrydol *ans.* божественный; духовный; одухотворённый; религиозный; святой; церковный.
ysbrydoli *be.* вдохновлять; вдохнуть; вдыхать; внушать; воодушевить; воодушевлять; вселять; инспирировать; ободрить; одухотворять.
ysbrydoliaeth *b.* вдохновение; воодушевление.
ysbwng *g.* **ysbyngau** *ll.* губка; губка.
ysbwriel *g.* мусор; отбросы; хлам.
ysbyty *g.* **ysbytai** *ll.* госпиталь; больница.
ysfa *b.* **ysfeydd** *ll.* ❶ зуд. ❷ чесотка.
ysgafn[1] *g.* скирда; стек; стог.
ysgafn[2] *ans.* **ysgeifn** *ll.* лёгкий; легковесный.
ysgafnhau *be.* легчать; облегчать.
ysgariad *g.* **ysgariadau** *ll.* ❶ разобщение; разлучение. ❷ развод. ❸ выкидыш.
ysgarmes *b.* **ysgarmesau** *ll.*, **ysgarmesoedd** *ll.* драка; стычка; схватка.
ysgarthiad *g.* **ysgarthiadau** *ll.* дефекация; выделение.
ysgaru *be.* отделять; разводиться; разделять; разлучать; разъединять; иметь выкидыш.
ysgawen *b.* **ysgaw** *ll.* бузина.
ysgeler *ans.* безжалостный; безнравственный; бесчестный; грешный; жестокий; зверский; злодейский; злой; испорченный; мерзкий; неприятный; нехороший; нечистый; отвратительный; пакостный; подлый; позорный; постыдный; противный; свирепый; скверный; ужасный.
ysgerbwd *g.* **ysgerbydau** *ll.* каркас; костяк; остов; скелет; тело; труп; туша.
ysgithr *g.* **ysgithrau** *ll.*, **ysgithredd** *ll.* бивень; клык.
ysgithrog *ans.* ❶ клыкастый. ❷ скалистый. ❸ грубый; неровный; шероховатый. ❹ бурный.
ysglyfaeth *b.* **ysglyfaethau** *ll.* добыча.
ysglyfaethus *ans.* жадный; прожорливый; хищный.
ysglyfaethwr *g.* **ysglyfaethwyr** *ll.* хищник.
ysgogi *be.* **ysgyg** *pres.3.un.* возбудить; шевелиться; вдохновлять; взбалтывать; возбуждать; волновать; воодушевлять; дви-

гать; оживить; оживлять; передвигать; побуждать; шевелить.
ysgogiad *g.* **ysgogiadau** *ll.* импульс; движение; изменение; оживление; передвижение; перемещение; побуждение; телодвижение.
ysgol *b.* **ysgolion** *ll.* ❶ школа; училище. ❷ лестница.
ysgolhaig *g.* **ysgolheigion** *ll.* ❶ грамотей; знаток; учёный. ❷ ученик.
ysgolheictod *g.* **ysgolheictodau** *ll.* ❶ учёность; эрудиция. ❷ стипендия.
ysgoloriaeth *b.* **ysgoloriaethau** *ll.* ❶ стипендия. ❷ схоластика.
ysgorpion *g.* **ysgorpionau** *ll.* скорпион.
ysgraff *b.* **ysgraffau** *ll.* судно; паром; лодка; барка; баржа; плот.
ysgrechain *be.* вопить.
ysgrechin *be.* вопить.
ysgrepan *b.* **ysgrepanau** *ll.* ташка; кошель; котомка; сума; сумка; планшет.
ysgrif *b.* **ysgrifau** *ll.* ❶ очерк; статья; эссе. ❷ свидетельство; документ. ❸ накладная; счёт.
ysgrifbin *g.* **ysgrifbinnau** *ll.* авторучка; ручка.
ysgrifen *b.* **ysgrifeniadau** *ll.* почерк.
ysgrifenedig *ans.* письменный.
ysgrifeniad *g.* **ysgrifeniadau** *ll.* рукопись; документ; писание.
ysgrifennu *be.* писать; написать.
ysgrifennwr *g.* **ysgrifennwyr** *ll.*, **ysgrifenwyr** *ll.* писатель; писец.
ysgrifennydd *g.* **ysgrifenyddion** *ll.* писарь; переписчик; писатель; писец; секретарь.
ysgrifenyddes *b.* **ysgrifenyddesau** *ll.* секретарша.
ysgrîn *b.* **ysgriniau** *ll.* гроб.
ysgriw *b.* **ysgriwiau** *ll.* винт; шуруп.
ysgrythur *b.* **ysgrythurau** *ll.* писание (*священное*).
ysgub *b.* **ysgubau** *ll.* колчан; веник; вязанка; метла; пучок; связка; сноп.
ysgubo *be.* мести; подметать; сметать.
ysgubol *ans.* огульный; широкий.
ysgubor *b.* **ysguboriau** *ll.* амбар; гумно; житница; зернохранилище; сарай.
ysguthan *b.* **ysguthanod** *ll.* ❶ вяхирь. ❷ негодница.
ysgwyd[1] *be.* **ysgwyd** *grch.2.un.*, **ysgwyd** *pres.3.un.* потрясти; потрясти; махнуть; пожать (*руку*); кивать; качать; махать; потрясать; размахивать; сотрясать; трясти; встряхивать; пожимать (*руку*); взбалтывать. **ysgwyd llaw â rhywun** обменяться с кем-л. рукопожатием. **ysgwyd llaw rhywun** пожать чью-л. руку.
ysgwyd[2] *g.* **ysgwydau** *ll.*, **ysgwydawr** *ll.*, **ysgwydydd** *ll.* щит.
ysgwydd *b.* **ysgwyddau** *ll.* плечо; холка.
ysgyfaint *ll.* легкие.
ysgyfarnog *b.* **ysgyfarnogod** *ll.* заяц.
ysgyrnygu *be.* огрызаться; рычать.
ysgytwol *ans.* потрясающий; шокирующий.
ysgythru *be.* ❶ отсекать; срезать; обрезать; подрезать; отрезать; удалять; отрубать; рубить. ❷ высекать; гравировать; вырезать. ❸ царапать. ❹ травить. ❺ писать. ❻ описывать. ❼ обходить молчанием. ❽ выпускать при произношении (*слог или гласный*) (*лингв.*).
ysmygu *be.* ❶ курить; закурить. ❷ дымить.
ysmygwr *g.* **ysmygwyr** *ll.* курильщик.
ystad *b.* **ystadau** *ll.* ❶ состояние. ❷ ранг; положение. ❸ штат; государство. ❹ поместье; имение.
ystadegaeth *b.* **ystadegaethau** *ll.* статистика.
ystadegau *ll.* статистика.
ystadegol *ans.* статистический.
ystadegydd *g.* **ystadegyddion** *ll.* статистик.
ystafell *b.* **ystafelloedd** *ll.* комната; горница; кабинет; покой; номер.
ystafellydd *g.* **ystafellyddion** *ll.* камергер.
ystig *ans.* готовый; добровольный; прилежный; старательный; усердный.
ystinos *g.* асбест.
ystlen *b.* **ystleni** *ll.* род; пол.
ystlum *g.* **ystlumod** *ll.* летучая мышь.
ystlys *b.* **ystlysau** *ll.* бок; борт; бочок; край; склон; сторона; фланг.
ystod *b.* **ystodau** *ll.*, **ystodion** *ll.* ❶ курс; маршрут; путь. ❷ течение; ход. ❸ период. ❹ диапазон; вилка. ❺ ряд. ❻ прокос.
ystôl *b.* **ystolion** *ll.* ❶ табурет; табуретка; стул; скамеечка. ❷ стульчак. ❸ стул.
ystorfa *b.* **ystorfeydd** *ll.* кладовая; пакгауз; склад.
ystorm *b.* **ystormydd** *ll.* буря; гроза; ураган; шторм.
ystrad *gb.* **ystradau** *ll.* улица; дол; долина; равнина.
ystranc *b.* **ystranciau** *ll.* проказа; выходка; забава; трюк; уловка; фокус; хитрость; шалость; шутка.
ystrydeb *b.* **ystrydebau** *ll.* клише; стереотип.
ystrydebol *ans.* стереотипный; шаблонный.
ystryw *b.* **ystrywiau** *ll.* выдумка; изобретение; обман; сноровка; уловка; умение; хитрость.

ystum *gb.* **ystumiau** *ll.* ❶ знак; жест. ❷ позиция; поза; стойка; осанка; стать. ❸ состояние; положение. ❹ форма; вид. ❺ гримаса.
ystŵr *g.* гам; гвалт; грохот; шум.
Ystwyll *g.* Богоявление.
ystwyth *ans.* мягкий; податливый; уступчивый; эластичный; гибкий.
ystyfnig *ans.* настойчивый; неподатливый; упорный; упрямый.
ystyfnigrwydd *g.* настойчивость; упорство; упрямство.
ystyr *gb.* **ystyron** *ll.* толк; смысл; значение.
ystyriaeth *b.* **ystyriaethau** *ll.* расчёт; рассмотрение; соображение.
ystyried *be.* рассмотреть; рассматривать; обдумывать; считаться.
ysu *be.* ❶ жрать; есть; истреблять; поглощать; поедать; потреблять; разрушать; разъедать; расточать; расходовать; съедать. ❷ зудеть; чесаться.
yswain *g.* **ysweiniaid** *ll.* оруженосец; эсквайр.
yswil *ans.* застенчивый; нерешительный; робкий.
yswiriant *g.* страховка; страхование.
yswirio *be.* застраховывать; страховать.
ysywaeth *adf.* увы.
yta *be.* собирать или просить зерно.
ywen *b.* **yw** *ll.* тис.

Русско-валлийский словарь

Geiriadur Rwsieg-Cymraeg

А

а *сз.* a; ac; eithr; ond.
аббáт *м.од.* abad.
аббати́са *ж.од.* abades.
аббáтство *с.* mynachlog; abaty; abadaeth.
аббревиатýра *ж.* talfyriad.
абзáц *м.* paragraff.
аблати́в *м.* abladol.
абориге́н *м.од.* brodor; gwladwr.
абориге́нный *прил.* genedigol; brodorol.
áбрис *м.* amlinell; amlinelliad.
абсолю́тный *прил.* diamod; rhonc; absolwt.
абсорби́ровать *несов. и сов.* sugno; llyncu; amsugno.
абсóрбция *ж.* amsugniad.
абстрáктный *прил.* haniaethol.
абсýрдность *ж.* afreswm; afresymoliaeth; afresymoldeb.
абсýрдный *прил.* afresymol.
абсце́сс *м.* crug.
авангáрд *м.* rhagor.
авантю́ра *ж.* anturiaeth; antur.
авантюри́ст *м.од.* anturiaethwr.
авантю́рный *прил.* anturiaethus; anturus.
авáрия *ж.* damwain.
áвгуст *м.* Awst.
августе́йший *прил.* urddasol.
авиáтор *м.од.* ehedwr; awyrennwr.
авиáция *ж.* awyrlu.
автобиогрáфия *ж.* hunangofiant.
автóбус *м.* bws; cerbyd.
автóграф *м.* llofnod.
автокрáт *м.од.* unben.
автократи́ческий *прил.* awtocratig.
автомáт *м.* ❶ peiriant; awtomaton. ❷ peirianddryll bychan.
автомати́ческий *прил.* awtomatig.
автомобили́ст *м.од.* modurwr.
автомоби́ль *м.* car; cerbyd; modur.
автомоби́льный *прил.* car.
áвтор *м.од.* awdur; awdwr; defnyddiwr.
авторизóванный *прил.* awdurdodedig.
авторите́т *м.* (*в т.ч. о человеке*) awdurdod.
авторите́тный *прил.* awduraidd; awdurdodol.
áвторство *с.* awduriaeth.
авторýчка *ж.* ysgrifbin.
автотрасса *ж.* trafordd.
агá *част.* ie.
аге́нт *м.од.* (*лицо*) gwneuthurwr; goruchwyliwr; gweithredwr.
аге́нтство *с.* asiantaeth.
агнóстик *м.од.* agnostig.
агóния *ж.* ing; artaith.
аграрный *прил.* gwledig.
агрегáт *м.* uned.
агресси́вность *ж.* gormes.
агресси́вный *прил.* ymosodol.
агре́ссия *ж.* gormes.
агре́ссор *м.од.* gormes.
агронóмия *ж.* amaeth; amaethyddiaeth.
ад *м.* uffern; annwfn; annwn.
адамант *м.* adamant.
адапти́ровать *несов. и сов.* addasu.
адвокáт *м.од.* cyfreithiwr; cyngaws; twrnai; dadleuwr.
адвокатýра *ж.* bar.
администрати́вный *прил.* gweinyddol; adweinyddol.
администрáтор *м.од.* rheolwr.
администрáция *ж.* gweinyddiaeth.
администрировать *г.* adweinyddu.
адмирáл *м.од.* llyngesydd.
адмиралте́йство *с.* morlys.
áдрес[1] *м.* araith.
áдрес[2] *м.* (*почтовый*) cyfeiriad.
áдский *прил.* uffernol.
адъютáнт *м.од.* cadweinydd.
адюльте́р *м.* ffyrnigrwydd; godineb.
аж *част.* hyd yn oed.
азáртный *прил.* mentrus.
áзбука *ж.* abiéc; gwyddor.
áист *м.од.* garan.
ай *част.* a.
акаде́мик *м.од.* academydd.
академи́ческий *прил.* academaidd; colegol; athrofaol; academig.
академи́чный *прил.* academaidd; academig.
акаде́мия *ж.* academi; athrofa.
акведýк *м.* pont.
аккомодáция *ж.* llety.
аккомпанеме́нт *м.* cyfeiliant.
аккóрд *м.* gafael.
аккредитовáть *несов. и сов.* awdurdodi.
аккумули́ровать *несов. и сов.* pentyrru.
аккумуля́тор *м.* magnelfa.
аккурáтность *ж.* manyldeb.
аккурáтный *прил.* cryno; del; twt; trefnus; taclus; cymwys; carcus.
акр *м.* erw; cyfair; acer; acr.
акселерáтор *м.* ysbardun.
акт *м.* deddf; gweithred; act.
актёр *м.од.* actor; chwaraewr; actiwr.
акти́вность *ж.* gweithgaredd; gweithgarwch.
акти́вный *прил.* heini; gweithredol; bywiog.
актри́са *ж.од.* actores.
актуáрий *м.од.* cyfrifydd.
акýла *ж.од.* dera; morgi.

аку́т *м.* acennod.
акуше́рка *ж.од.* bydwraig.
акце́нт *м.* acen; pwyslais; aceniad.
акценти́ровать *несов. и сов.* pwysleisio; acennu.
акцепта́нт *м.од.* derbynnydd.
акцизный *прил.* cyllidol.
а́кция *ж.* ❶ gweithrediad. ❷ cyfran.
а́лгебра *ж.* algebra.
алгори́тм *м.* algorithm; mesur.
алеба́рда *ж.* cadfwyall.
алкого́лик *м.од.* meddwyn.
алкого́ль *м.* gwirod; alcohol.
алкого́льный *прил.* gwirodol.
аллего́рия *ж.* aralleg; alegori.
алле́я *ж.* rhodfa; ale.
аллю́р *м.* cerddediad.
алма́з *м.* adamant.
алта́рь *м.* allor.
алфави́т *м.* abiéc; gwyddor.
алхи́мия *ж.* alcemeg.
а́лый *прил.* coch; rhudd.
альбо́м *м.* albwm.
алько́в *м.* alcof.
альмана́х *м.* amseroni.
альтруи́зм *м.* allgarwch; allgaredd.
алья́нс *м.* cyfathrach; cynghrair.
амальгами́ровать *несов. и сов.* uno.
амба́р *м.* ysgubor.
амбицио́зный *прил.* uchelgeisiol.
амби́ция *ж.* uchelgais.
америка́нец *м.од.* Americanwr.
америка́нский *прил.* Americanaidd.
амора́льность *ж.* anfoes; anfoesgarwch; anfoesoldeb.
амора́льный *прил.* aflan; anfoesol; anfucheddol.
амуле́т *м.* swyn; glain.
амфитеа́тр *м.* amchwaraefa.
ана́лиз *м.* dadansoddiad.
анализи́ровать *несов.* dadansoddi; dadelfennu.
аналоги́чный *прил.* cydwedd.
анало́гия *ж.* cydweddiad; cydwedd; cysondeb.
анана́с *м.* pinafal.
анархи́ст *м.од.* anarchydd; terfysgwr.
анархи́ческий *прил.* anarchol.
ана́рхия *ж.* terfysgaeth; anhrefn; aflywodraeth; anarchiaeth; anllywodraeth.
анатоми́ческий *прил.* anatomaidd.
анато́мия *ж.* anatomeg; anatomi.
анахоре́т *м.од.* meudwy.
анга́р *м.* awyrendy.
а́нгел *м.од.* angel; angyles.
а́нгельский *прил.* angylaidd.
англи́йский *прил.* Seisnig; Saesneg (*язык*).
англича́нин *м.од.* Sais.
англича́нка *ж.од.* Saesnes.
А́нглия *ж.* Lloegr.
англо-шотла́ндский *прил.* (*германский язык*) Sgoteg.
анекдо́т *м.* cellwair.
анестези́я *ж.* marwgwsg; anesthetig.
а́нкер *м.* ancr.
анке́та *ж.* ffurflen.
аннекси́ровать *несов. и сов.* meddiannu.
аннули́ровать *несов. и сов.* dadwneud; datod; diddymu; dileu; dilysu.
анома́лия *ж.* afreoleidd-dra.
анони́мность *ж.* anhysbysrwydd.
анони́мный *прил.* anhysbys.
ано́нс *м.* hysbysiad.
анорма́льный *прил.* annormal.
антагони́ст *м.од.* gwrthwynebwr; gwrthwynebydd.
анти *прист.* gwrth.
антило́па *ж.од.* gafrewig; antelop.
антипа́тия *ж.* casineb; gwrthwynebiad; cas.
антисептик *м.* antiseptig.
антите́за *ж.* gwrthgyferbyniad.
анти́христ *м.од.* anghrist.
анти́чный *прил.* hen.
антоло́гия *ж.* blodeugerdd.
антра́кт *м.* egwyl.
антрополо́гия *ж.* anthropoleg.
апати́чный *прил.* llesg; diawch.
апа́тия *ж.* difaterwch.
апелля́ция *ж.* apêl; adfarn.
апельси́н *м.* oren.
аперту́ра *ж.* agorfa.
аплазия *ж.* annhyfiant.
аплоди́ровать clepian; cymeradwyo.
аплодисме́нты *м.мн.* cymeradwyaeth.
апока́липсис *м.* datguddiad.
апокрифи́ческий *прил.* anghanonaidd.
апокрифичный *прил.* anghanonaidd.
апо́стол *м.од.* (*распространитель вероучения, идеи*) apostol; disgybl.
апостро́ф *м.* collnod.
аппара́т *м.* cyfarpar; peirianwaith; peiriant; dyfais.
аппети́т *м.* chwant; archwaeth; stumog.
апре́ль *м.* Ebrill.
апте́карь *м.од.* fferyllydd; cemegwr.
ар *м.* âr.
аранжи́ровать *несов. и сов.* trefnu.
аранжиро́вка *ж.* trefniant; trefn; trefniad.
арбале́т *м.* bwa croes.
арби́тр *м.од.* beirniad.
арбитра́ж *м.* cymrodedd.
Аргенти́на *ж.* Ariannin.
аргуме́нт *м.* rheswm; dadl.
аргументи́ровать *несов. и сов.* rhesymu; dadlau.
аре́нда *ж.* prydles.
аренда́тор *м.од.* deiliad.

арендова́ть *несов. и сов.* llogi.
аре́ст *м.* dalfa; daliad.
аресто́ванный *м.од.* carcharor.
арестова́ть *сов.* dal; arestio.
аресто́вывать *несов.* dal; arestio.
аристокра́т *м.од.* pendefig.
аристократи́ческий *прил.* bonheddig; dyledog.
а́рка *ж.* cromen; bwa.
арка́н *м.* tennyn.
арме́йский *прил.* byddinol.
а́рмия *ж.* byddin; cad.
арома́т *м.* persawr; arogl.
арома́тный *прил.* pêr.
арте́рия *ж.* gwythïen.
арти́кль *м.* bannod.
артиллери́йский *прил.* cyflegr.
артиллери́ст *м.од.* magnelwr.
артилле́рия *ж.* cyflegr.
арти́ст *м.од.* artist.
артисти́ческий *прил.* artistig; celfydd.
а́рфа *ж.* telyn.
арфи́ст *м.од.* telynor.
арфистка *ж.од.* telynores.
архаи́ческий *прил.* hynafol.
археоло́гия *ж.* archaeoleg.
архи́в *м.* archif.
архиепи́скоп *м.од.* archesgob.
архите́ктор *м.од.* pensaer; cynllunydd.
архитекту́ра *ж.* adeiladaeth; pensaernïaeth.
архитекту́рный *прил.* pensaernïol.
арши́н *м.* (*мера*) 0.7112 m.
арьерга́рд *м.* ôl-fyddin.
асбе́ст *м.* urael; ystinos.
асексуа́льный *прил.* anrhywiol.
аске́т *м.од.* meudwy.
аспе́кт *м.* gwedd; agwedd.
ассамбле́я *ж.* cynulliad; cymanfa.
ассигнова́ть *несов. и сов.* rhannu.
ассимили́ровать *несов. и сов.* cymathu.
ассисте́нт *м.од.* cynorthwywr.
ассортиме́нт *м.* amrediad.
а́стма *ж.* mogfa.
астмати́ческий *прил.* myglyd; caethiwus.
астра́льный *прил.* serol.
астроно́м *м.од.* seryddwr.
астроно́мия *ж.* seryddiaeth.
асфа́льт *м.* asffalt.
асфи́ксия *ж.* tagfa.
ата́ка *ж.* ymosodiad; gawr; rhuthr; gosodiad.
атакова́ть *несов. и сов.* cyrchu; rhuthro; gosod; ymosod.
атеи́зм *м.* anffyddiaeth; annuwiaeth.
атеи́ст *м.од.* anffyddiwr; anghredadun; annuw; annuwiad.
атланти́ческий *прил.* Iwerydd.
а́тлас[1] *м.* (*геогр.*) atlas.
атла́с[2] *м.* (*ткань*) sidan caerog; sidan gloyw.
атле́т *м.од.* mabolgampwr.
атле́тика *ж.* mabolgamp.
атмосфе́ра *ж.* awyrgylch.
атмосфе́рный *прил.* awyrgylchol.
а́том *м.* atom; gronyn.
а́томный *прил.* niwclear; atomig. **атомная электростанция (АЭС)** gorsaf ynni nIwclear; atomfa.
атрофи́я *ж.* annhyfiant.
аттеста́т *м.* tystysgrif.
аттракцио́н *м.* atyniad.
ауди́тор *м.од.* archwiliwr.
аудито́рия *ж.* cynulleidfa.
аутенти́чный *прил.* dilys.
афи́ша *ж.* hysbyslen.
афори́зм *м.* dihareb.
Афри́ка *ж.* Affrig.
ах *част.* ach.
а́хнуть *сов.* ebychu.
аэродро́м *м.* glanfa; maes awyr; awyrenfa; awyrdrom.
аэрона́втика *ж.* aeronoteg.
аэропла́н *м.* awyren.
аэропо́рт *м.* maes awyr.

Б

ба́ба *ж.од.* (*женщина*) merch; gwraig.
ба́бка[1] *ж.од.* (*бабушка*) mam-gu.
ба́бка[2] *ж.* (*кость и др.*) ❶ meilwng; egwyd. ❷ dwrn (*ar beiriant*).
ба́бочка *ж.од.* (*насекомое*) pili-pala.
ба́бушка *ж.од.* henfam; mam-gu; nain.
бага́ж *м.* teithglud; clud.
багро́вый *прил.* porffor; rhudd.
багря́ный *прил.* rhudd.
бадья́ *ж.* bwced; baeol; twb.
ба́за *ж.* sail; bôn.
база́р *м.* marchnad.
бази́ровать *несов.* seilio.
ба́зис *м.* sylfaen; sail; bôn.
байда́рка *ж.* ceufad.
ба́йка *ж.* ❶ chwedl. ❷ gwlanen.
бак *м.* tanc.
бакала́вр *м.од.* baglor.
бакла́н *м.од.* morfran.
Баку́ *с.* Baku.
бал *м.* dawns.
баламу́тить *несов.* trafferthu; trwblo.
бала́нс *м.* ❶ cydbwysedd; mantol. ❷ mantolen.
баланси́р *м.* mantol.
баланси́ровать mantoli.
ба́лка *ж.* ❶ trawst. ❷ ceunant.
балко́н *м.* balcon.
балла́да *ж.* dyri; canu.
балли́ста *ж.* magnel.
баллоти́роваться *несов.* ymgeisio.
баллотиро́вка *ж.* pleidlais.
балова́ть *несов.* anwesu; andwyo.
бальза́м *м.* eli.
бальзами́ровать *несов. и сов.* iro; cyweirio.
бамбу́к *м.* bambŵ.
бана́льный *прил.* sathredig; cyffredin.
бана́н *м.* banana.
ба́нда *ж.* haid; pac.
банда́ж *м.* rhwymyn.
банди́т *м.од.* ysbeiliwr.
банк *м.* banc.
ба́нка *ж.* ❶ tun; pot. ❷ gwydr cwpanu, gwaedwydryn. ❸ basle. ❹ mainc groes.
банке́т *м.* gwledd; ancwyn.
банкно́т *м.* nod.
банкро́тство *с.* methdaliad.
бант *м.* cwlwm.
ба́нту *прил.* (*языки банту*) Bantu.
ба́ня *ж.* badd.
бапти́ст *м.од.* Bedyddiwr.
бар *м.* tafarndy; bar.
бараба́н *м.* ❶ tabwrdd. ❷ baril.
бара́к *м.* lluest.
бара́н *м.од.* maharen; hwrdd.
бара́нина *ж.* cig dafad, cig maharen, cig gwedder.
бара́шек *м.од.* (*уменьш. к «баран»; выделанная баранья шкурка*) oen.
бард *м.од.* bardd; prydydd; cynfardd; cerddor.
ба́ржа *ж.* ysgraff.
ба́рин *м.од.* meistr.
ба́рка *ж.* ysgraff.
баро́н *м.од.* brëyr; barwn.
барра́ж *м.* argae.
ба́ррель *м.* baril.
баррика́да *ж.* atalglawdd.
барсу́к *м.од.* broch; mochyn daear.
бары́ш *м.* lles; elw; ennill.
барье́р *м.* clwyd.
бас *м.* (*голос*) isalaw; bas.
басо́вый *прил.* bas.
бассе́йн *м.* ❶ pwll. ❷ basn. ❸ maes.
баста́рд *м.од.* bastard; bastart.
батальо́н *м.* bataliwn.
батаре́йка *ж.* magnel.
батаре́я *ж.* ❶ magnelfa; cyflegr. ❷ magnel (*drydan*). ❸ rheiddiadur.
ба́тюшка *м.од.* tad.
бахва́литься *несов.* ymffrostio.
ба́хнуть *сов.* clepian.
баци́лла *ж.од.* trychfil.
башка́ *ж.* pen.
башма́к *м.* esgid; curan.
ба́шня *ж.* tŵr.
бди́тельный *прил.* effro.
бег *м.* rhediad.
бе́ганье *с.* rhediad.
бе́гать rhedeg.
бегле́ц *м.од.* ffoadur.
бе́глость *ж.* rhwyddineb.
бе́глый[1] *прил.* huawdl; llithrig; rhugl.
бе́глый[2] *м.од.* wedi ffoi; wedi dianc; ar ffo.
беготня́ *ж.* rhediad.
бе́гство *с.* ffo; ciliad; adwedd.
беда́ *ж.* cyfyngder; cyni; brwyn; gofid; aeth; aflwyddiant; anlwc; gafael; trafferth; helbul; helynt; aflwydd; alaeth; adwyth.
бе́дность *ж.* trueni; tlodi; angenoctid.
бе́дный *прил.* tlawd; truan; gwael; llwm.
бедня́жка *м.ж.* creadur.
бедня́к *м.од.* tlotyn.
бедро́ *с.* morddwyd; clun; ffolen.
бе́дственный *прил.* trychinebus.
бе́дствие *с.* cyfyngder; cyni; armes; ing; cawdd; andros; andras; aflwyddiant; trychineb; aflwydd; adfyd; adwyth.
бежа́ть ffoi; dianc; rhedeg.
бе́женец *м.од.* ffoadur.

без *предл.* heb; namyn; oni; onid.
безбо́жие *с.* anffyddiaeth; anghred; anghrediniaeth; annuwioldeb.
безбо́жный *прил.* annuwiol.
безве́стный *прил.* aneglur.
безвку́сие *с.* diflastod.
безвку́сный *прил.* diflas.
безво́дный *прил.* sych.
безво́льный *прил.* llipa.
безвре́дность *ж.* diniweidrwydd.
безвре́дный *прил.* diniwed; gwirion.
безгла́сный *прил.* mud.
безграни́чность *ж.* anfeidroldeb.
безграни́чный *прил.* anfeidrol; annherfynol.
безгрешность *ж.* amhechadurusrwydd.
безгре́шный *прил.* glân.
безде́йствующий *прил.* segur; anfywiol.
безделу́шка *ж.* tegan.
безде́льник *м.од.* diogyn.
безде́льничать diogi.
безде́тный *прил.* amhlantadwy.
безде́ятельный *прил.* goddefol; anfywiol.
бе́здна *ж.* dyfnder; affwysedd; agendor; anoddun.
бездо́мный *прил.* digartref.
бездо́нный *прил.* affwysol; anoddun.
безду́мный *прил.* diystyr.
безжа́лостный *прил.* dygn; milain; didrugaredd; ysgeler; didostur; adwythig; addoer; anfad; anguriol; anhrugarog; annhirion; annhosturiol.
безжи́зненный *прил.* anfyw; anfywiol.
беззако́ние *с.* anwiredd; anghyfraith.
беззако́нный *прил.* anneddfol.
беззву́чный *прил.* mud.
безземе́льный *прил.* annhiriog.
беззу́бый *прил.* mantach.
безли́чный *прил.* amhersonol.
безлю́дный *прил.* amhoblogaidd; amhoblog; anial.
безме́рность *ж.* ehangder; anfeidroledd.
безмо́лвие *с.* distawrwydd; tawelwch; taw.
безмо́лвный *прил.* tawedog; distaw; mud.
безмяте́жный *прил.* llonydd.
безнадёжный *прил.* anobeithiol; anniben.
безнра́вственность *ж.* anfoes; anfoesoldeb.
безнра́вственный *прил.* ysgeler; anfoesol; anfucheddol.
безоби́дный *прил.* diniwed; gwirion.
безо́блачный *прил.* llednais; araul.
безобра́зный *прил.* (*некрасивый, отвратительный*) graen; hyll; anaddfwyn; anhardd.
безопа́сность *ж.* diogelwch; dilysrwydd.
безопа́сный *прил.* sicr; diogel.
безору́жный *прил.* anarfog.
безостано́вочный *прил.* di-ben-draw; dibaid.
безотве́тственный *прил.* anghyfrifol.
безотлага́тельный *прил.* uniongyrchol; di-oed; taer.
безоши́бочный *прил.* anffaeledig.
безрабо́тица *ж.* diweithdra; anghyflogaeth.
безрабо́тный *прил.* di-waith.
безра́достный *прил.* dwl.
безразли́чие *с.* difaterwch.
безразли́чный *прил.* diawch; oer.
безрассудность *ж.* afresymoliaeth.
безрассу́дный *прил.* gorffwyll; angall; gwyllt; amhwyllus; amhwyllog; afresymol; anghymen.
безрассу́дство *с.* anghymhendod; annoethineb.
безрезульта́тный *прил.* aneffeithiol.
безу́держный *прил.* pendramwnwgl.
безукори́зненный *прил.* delfrydol; anhyfreg.
безу́мие *с.* cynddaredd; amhwylltra; amhwylltod; amhwyllter; amwyll; annoethineb; cynddeiriogrwydd.
безу́мный *прил.* gorffwyll; gwyllt; gwallgof; amhwyllog; amhwyllus; amwyll.
безупре́чность *ж.* perffeithrwydd.
безупре́чный *прил.* têr; taladwy; perffaith; delfrydol; anhyfreg.
безусло́вный *прил.* diamod.
безуспе́шный *прил.* aflwyddiannus; anffynadwy; anffynedig; anffyniannus.
безуча́стный *прил.* oer.
безымя́нный *прил.* anhysbys.
безысхо́дность *ж.* anobaith.
бей *м.од.* tywysog (*Tyrceg*).
белена́ *ж.* bela.
бели́ть *несов.* gwyngalchu.
бе́лка *ж.од.* (*животное*) gwiwer.
беладо́нна *ж.* codwarth.
белогрудый *прил.* bronwen.
бело́к *м.* ❶ gwyn. ❷ protein.
белолобый *прил.* bal.
бе́лый *прил.* ❶ gwyn; can; hywyn. ❷ amserol (*am offeiriad*).
бельё *с.* lliain.
бельмо́ *с.* magl.
бензи́н *м.* petrol.
бе́рег *м.* glan; tywyn; ymyl; traeth; allt; min.
бережли́вый *прил.* cryno; cynnil.
берёза *ж.* bedwen.
бере́менная *ж.од.* beichiog.
бере́менность *ж.* beichiogrwydd; beichiogi.
бере́менный *прил.* beichiog; boliog.
бере́т *м.* beret; capan.
бере́чь *несов.* achub; arbed; hepgor.
бере́чься *несов.* malio; gwylio; gofalu.
берло́га *ж.* gwâl; glwth; lloches.
бес *м.од.* andros; andras; diawl; cythraul.
бесе́да *ж.* ymddiddan; sgwrs; siarad; sôn.

бесе́довать ymddiddan.
бесёнок *м.од.* imp.
беси́ть *несов.* gwylltu; gwylltio; cynddeiriogi.
бесконе́чность *ж.* anfeidroldeb; anfeidredd; annibendod.
бесконе́чный *прил.* anorffen; anorffennol; anniben; annherfynol; anorffenedig; parhaus; anfeidraidd; anfeidrol; oesol.
беспла́тный *прил.* am ddim.
беспло́дный *прил.* diffaith; amhlantadwy; seithug; aneffeithiol; anffrwythlon; anghyfeb; annhyciannol; annhyciannus.
беспodо́бный *прил.* anghydmarus; anghymharol; anghyfartal.
беспоко́ить *несов.* cyffroi; trafferthu; poeni; aflonyddu; tarfu; trwblo; anesmwytho; anghysuro.
беспоко́иться *несов.* pendroni; trafferthu; malio; gofidio; pryderu; cythruddo; trwblo; anesmwytho; anhyfrydu.
беспоко́йный *прил.* pryderus; anesmwyth; trafferthus; aflonydd; afreolus; rhwyfus; carcus; amrygyr; anaraul; anorffwys.
беспоко́йство *с.* pryder; ffwdan; trafferth; helynt; aflonyddwch; anesmwythder; anesmwythdra; anesmwythyd; anghysur; anhunedd; anhwylustod; anniddigrwydd; cur; helbul; byd; gofid; trwbl.
бесполе́зный *прил.* diddefnydd; methiant; ofer; seithug; anhwylus; annefnyddiol; annhyciannol; annhyciannus.
беспо́лый *прил.* anrhywiol.
беспо́мощный *прил.* diymadferth.
беспоря́док *м.* sarn; llanast; llanastr; cawl; anhrefn; tryblith; aflywodraeth; aflerwch; afreolaeth; afreol; anghymhendod; anghywair; anllywodraeth; annosbarth; annibendod.
беспоря́дочность *ж.* afreoleidd-dra.
беспоря́дочный *прил.* anhrefnus; afreolus; afreolaidd; anghryno; anghywair; anhwylus; annosbarth; annosbarthus.
беспоща́дный *прил.* milain; mileinig; anhrugarog; annhosturiol.
беспреры́вный *прил.* tragwyddol; tragywydd.
беспреста́нный *прил.* oesol; parhaus.
беспри́месный *прил.* tȇr.
беспристра́стие *с.* amhleidiaeth.
беспристра́стность *ж.* difaterwch; iawnder.
беспристра́стный *прил.* gwrthrychol; cyfiawn; amhleitgar; amhleidiol; amhlaid.
беспричи́нный *прил.* afresymol; diystyr.
бессерде́чный *прил.* milain; adwythig; addoer; annhirion.
бесси́лие *с.* analluedd; anallu.
бessла́вный *прил.* cywilyddus.
бессловéсный *прил.* mud.
бессме́ртие *с.* anfarwoldeb; anllygredigaeth.
бессме́ртный *прил.* anfarwol; difarw.
бессмы́сленный *прил.* diystyr; aflafar.
бессмы́слица *ж.* lol.
бессодержа́тельный *прил.* tila; gwag.
бессозна́тельный *прил.* anymwybodol; anwybodus; greddfol.
бессо́нница *ж.* anhun; anhunedd.
бессо́нный *прил.* anhunog; anhunol.
бесспо́рный *прил.* eglur; amlwg.
бессро́чный *прил.* oesol; parhaus.
бесстра́стный *прил.* sych.
бесстра́шный *прил.* herfeiddiol; beiddgar; glew.
бессты́дный *прил.* digywilydd; hy; haerllug; aflednais.
бессты́дство *с.* afledneisrwydd.
бессчётный *прил.* di-rif; afrifed; aneirif; annifeiriol; annifer.
беста́ктность *ж.* afledneisrwydd; anghymhendod.
беста́ктный *прил.* aflednais.
бестеле́сный *прил.* annefnyddiol.
бестолко́вый *прил.* hurt; dwl; twp; bal.
бесфо́рменный *прил.* dybryd; afluniaidd; amorffus; annelwig.
бесхи́тростный *прил.* gwirion; annichellgar.
бесце́льный *прил.* amhwrpasol.
бесце́нный *прил.* amhrisiadwy.
бесчелове́чный *прил.* annynol.
бесче́стить *несов.* difrïo; amharchu; amherchi.
бесче́стный *прил.* ysgeler; aflan.
бесче́стье *с.* anfri; amarch; anair; anghlod.
бесчи́сленный *прил.* amnifer; di-rif; afrifed; aneirif; anfeidrol; annherfynol; annifeiriol; annifer.
бесчу́вственный *прил.* oer.
бесшу́мный *прил.* tawedog; distaw; tawel.
бето́н *м.* concrid.
бето́нный *прил.* concrid.
бечёвка *ж.* llinyn.
бе́шенство *с.* cynddaredd; ffyrnigrwydd; cynddeiriogrwydd.
бе́шеный *прил.* gorffwyll; gwyllt; gwallgof.
библе́йский *прил.* Beiblaidd.
библиоте́ка *ж.* llyfrgell; myfyr.
библиоте́карь *м.од.* llyfrgellydd.
би́блия *ж.* Beibl.
бива́к *м.* gwersyll; cadlys.
би́вень *м.* ysgithr.
бидо́н *м.* piser.
бие́ние *с.* curiad; curfa; trawiad; cur.
би́знес *м.* busnes.
бизнесме́н *м.од.* masnachwr.
бизо́н *м.од.* bual.
биле́т *м.* tocyn.

бинóкль *м.* gwydr.
бинтовáть *несов.* rhwymo.
биогрáфия *ж.* buchedd; cofiant.
биолóгия *ж.* bywydeg.
би́ржа *ж.* cyfnewidfa.
би́серина *ж.* glain.
би́тва *ж.* brwydr; cyfergyr; cad; gwaith; gofid; aer; trin; aerfa.
бить *несов.* taro; curo; hyrddio; baeddu; bwrw; pwnio; crasu; llywio; lladd; golchi; cyweirio; coethi.
битьё *с.* curfa.
би́ться *несов.* ❶ ymgyrchu; taro; gwingo; trafod; dyheu (am y galon). ❷ torri.
бич *м.* ffrewyll.
блáго *с.* mwyn; lles; daioni; da.
благоволéние *с.* gras.
благовóнный *прил.* pêr.
благовоспи́танный *прил.* moesgar.
благоговéйный *прил.* addolgar.
благоговéние *с.* addolgarwch.
благодари́ть *несов.* diolch.
благодáрность *ж.* diolch; diolchgarwch.
благодáрный *прил.* diolchgar.
благодаря́ *предл.* oherwydd.
благодéнствовать llwyddo; ffynnu.
благодéтель *м.од.* noddwr.
благопристóйный *прил.* llednais.
благоприя́тный *прил.* buddiol; manteisiol; ffafriol.
благоприя́тствовать gwasanaethu; meithrin.
благоразу́мие *с.* rheswm; pwyll.
благоразу́мный *прил.* pwyllog; doeth; synhwyrol; prudd; rhesymol; craff.
благорóдный *прил.* boneddigaidd; bonedd; bonheddig; mawreddog; urddasol; dyledog; dyledus; addfwynus; addfwyn; dinesig.
благорóдство *с.* urddas; addfwynder.
благосклóнность *ж.* gras; rhad.
благосклóнный *прил.* pleidiol; ffafriol.
благословéние *с.* bendith; rhad.
благословéнный *прил.* bendigedig.
благословля́ть *несов.* bendithio.
благосостоя́ние *с.* golud; cyfoeth; aelaw; alaf.
благотвóрный *прил.* buddiol; iachusol; iachus.
благоухáние *с.* persawr; arogl.
благочести́вый *прил.* duwiol; crefyddol; addolgar.
блажéнный *прил.* bendigedig; gwyn; bendigaid; gwynfydedig.
блажéнство *с.* bendith.
бланк *м.* ffurflen.
блевáть cyfogi; chwydu.
бледнéть gwelwi; amliwio; adfeilio.
бледни́ть *несов.* gwelwi.
блéдность *ж.* glesni.
блéдный *прил.* gwelw; llwyd; glas; afliwiog.
блéкнуть gwywo.
блеск *м.* ysblander; disgleirdeb; llewyrch; tywyn.
блеснá *ж.* abwydyn llwy.
блесну́ть lluchedu; lluchedo.
блестéть disgleirio; adlewyrchu.
блестя́щий *прил.* llathr; gloyw; cain; coeth; têr; tanbaid; rhagorol; penigamp; llewyrchus; gwych; llachar; disglair; ardderchog; campus; godidog; gwymp.
блéяние *с.* bref.
блéять brefu.
ближáйший *прил.* cyfagos; agos.
бли́жний *прил.* agos.
близ *предл.* gerllaw; wrth.
бли́зкий *прил.* agos; cytras; cyfagos; cynefin; cyfarwydd; perthynol.
близнéц *м.од.* gefell.
бли́зость *ж.* agosatrwydd; agosrwydd; cyfyl; cyfathrach; cymdogaeth.
блин *м.* crempog; ffroesen.
блистáть gwreichioni; disgleirio.
блок *м.* uned; cyff.
блокáда *ж.* gwarchae.
блоки́ровать *сов.* gwarchae; rhwystro; nadu.
блокнóт *м.* llyfr nodiadau.
блокнóтик *м.* llyfr nodiadau.
блонди́нка *ж.од.* merch benfelen; merch bryd golau.
блохá *ж.од.* chwannen.
блудни́ца *ж.од.* putain.
блуждáние *с.* darymred.
блуждáть gwibio; crwydro; darymred.
блуждáющий *прил.* gwib.
блу́за *ж.* crys.
блю́до *с.* ❶ plât; llestr; dysgl; noe. ❷ saig.
блю́дце *с.* soser.
боб *м.* ffâen.
бобёр *м.од.* (*животное*) afanc; llostlydan.
бобр *м.од.* (*животное*) afanc; llostlydan.
бог *м.од.* duw.
богáтство *с.* cyfoeth; golud; aelaw; alaf; anrhaith.
богáтый *прил.* cyfoethog; cefnog; ariannog; goludog; abl; tew; aelaw; helaeth.
боги́ня *ж.од.* duwies.
богослóвие *с.* diwinyddiaeth.
богослóвский *прил.* diwinyddol.
богослужéние *с.* addoliad.
боготвори́ть *несов.* addoli.
богоху́льный *прил.* cablaidd.
богоху́льствовать difrïo; rhegi; tyngu.
бодливый *прил.* hwyliog.
бóдрствование *с.* anhun.
бóдрый *прил.* iraidd.
боеви́к[1] *м.* (*фильм, спектакль*) ffilm acsiwn.

боеви́к[2] *м.од.* (*член боевой дружины*) brwydrwr.
боево́й *прил.* ymladd; brwydr.
бое́ц *м.од.* brwydrwr; rhyfelwr.
божба́ *ж.* llw.
боже́ственность *ж.* dwyfoldeb.
боже́ственный *прил.* dwyfol; duwiol; ysbrydol.
божество́ *с.* duw.
бо́жий *прил.* dwyfol; duwiol.
бой *м.* (*битва*) ❶ cad; ymladd; gawr; gornest; cyfergyr; aer; aerfa; trin; cyngaws. ❷ cur.
бо́йлер *м.* pair; crochan.
бо́йня *ж.* cyflafan; galanas.
бок *м.* ystlys; ochr; tu.
бока́л *м.* gwydraid; gwydryn; gwydr.
боково́й *прил.* ochrol.
боксёр *м.од.* paffiwr.
бокси́ровать paffio.
болва́н *м.* (*обрубок; деревянная форма*) cyff.
болга́рка *ж.од.* ❶ Bwlgariad. ❷ peiriant llifanu ongl.
бо́лее *нареч.* yn fwy. **более интересный** yn fwy diddorol.
боле́зненный *прил.* briw; poenus; tost; gwael; bregus; brith; adwythig; anafus; angiriol.
болезнетво́рный *прил.* adwythig.
боле́знь *ж.* clefyd; clwyf; salwch; gwaeledd; afiechyd; annhymer; malltod; gofid; amhariad; adwyth; anhwyl; anhwyldeb; anhwylder; anhwylustod.
боле́льщик *м.од.* cefnogwr.
боле́ть[1] (*о частях тела*) poeni.
боле́ть[2] (*о живом существе*) ❶ bod yn sâl; clafychu. ❷ cefnogi.
болиголо́в *м.* cegiden.
боло́тистый *прил.* sur; amddyfrwys.
боло́тный *прил.* amddyfrwys.
боло́то *с.* llaid; cors; siglen; gwern.
болт *м.* pin.
болта́ть *несов.* ❶ clebran; cega; sgwrsio; ymddiddan; sôn; prepian; coethi. ❷ siglo.
болта́ться *несов.* siglo.
болтли́вый *прил.* siaradus; coeth.
болтовня́ *ж.* lol; sôn; clap; clec; clep; brawl.
болту́н *м.од.* (*болтливый человек*) siaradwr; clebryn; clec; clepgi.
болту́нья *ж.од.* clebren; clec.
боль *ж.* poen; cyni; ing; cur; gwŷn; dolur; aeth; gwayw; blinder; goglais.
больни́ца *ж.* ysbyty.
бо́льно[1] *нареч.* (*очень*) rhy.
бо́льно[2] *нареч.* (*о боли*) yn boenus. **мне больно** mae'n brifo; mae'n rhoi loes; mae'n gwneud dolur.
больно́й[1] *м.од.* claf.
больно́й[2] *прил.* salw; tost; claf; sâl; symol; gwael; adwythig; clwc; anhwylus; annhymerus.
больша́к *м.* (*дорога*) priffordd.
бо́льше *нареч.* (*впредь; главным образом*) anad; rhagor; rhag; mwyach; tros.
большеви́к *м.од.* Bolsiefic.
большеголо́вый *прил.* penfras.
бо́льший *прил.* mwy; amgenach; trech; uwchradd; amgen.
большинство́ *с.* mwyafrif.
большо́й *прил.* mawr; bwr.
боля́чка *ж.* briw.
бо́мба *ж.* bom.
бор[1] *м.* (*лес*) coed; coedwig.
бор[2] *м.* (*инструмент; хим. элемент*) boron.
бордю́р *м.* ymyl; min; godre.
борза́я *ж.од.* milgi; helgi.
бо́рзый *прил.* cyflym.
бормота́ние *с.* brawl.
бормота́ть *несов.* mwmial; coethi.
бо́ров *м.од.* (*кабан*) twrch; mochyn.
борода́ *ж.* barf.
борода́вка *ж.* dafad.
борозда́ *ж.* rhych; rhes; cwys.
борозди́ть *несов.* arddu; troi.
борона́ *ж.* oged; og.
боро́ться *несов.* ymladd; ymaflyd; brwydro; ymryson; ymdrechu; ymdrin; ymgodymu; gwingo; trafod; amwyn.
борт *м.* ystlys; bwrdd.
борщ *м.* borscht.
борьба́ *ж.* ymryson; cynnen; gornest; ymladd; cyfergyr.
босо́й *прил.* troednoeth.
босоно́гий *прил.* troednoeth.
босс *м.од.* meistr.
боти́нок *м.* esgid.
бо́цман *м.од.* badfeistr; bosn.
боцманмат *м.од.* is-fosn; mêt bosn.
бо́чка *ж.* baril; casgen.
бочо́к *м.* ystlys.
бочо́нок *м.* baril; casgen; costrel.
боязли́вый *прил.* ofnus.
боя́знь *ж.* graen; aeth; ofn; achor; braw.
боя́ться *несов.* ofni; dychryn.
брак[1] *м.* (*дефектная продукция*) nam; adwaith.
брак[2] *м.* (*супружество*) priodas.
бракодел *м.од.* bwngler.
бракосочета́ние *с.* priodas.
брани́ть *несов.* difrïo; dwrdio; tafodi; hel; halltu.
брань *ж.* ❶ rheg. ❷ cad.
брасле́т *м.* breichrwyf; breichled.
брат *м.од.* brawd.
бра́тец *м.од.* brawd.
братоуби́йство *с.* brawdladdiad.
бра́тский *прил.* brodorol.

бра́тство *с.* cyfeillach; cymrodoriaeth.
брать *несов.* cymryd; dwyn; cymeryd; mynd; cyrchu; mynnu.
бра́ться *несов.* ❶ cychwyn. ❷ ymgymryd. ❸ cydio; gafael. ❹ cael ei gymryd.
бревно́ *с.* cyff; boncyff.
бред *м.* ❶ deliriwm. ❷ geiriau lloerig.
бре́день *м.* rhwyd sân.
брезе́нт *м.* cynfas.
бре́мя *с.* pwn; treth; pwys; llwyth; baich.
бре́нный *прил.* bregus.
брести́ cerdded; llwybro.
Брета́нь *ж.* Llydaw.
брето́нский *прил.* Llydaweg (язык).
бреха́ть ❶ cyfarth. ❷ dweud celwydd.
брешь *ж.* toriad; bwlch; gagendor; tor; adwy; rhwyg.
брига́да *ж.* brigâd.
бригади́р *м.од.* ❶ pen-gweithiwr. ❷ brigadydd.
бриз *м.* awelan.
бриллиа́нт *м.* adamant.
брита́нец *м.од.* Prydeiniwr; Brython.
Брита́ния *ж.* Prydain.
брита́нский *прил.* Prydeinig.
бри́тва *ж.* ellyn.
бритт *м.од.* Brython.
брить *несов.* eillio.
бровь *ж.* ael.
брод *м.* rhyd.
броди́ть ❶ gwibio; rhodio; crwydro. ❷ eplesu; gweithio.
бродя́га *м.ж.* crwydryn; cerddedwr.
бродя́чий *прил.* gwib.
броже́ние *с.* treiglad.
бро́нза *ж.* efydd; pres; alcam.
бро́нзовый *прил.* efyddaid.
брони́ровать[1] *несов. и сов.* (*закреплять*) sicrhau; cadw; llogi.
бронирова́ть[2] *несов. и сов.* (*покрывать броней*) durblatio.
броня́ *ж.* (*защитная обшивка*) llurig; caddug.
броса́ние *с.* cast; tafl; bwrw.
броса́ть *несов.* ❶ hyrddio; lluchio; taflu; bwrw; saethu; cyfogi. ❷ gadael.
броса́ться *несов.* rhuthro.
бро́сить *сов.* ❶ bwrw; taflu. ❷ gadael.
бро́ситься *сов.* tasgu.
бросо́к *м.* bachell; ergyd; cast; tafl; rhuthr; bwrw.
брошь *ж.* tlws; cae.
брошю́ра *ж.* pamffled; traethawd; llyfryn.
брус *м.* carfan; trawst.
брусо́к *м.* bar.
бры́згать (*сыпать брызгами*) tasgu.
бры́зги *ж.мн.* lluwch.
брыка́ть *несов.* gwingo.
брыка́ться *несов.* gwingo.
брюзгли́вый *прил.* anniddig; swnllyd; gwenwynllyd; annaturus.
брюзжа́ть tafodi; dwrdio.
брю́ки *ж.мн.* llawdr; clos.
брюха́тить *несов.* gwanu.
брю́хо *с.* tor; bol; bola; baril; stumog.
брюши́на *ж.* rhwyden.
брюшко́ *с.* bola; bol; ceudod.
бugо́р *м.* tomen; crug; twyn; crwth.
бугоро́к *м.* ponc.
буди́ть *несов.* deffro; dihuno; deffroi.
бу́дка *ж.* lluest.
бу́дто *сз.* fel.
бу́дущее *с.* dyfodol.
бу́дущий *прил.* dyfodol.
бу́дущность *ж.* dyfodol.
бузина́ *ж.* ysgawen.
бу́йвол *м.* eidion.
бу́йный *прил.* ❶ gŵydd; afreolus; afreolaidd; gwyllt; rhonc. ❷ irdwf; iraidd; brwysg.
бу́йство *с.* broch; terfysg.
бук *м.* ffawydden.
бу́ква *ж.* llythyren.
буква́льный *прил.* llythrennol.
бу́квенный *прил.* llythrennol.
буке́т *м.* ❶ tusw. ❷ persawr.
булава́ *ж.* pastwn.
була́вка *ж.* pin.
бу́лка *ж.* torth.
бу́лочка *ж.* rholyn.
бульва́р *м.* rhodfa.
бульдо́зер *м.* tyrchwr.
бу́льканье *с.* bwrlwm.
бульо́н *м.* isgell; gwlych.
бум[1] *м.* (*шумиха; гимнастический снаряд*) trwst.
бум[2] *част.* bwmp.
бума́га *ж.* papur.
бума́жка *ж.* papur.
бума́жный *прил.* papuraidd; papur.
бунт *м.* terfysg; gwrthryfel.
бунтовщи́к *м.од.* gwrthryfelwr; terfysgwr.
бур[1] *м.* (*инструмент*) taradr; ebill.
бур[2] *м.од.* (*южноафриканец из голландцев*) Boeriaid.
бура́в *м.* ebill; taradr.
бура́вчик *м.* taradr.
бура́н *м.* lluwchwynt.
бурдю́к *м.* costrel.
бури́ть *несов.* tyllu.
бу́ркнуть *сов.* mwmial.
бурли́ть berwi.
бу́рный *прил.* ysgithrog; pendramwnwgl; gwyllt; garw; crych.
буру́н *м.* ton.
бу́рый *прил.* cochddu; gwinau.
бу́ря *ж.* tymestl; ystorm.
буря́т *м.од.* Buryat.
бу́сина *ж.* glain.
бутафо́рский *прил.* ffug.

бутербро́д *м.* brechdan.
буто́н *м.* blaguryn; imp; gem.
буты́лка *ж.* potelaid; potel.
буты́ль *ж.* costrel; potel.
буфе́т *м.* cwpwrdd.
буха́нка *ж.* torth.
бухга́лтер *м.од.* cyfrifydd.
бухгалте́рия *ж.* cyfrifyddiaeth.
бу́хта *ж.* ❶ cilfach; camlas. ❷ modrwy; torch.
бу́хточка *ж.* cilfach; bachell.
бы *част.* употребляется для образования сослагательного наклонения.
быва́ть bod.
бы́вший *прил.* blaenorol.
бык *м.од.* (*животное*) ych; eidion; tarw.
быстрота́ *ж.* cyflymdra; cyflymder.
бы́стрый *прил.* cyflym; buan; chwim; chwyrn; brys; adeiniog; prysur; llym; gwyllt; anaraf; chwip; sydyn.
быт *м.* bywyd pob dydd.
бытие́ *с.* bod.
быть bod; bodoli.
бычо́к *м.од.* ❶ tarw bach. ❷ crothell (рыба). ❸ bonyn.
бюдже́т *м.* cyllideb.
бюро́ *с.* ❶ swyddfa. ❷ ysgrifgist.
бюстга́льтер *м.* bronglwm.

В

в *предл.* mewn (*с неопределенными существительными*); yn (*с определенными существительными*); i; am; ar. **в комнате** mewn stafell. **в других странах** mewn gwledydd eraill. **в этой комнате** yn y stafell. **в Уэльсе** yng Nghymru. **в Уэльс** i Gymru. **мы вернемся в три часа** fe ddown ni yn ôl am dri o'r gloch. **в огне** ar dân. **в спешке** ar frys.
вáга *ж.* cambren.
вагóн *м.* cerbyd.
вагонéтка *ж.* cerbyd.
важнéйший *прил.* prif; pennaf; pen.
вáжничать chwyddo.
вáжность *ж.* pwysigrwydd; pwys.
вáжный *прил.* pwysig; dwys; sylweddol; difrifol; arwyddocaol; mawreddog; materol; crand.
вакцинáция *ж.* brechiad.
вал *м.* (*земляная насыпь, волна; стержень*) ❶ clawdd. ❷ rholyn; baril.
вáленок *м.* botasen ffelt.
валéт *м.од.* cnaf.
валúть *несов.* (*опрокидывать*) syrthio; cwympo.
валúться *несов.* syrthio.
валлúец *м.од.* Cymro; Brython.
валлúйка *ж.од.* Cymraes.
валлúйский *прил.* Cymreig; Cymraeg (язык).
валýн *м.* clogwyn; plyg; llech.
валýх *м.од.* gwedder; maharen.
вáльдшнеп *м.од.* cyffylog.
вальцевáть *несов.* rholio.
валю́та *ж.* (*финанс.*) arian.
валю́тный *прил.* ariannol.
валяный *прил.* pan.
валя́ться *несов.* syrthio.
вáнна *ж.* ❶ badd. ❷ bath; twb.
вáнный *прил.* badd.
вáрвар *м.од.* anwar; pagan.
вáрварский *прил.* gwyllt; anninasaidd; anninasol; anwar.
вариáнт *м.* fersiwn; amrywiad; amrywiolyn.
вариáция *ж.* amrywiad.
варúть *несов.* iasu; darllaw.
варьúровать *несов.* amrywio.
вассáл *м.од.* aillt; deiliad.
ватáга *ж.* haid.
вáфля *ж.* afrlladen; afrllad.
ваш *мест.* eich; eiddoch.
ваяние *с.* cerfluniaeth; cerfwaith.
вбирáть *несов.* tynnu.
введéние *с.* rhagarweiniad; rhagymadrodd; arweiniad; sefydliad; rhagair.
ввергáть *несов.* trochi.
вверх *нареч.* fyny.
вверя́ть *несов.* traddodi; ymddiried.
ввестú *сов.* dod â; gosod; arwain; cyflwyno.
вводúть *несов.* mynd â; gosod; arwain; cyflwyno.
ввóдный *прил.* rhagarweiniol.
ввысь *нареч.* fyny.
вглядываться *несов.* syllu; craffu.
вдáвливать *несов.* sangu.
вдалекé *нареч.* ymhell; pell.
вдалú *нареч.* hwnt.
вдвóе *нареч.* dwywaith.
вдвоём *нареч.* fesul dau; gyda'ch gilydd.
вдовá *ж.од.* gweddw.
вдоль[1] *предл.* ar hyd.
вдоль[2] *нареч.* yn ei hyd; ar ei hyd.
вдохновéние *с.* ysbrydoliaeth; anadliad.
вдохновля́ть *несов.* ysgogi; ysbrydoli.
вдохнýть *сов.* ysbrydoli.
вдруг *нареч.* yn sydyn; yn ddisyfyd. **вдруг он вернется?** petai ef yn dychwelyd?
вдыхáть *несов.* ysbrydoli; sugno; tynnu.
вéдать *несов.* gwybod.
вéдомость *ж.* cofrestr.
вéдомство *с.* swyddogaeth; sefydliad.
ведрó *с.* bwced; baeol.
ведýщий[1] *прил.* pennaf; blaenorol.
ведýщий[2] *м.од.* cyflwynydd; cyflwynwr.
ведь *сз.* ❶ oherwydd. ❷ ond.
вéдьма *ж.од.* gwiddon; gwrach.
вéер *м.* ffan.
вéжливость *ж.* moesoldeb; tirionwch.
вéжливый *прил.* cwrtais; moesgar; boneddigaidd; gwâr; gweddol; hynaws; medrus; tirion; llednais; dinesig.
вездé *нареч.* ledled; ymhobman.
везтú *несов.* (*передвигать*) cludo; olwyno. **мне везет** dwi'n lwcus.
век *м.* oedran; adeg; oes; canrif.
вéко *с.* amrant.
вековéчный *прил.* tragwyddol; tragywydd.
велéть *несов. и сов.* gorchymyn.
великáн *м.од.* cawr.
великáнша *ж.од.* cawres.
велúкий[1] *прил.* (*выдающийся*) mawr.
велúкий[2] *прил.* (*очень большой*) greddfol; anianol.
Великобритáния *ж.* Prydain Fawr.
великодýшный *прил.* urddasol; boneddigaidd; hael; tirion.
великолéпие *с.* rhialtwch; ysblander; disgleirdeb; llewyrch; gogoniant; mawredd.

великоле́пный *прил.* llathr; mawreddog; crand; gogoneddus; rhagorol; penigamp; gwych; ardderchog; campus; godidog.
велича́вость *ж.* mawrhydi; mawredd.
велича́вый *прил.* urddasol; boneddigaidd; bonheddig.
велича́йший *прил.* eithaf; pen.
вели́чественность *ж.* mawrhydi; mawredd.
вели́чественный *прил.* mawreddog; urddasol; crand; boneddigaidd; ban; bonheddig.
вели́чество *с.* mawrhydi; mawredd.
вели́чие *с.* ysblander; mawrhydi; mawredd.
величина́ *ж.* maint.
велосипе́д *м.* beic.
ве́на *ж.* gwythïen.
Ве́на *ж.* Fienna.
Вене́ра *ж.од.* Gwener.
вене́ц[2] *м.* (*корона*) corun; talaith.
ве́нец[1] *м.од.* (*житель Вены*) Fieniad.
ве́ник *м.* ysgub.
вено́к *м.* talaith; amdorch; torch.
вентили́ровать *несов.* awyru.
вентиля́ция *ж.* awyriad.
венча́ние *с.* priodas.
венча́ть *несов. и сов.* (*возложить венец; украсить венком*) coroni.
ве́нчик *м.* amdo.
вепрь *м.од.* twrch; baedd.
ве́ра *ж.* credo; cred; ffydd; ymddiried; hyder; coel; crefydd.
вера́нда *ж.* feranda.
верблю́д *м.од.* cawrfarch.
верди́кт *м.* dedfryd; dyfarniad; brawd.
верёвка *ж.* llinyn; rhaff; tennyn.
верени́ца *ж.* llinyn.
ве́реск *м.* grug.
ве́рить credu; coelio.
верне́е *нареч.* namyn; hytrach; taran.
ве́рность *ж.* ffyddlondeb; ymlyniad; teyrngarwch; gwrogaeth.
верну́ть *сов.* dychwelyd.
верну́ться *сов.* dychwelyd.
ве́рный *прил.* ❶ cyfiawn; diau; union; iawn; cywir; dilys; cymwys; diogel. ❷ teyrngar; ffyddlon.
ве́рование *с.* credo; cred; argoel; coel.
вероиспове́дание *с.* enwad; addefiad.
вероло́мный *прил.* gau; anffyddlon.
вероло́мство *с.* anghywirdeb.
вероя́тность *ж.* tebygolrwydd; posibilrwydd.
вероя́тный *прил.* tebygol; posib; posibl; cyffelyb.
ве́рсия *ж.* fersiwn.
верста́ *ж.* 1066.8 m.
ве́ртел *м.* brwyd.
верте́ть *несов.* treiglo; siglo; nyddu; trosi; troi; dirwyn; troelli; am-droi; rholio.
верте́ться *несов.* troi.
вертолёт *м.* hofrennydd.
ве́рующий[1] *прил.* crefyddol; ffyddlon.
ве́рующий[2] *м.од.* crefyddwr; eglwyswr.
верх *м.* (*верхняя или самая высокая часть чего-л.*) brig; uchder; anterth; copa; top.
ве́рхний *прил.* uchaf.
верхове́нство *с.* goruchafiaeth.
верхо́вный *прил.* pen.
верхо́м *нареч.* (*сидя на лошади*) acha.
верху́шка *ж.* brigyn; uchder; brig; pen; copa.
ве́рша *ж.* dalfa.
верши́на *ж.* eithaf; uchder; brig; ban; pen; copa.
вершо́к *м.* 44.45 mm.
вес *м.* (*тяжесть*) pwys.
весели́ть *несов.* llawenychu; llawenhau.
весели́ться *несов.* llawenychu; llawenhau.
весёлый *прил.* hoyw; llawen; llon; digrif; afieithus; gwynfydedig; arab; bywiog; calonnog; hwyliog; dedwydd.
весе́лье *с.* rhialtwch; digrifwch; gorfoledd; miri; difyrrwch; afiaith; cellwair; llawenydd.
весе́нний *прил.* gwanwynol.
ве́сить *несов.* pwyso.
ве́ский *прил.* pwerus; difrifol; addfwyn.
весло́ *с.* rhwyf.
весна́ *ж.* gwanwyn.
весну́шка *ж.* brych; brycheuyn.
весну́шчатый *прил.* brych.
вести́ *несов.* hebrwng; llywio; blaenori; cyrchu; tywys; moduro (car); arwain; gyrru;gweinyddu.
вестибю́ль *м.* cyntedd.
весть *ж.* gair.
весы́ *м.мн.* tafol; mantol; clorian.
весь[1] *мест.* cydol; holl; cyfan; cwbl.
весь[2] *ж.* (*село*) pentref.
весьма́ *нареч.* iawn.
ветви́стый *прил.* amlgainc.
ветвь *ж.* cangen; cainc.
ве́тер *м.* awel; gwynt; asgellwynt.
ветера́н *м.од.* hen filwr.
ветерина́р *м.од.* milfeddyg.
ветерина́рный *прил.* milfeddygol.
ветеро́к *м.* gwynt (bach).
ве́тка *ж.* ❶ cangen; gwrysgen; cainc; brigyn.
ве́точка *ж.* brigyn; imp; gwrychyn.
ве́треный *прил.* ❶ gwyntog; awelog. ❷ syfrdan; gwacsaw.
ветря́нка *ж.* brech ieir.
ве́тхий *прил.* musgrell.
ветчина́ *ж.* gar.
ве́чер *м.* hwyr; nos; noson; noswaith.
вече́рний *прил.* hwyrol.
ве́чность *ж.* byth.

ве́чный *прил.* tragywydd; tragwyddol; oesol; parhaus; anllygredig; anllygradwy.
ве́шать *несов.* hongian; crogi.
веще́ственный *прил.* gwrthrychol; materol; corfforol.
вещество́ *с.* sylwedd; deunydd; defnydd.
ве́щий *прил.* daroganol.
вещь *ж.* peth; gwrthrych.
ве́ять *несов.* chwythu.
взаи́мный *прил.* perthynol.
взаимоде́йствие *с.* cydweithrediad.
взаимоде́йствовать cydweithredu.
взаимопонима́ние *с.* dealltwriaeth.
взба́лтывание *с.* cynnwrf; chwyf.
взба́лтывать *несов.* ysgogi; ysgwyd; corddi.
взбеси́ться *сов.* gwylltu; cynddeiriogi.
взбива́ть *несов.* curo; corddi.
взве́шивать *несов.* mantoli; pwyso; cloriannu.
взвод *м.* ❶ platŵn. ❷ cocio.
взволно́ванный *прил.* (*речь и т.п.*) cynhyrfus; aflonydd.
взгляд *м.* ❶ golwg; golygiad; llygad; lleufer. ❷ safbwynt; tyb; safiad; clem.
взгляну́ть edrych.
вздор *м.* lol; dwli.
вздо́рный *прил.* anghysonair; hyll; cynhennus.
вздох *м.* ochenaid; uchenaid; chwyth; ebychiad.
вздохну́ть ❶ anadlu. ❷ ochneidio.
вздра́гивать neidio; crynu.
вздро́гнуть crynu.
взду́тие *с.* chwyddiant.
вздыха́ть ebychu; ochneidio.
взлета́ть esgyn.
взлете́ть esgyn.
взлом *м.* toriad.
взмо́рье *с.* beiston; tywyn; traeth.
взнос *м.* taliad; tâl; cyfraniad.
взор *м.* llygad.
взорва́ть *сов.* chwalu; deifio.
взорва́ться *сов.* ffrwydro.
взро́слый[1] *м.од.* oedolyn.
взро́слый[2] *прил.* mewn oed; llawn dwf.
взрыв *м.* ffrwydrad; taniad; ergyd.
взрыва́ть[1] *несов.* ffrwydro; chwalu; saethu; chwythu.
взрыва́ть[2] *несов.* palu.
взрыва́ться *несов.* ffrwydro.
взрывно́й *прил.* ffrwydrol.
взры́вчатый *прил.* ffrwydrol.
взрыть *сов.* palu.
взыва́ть erfyn; apelio.
взыска́ние *с.* cosb.
взя́тка *ж.* ❶ llwgrwobrwy. ❷ tric (*карт.*).
взяткода́тель *м.од.* llwgrwobrwywr.
взя́точничество *с.* llwgrwobraeth.
взять *сов.* dwyn; cymryd.
взя́ться *сов.* ❶ cychwyn. ❷ ymgymryd. ❸ cydio; gafael. ❹ cael ei gymryd.
виаду́к *м.* pont.
вид[1] *м.* (*разновидность; тип*) math; rhywogaeth; trefn; rhith; urddas; bath.
вид[2] *м.* (*внешность и т.п.*) ❶ golwg; golygiad; rhith; ymddangosiad; golygfa; gweledigaeth; gwep; trefn; gŵydd; wyneb; annel. ❷ ffurf; gwedd; pryd; bath; llun; ystum. ❸ cyflwr. ❹ agwedd.
вида́ть *несов.* (*наст. менее литературно, чем прочие формы*) gweld.
ви́дение[1] *с.* (*сущ. к «видеть»*) gweledigaeth; lleufer.
виде́ние[2] *с.* (*призрак*) breuddwyd; gweledigaeth.
ви́деть *несов.* gweld.
ви́деться *несов.* ❶ gweld eu hunain. ❷ cael ei weld.
ви́димость *ж.* rhith; ymddangosiad; gwedd.
ви́димый *прил.* gweladwy. **видимо, это правда** ymddengys fod hyn yn wir.
видне́ться *несов.* cael ei weld.
ви́дный[1] *прил.* (*значительный; представительный, осанистый*) blaengar; blaenllaw; amlwg; golygus.
ви́дный[2] *прил.* (*видимый, различимый*) gweladwy.
видоизменя́ть *несов.* treiglo.
ви́за *ж.* ❶ teitheb. ❷ cefnysgrif.
визг *м.* sgrech; lol.
визжа́ть gwichian.
визи́т *м.* ymweliad.
визитёр *м.од.* ymwelwr.
ви́ка *ж.* ffacbys.
вика́рий *м.од.* ficer.
вико́нт *м.од.* isiarll.
виктори́на *ж.* cwis.
ви́лка *ж.* ❶ fforc; fforch. ❷ plwg. ❸ ystod; pellter (*rhwng taniadau*).
вилла́н *м.од.* caethwas; caeth.
ви́лы *ж.мн.* picfforch; fforch.
виля́ть gwingo; siglo.
вина́ *ж.* euogrwydd; bai.
вини́л *м.* finyl.
вини́ть *несов.* beio.
вино́ *с.* gwin.
винова́тый *прил.* euog.
вино́вность *ж.* euogrwydd.
вино́вный *прил.* euog.
виногра́д *м.* grawnwin; grawn; gwinwydden.
виногра́дина *ж.* gronyn.
виногра́дник *м.* gwinllan.
виноче́рпий *м.од.* trulliad.
винт[1] *м.* (*металлич. деталь*) hoelen dro; ysgriw; dirwynen.
винт[2] *м.* ysgriw yrru.
винто́вка *ж.* dryll.

вио́ла *ж.* crwth.
ви́ра *ж.* (*штраф*) galanas; galanastra.
ви́рус *м.* firws.
висе́ть hongian; crogi.
ви́ски *м.с.* chwisgi.
ви́слый *прил.* chwip.
висо́к *м.* arlais; llechwedd.
вися́чий *прил.* dibynnol. **висячий замок** clo llyffant.
вито́й *прил.* troellog.
вито́к *м.* tro.
витри́на *ж.* ❶ ffenestr siop. ❷ cwpwrdd gwydr.
вить *несов.* cordeddu; dirwyn; adail.
ви́ться *несов.* cordeddu; chwifio; dringo; dirwyn; troelli; am-droi.
ви́тязь *м.од.* marchog; milwr.
вихрь *м.* trowynt; corwynt.
ви́ца *ж.* gwden.
вице-ка́нцлер *м.од.* is-ganghellor.
ви́шня *ж.* ceiriosen.
вклад *м.* blaendal; buddsoddiad; cyfraniad; adnau.
вкла́дчик *м.од.* adneuwr.
вкла́дывать *несов.* suddo; buddsoddi; adneuo.
включа́ть *несов.* ❶ cynnwys; corffori; amgyffred. ❷ troi ymlaen.
включи́ть *сов.* ❶ cynnwys. ❷ troi ymlaen.
вкореня́ть *несов.* gwreiddio.
вкра́дчивый *прил.* tirion.
вкус *м.* blas; chwaeth; archwaeth; stumog.
вкуси́ть *сов.* blasu; archwaethu.
вку́сный *прил.* blasus; amheuthun.
вла́га *ж.* gwlybaniaeth; gwlych; lleithder.
влага́лище *с.* gwain; maneg (*у животных*); cwthr.
владе́лец *м.од.* perchennog; perchen; meistr; deiliad.
владе́ние *с.* perchen; meddiant; gafael; afflau; craff.
владе́ть ❶ meddu; piau; perchenogi; meddiannu; adneuo; goresgyn. ❷ medru.
влады́ка *м.од.* arglwydd; rhi.
влады́чество *с.* rheolaeth; rheol.
влады́чица *ж.од.* meistres.
вла́жность *ж.* gwlybaniaeth; gwlych; gwlyb; lleithder.
вла́жный *прил.* llaith; gwlyb.
вла́мываться *несов.* brathu.
вла́ствовать rheoli; llywodraethu.
властели́н *м.од.* arglwydd.
власти́тель *м.од.* arglwydd; rhi.
вла́стный *прил.* awduraidd.
власть *ж.* bri; rheolaeth; rheol; medr; grym; gallu; awdurdod; goruchafiaeth.
вле́во *нареч.* i'r chwith.
влеза́ть mynd i mewn; dringo.
влезть dod i mewn; dringo.
влива́ть *несов.* tywallt.
влия́ние *с.* dylanwad; gallu; eples.
влия́тельный *прил.* pwerus; dylanwadol; grymus.
влия́ть dylanwadu; effeithio; affeithio; mantoli; craffu.
вложе́ние *с.* atodlen.
вложи́ть *сов.* suddo; buddsoddi.
влюблённый *прил.* (*в кого-л., во что-л.*) serchus; cariadus.
вменя́ть *несов.* haeru.
вме́сте *нареч.* ynghyd.
вмести́мость *ж.* cynnwys.
вме́сто *предл.* yn lle.
вмеша́тельство *с.* ymyrraeth.
вмеша́ться *сов.* ymyrryd.
вме́шиваться *несов.* ymyrryd; busnesa.
вмеща́ть *несов.* dal; cynnwys; amgyffred.
внача́ле *нареч.* ar y dechrau.
вне[1] *нареч.* allan.
вне[2] *предл.* tu fas (*i rywbeth*); tu allan (i rywbeth).
внеза́пный *прил.* gwib; diarwybod; swta; disymwth; annisgwyl; disyfyd; dirybudd; annisgwyliadwy; sydyn.
внести́ *сов.* dod â rhth (i mewn).
вне́шний *прил.* allanol; arwynebol; amgylchiadol.
вне́шность *ж.* golwg; ton; trefn.
вниз *нареч.* i lawr.
внизу́ *нареч.* isod.
вника́ть treiddio.
внима́ние *с.* sylw; gofal.
внима́тельность *ж.* gofal.
внима́тельный *прил.* pryderus; achlust; astud; gofalus; craff; carcus.
вновь *нареч.* trachefn.
внук *м.од.* ŵyr.
вну́тренний *прил.* cartrefol; mewnol.
вну́тренность *ж.* perfedd.
внутри́[1] *предл.* mewn.
внутри́[2] *нареч.* oddi mewn (i rywbeth); y tu mewn (*i rywbeth*).
внутрь[1] *нареч.* tuag at i mewn.
внутрь[2] *предл.* i.
вну́чка *ж.од.* wyres.
внуша́ть *несов.* ysbrydoli.
внуши́тельный *прил.* swmpus.
вня́тный *прил.* clywadwy; hyglyw.
во-пе́рвых *нареч.* cyntaf.
во́время *нареч.* yn brydlon; mewn pryd.
во́все *нареч.* cwbl.
во́гнутый *прил.* cau.
вода́ *ж.* dŵr.
водвори́ть *сов.* cartrefu; sefydlu.
води́тель *м.од.* gyrrwr.
води́тельство *с.* arweiniad.
води́ть *несов.* moduro (*car*).

води́ться *несов.* ❶ cyfeillachu. ❷ bod; digwydd.
во́дка *ж.* fodca.
водобоя́знь *ж.* cynddaredd.
водоём *м.* llyn.
водоотво́д *м.* ceuffos.
водопа́д *м.* rhaeadr; pistyll.
водосто́к *м.* ceuffos.
водохрани́лище *с.* cronfa.
водяни́стый *прил.* tenau; main.
воева́ть ymladd; rhyfela.
воево́да *м.од.* gwledig.
военнопле́нный *м.од.* carcharor.
вое́нный[1] *прил.* milwrol.
вое́нный[2] *м.од.* milwr.
вожделе́ние *с.* gwŷn; chwant.
вождь *м.од.* brëyr; blaenor; cyfarwydd; modur; arweinydd; rhwyf; penaig.
вожжа́ *ж.* awen; afwyn.
возбуди́ть *сов.* cythruddo; ysgogi.
возбужда́ть *несов.* hogi; cyffroi; cynhyrfu; tanio; annog; gweithio; deffroi; cythruddo; corddi; ysgogi.
возбужда́ться *несов.* cythruddo.
возбужда́ющий *прил.* cynhyrfus; cyffrous.
возбужде́ние *с.* llid; cynnwrf; cyffro; ias; gwefr; annwyd.
возбуждённый[1] *прил.* (*речь, состояние и т.п.*) tanbaid; twym; poeth.
возбуждённый[2] *прил.* (*человек, толпа*) cynhyrfus.
возвели́чивать *несов.* urddo.
возвра́т *м.* dychwel.
возврати́ться *сов.* dychwelyd.
возвра́тный *прил.* atblygol.
возвраща́ть *несов.* adfer; dychwelyd; adferyd; adferu; adrefu.
возвраща́ться *несов.* adferyd; dychwelyd; adferu.
возвраще́ние *с.* adferiad; adwedd.
возвыша́ть *несов.* anrhydeddu.
возвыша́ться *несов.* dyrchafu; ymgodi.
возвыше́ние *с.* codiad; moel; allt; garth.
возвы́шенность *ж.* codiad; uchder; moel; allt; twyn; garth; bre.
возвы́шенный *прил.* mawreddog; uchel; ban.
возглавля́ть *несов.* blaenori; tywys; arwain.
во́зглас *м.* gwaedd.
воздая́ние *с.* pwyth.
воздвига́ть *несов.* dyrchafu; adeiladu; codi.
возде́йствие *с.* gweithrediad; dylanwad; eples.
возде́йствовать effeithio; affeithio.
возде́лывание *с.* gwrtaith.
возде́лывать *несов.* garddu; garddio; amaethu.
возде́ржанный *прил.* sobr.
возде́рживаться *несов.* ymatal; ymwrthod; maddau; peidio; hepgor.
во́здух *м.* (*газ*) aer; awyr.
воздухопла́вательный *прил.* aeronotig.
возду́шный *прил.* awyrol.
вози́ть *несов.* cludo.
вози́ться *несов.* ystwna.
возлага́ть *несов.* cyfleu.
во́зле[1] *предл.* gerllaw; ger.
во́зле[2] *нареч.* yn agos.
возлю́бленная *ж.од.* cariad; meistres.
возлю́бленный[1] *м.од.* cariad.
возлю́бленный[2] *прил.* cariadus; cu; annwyl.
возмеща́ть *несов.* ad-dalu; bodloni.
возмеще́ние *с.* cymod; diwygiad; iawndal; adferiad; ad-daliad; ad-dal.
возмо́жно *нареч.* odid; dichon; hwyrach; efallai; atfydd.
возмо́жность *ж.* ❶ posibilrwydd; grym; gallu. ❷ achlysur; cyfle; cyfleustra; cyfleuster; oedfa; agoriad.
возмо́жный *прил.* tebygol; posib; posibl; cyffelyb.
возмужа́лый *прил.* aeddfed; addfed.
возмути́ться *сов.* digio.
возмуща́ться *несов.* digio.
возмуще́ние *с.* digofaint; anwes.
возмущенный *прил.* (*чем-л.*) llidus.
вознагражда́ть *несов.* gwobrwyo.
вознагражде́ние *с.* pwyth; taliad; tâl; gwobr.
возника́ть ymgodi; ymddangos.
возникнове́ние *с.* tarddiad.
возни́кнуть ymgodi; ymddangos.
возобновле́ние *с.* diwygiad; parhad; adfywiad; adnewyddiad; adferiad; adeni.
возобновля́ть *несов.* dadebru; atgyfodi; adnewyddu; adfywhau; adfywio.
возража́ть gwrthdystio; haeru; malio.
возраже́ние *с.* lludd; gwrthwynebiad; eithriad.
возрази́ть gwrthdystio.
во́зраст *м.* oedran; oed; oes.
возраста́ние *с.* cynnydd; amlhad.
возраста́ть dyrchafu; ychwanegu; cynyddu; amlhau.
возрожда́ть *несов.* dadebru; atgyfodi; adnewyddu; adfywhau; adfywio.
возрожде́ние *с.* dadeni; diwygiad; adfywiad; adnewyddiad; adeni; adenedigaeth.
во́ин *м.од.* rhyfelwr; milwr.
во́инский *прил.* milwrol.
во́инство *с.* lliaws; amnifer; aig; llu; tyrfa; cad.
вои́тель *м.од.* rhyfelwr.
вой *м.* nâd.
война́ *ж.* rhyfel; annhangnefedd.

во́йско *с.* byddin; lliaws; llu; mintai; aig; gwerin; tyrfa; cad; cant; aerfa.
войти́ mynd/dod i mewn; treiddio.
вока́льный *прил.* lleisiol; llafar.
вокза́л *м.* gorsaf.
вокру́г[1] *предл.* cylch; tua; am; amgylchyn; o gwmpas.
вокру́г[2] *нареч.* oddeutu.
вол *м.од.* bustach; eidion.
волга *ж.* (*автомобиль*) Folga.
волды́рь *м.* crug; chwysigen.
волк *м.од.* (*животное*) blaidd; belau; cidwm.
волна́ *ж.* ton.
волне́ние *с.* cynnwrf; cyffro; gofid; trwbl; ffwdan; trafferth; helynt; helbul; aflonyddwch; anesmwythder; anesmwythdra; anesmwythyd.
волни́стый *прил.* crych.
волнова́ть *несов.* syflyd; cyffroi; cynhyrfu; ysgogi; gweithio; cyffwrdd.
волнова́ться *несов.* pendroni; cynhyrfu; trafferthu; ffrwcsio.
волну́ющий *прил.* teimladol; cynhyrfus; cyffrous.
волонтёр *м.од.* gwirfoddolwr.
во́лос *м.* blewyn.
волоса́тый *прил.* blewog.
волосо́к *м.* blewyn.
во́лость *ж.* cwmwd.
во́лосы *ж.мн.* (*шевелюра*) gwallt.
волосяно́й *прил.* blewog.
волочи́ть *несов.* (*тащить*) llusgo; tynnu.
волчо́к *м.* (*юла; отверстие в двери*) ❶ top. ❷ blaidd bach.
волчо́нок *м.од.* cenau blaidd.
волше́бник *м.од.* dewin; hudol.
волше́бный *прил.* hudol.
волшебство́ *с.* swyn; hud.
во́льность *ж.* rhyddid.
во́льный *прил.* (*свободный*) rhydd.
во́ля *ж.* ❶ arfaeth; ewyllys. ❷ rhyddid.
вон *нареч.* allan; ymaith.
вонза́ть *несов.* trywanu; brathu; gwanu.
вонь *ж.* drewi.
вонючий *прил.* drewllyd.
воня́ть drewi.
вообража́емый *прил.* ffug; dychmygol; breuddwydiol.
вообража́ть *несов.* tybio; dychmygu.
воображе́ние *с.* dychymyg.
вообще́ *нареч.* at ei gilydd; o gwbl; ar y cyfan.
воодушеви́ть *сов.* ysbrydoli; dadeni.
воодушевле́ние *с.* ysbrydoliaeth.
воодушевля́ть *несов.* cysuro; ysgogi; ysbrydoli; tanio; deffroi.
вооружа́ть *несов.* arfogi; harneisio.
вооруже́ние *с.* ❶ arfogaeth. ❷ arfogi.
вооружённый *прил.* arfog.
вопи́ть bloeddio; bloeddian; sgrechian; gweiddi; ysgrechin; ysgrechain; wylofain.
вопию́щий *прил.* dygn; graen.
воплоща́ть *несов.* ymgorffori; corffori.
воплоще́ние *с.* corffolaeth.
вопль *м.* gwaedd; sgrech; nâd.
вопреки́ *предл.* serch.
вопро́с *м.* holiad; ymofyn; cwestiwn; ymholiad; pwnc; mater.
вопроси́тельный *прил.* gofynnol.
вопро́сник *м.* holiadur.
вопроша́ть *несов.* holi.
вопроша́ющий *прил.* gofynnol.
вор *м.од.* lleidr.
ворва́ться *сов.* brathu.
воробе́й *м.од.* aderyn y to.
ворова́ть *несов.* anrheithio; lladrata; dwyn.
во́рог *м.од.* cilydd.
во́рон *м.од.* brân.
воро́на *ж.од.* brân.
во́рот[1] *м.* (*механизм*) cranc.
во́рот[2] *м.* (*воротник*) mwnwgl.
воро́та *с.мн.* iet; porth; llidiart; clwyd.
воротни́к *м.* coler; torch; mwnwgl.
воротничо́к *м.* coler.
ворс *м.* ceden.
ворси́стый *прил.* blewog.
ворча́ние *с.* chwyrniad; si; sibrwd.
ворча́ть conach; swnian; sïo; arthio; dwrdio; sibrwd; tafodi; arthu; gwenwyno.
ворчли́вый *прил.* swnllyd; achwyngar.
ворчу́н *м.од.* achwynwr.
восемна́дцатый *числит.* deunawfed.
восемна́дцать *числит.* deunaw.
во́семь *числит.* wyth.
во́семьдесят *числит.* pedwar ugain.
восемьсо́т *числит.* wyth cant.
воск *м.* cwyr.
воскли́кнуть ebychu.
восклица́ние *с.* ebychiad.
восклица́ть ebychu.
воскреса́ть dadebru; atgyfodi; adfywio. **atgyfododd Crist!** Христос воскресе!
воскресе́ние *с.* atgyfodiad.
воскресе́нье *с.* dydd Sul.
воскреша́ть *несов.* dadebru; atgyfodi; adfywhau; adfywio.
воскреше́ние *с.* atgyfodiad.
воспале́ние *с.* enynfa; llid.
воспалённый *прил.* llidus; adwythig.
воспаля́ться *несов.* ennyn.
воспита́ние *с.* magwraeth; hyfforddiant; addysgiaeth.
воспи́танный *прил.* moesgar; dinesig.
воспита́тель *м.од.* addysgydd; addysgwr.
воспита́тельный *прил.* addysgol.
воспи́тывать *несов.* meithrin; magu; hyfforddi; addysgu.
воспламене́ние *с.* enynfa.

воспламеня́ть *несов.* ennyn; tanio; cynnau.
воспламеня́ться *несов.* ennyn.
воспо́льзоваться *сов.* buddio; manteisio.
воспомина́ние *с.* myfyrdod; coffa; atgof; myfyr.
воспринима́ть *несов.* canfod; amgyffred.
восприя́тие *с.* canfyddiad; derbyniad.
воспроизводи́ть *несов.* atgynhyrchu.
воссоедине́ние *с.* aduniad; adundeb.
воссоединя́ть *несов.* aduno.
восстава́ть ymgodi.
восстана́вливать *несов.* dadebru; dadeni; trwsio; atgyfodi; adnewyddu; adfywhau; adfywio; adrefu.
восста́ние *с.* gwrthryfel; codiad; terfysgaeth.
восстановитель[1] *м.* (*хим. реактив*) adferwr.
восстановитель[2] *м.од.* (*строитель*) adnewyddwr.
восстанови́ть *сов.* dadebru; adnewyddu.
восстановле́ние *с.* diwygiad; atgyfodiad; adfywiad; adnewyddiad; adferiad; adeni; adwedd; adenedigaeth.
восто́к *м.* dwyrain.
восто́рг *м.* hoffter; edmygedd.
восторга́ться *несов.* edmygu.
восто́чный *прил.* dwyreiniol.
восхвале́ние *с.* moliant; mawl; canmol; canmoliaeth; clod.
восхваля́ть *несов.* moli; clodfori; canmol.
восхити́тельный *прил.* crand; gogoneddus; rhagorol; hyfryd; campus.
восхища́ть *несов.* hyfrydu.
восхища́ться *несов.* ymhyfrydu; synnu; edmygu.
восхище́ние *с.* hoffter; edmygedd.
восхо́д *м.* dwyrain; codiad.
восходи́ть[1] (*к чему-л., к кому-л. - об обычае, учении и т.п.*) dyddio.
восходи́ть[2] esgyn; dyrchafu.
восходя́щий *прил.* sy'n codi; esgynnol; afrywiog (*deusain*). **Страна восходящего солнца** Gwlad y Codiad Haul.
восьмёрка *ж.* wyth.
во́сьмеро *числит.* wyth.
восьмидеся́тый *числит.* pedwar ugeinfed.
восьмо́й *числит.* wythfed.
вот *част.* dyma; dyna; wele.
во́тчина *ж.* treftadaeth.
вошь *ж.од.* lleuen.
вощи́ть *несов.* cwyro.
впада́ть aberu; syrthio.
впа́дина *ж.* ceudod; pwll; cafn; pant.
впа́лый *прил.* cau.
впервы́е *нареч.* am y tro cyntaf.
вперёд *нареч.* ymlaen.
впереди́[1] *предл.* anad; rhag; gerbron.
впереди́[2] *нареч.* ar y blaen.
впечатле́ние *с.* argraffiad; argraff.
впи́тывать *несов.* sugno; llyncu; amsugno.
впи́хивать *несов.* sangu.
впихиваться *несов.* ymwthio.
вплета́ть *несов.* plethu.
вплотну́ю *нареч.* ar dynn; yn dyn.
вплоть *нареч.* yn dyn.
вполго́лоса *нареч.* mewn islais; mewn llais isel; dan eich gwynt.
вполне́ *нареч.* eithaf; llawn; hollol; oll; cwbl.
впосле́дствии *нареч.* wedyn.
впра́вду *нареч.* yn wir.
впра́во *нареч.* i'r dde.
впредь *нареч.* mwyach.
впро́чем *сз.* er hynny.
впряга́ть *несов.* harneisio.
впрямь *нареч.* yn wir.
впуск *м.* mynediad.
враг *м.од.* gelyn; gwrthwynebwr; gwrthwynebydd.
вражде́бный *прил.* gelyniaethus.
вра́жеский *прил.* gelyniaethus.
вразуми́тельный *прил.* dealladwy.
врать *несов.* truthio; dweud celwydd.
врач *м.од.* meddyg; doctor.
враче́бный *прил.* meddygol.
враща́тельный *прил.* amdro.
враща́ть *несов.* troi; treiglo; olwyno; amgylchynu; trosi; rholio.
враща́ться *несов.* troi; olwyno; amgylchynu.
враще́ние *с.* troad.
вред *м.* andros; sarhad; niwed; andras; difrod; cam; drwg; amhariad; afles; adwyth; addoed.
вреди́ть niweidio; amharu; andwyo.
вре́дный *прил.* andwyol; dinistriol; direidus; afiachus; afiach; niweidiol; drwg; adwythig.
времена́ми *нареч.* weithiau.
временно́й *прил.* tymhorol; amserol.
вре́менный *прил.* tymhorol; amserol.
вре́мя *с.* amser; tro; oed; adeg; cyfnod; pryd; oedfa; talwm.
вро́де[1] *предл.* fel.
вро́де[2] *част.* yn debygol.
врождённый *прил.* cynhenid; anianol.
вруча́ть *несов.* anrhegu.
вручи́ть *сов.* anrhegu.
врыва́ться *несов.* brathu.
вса́дник *м.од.* marchog.
вса́сывание *с.* amsugniad.
вса́сывать *несов.* sugno; llyncu; tynnu; amsugno.
всё *мест.* popeth; cydol; oll; pawb; cyfan; cwbl.
всегда́ *нареч.* erioed; beunydd; byth.
вселе́нная *ж.* bydysawd; byd; hollfyd.

вселе́нский *прил.* catholig.
вселя́ть *несов.* ysbrydoli.
всеми́рный *прил.* byd-eang.
всемогу́щий *прил.* hollalluog; hollgyfoethog.
всео́бщий *прил.* cyffredin.
всерьёз *нареч.* o ddifrif.
всесторо́нний *прил.* cynhwysfawr.
всецéло *нареч.* achlân; hollol; oll.
вска́пывать *несов.* palu.
вска́рмливать *несов.* magu; hilio.
вски́нуть *сов.* codi. **вскинуть ружье** ysgwyddo gwn.
вскопать *сов.* palu.
вско́ре *нареч.* toc.
вскочи́ть tasgu.
вскри́кнуть gweiddi.
вскрича́ть gweiddi.
вслед *нареч.* ar ôl.
вслéдствие *предл.* adlo.
вслух *нареч.* yn hyglyw.
вспе́нивать *несов.* corddi.
вспомина́ть *несов.* coffa; dwyn i gof; cofio; adalw; atgofio.
вспо́мнить *сов.* dwyn i gof; adalw; cofio.
вспомога́тельный *прил.* atodol; cynorthwyol; iswasanaethgar; affeithiol.
вспры́снуть *сов.* gwlychu.
вспу́гивать *несов.* tarfu.
вспыли́ть gwylltu.
вспы́льчивый *прил.* angerddol; tanbaid; pigog; annaturus.
вспы́хивать ennyn; lluchedu; lluchedo.
вспы́хнуть ennyn.
вспы́шка *ж.* llewyrch; gwreichionen; llucheden.
встава́ние *с.* codiad.
встава́ть ymgodi; codi; sefyll.
вста́вить *сов.* mewnosod; gosod; gludo.
вставля́ть *несов.* mewnosod; gosod; gludo (комп.); sangu; brathu.
встать codi; sefyll.
встре́тить *сов.* cyfarfod.
встре́титься *сов.* cyfarfod; cwrdd.
встре́ча *ж.* cyfarfod; cwrdd; oedfa; cynhyrchiad; cyhoeddiad; derbyniad.
встреча́ть *несов.* cyfarfod; cyfarch; cwrdd.
встреча́ться *несов.* cyfarfod; cwrdd.
встре́чный *прил.* sy'n dod i'ch cwrdd.
встря́хивать *несов.* ysgwyd; siglo.
встря́хиваться *несов.* ymysgwyd.
встряхну́ться *сов.* ymysgwyd; cyffroi.
вступа́ть ymaelodi; ymuno.
вступи́тельный *прил.* rhagarweiniol; agoriadol.
вступи́ть ymaelodi.
вступле́ние *с.* rhagarweiniad.
всхли́пывать beichio.
всходи́ть (*в знач. «подниматься над горизонтом - о светиле" также восходить»*) esgyn; dyrchafu.
всю́ду *нареч.* ymhobman.
вся́кий *мест.* unrhywun; un; pawb; pob.
втека́ть (*впадать—о реке*) aberu.
втира́ться *несов.* brathu.
вти́скивать *несов.* gwasgu.
вторга́ться *несов.* goresgyn.
вторже́ние *с.* goresgyniad.
вто́рить atseinio; adleisio.
вто́рник *м.* dydd Mawrth.
второ́й *числит.* ail.
второсо́ртный *прил.* eilradd.
второстепе́нный *прил.* atodol.
втя́гивать *несов.* tynnu.
вуа́ль *ж.* gorchudd; llen.
вулка́н *м.* llosgfynydd.
вульга́рный *прил.* gwerinol; sathredig.
вход *м.* porth; mynediad; mynedfa.
входи́ть mynd/dod i mewn; treiddio.
вцепи́ться *сов.* ymaflyd.
вчера́ *нареч.* doe.
вчера́шний *прил.* doe.
въезд *м.* mynedfa.
вы *мест.* chi; chwychwi; chwi; chwithau; chithau.
выба́лтывать *несов.* mynegi.
выбега́ть rhedeg allan.
вы́бежать rhedeg allan.
выбива́ть *несов.* taro; bathu.
выбира́ть *несов.* dethol; pigo; mabwysiadu; ethol; dewis.
выбира́ться *несов.* mynd allan.
вы́бить *сов.* taro.
вы́болтать *сов.* prepian.
вы́бор *м.* dewis; detholiad; etholaeth; amrediad; adnodd.
вы́борный *прил.* etholadwy.
вы́борщик *м.од.* etholwr; etholydd.
вы́боры *м.мн.* (*избрание путем голосования*) etholiad; etholedigaeth.
выбра́сывать *несов.* lluchio; tywallt.
вы́брать *сов.* dewis.
вы́браться *сов.* dod allan.
вы́бросить *сов.* lluchio; tywallt.
выва́живать *несов.* llwybro.
вы́вести *сов.* ❶ arwain allan. ❷ dileu. ❸ casglu. ❹ magu; hilio. ❺ darlunio.
вы́вод *м.* ❶ casgliad. ❷ allbwn; allgynnyrch.
выводи́ть *несов.* ❶ arwain allan. ❷ dileu. ❸ olrhain; casglu. ❹ magu; hilio. ❺ darlunio.
выводи́ться *несов.* gori.
вы́водок *м.* epil.
вывози́ть *несов.* allforio.
вывора́чивать *несов.* (*винт; руки*) troi.
выга́дывать *несов.* manteisio; elwa; ennill.
выгиба́ться *несов.* crynhoi.

вы́глядеть (*казаться, иметь вид*) edrych.
выгля́дывать[1] ❶ edrych allan. ❷ ymddangos; dechrau ymddangos.
выгля́дывать[2] *несов.* (*высматривать*) chwilio.
вы́глянуть ❶ edrych allan. ❷ ymddangos; dod i'r golwg.
вы́гнать *сов.* gyrru.
вы́говор *м.* ❶ cerydd; anniolch. ❷ cynaniad.
вы́года *ж.* buddiant; adeiladaeth; lles; elw; mantais; ennill; budd.
вы́годный *прил.* buddiol; manteisiol; cryno.
вы́гон *м.* porfel; porfa.
выгора́ть gwywo; llosgi.
выгружа́ть *несов.* dadlwytho; glanio.
выдава́ть *несов.* ❶ rhoi. ❷ traddodi. ❸ mynegi; bradychu; datgelu. ❹ honni.
выдава́ться *несов.* ymwthio; aelio.
выда́вливать *несов.* gwasgu.
выда́лбливать *несов.* cafnu; cafnio.
вы́дать *сов.* ❶ rhoi. ❷ traddodi. ❸ bradychu. ❹ honni.
вы́дача *ж.* traddodiad.
выдаю́щийся *прил.* blaengar; blaenllaw; nodedig; hynod; amlwg.
выдвига́ть *несов.* dyrchafu; hyrwyddo.
выделе́ние *с.* ❶ dosraniad. ❷ gwahaniad. ❸ rhyddhad. ❹ ysgarthiad. ❺ crawn. ❻ aceniad; acenyddiaeth. ❼ dewis.
вы́делить *сов.* ❶ gollwng. ❷ neilltuoli; gwahaniaethu. ❸ tywallt. ❹ distyllu. ❺ neilltuo. ❻ pwysleisio.
выделя́ть *несов.* ❶ gollwng. ❷ neilltuoli; gwahaniaethu. ❸ tywallt. ❹ distyllu. ❺ neilltuo. ❻ pwysleisio; acennu.
выделя́ться *несов.* ❶ bod yn amlwg. ❷ diferu.
выдёргивать *несов.* plycio.
вы́держать *сов.* ❶ gwrthsefyll. ❷ cadw.
выде́рживать *несов.* ❶ sefyll; dioddef; goddef; porthi. ❷ cadw.
вы́держка *ж.* tymer.
выдолбить *сов.* cafnio.
вы́дра *ж.од.* dyfrgi.
выдува́ть *несов.* chwythu.
вы́думка *ж.* ffug; dyfais; ystryw.
вы́езд *м.* gwedd.
вы́ехать mynd.
выжива́ть[1] goroesi.
выжива́ть[2] *несов.* disodli.
выжига́ть *несов.* crasu; llosgi.
выжима́ть *несов.* gwasgu; garddu.
вы́жить[1] goroesi.
вы́жить[2] *сов.* disodli.
вы́звать *сов.* ❶ galw. ❷ herio. ❸ achosi.
выздора́вливать hybu; adenill.
выздоровле́ние *с.* cywair; adferiad.

вы́зов *м.* ❶ galwad; gwŷs; dyfyniad. ❷ her.
вызыва́ть *несов.* ❶ dyfynnu; galw; gwysio. ❷ herio. ❸ achosi; peri; achlysuro; dichon; cythruddo; gyrru.
вызыва́ющий *прил.* herfeiddiol.
вы́играть *сов.* ennill.
вы́игрывать *несов.* elwa; ennill.
вы́игрыш *м.* ennill.
вы́искивать *несов.* pigo.
вы́йти ❶ mynd allan/mas; ymadael. ❷ cyrraedd. ❸ tarddu. ❹ ymddangos. **выйти замуж** priodi.
выка́зывать *несов.* dynodi; amlygu.
выка́пывать *несов.* cloddio; cafnu; cafnio.
выка́рмливать *несов.* magu.
выки́дывать *несов.* lluchio.
вы́кидыш *м.* ysgariad.
вы́кинуть *сов.* lluchio.
выключа́ть *несов.* troi i ffwrdd; diffodd.
вы́ключить *сов.* troi i ffwrdd.
выко́вывать *несов.* gyrru.
выкола́чивать *несов.* baeddu.
вы́копать *сов.* cafnio.
вы́куп *м.* pwrcas; pridwerth.
выкупа́ть[1] *несов.* prynu.
выкупа́ть[2] *сов.* golchi.
выку́ривать *несов.* mygu; mogi.
вы́лазка *ж.* rhuthr.
вылеза́ть mynd allan.
вы́лезти dod allan.
вы́лезть dod allan.
вы́лететь hedfan (allan).
вылива́ть *несов.* arllwys.
вы́ложить *сов.* ❶ gosod allan. ❷ gorchuddio; brithweithio.
выматываться *несов.* ymlâdd.
вы́мпел *м.* ffan.
вы́мысел *м.* ffug.
вы́мышленный *прил.* ffug; chwedlonol.
вы́мя *с.* pwrs; piw; cadair.
вына́шивать *несов.* gori; meithrin.
вы́нести *сов.* ❶ dwyn. ❷ sefyll; dioddef; goddef.
вынима́ть *несов.* tynnu rhth allan/mas.
вы́нос *м.* abred.
выноси́ть[1] *несов.* ❶ dwyn. ❷ dioddef; goddef; sefyll.
выноси́ть[2] *сов.* dwyn.
выно́сливость *ж.* dioddefaint.
вынужда́ть *несов.* argymell.
вы́нужденный *прил.* (*что-л. делать*) rhwym; anfoddog.
вы́нуть *сов.* tynnu rhth allan/mas.
выпада́ть syrthio.
выпаде́ние *с.* cwymp.
выпа́ривать *несов.* anweddu.
вы́пас *м.* porfelaeth; porfel.

вы́пасть disgyn; syrthio (allan). **у него выпадали волосы** 'roedd yn colli ei wallt.
выпива́ть[1] *несов.* yfed.
выпива́ть[2] (*иметь пристрастие к спиртному*) bod yn yfwr mawr.
вы́пивка *ж.* gwlybaniaeth.
вы́пилить *сов.* llifo.
вы́пить *сов.* yfed.
вы́плата *ж.* tâl.
выполне́ние *с.* cyflawniad; cwblhad; perfformiad.
вы́полнить *сов.* cyflawni.
выполня́ть *несов.* sylweddoli; llenwi; cyflawni; affeithio; digoni.
выправля́ть *несов.* sythu.
выпра́шивать *несов.* canlyn.
вы́прямиться *сов.* sythu.
выпрямля́ть *несов.* sythu; sgwario; gwastatáu.
выпрямля́ться *несов.* sythu.
вы́пуклость *ж.* bogail; chwydd; cogwrn; crwth.
вы́пуклый *прил.* crwm; amgrwm.
вы́пуск *м.* rhifyn.
выпуска́ть *несов.* ❶ gollwng; rhyddhau. ❷ cyhoeddi.
вы́пустить *сов.* ❶ gollwng; rhyddhau. ❷ cyhoeddi.
выпь *ж.од.* aderyn y bwn; bwmp y gors.
выпя́чивать *несов.* bolio.
выраба́тывать *несов.* llunio; cynhyrchu.
вы́работка *ж.* allgynnyrch; gwneuthuriad.
выра́внивать *несов.* gwastatáu.
выража́ть *несов.* geirio; mynegi.
выража́ться *несов.* ❶ ymddangos. ❷ eich mynegi'ch hun. ❸ siarad yn gryf.
выраже́ние *с.* mynegiant; ymadrodd; wyneb.
вырази́тельность *ж.* mynegiant.
вырази́тельный *прил.* huawdl.
вы́разить *сов.* geirio; mynegi.
вы́разиться *сов.* ❶ ymddangos. ❷ eich mynegi'ch hun. ❸ siarad yn gryf.
выраста́ть tyfu.
вы́расти tyfu.
выра́щивание *с.* magwraeth.
выра́щивать *несов.* tyfu; meithrin; magu.
вы́рвать *сов.* tynnu.
вы́рваться *сов.* dianc.
выреза́ть[1] *несов.* ysgythru; torri.
вы́резать[2] *сов.* torri.
вырожда́ться *несов.* dirywio.
вырожде́ние *с.* dirywiad.
выруча́ть *несов.* gwared; achub.
вырыва́ть *несов.* tynnu.
вырыва́ться *несов.* dianc.
вы́садка *ж.* glaniad.
выса́живать *несов.* ❶ glanio; tirio. ❷ plannu.
выса́живаться *несов.* disgyn.
вы́севки *м.мн.* eisin.
высека́ть *несов.* ysgythru; naddu; taro.
выселя́ть *несов.* difetha.
выси́живать *несов.* gori; eistedd.
вы́сказать *сов.* dweud.
выска́зывание *с.* dywediad; ymadrodd; sylw; llafar.
выска́зывать *несов.* ynganu; llefaru.
выска́зываться *несов.* traethu; mynegi.
выска́кивать neidio allan.
вы́скользнуть llithro.
вы́скочить neidio allan.
вы́слать *сов.* ❶ anfon. ❷ alltudio.
высле́живать *несов.* olrhain.
вы́слушать *сов.* gwrando.
высме́ивать *несов.* cellwair; gwawdio; annos.
вы́сморкаться *сов.* chwythu.
высо́вываться *несов.* ymwthio.
высо́кий *прил.* uchel; tal; tenau.
высокоме́рие *с.* uchder; balchder; rhwyf.
высокоме́рный *прил.* ban; ffroenuchel; diystyr.
высоконра́вственный *прил.* moesol.
высота́ *ж.* uchder; cywair.
вы́сохший *прил.* sych.
высоча́йший *прил.* eithaf; pen.
высо́чество *с.* mawrhydi.
вы́ставить *сов.* ❶ symud ymlaen. ❷ cynnig. ❸ cyflwyno. ❹ arddangos; dinoethi. ❺ tyflu allan.
вы́ставка *ж.* arddangosfa.
выставля́ть *несов.* ❶ symud ymlaen. ❷ cynnig. ❸ cyflwyno. ❹ arddangos; dinoethi. ❺ tyflu allan.
вы́стрел *м.* (*действие*) taniad; ergyd.
вы́стрелить (*произвести выстрел*) gollwng.
выступа́ть ❶ dod ymlaen. ❷ siarad; chwarae. ❸ nawsio.
вы́ступить ❶ dod ymlaen. ❷ siarad; chwarae. ❸ nawsio.
выступле́ние *с.* ❶ anerchiad; gweithrediad; araith; ymddangosiad. ❷ ymadawiad. ❸ gwrthdystiad.
вы́сунуться *сов.* ymwthio.
высу́шивать *несов.* sychu.
вы́сший *прил.* uwchradd; uchel; pen; amgenach; amgen.
высыла́ть *несов.* ❶ anfon. ❷ alltudio.
вы́сылка *ж.* alltudiaeth; alltudedd.
высыпа́ние *с.* brech.
вы́сыпаться[1] *несов.* cael noson dda o gwsg, cysgu digon.
вы́сыпаться[2] *сов.* ymarllwys.
вы́сыпаться[3] *несов.* ymarllwys.
высыха́ть sychu; caledu.

вытаскивать *несов.* tynnu.
вытащить *сов.* tynnu; llusgo.
вытекать[1] llifo; llifeirio.
вытекать[2] (*брать начало - о реке; логически следовать*) deillio.
вытереть *сов.* sychu.
вытеснить *сов.* disodli.
вытеснять *несов.* disodli.
вытёсывать *несов.* naddu.
вытирать *несов.* sychu.
выть nadu; wylofain; udo.
вытягивание *с.* estyniad.
вытягивать *несов.* ehangu; ymestyn; estyn.
вытяжение *с.* estyniad.
вытянуть *сов.* ymestyn; estyn; tynnu.
вытянуться *сов.* ymestyn.
выхаживать *несов.* meithrin; arail.
выхватить *сов.* ❶ cipio. ❷ tynnu. **yn chwe mil ar hugain o wŷr yn tynnu cleddyf** двадцать шесть тысяч человек, обнажающих меч.
выход *м.* ❶ mynedfa. ❷ allgynnyrch.
выходить[1] ❶ mynd allan/mas; ymadael. ❷ cyrraedd. ❸ deillio; tarddu. ❹ ymddangos. ❺ wynebu. **выходить замуж** priodi.
выходить[2] *сов.* meithrin.
выходка *ж.* ystranc.
выходной[1] *м.* (*выходной день*) gŵyl. **выходные** penwythnos.
выходной[2] *прил.* allgynnyrch.
выхолащивать *несов.* diberfeddu.
вычёркивать *несов.* dileu.
вычёрпывать *несов.* cafnu; cafnio.
вычитание *с.* lleihad.
вычитать *несов.* tynnu.
выше *нареч.* (*в предшествующей речи; вверх по течению*) fry; uchod.
вышивать *несов.* gweithio; gwnïo; brwydo.
вышивка *ж.* brwyd; brwydwaith; cadis.
вышина *ж.* uchder.
выя *ж.* gwddf.
выяснить *сов.* cael gwybod.
выясниться *сов.* dod yn amlwg.
выяснять *несов.* archwilio.
вьюк *м.* pwn; pac.
вьющийся *прил.* crych.
вяз *м.* llwyfen.
вязание *с.* gwead.
вязанка *ж.* (*связка: дров и т.п.*) ysgub.
вязать *несов.* ❶ rhwymo; caethiwo. ❷ gwau. ❸ achosi dincod.
вялость *ж.* syrthni.
вялый *прил.* llesg; swrth; llipa; diog; dwl.
вянуть gwywo.
вяхирь *м.од.* ysguthan.

Г

га́вань *ж.* llongborth; aberfa; hafan; porth; porthladd.
гад *м.од.* ❶ dihiryn. ❷ ymlusgiad.
гада́ть dyfalu.
га́дить *несов.* cachu.
га́дкий *прил.* budr.
газ[1] *м.* (*ткань*) rhwyllen.
газ[2] *м.* (*вещество*) ❶ nwy. ❷ ysbardun.
газе́ль *ж.од.* (*антилопа*) gafrewig.
газе́та *ж.* newyddiadur.
газе́тный *прил.* papur newydd.
газе́тчик *м.од.* newyddiadurwr.
газовать ysbarduno.
газо́н *м.* ton.
гала́ктика *ж.* galaeth.
гале́ра *ж.* rhwyflong.
галере́я *ж.* oriel; tramwyfa.
галиматья́ *ж.* lol.
гало́п *м.* carlam.
галопи́ровать carlamu.
га́лстук *м.* tei.
га́лька *ж.* marian.
гам *м.* sŵn; ystŵr; trwst.
га́мма *ж.* graddfa.
гангре́на *ж.* cranc.
гара́ж *м.* modurdy; modurfa.
гаранти́рованный *прил.* amodol.
гаранти́ровать *несов. и сов.* haeru; sicrhau; gwirio; diogelu; dilysu.
гара́нтия *ж.* cadernid; dilysrwydd; sicrwydd; mechni.
гармони́ровать cyd-fynd; cydweddu.
гармо́ния *ж.* cynghanedd; cysondeb; cywair; cywydd.
гарнизо́н *м.* gwarchodlu.
гаси́ть *несов.* lladd; diffodd.
га́снуть diffodd.
гать *ж.* sarn.
гвалт *м.* sŵn; ystŵr; trwst.
гво́здик *м.* hoel fach.
гвозди́ка *ж.* penigan.
гвоздь *м.* cethr; cethren; hoel.
где *нареч.* ble; ple; man.
где́-либо *нареч.* rhywle.
где́-нибудь *нареч.* rhywle.
где́-то *нареч.* nunlle; rhywle; rhywle.
геморро́й *м.* clwyf y marchogion; ffolen.
ген *м.* genyn.
генеалоги́ческий *прил.* achyddol.
генеало́гия *ж.* ach; achyddiaeth; llinach.
генера́л *м.од.* cadfridog; cadlyw.
генера́льный *прил.* prif.
гениа́льность *ж.* athrylith.
гениа́льный *прил.* athrylithgar.
ге́ний *м.* (*высшая творческая способность*) athrylith; awenydd.
географи́ческий *прил.* daearyddol.
геологи́ческий *прил.* daearegol.
геоло́гия *ж.* daeareg.
гера́льдика *ж.* achyddiaeth.
герб *м.* arfbais.
герма́нец *м.од.* Ellmynwr; Almaenwr.
Герма́ния *ж.* Almaen.
герма́нский *прил.* Ellmynaidd; Almaenaidd.
герои́н *м.* heroin.
герои́ня *ж.од.* arwres.
геро́й *м.од.* gwron; pencampwr; dewr; cymeriad (персонаж); arwr.
ге́рцог *м.од.* dug.
ги́бель *ж.* mall; adfail; llaith; marwolaeth; angau; adfeiliant; adfeiliad; addoed.
ги́бельный *прил.* andwyol; dinistriol; trychinebus; adwythig.
ги́бкий *прил.* ystwyth; hyblyg.
ги́бкость *ж.* rhwyddineb.
ги́бнуть syrthio; adfeilio.
гибри́д *м.од.* (*животное*) croes.
гига́нт *м.од.* (*великан; в том числе о неодушевленных объектах*) cawr.
гига́нтский *прил.* anferthol; dirfawr; enfawr; anferth; aruthrol; cawraidd; abrwysgl.
гигие́на *ж.* iechydiaeth.
гигиени́ческий *прил.* iechydol.
гид *м.од.* hyfforddwr; arweinydd.
гимн *м.* anthem; carol (*обыкн. рождественский*); emyn (*церковный*).
гимнастёрка *ж.* tiwnig.
гипо́теза *ж.* damcaniaeth.
гиппопота́м *м.од.* afonfarch.
гирля́нда *ж.* amdorch; torch.
ги́ря *ж.* pwys.
гита́ра *ж.* gitâr.
глава́[1] *м.од.* (*руководитель*) penaig; pennaeth; pen; brëyr.
глава́[2] *ж.* (*голова; купол; раздел книги*) pennod; cabidwl.
гла́вный *прил.* prif; pennaf; llywodraethol; blaenorol; arbennig.
глаго́л *м.* berf.
глади́лка *ж.* plaen.
гла́дить *несов.* anwesu; smwddio (*dillad*).
гла́дкий *прил.* llathr; esmwyth; llithrig; gwastad; llyfn; didrafferth; plaen.
гладкость *ж.* llyfnder.
глаз *м.* llygad.
глазе́ть pensynnu; llygadu; rhythu; syllu; craffu.
глazо́к[1] *м.* (*небольшое отверстие; пятно; почка*) llygad; crau.

глазо́к[2] *м.* (*уменьш. к «глаз»*) llygad.
глазу́рь *ж.* arlliw.
гла́сность *ж.* cyhoeddusrwydd.
гла́сный[1] *прил.* (*доступный для общественного обсуждения*) lleisiol; cyhoedd; cyhoeddus.
гла́сный[2] *прил.* (*о звуках*) llafar.
гла́сный[3] *м.* (*звук*) llafariad; bogail.
глаша́тай *м.од.* cyhoeddwr; rhingyll.
гли́на *ж.* pridd.
глист *м.од.* llyngyren.
гло́бус *м.* pêl; glob.
глода́ть *несов.* cnoi.
глосса́рий *м.* geirfa.
глота́ние *с.* llwnc.
глота́ть *несов.* llyncu.
гло́тка *ж.* llwnc; gwddf; crombil.
глото́к *м.* llwnc.
глубина́ *ж.* dyfnder; eigion; trwch; affwysedd.
глубо́кий *прил.* dwfn; trwchus; dwys; affwysol.
глубь *ж.* dyfnder; eigion; anoddun.
глуми́ться *несов.* gwawdio.
глу́пость *ж.* afreswm; twpdra; ffolineb; annoethineb; malltod; anghymhendod.
глу́пый *прил.* anghymen; twp; tew; angall; hurt; ffôl; dwl; gwirion; bal; amhwyllus; amhwyllog; pŵl; afresymol.
глухова́тый *прил.* byddar.
глухо́й[1] *м.од.* byddar.
глухо́й[2] *прил.* ❶ byddar. ❷ di-lais (*фон.*).
гляде́ть *несов.* edrych; gweld.
гля́нец *м.* graen; arlliw.
гля́нуть edrych.
глянцеви́тый *прил.* llathr; gloyw.
гнать *несов.* ❶ hela; gyrru; hel; coethi; annos. ❷ distyllu.
гна́ться *несов.* erlyn; canlyn; hel; ymlid.
гнев *м.* digofaint; dicter; dig; llid; broch; iredd; cawdd; ffyrnigrwydd; angerdd.
гне́вный *прил.* irllawn; dig; llidus.
гнедо́й *прил.* gwinau.
гнезди́ться *несов.* nythu.
гнездо́ *с.* ❶ nyth. ❷ crau.
гнёздышко *с.* nyth.
гнёт *м.* trais; sang; pwys; gormes.
гнету́щий *прил.* trymaidd; treisiol; llethol.
гние́ние *с.* malltod; pydredd; adfeiliant; adfeiliad.
гнило́й *прил.* amharus; pwdr.
гни́лость *ж.* pydredd.
гниль *ж.* malltod; pydredd.
гнить pydru; adfeilio.
гнои́ть *несов.* pydru.
гной *м.* crawn; llin.
гнойни́к *м.* crug.
гном *м.од.* corrach; cor.
гну́сный *прил.* gwael; adgas; atgas; anghynnes; anfad.
гнуть *несов.* bachu; plygu; gwyro; crymu; bacho.
гобеле́н *м.* brithlen; bancr.
го́вор *м.* tafodiaith; araith; llafar; priod-ddull.
говори́ть *несов.* siarad; dweud; sgwrsio; llefaru; sôn; gohebu; ynganu; ymddiddan; mynegi; malu. **вы говорите по-русски?** ydych chi'n siarad Rwsieg?
говори́ться *несов.* cael ei ddweud.
говорли́вый *прил.* siaradus; coeth.
говору́н *м.од.* siaradwr.
говя́дина *ж.* cig eidion; biff.
го́гот *м.* ❶ crechwen. ❷ clegar.
гогота́ть ❶ crechwen. ❷ clegar.
год *м.* blwyddyn.
годи́ться *несов.* gwasanaethu; gweddu.
го́дный *прил.* gwiw; cymwys; addas; mad.
годова́лый *прил.* un flwydd oed.
годово́й *прил.* blynyddol.
годовщи́на *ж.* pen blwyddyn; cylchwyl; cyfenw.
гол *м.* adwy.
го́лень *ж.* coes.
Голла́ндия *ж.* Isalmaen.
голова́ *ж.* (*в обычн. знач.*) pen; iad.
голо́вка *ж.* dwrn; pen.
головно́й *прил.* ceffalig; pen.
головокружи́тельный *прил.* syfrdan.
головоло́мка *ж.* pos.
го́лод *м.* newyn.
голода́ние *с.* newyn.
голода́ть llwgu; newynu.
голода́ющий *м.од.* newynllyd; newynog.
голо́дный[1] *прил.* newynllyd; newynog.
голо́дный[2] *м.од.* newynwr.
голодо́вка *ж.* ympryd.
гололед *м.* rhew du.
го́лос *м.* pleidlais; llais.
голосова́ние *с.* pleidlais.
голосова́ть *несов.* pleidleisio; lleisio.
голосово́й *прил.* lleisiol; llafar.
голу́бка *ж.од.* colomen.
голубо́й *прил.* ❶ glas. ❷ hoyw.
голу́бчик *м.од.* gwas.
го́лубь *м.од.* colomen.
го́лый *прил.* diffaith; llwm; noethlymun; moel; noeth.
голья́н *м.од.* pilcodyn.
гомосексуа́льный *прил.* hoyw.
гоне́ние *с.* erlid.
го́нка *ж.* gyrfa.
го́нки *ж.мн.* (*соревнование*) gyrfa.
гонт *м.* estyllen.
гонча́р *м.од.* troellwr; crochenydd.
го́нчая *ж.од.* helgi.
гоня́ть *несов.* gyrru; hela.
гора́ *ж.* mynydd.
гора́здо *нареч.* llawer.
горб *м.* crwth.

горба́тый *прил.* cefngrwm; crwthi; crwban.
горбу́н *м.од.* crwban.
горде́ливый *прил.* ban; balch; gorfynt.
горди́ться *несов.* ymffrostio.
го́рдость *ж.* balchder; rhwyf; gorfynt.
го́рдый *прил.* balch; rhwyfus; gorfynt.
горды́ня *ж.* balchder; rhwyf; gorfynt.
го́ре *с.* cyfyngder; cyni; brwyn; blinder; gofid; cawdd; afar; galar; aeth; tristwch; gwŷn; dolur; poen; gwae; adfyd; alaeth.
горева́ть hiraethu; cwyno; galaru; alaethu; galarnadu.
го́рестный *прил.* dygn; graen; irad; aethus; alaeth.
горе́ть ennyn; llosgi.
го́речь *ж.* chwerwdod; chwerwder.
горизо́нт *м.* gorwel.
горизонта́льный *прил.* gwastad.
гори́стый *прил.* mynyddig.
го́рка *ж.* llithren.
го́рло *с.* gwddf; crombil.
го́рлышко *с.* genau.
горн *м.* ❶ ffwrnais; pair. ❷ helgorn.
го́рница *ж.* ystafell.
го́рничная *ж.од.* morwyn.
горноста́й *м.од.* (*животное*) gwenci.
го́рный *прил.* ❶ mynydd. ❷ mwyngloddiol.
го́род *м.* bwrdeistref; tre; caer (*укрепленный*); dinas (*большой*); tref.
городо́к *м.* trefgordd; tre; tref.
городско́й *прил.* dinesig; trefol.
горожа́нин *м.од.* dinesydd; porthmon.
гороско́п *м.* addurn.
горо́х *м.* pysen.
горо́шина *ж.* pysen.
го́рстка *ж.* dyrnaid.
го́рсточка *ж.* dyrnaid.
горсть *ж.* dyrnaid.
горшо́к *м.* llestr; baeol; pot; crochan.
го́рький *прил.* chwerw; irad; hallt; tost; agerw.
горю́чее *с.* tanwydd.
горя́чий *прил.* poeth; twym; calonnog; milain; selog; angerddol; eiddgar; tanbaid; taer; awyddus; tesog; anwydog; awyddfrydig; awchus.
горячи́ть *несов.* poethi; twymo.
горя́чность *ж.* cynhesrwydd; gwres; angerddoldeb.
го́спиталь *м.* ysbyty.
господи́н *м.од.* ❶ meistr; llywodraethwr; arglwydd; rhi. ❷ bonwr; boneddigwr; syr.
госпо́дство *с.* rheolaeth; rheol.
госпо́дствовать teyrnasu; rheoli; llywodraethu.
госпо́дствующий *прил.* llywodraethol.
госпо́дь *м.од.* arglwydd; rhi.
госпожа́ *ж.од.* boneddiges; arglwyddes; meistres.
гостеприи́мство *с.* trwydded.
гости́ница *ж.* gwesty.
гости́ть trigo; aros.
гость *м.од.* gwestai; ymwelydd; ymwelwr.
госуда́рственный *прил.* gwladol.
госуда́рство *с.* gwladwriaeth; ystad.
госуда́рь *м.од.* pendefig.
гот *м.од.* Goth.
гото́вить *несов.* coginio; paratoi; hyfforddi; digoni; achub; hwylio.
гото́виться *несов.* ymbaratoi.
гото́вность *ж.* parodrwydd.
гото́вый *прил.* ❶ parod; cywair; aeddfed; addfed; gwiw. ❷ bodlon; blaenllaw; ystig.
грабёж *м.* ysbail.
граби́тель *м.од.* lleidr; ysbeiliwr.
гра́бить *несов.* anrheithio; lladrata; difrodi.
гра́вий *м.* graean.
гравирова́ть *несов.* ysgythru.
гравю́ра *ж.* cerflun.
град[1] *м.* (*город*) caer; din.
град[2] *м.* (*осадки*) cesair; cenllysg.
града́ция *ж.* graddfa.
градуи́ровать *несов. и сов.* graddio.
гра́дус *м.* gradd.
граждани́н *м.од.* dinesydd; gwladwr; deiliad.
гражда́нский *прил.* ❶ dinesig; sifil; gwladol; cartrefol. ❷ sifiliad.
гражда́нство *с.* dinasyddiaeth.
грамм *м.* gram.
грамма́тика *ж.* gramadeg; ieitheg.
граммати́ческий *прил.* gramadegol; ieithegol.
гра́мота *ж.* ❶ breinlen; siartr. ❷ llythrennedd.
грамоте́й *м.од.* ysgolhaig.
гра́мотность *ж.* llythrennedd.
грампласти́нка *ж.* disg.
гран *м.* graen.
грана́т *м.* ❶ grawnafal; pomgranad. ❷ maen gwerthfawr rhuddgoch ei liw.
грана́та *ж.* llawfom.
грандио́зность *ж.* mawredd.
грандио́зный *прил.* mawreddog; crand; campus.
грани́т *м.* gwenithfaen; ithfaen.
грани́ть *несов.* ffasedu; torri.
грани́ца *ж.* cyfyl; cyffin; diben; ymyl; tuedd; terfyn; ffin; goror; amgant.
грани́чить terfynu; ymylu.
грань *ж.* ymyl; min; cwr; godre.
граф[1] *м.од.* (*титул*) iarll.
граф[2] *м.* (*матем. понятие*) graff.
графа́ *ж.* colofn.
гра́фик *м.* (*чертеж; распорядок*) ❶ amserlen. ❷ siart.
графи́н *м.* decanter; caráff.
графи́ня *ж.од.* iarlles.

гра́фство *с.* gosgordd; iarllaeth; sir; swydd.
грацио́зный *прил.* gosgeiddig.
гра́ция *ж.* (*изящество*) gras.
грач *м.од.* brân.
гре́бень *м.* crib; cadair.
гребе́ц *м.од.* rhwyfwr.
гребешо́к *м.* (*уменьш. к «гребень»*) crib.
гре́за *ж.* breuddwyd.
гре́зить breuddwydio.
грек *м.од.* Groegwr.
греме́ть taranu; rhuglo; diasbedain; atseinio; rholio.
грено́к *м.* tost.
грести́ *несов.* rhwyfo.
греть *несов.* twymo; cynhesu.
грех *м.* pechod.
Гре́ция *ж.* Groeg.
гре́ческий *прил.* Groeg.
греши́ть troseddu; pechu.
гре́шник *м.од.* pechadur.
гре́шный *прил.* ysgeler.
гриб *м.* madarchen.
гри́ва *ж.* mwng.
гри́вна *ж.* torch; aerwy.
грима́са *ж.* cimwch; gwep; wyneb; ystum.
грипп *м.* (*болезнь*) anwydwst.
гриф[1] *м.од.* (*птица*) fwltur; barcutgi.
гриф[2] *м.* (*часть муз. инструмента; штемпель*) ❶ bysfwrdd. ❷ bar. ❸ nod.
гроб *м.* cist; arch; ysgrîn.
гроза́ *ж.* tymestl; ystorm.
гроздь *ж.* bagad.
грози́ть bygwth.
гро́зный *прил.* ofnadwy.
гром *м.* taran.
грома́дный *прил.* anferthol; uthr; dirfawr; enfawr; aruthrol; anferth; cawraidd; abrwysgl; angiriol; anguriol.
громи́ла *м.од.* ysbeiliwr.
громи́ть *несов.* malu.
гро́мкий *прил.* croch; swnllyd; llafar; ban; uchel.
громкоговори́тель *м.* uchelseinydd.
громозди́ть *несов.* pentyrru.
громо́здкий *прил.* anhylaw.
гро́хнуть *сов.* clepian.
гро́хот[1] *м.* (*шум*) sŵn; ystŵr; trwst.
гро́хот[2] *м.* (*большое решето*) gogr.
грохота́ть rhuglo; rholio.
грубова́тый *прил.* garw; taeog.
гру́бость *ж.* afrywiogrwydd; anfoesgarwch.
гру́бый *прил.* ysgithrog; dybryd; crai; gwerinol; cri; garw; taeog; bras; amrwd; amddyfrwys; aflafar; afrywiog; trwsgl; afrasol; afraslon; anfanol; anfanwl; anfoesgar; anfynud; anfwyn; anghynnil; annethau.
гру́да *ж.* das; tas; teml; tomen; carfan; twr; pentwr; crug.
грудь *ж.* bron; mynwes.
груз *м.* pwn; pwys; llwyth; baich.
грузи́ло *с.* plymen.
грузи́ть *несов.* llwytho.
грузови́к *м.* lori.
грунт *м.* âr; pridd; daear; baw; tir.
грунтова́ть *несов.* seilio.
гру́ппа *ж.* grŵp; bagad; twr; pac.
группирова́ть *несов.* grwpio; trefnu.
группиро́вка *ж.* ❶ dosbarthiad. ❷ twr; carfan.
гру́стный *прил.* digalon; galarus; trist; alaeth; alaethus; crai; graen; prudd; oer; aflawen; aele; adfant; addoer.
грусть *ж.* melan; prysurdeb; gofid; afar; galar; tristwch; alaeth; annywenydd.
гру́ша *ж.* ❶ gellygen. ❷ pêl ddyrnu; bag dyrnu.
гры́жа *ж.* bors.
грызть *несов.* cnoi.
грязни́ть *несов.* baeddu; trochi.
гря́зный *прил.* budr; brwnt; amhûr; amhurol.
грязь *ж.* pydew; llaid; tom; pridd; baw; amhuredd; aflendid.
губа́ *ж.* (*орган*) gwefus; min; mant; gylfin.
губа́н *м.од.* peneuryn.
губерна́тор *м.од.* llywydd; llywodraethwr.
губи́тельный *прил.* andwyol; dinistriol; niweidiol; marwol; adwythig; angheuol.
губи́ть *несов.* datod; darfod; lladd; andwyo.
гу́бка[1] *ж.* (*умывальная принадлежность*) ysbwng.
гу́бка[2] *ж.* (*уменьш. к «губа»; гриб*) gwefus fach.
гу́бка[3] *ж.од.* (*водное животное*) gwlân môr; ysbwng.
гуде́ние *с.* trwst.
гуде́ть chwyrnu.
гул *м.* si; trwst.
гуля́нка *ж.* term.
гуля́нье *с.* rhodfa.
гуля́ть mynd am dro; cerdded.
гуманита́рий *м.од.* dyneiddiwr.
гума́нность *ж.* dynoliaeth.
гумно́ *с.* llawr; ysgubor.
гурт *м.* (*стадо*) haid; gyr.
гуртовщи́к *м.од.* gyrrwr.
гуса́к *м.од.* ceiliagwydd.
гу́сеница[1] *ж.* (*деталь трактора, танка*) trac treigl.
гу́сеница[2] *ж.од.* (*личинка бабочки*) lindys; teiliwr.
гусёнок *м.од.* cyw gŵydd.
гу́сли *м.мн.* llaswyr.
густо́й *прил.* trymaidd; trwchus; tew.
густота́ *ж.* dyfnder; sylwedd.
гусы́ня *ж.од.* gŵydd.
гусь *м.од.* gŵydd.
гу́ща *ж.* ❶ trwch; canol. ❷ gwaddod. ❸ dryslwyn. **кофейная гуща** gwaelodion coffi.

да[1] *сз.* ac; a.
да[2] *част.* (*утвердительная, вопросительная и др.*) выражается повторением глагола из вопроса; ie (при ответе на эмфатический вопрос); do (в ответах на вопросы о прошлом). **вы придете?—да** dych chi'n dod?—ydw. **не могли бы ли Вы прийти?—да** allech chi ddod?—gallwn.
да[3] *част.* (*усилительная*) (*передается повелительным наклонением*). **да будет свет!** bydded goleuni! **да будет так!** bid felly!
да́бы *сз.* er mwyn.
дава́ть *несов.* ❶ rhoi; dolio; cyflenwi; costio; gildio. ❷ caniatáu; gadael.
дава́ться *несов.* dod yn hawdd i rn; gildio.
дави́ть *несов.* sarnu; sangu; gwasgu.
дави́ться *несов.* tagu.
да́вка *ж.* gwasg.
давле́ние *с.* sang; pwys.
да́вний *прил.* hen.
давно́ *нареч.* am amser maith; amser maith yn ôl.
да́же *сз.* hyd yn oed.
да́лее *нареч.* (*затем, потом*) ymhellach.
далёкий *прил.* pell.
даль *ж.* pellter.
дальне́йший *прил.* pellach.
да́льний *прил.* pell.
дальнови́дность *ж.* gweledigaeth.
дальнови́дный *прил.* craff.
да́льность *ж.* pellter.
да́льше *нареч.* (*затем, потом*) ymhellach.
да́ма *ж.од.* boneddiges.
да́мба *ж.* sarn; clawdd; argae.
да́нные *с.мн.* cefndir.
данти́ст *м.од.* deintydd.
дань *ж.* teyrnged; treth.
дар *м.* rhoddiad; anrheg; dawn; rhodd.
дари́тель *м.од.* cyflwynydd; cyflwynwr.
дари́ть *несов.* (*преподносить в дар*) anrhegu; cyflwyno.
дарова́ние *с.* rhodd; dawn.
дарова́ть *несов. и сов.* anrhegu; cyflwyno.
да́ром *нареч.* ❶ yn rhad ac am ddim. ❷ yn ofer.
да́та *ж.* dyddiad; amseriad.
дати́ровать *несов. и сов.* amseru; dyddio.
дать *сов.* ❶ rhoi. ❷ caniatáu.
да́ча *ж.* ❶ hafod. ❷ rhoddiad. **дача взятки** llwgrwobraeth.
два *числит.* dau.
двадца́тый *числит.* ugeinfed.
два́дцать *числит.* ugain.
два́жды *нареч.* dwywaith.
двена́дцатый *числит.* deuddegfed.
двена́дцать *числит.* deuddeg; deuddeng.
две́рца *ж.* drws.
дверь *ж.* dôr; drws.
две́сти *числит.* dau gant.
дви́гатель *м.* modur; peiriant.
дви́гать *несов.* (*перемещать, толкая или таща; шевелить*) syflyd; mudo; ysgogi; treiglo; symud.
дви́гаться *несов.* symud; trafod.
движе́ние *с.* symudiad; mudiad; ysgogiad; cynnwrf; cyffro; chwyf; treiglad.
дви́жимый *прил.* cychwynnol; symudol.
дви́жущий *прил.* symudol.
дви́нуться *сов.* symud.
дво́е *числит.* dau.
дво́йка *ж.* dau.
двойни́к *м.* (*о предмете*) gefell.
двойно́й *прил.* dwbl; dyblyg.
дво́йственный *прил.* dyblyg.
двор[1] *м.* (*участок земли и т.д.*) buarth; gorsedd; talwrn.
двор[2] *м.* (*при монархе*) cyntedd; llys.
дворе́ц *м.* palas; plas; llys.
дво́рник[1] *м.од.* (*работник*) gofalwr.
дво́рник[2] *м.* (*стеклоочиститель*) weipar; sychwr glaw; sychwr ffenestr.
дворня́га *ж.од.* brithgi.
дворня́жка *ж.од.* brithgi.
дворяни́н *м.од.* brëyr; uchelwr.
дворя́нство *с.* bonedd.
двоя́кий *прил.* dyblyg.
двуликий *прил.* ag iddo ddau wyneb.
двули́чный *прил.* dyblyg.
двусмы́сленность *ж.* astrusi; amwysedd.
двусмы́сленный *прил.* astrus; dyblyg; amheus; amwys.
двусти́шие *с.* cwpled.
двухгоди́чный *прил.* dwyflynyddol.
двухле́тний *прил.* dwyflynyddol.
двуязычие *с.* dwyieithrwydd.
двуязы́чный *прил.* dwyieithog.
дебати́ровать *несов.* dadlau.
деба́ты *м.мн.* trafodaeth; dadl.
дебито́р *м.од.* dyledwr.
де́бри *м.мн.* gwyllt.
де́ва *ж.од.* gwyryf; morwyn.
дева́ть *несов.* rhoi. **я не знаю, куда себя девать** ni widdwn i ddim beth i'w wneud.
дева́ться *несов.* diflannu; dianc.
де́верь *м.од.* brawd-yng-nghyfraith.
деви́з *м.* arwyddair.
деви́ца *ж.од.* lodes; rhiain; morwyn; banon.
де́вка *ж.од.* llances; hoeden.
Девон *м.* Dyfnaint.
ж.од. lodes; llances; merch.

де́вственница *ж.од.* gwyryf; morwyn.
де́вственность *ж.* dilysrwydd.
де́вушка *ж.од.* llances; merch; geneth; lodes; rhiain; morwyn; banon; imp.
девчо́нка *ж.од.* llances; hoeden.
девяно́сто *числит.* deg a phedwar ugain.
девяно́стый *числит.* degfed a phedwar ugain.
де́вятеро *числит.* naw.
девя́тка *ж.* naw.
девятна́дцатый *числит.* pedwerydd ar bymtheg.
девятна́дцать *числит.* pedwar ar bymtheg.
девя́тый *числит.* nawfed.
де́вять *числит.* naw.
девятьсо́т *числит.* naw cant.
дегенера́ция *ж.* dirywiad.
деграда́ция *ж.* iseliad.
деградú́ровать iselu; iselhau.
дед *м.од.* tad-cu; taid.
де́душка *м.од.* tad-cu; taid.
дежу́рить gwylio; gwarchod.
дежу́рный *прил.* ar ddyletswydd.
дежу́рство *с.* dyletswydd.
де́йственность *ж.* effeithiolrwydd; grym.
де́йствие *с.* ❶ gweithred; gweithrediad. ❷ effaith. ❸ act (*Th.*).
действи́тельность *ж.* ❶ gwirionedd. ❷ dilysrwydd.
действи́тельный *прил.* gwrthrychol; gweithredol; addfwyn.
де́йствовать gweithredu; ymddwyn; gweithio; medru; digoni; craffu (ar); actio.
де́йствующий *прил.* gweithredol.
де́ка *ж.* cafn.
дека́брь *м.* Rhagfyr.
дека́н *м.од.* deon.
деклама́тор *м.од.* adroddwr.
деклами́ровать *несов.* adrodd; cydadrodd; malu.
деклара́ция *ж.* datganiad.
деклари́ровать *несов. и сов.* swnio.
декорати́вный *прил.* addurnol.
декора́тор *м.од.* addurnwr.
декора́ция *ж.* golygfa.
декре́т *м.* arfaeth; act.
делатель *м.од.* gwneuthurwr.
де́лать *несов.* gwneud; llunio; dichon; digoni.
де́латься *несов.* ❶ digwydd. ❷ cael ei wneud.
делега́т *м.од.* dirprwywr; cynrychiolwr; dirprwy; cynrychiolydd; anfonog.
делега́ция *ж.* cenhadaeth.
деле́ние *с.* rhaniad.
деликате́с *м.* amheuthun; ancwyn.
делика́тный *прил.* cynnil; meddal; tyner; tirion; llednais.
дели́ть *несов.* parthu; rhannu; gwahanu; dosbarthu; cydrannu.
дели́ться *несов.* ymwahanu; dolio; ymrannu; parthu; gwahanu.
де́ло *с.* ❶ gweithred; mater; achos; busnes; gwaith; peth; perwyl; trafodaeth. ❷ coflen; ffeil.
делови́тость *ж.* prysurdeb.
делови́тый *прил.* busnesol.
делово́й *прил.* busnesol.
дельфин *м.од.* llamhidydd; môr-fochyn.
демобилизова́ть *несов. и сов.* gollwng.
демокра́т *м.од.* gwerinwr.
демократи́зм *м.* gweriniaeth; gwerin.
демократи́ческий *прил.* gwerinol.
демокра́тия *ж.* gweriniaeth; gwerin.
де́мон *м.од.* cythraul; ellyll.
демонстра́ция *ж.* ❶ gwrthdystiad. ❷ arbrawf; arddangosfa.
демонстри́ровать *несов.* arddangos.
де́нди *м.од.* dandi.
де́нежный *прил.* ariannol.
день *м.* dydd; prynhawn; diwrnod; dwthwn. **день рождения** pen-blwydd.
де́ньги *ж.мн.* arian; pres; bath.
департа́мент *м.* adran.
депози́т *м.* blaendal; adnau.
депози́тор *м.од.* adneuwr.
депони́ровать *несов. и сов.* adneuo.
депре́ссия *ж.* iseliad; iselder.
депута́т *м.од.* aelod seneddol; dirprwy.
дёрганье *с.* plwc.
дёргать *несов.* tynnu.
дереве́нский *прил.* gwladol; gwledig.
дереве́нщина *м.ж.* iangwr; taeog.
дере́вня *ж.* pentref.
де́рево *с.* ❶ coeden; gwydden; prys. ❷ pren.
деревя́нный *прил.* pren.
держа́тель *м.од.* (*акций и т.п.*) deiliad.
держа́ть *несов.* ❶ cadw. ❷ dal; craffu.
держа́ться *несов.* glynu; cadw.
де́рзкий *прил.* digywilydd; herfeiddiol; beiddgar; hy; haerllug; glew.
дерива́ция *ж.* tarddiad.
дёрн *м.* ton.
дернуть *сов.* tynnu.
дерьмо́ *с.* tom.
десе́рт *м.* ancwyn.
де́скать *част.* ebe.
десна́ *ж.* cig y dannedd; carfan.
десни́ца *ж.* llaw dde.
де́спот *м.од.* unben.
деспоти́зм *м.* gormes.
десть *ж.* plyg.
деся́тая *ж.* degaid.
де́сятеро *числит.* deg.
десятиле́тие *с.* degaid.
десяти́на *ж.* ❶ degwm. ❷ 1.0925 ha.
деся́тка *ж.* degaid; deg.
деся́ток *м.* deg.
деся́тый *числит.* degfed.

де́сять *числит.* deg; deng.
дета́ль *ж.* ❶ rhan; pisyn. ❷ manylyn.
дета́льный *прил.* manwl; penodol.
детёныш *м.од.* cenau.
детермини́ровать *несов. и сов.* terfynu; pennu.
де́тище *с.од.* (*ребенок*) epil.
де́тская *ж.* meithrinfa.
де́тский *прил.* plentynnaidd.
де́тство *с.* mebyd; plentyndod.
деть *сов.* rhoi.
де́ться *сов.* diflannu; dianc.
дефека́ция *ж.* ysgarthiad.
дефе́кт *м.* rhemp; gwall; diffyg; bai; amherffeithrwydd; amhariad; coll; anafdod; anaf; anghaffael.
дефекти́вный *прил.* diffygiol.
дефе́ктный *прил.* diffygiol; amherffaith; amddifad.
дефици́т *м.* prinder; diffyg.
дефици́тный *прил.* prin.
деформи́ровать *несов. и сов.* aflunio; anffurfio.
дешёвый *прил.* rhad.
де́ятель *м.од.* gwneuthurwr; gweithredwr.
де́ятельность *ж.* gweithrediad; gweithred; gweithgaredd; gweithgarwch.
де́ятельный *прил.* prysur; heini; gweithredol; amrygyr.
джентльме́н *м.од.* boneddigwr; uchelwr.
диабе́т *м.* clefyd y siwgr.
диагра́мма *ж.* siart; ffigur; cynllun.
диаде́ма *ж.* talaith.
диале́кт *м.* tafodiaith; ieithwedd; priod-ddull; araith; llafar.
диале́ктный *прил.* tafodieithol.
диама́нт *м.* adamant.
диа́метр *м.* trwch.
диапазо́н *м.* ystod; cwmpas; amrediad; band.
диафра́гма *ж.* llen.
дива́н *м.* glwth.
дивизио́н *м.* rhaniad.
диви́зия *ж.* rhaniad.
ди́во *с.* rhyfeddod.
дие́та *ж.* cyfarpar.
дизентери́я *ж.* gwaedlif; fflwcs; darymred.
дика́рь *м.од.* anwar.
ди́кий *прил.* gwyllt; dyrys; gŵydd; anial; annof; milain; mileinig; anghynnes; anaraf; anwar.
дикобра́з *м.од.* ballasg.
дикорасту́щий *прил.* gwyllt.
ди́кость *ж.* ffyrnigrwydd.
диктова́ть *несов.* geirio.
ди́ктор *м.од.* cyhoeddwr; siaradwr.
ди́кция *ж.* llafar.
диле́мма *ж.* dryswch.
дилета́нт *м.од.* amatur.
дипло́м *м.* tystysgrif.
диплома́т *м.од.* ❶ diplomydd. ❷ bag dogfennau.
директи́ва *ж.* cyfarwyddyd.
дире́ктор *м.од.* rheolwr; prifathro; cyfarwyddwr.
дирижа́бль *м.* awyrlong.
дирижёр *м.од.* arweinydd.
диск *м.* disg.
дисквалифици́ровать *несов. и сов.* analluogi; anaddasu; anghyfaddasu; anghymhwyso.
дискредити́ровать *несов. и сов.* athrodi.
дискуссио́нный *прил.* dadleuol.
диску́ссия *ж.* dadl; trafodaeth; ymresymiad; ymdriniaeth.
дискути́ровать *несов.* trafod.
дислока́ция *ж.* lleoliad.
диссерта́ция *ж.* traethawd.
диссиде́нтский *прил.* Anghydffurfiol.
диссона́нс *м.* anghydfod; anghytgord.
диста́нция *ж.* pellter.
дистилли́ровать *несов. и сов.* distyllu.
дисципли́на *ж.* disgyblaeth.
дитя́ *с.од.* plentyn.
дича́ть gwylltu.
дичь *ж.* ❶ anifeiliaid hela, adar hela; cig hela; helwriaeth; helfa. ❷ dwli.
длань *ж.* llaw.
длина́ *ж.* hyd.
длинноно́гий *прил.* heglog.
дли́нный *прил.* maith; llaes; hir.
дли́тельность *ж.* parhad.
дли́тельный *прил.* parhaus; parhaol; maith; hir; tragywydd.
дли́ться *несов.* dal; parhau.
для *предл.* oblegid; tros; gogyfer; er; am; i; wrth; achos.
дневни́к *м.* dyddiadur.
дневно́й *прил.* dyddiol.
дни́ще *с.* gwaelod.
дно[1] *с.* (*бочки, бутылки и т.п.*) gwaelod.
дно[2] *с.* (*моря, реки*) tin; llawr; gwaelod.
до[1] *предл.* anad; tan; hyd; wrth; nes; cyn.
до[2] *с.* (*нота*) do.
доба́вить *сов.* ychwanegu.
добавле́ние *с.* ychwanegiad; atodiad.
добавля́ть *несов.* ychwanegu; brathu.
доба́вочный *прил.* atodol; ychwanegol.
добива́ться *несов.* cyrchu; mynnu; ymofyn; cyflawni; ennill; argeisio.
добира́ться *несов.* ymgyrchu.
доби́ться *сов.* ennill.
добра́ться *сов.* ymgyrchu; cyrraedd.
добро́ *с.* (*положительное начало и т.д.; старое название буквы «д»*) lles; daioni; da.
доброво́лец *м.од.* gwirfoddolwr.
доброво́льный *прил.* gwirfoddol; ystig.
доброво́льческий *прил.* gwirfoddol.

доброде́тель *ж.* rhinwedd; moesoldeb.
доброде́тельный *прил.* cyfiawn; rhinweddol; moesol; bucheddol.
доброду́шный *прил.* hynaws.
доброжела́тельность *ж.* caredigrwydd.
доброта́ *ж.* (*сущ. к «добрый»*) caredigrwydd; carueiddrwydd; tirionwch; cymwynas; addfwynder.
до́брый *прил.* caredig; da; cymwynasgar; mad; mwyn; tirion; llariaidd; hynaws.
добыва́ть *несов.* mwyngloddio; ymofyn; ennill.
добы́ть *сов.* ennill.
добы́ча *ж.* ysglyfaeth; buddiant; trais; ysbail; helfa; caffaeliad; anrhaith.
дове́рие *с.* cred; ymddiried; hyder; coel.
доверя́ть *несов.* ymddiried; credu.
довести́ *сов.* gyrru.
до́вод *м.* rheswm; dadl.
дово́льно *нареч.* eithaf; gweddol; lled; pur; digon; go; taran; braidd.
дово́льный *прил.* diddig; dedwydd; llon; bodlon; balch; gwynfydedig.
дово́льствие *с.* dogn; lwfans.
догада́ться *сов.* dyfalu; tybied.
дога́дка *ж.* tyb; amcan.
дога́дываться *несов.* dyfalu; tybied.
до́гмат *м.* daliad.
догна́ть *сов.* goddiweddyd.
догова́риваться *несов.* amodi; trefnu.
догово́р *м.* cytundeb; cyfamod; cyfaddawd.
договорённость *ж.* cyfamod; trefniant; trefniad.
договори́ться *сов.* amodi; trefnu.
догоня́ть *несов.* goddiweddyd.
дожда́ться *сов.* aros.
до́ждик *м.* cawod ysgafn o law mân; gwlithen.
дождь *м.* glaw; adlaw.
дожида́ться *несов.* aros.
до́за *ж.* dogn.
дозна́ние *с.* ymchwil.
дои́ть *несов.* godro.
дойти́ dod.
док *м.* llongborth.
доказа́тельство *с.* tystiolaeth; tyst; arbrawf; amlygrwydd; amlygiad.
доказа́ть *сов.* sefydlu.
дока́зывать *несов.* profi; rhesymu; haeru; arbrofi; amlygu; gwireddu; honni; gwirio; dadlau.
докла́д *м.* adroddiad.
докла́дывать *несов.* ❶ mynegi; hysbysu. ❷ ychwanegu.
до́ктор *м.од.* doctor; meddyg.
доктри́на *ж.* dysgeidiaeth; athrawiaeth; daliad.
докуме́нт *м.* dogfen; ysgrifeniad; ysgrif; gweithred.
докуча́ть busnesa; poeni; cythruddo.
дол *м.* ystrad.
долг[1] *м.* (*обязанность*) gorfodaeth; dyletswydd; dyled.
долг[2] *м.* (*денежный*) dyled.
до́лгий *прил.* maith; llaes; hir.
долгоно́сик *м.од.* gwyfyn; gwiddonyn.
долгосро́чный *прил.* maith.
долгота́ *ж.* hydred.
должни́к *м.од.* dyledwr.
до́лжное *с.* teyrnged.
до́лжность *ж.* penodiad; safle; swyddogaeth; swydd.
до́лжный *прил.* (*подобающий*) priodol; dyledog; dyledus. **сколько я должен Вам?** faint sy arna i i chi? **вы должны мне десять фунтов** mae arnoch chi ddeg punt i mi. **мы должны идти** rhaid inni fynd.
доли́на *ж.* glyn; dyffryn; pant; cwm; ystrad.
до́ллар *м.* doler.
доложи́ть *сов.* ❶ mynegi; hysbysu. ❷ ychwanegu.
долото́ *с.* cŷn; gaing.
до́ля *ж.* rhaniad; cyfran; dogn; rhan; parth; mesuriad; dalen (анат.).
дом *м.* tŷ; preswyl; preswylfa; llety; cartref; adlam; addef; aelwyd; pau; adwedd; tre; tref; trefn.
до́ма *нареч.* gartref; adref.
дома́шний *прил.* cartrefol.
до́мик *м.* bwthyn.
доминиру́ющий *прил.* llywodraethol.
домо́й *нареч.* gartref; adref.
домыть *сов.* golchi.
дон *м.од.* bonwr (*Sbaeneg*).
Дон *м.* Don (*afon*).
донесе́ние *с.* adroddiad.
донести́ *сов.* ❶ hysbysu. ❷ prepian. ❸ cludo.
донести́сь *сов.* cael ei chlywed.
доноси́ть[1] *несов.* ❶ hysbysu. ❷ prepian. ❸ cludo.
доноси́ть[2] *сов.* cludo.
доноси́ться *несов.* cael ei chlywed.
доно́счик *м.од.* hysbyswr.
допеча́тка *ж.* argraffiad.
дополне́ние *с.* atodlen; ychwanegiad; atodiad.
дополни́тельный *прил.* atodol; ychwanegol.
допра́шивать *несов.* archwilio; holi.
допро́с *м.* holiad.
до́пуск *м.* goddefgarwch; mynediad; trwydded; lwfans.
допуска́ть *несов.* cyfaddef; tybied; caniatáu; cydnabod.
допусти́мый *прил.* goddefol; caniataol.
допусти́ть *сов.* caniatáu; cydnabod.

допуще́ние *с.* derbyniad; mynediad; lwfans.
доро́га *ж.* heol; ffordd; tramwyfa; cerrynt; rhodfa.
дорого́й[1] *прил.* ❶ drud; prid; gwerthfawr; berth. ❷ annwyl; cu; aelaw.
дорого́й[2] *нареч.* ar y ffordd.
дорогосто́ящий *прил.* gwerthfawr.
доро́дный *прил.* boliog; praff.
доро́жка *ж.* wysg; wtre; wtra; llwybr.
доро́жный *прил.* ffordd.
доса́да *ж.* dicter; anfodd; anfodlonrwydd.
доса́дный *прил.* barnol.
досажда́ть poeni; cythruddo; anfoddio.
доска́ *ж.* tabl; bwrdd; astell; estyllen.
доскона́льный *прил.* trylwyr; trwyadl.
досло́вный *прил.* llythrennol.
доспе́хи *м.мн.* llurig.
достава́ть *несов.* cyrchu; ymofyn.
достава́ться *несов.* cael ei gael.
доста́вить *сов.* cyflenwi.
доста́вка *ж.* cludiant; traddodiad.
доставля́ть *несов.* traddodi; nôl; cyflenwi; rhyngu.
доста́ток *м.* gwala; digonedd; ablwch; abledd.
доста́точно *нареч.* digon.
доста́точный *прил.* abl; helaeth; digon; digonol.
доста́ть *сов.* cyrchu; nôl.
доста́ться *сов.* cael ei chael.
достига́ть cyrchu; ymgyrchu; cyflawni; ennill; cyrraedd; tirio; amgyffred; cyrhaeddyd; rhyngu.
дости́гнуть ennill; cyrraedd.
достиже́ние *с.* ❶ camp; cyflawniad; gorchest. ❷ cyrhaeddiad.
достове́рный *прил.* dilys.
досто́инство *с.* gwyrth; urddas; rhinwedd; balchder.
досто́йный *прил.* gwiw; urddasol; teilwng; cymwys; dyledus.
достопа́мятный *прил.* cofiadwy.
достопочте́нный *прил.* anrhydeddus.
достопримеча́тельный *прил.* hynod.
до́ступ *м.* mynedfa; mynediad.
досту́пность *ж.* hygyrchedd.
досту́пный *прил.* penagored.
досу́г *м.* seibiant; hamdden.
досье́ *с.* coflen; ffeil.
досяга́емость *ж.* cyrhaeddiad.
дотра́гиваться *несов.* teimlo.
дотя́гиваться *несов.* estyn.
до́хлый *прил.* marw.
до́хнуть[1] (*умирать*) marw.
до́хнуть[2] (*сделать выдох*) anadlu.
дохо́д *м.* lles; elw; cyllid; ennill; budd; llog.
доходи́ть dod.
дохо́дный *прил.* buddiol.
до́чка *ж.од.* merch.
дочу́рка *ж.од.* merch.
дочь *ж.од.* merch.
до́шлый *прил.* cyfrwys.
доще́чка *ж.* plât; tabled.
драгоце́нность *ж.* gem; glain; tlws; gemwaith.
драгоце́нный *прил.* gwerthfawr.
дразни́ть *несов.* cellwair; coethi.
дра́ка *ж.* ffrwgwd; ymladd; ysgarmes.
драко́н *м.од.* draig.
дра́ма *ж.* drama.
дра́нка *ж.* dellten; estyllen.
дра́ться *несов.* ymladd; ymgodymu.
дребезжа́ть rhuglo.
древеси́на *ж.* pren; coeden.
дре́вко *с.* gwernen; paladr; asgell.
дре́вний *прил.* hen; oesol; hynafol.
дре́во *с.* gwydden; coeden.
дрема́ть cysgu; hepian; amrantuno.
дремо́та *ж.* hun; amrantun; cysgadrwydd.
дрему́чий *прил.* dyrys.
дрена́ж *м.* ceuffos.
дрессирова́ть *несов.* hyfforddi.
дрессиро́вка *ж.* hyfforddiant; addysgiaeth.
дробина *ж.* gronyn.
дроби́нка *ж.* gronyn.
дроби́ть *несов.* parthu; rhannu.
дробь *ж.* ❶ toriad. ❷ grawn.
дрова́ *с.мн.* tanwydd.
дровосе́к *м.од.* coediwr; cwympwr coed; torrwr coed.
дро́гнуть[1] (*вздрогнуть; не выдержать*) crynu; anwadalu.
дро́гнуть[2] (*зябнуть*) rhewi.
дрожа́ть siglo; crynu.
дро́жжи *м.мн.* eples; berem.
дрожь *ж.* cryndod; ias; crych; achre.
дрозд *м.од.* bronfraith.
дрок *м.* eithinen.
дро́тик *м.* picell; genwair; bêr; cethr; cethren; gwaywffon; gwayw; gaflach.
друг *м.од.* cyfaill; câr. **друг друга** ei gilydd, ein gilydd, eich gilydd. **друг с другом** gyda'i gilydd, gyda'n gilydd, gyda'ch gilydd.
друго́й *мест.* llall; arall; amgenach; amgen.
дру́жба *ж.* cyfeillgarwch; cymdeithas; undod; carennydd; carwriaeth.
дружелю́бие *с.* tirionwch; cyfeillgarwch.
дру́желюбный *прил.* cyfeillgar.
дру́жеский *прил.* cyfeillgar.
дру́жественный *прил.* cyfeillgar.
дружи́на *ж.* teulu; gosgordd.
дружи́ть bod yn gyfaill (i rn).
дружо́к *м.од.* cyfaill.
друи́д *м.од.* derwydd; dryw; gwyddon.
дря́блый *прил.* llipa.
дрянь *ж.* (*хлам*) sothach.
дря́хлый *прил.* musgrell.

дуб *м.* (*дерево*) derwen.
дуби́на *ж.* (*палка*) pastwn.
дуби́нка *ж.* pastwn.
дуга́ *ж.* bwa; cwmpas; dolen.
ду́дка *ж.* cetyn; pib; pibell.
ду́ло *с.* baril; ffroen.
ду́ма *ж.* ❶ syniad. ❷ senedd.
ду́мать meddwl; tybied; credu.
ду́мский *прил.* seneddol.
дунове́ние *с.* chwa; chwyth; gwynt; anadliad; piff.
дупло́ *с.* ceudod.
ду́ра *ж.од.* ioncen.
дура́к *м.од.* ionc; twpsyn.
дурале́й *м.од.* ionc.
дура́цкий *прил.* hurt; dwl; bal.
дура́чить *несов.* ffoli.
дура́читься *несов.* ffoli.
дурачо́к *м.од.* ioncyn.
дуре́ть ffoli.
дури́ть ffoli.
дурно́й *прил.* chwithig; gwael; cam; drwg; adwythig; anhylaw; annifai.
дуршла́г *м.* hidl.
дуть *несов.* chwythu.
дутьё *с.* chwa.
ду́ться *сов.* pwdu.
дух[1] *м.* (*в обычных знач.*) ysbryd; enaid; anian.
дух[2] *м.од.* (*сверхъестественное существо*) ysbryd.
духи́ *м.мн.* persawr.
духо́вка *ж.* ffwrn; popty.
духо́вный *прил.* ysbrydol; moesol.
душ *м.* cawod.
душа́ *ж.* ysbryd; enaid; ceudod; mynwes.
душевнобольно́й *прил.* gwallgof.
душе́вный *прил.* ❶ calonnog. ❷ meddyliol.
души́стый *прил.* pêr.
души́ть *несов.* tagu; mygu; mogi; cega.
ду́шный *прил.* trymaidd; mwll; myglyd.
душо́к *м.* arogl.
дуэ́ль *ж.* gornest.
дщерь *ж.од.* merch.
дым *м.* mwg.
дыми́ть mygu; ysmygu.
дыми́ться *несов.* mygu.
ды́мка *ж.* niwl; caddug; tes.
ды́мный *прил.* myglyd.
дымо́к *м.* mwg bach.
дымохо́д *м.* simnai.
ды́мчатый *прил.* myglyd.
дыра́ *ж.* twll; crau; rhwyg.
ды́рка *ж.* twll.
дыха́ние *с.* chwyth; gwynt; anadl; anadliad.
дыша́ть anadlu; dyheu (yn fyr a chyflym).
ды́шло *с.* llorp.
дья́вол *м.од.* andros; ellyll; diawl; cythraul; andras.
дьяволица *ж.од.* dera.
дья́вольский *прил.* dieflig; ellyllaidd.
дья́кон *м.од.* deon.
дю́жина *ж.* dwsin.
дюйм *м.* modfedd.
дю́на *ж.* tywyn; twyn.
дя́дя *м.од.* (*брат отца или матери*) ewythr.
дя́тел *м.од.* delor.

Е

ева́нгелие *с.* efengyl.
евангели́ческий *прил.* efengylaidd.
ева́нгельский *прил.* efengylaidd.
евре́й *м.од.* Iddew.
евре́йка *ж.од.* Iddewes.
евре́йский *прил.* Iddewig; Iddewaidd.
е́вро *м.* ewro.
Евро́па *ж.од.* Ewrop.
европе́йский *прил.* Ewropeaidd.
е́герь *м.од.* heliwr.
Еги́пет *м.* Aifft.
его́ *мест.* ei; eiddo.
еда́ *ж.* bwyd; pryd; lluniaeth.
едва́ *нареч.* prin; newydd; braidd.
едине́ние *с.* cyfundeb; undod; undeb.
едини́ца *ж.* undod; uned; un.
единичность *ж.* unigrwydd.
едини́чный *прил.* unigol.
единоду́шный *прил.* cyfun.
еди́нственный *прил.* unigol; unig.
еди́нство *с.* undod; uned; undeb.
еди́ный *прил.* ❶ unol. ❷ unig.
е́дкий *прил.* sur; llym; hallt; miniog; tost; brathog; awchus.
её *мест.* ei; eiddi.
ёж *м.од.* (*животное*) draenog.
ежа́ *ж.* (*злак*) troed y ceiliog.
ежеви́ка *ж.* miaren.
ежего́дный *прил.* blynyddol.
ежедне́вный *прил.* dyddiol; beunyddiol.
е́жели *сз.* os.
ежеме́сячный *прил.* misol.
еженеде́льник *м.* wythnosolyn.
еженеде́льный *прил.* wythnosol.
ежи́ха *ж.од.* draenoges.
е́здить mynd.
е́ле *нареч.* prin.
еле́й *м.* ennaint.
ёлка *ж.* ffynidwydden.
ель *ж.* ffynidwydden.
ёмкость *ж.* cib; derbyniad.
епа́рхия *ж.* esgobaeth.
епи́скоп *м.од.* (*духовное лицо*) esgob.
е́ресь *ж.* geugred.
ёрзать gwingo.
ермо́лка *ж.* kippah.
ерунда́ *ж.* lol; sothach.
ерш *м.од.* (*рыба*) crychyn.
ершик[1] *м.* (*щеточка*) brws.
ершик[2] *м.од.* (*уменьш. к «ерш»—рыба*) crychyn.
е́сли *сз.* pe; os.
есте́ственный *прил.* genedigol; rhwydd; naturiol; anianol.
естество́ *с.* natur; anian; annwyd.
естествоиспыта́тель *м.од.* anianydd.
есть *несов.* bwyta; ysu.
е́хать mynd.
ещё *нареч.* rhagor; eto.

ж[1] *част.* tra.
ж[2] *сз.* ond; tra.
жа́ба *ж.од.* (*животное*) llyffant.
жа́бра *ж.* cragen.
жа́воронок *м.од.* (*птица*) ehedydd; hedydd.
жа́дный *прил.* barus; glwth; ysglyfaethus; anniwall; cipiog; awchus.
жа́жда *ж.* syched; angen.
жа́ждать dyheu; methu.
жаке́т *м.* siaced.
жале́ть *несов.* gresynu.
жа́лить *несов.* pigo; brathu.
жа́лкий *прил.* truenus; tlawd; salw; pitw; gwael; diflas; truan; annifyr; adfydus; anniddan.
жа́ло *с.* colyn.
жа́лоба *ж.* griddfan; argan; achwyn; cwyn; achwyniad.
жа́лобщик *м.од.* achwynwr.
жа́лование *с.* (*сущ. к «жаловать»*) llog.
жа́лованье *с.* tâl; cyflog.
жа́ловаться *несов.* cwyno; achwyn; griddfan; conach; swnian; gwenwyno.
жа́лость *ж.* tosturi; trueni; trugaredd.
жар *м.* (*зной, раскаленность; повышенная температура тела; пыл, энтузиазм*) twymyn; gwres; cynhesrwydd; angerdd; tes.
жара́ *ж.* gwres; angerdd; tes.
жа́рить *несов.* pobi.
жа́ркий *прил.* tanbaid; twym; poeth; mwll; tesog.
жа́тва *ж.* cnwd.
жать[1] *несов.* (*сжинать*) lladd; medi.
жать[2] *несов.* (*сжимать*) gwasgu.
жгу́чий *прил.* tanbaid; poeth; hallt.
ждать *несов.* disgwyl; aros; erfyn.
же[1] *част.* tra.
же[2] *сз.* ond; tra.
жева́ть *несов.* cnoi.
жезл *м.* pastwn; paladr; gwialen.
жела́ние *с.* chwant; eisiau; dymuniad; ynni; angen; awydd; bryd; ewyllys; adolwyn; anwes.
жела́нный *прил.* dymunol.
жела́тельный *прил.* dymunol.
жела́ть *несов.* mynnu; dymuno; awyddu; hoffi; ymofyn; dyheu.
жела́ющий *м.од.* awyddus.
желе́ *с.* ceulfwyd.
железа́ *ж.* chwarren; ffynnon.
железнодоро́жный *прил.* rheilffordd.
желе́зный *прил.* haearn.
желе́зо *с.* haearn.
жёлоб *м.* cafn; trwnc.
желобо́к *м.* rhych; crafiad.
жёлтый *прил.* melyn.
желу́док *м.* bola; bol; tor.
жёлудь *м.* mesen.
же́лчность *ж.* bustl.
желчь *ж.* bustl; dueg.
жема́нство *с.* cymhendod.
же́мчуг *м.* perl.
жемчу́жина *ж.* perl; gem; glain.
жемчу́жный *прил.* perlog.
жена́ *ж.од.* gwraig; cywely; asen.
жена́тый *прил.* priod.
жени́ть *несов. и сов.* priodi.
жени́тьба *ж.* priodas.
жени́ться *несов. и сов.* priodi.
жени́х *м.од.* priodfab.
женоподо́бный *прил.* benywaidd; annynol.
же́нский *прил.* benywaidd; benyw.
же́нственный *прил.* benywaidd.
же́нщина *ж.од.* dynes; benyw; merch; gwraig.
жердь *ж.* polyn; cledren; cledr.
жеребёнок *м.од.* ebol.
жеребе́ц *м.од.* march.
жеребый *прил.* cyfebol; cyfeb.
жерло́ *с.* mant; genau; ffroen.
же́ртва *ж.од.* (*жертвенный предмет; добровольный отказ от чего-л.*) (*жертвенное живое существо; пострадавший*) aberth.
же́ртвенник *м.* allor.
же́ртвенный *прил.* aberthol.
же́ртвователь *м.од.* aberthwr.
же́ртвовать *несов.* aberthu; cyfrannu.
жертвоприноше́ние *с.* aberthged; aberth.
жест *м.* mudiad; munud; ystum.
жёсткий *прил.* dygn; afrywiog; anhyblyg.
жёсткость *ж.* caledi.
жесто́кий *прил.* creulon; annynol; anhirion; anguriol; angiriol; anfad; dygn; milain; ysgeler; chwyrn; irad; ffyrnig; treisiol; traws; llym; gwyllt; tost; erchyll; addoer; adwythig; mileinig; anghynnes; anghyweithas.
жесто́кость *ж.* ffyrnigrwydd; anghariadoldeb; angharedigrwydd; gormes; creulondeb.
жечь *несов.* crasu; ennyn; llosgi.
живо́й *прил.* byw; hwyliog; chwim; chwyrn; arab; hoyw; heini; effro; bywiog.
живописа́ть *несов.* darlunio.
жи́вопись *ж.* paentiad.
жи́вость *ж.* ireidd-dra.
живо́т *м.* (*часть тела; жизнь*) bol; bola; arffed; tor; cwthr; crombil; stumog; geudy; ceudod.
живо́тное *с.од.* anifail; mil; bwystfil; creadur.

живо́тный *прил.* anifeilaidd; anifeilig.
жид *м.од.* Iddew.
жи́дкий *прил.* hylif; gwlyb; tenau; main.
жи́дкость *ж.* gwlych; hylif; gwlyb.
жидовка *ж.од.* Iddewes.
жидовский *прил.* Iddewaidd.
жи́зненный *прил.* bywydol.
жизнеописа́ние *с.* buchedd.
жизнера́достный *прил.* llon.
жизнь *ж.* bywyd; buchedd; oes; enaid; bywoliaeth; byd; einioes.
жи́ла *ж.* (*кровеносный сосуд; массив горной породы*) asen; gwythïen.
жиле́т *м.* gwasgod.
жиле́ц *м.од.* deiliad.
жи́листый *прил.* gewynnol.
жили́ще *с.* preswyl; llety; preswylfa; derbyniad; adlam; addef; annedd; anheddfa; anheddfan; anheddfod; anheddle; mangre.
жи́лка *ж.* llinyn; gwythïen.
жильё *с.* llety.
жим *м.* gwasg.
жи́молость *ж.* gwyddfid.
жир *м.* gwêr; braster; saim; iraid.
жире́ть tewychu; brasáu; pwyntio.
жи́рный *прил.* boliog; ireidlyd; seimlyd; trwchus; tew.
жите́йский *прил.* daearol.
жи́тель *м.од.* deiliad.
житие́ *с.* (*церковн.: жизнеописание святого*) buchedd.
жи́тница *ж.* ysgubor.
жить byw; bodoli; aros; trigo; preswylio; oesi; bucheddu; tario.
жрать *несов.* ysu; bwyta.
жре́бий *м.* tynged; ffawd.
жрец *м.од.* offeiriad.
жужжа́ть sïo; chwyrnu.
жук *м.од.* chwil; chwilen.
жу́лик *м.од.* gwalch.
жу́льничество *с.* twyll.
жура́вль *м.од.* (*птица*) garan.
журна́л *м.* cylchgrawn; cofrestr.
журнали́ст *м.од.* newyddiadurwr.
журча́ние *с.* bwrlwm.
журча́ть sïo.
жу́ткий *прил.* erchyll.
жюри́ *с.* panel; rheithgor (присяжных).

З

за *предл.* ❶ achos; tros; am; oblegid; gogyfer. ❷ is-gil; tu cefn; tu ôl. ❸ gerfydd. **сходите в магазин за нее?** newch chi fynd i'r siop drosti? **я никогда больше за них не проголосую** fydda i byth yn pleidleisio drostyn nhw 'to. **сколько ты заплатил за эти туфли?** faint dalest ti am y sgidiau'na? **спасибо большое за вашу помощь** diolch yn fawr am eich cymorth. **можешь встать за ним на секундочку?** elli di sefyll tu cefn iddo am eiliad? **сегодня он работает за стойкой** mae e'n gweithio tu ôl i'r bar heddiw. **и король схватил ее за рукав** a'r brenhin a'e kymerth geruyd y llawes.
заарта́читься *сов.* pallu.
заба́ва *ж.* digrifwch; miri; difyrrwch; ystranc; cellwair; tegan; hwyl.
забавля́ть *несов.* difyrru.
заба́вный *прил.* diddan; arab; difyr; chwerthinllyd; rhyfedd; digrif; doniol; adloniadol.
забве́ние *с.* ebargofiant; angof.
забере́менеть *г.* beichiogi.
забира́ть *несов.* mynd â (*rhth oddi wrth rn*).
забира́ться *несов.* esgyn.
заблаговре́менный *прил.* blaenllaw.
заблуди́ться *сов.* crwydro.
заблужда́ться *несов.* camgymryd.
заблужде́ние *с.* cam; anghywirdeb.
заболева́ние *с.* clwyf.
заболева́ть *г.* mynd yn sâl; clafychu.
заболе́ть *г.* mynd yn sâl; clafychu.
забо́р *м.* ffens.
забо́та *ж.* gofalaeth; prysurdeb; sylw; pryder; gofal.
забо́титься *несов.* gofalu; gweini; becso; diddori; malio; gwylio; gwarchod; adneuo.
забо́тливый *прил.* pryderus; meddylgar; tyner; tirion; carcus.
забра́ло *с.* mwgwd; miswrn.
забра́сывать[1] *несов.* esgeuluso.
забра́сывать[2] *несов.* lluchio.
забра́ть *сов.* mynd â (*rhth oddi wrth rn*).
забра́ться *сов.* esgyn.
забро́сить *сов.* ❶ bwrw; taflu. ❷ gadael.
забро́шенность *ж.* anghyfanhedd-dra.
забры́згивать *несов.* tasgu.
забыва́ть *несов.* anghofio.
забы́вчивость *ж.* abergofiant; angof; anghofrwydd.
забы́вчивый *прил.* anghofus.
забы́тый *прил.* anghofiedig.
забы́ть *сов.* anghofio.
зава́ливать *несов.* pentyrru.
завали́ть *сов.* ❶ taro i lawr. ❷ methu.
зава́ривать *несов.* mwydo; trwytho; darllaw.
заведе́ние *с.* sefydliad.
заве́дование *с.* rheolaeth.
заве́дующий *м.од.* rheolwr; llywodraethwr.
завере́ние *с.* sicrwydd.
заверну́ть *сов.* ❶ lapio. ❷ troi.
завёртывать *несов.* treiglo; plygu; lapio; rholio; amwisgo.
заверша́ть *несов.* terfynu; diweddu; cwpla; darfod; gorffen; cyflawni; cwblhau; amgylchynu; amgylchu.
заверша́ться *несов.* terfynu; diweddu; darfod.
заверше́ние *с.* cwblhad; perffeithrwydd; diwedd; adlaw.
завершитель *м.од.* dirwynwr.
заверя́ть *несов.* tystio; sicrhau; dilysu.
заве́са *ж.* gorchudd; llen.
завести́ *сов.* ❶ arwain. ❷ dechrau. ❸ sefydlu. ❹ cael. ❺ tanio. ❻ weindio; troelli.
заве́т *м.* testament.
завеща́ние *с.* ewyllys.
завеща́ть *несов. и сов.* sefydlu.
зави́довать *г.* eiddigeddu; cenfigennu.
зави́сеть *г.* dibynnu.
зави́симость *ж.* dibyniaeth; caethineb; caethiwed.
зави́симый *прил.* dibynnol; caeth.
зави́стливый *прил.* cenfigennus; cenfigenllyd; eiddigeddus; eiddigus; gwenwynllyd.
за́висть *ж.* gwenwyn; gorfynt; cenfigen; eiddigedd; cynghorfynt.
завладева́ть *г.* meddiannu; achub; amwyn; cymeryd.
завлека́ть *несов.* denu; abwydo.
заво́д *м.* ❶ gweithfa; ffatri. ❷ weindio.
заводи́ть *несов.* ❶ arwain. ❷ dechrau. ❸ sefydlu. ❹ cael. ❺ tanio. ❻ weindio; troelli.
завоева́ние *с.* goresgyniad.
завоёвывать *несов.* gorchfygu; goresgyn; trechu; concro.
завора́чивать *несов.* ❶ lapio. ❷ troi.
за́втра *нареч.* fory; yfory.
за́втрак *м.* borefwyd.
завыва́ние *с.* nâd.
завыва́ть *г.* gerain; nadu; udo.
завя́зка *ж.* cwlwm; rhwym; llinyn.
завя́зывать *несов.* rhwymo.
зага́дка *ж.* dirgelwch; pos; dirgel; dychymyg; adameg.
зага́дочный *прил.* rhyfedd.
загиба́ть *несов.* plygu; plethu.

загла́вие *с.* teitl; pennawd.
заглуша́ть *несов.* gostegu; distewi; tawelu; boddi; tagu.
заглуши́ть *сов.* lladd.
загля́дывать *г.* ❶ cipedrych. ❷ ymweld.
загляну́ть *г.* ❶ cipedrych. ❷ ymweld.
загна́ть *сов.* gyrru.
загнива́ние *с.* adfeiliant; adfeiliad.
загнивать *г.* pydru.
за́говор[1] *м.* (*тайное соглашение*) cynllwyn.
за́говор[2] *м.* (*заклинание*) swyn.
заговори́ть[1] *г.* (*начать говорить*) siarad.
заговори́ть[2] *сов.* swyno.
заголо́вок *м.* pennawd.
заго́н *м.* buarth.
загоня́ть[1] *несов.* cytio.
загоня́ть[2] *сов.* (*изнурить, замучить*) blino.
загора́ть *г.* torheulo.
загора́ться *несов.* ennyn; tanio.
загоре́лый *прил.* gwinau.
загоре́ться *сов.* ennyn.
загото́вка *ж.* ❶ darpariaeth. ❷ blanc; darn gwag.
заготовле́ние *с.* arlwy; darpariaeth.
загражда́ть *несов.* rhwystro.
загражде́ние *с.* argae.
заграни́чный *прил.* tramor.
загри́вок *м.* gwar.
загружа́ть *несов.* llwytho.
загрязне́ние *с.* llygredd; amhurdeb; amhuredd; aflendid.
загрязня́ть *несов.* baeddu.
зад *м.* tin; cwt; rhefr.
задава́ть *несов.* dodi; rhoddi; rhoi.
зада́ние *с.* gorchwyl; tasg; cenhadaeth.
зада́ток *м.* ern; adnau.
зада́ть *сов.* dodi; rhoi.
зада́ча *ж.* ❶ gorchwyl; tasg; cenhadaeth. ❷ problem.
задева́ть[1] *несов.* coddi; digio; effeithio; brifo; affeithio.
задева́ть[2] *сов.* (*засунуть, затерять*) colli.
задержа́ние *с.* dalfa; daliad.
задержа́ть *сов.* oedi; dal; rhwystro.
задержа́ться *сов.* oedi.
заде́рживать *несов.* rhwymo; oedi; llestair; llesteirio; dal; rhwystro; addoedi.
заде́рживаться *несов.* aros.
заде́ржка *ж.* oediad; daliad; atal; oed; anach.
за́дний *прил.* ôl.
за́дница *ж.* tin; eisteddfod.
задо́лго *нареч.* ymhell.
задра́ть *сов.* ❶ codi. ❷ lladd.
заду́мать *сов.* astudio; cynllunio.
заду́маться *сов.* synfyfyrio.
заду́мчивый *прил.* meddylgar.
заду́мывать *несов.* cynllunio; astudio.
заду́мываться *несов.* synfyfyrio.
задуши́ть *сов.* tagu.
задыха́ться *несов.* tagu; dyheu.
заеда́ть *несов.* ❶ bwyta rhth ar ôl yfed neu bwyta rhth. ❷ bwyta rhn i farwolaeth. ❸ mynd yn sownd.
заём *м.* benthyciad; benthyg.
заемный *прил.* benthyg.
зае́сть *сов.* ❶ bwyta rhth ar ôl yfed neu bwyta rhth. ❷ bwyta rhn i farwolaeth. ❸ mynd yn sownd.
зажа́тие *с.* craff.
зажа́ть *сов.* gwasgu.
зажե́чь *сов.* ennyn; tanio; cynnau.
зажե́чься *сов.* ennyn.
зажига́ние *с.* taniad.
зажига́ть *несов.* ennyn; tanio; cynnau.
зажи́м *м.* cae; craff.
зажима́ть *несов.* gafael; craffu.
зажи́точный *прил.* cefnog; cryno.
заземля́ть *несов.* seilio.
зазу́брина *ж.* adfach.
заи́мствование *с.* benthyciad; benthyg; mabwysiad.
заи́мствовать *несов. и сов.* mabwysiadu; benthyca; benthycio.
заинтересо́ванность *ж.* diddordeb.
заинтересо́вывать *несов.* diddori.
за́ймище *с.* camlas.
зайти́ *г.* ❶ galw. ❷ machlud (*о солнце*).
зака́з *м.* archeb.
заказа́ть *сов.* archebu.
зака́зывать *несов.* archebu.
зака́ливать *несов.* durio.
зака́лка *ж.* tymer.
зака́лывать *несов.* trywanu; brathu; gwanu.
закаля́ть *несов.* caledu; durio.
зака́нчивать *несов.* terfynu; diweddu; gorffen; darfod; cwpla; cefnu; torri.
зака́нчиваться *несов.* gorffen; torri.
зака́пать[1] *г.* dechrau diferu.
зака́пать[2] *сов.* ❶ brychu. ❷ rhoi diferion.
зака́пывать[1] *несов.* ❶ brychu. ❷ rhoi diferion.
зака́пывать[2] *несов.* claddu.
зака́т *м.* machlud.
заката́ть *сов.* torchi.
заква́ска *ж.* eples; berem.
заква́шивать *несов.* suro; eplesu.
закиса́ть *г.* suro.
закла́д *м.* cyngwystl; prid; gafael; ern; gwystl; adnau.
закладна́я *ж.* prid; rhwym.
закла́дывать *несов.* seilio; sefydlu; adneuo.
заклина́ние *с.* cyfaredd; swyn.
заклина́тель *м.од.* dewin.
заклина́ть[1] *несов.* (*умолять*) ymbil; tynghedu; erfyn; tyngu; annog.

заклина́ть[2] *несов.* swyno.
закли́нивать *несов.* ❶ mynd yn sownd. ❷ gwneud yn sownd.
закли́нить *сов.* ❶ mynd yn sownd. ❷ gwneud yn sownd.
заключа́ть *несов.* ❶ diweddu. ❷ amgáu. ❸ cynnwys.
заключа́ться[1] *несов.* (*в монастырь и т.п.*) cael ei garcharu.
заключа́ться[2] *несов.* (*быть внутри чего-л.; состоять в чем-л.; заканчиваться*) ❶ cynnwys. ❷ cael ei ddiweddu.
заключе́ние *с.* ❶ dyfarniad; casgliad. ❷ cwblhad. ❸ terfyniad. ❹ cadwraeth; dalfa.
заключённый[1] *м.од.* carcharor.
заключённый[2] *прил.* ❶ caeth; caethiwus. ❷ amgaeëdig.
заключи́тельный *прил.* terfynol.
заключи́ть *сов.* ❶ diweddu. ❷ amgáu. ❸ cynnwys.
зако́вывать *несов.* cyffio.
заколдова́ть *сов.* swyno.
заколдо́вывать *несов.* swyno.
зако́н *м.* deddf; cyfraith; gweithred; defod.
законнорожде́нный *прил.* cyfreithlon; anianol.
зако́нный *прил.* cyfreithiol; cyfreithlon; dyledus.
законове́д *м.од.* cyfreithiwr.
законода́тельство *с.* deddfwriaeth.
законопрое́кт *м.* mesur.
зако́нченность *ж.* perffeithrwydd.
зако́нченный *прил.* trylwyr; trwyadl; cyflawn.
зако́нчить *сов.* gorffen.
зако́нчиться *сов.* gorffen.
закопа́ть *сов.* claddu.
закорене́лый *прил.* anedifeiriol.
закоу́лок *м.* congl; cil; cilfach; bachell.
закрепля́ть *несов.* sefydlu; sicrhau; cadarnhau.
закрича́ть *г.* gweiddi.
закругле́нный *прил.* crwn.
закрыва́ть *несов.* ❶ cloi; cau; caead. ❷ toi; gorchuddio.
закры́тый *прил.* main (*о гласном*); caead; anhuddol.
закры́ть *сов.* ❶ cau; cloi. ❷ gorchuddio.
закупа́ть *несов.* prynu.
заку́пка *ж.* pwrcas.
закури́ть *сов.* ysmygu.
закуси́ть *сов.* ❶ bwyta. ❷ bwyta rhth ar ôl yfed neu bwyta rhth. ❸ cnoi. **закусить удила** mynd dros ben llestri.
заку́сочная *ж.* tafarndy.
заку́сывать *несов.* ❶ bwyta. ❷ bwyta rhth ar ôl yfed neu bwyta rhth. ❸ cnoi.
заку́тывать *несов.* amdoi; lapio.
зал *м.* gorsedd; neuadd.
зале́зть *г.* dod i mewn; dringo.
зали́в *м.* cilfach; llychlyn; bae.
залива́ть *несов.* ❶ boddi. ❷ llenwi. ❸ golchi.
зали́ть *сов.* ❶ boddi. ❷ llenwi. ❸ golchi.
зало́г *м.* cyngwystl; prid; gafael; ern; gwystl; adnau; mechni.
заложи́ть *сов.* sefydlu.
зало́жник *м.од.* gwystl.
зама́нивать *несов.* denu.
зама́нчивый *прил.* deniadol; atyniadol.
зама́сливать *несов.* iro.
зама́чивать *несов.* trwytho.
замедле́ние *с.* oediad.
замедля́ть *несов.* arafu.
замелька́ть *г.* gwibio.
заме́на *ж.* newid.
замени́ть *сов.* newid.
заменя́ть *несов.* adnewyddu; newid; cyfnewid.
замере́ть *г.* ❶ sythu; sefyll yn stond. ❷ tawelu. **его сердце замерло.** suddodd ei galon.
замерза́ть *г.* sythu; fferru; rhewi.
замерзнуть *г.* sythu; rhewi.
замести́тель *м.од.* dirprwywr; dirprwy; adlaw.
замета́ть *несов.* lluchio.
заме́тить *сов.* sylwi; gwarchae.
заме́тка *ж.* (*знак; краткое сообщение*) nodiad; nod; nodyn; rhybudd.
заме́тный *прил.* gweladwy; hynod.
замеча́ние *с.* sylw; cerydd; rhybudd; gair.
замеча́тельный *прил.* eres; boneddigaidd; uthr; rhagorol; bendigedig; rhyfedd; nodedig; hynod; ardderchog; campus; rhyfeddol; bendigaid; bonheddig.
замеча́ть *несов.* sylwi; nodi; canfod; craffu.
замеша́тельство *с.* astrusi; dryswch; anhrefn.
заме́шивать *несов.* tylino.
за́мок[1] *м.* (*крепость*) caer; castell; din.
замо́к[2] *м.* (*запирающее устройство*) clo.
замолка́ть *г.* distewi.
замолча́ть *г.* (*прекратить издавать звуки*) tewi.
замора́живать *несов.* fferru; rhewi.
замо́рский *прил.* tramor.
за́муж *нареч.* только о женщине. **выйти замуж** priodi.
за́мужем *нареч.* yn briod.
заму́жество *с.* priodas.
заму́жний *прил.* priod; gwriog.
за́мысел *м.* arfaeth; bwriad; cynllun; cyfergyr.
замышля́ть *несов.* myfyrio; cynllunio; astudio; darllaw.
за́навес *м.* llen.
занаве́ска *ж.* llen.

занести́ *сов.* ❶ cludo (*i mewn*). ❷ cofnodi. ❸ cau (*gan eira*). ❹ codi. ❺ gwyro.
занима́тельный *прил.* diddan; difyr; adloniadol.
занима́ть *несов.* ❶ llogi; benthyca; benthycio. ❷ llenwi; llanw. ❸ meddiannu; achub. ❹ cymryd. ❺ difyrru; adlonni.
занима́ться *несов.* ❶ ymgeisio; malio; gofalu. ❷ cael ei lenwi.
зано́с *м.* lluwch.
заноси́ть[1] *несов.* ❶ cludo (*i mewn*). ❷ cofnodi. ❸ cau (*gan eira*). ❹ codi. ❺ gwyro.
заноси́ть[2] *сов.* treulio.
заня́тие *с.* gweithred; masnach; galwedigaeth.
заня́тный *прил.* diddan; difyr.
занято́й *прил.* (*постоянно обремененный делами*) prysur; amrygyr.
за́нятость *ж.* prysurdeb.
за́нятый *прил.* (*делом и т.п.; несвободный*) prysur; amrygyr.
заня́ть *сов.* ❶ benthyca; llogi. ❷ llenwi; llanw. ❸ meddiannu; achub. ❹ cymryd. ❺ adlonni; difyrru.
заня́ться *сов.* ❶ gofalu. ❷ cael ei lenwi.
заодно́ *нареч.* ynghyd.
заора́ть *г.* gweiddi.
заостри́ть *сов.* pwyntio.
заостря́ть *несов.* minio; meinhau; hogi.
за́пад *м.* gorllewin.
запада́ть *г.* ymollwng.
за́падный *прил.* gorllewinol.
западня́ *ж.* magl; pydew; annel.
запа́льчивость *ж.* cynhesrwydd.
запарка *ж.* llith.
запа́с *м.* cyff; cyflenwad.
за́пах[1] *м.* arogl; trywydd; gwynt; adrywedd.
запа́х[2] *м.* (*от "запахнуть"*) lapio.
запа́хнуть[1] *г.* (*издать запах*) dechrau arogli.
запа́хнуть[2] *сов.* (*полы одежды*) lapio.
запека́ть *несов.* pobi.
запере́ть *сов.* cau; cloi.
запе́ть *сов.* dechrau canu.
запина́ться *несов.* baglu; petruso.
запира́ть *несов.* cloi; cau.
записа́ть *сов.* ❶ cofnodi. ❷ dechrau ysgrifennu.
запи́ска *ж.* nod; nodyn.
запи́сывать *несов.* olrhain; nodi; cofnodi.
запи́сываться *несов.* aelodi.
за́пись *ж.* nodyn.
запла́кать *сов.* wylo.
запла́та *ж.* clwt; pisyn.
заплати́ть *сов.* talu.
заплета́ть *несов.* plethu.
за́поведь *ж.* gorchymyn; tyst.
запозда́лый *прил.* hwyr; diweddar.
запо́лнить *сов.* llenwi; llanw.
заполня́ть *несов.* llenwi; llanw.
запомина́ть *несов.* cofio.
запо́мнить *сов.* cofio.
запо́р *м.* rhwym; caledi; caethiwed.
запотева́ть *г.* chwysu.
запра́вить *сов.* ❶ twcio. ❷ blasuso. ❸ ail-lenwi (*â thanwydd*).
заправля́ть[1] *г.* (*быть заправилой, командовать*) rheoli.
заправля́ть[2] *несов.* ❶ twcio. ❷ blasuso. ❸ ail-lenwi (*â thanwydd*).
запре́т *м.* gwahardd; lludd.
запрети́ть *сов.* gwahardd.
запреща́ть *несов.* gwahardd.
запреще́ние *с.* gwahardd.
запро́с *м.* holiad; erfyn; ymholiad; arch; ymofyn; galwad; gofyn; ceisiad.
запроси́ть *сов.* erchi; ymofyn; holi.
запру́да *ж.* cronfa; argae.
запряга́ть *несов.* harneisio.
запря́жка *ж.* gwedd.
запря́тать *сов.* cuddio.
запря́чь *сов.* harneisio.
за́пуск *м.* cychwyniad; cychwyn.
запуска́ть *несов.* ❶ taflu. ❷ gwthio. ❸ cychwyn. ❹ esgeuluso.
запусте́ние *с.* anghyfanhedd-dra.
запусти́ть *сов.* ❶ taflu. ❷ gwthio. ❸ cychwyn. ❹ esgeuluso.
запу́танность *ж.* cymhlethdod.
запу́танный *прил.* cymhleth; dyrys.
запу́тать *сов.* maglu.
запу́тывать *несов.* drysu.
запу́щенный *прил.* anial.
запя́стье *с.* arddwrn.
запятна́ть *сов.* baeddu; trochi.
зараба́тывать *несов.* elwa; ennill.
зарабо́тать *сов.* ennill.
за́работок *м.* elw; ennill.
зараже́ние *с.* llygredd.
зарази́тельный *прил.* heintus.
зара́зный *прил.* heintus.
зара́нее *нареч.* ymlaen llaw.
зарасти́ *г.* ❶ tyfu. ❷ croenio.
заржа́вленный *прил.* rhydlyd.
заро́дыш *м.* hedyn.
за́росль *ж.* clun.
зарпла́та *ж.* cyflogaeth; cyflog; llog.
зарубе́жный *прил.* dieithr; tramor.
зару́бка *ж.* toriad.
заря́ *ж.* gwawr.
заря́д *м.* llwyth.
заряжа́ть *несов.* llwytho; gwefru.
заса́да *ж.* cynllwyn; rhagod.
заса́ливать[1] *несов.* cyweirio.
заса́ливать[2] *несов.* iro.
засева́ть *несов.* hau.
заседа́ние *с.* eisteddfod.
заселя́ть *несов.* cartrefu; anheddu.
засе́чка *ж.* toriad.

заслу́га *ж.* haeddiant.
заслу́женный *прил.* teilwng; taladwy.
заслу́живать[1] *г.* (*быть достойным чего-л.*) haeddu.
заслу́живать[2] *несов.* ennill.
заслужи́ть *сов.* haeddu.
засмея́ться *сов.* chwerthin.
засну́ть *г.* huno.
засо́в *м.* bar.
засол *м.* halltu.
заспа́ть *сов.* llethu.
заста́вить *сов.* ❶ gorfodi. ❷ gorlenwi.
заставля́ть *несов.* ❶ cymell; argymell; gorfodi; achosi; treisio. ❷ rhwystro; gorlenwi.
заста́ть *сов.* dal.
застёгивать *несов.* (*одежду*) bachu; bacho.
застёжка *ж.* cae; derbyniad.
засте́нчивость *ж.* swildod; anhyder.
засте́нчивый *прил.* ofnus; gŵyl; swil; yswil; anhyderus.
застрахо́вывать *несов.* yswirio.
застрева́ть *г.* mynd yn sownd.
застря́ть *г.* mynd yn sownd.
за́ступ *м.* rhaw.
засту́пник *м.од.* noddwr; achlesydd.
засту́пничество *с.* nawdd.
застыва́ть *г.* fferru; rhewi; cyffio.
засты́ть *г.* ceulo.
засу́нуть *сов.* rhoi; taro.
засучи́ть *сов.* torchi.
засу́шливый *прил.* sych.
засы́пать[1] *сов.* ❶ mewnlenwi. ❷ methu.
засы́пать[2] *несов.* ❶ mewnlenwi. ❷ methu.
засы́пать[3] *г.* huno.
затвердева́ть *г.* fferru; rhewi.
затверде́ть *г.* sythu.
затво́рник *м.од.* meudwy.
затева́ть *несов.* arfaethu; cynllunio; darllaw.
затека́ть *г.* ❶ llifeirio. ❷ cyffio.
зате́м *нареч.* wedyn; ynteu; yna.
затемня́ть *несов.* tywyllu; cymylu.
затеня́ть *несов.* cysgodi; gooeri.
зате́я *ж.* dyfais; dychymyg.
зати́хнуть *г.* tewi.
зати́шье *с.* tawelwch; llonydd.
заткну́ться *сов.* tewi.
затмева́ть *несов.* cymylu.
затме́ние *с.* diffyg; cil.
зато́ *сз.* ar y llaw arall; ond.
затопля́ть *несов.* suddo; boddi.
зато́р *м.* gwarchae.
заточа́ть *несов.* caethiwo.
заточе́ние *с.* dalfa.
затра́гивать *несов.* effeithio; affeithio; teimlo; craffu.
затрудне́ние *с.* cyfyngder; dryswch; blinder; cost; gofid; trwbl; ffwdan; helynt; helbul; anhawster; caethiwed; afrwyddineb.
затрудни́тельный *прил.* astrus; dyrys; anhawdd.
затрудня́ть *несов.* trafferthu; llestair; llesteirio; rhwystro; afrwyddo; anghysuro.
затума́нивать *несов.* cymylu.
затуплять *несов.* diawchu.
затуха́ние *с.* lleihad.
затухать *г.* diffodd.
заты́лок *м.* cil; gwar.
затя́гивать *несов.* tynhau.
затя́гиваться *несов.* ❶ tynhau. ❷ cymylu; croenio. ❸ oedi. ❹ anadlu.
затяну́ться *сов.* ❶ tynhau. ❷ cymylu. ❸ croenio. ❹ oedi. ❺ anadlu.
зау́треня *ж.* plygain.
захва́т *м.* cip; crafanc; bachell; dalfa; gafael; amgyffred; afflau; craff; gafaelfach.
захвати́ть *сов.* gafael; goresgyn.
захва́тывать *несов.* goresgyn; meddiannu; achub; gafael; craffu; ymaflyd; amwyn.
захва́тывающий *прил.* cynhyrfus; cyffrous.
захло́пывать *несов.* clepian.
захо́д *м.* machlud.
заходи́ть *г.* ❶ galw. ❷ machlud (*о солнце*); digwydd (*о солнце*).
захороне́ние *с.* adnau.
захоте́ть *г.* mynnu.
зацепля́ть *несов.* bachu; maglu; bacho.
зача́тие *с.* caffaeliad.
зача́ть *сов.* beichiogi.
заче́м *нареч.* pam; i beth.
заче́рпывать *несов.* cafnu; cafnio.
зачина́тель *м.од.* arloesydd.
зачисля́ть *несов.* rhifo.
зашивание *с.* gwnïad.
зашива́ть *несов.* gwnïo.
шти́леть *г.* llonyddu.
защёлкивать *несов.* clecian.
защи́та *ж.* amddiffynfa; amddiffyniad; nawdd; gwasgod; adnodd; nodded; achles; dôr; cysgod; adeiladaeth; achfre; achwre.
защити́ть *сов.* amddiffyn.
защи́тник *м.од.* gwarchodwr; noddwr; amddiffynnydd; amddiffynnwr; achleswr; arffedog.
защи́тный *прил.* amddiffynnol.
защища́ть *несов.* diogelu; amddiffyn; haeru; achlesu; dadlau; honni; arail; rhagod; amwyn.
заяви́ть *сов.* datgan; hawlio; honni.
зая́вка *ж.* arch.
заявле́ние *с.* gosodiad; tystiolaeth; hawl; datganiad; cais.
заявля́ть *несов.* taeru; haeru; swnio; arddel; traethu; mynegi; honni; hawlio; datgan; hysbysu.
за́яц *м.од.* ❶ ysgyfarnog; cad. ❷ teithiwr sy'n teithio heb dalu.

зва́ние *с.* rheng; urddas; gradd.
звать *несов.* galw.
звезда́ *ж.* (*небесное тело, геометрич. фигура*) seren.
звёздный *прил.* serog; serol.
звёздочка *ж.* seren.
звене́ть *г.* diasbedain; canu.
звено́ *с.* dolen.
звери́ный *прил.* anifeilig.
зверобой *м.* (*трава; водка*) eirinllys.
звероподо́бный *прил.* anifeilaidd.
зве́рский *прил.* ysgeler; anifeilaidd; anifeilig.
зверствовать *г.* anifeileiddio.
зверу́шка *м.ж.од.* anifeilyn.
зверь *м.од.* anifail; bwystfil.
звон *м.* caniad.
звони́ть *г.* diasbedain; canu; galw (*по телефону*).
зво́нкий *прил.* ❶ yn canu. ❷ lleisiol.
звоно́к *м.* galwad (*телефонный*); cloch; caniad (*телефонный*).
звук *м.* sain; acen; tôn; goslef; nâd; sŵn.
звуча́ние *с.* araith; llafar.
звуча́ть *г.* swnio; atseinio; diasbedain; lleisio.
звуча́щий *прил.* lleisiol; llafar.
зву́чный *прил.* croch; lleisiol; llafar; ban.
зда́ние *с.* adeiladaeth; trefn; adeilad; adail.
здесь *нареч.* dyma; yma.
зде́шний *прил.* brodorol; oddi yma.
здоро́ваться *несов.* cyfarch; annerch.
здорове́нный *прил.* dirfawr.
здоро́вый[1] *прил.* (*простореч.: сильный, большой*) dirfawr; cadarn.
здоро́вый[2] *прил.* iawn; iachus; iach; iechydol; iachol; iachusol; gwiw.
здоро́вье *с.* iechyd; iachusrwydd.
здравомы́слящий *прил.* synhwyrol; craff.
здра́вствовать *г.* bod yn iach. **здравствуйте!** sut mae? **да здравствует король!** hir oes i'r Brenin!
здра́вый *прил.* iachol; iach; iachusol; iachus.
зев *м.* (*глотка*) mant; genau; safn.
зева́ть *несов.* cegrythu; ymagor; dylyfu gên.
зелёный *прил.* gwyrdd; glas; irlas; ir.
зе́лень *ж.* gwyrdd; glesni; irlesni; irder.
зе́мельный *прил.* tiriogaethol.
землевладе́лец *м.од.* uchelwr.
земледе́лец *м.од.* amaeth; taeog.
земледе́лие *с.* amaethyddiaeth; amaeth; agronomeg.
земледе́льческий *прил.* amaethyddol.
землепа́шец *м.од.* amaeth; taeog.
землеро́йка *ж.од.* llyg.
землетрясе́ние *с.* daeargryn.
земли́стый *прил.* daearol.
земля́ *ж.* ❶ daear; glob. ❷ pridd; tir; âr; llawr; baw. ❸ gwlad; tud.
земля́к *м.од.* gwladwr.
земляни́ка *ж.* mefusen.
земля́нин *м.од.* daearolyn.
земля́нка *ж.* ❶ lloches (*yn naear*). ❷ daearolen.
земляно́й *прил.* daearol.
земля́чество *с.* ciwdod.
земно́й *прил.* bydol; daearol.
зени́т *м.* uchafbwynt; anterth; entrych.
зени́ца *ж.* cannwyll; llygad.
зе́ркало *с.* drych; gwydr; adlewyrch; gwydryn.
зерни́стость *ж.* graen.
зерно́ *с.* graen; ŷd; grawn.
зернохрани́лище *с.* ysgubor.
зёрнышко *с.* graen; hedyn; gronyn; carreg; cnewyllyn.
зигзагообра́зный *прил.* igam-ogam.
зима́ *ж.* gaeaf.
зи́мний *прил.* gaeafol.
зимова́ть *г.* gaeafu.
зия́ть *г.* rhythu.
зла́то *с.* aur.
златовласый *прил.* peneuryn.
златоглавый *прил.* peneuryn.
злато́й *прил.* aur.
златокудрый *прил.* peneuryn.
злить *несов.* gwylltu; digio.
зли́ться *несов.* digio.
зло *с.* drwg; andras; adwyth; malltod; anwiredd; andros; cam.
зло́ба *ж.* dicter; malais; gwenwyn.
зло́бность *ж.* anfadrwydd.
зло́бный *прил.* gwenwynig; adgas; adwythig; mileinig; atgas.
злове́щий *прил.* adwythig.
злово́ние *с.* drewi.
зловре́дный *прил.* adwythig; mileinig.
злоде́й *м.од.* anfadwr.
злоде́йский *прил.* ysgeler; anfytynaidd.
злоде́йство *с.* anfadrwydd; anfadwaith.
злодея́ние *с.* trosedd.
злой *прил.* drwg; ysgeler; barus; trwch; llidus; adwythig; traws; tost; anfad; anfwyn; anhylaw; annifai.
злока́чественный *прил.* adwythig.
злоключе́ние *с.* aflwyddiant; trafferth; anffawd; aflwydd; adwyth.
злосло́вие *с.* anair; absen.
злосло́вить *г.* absennu.
зло́стный *прил.* adwythig; mileinig.
злость *ж.* dicter.
злоупотребле́ние *с.* camarfer.
злоупотребля́ть *г.* camarfer.
змей *м.од.* (*в т. ч. об игрушке*) sarff.
змея́ *ж.од.* neidr; sarff.
змий *м.од.* sarff.
знак *м.* arwydd; argoeliad; arŵy; amnaid; amlygyn; argoel; nod; ystum; munud; nodyn; bathodyn; rhybudd.

знако́мить *несов.* cynefino; hysbysu.
знако́миться *несов.* dod i adnabod rhn; dod i wybod am rth; cynefino.
знако́мство *с.* cyfarwyddyd; arferiad; clem; cydnabod; cydnabyddiaeth; adnabyddiaeth.
знако́мый[1] *м.од.* cydnabod; adnabyddwr.
знако́мый[2] *прил.* cydnabyddus; cynefin; cyfarwydd.
знамена́тельный *прил.* awgrymiadol; arwyddocaol.
зна́мение *с.* arfaeth; argoel; argoeliad.
знамени́тый *прил.* gogoneddus; enwog; clodfawr.
зна́мя *с.* amlygyn; baner.
зна́ние *с.* cyfarwyddyd; hysbysrwydd; gwyddoniaeth; gwybodaeth; gwybod; clem; adnabyddiaeth; cymhendod.
зна́тность *ж.* bonedd.
зна́тный *прил.* urddasol; boneddigaidd; bonheddig.
знато́к *м.од.* ysgolhaig; cyfarwydd; adnabyddwr.
знать[1] *несов.* gwybod; nabod; medru; adnabod; amgyffred.
знать[2] *ж.* deon; urddas; bonedd.
значе́ние *с.* goblygiad; dealltwriaeth; arwyddocâd; ystyr; synnwyr; pwysigrwydd; pwyll; pwys; grym.
зна́чимый *прил.* arwyddocaol.
зна́чит *част.* felly.
значи́тельность *ж.* pwysigrwydd; pwys.
значи́тельный *прил.* pwerus; pwysig; gweddol; sylweddol; hynod; arwyddocaol; cryn.
зна́чить *несов.* dynodi; golygu; dirnad.
значо́к *м.* bathodyn.
зна́ющий *прил.* hysbys; doeth; ymwybodol; cydnabyddus; call.
зной *м.* angerdd.
зно́йный *прил.* twym; mwll.
зоб *м.* crombil.
зов *м.* galwad.
зодиа́к *м.* sidydd.
зо́дчество *с.* adeiladaeth; pensaernïaeth.
зо́дчий *м.од.* pensaer.
зола́ *ж.* lludw.
золо́вка *ж.од.* chwaer-yng-nghyfraith.
золоти́ть *несов.* euro; gildio.
зо́лото *с.* aur.
золото́й *прил.* aur.
зо́на *ж.* ardal; cylch.
зонт *м.* glawlen; cysgodlen.
зо́нтик *м.* glawlen.
зоопа́рк *м.* sŵ.
зоря́ *ж.* gwawr.
зрачо́к *м.* cannwyll; llygad.
зре́лище *с.* golygfa; arddangosfa; drych; gweledigaeth.
зре́лость *ж.* aeddfedrwydd.
зре́лый *прил.* aeddfed; addfed.
зре́ние *с.* golwg; llygad; gweledigaeth; lleufer.
зреть[1] *г.* (*созревать*) aeddfedu.
зреть[2] *несов.* (*видеть*) gweld.
зри́тель *м.од.* gwyliwr.
зри́тельный *прил.* gweledol.
зря *нареч.* yn ofer.
зуб *м.* (*у человека, животного*) dant.
зуби́ло *с.* cŷn; gaing.
зубр *м.од.* bual.
зуд *м.* ysfa; crafu.
зуде́ть *г.* ysu; cosi.
зуёк *м.од.* cornicyll.
зыбка́ *ж.* cawell.
зы́бкий *прил.* simsan.
зыбь *ж.* crych.
зы́чный *прил.* croch.
зя́бкий *прил.* oerfelog; oerllyd; anwydog.
зя́блик *м.од.* pinc; asgell fraith; ji-binc.
зя́бнуть *г.* rhewi.
зять *м.од.* ❶ mab-yng-nghyfraith; daw. ❷ brawd-yng-nghyfraith.

И

и *сз.* ac; a.
и́бо *сз.* canys; oblegid.
и́ва *ж.* helygen.
игла́ *ж.* nodwydd.
игнори́ровать *несов.* diystyru; anwybyddu.
и́го *с.* iau; gwedd.
иго́лка *ж.* nodwydd.
игра́ *ж.* chwarae.
игра́ть *несов.* ❶ chwarae. ❷ canu. ❸ actio.
игри́вый *прил.* direidus; chwaraegar.
игро́к *м.од.* chwaraewr.
игру́шка *ж.* tegan.
идеа́л *м.* delfryd.
идеализи́ровать *несов. и сов.* delfrydu.
идеали́зм *м.* delfrydiaeth.
идеалисти́ческий *прил.* delfrydol.
идеа́льность *ж.* delfrydedd.
идеа́льный *прил.* perffaith; delfrydol; anhyfreg.
иденти́чность *ж.* hunaniaeth.
идеологи́ческий *прил.* delfrydegol.
идеоло́гия *ж.* delfrydeg; syniadaeth.
иде́я *ж.* syniad; syniadaeth; tyb; amcan; clem; canfyddiad; delfryd; dychymyg.
идио́ма *ж.* priod-ddull; ieithwedd; adrodd-wedd.
идио́т *м.од.* twpsyn.
и́дол *м.од.* delw.
идти́ *г.* mynd; cerdded; llwybro; troedio; sathru; rhodio. **куда вы идете?** lle dych chi'n mynd? **это мне идет** mae'n mynd yn berffaith i mi.
из *предл.* oddi; o.
из-за *предл.* oherwydd; oblegid; achos; wrth.
изба́ *ж.* bwthyn.
избави́тель *м.од.* gwaredwr; achubydd; achubwr; iachawdwr.
изба́виться *сов.* gwaredu.
избавле́ние *с.* gwaredigaeth; abred; gwared.
избавля́ть *несов.* iacháu; achub; gwared; gwaredu; rhyddhau.
избавля́ться *несов.* gwared; gwaredu; esgor.
избега́ть *г.* osgoi; dianc; golaith; esgor; gohebu.
избежа́ть *г.* dianc.
избие́ние *с.* ❶ curfa. ❷ cyflafan; aerfa; galanas; galanastra.
избира́тель *м.од.* etholwr; etholydd.
избира́ть *несов.* dethol; ethol; dewis.
изби́ть *сов.* baeddu.
избра́ние *с.* etholiad; etholedigaeth.
избра́нник *м.од.* etholedig.
и́збранный *прил.* dethol; etholedig.
избы́ток *м.* rhemp; gwala; afreidiau.
избы́точность *ж.* afreidiau.
избы́точный *прил.* gorlawn.
извая́ние *с.* cerfwaith; cerflun; cerfddelw.
и́зверг *м.од.* anghenfil.
изверга́ть *несов.* cyfogi.
изве́стие *с.* gair.
известка *ж.* calch.
изве́стность *ж.* cyhoeddusrwydd; bri; amlygrwydd; nod; clod.
изве́стный *прил.* hysbys; blaenllaw; enwog; adnabyddus.
известня́к *м.* calchen.
и́звесть *ж.* calch.
изве́чный *прил.* tragywydd.
извеща́ть *несов.* datgan; hysbysebu; hysbysu.
извеще́ние *с.* hysbysiad; cyhoeddiad; rhybudd.
извива́ться *несов.* gwingo; dirwyn; torchi.
изви́листый *прил.* bachog.
извине́ние *с.* esgus.
извини́ть *сов.* esgusodi.
извиня́ть *несов.* maddau; esgusodi.
извиня́ться *несов.* ymddiheuro.
извлека́ть *несов.* ❶ tynnu; talfyrru.
извле́чь *сов.* ❶ tynnu. ❷ talfyrru.
извне́ *нареч.* allan.
изводи́ть *несов.* poeni.
извраща́ть *несов.* troi.
извращённый *прил.* tro; cam.
изги́б *м.* troad; tro; elin; camen.
изгиба́ть *несов.* bachu; nyddu; plygu; gwyro; dirwyn; crymu.
изгла́живать *несов.* dileu.
изгна́ние *с.* alltudiaeth; alltudedd; alltud.
изгна́нник *м.од.* alltud.
изгоня́ть *несов.* difetha; alltudio.
и́згородь *ж.* bid; ffens; clawdd; perth; gwrych; cae.
изготови́тель *м.од.* (*в т. ч. об учреждении*) cynhyrchiad; defnyddiwr.
изготовле́ние *с.* cynhyrchiad; gwneuthuriad.
издава́ть *несов.* ❶ cyhoeddi. ❷ ynganu; lleisio; llefaru.
издалека́ *нареч.* o bell.
и́здали *нареч.* o bell.
изда́ние *с.* argraffiad; cyhoeddiad.
изда́тель *м.од.* cyhoeddwr.
изда́тельство *с.* gwasg.
изда́ть *сов.* ❶ cyhoeddi. ❷ lleisio; ynganu; llefaru.
издева́ться *несов.* gwawdio.
изде́лие *с.* cynnyrch.
издыхать *г.* trigo.
излага́ть *несов.* esbonio; adrodd.

излече́ние *с.* iachâd.
изле́чивать *несов.* iacháu.
излива́ться *несов.* goferu.
изли́шек *м.* rhemp; afreidiau.
изли́шество *с.* afreidiau; afradlonedd.
изли́шний *прил.* afreidiol; afraid; anghymedrol.
изложи́ть *сов.* adrodd.
излуча́ть *несов.* pelydru.
излуче́ние *с.* ymbelydredd.
излю́бленный *прил.* hoff.
изма́тывать *несов.* dirwyn.
изме́на *ж.* brad.
измене́ние *с.* cyfnewidiad; newidiad; ysgogiad; treiglad; tro; symudiad; newid.
измени́ть[1] *г.* (*кому-л., чему-л.*) bradychu.
измени́ть[2] *сов.* newid.
измени́ться *сов.* newid.
изме́нник *м.од.* gwrthgiliwr; bradwr.
изме́нчивость *ж.* ansicrwydd.
изме́нчивый *прил.* oriog; symudol; newidiol; anwastad; ansafadwy; ansefydlog; anwadal.
изменя́ть[1] *несов.* amrywio; newid; diwygio; altro.
изменя́ть[2] *г.* (*кому-л., чему-л.*) bradychu; anghredu.
изменя́ться *несов.* newid.
измере́ние *с.* mesuriad; mesur.
измеря́ть *несов.* mesuro; mesur; cymhwyso.
и́зморозь *ж.* (*иней*) barrug; arien.
измышле́ние *с.* dyfais.
измя́тый *прил.* crych.
изнаси́лование *с.* trais; anfodd; llathrudd.
изнаси́ловать *сов.* llygru; treisio.
изна́шивание *с.* dirywiad; traul.
изна́шивать *несов.* treulio; esgor.
изна́шиваться *несов.* adfeilio.
изне́женность *ж.* lleithder.
изне́живать *несов.* anwesu.
изно́с *м.* dirywiad; traul.
изно́шенный *прил.* musgrell.
изнуре́ние *с.* traul.
изнутри́ *нареч.* o'r tu mewn.
изоби́лие *с.* gwala; digonedd; golud; ablwch; abledd; amldra; amlder; aelaw; alaf.
изоби́льный *прил.* goludog.
изобража́ть *несов.* portreadu; darlunio; delweddu; honni; amliwio.
изображе́ние *с.* ❶ delw; llun; ffigur. ❷ cynrychiolaeth; portread; disgrifiad.
изобрази́ть *сов.* delweddu.
изобрета́тель *м.од.* lluniwr.
изобрета́тельность *ж.* athrylith; dyfais.
изобрета́тельный *прил.* cyfrwys; amcanus.
изобрете́ние *с.* dyfais; ystryw.
изо́гнутый *прил.* cam; gŵyr; adŵyr; aniawn.
изоли́ровать *несов. и сов.* ynysu.
изразе́ц *м.* priddlech.
изра́ильский *прил.* Israelaidd.
израильтянский *прил.* Israelaidd.
и́зредка *нареч.* yn anaml.
изрека́ть *несов.* eb; meddu.
изрече́ние *с.* dywediad; dihareb.
изре́чь *сов.* eb; meddu.
изуми́тельный *прил.* rhyfeddol; syn.
изуми́ть *сов.* syfrdanu.
изумле́ние *с.* syndod; rhyfeddod.
изумля́ть *несов.* rhyfeddu; syfrdanu; synnu.
изумля́ться *несов.* rhyfeddu; synnu.
изумру́д *м.* emrallt.
изумру́дный *прил.* emrallt.
изуро́довать *сов.* anffurfio.
изуча́ть *несов.* astudio; myfyrio; archwilio; amcanu.
изуче́ние *с.* dysg; astudiaeth; ymchwil.
изучи́ть *сов.* astudio.
изъяви́тельный *прил.* pendant.
изъя́н *м.* rhemp; nam; gwall; diffyg; coll; anafdod; anaf; anghaffael.
изъясня́ться *несов.* llefaru; siarad.
изыска́ние *с.* ymchwil.
изы́сканный *прил.* cynnil; coeth; moesgar; têr.
изя́щество *с.* gras.
изя́щный *прил.* gosgeiddig; cynnil; moesgar; têr; tlws; main; clws; gwymp.
ика́ть *г.* (*о непроизвольных судорожных звуках*) igio; igian.
ико́на *ж.* eicon.
ико́та *ж.* ig.
икра́[1] *ж.* (*ноги*) croth.
икра́[2] *ж.* (*рыбья и т.п.*) grawn.
икри́нка *ж.* gronyn.
ил *м.* llaid.
и́ли *сз.* neu; ynteu; naill; ai.
иллю́зия *ж.* hud.
иллюмини́ровать *несов. и сов.* goleuo.
иллюстратор *м.од.* addurnwr.
ильм *м.* llwyfen.
име́ние *с.* ystad.
и́менно *част.* sef; namyn.
именова́ть *несов.* enwi.
име́ть *несов.* meddu; perchenogi; piau.
име́ться *несов.* bod ar gael.
имити́ровать *несов.* dynwared; efelychu; dilyn.
импера́тор *м.од.* ymerawdwr.
импе́рия *ж.* ymerodraeth.
импоза́нтный *прил.* mawreddog; crand.
и́мпульс *м.* ysgogiad; hwrdd.
иму́щество *с.* meddiant; eiddo; da.
и́мя *с.* enw; enwad.
ина́че[1] *сз.* ynteu.
ина́че[2] *нареч.* yn wahanol.
инвали́д *м.од.* crupl.

инвести́ровать *несов. и сов.* suddo.
инвеститу́ра *ж.* arwisgiad.
инвести́ция *ж.* buddsoddiad.
и́ндекс *м.* mynegai.
индивидуа́льность *ж.* arbenigrwydd; hunaniaeth; personoliaeth.
индивидуа́льный *прил.* unigol.
индиви́дуум *м.од.* unigol; unigolyn.
индульге́нция *ж.* trwydded; anwes.
индустриа́льный *прил.* diwydiannol.
инду́стрия *ж.* diwydiant.
и́ней *м.* rhew; barrug; arien.
ине́ртность *ж.* syrthni; anegni.
ине́ртный *прил.* goddefol; swrth; diog; anfywiol.
ине́рция *ж.* syrthni; anegni.
инжене́р *м.од.* peiriannydd.
инжи́р *м.* ffrig.
инициати́ва *ж.* menter. **по со́бственной инициати́ве** ar eich menter eich hun.
инициа́тор *м.од.* arloesydd.
инквизи́тор *м.од.* chwil-lyswr; chwiliwr.
инквизи́ция *ж.* ymgais; chwil-lys.
инкуба́тор *м.* meithrinfa.
иногда́ *нареч.* weithiau.
инозе́мный *прил.* dieithr.
ино́й *мест.* arall; gwahanol; amgenach; amgen.
инокуля́ция *ж.* brechiad.
иноплеме́нник *м.од.* aillt.
иноро́дный *прил.* dieithr; anghyfiaith.
иносказа́ние *с.* dameg.
иностра́нец *м.од.* allfro; alltud.
иностра́нный *прил.* dieithr; tramor; estron; alltud; anghyfiaith; anghyfieithus.
инспекти́рование *с.* arolwg.
инспекти́ровать *несов.* arolygu.
инспе́ктор *м.од.* ymwelydd; arolygydd; arolygwr; ymwelwr.
инспири́ровать *несов. и сов.* ysbrydoli.
инсти́нкт *м.* greddf; anian.
инстинкти́вный *прил.* greddfol.
институ́т *м.* sefydliad.
инструкта́ж *м.* hyfforddiant; addysgiaeth.
инструкти́ровать *несов.* cyfarwyddo; hyfforddi; addysgu.
инстру́ктор *м.од.* hyfforddwr; addysgydd; addysgwr.
инстру́кция *ж.* cyfarwydd; cyfarwyddyd.
инструме́нт *м.* teclyn; offeryn.
инсурге́нт *м.од.* terfysgwr.
инсцени́ровать *несов. и сов.* llwyfannu.
интелле́кт *м.* deall.
интеллектуа́льный *прил.* meddyliol.
интеллиге́нт *м.од.* un o ddeallusion.
интеллиге́нтный *прил.* diwylliedig.
интеллиге́нция *ж.* deallusion.
интенси́вность *ж.* angerddoldeb.
интенси́вный *прил.* angerddol; dwys.
интерва́л *м.* plwc; ysbaid; gofod.
интервью́ *с.* cyfweliad.
интервьюи́ровать *несов. и сов.* cyfweld.
интере́с *м.* diddordeb; buddiant; lles; elw.
интере́сный *прил.* diddorol.
интересова́ть *несов.* diddori.
интересова́ться *несов.* diddori.
интерлю́дия *ж.* anterliwt.
интернациона́льный *прил.* rhyngwladol; cydwladol.
интерне́т *м.* rhyngrwyd.
интерпрета́ция *ж.* dehongliad.
интерпрети́ровать *несов. и сов.* dehongli.
интерфе́йс *м.* rhwngwyneb.
интерфере́нция *ж.* ymyrraeth.
инти́мность *ж.* agosatrwydd.
инти́мный *прил.* cyfarwydd.
интона́ция *ж.* tôn.
интри́га *ж.* cynllwyn; clymblaid.
интригова́ть *несов.* cynllwyn.
интроду́кция *ж.* rhagarweiniad; arweiniad; rhagymadrodd.
интуити́вный *прил.* greddfol.
интуи́ция *ж.* athrylith; greddf.
инфекцио́нный *прил.* heintus.
инфернальный *прил.* uffernol.
инфлюэ́нца *ж.* anwydwst.
инфля́ция *ж.* chwyddiant.
информа́нт *м.од.* hysbyswr.
информацио́нный *прил.* ❶ gwybodaethol. ❷ hysbysiadol.
информа́ция *ж.* cyfarwyddyd; hysbysrwydd; gwybodaeth.
информи́ровать *несов. и сов.* cyfarwyddo; hysbysu.
ипоте́ка *ж.* prid.
ирла́ндец *м.од.* Gwyddel.
Ирла́ндия *ж.* Iwerddon.
ирла́ндка *ж.од.* Gwyddeles.
ирла́ндский *прил.* Gwyddelig; Gwyddeleg (*язык*).
иррациона́льный *прил.* ❶ anghyfesur (*мат.*). ❷ afresymol.
иск *м.* cyngaws; hawl.
искажа́ть *несов.* nyddu; llygru; troi; dirwyn; aflunio; anffurfio.
искажённый *прил.* (*злобой и т.п.—о лице*) cam.
иска́тель *м.од.* (*о человеке*) chwiliwr.
иска́ть *несов.* chwilio; ymbalfalu; ymofyn; argeisio.
исключа́ть *несов.* eithrio; bario.
исключа́я *предл.* (*кроме*) namyn; onid; oni; heblaw; eithr; ond.
исключе́ние *с.* eithriad.
исключи́тельный *прил.* eithriadol; arbenigol; odid.
исключи́ть *сов.* eithrio; bario.

исколоти́ть *сов.* baeddu.
иско́нный *прил.* brodorol.
и́скра *ж.* gwreichionen.
и́скренний *прил.* calonnog; diffuant; dilys; union; cywir.
и́скренность *ж.* purdeb.
искриви́ть *сов.* bacho.
искривле́ние *с.* camen.
искривля́ть *несов.* nyddu; dirwyn.
и́скриться *несов.* gwreichioni.
искупа́ть[1] *несов.* cymodi.
искупа́ть[2] *сов.* (*выкупать*) golchi.
искупитель *м.од.* prynwr.
искупи́тельный *прил.* iawnol.
искупле́ние *с.* pwrcas; pridwerth; cymod.
иску́сность *ж.* athrylith.
иску́сный *прил.* cywrain; cynnil; cyfrwys; celfydd; medrus.
иску́сственный *прил.* ffug; gosod; dodi.
иску́сство *с.* celfyddyd; celf; cerdd; cyfarwyddyd.
искуша́ть *несов.* abwydo.
искуше́ние *с.* profedigaeth.
Испа́ния *ж.* Sbaen.
испа́нский *прил.* Sbaeneg.
испа́рина *ж.* chwys.
испаря́ть *несов.* ageru; anweddu.
испаря́ться *несов.* ageru; anweddu; coethi.
испещря́ть *несов.* britho.
испове́довать[1] *несов.* (*открыто следовать—учению, религии*) addef.
испове́довать[2] *несов. и сов.* (*подвергнуть исповеди; высказать задушевные мысли*) cyffesu.
и́споведь *ж.* addefiad.
исполи́н *м.од.* cawr.
исполи́нский *прил.* cawraidd.
исполне́ние *с.* cyflawniad; cwblhad; perfformiad; datganiad; dyletswydd.
исполнимый *прил.* actol.
исполни́тель *м.од.* ❶ gwneuthurwr; gweithredwr; cyflawnwr. ❷ cantor; canwr.
судебный исполнитель beili.
исполни́тельница *ж.од.* cantores.
исполни́тельный *прил.* gweinyddol.
испо́лнить *сов.* cyflawni.
исполня́ть *несов.* ❶ amgylchynu; gwireddu; llenwi; cyflawni; ymateb. ❷ actio.
испо́льзование *с.* defnydd; arferiad.
испо́льзовать *несов. и сов.* defnyddio; harneisio.
испо́ртить *сов.* niweidio; amharu.
испо́рченность *ж.* pydredd.
испо́рченный *прил.* clwc; ysgeler; trwch; pwdr.
исправле́ние *с.* cywair; diwygiad; gwelliant.
исправля́ть *несов.* diwygio; trwsio; gwella; atgyweirio; cyweirio; cywiro; diwallu; ail-drefnu; ceryddu; gwaredu.
исправля́ться *несов.* gwaredu.
испра́вность *ж.* cywair.
испра́вный *прил.* iawn.
испу́г *м.* dychryn; abwth; braw.
испу́ганный *прил.* (*взгляд, вид и т.п.*) braw; arswydus; ofnus; brawychus.
испуга́ть *сов.* dychryn.
испуга́ться *сов.* dychryn.
испыта́ние *с.* profedigaeth; profiad; prawf; praw.
испыта́ть *сов.* profi; clywed.
испы́тывать *несов.* ymgeisio; dioddef; goddef; profi; treio.
иссле́дование *с.* archwiliad; astudiaeth; ymholiad; ymchwiliad; ymchwil; ymofyn.
иссле́дователь *м.од.* archwiliwr; ymchwiliwr.
иссле́довать *несов. и сов.* myfyrio; archwilio; ymchwilio; astudio; amcanu.
иссо́п *м.* isop.
исступлённый *прил.* gwyllt.
иссуша́ть *несов.* gwywo; crasu.
иссяка́ть *г.* sychu.
истека́ть *г.* terfynu; deillio; digwydd; pennu; trengi.
исте́ц *м.од.* erlynydd; achwynwr.
истече́ние *с.* llifiad.
и́стина *ж.* gwirionedd; gwir.
и́стинность *ж.* dilysrwydd; gwirionedd.
и́стинный *прил.* diffuant; dilys; diau; gwirioneddol; gwir; cywir.
исти́ца *ж.од.* achwynyddes.
исто́к *м.* bala (*afon o lyn*); tarddiad; ffynhonnell.
исто́рик *м.од.* hanesydd.
истори́ческий *прил.* hanesyddol.
исто́рия *ж.* hanes; cyfarwyddyd; chwedl.
исто́чник *м.* ffynnon; tarddiad; bonedd; llygad; genedigaeth; ffynhonnell; gofer.
истоща́ть *несов.* tlodi; llwgu; treulio.
истоще́ние *с.* lleihad; traul.
истребля́ть *несов.* difetha; ysu; diddymu; difa; dinistrio.
исхо́д *м.* ❶ canlyniad. ❷ ecsodus.
исходи́ть[1] *г.* (*от кого-л.—о сведениях; из такого-то принципа*) deillio; hanfod; hanu.
исходи́ть[2] *сов.* (*весь лес и т.п.*) cerdded ar hyd a lled rhth.
исходи́ть[3] *г.* dod allan o rywbeth; goferu.
исходить кровью gwaedu.
исхо́дный *прил.* gwreiddiol.
исцеле́ние *с.* iachâd.
исцели́тель *м.од.* iachawr.
исцеля́ть *несов.* iacháu.
исчеза́ть *г.* diflannu.
исчёзнуть *г.* diflannu.
исчёрпывающий *прил.* cynhwysfawr.
исчисля́ть *несов.* cyfrif.
ита́к *сз.* felly.

Ита́лия *ж.* Eidal.
италья́нский *прил.* Eidaleg; Eidalaidd.
ито́г *м.* cyfanswm; cydol; tyrfa; canlyniad; cyfan; cwbl; swm.
иуде́й *м.од.* Iddew.
иуде́йка *ж.од.* Iddewes.
иуде́йский *прил.* Iddewaidd.
их *мест.* eu; eiddynt.
и́хний *мест.* (*простореч.: их*) eu.
ишь *част.* ew.
ию́ль *м.* Gorffennaf.
ию́нь *м.* Mehefin.

йо́та *ж.* iota; iod; mymryn.

К

к *предл.* tua; gogyfer; erbyn; i; at; wrth.
каба́к *м.* tafarn.
каба́н *м.од.* (*животное*) twrch; baedd.
кабатчик *м.од.* tafarnwr.
кабачо́к *м.* ❶ pwmpen. ❷ tafarn bach.
каби́на *ж.* caban.
кабине́т *м.* ❶ swyddfa; myfyrgell; ystafell. ❷ cabinet.
каблу́к *м.* sawdl.
кавалери́ст *м.од.* marchog.
кавале́рия *ж.* marchoglu.
каве́рна *ж.* ceudod.
каде́т *м.од.* (*воспитанник кадетского корпуса*) cadlanc.
ка́дка *ж.* noe; twb.
кадр *м.* llun.
ка́дры *м.мн.* gweithwyr.
кадушка *ж.* noe.
ка́ждый *мест.* pawb; pob.
каза́к *м.од.* Cosac.
каза́рма *ж.* gwersyllty.
каза́ться *несов.* ymddangos.
казённый *прил.* gwladol.
казначе́й *м.од.* trysorydd.
казнь *ж.* dienyddiad; pla. **смертная казнь** y gosb eithaf.
кайло *с.* caib.
кайма́ *ж.* ymylwe; ymyl; godre.
ка́йра *ж.од.* chwilog.
как[1] *нареч.* sut; fel; pan.
как[2] *част.* megis; fel.
как[3] *сз.* â; ag.
ка́к-либо *нареч.* rhywsut.
ка́к-нибудь *нареч.* rhywfodd; rhywsut.
ка́к-то *нареч.* rhywsut.
ка́кать *г.* cachu.
како́в *мест.* pa.
каково́й *мест.* pa.
како́й *мест.* pa.
како́й-либо *мест.* rhyw.
како́й-нибудь *мест.* rhyw; rhyw; un.
како́й-то *мест.* rhyw; rhyw; un.
калёвка *ж.* plaen; cannwyr.
кале́ка *м.ж.* crupl.
календа́рь *м.* calendr; cwmpawd; amseroni.
кале́чить *несов.* cloffi; anafu; analluogi.
кали́тка *ж.* iet; porth; clwyd.
кало́рия *ж.* calori.
калькуля́тор *м.од.* cyfrifiannell.
камени́стый *прил.* caregog; carneddog.
ка́менный *прил.* caregog.
каменоло́мня *ж.* cloddfa.
каменотёс *м.од.* saer.
ка́менщик *м.од.* saer.
ка́мень *м.* llech; maen; carreg. **драгоценный камень** glain, gem.
ка́мера *ж.* ❶ cell; cafell; trefn. ❷ camera. ❸ tiwb gwynt.
камерге́р *м.од.* ystafellydd.
камзо́л *м.* siaced.
ками́н *м.* aelwyd; tân.
камо́рка *ж.* lloches.
кампа́ния *ж.* ymgyrch.
камы́ш *м.* brwynen; calaf.
кана́ва *ж.* camlas; clawdd; clais; ffos; ceuffos.
кана́вка *ж.* rhych; crafiad.
кана́л *м.* camlas; sianel; gwythïen; moryd.
кана́т *м.* tennyn.
кандалы́ *м.мн.* gefyn; llyffethair; heyrn; hual.
кандида́т *м.од.* ymgeisydd.
кани́кулы *ж.мн.* gŵyl.
кано́н *м.* canon.
канонизи́ровать *несов. и сов.* urddo.
кано́ник *м.од.* (*католический священник*) canonwr.
канони́р *м.од.* magnelwr.
кано́э *с.* ceufad.
кантата *ж.* cantawd.
канцеля́рия *ж.* swyddfa.
каню́к *м.од.* bwncath; boda; boncath.
ка́пать *несов.* (*лить по капле*) distyllu; diferu.
капе́лла *ж.* capel; betws.
капелла́н *м.од.* caplan.
ка́пелька *ж.* gronyn.
капита́л *м.* cyfalaf.
капитали́зм *м.* cyfalafiaeth.
капиталовложе́ние *с.* buddsoddiad.
капита́н *м.од.* capten.
капите́ль *ж.* cabidwl.
капитул *м.* cabidwl.
капитуля́ция *ж.* ymostyngiad.
капка́н *м.* annel.
ка́пля *ж.* diferyn; dafn.
капри́зный *прил.* anniddig.
капу́ста *ж.* bresychen; cawl.
капюшо́н *м.* penwisg.
кара́бкаться *несов.* dringo.
карава́й *м.* torth.
каранда́ш *м.* pensil.
кара́ть *несов.* cosbi.
карау́лить *несов.* bugeilio; gwylio; gwarchod; arail.
карау́льный *м.од.* gwyliwr.
кардова́ть *несов.* cribo.
каре́ *с.* sgwar.
каре́та *ж.* cerbyd.
ка́рий *прил.* gwinau.
карка́с *м.* ysgerbwd; fframwaith.

ка́рлик *м.од.* corrach; cor.
карма́н *м.* llogell; poced.
карма́шек *м.* llogell.
ка́рта *ж.* ❶ cerdyn. ❷ siart; map.
карти́на *ж.* darlun; llun; paentiad; golygiad.
карти́нка *ж.* llun.
карто́фелина *ж.* taten; tatysen.
карто́фель *м.* tatysen.
ка́рточка *ж.* tocyn; cerdyn.
карто́шка *ж.* tatysen.
карье́р *м.* ❶ cloddfa. ❷ gyrfa.
карье́ра *ж.* gyrfa.
каса́ние *с.* cyffyrddiad.
каса́тельно *предл.* ynglŷn; ynghylch; parthed.
каса́тка *ж.од.* môr-fochyn.
каса́ться *несов.* teimlo; ymwneud; cyffwrdd.
ка́ска *ж.* helm.
ка́сса *ж.* ❶ blwch arian. ❷ desg dalu. ❸ swyddfa docynnau. ❹ banc cynilo.
кастри́ровать *несов. и сов.* disbaddu; cyweirio; torri.
кастрю́ля *ж.* sosban.
катало́г *м.* mynegai.
катапу́льта *ж.* blif; tafl; magnel.
катара́кт *м.* (*водопад; техн. приспособление*) rhaeadr.
катара́кта *ж.* perl.
катастро́фа *ж.* damwain.
ката́ться *несов.* ❶ mynd am dro. ❷ rholio; ymdreiglo. **кататься на велосипеде** mynd ar gefn beic. **кататься на лошади** mynd ar gefn ceffyl. **кататься на лыжах** sgïo. **кататься на коньках** sglefrio.
катахреза *ж.* camarfer.
катего́рия *ж.* dosbarth.
ка́тер *м.* llong ysgafn.
катехи́зис *м.* holwyddoreg.
кати́ть *несов.* treiglo; olwyno; rholio.
кати́ться *несов.* olwyno; ymdreiglo.
като́д *м.* cathod.
като́к *м.* ❶ agerdreiglydd; injan ffordd. ❷ llawr iâ; llawr rhew; llawr sglefrio. ❸ rholyn. ❹ gwasgwr dillad; mangl.
католи́ческий *прил.* catholig.
каучу́к *м.* rwber.
кафе́ *с.* bwyty.
ка́федра *ж.* ❶ adran. ❷ areithfa; cadair.
ка́фель *м.* priddlech.
кача́ние *с.* chwyf.
кача́ть *несов.* ysgwyd; siglo.
кача́ться *несов.* hongian; siglo; chwifio; crynu.
каче́ли *м.мн.* siglen.
ка́чество *с.* naws; nodwedd; safon; ansawdd.
ка́ша *ж.* uwd.
ка́шель *м.* peswch.
ка́шлять *г.* pesychu; peswch.
кашта́н *м.* castanwydden.
каю́та *ж.* caban.
квадра́т *м.* sgwar.
квадра́тный *прил.* sgwar; petryal; arwynebol.
ква́кер *м.од.* Crynwr.
квалифика́ция *ж.* cymhwyster; cefndir.
квалифици́рованный *прил.* celfydd.
ква́рта *ж.* chwart.
кварта́л *м.* chwarter.
кварта́льный *прил.* chwarterol.
кварте́т *м.* pedwarawd.
кварти́ра *ж.* llety; fflat.
квашня́ *ж.* cafn.
квита́нция *ж.* tocyn; taleb.
кекс *м.* teisen.
кельт *м.од.* Celtiad.
ке́лья *ж.* cell; cafell.
ке́пка *ж.* cap.
кероси́н *м.* paraffin.
кива́ть *г.* amneidio; ysgwyd; siglo.
кивну́ть *г.* amneidio.
киво́к *м.* gwib; amnaid; awgrym; munud.
кида́ть *несов.* lluchio; saethu; taflu.
кида́ться *несов.* rhuthro.
килогра́мм *м.* cilogram.
киломе́тр *м.* cilometr.
кинжа́л *м.* cleddyfan; dagr; bidog.
кино́ *с.* sinema; ffilm.
кинокарти́на *ж.* ffilm.
кинотеа́тр *м.* sinema.
ки́нуть *сов.* taflu.
ки́нуться *сов.* rhuthro.
кио́ск *м.* lluest.
ки́па *ж.* ❶ pentwr; pwn; toc. ❷ kippah.
кипе́ние *с.* berw; ias.
кипе́ть *г.* iasu; berwi.
кипяти́ть *несов.* iasu.
кипяче́ние *с.* berw; ias.
кира́са *ж.* llurig; pais.
кирка́ *ж.* caib.
киркомоты́га *ж.* caib.
кирпи́ч *м.* priddfaen.
ки́ска *ж.од.* titw.
кислица *ж.* caul.
кислота́ *ж.* asid; sur.
кисло́тный *прил.* sur.
ки́слый *прил.* sur.
ки́сточка *ж.* tusw.
кисть *ж.* ❶ llaw. ❷ tusw; bagad.
кит *м.од.* morfil.
кита́ец *м.од.* Tsieinead.
кита́йский *прил.* Tsieinëeg (*язык*); Tsieineaidd.
ки́тель *м.* pais.
кичи́ться *несов.* ymffrostio.
кишка́ *ж.* coluddyn.
клавиату́ра *ж.* allweddell.

кла́виша *ж.* nod.
клад *м.* cuddfa.
кла́дбище *с.* mynwent.
кладова́я *ж.* ystorfa.
кладь *ж.* clud.
клан *м.* gwely; tylwyth; tras; cordd; ciwdod.
кла́няться *несов.* plygu; crymu.
класс *м.* dosbarth; math; rhywogaeth; safon; natur; bath.
классифика́ция *ж.* trefniant; trefniad.
классифици́ровать *несов. и сов.* graddio; trefnu; dosbarthu.
класси́ческий *прил.* clasurol; awduraidd.
класть *несов.* gosod; dodi; rhoi; cyfleu; taro; adneuo.
кла́узула *ж.* cymal; bannod.
клева́ть *несов.* pigo.
кле́вер *м.* meillionen.
клевета́ *ж.* anair.
клевета́ть *г.* athrodi.
клеветни́к *м.од.* absennwr.
клеветни́ческий *прил.* absennus.
кле́ить *несов.* gludo.
клей *м.* glud.
кле́йкий *прил.* gludiog.
клеймо́ *с.* nod; nodyn; bath.
кле́йстер *м.* past.
клён *м.* masarnen.
кле́тка *ж.* ❶ cell; cawell. ❷ pwynt. ❸ siec.
кле́точка *ж.* siec.
клещ *м.од.* gwiddonyn; gwyfyn.
кле́щи *м.мн.* gefel.
клие́нт *м.од.* cwsmer.
кли́ка *ж.* clymblaid; cabidwl.
кли́мат *м.* hinsawdd; tymer.
клин *м.* cŷn; gaing.
клино́к *м.* llain; llafn.
клич *м.* gawr; gwaedd; nâd.
кли́чка *ж.* llysenw.
клише́ *с.* ystrydeb.
клок *м.* cudyn.
клони́ться *несов.* tueddu; gwyro.
клочо́к *м.* llain; clwt; affliw.
клуб[1] *м.* (*организация, ее здание*) clwb.
клуб[2] *м.* (*дыма и т.п.*) cwmwl.
клубни́ка *ж.* mefusen.
клубо́к *м.* pêl.
клу́мба *ж.* talwrn.
клык *м.* ysgithr; dant llygad.
клыкастый *прил.* ysgithrog.
клюв *м.* gylfin; gwep; mant.
клюка́ *ж.* bagl.
ключ *м.* ❶ allwedd; agoriad; cywair (*cerdd.*). ❷ tarddiad; ffynhonnell. **оставить ключ в двери** gadael yr allwedd yn y clo. **басовый ключ** allwedd y bas. **разводной ключ** allwedd gymwysadwy.
ключево́й *прил.* allweddol.
клю́шка *ж.* ffon. **клюшка для гольфа** clwb golff. **хоккейная клюшка** ffon hoci.
кля́сться *несов.* tynghedu; tyngu; addunedu.
кля́тва *ж.* llw; adduned; gofuned.
клятвопреступле́ние *с.* anudon; anudoniaeth.
кни́га *ж.* llyfr.
кни́жечка *ж.* llyfryn.
кни́жка *ж.* llyfr.
кни́жный *прил.* llyfrol.
кно́пка *ж.* pin; botwm.
кнут *м.* ffrewyll; chwip.
княги́ня *ж.од.* tywysoges.
кня́жество *с.* tywysogaeth.
княжна́ *ж.од.* tywysoges.
князь *м.од.* tywysog; pendefig; modur.
коагули́ровать *несов. и сов.* ceulo.
кобы́ла *ж.од.* (*лошадь*) caseg.
ко́ваный *прил.* gyr.
кова́рный *прил.* cyfrwys.
кова́ть *несов.* gweithio; gyrru; morthwylio.
ковёр *м.* carped; llorlen; mat.
ко́врик *м.* mat.
ковче́г *м.* alch.
ковш *м.* llwy; baeol.
ковыря́ть *несов.* pigo.
когда́[1] *сз.* pan.
когда́[2] *нареч.* pryd.
когда́-либо *нареч.* erioed.
когда́-нибудь *нареч.* rhywdro; rhywbryd.
когда́-то *нареч.* rhywdro; rhywbryd; unwaith.
ко́готь *м.* crafanc; ewin.
ко́декс *м.* ❶ côd; deddflyfr. ❷ llawysgrif.
ко́е-что *мест.* rhywbeth.
ко́жа *ж.* cen; lledr; croen.
ко́жаный *прил.* croenog.
ко́жистый *прил.* croenog.
ко́жица *ж.* ton; cen; croen.
ко́жный *прил.* croenog.
кожура́ *ж.* cib; ton; cen; croen; ballasg.
кожу́х *м.* mantell; amwisg.
коза́ *ж.од.* gafr.
козёл[1] *м.од.* (*животное; игра - карточная или в домино; спортивный снаряд*) bwch; gafr.
козёл[2] *м.* (*застывший сгусток металла; спортивный снаряд*) hwch.
козеро́г *м.од.* gafr.
козлёнок *м.од.* myn.
ко́злы *ж.мн.* mul.
козодо́й *м.од.* troellwr; nyddwr.
кой *мест.* pa.
ко́йка *ж.* gwely.
кок *м.од.* (*повар*) cog.
коке́тка *ж.од.* (*кокетливая женщина*) hoeden.
ко́кон *м.* cib.
кол *м.* (*шест*) polyn; cledren; cledr.
колбаса́ *ж.* selsig.
колдовско́й *прил.* hudol.

колдовство́ *с.* hud; swyn.
колду́н *м.од.* dewin.
колду́нья *ж.од.* gwrach; chwiloges; gwiddon.
колеба́ние *с.* gwefr; chwyf.
колеба́ть *несов.* siglo.
колеба́ться *несов.* siglo; petruso; crynu; hofran; anwadalu.
коле́но[1] *с.* (*изгиб; фигура в танцах или пении; поколение*) elin.
коле́но[2] *с.* glin; pen-lin; pen-glin.
коле́но[3] *с.* cenhedlaeth.
ко́лер *м.* (*цвет*) lliw.
колёсико *с.* rhod; olwyn.
коле́сник *м.од.* troellwr.
колесни́ца *ж.* car; cerbyd.
колесо́ *с.* rhod; olwyn.
коле́чко *с.* dolen.
колея́ *ж.* rhych; llwybr.
ко́ли *сз.* os.
коли́чество *с.* nifer; maint; rhif; talwm; tyrfa; swm; craff.
ко́лкий *прил.* bachog; llym.
колле́га *м.ж.* cydweithiwr; cydymaith.
коллегиа́льный *прил.* colegol.
колле́гия *ж.* bwrdd; clas.
колле́дж *м.* (*в странах английского языка*) bangor.
коллекти́в *м.* cymundod.
коллекти́вный *прил.* torfol.
коллекциони́ровать *несов.* casglu.
колле́кция *ж.* casgliad.
коло́да *ж.* cyff; pac.
коло́дец *м.* pydew; ffynnon.
коло́дка *ж.* ❶ mul. ❷ cyff.
коло́к *м.* ebill; pin.
ко́локол *м.* cloch; crair.
колоко́льчик *м.* cloch; crair.
колониза́ция *ж.* planiad.
коло́ния *ж.* gwladfa; planiad.
коло́нка *ж.* colofn.
коло́нна *ж.* post; colofn.
ко́лос *м.* tywysen.
колоти́ть *несов.* taro; pwnio; baeddu; golchi.
колоту́шка *ж.* gordd.
коло́ть *несов.* ❶ brathu; claddu. ❷ clecian; agennu.
колу́н *м.* bwyell; bwyall.
колхо́з *м.* colchos; fferm gyfun.
колча́н *м.* cawell; ysgub.
колыбе́ль *ж.* crud; cawell; cadair.
колыха́ться *несов.* crynu.
кольцо́ *с.* modrwy; rhwy; dolen; cylch; amgarn; torch.
кольчу́га *ж.* caddug; llurig; pais.
колю́чий *прил.* pigog.
колю́чка *ж.* (*шип; растение*) draenen.
ко́люшка *ж.од.* crothell.
ком *м.* clap.
ко́ма *ж.* (*мед.*) marwgwsg.
кома́нда *ж.* ❶ criw; gwerin (*экипаж*). ❷ gorchymyn (*приказ*).
команди́р *м.од.* penaig.
командиро́вка *ж.* taith fusnes.
кома́ндование *с.* ❶ gorchymyn. ❷ rheolaeth.
кома́ндовать *г.* tywys; erchi.
кома́р *м.од.* cylionyn; gwybedyn.
комба́йн *м.* dyrnwr medi.
комба́т *м.од.* arweinydd bataliwn.
комбина́ция *ж.* ❶ cyfuniad. ❷ pais.
коме́дия *ж.* comedi.
коменда́нт *м.од.* llywodraethwr.
комендо́р *м.од.* (*морской артиллерист-наводчик*) magnelwr.
комисса́р *м.од.* dirprwywr.
коми́ссия *ж.* ❶ gweithgor; pwyllgor; panel. ❷ comisiwn.
комите́т *м.* pwyllgor.
коми́ческий *прил.* arab; doniol.
коммента́рий *м.* esboniad; sylwebaeth.
коммента́тор *м.од.* sylwebydd.
комме́рция *ж.* masnach.
комме́рческий *прил.* masnachol.
коммодо́р *м.од.* morlywydd.
коммуна́льный *прил.* cyhoeddus.
коммуни́зм *м.* comiwnyddiaeth.
коммуникацио́нный *прил.* cyfathrebol.
коммуни́ст *м.од.* comiwnydd.
коммунисти́ческий *прил.* comiwnyddol.
коммута́тор *м.* cyfnewidfa.
ко́мната *ж.* ystafell; stafell; llety; cell; trefn.
ко́мнатка *ж.* llogell.
ко́мнатный *прил.* ❶ dan do. ❷ llywaeth.
комнату́шка *ж.* llogell.
комо́к *м.* clap.
компа́ктный *прил.* cryno.
компа́ния *ж.* criw; haid; gwerin; torf; cwmni; tyrfa; bagad; ciwdod.
компаньо́н *м.од.* cydymaith.
ко́мпас *м.* cwmpawd; cwmpas.
компа́унд *м.* cyfansawdd.
компенса́ция *ж.* pwyth; iawndal.
компете́нтность *ж.* cymhwyster.
компете́нция *ж.* medr.
ко́мплекс *м.* (*совокупность чего-л.; психологич. понятие*) ❶ cymhleth. ❷ cyfadeilad. ❸ diwydiant.
ко́мплексный *прил.* (*число*) cymhlyg.
комплиме́нт *м.* (*похвала*) canmoliaeth.
компози́тор *м.од.* cyfansoddwr.
компози́ция *ж.* cyfansoddiad; cynllun.
компоно́вка *ж.* cyfansoddiad.
компроми́сс *м.* cyfaddawd; cymrodedd.
компью́тер *м.* cyfrifiadur.
комсомо́л *м.* yr Undeb Comiwnyddol Ieuenctid.
комсомо́лец *м.од.* aelod yr Undeb Comiwnyddol Ieuenctid.

комсомо́лка *ж.од.* aelodes yr Undeb Comiwnyddol Ieuenctid.
комсомо́льский *прил.* yn perthyn i'r Undeb Comiwnyddol Ieuenctid.
комфорта́бельный *прил.* cysurus; cyffyrddus; hwylus; cyfforddus.
конве́рт *м.* amlen.
конверти́ровать *несов. и сов.* troi.
конвойровать *несов.* hebrwng.
конгре́сс *м.* cynulliad; senedd.
конденси́ровать *несов. и сов.* tewychu.
конёк[1] *м.од.* (*уменьш. к «конь»; излюбленная тема*) march bach. **он оседлал своего конька** dyna fe'n canu ei hoff gainc eto.
конёк[2] *м.* (*украшение крыши; полоз для катания; излюбленная тема*) ❶ esgid sglefrio. ❷ crib (*tō*).
коне́ц *м.* terfyniad; terfyn; pen; diwedd; diben; gwaelod; adlaw; tin; cyfyl.
коне́чно *част.* wrth gwrs.
коне́чный *прил.* terfynol.
конкла́в *м.* cabidwl.
конкре́тный *прил.* pendant; penodol.
конкуре́нт *м.од.* cystadleuydd; cystadleuwr.
конкуре́нтный *прил.* cystadleuol.
конкуре́нция *ж.* ymryson; cystadleuaeth.
конкури́ровать *г.* cystadlu.
ко́нкурс *м.* cystadleuaeth.
конник *м.од.* marchog.
ко́нница *ж.* marchoglu.
конова́л *м.од.* milfeddyg.
коного́н *м.од.* gyrrwr.
конопля́ *ж.* cywarch.
конопля́нка *ж.од.* llinos.
консервати́вный *прил.* ceidwadol.
консерва́тор *м.од.* Ceidwadwr.
консерви́ровать *несов.* pereiddio; cyweirio.
конси́лиум *м.* ymgynghoriad.
консисто́рия *ж.* cabidwl.
конспе́кт *м.* crynodeb; dosbarthiad.
конститу́ция *ж.* ❶ cyfansoddiad. ❷ corffolaeth.
конструи́ровать *несов.* cynllunio.
конструкти́вный *прил.* adeiladol.
констру́ктор[1] *м.од.* (*работник*) cynllunydd.
констру́ктор[2] *м.* (*детская игра*) set adeiladu.
констру́кция *ж.* adeiladaeth; cystrawen; cynllun.
консультати́вный *прил.* ymgynghorol.
консульта́ция *ж.* ymgynghoriad; cydsyniad.
консульти́роваться *несов.* ymgynghori.
контакт *м.* cysylltiad; cyffyrddiad.
конте́кст *м.* cyd-destun; amgylchiad; cysylltiad.
континент *м.* cyfandir.
континента́льный *прил.* cyfandirol.
конто́ра *ж.* swyddfa.
контр *прист.* gwrth.
контра́кт *м.* cyfamod; cytundeb.
контра́ст *м.* gwrthgyferbyniad; annhebygolrwydd.
контролёр *м.од.* (*работник*) goruchwyliwr; arolygydd; arolygwr; rheolwr.
контроли́ровать *несов.* arolygu; rheoli.
контро́ллер *м.* (*прибор*) rheolydd.
контро́ль *м.* rheolaeth.
ко́нтур *м.* amgylch; cwmpas; amlinell; amlinelliad.
конфере́нция *ж.* cynhadledd.
конфе́та *ж.* losinen.
конфиденциа́льный *прил.* preifat; cyfrinachol.
конфирмова́ть *несов. и сов.* ategu.
конфиска́ция *ж.* atafaeliad; alltudiaeth.
конфискова́ть *несов. и сов.* atafaelu.
конфли́кт *м.* gwrthdaro.
конфу́зить *несов.* cywilyddio.
концентри́ровать *несов.* canoli; canolbwyntio.
конце́рт *м.* cyngerdd.
конча́ть *несов.* terfynu; diweddu; gorffen; darfod; peidio; cwpla; nadu.
конча́ться *несов.* terfynu; diweddu; darfod; pennu; trengi.
ко́нчик *м.* pig; trwyn; swch; bonllost.
кончи́на *ж.* ymadawiad.
ко́нчить *сов.* gorffen.
ко́нчиться *сов.* darfod.
конь *м.од.* ❶ march; amws; gorwydd. ❷ marchog (*в шахматах*).
конья́к *м.* coniac.
кооперати́вный *прил.* cydweithiol.
коопера́тор *м.од.* cydweithredydd; cydweithredwr.
коопера́ция *ж.* cydweithrediad.
коопери́роваться *несов. и сов.* cydweithredu.
копа́ть *несов.* cloddio; palu; claddu; turio.
копа́ться *несов.* turio.
копе́йка *ж.* copec.
копи́ровать *несов.* dynwared; efelychu; dilyn; copïo; adysgrifio.
копи́ть *несов.* tyrru; pentyrru; cynilo; arbed.
ко́пия *ж.* adysgrif.
копти́ть *несов.* mygu.
копы́то *с.* carn; ewin.
копь *ж.* cloddfa; clawdd; pwll; mwynglawdd.
копьё *с.* gwaywffon; llain; picell; dryll; cethr; gwydden; pâr; cethren; asgell; bêr; gwayw; gaflach; genwair.
кора́ *ж.* rhisgl.
кораблевожде́ние *с.* morwriaeth.
кораблекруше́ние *с.* llongddrylliad.
кора́бль *м.* arch; llestr; llong.
корд *м.* tennyn.
коре́йский *прил.* Coreeg.

коренно́й *прил.* brodorol; sylfaenol; gwreiddiol.
ко́рень *м.* bôn; bonedd; gwreiddyn; isradd. **квадратный корень** ail isradd.
корзи́на *ж.* cawell; fflasg.
коридо́р *м.* tramwyfa; mynedfa.
кори́ть *несов.* ceryddu.
кори́чневый *прил.* llwyd; gwinau; brown.
ко́рка *ж.* ton; cen.
корм *м.* maeth; llith; lluniaeth.
корми́лица *ж.од.* mamaeth; gweinyddes.
корми́ло *с.* llyw.
корми́ть *несов.* porthi; bwydo; abwydo.
корму́шка *ж.* cafn.
корнево́й *прил.* gwreiddiol.
ко́рнский *прил.* Cernyweg (*язык*).
Корнуо́лл *м.* Cernyw.
коро́бка *ж.* blwch; cyff; cist; bocs.
коро́ва *ж.од.* buwch.
коро́вка *ж.од.* buwch fach. **божья коровка** buwch goch gota, buwch fach gota, buwch goch Duw.
коро́вник *м.* (*хлев*) beudy.
короле́ва *ж.од.* brenhines; rhiain; banon.
короле́вский *прил.* arbenigol; brenhinaidd; brenhinol; rhwyfus.
короле́вство *с.* brenhiniaeth; teyrnas.
коро́ль *м.од.* brenin; mechdeyrn; rhwyf; pendefig; rhi; modur.
коромы́сло *с.* iau; cambren.
коро́на *ж.* corun; coron; talaith.
короновáть *несов. и сов.* coroni; urddo.
корота́ть *несов.* difyrru.
коро́ткий *прил.* byr; cwta; anhydwf.
корпора́ция *ж.* corff; corffolaeth.
ко́рпус *м.* (*туловище; шрифт*) corff.
корректи́ровать *несов.* cywiro; ceryddu.
корре́ктор *м.од.* diwygiwr; darllenydd.
корреляти́вный *прил.* perthnasol.
корреляцио́нный *прил.* perthnasol.
корреспонде́нт *м.од.* newyddiadurwr; gohebydd.
корреспондентский *прил.* gohebol; anghytrig.
корреспонде́нция *ж.* gohebiaeth.
коррумпировать *несов. и сов.* llygru.
корса́ж *м.* gwasg.
корте́ж *м.* (*торжественное шествие*) gosgordd.
ко́рчиться *несов.* gwingo.
ко́ршун *м.од.* barcud.
коры́сть *ж.* elw; ennill.
коры́то *с.* cafn.
корь *ж.* y frech goch.
коса́ *ж.* ❶ pleth (*о волосах*); aerwy. ❷ pladur. ❸ pentir (*геогр.*).
ко́свенный *прил.* anuniongyrchol; traws; anunion.
коси́ть *несов.* (*срезать косой*) pladuro; lladd.
косма́тый *прил.* blewog.
косми́ческий *прил.* gofod.
ко́смос *м.* bydysawd; gofod.
ко́сность *ж.* syrthni.
косну́ться *сов.* cyffwrdd.
ко́сный *прил.* anhyblyg.
косо́й *прил.* traws; gŵyr.
костёр *м.* coelcerth.
ко́сточка *ж.* carreg.
косты́ль *м.* bagl.
кость *ж.* ❶ asgwrn. ❷ dis.
костю́м *м.* siwt.
костя́к *м.* ysgerbwd.
косу́ля *ж.од.* (*животное*) iwrch.
косы́нка *ж.* cadach.
кося́к *м.* ❶ rhiniog (*дверной*); cilbost (*дверной*); amhiniog (*дверной*). ❷ aig (*рыб*).
кот *м.од.* cath.
котёл *м.* pair; crochan.
котело́к *м.* baeol; pot; crochan.
котёнок *м.од.* cath fach.
ко́тик *м.од.* (*уменьш. к "кот"; морское животное*) cath (*bach*). **морской котик** morlo.
кото́мка *ж.* ysgrepan.
кото́рый *мест.* ❶ sawl; pa. ❷ a; в качестве относительного часто не переводится. **pa lyfr brynest ti?** которую книгу ты купил? **y llythyr a ddaeth ddoe** письмо, которое пришло вчера. **y rhai oedd â gwaed ar eu dwylo** те, у кого на руках была кровь. **y dyn sy'n byw drws nesa** человек, который живет рядом. **y tŷ y byddwn ni'n byw ynddo** дом, в котором мы будем жить.
ко́фе *м.* coffi.
коче́вник *м.од.* crwydryn.
кошелёк *м.* pwrs; amner.
кошёлка *ж.* pwrs.
коше́ль *м.* ysgrepan.
ко́шечка *ж.од.* titw.
ко́шка *ж.од.* (*животное*) cath.
кошма́р *м.* hunllef.
кощу́нствовать *г.* melltithio.
коэффицие́нт *м.* cyfartaledd; cyfradd; cyfernod.
краб *м.од.* cranc; crwban.
край *м.* (*предельная линия; в перен. знач.: граница, предельная точка; окраина*) ❶ cyffin; diben; ystlys; ymyl; terfyn; ochr; ffin; amgant; min; cwr; godre; cwt. ❷ bro.
кра́йне *нареч.* ulw.
кра́йний *прил.* ❶ pen; ymylol. ❷ eithafol; eithaf.
кра́йность *ж.* rhemp; eithaf.
кран *м.* ❶ ceiliog; tap. ❷ craen; magnel.
кра́пать *г.* britho.
крапи́ва *ж.* danhadlen.
крапивник *м.од.* (*птица*) dryw.
кра́пинка *ж.* brych.

крáпчатый *прил.* brych; brith.
красáвец *м.од.* dyn golygus.
красáвица *ж.од.* meinir.
красáвка *ж.од.* codwarth.
краси́вый *прил.* cain; mad; prydferth; cadr; hardd; gweddol; glân; teg; golygus; addien; berth; gwymp; ffetus.
краси́тель *м.* lliw.
крáсить *несов.* lliwio; britho; amliwio.
крáска *ж.* lliw.
краснéть *г.* cochi; amliwio; lliwio; cywilyddio.
красновáтый *прил.* gwridog.
красноречи́вый *прил.* huawdl; hwyliog.
краснорéчие *с.* aches; araith; cymhendod.
краснотá *ж.* cochi.
крáсный *прил.* coch; rhudd.
красотá *ж.* harddwch; prydferthwch; tegwch; glendid; gogoniant; addfwynbryd; glwysedd.
красóтка *ж.од.* meinir; pisyn.
крáсочный *прил.* lliwgar.
красть *несов.* lladrata; dwyn; bachu; bacho.
крáсться *несов.* sleifio; bachu; llechu.
крáтер *м.* simnai.
крáткий *прил.* byr; cwta; swta; toc.
крáткость *ж.* crynodeb; byrder.
крах *м.* adfail; adfeiliant; adfeiliad.
крáшеный *прил.* lliwiog.
креатýра *ж.од.* creadur.
кревéтка *ж.од.* (*живая или как пища*) corgimwch.
креди́т[1] *м.* (*ссуда; доверие*) credyd; hyder; cred.
креди́т[2] *м.* (*в приходо-расходных книгах*) credyd.
креди́тный *прил.* benthyg.
крéдо *с.* credo.
кремaтóрий *м.* amlosgfa.
кремéнь *м.* callestr.
креми́ровать *несов. и сов.* amlosgi.
кремль *м.* caer.
крепи́ть *несов.* cryfhau; cadarnhau.
крéпкий *прил.* cadarn; praff; nerthol; cryf; sefydlog; grymus; ffyrf; amddyfrwys; agwrdd; tyn; greddfol.
крепостнóй[1] *м.од.* (*труд, право, крестьянин*) taeog; milain; caethwas; iangwr; alltud; aillt; caeth.
крепостнóй[2] *прил.* (*труд, право, крестьянин*) caeth; taeog.
крепостнóй[3] *прил.* (*от «крепость»—укрепление и «крепость»—документ*) caerog.
крéпость[1] *ж.* (*укрепленный пункт; документ о праве на владение*) ❶ caer; amddiffynfa; dalfa; din; cadernid. ❷ gweithred.
крéпость[2] *ж.* (*сущ. к «крепкий»*) cadernid; nerth.
кресало *с.* rhwyll.
крéсло *с.* cadair freichiau.
крест *м.* croes.
крéстик *м.* croes fach; bidog.
крести́тель *м.од.* Bedyddiwr.
крести́ть *несов. и сов.* (*произвести обряд крещения*) (*делать знак креста над кем-л.; перечеркивать*) bedyddio.
крёстная *ж.од.* mechni.
крёстный *м.од.* rhwym; mechni.
крестовидный *прил.* croesog.
крестови́на *ж.* croes.
крестонóсец *м.од.* croesgadwr.
крестоносный *прил.* croesog.
крестья́нин *м.од.* milain; gwladwr; taeog; amaethwr.
крестья́нка *ж.од.* amaethwraig.
крестья́нский *прил.* gwladwr.
крещéние *с.* bedydd.
кривизнá *ж.* camen.
кривóй *прил.* bachog; cam; gŵyr; crwm; adŵyr; aniawn.
кри́зис *м.* argyfwng; adwy.
крик *м.* cri; gawr; gwaedd; sgrech; nâd; banllef; bonllef.
крикли́вый *прил.* ban.
кри́кнуть *г.* gweiddi.
криминáльный *прил.* troseddol.
кристáлл *м.* grisial; crisial.
кристалли́ческий *прил.* crisial.
кристáльный *прил.* crisial.
критéрий *м.* safon.
кри́тик *м.од.* beirniad.
кри́тика *ж.* beirniadaeth; ymdriniaeth.
критиковáть *несов.* beirniadu; ceryddu.
крити́ческий *прил.* ❶ peryglus. ❷ allweddol. ❸ beirniadol; barnol.
кричáть *г.* ebychu; bloeddian; bloeddio; sgrechian; lleisio; gweiddi; nadu.
кричáщий *прил.* llachar (*о цвете*); ban.
кров *м.* gwasgod; lloches.
кровáвый *прил.* gwaedlyd.
кровáть *ж.* gwely.
кровожáдный *прил.* gwaedlyd.
кровоизлия́ние *с.* gwaedlif.
кровообращéние *с.* cylchrediad y gwaed.
кровоподтёк *м.* clais.
кровопроли́тие *с.* galanastra; aerfa.
кровопроли́тный *прил.* gwaedlyd.
кровосмешéние *с.* llosgach.
кровотечéние *с.* gwaedlif; llin.
кровоточи́ть *г.* gwaedu.
кровь *ж.* gwaed; crau.
крои́ть *несов.* llunio; torri i'r maint iawn.
крой *м.* toriad.
крóлик *м.од.* (*в т. ч. о мехе*) cwningen.
крóме *предл.* namyn; onid; oni; heblaw; eithr; ond.
крóмка *ж.* min; ymylwe; ymyl; cwr; godre; edau.

кромса́ть *несов.* llarpio.
кроншне́п *м.од.* gylfinir.
кропотли́вый *прил.* llafurus.
крот *м.од.* gwadd; twrch.
кро́ткий *прил.* gwâr; esmwyth; tirion; llednais; addfwynol; llariaidd.
кро́тость *ж.* addfwynder.
кро́хотный *прил.* bychan.
крошечка *ж.* (*кусочек*) gronyn.
кро́шечный *прил.* bychan.
кроши́ть *несов.* malu; briwsioni.
крошиться *несов.* malu; briwsioni.
кро́шка[1] *ж.* (*кусочек; крошение*) briwsionyn.
кро́шка[2] *м.ж.* (*ребенок*) pisyn.
круг *м.* (*в матем. знач.; круглый предмет; в перен. знач.: порочный круг, заколдованный круг, круги ада; совокупность людей: круг друзей и т.п., аристократический круг; сфера, область: привычный круг представлений*) cylch; rhod; cwmpas; cwmpawd; amgylchiad; amgarn; amgant.
кру́глый *прил.* crwn.
круговоро́т *м.* cylchrediad.
кругозо́р *м.* cyrhaeddiad; gorwel.
круго́м *нареч.* oddeutu.
кругооборо́т *м.* amgylch; chwyldroad; cylchdaith.
кру́жево *с.* ail.
круже́ние *с.* rhod.
кружи́ться *несов.* troi.
кру́жка *ж.* godard.
кружо́к *м.* cylch; cylchen.
круп *м.* ❶ pedrain; ffolen. ❷ crygwst.
крупа́ *ж.* grawn.
крупи́нка *ж.* graen; gronyn.
крупи́ца *ж.* mymryn; affliw; briwsionyn; as.
крупне́йший *прил.* mwyaf.
кру́пный *прил.* mawr.
крути́ть *несов.* nyddu; troi; dirwyn; troelli; am-droi.
крути́ться *несов.* troi.
круто́й *прил.* serth.
кру́ча *ж.* dibyn.
кручина *ж.* anhyfrydwch.
круше́ние *с.* adfail; adfeiliant; adfeiliad.
крыла́тый *прил.* adeiniog.
крыло́ *с.* adain; asgell.
крыльцо́ *с.* cyntedd.
кры́са *ж.од.* llygoden fawr.
крыть *несов.* toi; gorchuddio; trympio.
кры́ша *ж.* to; cromen.
кры́шка *ж.* caead; clawr.
крюк *м.* bach.
крючкова́тый *прил.* bachog.
крючо́к *м.* bachyn.
кста́ти[1] *нареч.* yn amserol.
кста́ти[2] *част.* gyda llaw.
кто *мест.* sawl; pwy.
кто́-нибудь *мест.* rhywun.
кто́-то *мест.* rhywun.
куби́ческий *прил.* cyflawn.
ку́бок *м.* mail; godard; llestr; cwpan.
кувши́н *м.* piser; baeol.
куда́ *нареч.* i ble; man.
куда́-либо *нареч.* rhywle.
куда́-нибудь *нареч.* rhywle.
куда́-то *нареч.* rhywle.
куда́хтанье *с.* clwc.
куда́хтать *г.* clwcian.
куде́ль *ж.* carth.
куде́сник *м.од.* dewin.
ку́дри *м.мн.* gwallt.
кудря́вый *прил.* crych.
кузне́ц *м.од.* gof.
ку́зница *ж.* gefail.
ку́зов *м.* corff.
ку́кла *ж.* (*игрушка*) doli.
куку́шка *ж.од.* (*птица*) cog.
кула́к *м.* (*сжатая кисть*) dwrn; crafanc; bos.
куль *м.* sach.
кульмина́ция *ж.* eithaf.
культ *м.* addoliad; crefydd.
культиви́ровать *несов.* tyfu; magu; diwyllio; amaethu.
культу́ра *ж.* diwylliant; gwrtaith.
культу́рный *прил.* llywaeth; gwâr; diwylliedig; dof; diwylliannol.
куни́ца *ж.од.* belau.
купа́ние *с.* badd.
купа́ть *несов.* golchi.
купа́ться *несов.* ymolchi.
купе́ *с.* ❶ adran. ❷ coupé.
купе́ц *м.од.* marsiandïwr; marsiandwr; masnachwr; porthmon.
купи́ть *сов.* prynu.
ку́пол *м.* cryndo; cromen.
курга́н *м.* carnedd; carn; gorsedd; crug; gwyddfa; banc.
кури́льщик *м.од.* ysmygwr.
кури́ть *несов.* mygu; ysmygu.
ку́рица *ж.од.* iâr.
куро́к *м.* ceiliog; morthwyl.
курс *м.* ❶ cyfeiriad; llwybr; cerrynt; dychwel; tueddiad; ystod; polisi. ❷ cwrs. ❸ cyfradd.
курса́нт *м.од.* cadlanc.
ку́ртка *ж.* siaced.
курчавость *ж.* crychiad.
курча́вый *прил.* crych.
курье́р *м.од.* rhingyll.
куса́ть *несов.* brathu; cnoi.
куса́чий *прил.* brathog.
кусо́к *м.* darn; tamaid; cat; cetyn; dryll.
кусо́чек *м.* mymryn; tipyn; tamaid.
куст *м.* bid; perth; llwyn; prys.
куста́рник *м.* dryslwyn; perth; llwyn; clun.
кутёж *м.* term.
кути́ла *м.од.* cyfeddachwr.
кути́ть *г.* cyfeddach.

куха́рка *ж.од.* cogyddes.
ку́хня *ж.* cegin.
ку́цый *прил.* toc.
ку́ча *ж.* tas; teml; toc; tomen; carfan; twr; haid; pentwr; crug; moel.
ку́чер *м.од.* gyrrwr.
куша́к *м.* gwregys.
ку́шанье *с.* saig; dysgl.
ку́шать *несов.* bwyta.
куше́тка *ж.* glwth.
кюве́т *м.* ffos; ceuffos.

лаборатóрия *ж.* labordy.
лáвка *ж.* ❶ siop. ❷ mainc.
лáвочник *м.од.* marsiandwr; masnachwr.
лáгерный *прил.* gwersyllog.
лáгерь *м.* (*военный, пионерский и т.п.*) gwersyll; cadlys.
лáдан *м.* thus.
лáдный *прил.* da.
ладóнь *ж.* cledr llaw; tor llaw; palf; bos.
ладья́ *ж.* ❶ llong. ❷ castell (*шахм.*).
лáзить *г.* dringo.
лазýрный *прил.* glas.
лай *м.* cyfarth.
лак *м.* arlliw.
лáкомство *с.* ancwyn.
лáкомый *прил.* amheuthun.
лаконичность *ж.* cysondeb.
лакони́чный *прил.* cryno.
лáмпа *ж.* lamp; golau.
лáмпочка *ж.* bylb goleuni.
ландшáфт *м.* tirwedd.
лань *ж.од.* ewig; elain; danas.
лáпа *ж.* crafanc; dwrn; palf; adfach (*angor*); adain.
лáпать *несов.* palfalu.
ларь *м.* llogell; cist.
лáска[1] *ж.* (*нежность*) anwes; anwylaeth.
лáска[2] *ж.од.* (*животное*) gwenci; belau; bronwen.
ласкáть *несов.* anwesu; tolach.
лáсковый *прил.* gwâr; esmwyth; meddal; mwyn; tyner; tirion; addfwynol; llariaidd; addfwyn.
лáсточка *ж.од.* gwennol.
латáть *несов.* trwsio; gwella.
латýнь *ж.* pres; efydd.
лáты *ж.мн.* llurig.
лачýга *ж.* twlc; bwthyn; cwt.
лáять *несов.* cyfarth; arthu; coethi.
лгать *г.* dweud celwydd.
лгун *м.од.* twyllwr.
лебёдка[1] *ж.* (*приспособление*) cranc; dirwynlath; magnel.
лебёдка[2] *ж.од.* (*самка лебедя*) alarches.
лебёдушка *ж.од.* alarches.
лéбедь *м.од.* alarch.
лев *м.од.* (*животное*) llew.
лéвый *прил.* chwith; chwithig; aswy; cledd.
легавая *ж.од.* cyfeirgi.
легáльный *прил.* cyfreithiol; cyfreithlon.
легéнда *ж.* ❶ chwedl. ❷ eglurhad.
легендáрный *прил.* chwedlonol.
легиóн *м.* lleng.
лёгкий *прил.* ❶ ysgafn; llariaidd; tyner. ❷ hawdd; hwylus; esmwyth; syml; rhwydd.
легковéсный *прил.* ysgafn.
лёгкое *с.* un o ysgyfaint.
легкомы́сленный *прил.* syfrdan; gwacsaw.
лёгкость *ж.* rhwyddineb.
легчáть *г.* ysgafnhau.
лёд *м.* rhew; iâ.
лéди *ж.од.* arglwyddes.
ледни́к *м.* (*ледяной массив в горах*) rhewlif; iaen.
ледянóй *прил.* iaennol; rhewllyd.
лежáть *г.* gorwedd.
лéзвие *с.* llain; llafn; min; plât.
лезть *г.* (*в знач. повел. употр. также «полезай»*) mynd i mewn; dringo.
лейтенáнт *м.од.* is-gapten.
лейтмоти́в *м.* cyweirnod.
лекáрственный *прил.* meddygol.
лекáрство *с.* (*лечебное вещество*) cyfaredd; ffisig; meddyginiaeth; moddion; cyffur.
лексикóн *м.* geirfa.
лéктор *м.од.* darlithydd; darlithiwr; darllenydd; darllenwr.
лéкция *ж.* darlith; llith.
лелéять *несов.* meithrin; anwesu.
лéмех *м.* swch.
лён[1] *м.* (*растение, волокно*) llin.
лен[2] *м.* (*истор.: земельное владение*) ffiff.
лени́вец *м.од.* diogyn.
лени́вый *прил.* diog; segur.
ленингрáдский *прил.* Leningrad.
лéнинский *прил.* Leninaidd.
лени́ться *несов.* diogi.
лéность *ж.* syrthni; diogi.
лéнта *ж.* incil.
лентя́й *м.од.* diogyn.
лень *ж.* syrthni; diogi.
лепи́ть *несов.* delweddu.
лес[1] *м.* (*растущий*) coed; coetir; coedwig; allt.
лес[2] *м.* (*материал*) pren.
лесá[1] *м.мн.* (*сооружение*) clwyd.
лесá[2] *ж.* (*нить у удочки*) llinyn (*pysgota*).
леси́стый *прил.* coediog.
лéска *ж.* llinyn (*pysgota*).
лесни́к *м.од.* coediwr.
лесни́чий *м.од.* (*служащий лесничества*) coediwr.
леснóй *прил.* coediog.
лесовик *м.од.* coediwr.
лесóк *м.* celli; llwyn.
лéстница *ж.* grisiau; ysgol.
лесть *ж.* gweniaith; truth.
летарги́я *ж.* marwgwsg.
летáть *г.* hedfan; adeino; adeinio.
летéть *г.* hedfan.

ле́тний *прил.* hafaidd.
ле́то *с.* ❶ haf. ❷ blwyddyn.
ле́топись *ж.* cronicl.
лётчик *м.од.* ehedwr; awyrennwr.
лече́бный *прил.* iachaol.
лече́ние *с.* triniaeth; iachâd.
лечи́ть *несов.* trin.
лечь *г.* gorwedd.
лжесвиде́тель *м.од.* anudonwr.
лжесвиде́тельство *с.* camdystiolaeth; anudon; anudoniaeth.
лжец *м.од.* celwyddgi.
лжи́вость *ж.* twyll; anghywirdeb.
лжи́вый *прил.* ffug; gau; siomedig; annilys.
ли *сз.* od.
либера́л *м.од.* Rhyddfrydwr.
либера́льный *прил.* rhyddfrydol.
ли́бо *сз.* neu.
ли́вень *м.* curlaw; cawod.
ливер *м.* (*потроха*) plwc.
ливре́я *ж.* lifrai.
ли́га *ж.* ❶ cynghrair. ❷ llithren (*муз.*). ❸ llech (*мера длины*).
ли́дер *м.од.* (*в т.ч. о корабле*) blaenor; arweinydd; penaig.
лиза́ть *несов.* llyfu; dylyfu; tafodi.
лизну́ть *сов.* llyfu.
ликви́дность *ж.* hylifrwydd.
ликви́дный *прил.* hylif.
ликова́ние *с.* afiaith; dirwen.
лику́ющий *прил.* afieithus.
ли́лия *ж.* alaw.
лило́вый *прил.* porffor.
лима́н *м.* moryd.
лингви́ст *м.од.* ieithydd.
лингви́стика *ж.* ieithyddiaeth; ieitheg.
лингвисти́ческий *прил.* ieithol; ieithyddol; ieithegol.
лине́йка *ж.* rheol.
ли́нза *ж.* llygad; gwydryn.
ли́ния *ж.* llinell; rhes; llinyn; llin; bannod.
линко́р *м.* cadlong.
линь *м.* (*канат*) llinyn.
линя́ть *г.* gwywo.
ли́па *ж.* pisgwydden.
ли́пкий *прил.* gludiog.
ли́пнуть *г.* glynu.
лис *м.од.* llwynog; cadno.
лиса́ *ж.од.* cadno; llwynog.
лиси́ца *ж.од.* cadno; llwynog.
лиси́чка[1] *ж.од.* (*уменьш. к «лисица»*) llwynog (*bach*).
лиси́чка[2] *ж.* (*гриб*) siantrel.
лист[1] *м.* deilen; dalen.
лист[2] *м.* (*бумаги и т.п.*) dalen; llafn; llen.
листва́ *ж.* addail.
ли́ственница *ж.* llarwydden.
ли́стик *м.* taflen.
листо́вка *ж.* taflen.
листо́к *м.* llen.
листо́чек *м.* taflen.
лите́йщик *м.од.* toddydd.
литераторствовать *г.* llenydda.
литерату́ра *ж.* llên; llenyddiaeth.
литерату́рный *прил.* llengar; llenyddol.
лить *несов.* tywallt; llifeirio.
ли́ться *несов.* llifo; llifeirio.
лиф *м.* gwasg.
лифт *м.* lifft.
ли́фчик *м.* bronglwm.
лихора́дка *ж.* cryd; twymyn; llucheden; acses.
лицеме́р *м.од.* rhagrithiwr.
лицеме́рие *с.* rhagrith.
лицеме́рный *прил.* rhagrithiol.
лице́нзия *ж.* breinlen; trwydded.
ли́цо[1] *с.* (*облик; наружная сторона; грамм. категория*) ❶ wyneb; gwep; blaen. ❷ person.
ли́цо[2] *с.од.* (*человек*) person.
личи́на *ж.* mwgwd; miswrn.
личи́нка[1] *ж.од.* (*насекомого, червя, рыбы и т.д.*) cynrhonyn.
личи́нка[2] *ж.* (*деталь затвора*) bol clo.
ли́чность *ж.* hunaniaeth; personoliaeth; cymeriad; person.
ли́чный *прил.* (*собственный персональный*) personol; preifat.
лиша́й *м.* cen.
лиша́йник *м.* cen.
лиша́ть *несов.* amddifadu; diosg.
лиша́ться *несов.* colli.
лише́ние *с.* amddifedi; amddifadrwydd.
лишённый *прил.* amddifad.
лиши́ть *сов.* diosg; amddifadu.
ли́шний *прил.* afraid.
лишь *част.* ❶ cyn gynted â. ❷ ond.
лоб *м.* tâl; talcen.
лов *м.* helfa.
лови́ть *несов.* dal; rhagod; bachu; bacho. **ловить рыбу** pysgota.
ло́вкий *прил.* cyfrwys; medrus; heini.
ло́вкость *ж.* cast; medr; celf.
ло́вля *ж.* helfa.
лову́шка *ж.* magl; dalfa; annel.
логи́ческий *прил.* rhesymegol.
логи́чность *ж.* cysondeb.
логи́чный *прил.* rhesymegol.
ло́говище *с.* glwth; cynefin; gwâl.
ло́гово *с.* lloches; adwy.
ло́дка *ж.* cwch; ysgraff; bad.
лоды́жка *ж.* meilwng; ffêr; migwrn.
ло́дырь *м.од.* diogyn.
ло́жа *ж.* ❶ bocs. ❷ cyfrinfa. ❸ carn; cyff.
ложби́на *ж.* pant.
ложби́нка *ж.* rhych.
ло́же *с.* gwâl; glwth.
ложи́ться *несов.* gorwedd.
ло́жка *ж.* llwy.

ло́жный *прил.* ffug; anghywir; cyfeiliornus; gau; cau; siomedig; annilys.
ложь *ж.* anwiredd; truth; celwydd; twyll.
лоза́ *ж.* gwden; gwialen.
ло́зунг *м.* arwyddair.
локализова́ть *несов. и сов.* lleoli.
ло́кон *м.* cudyn; ffluwch; ffluwchyn.
ло́коть *м.* penelin; elin.
ло́маный *прил.* briw; trwch; twn.
лома́ть *несов.* torri.
лома́ться *несов.* malu; torri; clecian; agennu.
ло́мка *ж.* toriad.
ло́мкий *прил.* brau; bregus.
ломо́ть *м.* tafell; golwyth; golwythen; golwythyn.
ло́мтик *м.* toc; tafell; asglodyn; tocyn; golwyth.
лонжеро́н *м.* estyllen.
ло́но *с.* bru; croth; arffed; afflau; mynwes.
ло́пасть *ж.* palf; llafn.
лопа́та *ж.* pâl; rhaw.
лопа́тка *ж.* ❶ palfais. ❷ rhaw. ❸ palf; llafn.
ло́паться *несов.* torri.
ло́пнуть *г.* torri.
лорд *м.од.* arglwydd; rhi; pendefig.
лоси́ны *ж.мн.* (*штаны из замши*) bacas.
лоск *м.* graen.
лоску́т *м.* (*кусок ткани, кожи*) llain; clwt.
ло́сось *м.од.* eog.
лось *м.од.* cawrgarw.
лосьо́н *м.* golch.
лото́к *м.* cafn.
loха́нь *ж.* twb.
лохма́тый *прил.* blewog.
ло́шадь *ж.од.* ceffyl; gorwydd.
лощёный *прил.* llathr; gloyw.
лощи́на *ж.* pant; ceunant.
лоя́льность *ж.* ffyddlondeb; teyrngarwch; gwrogaeth.
луг *м.* ton; gwaun; rhos; dôl; talwrn; clun.
лугови́на *ж.* gwaun; gwern; dôl; clun.
лу́жа *ж.* pwll.
лужа́йка *ж.* ton.
лу́за *ж.* poced.
лузга́ *ж.* cib.
лук[1] *м.* (*оружие*) bwa.
лук[2] *м.* (*растение*) nionyn. **лук-порей** cenhinen.
лука́ *ж.* ❶ corf. ❷ dolen.
лука́вый *прил.* direidus.
лу́ковица *ж.* nionyn.
луна́ *ж.* lleuad; lloer.
лу́нный *прил.* lleuadol; lloerol.
лунь *м.од.* boda tinwyn.
луч *м.* pelydr.
лучи́на *ж.* asglodyn.
лучи́ться *несов.* pelydru.
лу́чник *м.од.* saethydd.
лу́чший *прил.* gorau; cain; amgenach; amgen.
лущи́ть *несов.* cennu.
лы́жа *ж.* sgi.
лы́сый *прил.* moel.
льви́ца *ж.од.* llewes.
льди́стый *прил.* iaennol.
льстить *г.* truthio.
любе́зность *ж.* ❶ caredigrwydd; gras. ❷ ffefryn; cymwynas.
любе́зный *прил.* hawddgar; hoffus; moesgar; cymwynasgar; cu; mwyn; caredig; tirion; hynaws.
люби́мая *ж.од.* cariad.
люби́мый[1] *прил.* cariadus; cu; hoff; annwyl.
люби́мый[2] *м.од.* cariad.
люби́тель *м.од.* ❶ hoffwr. ❷ amatur.
люби́тельский *прил.* amaturaidd.
люби́ть *несов.* ❶ caru. ❷ hoffi. **я тебя люблю** dw i'n dy garu di. **я люблю кофе** dw i'n hoffi coffi.
любова́ться *несов.* edmygu.
любо́вник *м.од.* cariad.
любо́вница *ж.од.* gordderch; cariad; meistres.
любо́вь *ж.* cariad; serch; hoffter; carueiddrwydd.
любозна́тельность *ж.* chwilfrydedd.
любозна́тельный *прил.* chwilfrydig.
любо́й *мест.* unrhywun; unrhyw; rhyw; un.
любопы́тный *прил.* chwilfrydig; cynnil.
любопы́тство *с.* chwilfrydedd.
лю́бящий *прил.* serchus; cariadus; hoffus; hoff; tyner; tirion.
лю́ди *с.* (*старое название буквы «л»*) pobl; gwerin.
людско́й *прил.* dynol.
люк *м.* brad-ddor.
лю́лька *ж.* crud; cawell.
лю́тый *прил.* milain; ffyrnig; agerw; aflawen.
ляга́ть *несов.* gwingo; troedio.
лягаться *несов.* gwingo.
лягу́шка *ж.од.* broga; llyffant.
ля́жка *ж.* clun; ffolen.

M

маг *м.од.* dewin.
магази́н *м.* ❶ siop. ❷ ystorgell.
маги́ческий *прил.* hudol.
ма́гия *ж.* hud; swyn.
магна́т *м.од.* brëyr; pendefig.
магнети́т *м.* adamant.
магнети́ческий *прил.* atyniadol.
мада́м *ж.од.* madam.
мажордо́м *м.од.* stiward.
ма́зать *несов.* iro.
мазь *ж.* ennaint; eli; iraid.
май *м.* Mai.
ма́йка *ж.* crys isaf.
майо́р *м.од.* uchgapten.
мак *м.* pabi.
мака́ть *несов.* gwlychu.
максима́льный *прил.* mwyaf; uchaf.
ма́ксимум *м.* uchafrif.
маку́шка *ж.* corun; brig; iad.
мале́йший *прил.* lleiaf.
малёк *м.од.* rhith.
ма́ленький *прил.* bach; mân; bychan; llaw; tila; pitw.
мали́на *ж.* afanen; mafonen.
мали́новый *прил.* porffor; rhudd.
ма́ло[1] *нареч.* ychydig.
ма́ло[2] *числит.* nemor.
malова́жный *прил.* pitw.
маловероя́тный *прил.* annhebygol.
малоиму́щий *прил.* gwael; tlawd.
ма́лость *ж.* bychandra; bychander.
малоэффективный *прил.* aneffeithiol.
ма́лый *прил.* bychan; bach; mân.
малы́ш *м.од.* plentyn bach.
ма́льчик *м.од.* llanc; gwas; bachgen.
мальчи́шка *м.од.* bachgen.
ма́ма *ж.од.* mam.
мама́ша *ж.од.* mam.
ма́мка *ж.од.* mamaeth; gweinyddes.
ма́мочка *ж.од.* mam.
мане́ра *ж.* nwyd; delw; arddull; mesur; modd; dull; sut.
ма́нтия *ж.* gŵn; hugan; mantell; arwisg.
мара́ть *несов.* maglu.
марихуа́на *ж.* pot.
ма́рка *ж.* nod.
марки́з *м.од.* ardalydd.
марки́за[1] *ж.од.* (*жена маркиза*) ardalyddes.
марки́за[2] *ж.* (*навес; перстень*) cysgodlen; llen haul.
маркирова́ть *несов. и сов.* nodi.
ма́рля *ж.* gwe; rhwyllen.
Марс *м.од.* Mawrth.
март *м.* Mawrth.
марш *м.* ❶ ymdaith. ❷ ymdeithgan.
ма́ршал *м.од.* cadlywydd; cadlyw.
марширова́ть *г.* ymdaith; gorymdeithio.
марширо́вка *ж.* ymdaith.
маршру́т *м.* ystod.
ма́ска *ж.* gwasgod; hugan; mwgwd; miswrn.
маскирова́ть *несов.* dirgelu; celu; gorchuddio.
ма́сленица *ж.* Ynyd.
ма́сло *с.* ❶ ymenyn; menyn. ❷ olew; iraid.
маслобо́йка *ж.* cordd.
масляни́стый *прил.* ireidlyd.
ма́сса *ж.* pwys; crynswth; lliaws; twr; haid; torf; crug.
массажи́ст *м.од.* tylinwr.
масси́ровать *несов.* (*делать массаж*) tylino.
ма́ссовый *прил.* torfol.
ма́стер *м.од.* crefftwr; meistr.
мастерово́й *м.од.* crefftwr.
мастеро́к *м.* (*инструмент*) plaen.
мастерска́я *ж.* gweithdy.
мастерство́ *с.* athrylith; medr; cymhendod.
масти́ка *ж.* past.
масти́т *м.* llid y fron.
масти́тый *прил.* hybarch.
масшта́б *м.* graddfa.
мат *м.* ❶ gwarchae; argae ar y brenin. ❷ mat. ❸ gorffeniad afloyw. ❹ iaith fras. **кричать благим матом** gweiddi mwrdwr.
матема́тик *м.од.* mathemategwr.
матема́тика *ж.* mathemateg.
математи́ческий *прил.* mathemategol.
материа́л *м.* brethyn; deunydd; defnydd.
материалисти́ческий *прил.* materol.
материа́льный *прил.* materol; corfforol; anianyddol.
матери́к *м.* (*континент; подпочва*) cyfandir.
материковый *прил.* cyfandirol.
мате́рия *ж.* sylwedd; deunydd; defnydd.
матёрый *прил.* aeddfed.
ма́тка[1] *ж.* (*орган и др.*) bru; croth; arffed; cwthr.
ма́тка[2] *ж.од.* (*самка; мать*) mamog.
ма́товый *прил.* afloyw.
матро́с *м.од.* morwr; llongwr.
ма́тушка *ж.од.* mam.
матч *м.* gornest.
мать *ж.од.* mam.
маха́ть *г.* ysgwyd; siglo; chwifio.
махну́ть *г.* chwifio; siglo; ysgwyd.
ма́чеха *ж.од.* llysfam.
ма́чта *ж.* post; gwernen; gwydden.
маши́на *ж.* modur; peiriant; cerbyd; car.
машини́стка *ж.од.* teipydd; teipyddes.
маши́нка *ж.* peiriant (*bach*); car (*bach*).
мая́к *м.* goleudy; coelcerth.
мгла *ж.* niwl; caddug.
мгнове́ние *с.* amrantiad; ennyd; munud.

мгнове́нный *прил.* disymwth; disyfyd.
ме́бель *ж.* celficyn; dodrefnyn; trefn.
мёд *м.* medd; mêl.
меда́ль *ж.* bath.
медве́дица *ж.од.* arthes.
медве́дь *м.од.* arth.
медиа́тор *м.* canolwr.
медикаме́нт *м.* cyffur.
медита́ция *ж.* myfyrdod.
медици́на *ж.* meddyginiaeth; ffisig.
медици́нский *прил.* meddygol.
ме́дленный *прил.* araf; llesg; hamddenol; maith; afrwydd; arafaidd; anniben.
медли́тельность *ж.* syrthni.
медли́тельный *прил.* llesg; maith; araf; arafaidd.
ме́длить *г.* tario; oedi; addoedi.
ме́дный *прил.* efyddaid.
медсестра́ *ж.од.* gweinyddes.
меду́за *ж.од.* slefren fôr; cont fôr.
медь *ж.* copr; efydd.
меж *предл.* rhwng.
межа́ *ж.* terfyn; ffin.
междоме́тие *с.* ebychiad.
между *предл.* rhwng; ynghanol; ymysg; ymhlith; cyfrwng.
междунаро́дный *прил.* rhyngwladol; cydwladol.
межева́ть *несов.* arolygu.
мел *м.* calch.
меланхоли́чный *прил.* prudd.
меланхо́лия *ж.* melan.
ме́лкий *прил.* ❶ pitw; main; gwacsaw; bach; mân; bychan. ❷ bas.
мелково́дье *с.* basle; beisle.
мелоди́чный *прил.* cerddorol; awenol.
мело́дия *ж.* cywair; tôn; alaw; cainc.
мело́к *м.* calch.
ме́лочность *ж.* bychandra; bychander.
ме́лочный *прил.* (*придающий значение пустякам; основанный на пустяках*) pitw.
ме́лочь *ж.* newid.
мель *ж.* basle.
мелька́ть *г.* gwibio.
мелькну́ть *г.* gwibio.
ме́льница *ж.* melin.
мелюзга́ *ж.* sil.
мемора́ндум *м.* cofnod; cofeb.
мемориа́л *м.* cofeb.
мемуа́ры *м.мн.* cofiant.
ме́на *ж.* newidiad; cyfnewidfa.
ме́нее *нареч.* yn llai. **менее интересный** yn llai diddorol.
менструа́ция *ж.* mislif; misglwyf; term; teithi.
ме́ньше *нареч.* dan.
ме́ньший *прил.* llai.
меньшинство́ *с.* lleiafrif.
меню́ *с.* arlwy; bwydlen; dewislen (*комп.*).
меня́ла *м.од.* cyfnewidiwr arian.
меня́ть *несов.* newid; cyfnewid; amrywio; altro.
меня́ться *несов.* cyfnewid.
ме́ра *ж.* mesur; medr; dogn; cwmpawd.
мерза́вец *м.од.* dihiryn.
ме́рзкий *прил.* ysgeler; budr.
мёрзнуть *г.* fferru; rhewi.
ме́рзость *ж.* anfadrwydd; anfadwaith.
мери́ло *с.* mesur; safon.
ме́рить *несов.* mesuro; mesur.
ме́рка *ж.* mesur.
ме́ркнуть *г.* dallu.
Merку́рий *м.од.* Mercher.
мероприя́тие *с.* mesur.
мертвечи́на *ж.* burgyn.
мёртвый[1] *прил.* marw.
мёртвый[2] *м.од.* marw.
мерца́ть *г.* godywynnu.
меси́ть *несов.* tylino.
ме́сса *ж.* offeren.
месте́чко *с.* ❶ llecyn; mangre. ❷ trefgordd.
мести́ *несов.* ysgubo.
ме́стность *ж.* pau.
ме́стный *прил.* genedigol; brodorol; lleol.
место *с.* lle; unfan; penodiad; unlle; unman; sefyllfa; safle; man; gofod; swydd; sedd; mangre; llannerch; llog; addod.
местожи́тельство *с.* bod; arhosfa; lleoliad; anheddfa; anheddle.
местоиме́ние *с.* rhagenw.
местоположе́ние *с.* sefyllfa; safle; safiad.
местопребыва́ние *с.* annedd; arhosfa; preswylfa; preswyl; anheddfa; anheddfan; anheddfod; anheddle.
месть *ж.* dial.
ме́сяц *м.* mis; lleuad (*луна*).
ме́сячные *мн.неод.* misglwyf; mislif; term; teithi.
мета́лл *м.* metel.
металли́ческий *прил.* metelaidd.
мета́ние *с.* cast; tafl.
мета́тельный *прил.* ergydiol.
мета́ть *несов.* (*бросать; выпускать: икру; складывать стог*) hyrddio; lluchio; saethu; bwrw; taflu.
мета́ться *несов.* ❶ gwibio. ❷ cael ei daflu.
мета́фора *ж.* delwedd; trosiad.
метёлка *ж.* tusw.
мете́ль *ж.* lluwchwynt.
ме́тить *несов.* (*ставить метку*) nodi.
ме́тка *ж.* nod; ôl.
метла́ *ж.* ysgub.
ме́тод *м.* delw; trefn; modd; dull; sut.
мето́да *ж.* modd.
мето́дика *ж.* trefn.
методи́ческий *прил.* trefnus.
методи́чный *прил.* trefnus.
метр *м.* (*единица длины; стихотворный размер*) metr; mesur.
метро́ *с.* rheilffordd danddaearol.

метрополите́н *м.* rheilffordd danddaearol.
мех[1] *м.* (*волосяной покров; шкура*) ffwr; pân.
мех[2] *м.* costrel.
механи́зм *м.* peirianwaith; peiriant; dyfais.
меха́ник *м.од.* peiriannydd.
механи́ческий *прил.* mecanyddol.
мехи́ *м.мн.* (*приспособление для нагнетания воздуха*) megin.
меч *м.* cleddyf; cledd; llain.
мечта́ *ж.* breuddwyd; chwant; gweledigaeth.
мечта́тель *м.од.* breuddwydiwr.
мечта́тельный *прил.* breuddwydiol.
мечта́ть *г.* breuddwydio; tybio; synfyfyrio; pensynnu.
мешани́на *ж.* cymysgedd.
меша́ть[1] *г.* (*препятствовать*) busnesa; ymyrryd; drysu; llestair; llesteirio; hybu; aflonyddu; siomi; rhwystro; atal; nadu; tarfu; afrwyddo; rhagod.
меша́ть[2] *несов.* (*размешивать*) troi; cymysgu.
ме́шкать *г.* tario; oedi; addoedi; hofran.
мешо́к *м.* (*тара*) sach; pwrs; cydyn; cwdyn.
миг *м.* ennyd.
мигра́нт *м.од.* (*о людях или животных*) mudwr.
мизи́нец *м.* bys bach.
микро́б *м.од.* trychfil.
микроско́п *м.* gwydr; chwyddwydr.
микрофо́н *м.* meicroffon.
милиционе́р *м.од.* heddwas.
мили́ция *ж.* ❶ heddlu. ❷ milisia.
миллиа́рд *м.* biliwn.
миллио́н *м.* miliwn.
миллионе́р *м.од.* miliwnydd.
мирови́дный *прил.* gosgeiddig; hawddgar; mad; tlws; pert; golygus; clws; ffurfaidd.
милосе́рдие *с.* gras; trugaredd.
милосе́рдный *прил.* tirion.
ми́лостивый *прил.* tirion.
ми́лостыня *ж.* elusen.
ми́лость *ж.* gras; trugaredd; rhad.
ми́лый *прил.* cariadus; hoffus; pleserus; diddan; mad; arab; cu; tlws; hyfryd; dymunol; difyr; annwyl; clws.
ми́ля *ж.* milltir.
ми́мо *нареч.* heibio.
ми́на *ж.* bom.
минда́ль *м.* almon.
минера́л *м.* mwyn.
миниатю́рный *прил.* bychanig.
ми́нимум *м.* lleiafswm.
министе́рство *с.* gweinyddiaeth.
мини́стр *м.од.* gweinidog.
минова́ть *несов. и сов.* (*пройти, проехать*) (*избежать; окончиться*) ❶ mynd heibio. ❷ dod i ben.
мину́вший *прил.* gorffennol.
мину́та *ж.* munud.
мину́тка *ж.* munud.
мир[1] *м.* (*вселенная; земной шар; сфера жизни; мирская жизнь; сельская община*) byd; bydysawd.
мир[2] *м.* (*отсутствие войны; спокойствие; мирный договор*) hedd; heddwch; cymod; llonydd; tawelwch; tanc; tangnefedd.
ми́рный *прил.* distaw; llonydd; tawel; heddychlon.
миро́вой[1] *прил.* (*суд, судья*) heddwch. **мировой судья** ynad Heddwch.
миро́вой[2] *прил.* (*распространяющийся на весь мир*) ❶ byd-eang. ❷ gwych.
мирозда́ние *с.* creadigaeth.
миролюби́вый *прил.* heddychlon.
миротво́рец *м.од.* heddychwr.
ми́рра *ж.* myrr.
мирско́й *прил.* lleyg; tymhorol; bydol; gwladol.
миря́нин *м.од.* lleygwr.
ми́ска *ж.* cawg; dysgl; noe; padell.
миссионе́р *м.од.* cenhadwr.
миссионе́рский *прил.* cenhadol.
ми́ссис *ж.од.* meistres; **ми́ссис Джонз** Mrs Jones, *изр.*: y Fns Jones (Fns = Foneddiges).
ми́ссия *ж.* ❶ cenhadaeth; anfonedigaeth. ❷ neges.
ми́стер *м.од.* mister; *лит.*: meistr (meistri) **ми́стер Джонз** Mr Jones, *изр.*: y Br Jones (Br = Bonwr).
мисте́рия *ж.* dirgelwch.
мисти́ческий *прил.* cysgodol.
ми́тинг *м.* gwrthdystiad.
мифи́ческий *прил.* chwedlonol.
мифологи́ческий *прил.* chwedlonol.
мифоло́гия *ж.* chwedloniaeth.
мише́нь *ж.* nod.
младе́нец *м.од.* baban.
младе́нчество *с.* mebyd; plentyndod; babandod.
мла́дший *прил.* ieuaf.
мле́чный *прил.* llaethog.
мм *част.* mm.
мне́ние *с.* clem; barn; tyb; golygiad; dedfryd.
мни́мый *прил.* dychmygol.
мно́гие *мест.* llawer; nemor.
мно́го *нареч.* llawer; nemor.
многобо́жие *с.* amldduwiaeth.
многобра́чие *с.* amlwreiciaeth; amlwreigiaeth.
многогра́нный *прил.* amlochrog; amryddawn.
многоже́нец *м.од.* amlwreigiwr; amlwreiciwr.
многоже́нство *с.* amlwreiciaeth; amlwreigiaeth.
многоземе́льный *прил.* tiriog.
многообеща́ющий *прил.* gobeithiol; addawol.
многообра́зие *с.* amrywiaeth; amrywion.

многосло́вный *прил.* amleiriog; anghryno.
многосторо́нний *прил.* amlochrog; amryddawn.
многочи́сленный *прил.* maith; lluosog; niferus; aelaw.
мно́жественный *прил.* lluosog.
мно́жество *с.* llawer; gwala; lliaws; amnifer; abledd; ablwch; torf; pentwr; crug; llu; amlder; amldra; tyrfa; bagad; talwm; nerth; byd.
мно́жить *несов.* lluosogi; lluosi; amlhau.
мобилизова́ть *несов. и сов.* ymfyddino.
мобилизоваться *несов. и сов.* ymfyddino.
моби́льный *прил.* symudol.
моги́ла *ж.* gorsedd; gŵydd; bedd.
могу́чий *прил.* nerthol; pwerus; traws; cadr; grymus; galluog.
могу́щественный *прил.* nerthol; pwerus; traws; grymus; galluog; amddyfrwys.
могу́щество *с.* cadernid; nerth; grym.
мо́да *ж.* ffasiwn.
модели́ровать *несов. и сов.* llunio.
моде́ль *ж.* model.
модернизи́ровать *несов. и сов.* diweddaru.
мо́дный *прил.* ffasiynol; trwsiadus.
можжеве́льник *м.* merywen.
мо́жно *част.* posibl. **можно мне прийти?** ga i ddod?
мозг *м.* (*мозговое вещество*) (*орган*) (*ум, сознание*) mêr; ymennydd.
мозо́ль *ж.* corn.
мой *мест.* fy; mau; eiddof.
мо́крый *прил.* gwlyb.
мол[1] *м.* glanfa; argae.
мол[2] *част.* ebe.
молва́ *ж.* achlust; si; sôn.
моле́бен *м.* gweddi.
моле́льня *ж.* capel; betws.
моли́тва *ж.* gweddi; erfyn; gras; arch.
моли́ть *несов.* tyngu.
моли́ться *несов.* gweddïo.
мо́лния *ж.* ❶ mellten; llucheden. ❷ sip.
молодёжный *прил.* iangaidd.
молодёжь *ж.* ieuenctid.
моло́денький *прил.* ifanc.
молоде́ц *м.од.* da was.
молодо́й *прил.* ieuanc; ifanc; ifancaidd; ieuengaidd; iangaidd; tyner; ir.
мо́лодость *ж.* mebyd; ieuenctid.
моложа́вый *прил.* ifancaidd; ieuengaidd.
молоко́ *с.* llefrith; llaeth; blith.
мо́лот *м.* morthwyl; gordd.
молоти́ть *несов.* dyrnu; morthwylio.
молотобо́ец *м.од.* morthwyliwr.
молото́к *м.* morthwyl; gordd.
молото́чек *м.* morthwyl.
моло́ть *несов.* malu.
моло́чная *ж.* llaethdy.
моло́чный *прил.* llaethog.
молчали́вый *прил.* tawedog; distaw.
молча́ние *с.* distawrwydd; ust; taw.
молча́ть *г.* distewi; tewi.
моль *ж.од.* (*насекомое*) gwyfyn.
мольба́ *ж.* ymbil; erfyn; arch; gweddi; nâd.
моме́нт *м.* ❶ ennyd; munud; amrantyn; pwnc; meitin; oedfa. ❷ moment.
мона́рх *м.од.* mechdeyrn; penadur; rhi.
монархизм *м.* teyrngarwch.
мона́рхия *ж.* brenhiniaeth.
монасты́рь *м.* mynachlog; bangor; abaty; clas; mynachdy; llog.
мона́х *м.од.* mynach; crefyddwr.
мона́хиня *ж.од.* mynaches; lleian.
мона́шеский *прил.* crefyddol; rheolaidd.
мона́шество *с.* mynachaeth; crefydd.
мона́шка *ж.од.* mynaches.
моне́та *ж.* bath; pisyn.
моне́тный *прил.* ariannol.
моното́нный *прил.* undonog; dwl.
монуме́нт *м.* cofadail.
мор *м.* bad; haint; pla; llucheden.
мора́ль *ж.* moesoldeb; moes.
мора́льный *прил.* moesol.
морга́ть *г.* amrantu; gwingo.
мо́рда *ж.* gwep.
мордова́ть *несов.* baeddu.
мо́ре *с.* môr; gweilgi; aches; aig.
море́на *ж.* (*геол.*) marian.
мореходство *с.* morwriaeth.
мори́ть *несов.* ❶ lladd. ❷ lliwio. **морить голодом** newynu.
морко́вка *ж.* moronen.
морко́вь *ж.* moronen.
моро́женое *с.* hufen iâ.
моро́женый *прил.* rhewedig.
моро́з *м.* rhew.
морози́льник *м.* rhewgell.
моро́зить *несов.* rhewi.
моро́зный *прил.* rhewllyd.
морско́й *прил.* môr; morol.
морщи́на *ж.* crychyn; plyg; crych.
морщи́нистый *прил.* agennog; crych.
мо́рщить[1] *несов.* (*лицо; поверхность воды*) crychu.
мо́рщить[2] *г.* (*лежать негладко—об одежде*) crychu.
мо́рщиться *несов.* cuchio.
моря́к *м.од.* morwr; llongwr.
москви́ч *м.од.* (*житель москвы*) Mosgofiad.
мост *м.* pont.
мостова́я *ж.* sarn.
мота́льщик *м.од.* dirwynwr.
мота́ть *несов.* dirwyn; troelli; am-droi; cenglu.
моти́в *м.* cywair; cymhelliad; tôn; rheswm; alaw.
мотивиро́вка *ж.* rheswm.
мотовство́ *с.* gwastraff; afradlonedd.
мото́р *м.* modur; peiriant.
мотоци́кл *м.* beic modur.
моты́га *ж.* (*орудие*) caib.
мотылёк *м.од.* gwyfyn.

моча́ *ж.* troeth; trwnc; golch.
мочи́ть *несов.* mwydo; trwytho; gwlychu.
мочи́ться *несов.* piso; trwytho.
мочь *г.* medru; gallu; dichon; digoni.
моше́нник *м.од.* gwalch; dihiryn.
моше́ннический *прил.* anonest.
моше́нничество *с.* twyll; ffyrnigrwydd.
мо́шка *ж.од.* (*летающее насекомое*) cylionyn.
мошна́ *ж.* amner; pwrs.
мошо́нка *ж.* pwrs.
мо́щи *м.мн.* crair.
мо́щность *ж.* nerth; grym; ynni.
мо́щный *прил.* nerthol; pwerus; grymus; galluog; cadarn; traws; amddyfrwys; agwrdd; caerog; greddfol; twll.
мощь *ж.* cadernid; cryfder; nerth; grym; egni.
мрак *м.* tywyllwch; gwyll; caddug.
мра́мор *м.* marmor.
мра́чность *ж.* mall; düwch.
мра́чный *прил.* swrth; trymaidd; prudd; oer; tywyll; aflawen; anaraul.
мстить *г.* dial.
мудре́ц *м.од.* gwyddon.
му́дрость *ж.* doethineb.
му́дрый *прил.* doeth; prudd; call.
муж[1] *м.од.* gŵr; cywely.
муж[2] *м.од.* (*мужчина*) gŵr.
мужаться *несов.* cysuro.
му́жественный *прил.* dynol; hyderus; calonnog.
му́жество *с.* dewrder; dynoliaeth; plwc; metel.
мужи́к *м.од.* ❶ gŵr. ❷ iangwr.
мужско́й *прил.* gwryw.
мужчи́на *м.од.* gŵr; dyn; gwryw.
му́за *ж.од.* awen.
музе́й *м.* amgueddfa.
му́зыка *ж.* cerddoriaeth; cerdd; cynghanedd.
музыка́льный *прил.* cerddorol.
музыка́нт *м.од.* cerddor; chwaraewr.
мука́[1] *ж.* (*молотое зерно*) blawd; can; fflwr.
му́ка[2] *ж.* (*страдание*) poen; artaith; ing; cyni.
мул *м.од.* mul.
мунди́р *м.* pais.
мундшту́к *м.* cetyn.
муниципа́льный *прил.* dinesig.
мураве́й *м.од.* morgrugyn.
мурлы́кать *г.* chwyrnu.
му́скул *м.* cyhyryn; cyhyr.
му́скулистый *прил.* cyhyrog.
му́скульный *прил.* cyhyrog.
му́сор *м.* sothach; ysbwriel; addail; anialwch.
мута́ция *ж.* treiglad.
му́тный *прил.* afloyw.
му́ха *ж.од.* cleren; cylionen.
мухомо́р *м.* amanita'r gwybed.
муче́ние *с.* ing; poen; artaith.
му́ченик *м.од.* merthyr.
му́ченица *ж.од.* merthyr.
мучи́тельный *прил.* dygn; graen; irad; ingol; poenus; chwerw; tost; adwythig; angiriol; anguriol.
му́чить *несов.* poeni.
му́читься *несов.* dioddef.
му́шка[1] *ж.* (*украшение; выступ на стволе ружья*) ❶ man prydferth. ❷ anelyn blaen.
му́шка[2] *ж.од.* (*уменьш. к «муха»*) cylionen fach.
мушке́т *м.* dryll.
мча́ться *несов.* rhuthro.
мще́ние *с.* dial.
мы *мест.* ni; ninnau; nyni.
мы́ло *с.* sebon.
мыс *м.* trwyn; pentir; penrhyn.
мы́сленный *прил.* meddyliol.
мысли́тель *м.од.* meddyliwr.
мы́слить *несов.* tybio; meddwl.
мысль *ж.* syniad; meddwl; ceudod; amgyffred; dychymyg.
мы́слящий *прил.* meddyliol.
мыть *несов.* golchi.
мытьё *с.* golch.
мы́ться *несов.* ymolchi.
мыча́ние *с.* bref; bugad.
мыча́ть *г.* rhuo; brefu.
мы́шечный *прил.* cyhyrog.
мы́шка *ж.од.* (*уменьш. к «мышь»*) llygoden (*fach*).
мы́шление *с.* syniadaeth; myfyr; meddwl.
мы́шца *ж.* cyhyryn; cyhyr; gwythïen.
мышь *ж.од.* llygoden. **летучая мышь** ystlum.
мышья́к *м.* arsenig.
мэр *м.од.* maer.
мя́гкий *прил.* ystwyth; meddal; mwyn; tyner; hynaws; llipa; tirion; distaw; llednais; addfwyn; llariaidd; addfwynol; esmwyth; tymhorol.
мя́гкость *ж.* tynerwch; tirionwch; addfwyneiddrwydd; addfwynder.
мягкоте́лый *прил.* llipa.
мя́коть *ж.* bywyn; cyhyr.
мяси́стый *прил.* iraidd.
мясни́к *м.од.* cigydd.
мя́со *с.* cig; cyhyr; cnawd.
мя́та *ж.* mintys.
мятéж *м.* broch; terfysg; gwrthryfel.
мятéжник *м.од.* gwrthryfelwr; terfysgwr.
мя́тый *прил.* crych.
мять *несов.* crychu; gwasgu.
мяч *м.* pêl; bŵl.
мя́чик *м.* pêl.

Н

на *предл.* ar; am; acha.
набалда́шник *м.* dwrn; bwlyn.
набе́г *м.* herw.
на́бережная *ж.* cei.
набира́ть *несов.* ❶ casglu. ❷ cyfansoddi. ❸ deialu. ❹ teipio.
наби́ть *сов.* ❶ llenwi. ❷ hoelio. **набить оскомину** codi'r dincod ar ddannedd.
наблюда́тель *м.од.* arolygydd; arolygwr; gwyliwr.
наблюда́ть *несов.* llygadu; bugeilio; sylwi; gwylio; gwarchod.
наблюда́ться *несов.* cael ei wylio.
наблюде́ние *с.* sylw.
на́божный *прил.* duwiol; crefyddol; addolgar.
набо́р *м.* detholiad.
набо́рщик *м.од.* cysodwr.
набра́сывать *несов.* lluchio.
набра́сываться *несов.* rhuthro.
набра́ть *сов.* ❶ casglu. ❷ cyfansoddi. ❸ deialu.
набро́сок *м.* braslun.
набуха́ть *г.* rhythu; chwyddo.
наве́рно[1] *част.* yn ôl bob tebyg.
наве́рно[2] *нареч.* yn sicr.
наве́рное[1] *част.* yn ôl bob tebyg.
наве́рное[2] *нареч.* yn sicr.
наверняка́ *нареч.* yn bendant.
наверста́ть *сов.* goddiweddyd.
навёрстывать *несов.* goddiweddyd; adenill.
наве́рх *нареч.* fry; fyny.
наверху́ *нареч.* fry.
наве́с *м.* cysgodlen.
навести́ть *сов.* ymweld.
наве́шивать *несов.* (*дверь, ставни*) hongian; crogi.
навеща́ть *несов.* galw; ymweld.
навига́ция *ж.* morwriaeth.
нависа́ть *г.* hofran.
наводи́ть *несов.* hyfforddi; pwyntio.
наводне́ние *с.* llif; dilyw; llifiad; llifeiriant; adlif.
наводня́ть *несов.* boddi.
наво́з *м.* gwrtaith; tom; achles; tail; baw.
навой *м.* carfan.
навсегда́ *нареч.* am byth.
навстре́чу *нареч.* tuag ato; yn erbyn; yn groes i.
навя́зывать *несов.* treisio.
нагиба́ть *несов.* plygu; gwyro; crymu.
нагиба́ться *несов.* crynhoi.
на́глость *ж.* hyfdra; afledneisrwydd.
на́глый *прил.* digywilydd; hy; haerllug; aflednais.
нагну́ться *сов.* crynhoi.
наго́й *прил.* noethlymun; noeth.
наго́рье *с.* ucheldir; bre.
награ́да *ж.* gwobr; treth; rhoddiad.
награжда́ть *несов.* urddo; gwobrwyo; anrhydeddu.
нагрева́ть *несов.* iasu; poethi; twymo; cynhesu.
нагрева́ться *несов.* twymo.
нагроможда́ть *несов.* tyrru; pentyrru.
нагружа́ть *несов.* llwytho.
нагру́зка *ж.* llwyth; baich.
над *предл.* uwchlaw; uwchben; uwch; tros; ar.
надвига́ться *несов.* darllaw.
надева́ть *несов.* gwisgo.
наде́жда *ж.* gobaith; disgwyliad; hyder; ymddiried.
надёжный *прил.* dilys; diau; sicr; diogel; anffaeledig; atebol.
наде́л *м.* cyfran.
наделя́ть *несов.* goresgyn.
наде́ть *сов.* gwisgo.
наде́яться *несов.* ymddiried; gobeithio.
надзе́мный *прил.* awyrol.
надзира́тель *м.од.* goruchwyliwr; arolygwr; arolygydd; gofalwr.
надзира́ть *г.* arolygu.
надзо́р *м.* golygiad.
нади́р *м.* isafbwynt.
надлежа́щий *прил.* cymwys; iawn; priodol; dyledus; mad.
надме́нность *ж.* balchder; rhwyf.
надме́нный *прил.* ban; rhwyfus; ffroenuchel.
на́до *част.* ❶ rhaid. ❷ iawn. **мне надо идти** mae rhaid i fi fynd. **не надо!** paid! **где надо** yn y lle iawn. **кто надо** y dyn iawn. **сделать как надо** gwneud rhth yn iawn.
надобиться *несов.* bod yn angenrheidiol.
на́добность *ж.* rheidrwydd; angen; rhaid; eisiau.
надоеда́ть *г.* busnesa; diflasu; trafferthu; cythruddo; trwblo.
надое́дливый *прил.* busneslyd; busnesgar; barnol.
надое́сть *г.* diflasu; trafferthu.
надой *м.* godro.
надо́лго *нареч.* am amser maith.
на́дпись *ж.* arysgrif.
надруга́тельство *с.* ymyrraeth.
надруга́ться *сов.* ymyrryd.
надсмо́трщик *м.од.* goruchwyliwr; gwyliwr.

надува́ть *несов.* ❶ chwyddo; chwythu gwynt i rth, rhoi gwynt mewn rhth; llenwi rhth â gwynt/aer/awyr. ❷ twyllo. **надувать губы** estyn gwefusau.
нае́здник *м.од.* marchog.
наём *м.* prydles; cyflog.
наёмник *м.од.* pensiynwr.
нажа́ть *сов.* gwasgu.
нажи́ва *ж.* lles; elw; ennill.
нажи́вка *ж.* abwyd.
нажи́м *м.* sang; pwys; hwb.
нажима́ть *несов.* gwasgu.
наза́д *нареч.* yn ôl.
назва́ние *с.* enwad; enw; teitl.
названый *прил.* galwedig.
назва́ть *сов.* enwi; galw.
назе́мный *прил.* daearol.
назнача́ть *несов.* pwyntio; tynghedu; urddo; sefydlu; penodi; pennu; rhannu; mesur; gosod; nodi; gorchymyn.
назначе́ние *с.* ❶ arfaeth; diben; amcan. ❷ penodiad.
назна́чить *сов.* rhannu; nodi; penodi.
назрева́ть *г.* aeddfedu; darllaw.
называ́ние *с.* enwad.
называ́ть *несов.* traethu; mynegi; enwi; galw.
называ́ться *несов.* cael ei alw.
наибо́лее *нареч.* mwyaf.
наи́вность *ж.* diniweidrwydd; symledd.
наи́вный *прил.* syml; gwirion.
наименова́ние *с.* enwad; enw.
наймит *м.од.* pensiynwr.
найти́ *сов.* dod.
найти́сь *сов.* cael ei ddarganfod.
наказа́ние *с.* cweir; cywair; cerydd; cosb.
наказа́ть *сов.* ❶ cosbi. ❷ erchi.
нака́зывать *несов.* ❶ cosbi; dirwyo; crasu; ceryddu; cyweirio; coethi. ❷ erchi.
нака́ливать *несов.* poethi; twymo.
нака́лывать *несов.* pigo.
накаля́ться *несов.* poethi; twymo.
накану́не[1] *предл.* ar drothwy rhywbeth; ychydig cyn rhth.
накану́не[2] *нареч.* ar y diwrnod cynt rhth.
нака́пливать *несов.* crynhoi; pentyrru.
наки́дка *ж.* mantell.
накладна́я *ж.* ysgrif.
накле́ивать *несов.* glynu.
накло́н *м.* rhediad; osgo; gogwyddiad.
наклоне́ние *с.* gogwydd; tuedd; osgo; gogwyddiad; modd; agwedd.
наклони́ть *сов.* plygu; crymu.
наклони́ться *сов.* plygu.
накло́нность *ж.* gogwydd; tueddiad; tuedd; osgo; gogwyddiad.
накло́нный *прил.* tueddol; gŵyr.
наклоня́ть *несов.* tueddu; plygu; gwyro; crymu.
наклоня́ться *несов.* plygu; crynhoi.
накова́льня *ж.* einion.
наконе́ц *нареч.* o'r diwedd.
наконе́чник *м.* pig; trwyn.
накопля́ть *несов.* tyrru; pentyrru; hel.
накопля́ться *несов.* deillio.
накрыва́ть *несов.* gorchuddio; gosod (*на стол*); anhuddo; toi; amwisgo.
накры́ть *сов.* gorchuddio; gosod (*на стол*).
нала́живать *несов.* cyfleu.
нале́во *нареч.* i'r chwith.
на́ледь *ж.* rhew du.
налёт *м.* cen; naws.
налива́ть *несов.* tywallt.
нали́ть *сов.* tywallt.
нали́чие *с.* bodolaeth; gŵydd; presenoldeb; gwyddfod.
нало́г *м.* treth; llog.
нало́говый *прил.* trethol.
налогоплате́льщик *м.од.* trethdalwr.
нало́жница *ж.од.* gordderch.
нама́зывать *несов.* iro; taenu.
нама́тывать *несов.* dirwyn; troelli; amdroi; torchi; cenglu.
намёк *м.* awgrym; amnaid; awgrymiad; cipolwg; arlliw.
намека́ть *г.* amneidio.
намерева́ться *несов.* arfaethu; cynllunio; bwriadu; amcanu.
наме́рение *с.* bwriad; perwyl; diben; arfaeth; nod; medr; ynni; cynllun; bryd; cyfarpar.
наме́ренный *прил.* (*сделанный сознательно, рассчитанный*) bwriadol.
наме́тка *ж.* amcangyfrif.
намно́го *нареч.* ymhell; llawer.
намо́рдник *м.* mwgwd.
намы́ливать *несов.* golchi.
нанести́ *сов.* pentyrru; rhoi; dwyn.
нанима́тель *м.од.* cyflogwr; deiliad.
нанима́ть *несов.* hurio; llogi; cyflogi.
наноси́ть[1] *сов.* pentyrru; dwyn.
наноси́ть[2] *несов.* rhoi. **наносить визит** rhoi tro am rhywun. **наносить визит** ymweld â rhywun. **наносить поражение** trechu. **наносить повреждения** peri niwed i rywbeth.
наоборо́т *нареч.* y tu ôl ymlaen; yn y drefn arall; o chwith; y ffordd arall; fel arall; i'r gwrthwyneb.
напада́ть[1] *г.* hyrddio; cyrchu; ymgyrchu; ymosod; rhuthro; achub; hwylio; gwanu.
напада́ть[2] *г.* syrthio.
напада́ющий *м.од.* ymosodol; blaenwr.
нападе́ние *с.* gwib; ymosodiad; rhuthr; gosodiad; gormes; hwyl.
напа́сти *сов.* cyni; adfyd.
напа́сть[1] *г.* taro.
напа́сть[2] *ж.* (*несчастье*) anffawd; aflwyddiant.
напе́в *м.* cywair; alaw; cainc.
напёрсток *м.* bysledr.

напеча́тать *сов.* argraffu.
напива́ться *несов.* ❶ meddwi. ❷ yfed digon.
напи́льник *м.* ffeil.
написа́ть *сов.* ysgrifennu.
напи́ток *м.* llyn; diod.
напи́тывать *несов.* trwytho.
напи́ться *сов.* ❶ meddwi. ❷ yfed digon.
наполни́тель *м.* (*вещество; машина*) llanw.
напо́лнить *сов.* llenwi.
наполня́ть *несов.* llenwi; llanw.
наполови́ну *нареч.* o'r hanner.
напомина́ние *с.* myfyr.
напомина́ть *несов.* atgoffa; rhybuddio; atgofio.
напо́мнить *сов.* atgoffa.
напо́р *м.* rhuthr; hwb.
напра́вить *сов.* cyfeirio.
напра́виться *сов.* tueddu.
направле́ние *с.* cerrynt; tueddiad; cyfeiriad; tuedd; rhediad; cyfer; cyfair.
направля́ть *несов.* cyfarwyddo; llywio; tywys; rheoli; llywodraethu; hyfforddi; hwylio; anelu; arwain; cyfeirio.
направля́ться *несов.* tueddu.
направля́ющий *прил.* cyfarwyddol.
напра́во *нареч.* i'r dde.
напра́сный *прил.* ofer; adfant.
наприме́р *нареч.* er enghraifft.
напро́тив[1] *предл.* ar gyfer; gyferbyn (*â*); tua; rhag.
напро́тив[2] *нареч.* ❶ ar gyfer. ❷ i'r gwrthwyneb.
напряже́ние *с.* tyndra.
напряжённость *ж.* tyndra; angerddoldeb.
напряжённый *прил.* dwys.
напуга́ть *сов.* dychryn.
напугаться *сов.* dychryn.
напы́щенный *прил.* mawreddog.
нараста́ть *г.* tyfu; cynyddu.
нареза́ть *несов.* malu.
наре́зка *ж.* edau.
наре́чие *с.* ❶ adferf. ❷ tafodiaith.
наре́чный *прил.* adferfol.
нарисова́ть *сов.* darlunio.
нарко́тик *м.* cyffur.
наркоти́ческий *прил.* syfrdanol.
наро́д *м.* pobl; tud; gwerin; cenedl; hil; cyhoedd; ciwdod.
наро́дность *ж.* tud; cenedl; ciwdod.
наро́дный *прил.* gwerinol; cenedlaethol.
на́рочный *м.од.* ❶ arbennig. ❷ rhingyll.
нару́жность *ж.* rhith; ymddangosiad; gwedd.
нару́жный *прил.* allanol.
нару́жу *нареч.* allan.
нару́чник *м.* gefyn; magl.
наруша́ть *несов.* troseddu; torri.
наруше́ние *с.* trosedd; tramgwydd; aflonyddwch; tor; rhwyg; anghyfraith.
наруши́тель *м.од.* dyledwr; aflonyddwr.
нару́шить *сов.* troseddu.
нарци́сс *м.* cenhinen Bedr.
на́ры *ж.мн.* gwely bync.
нары́в *м.* chwarren; crug.
наря́д *м.* gwisg; diwygiad.
наря́дный *прил.* trwsiadus.
наряжа́ть *несов.* trwsio; gwisgo.
насажда́ть *несов.* plannu.
насвинячить *г.* mochi.
насви́стывать *несов.* chwiban; chwibanu.
насеко́мое *с.од.* trychfil; pryf.
населе́ние *с.* poblogaeth; gwerin.
населять *несов.* preswylio.
насе́ст *м.* clwyd.
насе́чка *ж.* crafiad.
наси́живать *несов.* gori; eistedd.
наси́лие *с.* trais; angerdd.
наси́ловать *несов.* treisio; llathruddo; llygru.
насквóзь *нареч.* trwodd.
наско́лько *нареч.* faint.
наскрести́ *сов.* crafu.
наслажда́ться *несов.* ymhyfrydu; mwynhau; hyfrydu.
наслажде́ние *с.* hoffter; boddhad; mwynhad; bodd; stumog.
насле́дие *с.* treftadaeth.
насле́дник *м.од.* etifedd; gwrthrych; aer.
насле́дница *ж.од.* etifeddes; aeres.
насле́дование *с.* treftadaeth; etifeddiaeth.
насле́довать *несов. и сов.* etifeddu; aerio.
насле́дственность *ж.* treftadaeth.
насле́дственный *прил.* anianol.
насле́дство *с.* treftadaeth; etifeddiaeth.
насмеха́ться *несов.* gwawdio; cellwair; haeru.
насме́шка *ж.* acen; gwawd.
насме́шливый *прил.* gwatwarus.
насо́с *м.* sugnwr.
наставле́ние *с.* llith.
наста́вник *м.од.* addysgydd; addysgwr.
наста́ивать[1] *несов.* trwytho.
наста́ивать[2] *г.* taeru; haeru; mynnu; hebrwng.
наста́иваться *несов.* sefyll; bwrw'i ffrwyth.
наста́ть *г.* dod.
насто́йчивость *ж.* ystyfnigrwydd; anhydynder; anhydynrwydd.
насто́йчивый *прил.* cyndyn; ystyfnig; haerllug; taer; anhydyn.
насто́лько *нареч.* mor.
настоя́тель *м.од.* abad.
настоя́тельный *прил.* taer.
настоя́щий *прил.* diffuant; dilys; diau; gwir; priodol; cymwys; gwirioneddol; presennol.
настра́ивать *несов.* hwylio; cyweirio.

настрое́ние *с.* hwyl; tymer; cywair; cysur; gwythïen.
настро́енность *ж.* cywair.
настро́енный *прил.* (*намеревающийся что-л. сделать*) cywair.
наступа́тельный *прил.* ymosodol.
наступа́ть[1] *г.* troedio; sathru; sangu.
наступа́ть[2] *г.* (*вести наступление*) nesáu; mynd ymlaen.
наступи́ть *г.* ❶ dod. ❷ troedio.
наступле́ние *с.* rhuthr.
насу́питься *сов.* gwgu; cuchio.
насчёт *предл.* ynghylch; parthed; am.
насчи́тывать *несов.* rhifo.
насыла́ть *несов.* gyrru; anfon; danfon.
на́сыпь *ж.* clawdd; argae.
насыща́ть *несов.* llenwi; llanw.
насы́щенный *прил.* dwys.
натира́ть *несов.* rhuglo; iro.
на́тиск *м.* rhuthr.
наткну́ться *сов.* gwanu.
наточи́ть *сов.* pwyntio.
натра́вливать *несов.* annos.
нату́ра *ж.од.* (*природа, характер*) (*человек с определенным характером; натурщик*) natur; anian; annwyd.
натурали́ст *м.од.* anianydd.
натура́льный *прил.* naturiol; anianol.
натыка́ться *несов.* gwanu; taro ar rywbeth; digwydd dod ar draws rhywbeth; digwydd cael hyd i rywbeth.
натя́гивание *с.* tyndra; aneliad; annel.
натя́гивать *несов.* ymestyn; tynnu.
натяже́ние *с.* tyndra; annel.
натя́нутость *ж.* tyndra.
натя́нутый *прил.* tyn.
натяну́ть *сов.* ymestyn; tynnu.
нау́ка *ж.* gwyddor; gwyddoniaeth.
нау́скивать *несов.* annos.
научи́ть *сов.* dysgu.
научи́ться *сов.* dysgu.
нау́чный *прил.* gwyddonol.
наха́льный *прил.* digywilydd; blaenllaw; haerllug.
нахму́риться *сов.* gwgu.
находи́ть *несов.* olrhain; dod.
находи́ться[1] *несов.* (*быть, пребывать*) preswylio; bodoli; bod.
находи́ться[2] *несов.* cael ei ddarganfod.
находи́ться[3] *сов.* (*вдоволь походить*) cerdded yn ddigon.
нахо́дка *ж.* caffaeliad.
нахожде́ние *с.* lleoliad.
нацара́пать *сов.* crafu.
наце́ливать *несов.* cyfarwyddo; hyfforddi.
национализи́ровать *несов. и сов.* gwladoli.
национали́зм *м.* cenedlaetholdeb.
национали́ст *м.од.* cenedlaetholwr.
национа́льность *ж.* cenedl.
национа́льный *прил.* cenedlaethol; gwladol.
на́ция *ж.* cenedl; gwerin; ciwdod; tud.
нача́ло *с.* dechrau; cychwyniad; dechreuad; cychwyn; bonedd; genedigaeth.
нача́льник *м.од.* pennaeth; llywodraethwr; penaig.
нача́льный *прил.* dechreuol; cychwynnol; cynradd (*о школе*); agoriadol.
нача́льство *с.* pennaeth; awdurdod.
нача́тки *м.мн.* gwyddor.
нача́ть *сов.* cychwyn; dechrau.
нача́ться *сов.* cychwyn.
начерти́ть *сов.* darlunio.
начина́ть *несов.* dechrau; cychwyn.
начина́ться *несов.* cychwyn; torri.
начина́ющий *м.од.* dechreuwr; newyddian.
наш *мест.* ein; eiddom.
наше́ствие *с.* goresgyniad.
нашить *сов.* gwnïo (*ar*).
нащу́пывать *несов.* ymbalfalu; palfalu.
не[1] *част.* onid; oni; nid; nad; nac; na; dim; ni.
не[2] *прист.* di; an.
неаккура́тность *ж.* aflerwch; anghymhendod; annibendod.
неаккура́тный *прил.* blêr; anhrefnus; aflêr; afreolus; anghymen; annosbarth; annosbarthus; ansyber.
небезопа́сный *прил.* anniogel.
небезукоризненный *прил.* annifai.
небезупре́чный *прил.* annifai.
небеса́ *с.мн.* (*небо, особенно в знач.* «*мир сверхчеловеческих существ*») nef; ffurfafen; wybren.
небе́сный *прил.* wybrennol; nefol.
неблагода́рность *ж.* anniolch; anniolchgarwch.
неблагода́рный *прил.* anniolchgar.
неблагополу́чный *прил.* anffyniannus.
неблагоприя́тный *прил.* gelyniaethus; anfanteisiol; anffafriol.
неблагоразу́мие *с.* anghallineb; annoethineb.
неблагоразу́мный *прил.* annoeth; angall; afresymol.
неблагоро́дный *прил.* gwael.
неблагоскло́нный *прил.* anffafriol.
не́бо[1] *с.* wybren; ffurfafen; awyr; nef.
нёбо[2] *с.* (*во рту*) taflod y genau.
небольшо́й *прил.* pitw; main; isel; bychan; bach; mân.
небосво́д *м.* entrych.
небоскрёб *м.* nendwr.
небо́сь *част.* yn ôl bob tebyg.
небре́жный *прил.* llac.
нева́жный *прил.* dibwys.
неве́дение *с.* anwybodaeth.

неве́домый *прил.* anhysbys; anghydnabyddus; anghynefin.
неве́жественный *прил.* anwybodus; diarwybod; anhyddysg; anneallus; anfoesgar.
неве́жество *с.* anwybodaeth.
неве́жливость *ж.* anfoes; anfoesgarwch.
неве́жливый *прил.* garw; anghwrtais; amharchus; anfoesgar; anfoesol; anfynud; anfwyn; anghyweithas; anllathraid; anninasaidd; ansyber.
невезе́ние *с.* anap.
неве́рие *с.* anffyddlondeb; anffyddiaeth; anghred; anghrediniaeth.
неве́рность *ж.* anwiredd; anffyddlondeb; anniweirdeb.
неве́рный[1] *прил.* ❶ anghywir; gwallus; anwir. ❷ anffyddlon.
неве́рный[2] *м.од.* anffyddiwr.
неверо́ятность *ж.* annhebygolrwydd.
неверо́ятный *прил.* amhosib; anhygoel; anghredadwy; anghredinol; annhebygol; annichon; annichonadwy.
неве́рующий[1] *м.од.* anffyddiwr; anghredadun.
неве́рующий[2] *прил.* anghredadwy; anghredinol; anghrefyddol.
невесёлый *прил.* aflawen.
неве́ста *ж.од.* priodferch.
неве́стка *ж.од.* ❶ merch-yng-nghyfraith; gwaudd. ❷ chwaer-yng-nghyfraith.
невеще́ственный *прил.* annefnyddiol.
невзра́чный *прил.* llwm; salw.
неви́димый *прил.* anweledig; anwel.
неви́нность *ж.* ❶ gwyryfdod. ❷ diniweidrwydd.
неви́нный *прил.* diniwed; gwirion.
невино́вный *прил.* diniwed; gwirion.
невня́тный *прил.* tew; brith; aflafar; aneglur.
не́вод *м.* rhwyd sân; llawesrwyd.
невозде́ржанность *ж.* anataliad; anniweirdeb.
невозде́ржанный *прил.* anniwair.
невозмо́жность *ж.* anabledd; analluedd; anallu.
невозмо́жный *прил.* amhosibl; amhosib; annichon; annichonadwy.
нево́льник *м.од.* caethwas; aillt; caeth.
нево́льный *прил.* anymwybodol.
невооружённый *прил.* anarfog.
невоспи́танный *прил.* anghwrtais; anfoesgar; anfynud; anllathraid; ansyber; anniwylliedig; taeog.
невразуми́тельный *прил.* aneglur.
невро́з *м.* niwrosis.
невы́года *ж.* anfantais; afles.
невы́годный *прил.* aflesol; anelw; anfanteisiol; anfuddiol; anfwyn.
невыноси́мый *прил.* annioddefol; afrifed; anhyddwyn.
невыполни́мый *прил.* annichon; annichonadwy.
невырази́мый *прил.* anhraethadwy; anhraethol.
невысо́кий *прил.* isel; cwta; anhydwf.
негати́вный *прил.* negyddol.
неги́бкость *ж.* afrwyddineb.
неглубо́кий *прил.* bas; arwynebol.
него́дник *м.од.* adyn.
него́дница *ж.од.* ysguthan.
него́дность *ж.* anghymhwyster; annheilyngdod.
него́дный *прил.* diffaith; anaddas; anghymwys; anweddus; anghyfaddas.
негодова́ние *с.* digofaint; anwes.
негоду́ющий *прил.* llidus.
негодя́й *м.од.* milain; cynllwyn; gwalch; dihiryn; adyn; anfadwr.
негр *м.од.* dyn du.
негра́мотный *прил.* anllythrennog; anysgedig.
неда́вний *прил.* diweddar; ieuanc; ifanc.
недалекий[1] *прил.* (*глуповатый*) twp.
недалекий[2] *прил.* (*близкий*) agos.
неда́ром *нареч.* nid yn ofer.
недвусмы́сленный *прил.* têr; eglur; plaen; amlwg.
неделика́тность *ж.* afledneisrwydd; anghymhendod.
неделика́тный *прил.* garw; aflednais; anfynud.
неде́льный *прил.* wythnosol.
неде́ля *ж.* wythnos.
недержа́ние *с.* anataliad.
недисциплини́рованный *прил.* afreolus; annosbarth; annosbarthus.
недобросо́вестность *ж.* anonestrwydd.
недо́брый *прил.* anfynud; anfwyn; angharedig.
недове́рие *с.* anhyder.
недово́льный *прил.* anfodlon; llidus; anfoddog.
недово́льство *с.* dicter; anwes; anfodd; anfoddogrwydd; anfodlonrwydd.
недо́лгий *прил.* byr.
недомога́ние *с.* anhwyl; anhwyldeb; anhwylder; anhwylustod.
недомы́слие *с.* ffolineb; annoethineb.
недооце́нивать *несов.* isgilio; difrodi.
недопусти́мый *прил.* anghymeradwy.
недостава́ть *г.* pallu.
недоста́ток *м.* magl; rhemp; prinder; nam; methiant; gwendid; gwall; eisiau; diffyg; bai; rhaid; amherffeithrwydd; amddifedi; coll; aflwydd; anafdod; anaf; absenoliaeth; angenoctid; anghaffael.

недостáточность *ж.* annigonedd; annigonolrwydd.
недостáточный *прил.* diffygiol; prin; tlawd; annigonol.
недостáча *ж.* diffyg.
недостóйный *прил.* anaddas; anneilwng; annheilwng.
недостýпный *прил.* anhyffordd; anhygyreb.
недосягáемый *прил.* anhyffordd.
недоýздок *м.* talaith; torch; tennyn.
недоумéние *с.* dryswch; penbleth.
недочёт *м.* rhemp; gwall; diffyg; coll; anafdod; anaf; anghaffael.
недружелю́бный *прил.* gelyniaethus; anghyfeillgar.
недýг *м.* clefyd; anhwyldeb; anhwylder.
недю́жинный *прил.* anghyffredin.
неестéственный *прил.* afryw; annaturiol.
нежелáние *с.* amharodrwydd; anfodlonrwydd; annhuedd; annibendod.
нежелáтельный *прил.* annewisol.
неженáтый *прил.* dibriod; amhriodol; ifanc; ieuanc.
неживóй *прил.* anfyw; anfywiol.
нежилóй *прил.* anhydrig.
нéжить[1] *несов.* anwesu.
нéжить[2] *ж.од.* (*фантастическое существо*) y meirw byw.
нéжность *ж.* tynerwch; tirionwch; anwes.
нéжный *прил.* gwâr; cariadus; cynnil; esmwyth; mwyn; meddal; tyner; tirion; llednais; addfwynol; llariaidd; canllaith.
незабвéнный *прил.* cofiadwy; anfarwol.
незабывáемый *прил.* cofiadwy; anfarwol; anhygof.
незавершённый *прил.* anghyflawn; amherffaith; penagored; anorffennol; anorffenedig.
независимость *ж.* rhyddid; annibyniaeth.
незавúсимый *прил.* annibynnol; rhydd; annibynnus; anghyweithas (*am ragenw meddiannol*).
незакóнный *прил.* anghyfreithlon; anghyfreithiol; anachaidd.
незакóнченный *прил.* anghyflawn; anorffenedig.
незамéтный *прил.* anweledig; anamlwg; aneglur.
незамýжний *прил.* dibriod; amhriodol; ieuanc; ifanc.
незамысловáтый *прил.* syml; annichellgar.
незапáмятный *прил.* anghofus; anhygof.
незапя́тнанность *ж.* glendid.
незаслýженный *прил.* anhaeddiannol; anhaeddol.
незатéйливый *прил.* syml.
незауря́дный *прил.* anarferol.
нездéшний *прил.* dieithr; tramor.
нездорóвый *прил.* afiachus; afiach; symol; salw; gwael; sâl; claf; tost; anhwylus; adwythig; annhymerus.
нездорóвье *с.* salwch; gwaeledd; afiechyd; adwyth; anhwyldeb; anhwylder; anhwylustod; annhymer.
незнакóмец *м.од.* dieithryn; dieithr.
незнакóмый *прил.* dieithr; rhyfedd; anghyfarwydd; anadnabyddus; anghydnabyddus; anghynefin.
незнáние *с.* anwybodaeth.
незначúтельность *ж.* bychandra; bychander; iselder.
незначúтельный *прил.* tila; dibwys; tenau; pitw; isel; gwacsaw; bychan; mân.
незрéлость *ж.* anaddfedrwydd; anaeddfedrwydd.
незрéлый *прил.* meddal; tyner; plentynnaidd; anaeddfed.
незрúмый *прил.* anweledig; anwel.
неизбéжность *ж.* angenrheidrwydd; anghenraid.
неизбéжный *прил.* anorfod; dir; anochel; anesgor; anesgorol; anocheladwy.
неизвéстность *ж.* ansicrwydd; anhysbysrwydd.
неизвéстный *прил.* diarwybod; anhysbys; anwybodus; dieithr; rhyfedd; anadnabyddus; aneglur; anenwog.
неизгладúмый *прил.* annileadwy.
неизлечúмый *прил.* dirwymedi; anesgor; anesgorol; anfeddyginiaethol.
неизмéнный *прил.* sefydlog; tragywydd; anghyfnewidiol.
неимýщий *прил.* gwael; tlawd.
неинтерéсный *прил.* sych; diflas.
неискоренúмый *прил.* anesgor; anesgorol.
неискупúмый *прил.* anachubol.
неискýсный *прил.* anhysbys; anfedrus; anhyddysg.
неиспóрченный *прил.* anllygredig.
неисправность *ж.* rhemp; gwall; coll; anafdod; anghaffael; anghywair.
неисправный *прил.* diffygiol.
неистовство *с.* cynddeiriogrwydd.
неистовый *прил.* milain; angerddol; gwyllt.
неисцелúмый *прил.* dirwymedi; anesgor; anesgorol; anfeddyginiaethol.
неисчислúмый *прил.* amnifer; afrifed; aneirif; annifeiriol; annifer.
нейтралитéт *м.* amhleidiaeth.
нейтрáльный *прил.* annhueddol.
нéкий *мест.* rhyw.
нéкогда[1] *нареч.* (*когда-то*) rhywdro; rhywbryd; unwaith.

не́когда² *част.* (*нет времени*) does dim digon o amser.
не́кого *мест.* neb.
некомпете́нтный *прил.* anaddfwyn.
неконституцио́нный *прил.* anghyfansoddiadol.
некорре́ктный *прил.* gwallus; anghywir.
не́который *мест.* (*какой-то, точно не определенный*) rhyw.
некраси́вость *ж.* anharddwch.
некраси́вый *прил.* hyll; afluniaidd; afrasol; afraslon; anhardd; annillyn; anrasol.
не́кто *мест.* rhywun.
не́куда *част.* i unman; i unlle.
некульту́рный *прил.* anniwylliedig.
нелега́льный *прил.* anghyfreithlon; anghyfreithiol.
неле́пый *прил.* chwerthinllyd; afresymol.
нелицеприя́тный *прил.* amhleitgar.
нело́вкий *прил.* chwithig; abrwysg; lletchwith; trwsgl; afrosgo; anfedrus; anfytynaidd; anghelfydd; anhwylus; anhyfedr; annethau.
нело́вкость *ж.* ❶ anfedrusrwydd. ❷ anesmwythder; anesmwythdra; anghysur.
нельзя́ *част.* ❶ gwaherddir. ❷ mae hi'n amhosib.
нелюбе́зный *прил.* afrasol; afraslon.
нелюди́мый *прил.* anghydnaws.
нема́ло *нареч.* llawer.
нема́лый *прил.* mawr.
неме́дленный *прил.* disymwth; disyfyd; uniongyrchol; di-oed.
не́мец *м.од.* Ellmynwr; Almaenwr.
неме́цкий *прил.* Ellmynaidd; Almaenaidd; Almaeneg (*язык*); Almaenig.
немилосе́рдный *прил.* anhrugarog; annhosturiol.
неми́лость *ж.* anfri.
немину́емый *прил.* anorfod; anochel; anesgor; anesgorol; anocheladwy.
не́мка *ж.од.* Almaenes.
немно́гие *мест.* nemor.
немно́го¹ *числит.* (*косв.формы употребляются только с названиями предметов, поддающихся счету*) nemor.
немно́го² *нареч.* ychydig.
немно́жко *нареч.* ychydig; tipyn bach.
немо́й *прил.* tawedog; distaw; mud; aflafar.
не́мощный *прил.* musgrell; llesg; tila.
ненави́деть *несов.* casáu.
ненави́стный *прил.* cas; adgas; atgas; anghynnes.
не́нависть *ж.* atgasedd; casineb; cas; bet.
ненадёжный *прил.* oriog; simsan; llithrig; ansicr; anwastad; anniogel; ansafadwy; ansefydlog; anwadal.
ненастоя́щий *прил.* gosod.
ненасы́тный *прил.* barus; anniwall.
ненатура́льный *прил.* afryw.
ненорма́льный *прил.* annormal; gwallgof.
нену́жный *прил.* (*лишний, бесполезный; не смешивать с сочетаниями не нужен, не нужна, не нужно, не нужны—не требуется*) diffaith; ofer; afreidiol; afraid.
необду́манный *прил.* anghymen.
необита́емый *прил.* gŵydd; gwyllt; anghyfannedd; anhydrig.
необосно́ванность *ж.* gwendid.
необрабо́танный *прил.* crai; dyrys; cri; garw; amrwd; anfanol.
необразо́ванный *прил.* anllythrennog; annysgedig.
необу́зданность *ж.* terfysg.
необу́зданный *прил.* angerddol; gŵydd; gwyllt; aflywodraethus; afreolus; afreolaidd; annosbarth; annof.
необходи́мость *ж.* angenrheidrwydd; anghenraid; rheidrwydd; eisiau; angen; rhaid; angenoctid.
необходи́мый *прил.* anhepgor; gofynnol; angenrheidiol; hanfodol; rhaid; anafraid; anhepgorol; anhepgorol.
необъекти́вность *ж.* tuedd.
необъясни́мый *прил.* anesboniadwy; annirnadwy.
необъя́тность *ж.* ehangder; anfeidroledd.
необыкнове́нный *прил.* eres; anarferol; dieithr; rhyfedd; anghyffredin.
необыча́йный *прил.* anarferol.
необы́чный *прил.* anarferol; rhyfedd; anghyffredin; anghynefin.
неограни́ченный *прил.* penagored.
неодина́ковость *ж.* anghyfartaledd.
неодобре́ние *с.* gwrthwynebiad.
неодоли́мый *прил.* llethol.
неодушевлённый *прил.* anfywiol.
неожи́данность *ж.* syndod.
неожи́данный *прил.* disymwth; annisgwyl; disyfyd; syn; annisgwyliadwy; sydyn.
неопису́емый *прил.* anhraethadwy; annisgrifadwy.
неопределённость *ж.* astrusi; ansicrwydd; amwysedd; anhysbysrwydd; annibendod.
неопределённый *прил.* astrus; petrus; amheus; ansicr; amwys; un; amheuol; amhennodol; amhendant; brith; amhenodol; penagored; annherfynol; anniben; annilys.
неопровержи́мый *прил.* anorchfygol.
неопря́тность *ж.* aflerwch; anghymhendod; annibendod.
неопря́тный *прил.* blêr; anhrefnus; aflêr; anghymen; anniben; ansyber.
нео́пытный *прил.* amhrofiadol; anhysbys; anhyddysg; ieuanc; ifanc.
неорганизо́ванный *прил.* annosbarth.
неосторо́жность *ж.* anghallineb; annoethineb.

неосторо́жный *прил.* anghymen.
неосуществи́мый *прил.* amhosibl.
неотдели́мый *прил.* anwahanadwy.
неотёсанный *прил.* dyrys; garw; anfanol; anfynud.
неотрази́мый *прил.* anorchfygol.
неотчётливый *прил.* aneglur; brith.
неотъе́млемый *прил.* hanfodol; anhepgorol.
неофи́т *м.од.* newyddian.
неофициа́льный *прил.* anffurfiol; preifat.
неохо́та *ж.* annhuedd.
неохо́тный *прил.* anfodlon; afrwydd; annhueddol.
неоцени́мый *прил.* amhrisiadwy.
неперехо́дный *прил.* cyflawn; amhriodol; gwastad.
неплодоро́дный *прил.* llwm; newynllyd; newynog; amhlantadwy; anffrwythlon.
непло́тный *прил.* llac; anghryno.
неплохо́й *прил.* gweddol.
непобеди́мый *прил.* anorfod; anorchfygol; anorthrech.
неповинове́ние *с.* anufudd-dod.
неповоро́тливый *прил.* trwsgl; afrosgo; anghelfydd.
непогреши́мость *ж.* amhechadurusrwydd; anffaeledigrwydd.
непогреши́мый *прил.* anffaeledig.
неподалёку *нареч.* nid nepell.
непода́тливый *прил.* cyndyn; ystyfnig; anhydyn; anhywaith.
неподви́жный *прил.* sefydlog; anfywiol.
неподде́льность *ж.* gwirionedd.
неподде́льный *прил.* diffuant; dilys; gwirioneddol.
неподку́пность *ж.* anllygredigaeth.
неподку́пный *прил.* anllygradwy.
неподоба́ющий *прил.* anaddas; anghymwys; anweddus; anfoddol; anfoddus; anghyfaddas; anhardd; annillyn.
неподходя́щий *прил.* anaddas; anghymwys; amhriodol; anweddus; annyledus; anghydnaws; anghyfaddas; anghyfleus; anghymharus.
непоколеби́мость *ж.* sefydlogrwydd.
непоколеби́мый *прил.* sefydlog; penderfynol; cadarn; anhyblyg.
непоко́рный *прил.* aflywodraethus; anhydyn; anhywaith; anufudd.
неполнота́ *ж.* amherffeithrwydd.
непо́лный *прил.* anghyflawn; bylchog; diffygiol; amherffaith; anorffenedig.
непоме́рный *прил.* afresymol.
непоня́тливый *прил.* anneallus.
непоня́тный *прил.* annealladwy; aneglur; annirnadwy; anhyfedr; anneallus.
непоправи́мый *прил.* dirwymedi; anadferadwy.
непоро́чность *ж.* purdeb; dilysrwydd; anllygredigaeth.
непоро́чный *прил.* glân.
непоря́дочный *прил.* anweddus.
непосле́довательный *прил.* anghyson.
непослуша́ние *с.* anufudd-dod.
непослу́шный *прил.* direidus; annosbarthus; anufudd.
непосре́дственный *прил.* uniongyrchol.
непостижи́мый *прил.* anolrheinadwy; annirnadwy; anchwiliadwy.
непостоя́нный *прил.* syfrdan; oriog; newidiol; gwacsaw; anwastad; adegol; ansafadwy; ansefydlog; anwadal.
непостоя́нство *с.* ansadrwydd.
непотре́бный *прил.* serth; budr.
непохожесть *ж.* annhebygrwydd; annhebygolrwydd.
непохо́жий *прил.* gwahanol; annhebyg.
непочти́тельность *ж.* anfri; amharch.
непочти́тельный *прил.* amharchus.
непра́вда *ж.* anwiredd.
неправдоподо́бие *с.* annhebygrwydd; annhebygolrwydd.
неправдоподо́бный *прил.* anhygoel; anghredadwy; annhebygol.
непра́ведный *прил.* anghyfiawn.
непра́вильность *ж.* cam; afreoleidd-dra.
непра́вильный *прил.* anghywir; chwithig; gau; gwallus; chwith; cam; amhriodol; afrywiog; afryw; anweddus; annyledus; aniawn; annilys.
неправоме́рный *прил.* annyledus.
непредви́денный *прил.* annisgwyl; anweledig; annisgwyliadwy.
непреднаме́ренный *прил.* anfwriadol.
непрекло́нный *прил.* penderfynol; anhyblyg.
непрело́жный *прил.* tragywydd; anghyfnewidiol.
непреме́нный *прил.* angenrheidiol; rhwym.
непреодоли́мый *прил.* anorfod; llethol; anorchfygol.
непреры́вность *ж.* cysondeb.
непреры́вный *прил.* parhaus; gwastad; di-ben-draw; di-baid; olynol.
непреста́нный *прил.* di-ben-draw; dibaid.
непреходя́щий *прил.* anniflanedig.
неприве́тливый *прил.* anhawddgar.
непривлека́тельность *ж.* diflastod; anhyfrydwch.
непривлека́тельный *прил.* afrasol; afraslon; anhawddgar; anrasol.
непривычность *ж.* anghynefindra.
неприви́чный *прил.* anarferol; dieithr; rhyfedd; anghydnabyddus; anghynefin.
непригля́дный *прил.* anolygus.
непригóдность *ж.* anabledd.

неприго́дный *прил.* anaddas; annefnyddiol.
неприе́млемый *прил.* annerbyniol; anghymeradwy.
неприкра́шенный *прил.* moel.
неприкры́тый *прил.* noethlymun.
неприли́чие *с.* afledneisrwydd; anfedrusrwydd.
неприли́чный *прил.* budr; aflednais; serth; amhriodol; anweddus; anfoesgar; awgrymog; anfedrus.
неприме́тный *прил.* anamlwg.
непримири́мый *прил.* anghymodlawn; anghymodlon.
непринуждённость *ж.* rhwyddineb.
непринужде́нный *прил.* rhwydd; hwylus; gwirfoddol.
непристо́йный *прил.* serth; budr; amhriodol; afrasol; afraslon; anweddus; anfoddol; anfoddus; anhardd; anniwair; anrasol.
непристу́пный *прил.* anhyffordd.
непритво́рный *прил.* gwirioneddol.
непритяза́тельность *ж.* symledd.
неприя́тель *м.од.* gelyn; cas.
неприя́тельский *прил.* gelyniaethus.
неприя́тность *ж.* diflastod; siom; trafferth.
неприя́тный *прил.* dygn; astrus; ysgeler; graen; irad; trwch; salw; poenus; hyll; annifyr; annymunol; cas; aflawen; afrasol; afraslon; anaddef; anaddfwyn; anghyweithas; anhawddgar; anhyfryd; anhygar; annhirion.
непрозра́чный *прил.* afloyw.
непроница́емый *прил.* anhreiddiol; anhydraidd.
непрости́тельный *прил.* anesgusodol; anfaddeuol.
непросто́й *прил.* anawdd; anhawdd.
непроходи́мый *прил.* anhyffordd.
непро́чность *ж.* gwendid.
непро́чный *прил.* bregus.
непрямо́й *прил.* anuniongyrchol; cam; gŵyr; adŵyr; anhyffordd; aniawn; anunion.
непьющий *прил.* sobr.
нера́венство *с.* anghyfartaledd; annhebygrwydd.
неравноме́рный *прил.* anghyfartal.
неравноце́нный *прил.* anghyfartal.
нера́вный *прил.* amnifer; anghyfartal.
ненради́вый *прил.* diog.
неразбери́ха *ж.* astrusi; llanast; llanastr; anhrefn; tryblith.
неразбо́рчивый *прил.* ❶ annealladwy; tew; aneglur. ❷ anwahaniaethol.
неразгово́рчивый *прил.* tawedog.
неразделимый *прил.* anwahaniaethol; anwahanadwy.
неразличи́мый *прил.* ❶ anweledig. ❷ anwahaniaethol.
неразлу́чный *прил.* anwahanadwy.
неразу́мность *ж.* afresymoldeb.
неразу́мный *прил.* anghymen.
нераска́янный *прил.* anedifeiriol.
нерасположе́ние *с.* annhuedd.
нераствори́мый *прил.* annatod; anhydawdd; annatodol.
нерасторжимый *прил.* annatod.
нерациона́льный *прил.* afradlon; afresymol.
нерв *м.* nerf.
не́рвный *прил.* nerfus; gieuol; gewynnol.
нерво́зность *ж.* nerfusrwydd.
нервю́ра *ж.* asen.
нереа́льный *прил.* dychmygol.
нерегулярность *ж.* afreolaeth.
нерегуля́рный *прил.* afreolaidd.
нерента́бельный *прил.* aflesol; anelw; anfuddiol.
нереши́тельный *прил.* swil; amhenfenderfynol; yswil; anhyderus.
неро́вность *ж.* afrywiogrwydd.
неро́вный *прил.* ysgithrog; garw; anwastad; adegol; anfanol; anghyfartal.
неря́шливость *ж.* aflerwch.
неря́шливый *прил.* blêr; aflêr; anghywrain; ansyber.
несве́дущий *прил.* anhysbys; anwybodus; anhyddysg.
несвоевре́менный *прил.* amhrydlon; annyledus; anamserol.
несгиба́емый *прил.* anhyblyg.
несгово́рчивость *ж.* anhydynrwydd.
несде́ржанность *ж.* anataliad.
несде́ржанный *прил.* anghymedrol; anniwair.
несерьезность *ж.* arabedd.
несимметри́чность *ж.* anghymesuredd.
несимметри́чный *прил.* anghymesur.
несказа́нный *прил.* anhraethol.
нескла́дный *прил.* afrosgo.
не́сколько *числит.* sawl; rhywfaint.
нескончае́мый *прил.* parhaus; annherfynol; anorffen; oesol.
нескро́мность *ж.* afledneisrwydd; anfedrusrwydd; anghymhendod.
нескро́мный *прил.* aflednais; anfedrus.
несло́жный *прил.* syml.
неслы́ханный *прил.* anhygoel; anghredadwy.
неслы́шный *прил.* (*бесшумный*) distaw; anhyglyw.
несме́тный *прил.* anfeidrol; annherfynol.
несмыва́емый *прил.* annileadwy.
несно́сный *прил.* annioddefol.
несоверше́нный *прил.* diffygiol; anghyflawn; gwallus; amherffaith; anorffennol; anorffenedig.
несоверше́нство *с.* amherffeithrwydd.

несовмести́мость *ж.* anghysondeb; anghysonder.
несовмести́мый *прил.* anghyson; anachaidd; anghydmarus; anghydweddol; anghymarus; anghytûn.
несогла́сие *с.* anghytundeb.
несогла́сный *прил.* anghytûn.
несокруши́мый *прил.* adamantaidd.
несомне́нный *прил.* diamau; dilys; diau; eglur; di-os; pendant; amlwg; dir.
несообра́зность *ж.* anghysondeb; anghysonder.
несообра́зный *прил.* anghyson.
несоотве́тствие *с.* anghysonder; annigonolrwydd.
несопостави́мый *прил.* anghymharol.
несоразме́рность *ж.* annigonolrwydd.
несостоя́тельность *ж.* methiant; methdaliad.
неспе́лый *прил.* anaddfed.
неспециали́ст *м.од.* lleygwr.
неспоко́йный *прил.* anesmwyth; aflonydd; rhwyfus; amrygyr.
неспосо́бность *ж.* anabledd; methiant; analluedd; anallu; anghymhwyster.
неспосо́бный *прил.* analluog.
несправедли́вость *ж.* anwiredd; anghyfiawnder; annhegwch; anuniondeb.
несправедли́вый *прил.* annheg; cam; annyledus; anghyfiawn; aniawn; anunion.
несравне́нный *прил.* anghymharol.
несравни́мый *прил.* anghymharol.
нестанда́ртный *прил.* afreolaidd.
нестерпи́мый *прил.* annioddefol.
нести́ *несов.* dwyn; cludo; cario; porthi; cyrchu. **нести яйца** 1) dodwy 2) cludo ŵyau.
нести́сь[1] *несов.* dodwy.
нести́сь[2] *несов.* rhuthro.
несто́йкий *прил.* anwastad; ansafadwy; ansefydlog; anwadal.
нестро́йный *прил.* anghywair.
несуще́ственный *прил.* tila.
несхо́дный *прил.* gwahanol; annhebyg.
несчастли́вый *прил.* trwch; anlwcus; anffodus; afrwydd; anffortunus; anhapus; annedwydd.
несчастная *ж.од.* truanes.
несча́стный[1] *м.од.* truan; adyn.
несча́стный[2] *прил.* truenus; irad; trwch; gwael; tlawd; truan; anffodus; aele; adfydus; anffortunus; anhapus; anhylwydd; anniddan.
несча́стье *с.* cyfyngder; cyni; ing; cawdd; andros; aflwyddiant; anlwc; trychineb; andras; anffawd; aflwydd; adfyd; adwyth; anap; anghaffael; annedwyddwch.
несчётный *прил.* amnifer.
нет *част.* (*выражается повторением глагола из вопроса с частицей*) na; nage (*при ответе на эмфатический вопрос*); naddo (*в ответах на вопросы о прошлом*). **Давид там был?—нет** oedd Dafydd yno?—nac oedd. **они будут готовы?—нет** fyddan nhw'n barod?—na fyddan.
нетакти́чный *прил.* afledneis.
нетвёрдый *прил.* simsan; anwastad; ansafadwy; ansefydlog; anwadal.
не́тель *ж.од.* heffer; anner.
нетерпели́вый *прил.* awyddus; anoddefgar; awyddfrydig.
нетерпи́мый *прил.* anoddefgar.
нетороплйвый *прил.* hamddenol; araf; arafaidd.
нето́чность *ж.* anghywirdeb.
нето́чный *прил.* llac; gwallus.
нетру́дный *прил.* esmwyth; syml; rhwydd; hwylus; hawdd.
не́ту *част.* nid oes.
неубеди́тельный *прил.* cloff.
неуваже́ние *с.* anfri; dirmyg; amharch.
неуве́ренность *ж.* ansicrwydd; anhyder; anhysbysrwydd.
неуве́ренный *прил.* (*нерешительный, нетвердый*) ansicr.
неувяда́емый *прил.* anfarwol; anniflanedig.
неувяда́ющий *прил.* anniflanedig.
неугомо́нный *прил.* anesmwyth; aflonyddus; aflonydd; rhwyfus; amrygyr.
неуда́ча *ж.* aball; aflwyddiant; anlwc; methiant; anffawd; aflwydd; adwyth; anap; anghaffael; annhyciant.
неуда́чливый *прил.* anffynedig; anffyniannus.
неуда́чник *м.од.* methiant.
неуда́чный *прил.* methiant; trwch; anlwcus; aflwyddiannus; anffodus; anffortunus; anffynadwy; anffynedig; anffyniannus; anhapus; anhwylus.
неудержи́мый *прил.* anhyludd.
неудо́бный *прил.* anghyfleus; anghyfforddus; anghyffyrddus; chwithig.
неудо́бство *с.* afles; anesmwythder; anesmwythdra; anghyfleuster; anghyfleustra; anghysur; anhwylustod.
неудовлетворённость *ж.* anfoddogrwydd; anfodlonrwydd; annigonolrwydd.
неудовлетворенный[1] *прил.* (*чем-л.*) anfodlon.
неудовлетворенный[2] *прил.* (*тон, чувство и т.п.*) anfoddog.
неудовлетвори́тельный *прил.* cloff; anniwall.
неудово́льствие *с.* dicter; anfodd.
неуже́ли *част.* yn wir; o ddifrif.

неуклю́жий *прил.* lletchwith; trwsgl; anghelfydd; chwithig; abrwysg; afrwydd; afrosgo; anfytynaidd; anghynnil; anhyfedr; anhylaw; annethau; annillyn.
неукроти́мый *прил.* aflywodraethus.
неуме́лый *прил.* anfedrus; anghywrain; anhyffordd.
уме́ние *с.* anfedrusrwydd.
неуме́ренность *ж.* rhemp; anghymesuredd.
неуме́ренный *прил.* anghymedrol.
неуме́стный *прил.* anaddas; amhriodol; amherthynol; anweddus.
неу́мный *прил.* angall; anneallus.
неумоли́мый *прил.* anfaddeugar; anghymodlawn.
неумы́шленный *прил.* anfwriadol.
неуправля́емый *прил.* aflywodraethus; anhringar; anhwylus; anhydrin.
неуравнове́шенный *прил.* anwastad; anghyfartal; anghytbwys.
неуспе́х *м.* aball; aflwyddiant; methiant; aflwydd; anghaffael; annhyciant.
неусто́йчивость *ж.* ansadrwydd.
неусто́йчивый *прил.* oriog; simsan; anwastad; bregus; ansad; ansafadwy; ansefydlog; anwadal.
неустраши́мый *прил.* hyderus.
неустро́енный *прил.* ansefydlog.
неусы́пный *прил.* effro.
неутеши́тельный *прил.* siomedig.
неутоми́мый *прил.* diwyd.
не́уч *м.од.* pagan.
неуче́ный *прил.* annysgedig.
неучти́вость *ж.* anfoesgarwch.
неучти́вый *прил.* anghwrtais; anfynud; anllathraid; ansyber.
неую́тный *прил.* anniddos.
нефть *ж.* olew.
нехва́тка *ж.* prinder; diffyg.
нехоженый *прил.* ansathredig.
нехоро́ший *прил.* ysgeler; trwch; drwg; anfad.
нечая́нный *прил.* anymwybodol.
не́чего *мест.* dim.
нечелове́ческий *прил.* annynol.
нечести́вый *прил.* afrasol; afraslon.
нече́стность *ж.* anonestrwydd.
нече́стный *прил.* salw; annheg; cam; aniawn; anonest; anunion.
нечет *м.* anghydrif.
нечёткий *прил.* aneglur.
нечётный *прил.* amnifer; anwastad; anghydrif.
нечистоплотный *прил.* aflan.
нечисто́ты *ж.мн.* (*отбросы, помои*) tom.
нечи́стый *прил.* ysgeler; amhûr; amhurol; aflan.
не́что *мест.* rhywbeth.
неявный *прил.* ymhlyg.
нея́сность *ж.* astrusi; amwysedd.
нея́сный *прил.* astrus; petrus; tew; amheus; ansicr; amwys; tywyll; amheuol; amhennodol; amhendant; pŵl; brith; amhenodol; penagored; aneglur; anhynod; annelwig; annïau.
ни *сз.* nad; nag; na.
нивели́ровать *несов. и сов.* gwastatáu.
нигде́ *нареч.* yn unman; nunlle.
Нидерла́нды *мн.* Iseldiroedd.
ни́же[1] *нареч.* (*в последующей речи; вниз по течению*) isod.
ни́же[2] *предл.* (*вниз по течению от чего-л.*) islaw; is.
ни́жний *прил.* isaf.
низ *м.* gwaelod; godre.
ни́зкий *прил.* ❶ isel; bas; cwta. ❷ salw; gwael; iselwael; iselfryd; anfoneddigaidd; anenwog; tlawd.
низкокачественный *прил.* iselradd.
низкопро́бный *прил.* iselradd.
низкосо́ртный *прил.* iselradd.
ни́зменный *прил.* gwael.
ни́зость *ж.* gwaeledd.
ни́зший *прил.* israddol.
ника́к *нареч.* dim ar unrhyw gyfrif.
никако́й *мест.* dim.
никогда́ *нареч.* erioed; byth.
никто́ *мест.* neb.
никуда́ *нареч.* i unman; i unlle.
никуды́шный *прил.* truenus.
ниско́лько *нареч.* dim.
ниспада́ть *г.* syrthio.
ниспосыла́ть *несов.* gyrru; anfon.
ниспроверга́ть *несов.* dymchwel.
ни́тка *ж.* edau; llinyn; tennyn; cainc.
нить *ж.* edau.
ничего́[1] *част.* mo.
ничего́[2] *нареч.* dim.
ничто́ *мест.* gwagnod; dim.
ничто́жность *ж.* bychandra; bychander.
ничто́жный *прил.* tila; tenau; salw; pitw; gwael.
ничу́ть *нареч.* dim mymryn. **ничуть не лучше** dim mymryn gwell.
нищета́ *ж.* cyfyngder; cyni; trueni.
ни́щий[1] *прил.* amdlawd.
ни́щий[2] *м.од.* cardotyn; tlotyn; achenog.
но *сз.* ond; eithr; hagen.
нова́тор *м.од.* arloesydd.
но́венький *прил.* cri; iraidd; newydd.
новичо́к *м.од.* newyddian.
новобра́нец *м.од.* adfilwr.
новобра́чная *ж.од.* priodferch.
новобра́чный *м.од.* priodfab.
нововведе́ние *с.* adnewyddiad.
новообращённый *м.од.* newyddian.

новоприбы́вший *м.од.* newydd-ddyfodiad.
но́вость *ж.* newydd.
но́вшество *с.* adnewyddiad.
но́вый *прил.* newydd; crai; cri.
нога́ *ж.* coes; troed; bagl; hegl.
но́готь *м.* ewin.
нож *м.* cyllell.
но́жик *м.* cyllell (*bach*).
но́жка *ж.* coes; bagl; paladr.
но́жницы *ж.мн.* siswrn; gwellaif.
но́жны *ж.мн.* gwain.
ноздря́ *ж.* ffroen.
ноль *м.* sero; gwagnod; dim.
номенклату́ра *ж.* ❶ cyfundrefn enwau. ❷ y dosbarthiad llywodraethol Sofietaidd.
но́мер *м.* ❶ rhifyn; rhif. ❷ ystafell. ❸ eitem.
нора́ *ж.* twll; gwâl; glwth; lloches; adwy.
но́рка[1] *ж.* (*уменьш. к «нора»; мех животного*) gwâl fach; twll bach.
но́рка[2] *ж.од.* (*животное*) minc.
но́рма *ж.* safon; rheol.
норма́льный *прил.* safonol; rheolaidd; arferol; anianol.
нормати́вный *прил.* safonol.
нос *м.* trwyn; gylfin.
но́сик *м.* trwyn (*bach*).
носи́лки *ж.мн.* elor.
носи́ть *несов.* ❶ dwyn; cludo. ❷ gwisgo.
носи́ться *несов.* ❶ gwibio; rhuthro. ❷ ffwdanu. ❸ parhau. **она носится со своим сыном** mae hi fel iâr â deugyw.
носо́к[1] *м.* (*часть одежды*) hosan.
носо́к[2] *м.* (*уменьш. к «нос»*) trwyn bach.
ностальги́я *ж.* hiraeth; argyllaeth.
но́та *ж.* nod; nodyn; ail.
нота́ция *ж.* llith.
но́тка *ж.* nodyn.
ночева́ть *г.* cysgu'r nos; aros noson.
ночно́й *прил.* nosol.
ночь *ж.* noson; noswaith; nos. **спокойной ночи!** nos da!
но́ша *ж.* pwn; pwys; baich.
ноя́брь *м.* Tachwedd.
нрав *м.* naws; natur; hwyl; tymer; anianawd.
нра́виться *несов.* bodloni. **мне это нравится** rwy'n ei hoffi.
нра́вственный *прил.* moesol.
ну *част.* wel.
нужда́ *ж.* cyfyngder; cyni; tlodi; rheidrwydd; eisiau; gofyn; angen; rhaid; angenoctid.
нужда́ться *несов.* bod ag angen rhth; anghenu; gofyn. **он нуждается** mae hi'n dynn arno.
ну́жный *прил.* angenrheidiol; rhaid; gofynnol; dir; anafraid.
нуль *м.* sero; gwagnod; dim.
нумерова́ть *несов.* rhifo.
ны́не *нареч.* nawr; rŵan.
ны́нешний *прил.* cyfoes.
ны́нче *нареч.* nawr; rŵan.
ныря́ть *г.* suddo; plymio.
ныть *г.* swnian.
ню́хать *несов.* arogli; arogleuo; ffroeni.
ня́нчить *несов.* magu.
ня́нька *ж.од.* mamaeth; gweinyddes.
ня́ня *ж.од.* (*женщина, ухаживающая за ребенком*) mamaeth; gweinyddes.

O

о[1] *предл.* am; ar; ynghylch; parthed.
о[2] *част.* o.
об *предл.* ynghylch; parthed; am.
óба *числит.* dau. **обе машины** y ddau gar. **мы обе** ni'n ddwy. **вы оба правы** mae'r ddau ohonoch chi'n iawn. **они оба промокли** fe gaethon nhw eu gwlychu ill dau.
обалдевáть *г.* pensynnu.
обанкрóтиться *сов.* torri.
обаяние *с.* cyfaredd; swyn.
обвáл *м.* aball.
обвáливаться *несов.* cwympo; ymollwng; adfeilio.
обвивáть *несов.* dirwyn; troelli; am-droi; torchi; cenglu.
обвинéние *с.* argyhoeddiad; cyhuddiad; achwyniad.
обвинйтель *м.од.* erlynydd.
обвинйтельный *прил.* barnol; achwyngar.
обвинять *несов.* cyhuddo; beio; haeru.
обволáкивать *несов.* amdoi.
обворожйтельный *прил.* hudol; swynol.
обвязывать *несов.* rhwymo.
обгонять *несов.* goddiweddyd.
обдирáть *несов.* crafu; diosg; rhuglo.
обдýманный *прил.* pwyllog.
обдýмывание *с.* adlewyrch.
обдýмывать *несов.* myfyrio; ystyried; tybio; pwyllo; meddwl; astudio.
обéд *м.* cinio.
обéдать *г.* ciniawa.
обéдня *ж.* offeren.
обеднять *несов.* tlodi.
обезбóливание *с.* anesthetig.
обездóливать *несов.* anghenu.
обезлйченный *прил.* amhersonol.
обезобрáживание *с.* anffurfiad; anffurf.
обезобрáживать *несов.* aflunio; anferthu; anffurfio.
обезýметь *г.* cynddeiriogi.
обезьяна *ж.од.* âb.
обезьянничать *г.* dynwared.
обелять *несов.* golchi.
оберег *м.* crair.
оберегáть *несов.* cadw.
обернýться *сов.* troi.
обёртка *ж.* goblygiad; caead; clawr.
обéртывать *несов.* lapio.
обескурáживать *несов.* digalonni; anghefnogi.
обеспéчение *с.* ❶ arlwy; darpariaeth; cyfarpar; darpar. ❷ dilysrwydd.
программное обеспечение meddalwedd.
обеспéчивать *несов.* cyfarpar; sicrhau; diogelu; darparu; costio.
обеспéчить *сов.* sicrhau; darparu.
обессмéртить *сов.* anfarwoli.
обесцвéчивать *несов.* gwywo.
обéт *м.* ern; adduned; gofuned.
обещáние *с.* addewid; cred; ern; gair.
обещáть *несов. и сов.* (*дать слово; заверить*) (*предвещать, внушать надежду*) addo; addaw.
обжéчь *сов.* pobi; llosgi.
обжигáть *несов.* crasu; ennyn; pobi; llosgi.
обжóра *м.ж.* gewai; glwth; bolgi.
обзóр *м.* arolwg; adolygiad; adolwg.
обйда *ж.* cawdd; tramgwydd; sarhad.
обйдеть *сов.* sarhau; coddi.
обйдеться *сов.* digio.
обйдный *прил.* sarhaus.
обйдчивый *прил.* pigog.
обижáть *несов.* bustachu; coddi; digio; sarhau; amherchi.
обижáться *несов.* digio.
обйлие *с.* cnwd; golud.
обйльный *прил.* goludog; tew; helaeth; cyfoethog; aelaw.
обитáемый *прил.* anheddol.
обитáлище *с.* addod.
обитáтель *м.од.* deiliad.
обитáть *г.* preswylio; trigo; byw.
обладáние *с.* mwynhad; meddiant.
обладáть *г.* meddu; perchenogi; meddiannu; piau; mwynhau; breintio.
облаивать *несов.* cyfarth.
óблако *с.* cwmwl.
областнóй *прил.* rhanbarthol.
óбласть *ж.* pau; tuedd; talaith; ardal; bro; parth; cylch; amgant; cyfair.
облáтка *ж.* afrlladen; afrllad.
облачéние *с.* abid.
óблачный *прил.* cymylog; wybrennol; gwinau.
облегчáть *несов.* llonyddu; lleddfu; ysgafnhau; hwyluso; hyrwyddo; rhwyddhau.
облегчéние *с.* rhwyddineb.
облигáция *ж.* rhwym.
облйзывать *несов.* llyfu.
óблик *м.* rhith; gwaith; llun.
обложйть *сов.* gwarchae.
облóжка *ж.* caead; clawr.
облокáчиваться *несов.* pwyso.
облóм *м.* methiant.
обломаться *сов.* methu.
облóмок *м.* darn; dryll.
обмáн *м.* anwiredd; ffug; siom; twyll; ystryw; anghywirdeb; anonestrwydd.
обманýть *сов.* twyllo.

обману́ться *сов.* camgymryd.
обма́нчивый *прил.* ffug; hudol; gau; lliwiog; camarweiniol.
обма́нщик *м.од.* twyllwr; gwalch.
обма́нывать *несов.* twyllo; bradychu; ffoli; siomi.
обма́нываться *несов.* camgymryd.
обма́тывать *несов.* dirwyn; torchi; cenglu.
обме́н *м.* cyfnewidiad; cyfnewid; newidiad; cyfnewidfa.
обме́нивать *несов.* cyfnewid; marchnata; newid.
о́бморок *м.* llewyg; marwgwsg.
обмыва́ть *несов.* golchi.
обнажа́ть *несов.* dinoethi; dirwyn; noethi; diosg.
обнажа́ться *несов.* ymnoethi; ymddihatru.
обнажённый *прил.* (*нагой; лишенный листвы*) llwm; noethlymun; moel; noeth.
обнаро́дование *с.* amlygiad.
обнаро́довать *сов.* amlygu.
обнаруже́ние *с.* datguddiad; darganfyddiad; caffaeliad.
обнару́живать *несов.* datguddio; amlygu; datgelu; darganfod.
обнару́живаться *несов.* amlygu.
обнару́жить *сов.* amlygu; datgelu; darganfod.
обнима́ть *несов.* cofleidio; ymwasgu.
обнови́тель *м.од.* adnewyddwr.
обновле́ние *с.* adnewyddiad.
обновля́ть *несов.* adnewyddu.
обня́ть *сов.* cofleidio.
обо *предл.* am.
обогаща́ть *несов.* cyfoethogi.
обогаща́ться *несов.* ymgyfoethogi; cyfoethogi.
обогна́ть *сов.* goddiweddyd; goddiwes.
обогрева́ть *несов.* gwresogi.
о́бод *м.* cant; band.
ободо́к *м.* amgarn; cant; dolen.
ободре́ние *с.* cysur.
ободри́ть *сов.* ysbrydoli.
ободря́ть *несов.* cysuro.
обожа́ть *несов.* addoli.
обознача́ть[1] *несов.* nodi.
обознача́ть[2] *несов.* (*значить, иметь значение*) dynodi.
обозначе́ние *с.* enwad; enw.
обозрева́тель *м.од.* adolygydd; adolygwr; gwyliwr.
обозрева́ть *несов.* arolygu; adolygu.
обозре́ние *с.* arolwg; adolygiad.
обо́йма *ж.* ystorgell.
обойти́ *сов.* golaith; rhodio; llwybro.
обойти́сь *сов.* ❶ ymwneud; delio. ❷ costio. ❸ hepgor.
оболо́чка *ж.* cib; cogwrn; gwain.
обоня́ть *несов.* arogleuo; arogli; clywed.
обора́чиваться *несов.* troi.
оборва́ть *сов.* ❶ torri. ❷ casglu.
оборо́на *ж.* amddiffyniad.
оборони́тельный *прил.* amddiffynnol; caerog.
обороня́ть *несов.* amddiffyn; amwyn.
оборо́т *м.* tro; amdro; chwyldroad.
о́боротень *м.од.* blaidd-ddyn.
обору́дование *с.* cyfarpar.
обоснова́ться *сов.* ymsefydlu; gwastatáu; gwaelodi; cartrefu; sefydlu.
обосно́вывать *несов.* seilio; sefydlu.
обостря́ть *несов.* hogi.
обо́чина *ж.* min ffordd.
обоюдоо́стрый *прил.* daufiniog.
обраба́тывать *несов.* gweithio; trin; trafod; amaethu.
обрабо́тка *ж.* ymdriniaeth; triniaeth.
обра́довать *сов.* llawenychu.
обра́доваться *сов.* llawenychu.
о́браз[1] *м.* (*форма, изображение*) llun; rhith; delw; ffigur; arddull; bath; gwasgod; gwrthrych; diwygiad.
о́браз[2] *м.* (*икона*) delw; llun.
обра́зе́ц *м.* portread; safon; llun; ffurflen.
образова́ние *с.* ❶ addysg; dysgeidiaeth. ❷ cyfansoddiad.
образо́ванный *прил.* dysgedig.
образова́тельный *прил.* addysgol; addysgiadol.
образова́ть *несов. и сов.* llunio.
образова́ться *несов. и сов.* ymlunio.
образо́вывать *несов.* ❶ llunio. ❷ addysgu.
образумиться *сов.* synhwyro.
образцо́вый *прил.* safonol.
обрамля́ть *несов.* minio.
обрати́ть *сов.* troi.
обрати́ться *сов.* ❶ cyfarch; annerch; ymgeisio. ❷ troi.
обра́тно *нареч.* draw.
обра́тный *прил.* gwrthdroadol; gwrthwyneb.
обраща́ть *несов.* troi; trosi; am-droi. **обращать внимание** rhoi sylw i rywbeth.
обраща́ться *несов.* ❶ ymdrin; trin; trafod; teimlo. ❷ cyfarch; annerch; ymgeisio. ❸ troi.
обраще́ние *с.* ❶ ymdriniaeth; triniaeth; diwygiad. ❷ araith; annerch. ❸ tro; cylchrediad.
обре́з *м.* min; godre.
обреза́ть *несов.* ysgythru.
обрека́ть *несов.* tynghedu.
обремени́тельный *прил.* beichus; trymaidd.
обременя́ть *несов.* llwytho.
обрести́ *сов.* cael.
обре́чь *сов.* tynghedu.
обреше́тка *ж.* rhwyll.

обрисова́ть *сов.* amlinellu.
обрисо́вывать *несов.* dylunio; darlunio.
о́бруч *м.* amgarn; cant; dolen; band.
обручи́ть *сов.* dyweddïo.
обру́шение *с.* aball.
обры́в *м.* ❶ dibyn; clogwyn. ❷ toriad.
обры́вистый *прил.* ❶ serth. ❷ swta.
обры́вок *м.* clwt.
обры́згивать *несов.* gwlychu.
обря́д *м.* cadwraeth; defod.
обсле́дование *с.* arolwg.
обсле́дователь *м.од.* arholwr.
обсле́довать *несов. и сов.* archwilio.
обслу́живание *с.* gweinidogaeth; gwasanaeth.
обслу́живать *несов.* gwasanaethu; gweini.
обстано́вка *ж.* sefyllfa; dodrefnyn.
обстоя́тельный *прил.* cynhwysfawr.
обстоя́тельство *с.* ffaith; amgylchiad.
обстре́ливать *несов.* lluchio.
обсту́кивать *несов.* taro.
обступа́ть *несов.* amgylchynu; amgylchu.
обсужда́ть *несов.* rhesymu; ymdrin; trafod; teimlo; dadlau.
обсужде́ние *с.* trafodaeth; ymdriniaeth.
обтёсывать *несов.* naddu.
о́бувь *ж.* esgidiau.
обу́здывать *несов.* cymedroli.
обусло́вливать *несов.* amodi; pennu.
о́бух *м.* cil.
обуча́ть *несов.* meithrin; hyfforddi; dysgu; addysgu.
обуче́ние *с.* magwraeth; dysgeidiaeth; athrawiaeth; hyfforddiant; addysg; addysgiaeth.
обуя́ть *сов.* gorchfygu; trechu.
обхва́т *м.* amfesur.
обхвати́ть *сов.* craffu.
обхва́тывать *несов.* craffu.
обходи́тельность *ж.* tirionwch.
обходи́тельный *прил.* moesgar; cwrtais.
обходи́ть *несов.* golaith; llwybro; rhodio.
обходи́ться *несов.* ❶ ymdrin; trafod; teimlo; trin; ymwneud; delio. ❷ costio. ❸ hepgor.
обши́вка *ж.* cragen.
обши́рный *прил.* maith; helaeth; eang.
обща́ться *несов.* gohebu; ymddiddan; ymwneud; delio; cymdeithasu; cyfeillachu.
общедосту́пный *прил.* cyhoedd.
общежи́тие *с.* llety; neuadd.
общенаро́дный *прил.* cyhoedd.
обще́ние *с.* masnach.
общепри́нятый *прил.* safonol; cyffredin; uniongred.
обще́ственность *ж.* cyhoedd.
обще́ственный *прил.* cyhoedd; cymdeithasol; cyhoeddus.
о́бщество *с.* cwmni; cymuned; cymdeithas.
о́бщий *прил.* (*одинаково свойственный, совместный*) cyffredinol; cyffredin; cyd; gwerinol; sathredig.
о́бщина *ж.* cymuned.
общи́тельный *прил.* cyfathrebol.
о́бщность *ж.* cyfathrach; cymuned.
объеда́ться *несов.* alaru; bolio.
объедине́ние *с.* cyfundeb; cyfathrach; cyfuniad; undeb; cynghrair; cymuned.
объедини́тель *м.од.* unwr.
объедини́ть *сов.* cyfuno; uno.
объедини́ться *сов.* uno; ymuno.
объединя́ть *несов.* cyfuno; uno; corffori.
объединя́ться *несов.* ymgorffori.
объе́зд *м.* amdaith; cylchdaith.
объезжа́ть *несов.* (*лошадь*) hyfforddi.
объе́кт *м.* (*в т.ч. о человеке*) gwrthrych.
объекти́вный *прил.* gwrthrychol.
объе́ктный *прил.* gwrthrychol.
объём *м.* maint; swm.
объе́млющий *прил.* cynhwysfawr.
объемность *ж.* sylwedd.
объяви́ть *сов.* hysbysu.
объявле́ние *с.* hysbysiad; cyhoeddiad; hysbysrwydd; datganiad; hysbyseb; rhybudd.
объявля́ть *несов.* swnio; traethu; mynegi; hysbysebu; hysbysu; datganu.
объясне́ние *с.* eglurhad; esboniad; dehongliad; amlygiad; rheswm; dosbarthiad.
объясни́ть *сов.* egluro.
объясня́ть *несов.* egluro; esbonio; dirnad; mynegi; datod.
объясня́ться *несов.* ❶ cael ei esbonio. ❷ eich egluro'ch hun.
объя́тие *с.* cofleidiad.
обыкнове́ние *с.* arferiad.
обыкнове́нный *прил.* sathredig; arferol; plaen; cyffredin.
обы́скивать *несов.* chwilio.
обы́чай *м.* arferiad; arfer; argoel; defod.
обы́чный *прил.* rheolaidd; arferol; cyffredin; cynefin; gwerinol; greddfol; anianol.
обя́занность *ж.* gorfodaeth; dyletswydd; rhwym; dyled.
обя́занный *прил.* rhwym; dyledog; dyledus.
обяза́тельный *прил.* ❶ gorfodol; anhepgor; dyledus; anhepgorol; rhwym. ❷ cymwynasgar.
обяза́тельство *с.* gorfodaeth; cred; dyletswydd; ymrwymiad; rhwym; dyled.
обя́зывать *несов.* rhwymo.
обя́зываться *несов.* ymrwymo.
о́вен *м.од.* maharen; hwrdd.
овёс *м.* ceirchen; ceirchyn.
овладева́ть *г.* meistroli; meddu; meddiannu; goddiweddyd.
овладе́ть *г.* goresgyn; goddiweddyd.
о́вощ *м.* llysieuyn.
овощно́й *прил.* llysieuol.

овра́г *м.* ceunant.
овся́нка[1] *ж.* (*крупа, каша*) uwd.
овся́нка[2] *ж.од.* (*птица*) bras melyn; peneuryn.
овца́ *ж.од.* dafad.
овча́рня *ж.* cail; toc.
оглавле́ние *с.* cynnwys.
оглаша́ть *несов.* atseinio; diasbedain; cyhoeddi.
оглаше́ние *с.* cyhoeddiad.
оглуша́ть *несов.* ❶ syfrdanu. ❷ caledu.
оглуши́тельный *прил.* byddarol.
огляде́ть *сов.* adolygu.
огляде́ться *сов.* edrych o gwmpasl.
огля́дывать *несов.* adolygu.
огля́дываться[1] *несов.* edrych yn ôl.
огля́дываться[2] *несов.* edrych o gwmpasl.
огляну́ться *сов.* edrych yn ôl.
о́гненно-красный *прил.* eirias.
о́гненный *прил.* tanlli; tanbaid; eirias.
огнесто́йкий *прил.* anllosgadwy.
огни́во *с.* rhwyll.
огова́ривать *несов.* ❶ amodi. ❷ athrodi.
оговори́ть *сов.* ❶ amodi. ❷ athrodi.
оголя́ть *несов.* dinoethi; dirwyn; noethi.
огоне́к *м.* tân bach.
ого́нь *м.* tân; goleuad; ufel.
огора́живать *несов.* gwalio; amgáu.
огоро́д *м.* gardd lysiau.
огорча́ть *несов.* poeni.
огорча́ться *несов.* anhyfrydu.
огорче́ние *с.* brwyn; graen; gofid; cawdd; afar; dolur; poen; adfyd; alaeth; anhyfrydwch.
огорчённый *прил.* (*вид и т.п.*) siomedig.
огра́да *ж.* cadlys; ffens; clawdd; gwrych; cae; cant.
огражда́ть *несов.* amddiffyn; achlesu.
огражде́ние *с.* ffens; cae.
ограниче́ние *с.* cadwraeth; terfyn; hwb; caethiwed; argae.
ограни́ченный *прил.* cyfyng; caeth; caethiwus.
ограни́чивать *несов.* terfynu; rhwymo; pennu; hybu; cyfyngu; caethiwo.
огро́мность *ж.* anferthedd.
огро́мный *прил.* anferthol; dirfawr; enfawr; anferth; aruthrol; abrwysgl; abrwysg; angiriol; anguriol.
огрыза́ться *несов.* ysgyrnygu; chwyrnu.
огу́льный *прил.* ysgubol.
огуре́ц *м.* cucumer.
о́да *ж.* odl; awdl.
ода́лживать *несов.* llogi; benthyca; benthycio.
одарённость *ж.* athrylith.
одарённый *прил.* (*без дополнения: талантливый*) athrylithgar; talentog.
ода́ривать *несов.* anrhegu.
одева́ть *несов.* gwisgo; trwsio; harneisio.
одева́ться *несов.* gwisgo.
оде́жда *ж.* dillad; gwisg; achwre; achfre; amwisg.
одержи́мость *ж.* meddiant.
одесную *нареч.* ar y dde.
оде́ть *сов.* gwisgo.
оде́ться *сов.* gwisgo.
одея́ло *с.* gwrthban; blanced; carthen.
одея́ние *с.* gwasgod; pais; abid; dillad; gwisg; amwisg.
оди́н[1] *числит.* (*в количестве одного*) un.
оди́н[2] *мест.* (*некоторый - часто в противопоставлении с «другой»; находящийся в одиночестве*) naill.
Один *м.од.* Odin.
одина́ковый *прил.* cydradd; hafal; cyffelyb; unrhyw.
оди́ннадцатый *числит.* unfed ar ddeg.
оди́ннадцать *числит.* un ar ddeg.
одино́кий *прил.* unig; dibriod; gweddw; anial.
одино́чество *с.* unigrwydd.
одино́чка *м.ж.* (*человек*) dyn unig.
одио́зный *прил.* anghynnes.
одна́жды *нареч.* unwaith.
одна́ко *сз.* ond; hagen.
одновре́менный *прил.* cyfoed; cyfamserol.
однодневный *прил.* undydd.
односло́жный *прил.* unsillafog.
односторо́нний *прил.* unochrog; untu.
одобре́ние *с.* cymeradwyaeth.
одобря́ть *несов.* arddel; cymeradwyo; croesawu.
одоле́ть *сов.* meistroli.
одолже́ние *с.* ffefryn; cymwynas; gwasanaeth.
одр *м.* elor.
одува́нчик *м.* clais.
одура́чивать *несов.* ffoli.
одухотворённый *прил.* ysbrydol.
одухотворя́ть *несов.* ysbrydoli.
ожере́лье *с.* aerwy; torch.
ожесточа́ть *несов.* serio.
ожесточённый *прил.* chwerw; agerw.
ожива́ть *г.* dadebru; atgyfodi; adfywio.
оживи́ть *сов.* dadeni; ysgogi; adnewyddu; bywiogi; adfywhau.
оживле́ние *с.* dadeni; diwygiad; ysgogiad; adfywiad; adeni.
оживлённый *прил.* (*беседа и т.п.*) prysur; heini; hoyw.
оживля́ть *несов.* dadebru; ysgogi; atgyfodi; bywiogi; adlonni; adfywhau; adfywio.
ожида́ние *с.* disgwyliad; disgwyl; gwrthrych.
ожида́ть *несов.* disgwyl; erfyn.

озабо́ченный *прил.* (*без дополнения: поглощенный заботами; выражающий беспокойство*) pryderus; aflonydd; carcus.
озада́ченный *прил.* (*вид и т.п.*) syn.
озаря́ть *несов.* goleuo.
озву́чивать *несов.* geirio; lleisio.
о́зеро *с.* llyn.
озлобля́ть *несов.* chwerwi.
означа́ть *несов.* (*значить, иметь значение*) golygu; dynodi; arddangos; meddwl.
озно́б *м.* cryd.
озорно́й *прил.* direidus; drwg.
ой *част.* ow.
оказа́ть *сов.* rhoi.
оказа́ться *сов.* digwydd.
ока́зывать *несов.* rhoi.
ока́зываться *несов.* digwydd.
окаймля́ть *несов.* minio.
океа́н *м.* môr; dyfnder; eigion; aig.
окисля́ть *несов.* suro.
окказионали́зм *м.* achlysuraeth; achlysuriaeth.
оккупи́ровать *несов. и сов.* goresgyn; meddiannu.
о́клик *м.* galwad.
окно́ *с.* ffenestr.
о́ко *с.* llygad.
око́вы *ж.мн.* gefyn; llyffethair; egwyd; heyrn; rhwym; hual; aerwy.
околдо́вывать *несов.* swyno.
о́коло[1] *предл.* tua; gerllaw; ger; oddeutu; wrth.
о́коло[2] *нареч.* ymron; oddeutu.
око́лыш *м.* band.
око́льный *прил.* anuniongyrchol; anunion.
оконча́ние *с.* terfyniad; diben; terfyn; diwedd; pen.
оконча́тельный *прил.* terfynol.
око́нчить *сов.* gorffen.
око́п *м.* ffos.
о́корок *м.* gar.
око́шко *с.* ffenestr (*fach*).
окра́ина *ж.* godre.
окра́ска *ж.* gne.
окра́шивать *несов.* lliwio.
окра́шиваться *несов.* lliwio.
о́круг *м.* cantref; rhanbarth; dosbarth; amgylch; ardal; cylch.
окру́га *ж.* cyfyl; cymdogaeth; amgylchedd; amgant.
округлённый *прил.* crwn.
окружа́ть *несов.* amgylchynu; amgylchu; amgáu.
окружа́ющий *прил.* amgylchynol; amgylchiadol.
окруже́ние *с.* amgylchfyd; amgylch; amgylchedd; cwmpas; amgylchiad.
окружи́ть *сов.* amgylchynu; gwarchae.
окру́жность *ж.* cylch; cwmpawd; cwmpas; amgylchiad; amgant; amfesur; cant.
октя́брь *м.* Hydref.
окуна́ть *несов.* gwlychu; trochi.
окуну́ть *сов.* trochi.
о́кунь *м.од.* penhwyad.
оку́ривать *несов.* mygu.
оку́рок *м.* bonyn.
оку́тывать *несов.* amdoi; lapio; amwisgo.
ола́дья *ж.* crempog.
оленёнок *м.од.* elain.
оле́нь *м.од.* carw; danas.
олицетворе́ние *с.* llun.
о́лово *с.* tun; alcam.
ольха́ *ж.* gwernen.
ома́р *м.од.* cimwch.
оме́ла *ж.* uchelwydd.
омерзе́ние *с.* diflastod.
омёт *м.* das; tas.
омле́т *м.* ffroesen.
омрача́ть *несов.* cymylu.
о́мут *м.* llyn.
омыва́ть *несов.* (*окружать своими водами*) golchi.
он *мест.* e; o; ef; fe; fo; efô; efe; yntau.
она́ *мест.* hi; hithau; hyhi.
они́ *мест.* nhw; hwynt; hwy; hwynt-hwy; hwythau; nhwthau.
оно́ *мест.* e; hi.
опада́ть *г.* cwympo.
опа́л *м.* opal.
опа́ла *ж.* anfri.
опали́ть *сов.* (*очистить огнем шкуру, ткань*) deifio.
опаля́ть *несов.* crasu; llosgi; serio.
опаса́ться *несов.* gwylio; ofni.
опасе́ние *с.* graen; aeth; pryder; ofn; achor; braw.
опа́сность *ж.* perygl; bygwth; perwyl.
опа́сный *прил.* peryglus; dybryd; graen; twym; hyll; anturus; difrifol; enbydus; enbyd.
опа́сть *г.* cwympo.
опеку́н *м.од.* gwarchodwr; gofalwr; arffedog.
опеку́нский *прил.* gwarcheidiol.
операти́вный *прил.* ❶ cyflym; gweithredol. ❷ llawdriniaethol. ❸ ymgyrchol.
оперативная память cof hapgyrch.
опера́ция *ж.* gweithrediad.
опереди́ть *сов.* achub.
опережа́ть *несов.* blaenori; achub.
опери́ровать *несов. и сов.* gweithredu.
опеча́тка *ж.* gwall argraffu.
опира́ться *несов.* seilio; pwyso.
описа́ние *с.* disgrifiad; portread.
описа́ть *сов.* disgrifio; darlunio.
опи́сывать *несов.* disgrifio; darlunio; ysgythru.

о́пись *ж.* calendr.
опла́кивать *несов.* galaru; alaethu; galarnadu.
опла́чивать *несов.* sefydlu; talu.
оплета́ть *несов.* plethu.
оплеу́ха *ж.* cernod.
оплодотворя́ть *несов.* ffrwytho.
оповеще́ние *с.* hysbysrwydd.
опо́ек *м.од.* (*теленок-сосунок*) llo.
опозда́ть *г.* colli.
опозна́ние *с.* cydnabyddiaeth.
опозо́рить *сов.* anurddo.
о́ползень *м.* llithren.
опо́мниться *сов.* dadebru.
опо́ра *ж.* cynhaliad; cynhaliaeth; gobennydd; post; paladr; gafael; cefn; colofn; camen; annel.
опоро́чить *сов.* anurddo.
опоя́сывать *несов.* cenglu.
оппоне́нт *м.од.* gwrthwynebwr; gwrthwynebydd.
опра́ва *ж.* cant.
оправда́ние *с.* rheswm; esgus; amddiffyniad.
оправда́ть *сов.* cyfiawnhau.
опра́вдывать *несов.* cyfiawnhau.
опра́шивать *несов.* archwilio; holi.
определе́ние *с.* penodiad; diffiniad.
определённый *прил.* dilys; amodol; diau; penodol; pendant; dir.
определи́ть *сов.* pennu.
определя́ть *несов.* terfynu; sefydlu; penodi; pennu; mesuro; mesur.
определя́ться *несов.* ❶ penderfynu. ❷ cael ei benderfunu.
опресня́ть *несов.* distyllu.
опро́бование *с.* prawf; praw.
опроверже́ние *с.* gwad.
опроки́дывать *несов.* dymchwel.
опроки́нуть *сов.* dymchwel.
опроки́нуться *сов.* dymchwel; troi drosodd.
опроме́тчивость *ж.* anghallineb; annoethineb.
опроме́тчивый *прил.* pendramwnwgl; anghymen.
опро́с *м.* holiad; ymgynghoriad; cwis.
опросчик *м.од.* ymofynnydd.
опротесто́вывать *несов.* gwrthdystio.
опря́тный *прил.* cryno; del; twt; trefnus; taclus; glân.
опубликова́ние *с.* ymddangosiad; cyhoeddiad.
опубликова́ть *сов.* cyhoeddi.
опублико́вывать *несов.* cyhoeddi.
опуска́ть *несов.* iselu; iselhau; suddo; darostwng; gostwng.
опуска́ться *несов.* suddo; disgyn; syrthio; trochi; hanfod; ymollwng.
опусти́ть *сов.* gostwng.
опусти́ться *сов.* hanfod.
опустоша́ть *несов.* difetha; difrodi; anialu.
опустоше́ние *с.* difrod; anghyfanheddra.
опустошённый *прил.* dinistriol; diffaith.
опуха́ть *г.* chwyddo.
о́пухоль *ж.* chwarren; codiad; chwydd; clap; chwyddi.
опу́шка *ж.* ❶ gorwydd. ❷ ymylwe.
о́пыт *м.* ❶ cyfarwyddyd; profiad. ❷ arbrawf; ymgais; cynnig.
о́пытный *прил.* profiadol.
опьяня́ть *несов.* meddwi.
опя́ть *нареч.* eilwaith; mwy; trachefn; eto.
ора́нжевый *прил.* melyngoch.
ора́тор *м.од.* siaradwr; llefarydd.
ора́ть[1] *несов.* (*пахать*) aredig; arddu; aradru.
ора́ть[2] *несов.* (*кричать*) bloeddian; bloeddio; rhuo; sgrechian; lleisio; gweiddi.
орби́та *ж.* rhod; cwmpas; cylchdaith.
орга́н[1] *м.* (*муз. инструмент*) organ.
о́рган[2] *м.* (*часть тела; учреждение; периодическое издание*) organ.
организа́тор *м.од.* trefnydd.
организа́ция *ж.* trefn; trefniant; corff.
органи́зм *м.* organydd.
организо́ванный *прил.* trefnus.
организова́ть *несов. и сов.* trefnu.
организо́вывать *несов.* trefnu; trafod.
органи́ст *м.од.* organydd.
орда́ *ж.* haid.
о́рден[1] *м.* (*организация*) urddas; urdd; trefn.
о́рден[2] *м.* (*награда*) urdd.
орёл *м.од.* eryr.
орео́л *м.* gogoniant.
оре́х *м.* cneuen.
оре́шник *м.* coll.
оригина́л *м.од.* (*чудак*) cymeriad.
оригина́льность *ж.* arbenigrwydd.
оригина́льный *прил.* gwreiddiol; creadigol.
ориента́ция *ж.* cyfeiriad; tueddiad.
орке́стр *м.* cerddorfa.
орна́мент *м.* addurniad; addurn.
орнамента́льный *прил.* addurnol.
орнито́лог *м.од.* adarydd.
орнитоло́гия *ж.* adareg; adariaeth; adaryddiaeth.
ороси́ть *сов.* gwlychu.
ороша́ть *несов.* dyfrhau.
ортодокса́льный *прил.* uniongred.
ору́дие *с.* ❶ gwn; cyflegr; dryll; magnel. ❷ offeryn; arf.
оруженосец *м.од.* iangwr; yswain.
ору́жие *с.* arf; arfogaeth.
орфогра́фия *ж.* orgraff.
орхиде́я *ж.* tegeirian.
оса́ *ж.од.* gwenynen farch felyn; cacynen.

оса́да *ж.* gwarchae.
оса́дки *м.мн.* (*атмосферные*) gwlybaniaeth.
оса́док *м.* rhelyw; gwaddod; gwaelod.
осажда́ть *несов.* gwarchae; amgylchynu; cynllwyn.
оса́нка *ж.* gosodiad; trawiad; osgo; ystum.
осведоми́тель *м.од.* hysbyswr.
осве́домиться *сов.* gofyn.
осведомлённость *ж.* adnabyddiaeth; cymhendod.
осведомлённый[1] *прил.* (*о чем-л.; в чем-л.*) hysbys; ymwybodol; cydnabyddus; cyfarwydd.
осведомлённый[2] *прил.* (*без дополнения: знающий*) doeth; call.
осведомля́ться *несов.* ymofyn; holi.
освежа́ть *несов.* ireiddio; adnewyddu; adlonni.
освеже́ние *с.* adnewyddiad.
освети́ть *сов.* goleuo; golau.
освеща́ть *несов.* goleuo; golau.
освеще́ние *с.* goleuni; gwawl; lleufer; goleuad.
освиде́тельствование *с.* archwiliad.
освинцевать *сов.* plymio.
освинцо́вывать *несов.* plymio.
осви́стывать *несов.* annos.
освободи́ть *сов.* rhyddhau.
освободи́ться *сов.* ymryddhau.
освобожда́ть *несов.* arloesi; gwaredu; achub; maddau; rhyddhau; diswyddo (*от выполняемых обязанностей*); gwared; gollwng; ehangu; dianc.
освобожде́ние *с.* gwaredigaeth; abred; rhyddhad.
освяща́ть *несов.* cysegru; bendithio.
осево́й *прил.* pegynol.
оседа́ть *г.* ❶ cartrefu; sefydlu. ❷ iselu; ymollwng. ❸ gwastatáu; gwaelodi.
осёл *м.од.* asen; asyn; as; mul.
осени́ть *сов.* cysgodi.
осе́нний *прил.* hydrefol.
о́сень *ж.* hydref.
осеня́ть *несов.* cysgodi.
осе́сть *г.* ❶ cartrefu; sefydlu. ❷ ymollwng. ❸ gwaelodi; gwastatáu.
оси́на *ж.* aethnen.
оскверне́ние *с.* aflendid.
оско́лок *м.* asglodyn; darn; dellten; fflaw.
оско́мина *ж.* dincod.
оскорби́тельный *прил.* sarhaus.
оскорбле́ние *с.* cawdd; tramgwydd; sarhad.
оскорбля́ть *несов.* difrïo; coddi; digio; sarhau; amharchu; amherchi.
оскуде́ние *с.* tlodi.
ослабева́ть *г.* gwywo; gostegu; treio; lleihau; pallu; ymollwng.
ослабле́ние *с.* lleihad.
ослабля́ть *несов.* gwanhau; lleddfu; gostegu; ymlacio; lleihau; gostwng; gollwng; amharu.
ослепля́ть *несов.* dallu; tywyllu.
осложне́ние *с.* ❶ astrusi. ❷ ôl-effaith.
ослу́шаться *сов.* anufuddhau.
осма́тривать *несов.* arolygu; ysbïo; adolygu.
осме́ивать *несов.* gwawdio; ffoli.
осме́ливаться *несов.* mentro; beiddio.
осме́литься *сов.* mentro.
осмея́ние *с.* gwawd.
осмо́тр *м.* golygiad; archwiliad; arolwg.
осмотре́ть *сов.* adolygu.
осмотри́тельный *прил.* pwyllog; hamddenol.
оснаще́ние *с.* cyfarpar.
осно́ва *ж.* sylfaen; sail; bôn.
основа́ние *с.* ❶ sefydliad; gosodiad. ❷ gwadn; godre; bôn; sylfaen; sail; gwaelod; carn. ❸ rheswm; achos.
основа́тель *м.од.* sylfaenydd.
основа́тельный *прил.* trylwyr; trwyadl.
основа́ть *сов.* gwaelodi.
основно́й *прил.* (*главный*) cyntefig; sylfaenol; prif; pennaf; llywodraethol; pen.
осно́вывать *несов.* gwadnu; seilio; sefydlu; cyfansoddi.
осно́вываться *несов.* seilio; sefydlu; adail.
осо́ба *ж.од.* person.
осо́бенность *ж.* arbenigrwydd; angerdd; arbenigedd; nodwedd.
осо́бенный *прил.* anad; arbenigol; enwedig; unigol; penodol; neilltuol; arbennig.
особня́к *м.* plasty.
осо́бый *прил.* anad; arbenigol; enwedig; penodol; pendant; neilltuol; arbennig.
осовреме́нить *сов.* diweddaru.
осознава́ть *несов.* synhwyro; sylweddoli.
осозна́ние *с.* argyhoeddiad.
осозна́ть *сов.* deall.
оспа́ривать *несов.* dadlau.
остава́ться *несов.* cadw; dal; aros; trigo.
оста́вить *сов.* ymadael.
оставля́ть *несов.* ymadael; gadael; dilysu.
остально́й *мест.* ar ôl; llall. **остальные** y gweddill.
остана́вливать *несов.* dal; peidio; atal; nadu.
остана́вливаться *несов.* trigo; peidio; aros.
оста́нки *м.мн.* gweddill.
останови́ть *сов.* atal.
останови́ться *сов.* peidio; aros.
остано́вка *ж.* safle; arhosfa; saib; safiad.
оста́ток *м.* rhelyw; gweddill.
оста́ться *сов.* aros.
остерега́ться *несов.* golaith; malio; gwylio; gofalu.

óстов *м.* burgyn; ysgerbwd; fframwaith; corff.
остóйчивость *ж.* sefydlogrwydd.
осторóжность *ж.* pwyll; gofal.
осторóжный *прил.* pwyllog; gofalus; carcus; anhyderus.
острие́ *с.* pig; trwyn; pwynt; min.
остри́ть *г.* (*говорить остроты*) cellwair.
óстров *м.* ynys.
островнóй *прил.* ynysol.
островóк *м.* ynys.
остроконе́чный *прил.* llym; miniog; awchus.
острота́[1] *ж.* (*сущ. к «острый»*) min.
острóта[2] *ж.* (*остроумное высказывание*) cellwair.
остроу́мный *прил.* hwyliog; doniol.
óстрый *прил.* ❶ main; llym; miniog; bachog; awyddus; tost; awchus. ❷ poeth; tanbaid. ❸ tenau.
оступа́ться *несов.* baglu; syrthio.
остыва́ть *г.* oeri.
осты́ть *г.* oeri.
ость *ж.* col; colyn.
осужда́ть *несов.* dedfrydu; beio.
осужде́ние *с.* argyhoeddiad; cerydd.
осуждённый *м.од.* barnol.
осуша́ть *несов.* sychu.
осуществи́ть *сов.* sylweddoli.
осуществле́ние *с.* cwblhad.
осуществля́ть *несов.* sylweddoli.
ось *ж.* pegwn; pin; colyn.
осяза́ть *несов.* teimlo; clywed.
от *предл.* rhag; oddi; o.
ота́ра *ж.* cail.
отбе́ливание *с.* gwyniad.
отбе́ливать *несов.* cannu.
отбива́ть *несов.* naddu; pwnio.
отбива́ться *несов.* gwingo.
отбира́ть *несов.* ❶ dethol; dewis. ❷ anrheithio; dinoethi.
óтблеск *м.* llewyrch; adlewyrch.
отбóр *м.* detholiad; dewis.
отбóрный *прил.* dethol; amheuthun.
отбра́сывать *несов.* ❶ bwrw. ❷ isgilio; gwrthod.
отбрóсить *сов.* ❶ bwrw. ❷ gwrthod.
отбрóсы *м.мн.* sothach; ysbwriel.
отбы́тие *с.* ymadawiad.
отва́га *ж.* dewrder; ffyniant; plwc.
отва́живаться *несов.* mentro; beiddio; anturio.
отва́житься *сов.* mentro; anturio.
отва́жный *прил.* calonnog; herfeiddiol; beiddgar; glew; dynol.
отва́л *м.* tomen.
отве́дать *сов.* blasu; profi; archwaethu.
отве́дывать *несов.* profi; treio.
отвезти́ *сов.* cludo.
отверга́ть *несов.* ymwrthod; isgilio; nacáu; gwrthod; gwadu.
отверну́ться *сов.* troi ymaith.
отве́рстие *с.* genau; toriad; twll; crau; agoriad; agorfa.
отве́сный *прил.* serth.
отвести́ *сов.* ❶ arwain. ❷ difyrru. ❸ gwrthod. ❹ neilltuo.
отве́т *м.* ateb; atebiad; ymateb.
ответвле́ние *с.* cainc; fforch.
отве́тить *г.* ateb.
отве́тный *прил.* atebol.
отве́тственность *ж.* cyfrifoldeb.
отве́тственный *прил.* atebol; cyfrifol.
отве́тчик *м.од.* atebwr.
отвеча́ть *г.* ateb; ymateb; mynegi; gohebu.
отви́слый *прил.* llipa.
отвлека́ть *несов.* difyrru.
отвлечённый *прил.* haniaethol.
отводи́ть *несов.* ❶ arwain. ❷ difyrru. ❸ gwrthod. ❹ neilltuo.
отврати́тельный *прил.* ysgeler; salw; hyll; gwael; ffiaidd; budr; cas; ofnadwy; erchyll; adgas; abrwysgl; atgas; anghynnes.
отвраще́ние *с.* atgasedd; casineb; cas; diflastod; gwrthwyneb; gwrthwynebiad; cymysgedd.
отвя́зывать *несов.* gollwng.
отговóрка *ж.* esgus.
отголóсок *м.* atsain; adlais; adlef.
отдава́ть *несов.* rhoi; cyfrannu.
отдава́ться *несов.* ymroi; ymroddi.
отдалённость *ж.* pellter.
отдалённый *прил.* pell; anghysbell.
отда́ть *сов.* rhoi.
отде́л *м.* adran.
отделе́ние *с.* ❶ uned; cangen; cainc. ❷ Ymneilltuaeth.
отде́лывать *несов.* trwsio.
отде́льность *ж.* gwahân.
отде́льный *прил.* unigol; neilltuol.
отделя́ть *несов.* ysgaru; parthu; rhannu; neilltuo; gwahanu; didoli.
отдира́ть *несов.* rhwygo.
отдохну́ть *г.* gorffwys.
отдубасить *сов.* baeddu.
отду́шина *ж.* agorfa.
óтдых *м.* gorffwys; adwedd.
отдыха́ть *г.* gorffwys.
оте́ль *м.* gwesty.
оте́ц *м.од.* tad.
оте́чественный *прил.* cartrefol.
отжига́ть *несов.* anelio.
отзыва́ть *несов.* adalw.
отзыва́ться *несов.* ymateb.
отка́з *м.* gwad.
отказа́ть *г.* gwrthod.
отказа́ться *сов.* gwrthod.

отка́зывать *г.* nacáu; gwrthod; gwadu; pallu.

отка́зываться *несов.* gohebu; ymroi; ymwrthod; cefnu; nacáu; gwrthod; gwadu; pallu; dilysu; anfoddio.

отка́лывать *несов.* naddu.

отка́пывать *несов.* cloddio; agor.

отка́рмливать *несов.* brasáu.

отки́дывать *несов.* ❶ taflu (*i ffwrdd*). ❷ plygu (*yn ôl*).

отки́дываться *несов.* ❶ pwyso (*yn ôl*). ❷ cael ei thaflu i ffwrdd; cael ei blygu'n ôl.

отки́нуть *сов.* ❶ taflu (*i ffwrdd*). ❷ plygu (*yn ôl*).

отки́нуться *сов.* ❶ pwyso (*yn ôl*). ❷ cael ei thaflu i ffwrdd; cael ei blygu'n ôl.

откла́дывать *несов.* ❶ oedi; gohirio; addoedi; pellhau. ❷ neilltuo; cynilo. ❸ dodwy.

о́тклик *м.* adlais.

отклика́ться *несов.* ymateb.

откли́кнуться *сов.* ymateb.

отклоне́ние *с.* gogwydd; ymadawiad; gogwyddiad; osgo.

отклоня́ть *несов.* difyrru; ymwrthod; gwadu.

отклоня́ться *несов.* tueddu.

отключа́ть *несов.* diffodd.

отко́рмленный *прил.* pasgedig; tew.

отко́с *м.* gogwyddiad; osgo; rhiw; llethr.

открове́ние *с.* datguddiad.

открыва́ть *несов.* agor; datguddio; amlygu; darganfod; agoryd; datod; rhythu; gollwng.

открыва́ться *несов.* ymagor.

откры́тие *с.* ❶ canfyddiad; datguddiad; darganfyddiad. ❷ agoriad.

откры́тка *ж.* cerdyn.

откры́тый *прил.* agored; cyhoedd; union; penagored; candryll.

откры́ть *сов.* agor; gollwng.

откры́ться *сов.* ymagor.

отку́да *нареч.* o ble; pan.

отли́в *м.* trai; adlif.

отлича́ть *несов.* gwahaniaethu; nodweddu.

отлича́ться *несов.* nodweddu; gwahaniaethu; amrywio.

отли́чие *с.* gwahaniaeth; arbenigrwydd.

отли́чный *прил.* ❶ rhagorol; penigamp; gwych; ardderchog; campus; iawndda; godidog; amgenach; amgen. ❷ gwahanol.

отложе́ние *с.* gwaddod; gwaelod.

отложи́ть[1] *сов.* dodwy.

отложи́ть[2] *сов.* ❶ addoedi. ❷ neilltuo.

отлу́чка *ж.* absenoliaeth; absen.

о́тмель *ж.* bar.

отмени́ть *сов.* dadwneud; dileu.

отменя́ть *несов.* dadwneud; diddymu; dileu; adalw.

отмеря́ть *несов.* mesur.

отме́тить *сов.* ❶ nodi. ❷ dathlu.

отме́тка *ж.* amlygyn; nod; ôl.

отмеча́ть *несов.* ❶ cofrestru; nodi; sylwi; gwahaniaethu. ❷ dathlu.

отмеча́ться *несов.* ❶ ymgofrestru. ❷ cael ei gofnodi.

отмще́ние *с.* dial.

отмыва́ть *несов.* golchi.

отнести́ *сов.* ❶ cludo. ❷ priodoli.

отнима́ть *несов.* amddifadu; tynnu; diosg.

относи́тельно *предл.* oblegid; cylch; ynglŷn; ynghylch; tua; parthed.

относи́тельный *прил.* perthynol; perthnasol; cymharol.

относи́ть *несов.* ❶ cludo. ❷ priodoli.

относи́ться[1] *несов.* (*иметь касательство к чему-л., принадлежать*) ymwneud; perthyn.

относи́ться[2] *несов.* ymdrin; agwedd.

отноше́ние *с.* ❶ perthynas. ❷ cyfartaledd. ❸ agwedd; tueddiad.

отню́дь *нареч.* dim o gwbl.

отня́ть *сов.* tynnu; amddifadu.

отобра́ть *сов.* ❶ dethol; dewis. ❷ dinoethi; anrheithio.

отодви́нуть *сов.* symud.

отозва́ться *сов.* ymateb.

отойти́ *г.* cilio.

отомсти́ть *г.* dial.

отопле́ние *с.* gwres.

оторва́ть *сов.* rhwygo.

оторва́ться *сов.* ❶ cael ei rhwygo ymaith. ❷ esgyn.

отпеча́ток *м.* argraffiad; argraff; ôl; bath.

отпеча́тывать *несов.* argraffu.

отпира́ться *несов.* nacáu; gwrthod; gwadu.

отплати́ть *сов.* ad-dalu.

отпла́чивать *г.* adferyd; adferu; ad-dalu.

отпра́вить *сов.* anfon; gyrru.

отпра́виться *сов.* cychwyn.

отпра́вка *ж.* anfoniad.

отправле́ние *с.* cychwyniad; ymadawiad; cychwyn.

отправля́ть *несов.* gyrru; anfon; hebrwng; gwasanaethu; gollwng; gweinyddu.

отправля́ться *несов.* cychwyn.

о́тпрыск[1] *м.од.* (*потомок*) epil; imp.

о́тпрыск[2] *м.* (*побег растения*) imp.

отпу́гивать *несов.* tarfu.

о́тпуск *м.* gŵyl.

отпуска́ть *несов.* maddau; gollwng; rhyddhau.

отпусти́ть *сов.* maddau; gollwng; rhyddhau.

отра́ва *ж.* gwenwyn.

отравля́ть *несов.* gwenwyno.

отража́тель *м.* adlewyrchydd.

отража́ть *несов.* adlewyrchu; dychwelyd; adbelydru.

отраже́ние *с.* ❶ adlewyrchiad; adlewyrch; delw; llun; adwedd; gwasgod; gwrthrych. ❷ ôl-hyrddiad.
о́трасль *ж.* cainc.
отра́щивать *несов.* impio; tyfu.
отреза́ть *несов.* ysgythru; lladd.
отрека́ться *несов.* ymwrthod; nacáu; gwrthod; gwadu.
отрече́ние *с.* gwad.
отрица́ние *с.* gwad.
отрица́тельный *прил.* negyddol.
отрица́ть *несов.* gohebu; nacáu; herio; gwrthod; gwadu; difrodi.
отро́г *м.* cainc.
отро́дье *с.* sil.
о́трок *м.од.* iangwr.
отро́сток *м.* imp.
о́трочество *с.* mebyd.
отруба́ть *несов.* ysgythru.
о́труби *м.мн.* eisin.
отруби́ть *сов.* torri.
отрыва́ть[1] *несов.* agor.
отрыва́ть[2] *несов.* rhwygo.
отря́д *м.* torf; mintai; aig; cordd.
о́тсвет *м.* adlewyrch.
отсе́ивать *несов.* neilltuo.
отсе́к *м.* cell; cafell.
отсека́ть *несов.* ysgythru.
отска́кивать *г.* adlamu.
отско́к *м.* naid; adnaid; adlam; llam.
отсро́чивать *несов.* oedi; gohirio; addoedi.
отсро́чить *сов.* addoedi.
отсро́чка *ж.* oediad; gras; seibiant.
отстава́ть *г.* ❶ aros ar ôl. ❷ peidio ag ymyrraeth/ymyrryd â rhth/rhn. ❸ mynd oddi ar rth.
отста́вка *ж.* ymddeoliad.
отставно́й *прил.* ymddeol.
отста́ивать *несов.* taeru; haeru; honni; dadlau; amddiffyn; amwyn.
отстаиваться *несов.* cartrefu.
отста́ть *г.* ❶ syrthio'n ôl. ❷ peidio ag ymyrraeth/ymyrryd â rhth/rhn. ❸ dod oddi ar rth.
отсто́й *м.* gwaddod; gwaelod.
отстране́ние *с.* gorfodaeth.
отстраня́ть *несов.* bario.
отступа́ть *г.* cefnu; ymadael; cilio; ildio.
отступи́ть *г.* cilio; cefnu.
отступле́ние *с.* cil; ciliad; Ymneilltuaeth.
отсту́пник *м.од.* gwrthgiliwr.
отсу́тствие *с.* diffyg; absenoldeb; absenoliad; absenoliaeth; absen.
отсу́тствовать *г.* absenoli.
отсу́тствующий *прил.* absennol.
отсыла́ть *несов.* gyrru; anfon; danfon; cyfeirio.
отсю́да *нареч.* o fan hyn; oddi yma. **отсюда следует, что...** gellir casglu o hyn fod...
отта́ивать *несов.* meirioli; toddi.
отта́лкивать *несов.* cilgwthio.
отта́лкивающий *прил.* graen; salw; hyll; annymunol; anaddfwyn; anhardd; anhyfryd; anhygar.
отта́чивать *несов.* malu.
отта́ять *сов.* dadmer.
оттéнок *м.* arlliw; naws; gwawr; gne.
о́ттепель *ж.* dadmer.
о́ттиск *м.* argraffiad; argraff; bath.
оттого́ *нареч.* dyna pam. **оттого что** oherwydd.
отту́да *нареч.* o fan yna; oddi yno.
оттяну́ть *сов.* estyn.
отха́ркивать *несов.* poeri.
отходи́ть *г.* cilio.
отча́иваться *несов.* anobeithio.
отча́сти *нареч.* lled; go; braidd.
отча́яние *с.* anobaith.
отча́янный *прил.* irad.
отча́яться *сов.* anobeithio.
отчего́ *нареч.* pam.
отчёт *м.* adroddiad.
отчётливый *прил.* eglur; plaen.
о́тчим *м.од.* llystad.
отчужде́ние *с.* caethiwed.
отше́льник *м.од.* meudwy; ancr.
отъе́зд *м.* ymadawiad; mynediad.
отъя́вленный *прил.* rhonc.
отыска́ть *сов.* dod (*o hyd i rth*).
отягоща́ть *несов.* llwytho.
офице́р *м.од.* swyddog.
офице́рский *прил.* swyddog.
официа́льный *прил.* swyddogol.
официа́нт *м.од.* gweinydd.
официа́нтка *ж.од.* gweinyddes.
оформля́ть *несов.* tynnu.
ох *част.* o.
о́хать *г.* griddfan.
охва́т *м.* cyrhaeddiad; amgyffred.
охвати́ть *сов.* gorchfygu; achub; trechu; ymaflyd.
охва́тывать *несов.* amgyffred.
охлажда́ть *несов.* gooeri.
охлажде́ние *с.* oerfelgarwch.
охо́та[1] *ж.* (*на зверя*) helwriaeth; helfa; pwrcas.
охо́та[2] *ж.* (*желание*) archwaeth; chwant.
охо́титься *несов.* hel; hela.
охо́тник *м.од.* heliwr.
охра́на *ж.* ❶ cadwraeth; nodded; nawdd; amddiffynfa; amddiffyniad. ❷ gosgordd; gwarchodlu.
охра́нник *м.од.* gwarchodwr.
охраня́ть *несов.* gwarchod; diogelu; bugeilio; gwylio; arail.
оцара́пать *сов.* crafu.

оце́нивать *несов.* mantoli; mesur; gwerthuso; gwerthfawrogi; amcangyfrif; cloriannu.
оцени́ть *сов.* gwerthuso; gwerthfawrogi; mesur.
оце́нка *ж.* gwerthfawrogiad; amcangyfrif; gwerth; cyfrifiad.
оцепене́ть *г.* ceulo.
оча́г *м.* aelwyd; ffwrnais; ffog.
очарова́ние *с.* cyfaredd; hud; swyn.
очарова́тельный *прил.* hudol; swynol; hyfryd.
очаро́вывать *несов.* swyno.
очеви́дец *м.од.* tyst; cyfarwydd.
очеви́дный *прил.* hysbys; gweladwy; eglur; plaen; amlwg.
о́чень *нареч.* tra; pur; rhy; iawn.
очередно́й *прил.* ❶ canlynol. ❷ arferol.
о́чередь *ж.* ❶ tro. ❷ llinyn; cwt; ciw; rhes. ❸ cawod o fwledi; hwrdd (*o danio*); taniad. **сейчас твоя очередь** dy dro di ydy hi. **в первую очередь** yn gyntaf, yn lle cyntaf.
о́черк *м.* ysgrif.
очерта́ние *с.* rhith; delw; llun; gwedd; amlinell; amlinelliad.
очёс *м.* carth.
очища́ть *несов.* gloywi; carthu; amlymu; pigo; golchi; glanhau; arloesi.
очки́ *м.мн.* gwydr; sbectol.
очко́ *с.* pwynt.
очну́ться *сов.* dihuno; dadebru.
очути́ться *сов.* cyrraedd.
оше́йник *м.* torch.
ошеломи́ть *сов.* syfrdanu.
ошеломля́ть *несов.* syfrdanu.
ошиба́ться *несов.* camgymryd; amryfuso.
ошиби́ться *сов.* camgymryd.
оши́бка *ж.* camsyniad; nam; gwall; bai; camgymeriad; amryfusedd.
оши́бочность *ж.* cam; anghywirdeb.
оши́бочный *прил.* cyfeiliornus; gau; gwallus; cam; amryfus; aniawn; annilys.
ошуюю *нареч.* ar y chwith.
ощи́пывать *несов.* plycio.
ощу́пывать *несов.* ymbalfalu; teimlo; palfalu.
ощути́мый *прил.* gweladwy.
ощути́ть *сов.* teimlo.
ощуща́ть *несов.* teimlo; synhwyro.
ощуще́ние *с.* ymdeimlad; synnwyr; pwyll; teimlad.

П

па *с.* cam.
павли́н *м.од.* paun.
па́водок *м.* dilyw; llifeiriant.
па́губный *прил.* andwyol; dinistriol; trychinebus; niweidiol; marwol; adwythig; angheuol.
па́даль *ж.* burgyn.
па́дать *г.* digwydd; disgyn; syrthio; cwympo; ymollwng.
паде́ж[1] *м.* (*в грамматике*) cyflwr; damwain; dychwel.
падёж[2] *м.* (*скота*) pla gwartheg.
паде́ние *с.* cwymp.
па́дуб *м.* celynnen.
па́дчерица *ж.од.* llysferch.
паёк *м.* ancwyn; dogn; lwfans.
паж *м.од.* iangwr.
па́зуха *ж.* mynwes.
пай *м.* (*доля*) cyfran.
па́йка *ж.* ias.
пакга́уз *м.* ystorfa.
паке́т *м.* paced; tocyn; pac.
па́кля *ж.* carth.
пакова́ть *несов.* pacio.
па́костный *прил.* ysgeler.
пала́та *ж.* trefn.
пала́тка *ж.* pabell; lluest.
па́лец *м.* bys; bawd; pin.
пали́тра *ж.* amrediad.
пали́ть[1] *несов.* (*жечь, опалять*) crasu; ennyn; llosgi.
пали́ть[2] *г.* (*стрелять*) tanio; saethu.
па́лица *ж.* pastwn.
па́лка *ж.* paladr; ffon.
пало́мник *м.од.* pererin.
пало́мничество *с.* pererindod.
па́лочка *ж.* llathen; llath; gwaell; gwialen.
па́луба *ж.* bwrdd.
пальба́ *ж.* taniad.
пальто́ *с.* côt.
памфле́т *м.* pamffled.
па́мятливый *прил.* cofiadwy.
па́мятник *м.* cofadail; cofeb; myfyr.
па́мять *ж.* cof; coffa; myfyr.
пан *м.од.* boneddigwr.
панари́ций *м.* gwlithen.
панеги́рик *м.* gwawd.
пане́ль *ж.* panel.
па́ника *ж.* braw.
па́нцирь *м.* llurig.
па́па *м.од.* ❶ tad. ❷ pab.
папиро́са *ж.* sigaret.
папи́ст *м.од.* pabydd.
папи́стский *прил.* pabyddol.
па́пка *ж.* (*для бумаг*) plygell.
па́поротник *м.* rhedynen.
па́почка[1] *ж.* (*уменьш. к «папка»*) plygell.
па́почка[2] *м.од.* (*уменьш. к «папа»*) tad.
пар[1] *м.* (*вода в газообразном состоянии*) angerdd; agerdd; ager; anwedd.
пар[2] *м.* (*незасеянное поле*) braenar.
па́ра *ж.* pâr.
пара́граф *м.* paragraff.
пара́д *м.* gorymdaith.
пара́дный *прил.* mawreddog; crand.
паралла́кс *м.* cyfnewidiad.
парапе́т *м.* canllaw.
парафи́н *м.* paraffin.
парашю́т *м.* parasiwt.
паренёк *м.од.* llanc.
па́рень *м.од.* hogyn; llafn; llanc; gwas.
пари́ *с.* cyngwystl; bet.
пари́к *м.* gwallt gosod; penwisg.
пари́ть[1] *г.* (*держаться в воздухе; пропускать пар через щель*) hofran.
па́рить[2] *несов.* (*варить, обрабатывать паром; оставлять незасеянной пашню*) ageru.
парк *м.* parc.
парла́мент *м.* senedd.
парламента́рный *прил.* seneddol.
парла́ментский *прил.* seneddol.
па́рный *прил.* (*от «пара»*) dyblyg.
парово́з *м.* locomotif; injan stêm; peiriant ager.
пароди́ровать *несов. и сов.* dyfalu; dynwared; gwawdio.
паро́ль *м.* cyfrinair; arwyddair.
паро́м *м.* porth; ysgraff.
парохо́д *м.* agerlong; agerfad.
партиза́н *м.од.* herwfilwr.
парти́йный *прил.* pleidiol.
па́ртия *ж.* ❶ plaid. ❷ cyfran; parth.
партнёр *м.од.* cydymaith; cywely; cydwedd.
па́рус *м.* hwyl; carthen; adain.
паруси́на *ж.* cynfas; lliain.
па́русный *прил.* hwyliog.
парча́ *ж.* pali.
парчо́вый *прил.* caerog.
па́смурность *ж.* caddug.
па́смурный *прил.* dwl.
па́спорт *м.* teitheb.
пасса́ж *м.* tramwyfa.
пассажи́р *м.од.* teithiwr.
пасси́вный *прил.* goddefol; llywaeth.
па́ста *ж.* past; toes.
па́стбище *с.* cynefin; porfel; porfa.
па́ства *ж.* cynulleidfa; bagad.
пастерна́к *м.* panasen.
пасти́ *несов.* bugeilio; pori.
пасти́сь *несов.* pori.

па́стор *м.од.* rheithor; person.
пастора́т *м.* personoliaeth.
пасту́х *м.од.* bugail.
па́стырство *с.* gweinidogaeth.
пасть[1] *ж.* (*рот зверя; западня*) safn; ceg.
пасть[2] *г.* digwydd; disgyn.
пастьба́ *ж.* porfelaeth.
па́сха *ж.* Pasg.
па́сынок *м.од.* llysfab.
патрио́т *м.од.* gwladgarwr; gwladwr.
патриоти́зм *м.* cenedlaetholdeb.
патриоти́ческий *прил.* gwladgarol.
патро́н[1] *м.од.* (*хозяин, покровитель*) noddwr.
патро́н[2] *м.* (*заряд; удерживающее приспособление; трафарет*) ❶ cetrisen. ❷ soced (*lamp*). ❸ crafanc.
па́уза *ж.* arhosfa; saib; sbel.
пау́к *м.од.* cor; adyrgop; adyrgopyn.
паути́на *ж.* gwe.
пах *м.* arffed; fforch; gaflach; ffwrch; gafl.
па́харь *м.од.* trowr; aradrwr.
паха́ть *несов.* aredig; arddu; aradu; llafurio; troi; amaethu; aradru.
пахну́ть[1] *г.* (*повеять*) arogli.
па́хнуть[2] *г.* (*издавать запах*) arogleuo; arogli; archwaethu.
па́хта *ж.* llaeth enwyn.
паца́н *м.од.* crwt.
пацаненок *м.од.* crwt.
пацие́нт *м.од.* claf.
пацифи́ст *м.од.* heddychwr.
па́чка *ж.* paced; tocyn; bagad; pac.
па́чкать *несов.* brychu; baeddu; trochi; amliwio; duo.
па́шня *ж.* âr.
паште́т *м.* past.
пеан *м.* (*хвалебный гимн*) emyn.
певе́ц *м.од.* canwr; cantor; cerddor; datgeiniad.
певи́ца *ж.од.* cantores; cerddores.
педаго́г *м.од.* addysgiaethwr; addysgydd; addysgwr.
педагоги́ческий *прил.* addysgol.
пейза́ж *м.* tirlun; tirwedd.
пека́рня *ж.* popty.
пе́кло *с.* uffern.
пелена́ *ж.* gorchudd; llen; amwisg.
пелена́ть *несов.* rhwymo.
пелёнка *ж.* cewyn; corn; rhwymyn.
пе́на *ж.* ewyn; broch; gwrych.
пенёк *м.* boncyff; bonyn.
пе́ние *с.* canu; caniad.
пе́нис *м.* pidlen; cala; bonllost; cal.
пенс *м.* ceiniog.
пенсионе́р *м.од.* (*от пенсия*) pensiynwr.
пе́нсия *ж.* pensiwn.
пень *м.* cyff; boncyff; bonyn.
пенька́ *ж.* cywarch.
пе́ня *ж.* dirwy.
пе́пел *м.* lludw; ulw.
пе́рвенство *с.* blaenoriaeth.
перви́чный *прил.* cyntefig.
первобы́тный *прил.* cyntefig; gwyllt; anghynnes.
перво́зда́нный *прил.* cyntefig.
первонача́льный *прил.* cyntefig; dechreuol; gwreiddiol; creadigol.
первооткрыва́тель *м.од.* darganfyddwr.
первопричи́на *ж.* tarddiad; ffynhonnell.
первопрохо́дец *м.од.* arloeswr; arloesydd.
перворожденный *прил.* cynhenid.
пе́рвый *числит.* unfed; prif; cyntaf.
перде́ть *г.* (*груб.*) rhechain; rhechu.
пере́ *прист.* gor.
перебива́ть *несов.* ❶ torri. ❷ lladd.
перебира́ть *несов.* dethol; plycio.
переби́ть *сов.* ❶ torri. ❷ lladd.
перебра́нка *ж.* ffrwgwd; ffrae.
перева́л *м.* tramwyfa.
перева́ривать *несов.* treulio.
перевезти́ *сов.* trosglwyddo.
переверну́ть *сов.* troi.
перевёртывать *несов.* troi; trosi.
перевести́ *сов.* ❶ cyfieithu; trosi. ❷ trosglwyddo. ❸ gwastraffu.
перево́д *м.* ❶ cyfieithiad; trosiad; dehongliad. ❷ trosglwyddiad. ❸ archeb. ❹ gwastraff. **почтовый перевод** archeb bost.
переводи́ть *несов.* ❶ cyfieithu; trosi. ❷ trosglwyddo. ❸ gwastraffu.
перево́дчик *м.од.* cyfieithydd.
перевози́ть *несов.* hebrwng; trosglwyddo; dwyn; cludo.
перево́зка *ж.* cludiant.
перево́зчик *м.од.* mudwr.
перевооружа́ть *несов.* adarfogi.
перевора́чивать *несов.* troi.
перевора́чиваться *несов.* troi; trosi.
переворо́т *м.* chwyldroad.
перевыбрать *сов.* adethol.
перевя́зка *ж.* rhwymyn; rhwym.
перевя́зывать *несов.* rhwymo.
перегиба́ть *несов.* plygu.
перегласо́вка *ж.* treiglad; affeithiad.
перегля́дываться *несов.* ciledrych ar eich gilydd.
перегляну́ться *сов.* ciledrych y naill ar y llall.
перегово́ры *м.мн.* trafodaeth.
перегоня́ть[1] *несов.* ❶ rhagori. ❷ distyllu. ❸ gyrru.
перегоня́ть[2] *сов.* (*гонять слишком долго*) goryrru.
перегружа́ть *несов.* gorlwytho (*чем-либо*).
пе́ред[1] *предл.* anad; ymlaen; rhag; gerbron; cyn.
перёд[2] *м.* blaen.

передава́ть[1] *несов.* hebrwng; traddodi; cyfleu; trosglwyddo; darlledu; gyrru; cludo; danfon.

передава́ть[2] *сов.* (*отдать многое одно за другим*) trosglwyddo.

переда́ть *сов.* cyfleu; trosglwyddo; darlledu.

переда́ча *ж.* trosglwyddiad; traddodiad.

передвига́ть[1] *несов.* syflyd; mudo; ysgogi; symud.

передвига́ть[2] *сов.* (*всю мебель*) mudo.

передвиже́ние *с.* ysgogiad; symudiad; mudiad.

передвижно́й *прил.* symudol.

переде́лка *ж.* ❶ ail-wneud. ❷ miri.

переде́лывать *несов.* ail-wneud; altro.

пере́дний *прил.* blaenllaw; blaen.

пере́дник *м.* ffedog; arffedog; arffed.

пере́дняя *ж.* cyntedd; mynedfa.

передово́й *прил.* blaengar; blaenllaw; blaen.

передо́хнуть[1] *г.* (*умереть*) marw.

передохну́ть[2] *г.* gorffwys.

передра́знивать *несов.* dyfalu; dynwared; gwawdio.

передышка *ж.* gras; seibiant; arhosfa; saib; hamdden.

перееда́ть *несов.* alaru.

перее́зд *м.* tramwyfa; symudiad; mudiad; ymfudiad.

переезжа́ть *несов.* ❶ mudo; symud; ymfudo. ❷ treiddio.

перее́хать *сов.* ❶ symud. ❷ treiddio.

пережива́ние *с.* profedigaeth.

пережива́ть[1] *несов.* goroesi; esgor.

пережива́ть[2] *несов.* (*волноваться*) poeni.

пережи́ть *сов.* goroesi.

перезимова́ть *г.* gaeafu.

переизбра́ть *сов.* adethol.

переиздава́ть *несов.* adargraffu.

переизда́ние *с.* adargraffiad.

перейти́ *сов.* croesi.

перека́рмливать *несов.* alaru.

перекла́дина *ж.* carfan; cledren; cledr.

перекрёстный *прил.* croes; traws.

перекрёсток *м.* croesffordd.

перекрыва́ть *несов.* toi; gorchuddio.

перела́з *м.* camfa.

перелёт *м.* ehediad; hedfa; tramwyfa.

перелета́ть *г.* (*через что-л.; в другое место*) darymred.

перелива́ние *с.* trosglwyddiad.

перелива́ться *несов.* adlifo.

перелицо́вывать *несов.* troi.

перело́м *м.* rhwyg.

перема́лывать *несов.* malu.

переме́на *ж.* ❶ newidiad; newid; tro; treiglad. ❷ egwyl; saib.

переме́нный *прил.* newidiol; amrywiol.

переме́нчивый *прил.* oriog; newidiol; anwastad; ansafadwy; ansefydlog; anwadal.

переме́шивать[1] *несов.* troi.

переме́шивать[2] *несов.* troi; coethi.

перемеща́ть *несов.* mudo; trosglwyddo; treiglo; symud.

перемеща́ться *несов.* mudo.

перемеще́ние *с.* trosglwyddiad; symudiad; mudiad; ysgogiad.

переми́рие *с.* tanc; cadoediad.

перенесе́ние *с.* trosglwyddiad.

перенести́ *сов.* ❶ trosglwyddo. ❷ gohirio. ❸ dioddef.

перенима́ть *несов.* mabwysiadu.

перено́с *м.* trosglwyddiad.

переноси́ть *несов.* ❶ dwyn; trosglwyddo; cludo. ❷ gohirio. ❸ goddef; dioddef; porthi.

перено́ска *ж.* cludiant.

перено́сный *прил.* (*приспособленный для переноски*) symudol.

переодева́ть *несов.* newid.

переодева́ться *несов.* newid.

переорганизовать *сов.* ad-drefnu.

перепеча́тка *ж.* argraffiad; argraff; adargraffiad.

перепеча́тывать *несов.* adargraffu.

переписа́ть *сов.* ailysgrifennu.

перепи́ска *ж.* gohebiaeth.

перепи́счик *м.од.* ysgrifennydd.

перепи́сывать *несов.* ailysgrifennu; adysgrifio.

перепи́сываться *несов.* (*писать друг другу*) gohebu.

пе́репись *ж.* cyfrifiad.

переплёт *м.* rhwymyn; clawr.

переплета́ть *несов.* rhwymo.

переплыва́ть *несов.* nofio.

перепо́лнить *сов.* gorlenwi.

переполня́ть *несов.* gorlenwi.

пополо́х *м.* cynnwrf; cyffro.

перепра́ва *ж.* tramwyfa.

переправля́ть *несов.* hebrwng; cludo.

перепу́тать *сов.* ❶ camgymryd. ❷ cymysgu.

перепу́тывать *несов.* ❶ camgymryd. ❷ cymysgu.

перераба́тывать *несов.* diwygio.

перерожда́ть *несов.* dadeni; adeni; aileni.

перерожде́ние *с.* ailenedigaeth.

переры́в *м.* saib; egwyl; tor.

переса́дка *ж.* ❶ newid; trosglwyddiad. ❷ impiad; trawsblaniad.

переса́живать *несов.* trawsblannu; impio.

пересека́ть *несов.* treiddio; croesi; amgylchu.

переселе́нец *м.од.* ymfudwr.

переселе́ние *с.* symudiad; trosglwyddiad; mudiad.

переселя́ть *несов.* trawsblannu.

переселя́ться *несов.* mudo; symud.

пересечённый *прил.* ❶ croesedig. ❷ afrywiog (*tir*).
пересе́чь *сов.* croesi.
переси́ливать *несов.* trechu.
пересма́тривать *несов.* diwygio; ailystyried; adolygu.
пересмо́тр *м.* adolygiad.
переспроси́ть *сов.* adofyn.
перестава́ть *г.* pallu; peidio.
переставля́ть *несов.* amnewid.
перестано́вка *ж.* amnewidiad.
переста́ть *г.* peidio.
перестра́ивать *несов.* ail-drefnu.
перестро́йка *ж.* adadeiladu.
пересчи́тывать *несов.* rhifo.
пере́ть *несов.* ❶ mynd. ❷ cludo. ❸ dwyn.
переу́лок *м.* lôn.
переустра́ивать *несов.* ail-drefnu.
перехвати́ть *сов.* dal; rhagod.
перехо́д *м.* ❶ tramwyfa. ❷ trosiad; newid. ❸ ymdaith.
переходи́ть *несов.* croesi.
перехо́дный *прил.* (*предназначенный для перехода; промежуточный*) gwrthrychol; anghyflawn.
пе́рец *м.* pupur.
пе́речень *м.* taflen; rhestr.
перече́ркивать *несов.* croesi.
пери́ла *с.мн.* canllaw.
пери́од *м.* tro; ystod; pennod; oedran; meitin; cyfnod; pryd; sbel.
периоди́ческий *прил.* adegol.
перна́тый *прил.* adeiniog.
перо́ *с.* plufyn; pluen; adain; asgell.
персона́ж *м.* cymeriad.
персона́льный *прил.* personol.
перспекти́ва *ж.* rhagolwg.
перст *м.* bys.
пе́рстень *м.* modrwy.
Перу́ *с.* Periw.
перфори́ровать *несов. и сов.* tyllu.
пе́рхоть *ж.* cen.
перце́пция *ж.* canfyddiad.
перча́тка *ж.* maneg.
пёс *м.од.* ci.
пе́сенка *ж.* cân.
песнь *ж.* cân.
пе́сня *ж.* cân; odl; pryddest; canu; caniad; nâd; cainc.
песо́к *м.* tywod.
пёстрый *прил.* brych; brith; brwyd.
петербу́ргский *прил.* yn perthyn i Saint Petersburg.
пети́ция *ж.* deiseb; arch; ymgais; adolwg.
петли́ца *ж.* rhwyll.
пе́тля *ж.* magl; gwden; rhiniog; bach; dolen; rhwyll; tennyn; camen.
пету́х *м.од.* ceiliog.
петь *несов.* canu.
пехо́та *ж.* troedfilwyr.
печа́литься *несов.* hiraethu; galaru.
печа́ль *ж.* brwyn; graen; gofid; cawdd; afar; galar; aeth; tristwch; gwŷn; dolur; adfyd; alaeth; anhyfrydwch; annywenydd; argyllaeth.
печа́льный *прил.* truenus; digalon; galarus; amdrist; trist; alaeth; alaethus; anniddan; dygn; swrth; graen; irad; aflawen; adfant; oer; prudd; aele; aethus; addoer.
печа́тание *с.* argraffiad; argraff; gwasg.
печа́тать *несов.* argraffu; teipio.
печа́ть *ж.* argraffiad; argraff; gwasg; bath.
печёнка *ж.* au; iau; afu.
пе́чень *ж.* au; iau; afu.
пе́чка *ж.* popty.
печь[1] *ж.* ffwrn; popty; tân; ffwrnais; ffog.
печь[2] *несов.* crasu; pobi.
пешехо́д *м.од.* cerddedwr.
пе́шка *ж.* (*в шахматах*) gwerinwr.
пешко́м *нареч.* ar gerdded.
пеще́ра *ж.* ogof.
пиани́но *с.* perdoneg.
пиани́ст *м.од.* perdonegydd.
пиани́стка *ж.од.* pianyddes.
пивна́я *ж.* tafarndy; tafarn.
пи́во *с.* cwrw; bîr.
пивова́р *м.од.* darllawydd; darllawr.
пивова́рня *ж.* darllawdy.
пигме́й *м.од.* corrach.
пигме́нт *м.* lliw.
пиджа́к *м.* pais.
пиети́ст *м.од.* duwiol.
пик *м.* ban; copa.
пи́ка *ж.* picell; gwayw.
пика́нтный *прил.* hallt.
пила́ *ж.* llif; lli.
пилигри́м *м.од.* pererin.
пили́ть *несов.* llifio; llifo.
пило́т *м.од.* awyrennwr; peilot.
пилю́ля *ж.* pelen.
пина́ть *несов.* troedio.
пи́нта *ж.* peint.
пинце́т *м.* gefel.
пионе́р *м.од.* arloeswr; arloesydd.
пир *м.* gwledd; ancwyn.
пира́т *м.од.* môr-leidr.
пирова́ть *г.* cyfeddach.
пиро́г *м.* pastai.
пиро́га *ж.* ceufad.
пиро́жное *с.* teisen.
пирожо́к *м.* pastai.
пирс *м.* glanfa.
пиру́шка *ж.* cyfeddach.
писа́ние *с.* ❶ ysgrifeniad. ❷ ysgrythur.
пи́сарь *м.од.* ysgrifennydd.
писа́тель *м.од.* ysgrifennwr; ysgrifennydd; llenor.

писа́тельница *ж.од.* awdures.
пи́сать[1] *несов.* piso.
писа́ть[2] *несов.* ysgrifennu; sillafu; sgwennu; cyfansoddi; ysgythru.
писа́ться *несов.* sillafu.
писе́ц *м.од.* ysgrifennwr; ysgrifennydd.
пистоле́т *м.* llawddryll.
пи́сьменный *прил.* ysgrifennu; ysgrifenedig.
письмо́ *с.* llythyr.
пита́ние *с.* magwraeth; maeth; lluniaeth; cyflenwad.
пита́ть *несов.* porthi; meithrin; cyflenwi; bwydo.
пита́ться *несов.* porthi.
пито́мник *м.* meithrinfa.
пить *несов.* yfed.
питьё *с.* llyn; diod.
пиха́ть *несов.* gwthio.
пи́ща *ж.* bwyd; maeth; lluniaeth.
пища́ль *ж.* dryll.
пища́ть *г.* gwichian.
пищево́д *м.* llwnc.
пия́вка *ж.од.* gelen.
пла́вание *с.* (1) nofiad. (2) mordaith; morwriaeth; hwyl.
пла́вать *г.* nofio; hwylio.
плави́льщик *м.од.* toddydd.
пла́вить *несов.* toddi.
пла́виться *несов.* meirioli; ymdoddi.
пла́вка *ж.* toddiad.
пла́вки *ж.мн.* trowsus nofio.
пла́вкий *прил.* toddadwy.
плавни́к *м.* adain; asgell.
пла́вность *ж.* rhwyddineb.
пла́вный *прил.* esmwyth; llithrig; llyfn.
пла́кальщик *м.од.* galarwr.
плака́т *м.* hysbyslen.
пла́кать *г.* galaru; wylo; llefain; alaethu; galarnadu; wylofain.
пла́каться *несов.* gerain; cwyno.
пла́менный *прил.* tanbaid; eirias.
пла́мя *с.* fflam; coelcerth; ufel; ffaglen.
план *м.* (1) cynllun; trefn; trefniad; arfaeth; dyfais; dychymyg. (2) map.
плане́та *ж.* planed.
плани́ровать[1] *г.* (*лететь, снижаясь*) gleidio.
плани́ровать[2] *несов.* (*составлять план; замышлять*) arfaethu; cynllunio.
планиро́вщик *м.од.* cynllunydd.
пла́нка *ж.* astell; dellten; estyllen.
планови́к *м.од.* cynllunydd.
планта́ция *ж.* planiad.
планше́т *м.* (1) llechen. (2) ysgrepan. (3) clipfwrdd. **планшет Самсунг** llechen Samsung.
пласт *м.* haen.
пласти́на *ж.* dalen; llech.
пласти́нка *ж.* (1) dalen; plât. (2) disg.
пла́та *ж.* (1) taliad; tâl; llog. (2) bwrdd.
плата́н *м.* masarnen.
платёж *м.* talai; taliad; tâl; prid.
плате́льщик *м.од.* talwr.
плати́ть *несов.* talu; costio.
плато́к *м.* cadach.
платфо́рма *ж.* llwyfan.
пла́тье *с.* gŵn; ffrog (*дамское или детское*); gwisg.
плаце́нта *ж.* teisen; ailenedigaeth.
плач *м.* argan; galar; nâd; alaeth; galarnad.
плаче́вный *прил.* galarus; trist; amdrist; alaeth; alaethus.
плащ *м.* hugan; carthen; gwrthban; capan; arwisg.
плебе́йский *прил.* gwerinol; sathredig.
плева́ть *г.* poeri.
пле́вел *м.* chwen.
плево́к *м.* glafoerion.
пле́мя *с.* llwyth; tylwyth; cyff; hil; tud; cenedl; cordd; ciwdod.
племя́нник *м.од.* nai.
племя́нница *ж.од.* nith.
плен *м.* caethglud; caethiwed.
плене́ние *с.* caethglud; caethiwed; alltudedd; alltudiaeth.
плёнка *ж.* cen.
пле́нник *м.од.* carcharor; caethwas.
пле́нный *прил.* caeth.
пленя́ть *несов.* tynnu; denu.
плеска́ть *несов.* tasgu.
плести́ *несов.* cordeddu; clwydo; plethu; gwau; dirwyn.
плете́ние *с.* gwead; gwnïad; ail.
плете́нь *м.* bangoren; bangor; clwyd; ail.
плеть *ж.* ffrewyll; carrai.
плечо́ *с.* ysgwydd; palfais.
плита́ *ж.* (1) llech; plât. (2) popty; ffwrn.
пли́тка *ж.* (1) priddlech. (2) popty; ffwrn.
плове́ц *м.од.* nofiwr.
плод *м.* ffrwyth; aeronen.
плодоноси́ть *г.* ffrwytho.
плодоно́сный *прил.* ffrwythlon.
плодоро́дный *прил.* ffrwythlon; tew.
плодотво́рный *прил.* ffrwythlon.
пло́ский *прил.* fflat; gwastad.
плоского́рье *с.* ucheldir; bre.
пло́скость *ж.* (*в обычн. знач.*) gwastadedd; gwastad.
плот *м.* rafft; ysgraff.
плоти́на *ж.* clawdd; argae; cronfa.
пло́тник *м.од.* saer.
пло́тность *ж.* sylwedd; trwch; tewder.
пло́тный *прил.* trwchus; tew; tyn; ffyrf.
плоть *ж.* cyhyr; cnawd.
плохо́й *прил.* drwg; diffaith; truenus; salw; gwael; diflas; adfydus; tlawd; anniddan.
площа́дка *ж.* llwyfan.
пло́щадь *ж.* arwynebedd; sgwar; wyneb.

плуг *м.* gwŷdd; aradr.
плут *м.од.* gwalch; dihiryn; cnaf; ebyr.
плыть *г.* nofio.
плю́нуть *г.* poeri.
плюралист *м.од.* amlblwyfydd.
плюс *м.* (*знак сложения; положительное качество*) plws.
плющ *м.* iorwg; eiddew.
плю́щить *несов.* rholio; gwastatáu.
пляж *м.* traeth; beiston; tywyn; marian.
плясáть *несов.* dawnsio.
пля́ска *ж.* dawns.
плясун *м.од.* dawnsiwr.
пнуть *сов.* troedio.
по *предл.* gerfydd; fesul; tros.
побе́г *м.* ❶ ffo. ❷ imp; blaguryn (*бот.*).
побе́гать *г.* rhedeg (*am ychydig amser*).
побе́да *ж.* buddugoliaeth; goruchafiaeth; gorfodaeth.
победи́тель *м.од.* enillwr; enillydd; buddugwr.
победи́ть *сов.* gorchfygu; ennill; trechu.
побе́дный *прил.* buddugol.
победоно́сный *прил.* buddugol.
побежáть *г.* rhedeg.
побеждáть *несов.* gorchfygu; goresgyn; baeddu; trechu; concro.
побе́лка *ж.* gwyngalch.
побере́жье *с.* arfordir; tywyn.
побивáть *несов.* pwnio; baeddu; curo.
побо́рник *м.од.* deiliad.
поборо́ть *сов.* gorchfygu; trechu.
побряку́шка *ж.* tegan.
побуждáть *несов.* hyrddio; cyffroi; cymell; argymell; ysgogi; symbylu; ysbarduno; annog; cythruddo; annos.
побужде́ние *с.* anogaeth; cymhelliad; argymhelliad; ysgogiad.
побывáть *г.* bod.
по́вар *м.од.* cog; cogydd.
повари́ха *ж.од.* cogyddes.
поведе́ние *с.* ymddygiad; buchedd; awgrym; llinyn.
повезти́ *сов.* (*начать передвигать*) cludo. **мне повезло** ro'n i'n lwcus.
повеле́ние *с.* arch.
повели́тель *м.од.* penadur; arglwydd; rhi.
повели́тельница *ж.од.* meistres.
пове́рить[1] *г.* (*принять за истину*) credu; coelio.
пове́рить[2] *сов.* ymddiried.
поверну́ть *сов.* troi.
поверну́ться *сов.* troi.
повёртывать *несов.* troi; trosi.
пове́рх[1] *предл.* uwchben.
пове́рх[2] *нареч.* uwchben.
пове́рхностность *ж.* arwynebedd.
пове́рхностный *прил.* arwynebol; gwacsaw.
пове́рхность *ж.* wyneb; arwynebedd; ton.
пове́сить *сов.* crogi.
повести́ *сов.* (*начать вести*) arwain.
пове́стка *ж.* dyfyniad; gwŷs.
по́весть *ж.* chwedl; adameg.
пове́трие *с.* haint; pla; llucheden.
повздо́рить *г.* taeru.
повиновáться *несов.* ufuddhau.
повинове́ние *с.* ufudd-dod; ymostyngiad; gwrogaeth.
повисáть *г.* crogi; hongian.
пови́снуть *г.* hongian; crogi.
повиту́ха *ж.од.* bydwraig.
по́вод[1] *м.* (*предлог*) cymhelliad; rheswm; achlysur; achos.
по́вод[2] *м.* awen; tennyn.
пово́зка *ж.* car; ben; cerbyd.
поворáчивать *несов.* olwyno; nyddu; troi; trosi; dirwyn; troelli; am-droi.
поворáчиваться *несов.* olwyno; troi.
поворо́т *м.* dychwel; troad; treiglad; tro; amdro.
повреди́ть *сов.* niweidio; brifo; amharu; cleisio; andwyo.
повреждáть *несов.* niweidio; anafu; britho; addoedi; amharu; trwblo.
повреждаться *несов.* anafu.
поврежде́ние *с.* rhemp; sarhad; difrod; drwg; amhariad; afles; coll; addoed; anafdod; anaf; abwth.
повседне́вный *прил.* dyddiol; beunyddiol.
повстáнец *м.од.* gwrthryfelwr; terfysgwr.
повсю́ду *нареч.* ledled.
повторе́ние *с.* adnewyddiad; ailadroddiad.
повтори́ть *сов.* ❶ ailwneud. ❷ ailadrodd.
повторя́ть *несов.* ❶ dyblu; ailwneud; mynychu; adnewyddu. ❷ ailadrodd; atseinio; diasbedain; adleisio.
повторя́ться *несов.* dyblu; mynychu.
повы́сить *сов.* ❶ codi. ❷ dyrchafu.
повышáть *несов.* ❶ codi. ❷ dyrchafu; urddo.
повыше́ние *с.* codiad; goruchafiaeth.
повя́зка *ж.* cewyn; talaith; rhwymyn.
погáнка *ж.* (*гриб*) madalch.
погáснуть *г.* diffodd.
погибáть *г.* darfod; trengi; golaith.
поги́бнуть *г.* trengi.
поглáдить *сов.* anwesu; smwddio (*dillad*).
поглощáть *несов.* cymathu; ysu; sugno; llyncu; difa; amsugno; bolio.
поглоще́ние *с.* amsugniad.
погляде́ть *сов.* edrych; gweld.
погля́дывать *г.* edrych.
поговори́ть *г.* siarad.
погово́рка *ж.* dywediad; acen; dihareb.
пого́да *ж.* tywydd; tymer.
погоди́ть *г.* aros.
пого́н *м.* strap ysgwydd.
пого́ня *ж.* helwriaeth.

погóст *м.* llan; mynwent.
пóгреб *м.* seler; isgell.
погребáть *несов.* claddu.
погребéние *с.* cywair.
погрести́[1] *сов.* claddu.
погрести́[2] *сов.* (*грести некоторое время*) rhwyfo (*am ychydig amser*).
погреши́ть *г.* troseddu; pechu.
погрéшность *ж.* gwall.
погружáть *несов.* trwytho; mwydo; suddo; gwlychu; trochi.
погружáться *несов.* suddo; trochi; ymollwng.
погрузи́ть[1] *сов.* llwytho.
погрузи́ть[2] *сов.* trochi.
погуби́ть *сов.* andwyo.
под *предл.* islaw; is-gil; is; dan.
подавáть *несов.* ❶ rhoi; cyflenwi. ❷ gwasanaethu; gweini; darymred. ❸ cyflwyno. ❹ serfio (*в теннисе*). **подавать милостыню** rhoi cardod.
подавáться *несов.* ❶ symud. ❷ gildio. ❸ mynd am/at rn.
подави́ть *сов.* gwasgu.
подавлéние *с.* gostyngiad.
подáвленность *ж.* melan.
подáвленный[1] *прил.* (*горем и т.п.*) isel.
подáвленный[2] *прил.* (*настроение; звук*) digalon.
подавля́ть *несов.* llethu; gorchfygu; gostegu; goresgyn; sarnu; sangu; mogi; gwasgu; trechu; concro.
подавля́ющий *прил.* llethol.
подáгра *ж.* cymalwst.
подари́ть *сов.* (*преподнести в дар*) anrhegu.
подáрок *м.* anrheg; cyflwyniad; rhodd; rhoddiad.
подáтливый *прил.* ystwyth; hyblyg; hynaws.
пóдать[1] *ж.* treth.
подáть[2] *сов.* ❶ cyflenwi; rhoi. ❷ gwasanaethu; gweini. ❸ cyflwyno. ❹ serfio (*в теннисе*).
подáться *сов.* ❶ symud. ❷ ildio. ❸ mynd am/at rn.
подáча *ж.* traddodiad; cyflenwad.
подбежáть *г.* rhedeg.
подбивáть *несов.* ❶ dyblu (*dilledyn*). ❷ gwadnu. ❸ cleisio. ❹ annog. ❺ saethu (*i'r llawr*).
подбирáть *несов.* ❶ casglu. ❷ plygu. ❸ dethol.
подбóр *м.* detholiad.
подборóдок *м.* aelgeth; gên.
подвáл *м.* seler.
подвернýть *сов.* (*подвинтить*) troi.
подвести́ *сов.* ❶ cyflenwi; dod â rhn. ❷ siomi.
подвéшивать *несов.* hongian; crogi.
пóдвиг *м.* mabolgamp; camp; gorchest; cwmpas.
подвигáться *несов.* syflyd.
подвижнóй *прил.* (*состав, части машины, игры, ударение*) symudol.
подви́жный *прил.* (*живой, резвый - о ребенке*) (*ударение*) chwim; symudol; heini.
подвóд *м.* cyflenwad.
подвóда *ж.* ben.
подводи́ть *несов.* ❶ mynd â rhn; cyflenwi. ❷ siomi. **подводить итог** symio.
подводить глаза penselu.
подвóдный *прил.* (*находящийся под водой; относящийся к подводам*) tanfor; tanforol.
подвывáть *г.* (*негромко выть*) gerain.
подгоня́ть *несов.* ❶ cymell; symbylu; annog; coethi. ❷ addasu.
подгорáть *г.* llosgi.
подготáвливать *несов.* cyfarpar; paratoi; trefnu; hwylio.
подготóвить *сов.* paratoi.
подготóвка *ж.* arlwy; cywair; cyfarpar; cefndir; darpariaeth; paratoad; trefn.
подготóвленность *ж.* parodrwydd.
подгýзник *м.* cewyn.
поддавáться *несов.* ymroi; gildio.
пóдданный *м.од.* aillt; deiliad.
поддéлка *ж.* ffug; twyll.
поддéлывать *несов.* dynwared.
поддéльный *прил.* ffug; gau.
поддержáние *с.* cynhaliaeth.
поддержáть *сов.* cefnogi.
поддéрживать *несов.* ategu; porthi; cefnu; dadlau; cynnal; cefnogi; achlesu; cadarnhau; hyrwyddo; adeino; adeinio; costio; amwyn.
поддéржка *ж.* cefnogaeth; cynhaliad; maeth; cynhaliaeth; porth; hwb; cysur; adeiladaeth; colofn; rhwyddineb.
поддрáзнивать *несов.* cellwair.
подéлать *сов.* gwneuthur; gwneud.
подели́ться *сов.* gwahanu; parthu; ymrannu; dolio; ymwahanu.
подéржанный *прил.* ail-law.
поджáривать *несов.* pobi.
поджигáть *несов.* tanio.
подзадóривать *несов.* herio.
подзéмный *прил.* tanddaearol.
поди́ *част.* efallai.
подкáпывать *несов.* cloddio; tanseilio.
подкáпываться *несов.* cloddio.
подкати́ть *сов.* olwyno.
подклáсс *м.* trefn.
подкóва *ж.* pedol.
подкóвывать *несов.* pedoli.
подкрепля́ть *несов.* atgyfnerthu; ategu; cryfhau; cefnu; cadarnhau.
пóдкуп *м.* llwgrwobraeth.
подкупáть *несов.* llwgrwobrwyo.

подлежа́ть *г.* digwydd.
подлежа́щее *с.* goddrych.
подле́сок *м.* dryswch.
подле́ц *м.од.* dihiryn; adyn; anfadwr.
подли́вка *ж.* gwlych.
по́длинность *ж.* dilysrwydd.
по́длинный *прил.* diffuant; dilys; diau; gwreiddiol; gwirioneddol; gweithredol; gwir.
подло́жный *прил.* annilys.
подлоко́тник *м.* penelin; braich.
по́длость *ж.* gwaeledd; anfadrwydd; anfadwaith.
по́длый *прил.* ysgeler; iselwael; salw; gwael; budr; afrywiog; afryw; anfoneddigaidd; anfonheddig.
подмаренник *м.* caul.
подмета́ние *с.* ysgubiad.
подмета́ть *несов.* ysgubo.
подмётка *ж.* gwadn.
подми́гивать *г.* amrantu; amneidio.
подмигну́ть *г.* amrantu.
по́дмости *м.мн.* llwyfan; clwyd.
подмы́шка *ж.* cesail.
поднести́ *сов.* nôl; cyflwyno.
поднима́ть *несов.* codi; dyrchafu; cwnnu.
поднима́ться *несов.* cwnnu; esgyn; dyrchafu; ymgodi; dringo; codi.
подновля́ть *несов.* adnewyddu.
подного́тная *ж.* cefndir.
подно́жие *с.* sylfaen; sail.
подно́с *м.* hambwrdd.
подноше́ние *с.* teyrnged; rhodd; cyflwyniad.
подня́тие *с.* codiad; hwb.
подня́ть *сов.* codi.
подня́ться *сов.* codi.
подоба́ть *г.* gweddu.
подоба́ющий *прил.* gwiw; teilwng; cymwys.
подо́бие *с.* tebygrwydd; delw; llun; bath.
подо́бный *прил.* tebyg; hafal; cyffelyb; cyfryw; ail.
подобра́ть *сов.* ❶ casglu. ❷ plygu. ❸ dethol.
подогрева́ть *несов.* poethi; twymo.
подожда́ть *сов.* aros.
подозрева́ть *несов.* amau; eiddigeddu; drwgdybio.
подозре́ние *с.* tyb.
подозри́тельность *ж.* gwenwyn; eiddigedd.
подозри́тельный *прил.* petrus; amheus; ansicr; amheugar; amheuol; annilys.
подойти́ *г.* ❶ nesáu; agosáu. ❷ ymateb; gweddu.
подоко́нник *м.* rhiniog; arffed ffenestr.
подо́л *м.* arffed; godre; cwt.
подо́нки *м.мн.* (*остатки жидкости*) gwaddod.
подо́нок *м.од.* (*низкий, опустившийся человек*) dihiryn.
подоплёка *ж.* cefndir.
подосла́ть *сов.* anfon.
подотдел *м.* isadran.
подо́шва *ж.* gwadn; cywair.
подпа́ливать *несов.* crasu; llosgi.
подпи́ливать *несов.* rhathu.
подпира́ть *несов.* ategu; cynnal.
подписа́ть *сов.* llofnodi.
подпи́ска *ж.* tanysgrifiad.
подпи́сывать *несов.* tanysgrifio; llawnodi; arwyddo; llofnodi.
подпи́сываться *несов.* tanysgrifio.
по́дпись *ж.* tanysgrifiad; llawnodiad; llofnodiad; llofnod.
подполко́вник *м.од.* is-gyrnol.
подпо́льный *прил.* tanddaearol.
подпо́ра *ж.* safiad.
подпо́рка *ж.* bagl; post; annel.
подпо́чва *ж.* isweryd; isbridd.
подпры́гивать *г.* llamu; neidio.
подража́ть *г.* dynwared; efelychu; dilyn.
подразделе́ние *с.* undod; uned.
подразделя́ть *несов.* parthu; rhannu; gwahanu.
подразумева́ть *несов.* arfaethu; meddwl; golygu.
подреза́ть *несов.* ysgythru; trwsio.
подро́бность *ж.* ❶ manylyn. ❷ manyldeb.
подро́бный *прил.* penodol; manwl; craff; anghryno.
подро́сток *м.од.* glaslanc; adolesent.
подру́га *ж.од.* cyfeilles.
подру́жка *ж.од.* cyfeilles.
подру́чный *м.од.* cynorthwywr.
подрыва́ть[1] *несов.* ffrwydro.
подрыва́ть[2] *несов.* tanseilio; cloddio.
подря́д[1] *нареч.* yn olynol.
подря́д[2] *м.* cytundeb.
подсве́чник *м.* canhwyllbren.
подсви́нок *м.од.* mochyn.
подсказа́ть *сов.* cyfarwyddo.
подска́зывать *несов.* cyfarwyddo.
подска́кивать *г.* neidio.
подсла́щивать *несов.* pereiddio.
подслу́шивать *несов.* clustfeinio.
подсне́жник *м.* eirlys.
подсозна́ние *с.* isymwybod; isymwybyddiaeth.
подсозна́тельный *прил.* isymwybodol.
подсо́лнух *м.* euros.
подста́вка *ж.* safiad; annel.
подстерега́ть *несов.* cynllwyn; rhagod.
подстила́ть *несов.* sarnu.
подстрека́тельство *с.* anogaeth.
подстрека́ть *несов.* cymell; argymell; symbylu; ysbarduno; annog; annos.
подстрига́ть *несов.* trwsio; amlymu; barbio.
по́дступ *м.* dynesiad.
подсу́шивать *несов.* crasu.
подсчёт *м.* cast; cyfrifiad.

подсчи́тывать *несов.* rhifo; cyfrif.
подтверди́ть *сов.* gwirioni.
подтвержда́ть *несов.* hebrwng; ategu; haeru; cyfaddef; tystio; sicrhau; gwireddu; gwirio; profi; cadarnhau; cydnabod; dilysu.
подтвержде́ние *с.* cadernid.
подтру́нивать *г.* cellwair.
поду́мать *г.* meddwl.
поду́шка *ж.* gobennydd; clustog.
подхвати́ть *сов.* cipio.
подхо́д *м.* dynesiad.
подходи́ть *г.* ❶ dynesu; nesáu; agosáu. ❷ gweddu; ymateb.
подходя́щий *прил.* gwiw; ffafriol; addas; priodol; perthnasol; cyfleus; iawn; hwylus; cydweddus; etholadwy; abl; cymwys; cydwedd; cydweddol; cryno.
подцепи́ть *сов.* bachu; bacho.
подчёркивание *с.* acenyddiaeth; aceniad.
подчёркивать *несов.* tanlinellu; pwysleisio; acennu.
подчёркнутый *прил.* pendant; acennog.
подчеркну́ть *сов.* acennu; tanlinellu; pwysleisio.
подчине́ние *с.* ymostyngiad; gwrogaeth.
подчинённый[1] *м.од.* isradd; aillt.
подчинённый[2] *прил.* (*положение, роль, характер и т.п.*) isradd; iswasanaethgar.
подчиня́ть *несов.* gorchfygu; goresgyn; darostwng; trechu; concro.
подчиня́ться *несов.* ymroi; plygu; ufuddhau.
подшу́чивать *г.* cellwair.
подъе́зд *м.* ❶ mynedfa. ❷ dynesiad.
подъём *м.* ❶ dwyrain; codiad; hwb. ❷ meilwng; mwnwgl (*troed*).
подъе́хать *г.* dod.
подыха́ть *г.* trigo.
поеда́ть *несов.* ysu; bwyta.
поеди́нок *м.* gornest.
по́езд *м.* trên; cerbydres.
пое́здка *ж.* ymdaith; gwibdaith; taith.
пое́сть *сов.* bwyta.
пое́хать *г.* mynd.
пожале́ть *сов.* ❶ gresynu. ❷ edifaru.
пожа́ловать *сов.* ❶ goresgyn. ❷ ymweld.
пожа́луй *част.* taran.
пожа́луйста *част.* ❶ os gwelwch yn dda. ❷ croeso (*ateb i «diolch»*).
пожа́р *м.* tân; ufel.
пожа́рник *м.од.* diffoddwr tân.
пожа́рный[1] *м.од.* diffoddwr tân.
пожа́рный[2] *прил.* tân.
пожа́ть *сов.* ❶ ysgwyd. ❷ medi.
пожела́ние *с.* chwant; dymuniad; adolwyn.
пожела́ть *сов.* mynnu; dymuno.
поже́ртвование *с.* aberthged; rhodd; ebyrth.
пожи́зненный *прил.* oesol.
пожило́й *прил.* oedrannus.
пожима́ть *несов.* ysgwyd. **пожать чью-л. руку** ysgwyd llaw rhywun. **пожимать плечами** codi gwar, codi'ch ysgwyddau.
пожина́ть *несов.* medi.
пожира́ть *несов.* (*в перен. знач. «уничтожать» огонь пожирает лес*) difa.
пожи́тки *м.мн.* meddiant.
пожи́ть *г.* byw.
по́за *ж.* gosodiad; osgo; agwedd; ystum.
позавчера́ *нареч.* echdoe.
позади́[1] *нареч.* o'r tu ôl (*i rywbeth*).
позади́[2] *предл.* tu ôl (*i rywbeth*).
позва́ть *сов.* galw.
позволе́ние *с.* trwydded; caniatâd; lwfans.
позволи́тельный *прил.* cenhadol.
позво́лить *сов.* caniatáu.
позволя́ть *несов.* galluogi; caniatáu; gadael; cydsynio.
позвони́ть *г.* galw (*по телефону*); canu.
поздне́е *нареч.* (*потом*) wedyn.
по́здний *прил.* hwyr; diweddar.
по́здно *нареч.* yn hwyr.
поздоро́ваться *сов.* cyfarch.
поздравле́ние *с.* llongyfarchiad.
поздравля́ть *несов.* llongyfarch.
позёмка *ж.* lluwch.
пози́ция *ж.* osgo; sefyllfa; safle; safiad; agwedd; ystum.
познако́мить *сов.* gwneud rhn yn gyfarwydd â rhn/rhth.
познако́миться *сов.* gwneud ei hun yn gyfarwydd â rhn/rhth.
позо́р *м.* anfri; gwarth; siom; cardd; cywilydd; amarch; anair.
позо́рить *несов.* cywilyddio; athrodi; amharchu; amherchi.
позо́рный *прил.* cywilyddus; ysgeler; gwarthus; amharchus; anniwarth.
по́имка *ж.* daliad.
поинтересова́ться *сов.* diddori.
по́иск *м.* chwiliad.
поиска́ть *сов.* chwilio.
пои́ть *несов.* diodi.
по́йло *с.* agolch.
по́йма *ж.* marian.
пойма́ть *сов.* dal; bachu; bacho.
пойти́ *г.* mynd.
пока́[1] *част.* ta-ta tan toc.
пока́[2] *сз.* ❶ tra. ❷ nes.
пока́[3] *нареч.* ❶ hyd yn hyn. ❷ am y tro.
пока́з *м.* arddangosfa; cyflwyniad.
показа́ние *с.* ❶ tystiolaeth. ❷ darlleniad.
показа́тель *м.* nod.
показа́ть *сов.* dangos.
показа́ться *сов.* ymddangos.
пока́зывать *несов.* dangos; datguddio; dynodi; arddangos; amlygu; hebrwng; gwaredu.

показываться *несов.* ymddangos.
покатость *ж.* llethr.
покатый *прил.* gŵyr.
покачать *сов.* siglo.
покачиваться *несов.* siglo.
покаяние *с.* edifeirwch.
покидать[1] *несов.* ymadael; gadael.
покидать[2] *сов.* (*кидать некоторое время*) taflu (*am ychydig amser*).
покинутый *прил.* adfeiliedig.
покинуть *сов.* gadael.
поклонение *с.* addoliad; edmygedd.
поклониться *сов.* crymu.
поклонник *м.од.* addolwr.
поклонница *ж.од.* ffan.
поклоняться *несов.* addoli.
покоиться *несов.* distewi.
покой[1] *м.* (*неподвижность, отдых*) distawrwydd; tawelwch; llonydd; hedd; heddwch.
покой[2] *м.* (*помещение; старое название буквы «п»*) ystafell.
покойник *м.од.* marw.
покойный *прил.* trancedig; diweddar.
поколение *с.* cenhedlaeth; to.
поколотить *сов.* pwnio.
покончить *сов.* gorffen.
покорение *с.* goresgyniad; gostyngiad.
покорность *ж.* ufudd-dod; ymostyngiad; iselfrydedd; gwrogaeth.
покорный *прил.* llywaeth; gwâr; ufudd; dof.
покорять *несов.* gorchfygu; goresgyn; caethiwo; darostwng; trechu; gwastatáu; plygu; gostwng; concro.
покоряться *несов.* ymostwng.
покоситься *сов.* mynd yn ŵyr.
покраснеть *г.* cochi.
покров *м.* (*покрытие*) gorchudd; côt; mantell; cnwd; arwisg; llen; amdo; amwisg.
покровитель *м.од.* noddwr; arffedog; amddiffynnydd; amddiffynnwr; achlesydd.
покровительство *с.* nodded; nawdd.
покрывало *с.* gwrtaith; gorchudd; gwrthban; llen; amwisg; anhudded.
покрывать *несов.* toi; taenu; mesur; gorchuddio; anhuddo.
покрытие *с.* gorchudd; caddug; achwre; achfre; amwisg; golch.
покрыть *сов.* gorchuddio.
покрышка *ж.* gorchudd.
покупатель *м.од.* prynwr; cwsmer.
покупать[1] *несов.* prynu; costio.
покупать[2] *сов.* (*купать некоторое время*) golchi.
покупка *ж.* pwrcas; prid; bargen.
покушение *с.* antur.
пол[1] *м.* (*биол.*) rhyw; cenedl; ystlen.
пол[2] *м.* (*настил*) llawr; parth.
пола *ж.* godre; cwt.
полагать *несов.* (*думать, считать*) tybied; rhifo; dal; barnu; credu; coelio; amcanu.
полагаться[1] *несов.* ymddiried; dibynnu; adail.
полагаться[2] *несов.* (*быть установленным, причитаться*) dylu.
полдень *м.* hanner dydd.
полдник *м.* tocyn.
поле *с.* ❶ maes; cae; parc; talwrn. ❷ ymyl.
полевой *прил.* maes.
полезный *прил.* defnyddiol; buddiol; iachol; mantcisiol; iachus; iachusol; cryno.
полезть *г.* (*в знач. повел. употр. также «полезай»*) mynd i mewn; dringo.
полемика *ж.* dadl.
полемический *прил.* dadleuol.
полёт *м.* ehediad; hedfa.
полететь *г.* hedfan.
ползать *г.* llusgo.
ползти *г.* llusgo.
поливать *несов.* ireiddio; tywallt; dyfrhau.
полигамия *ж.* amlwreiciaeth; amlwreigiaeth.
полиморфный *прил.* amlffurf.
полированный *прил.* gloyw.
полировать *несов.* gloywi; ireiddio.
полировка *ж.* caboledd.
полис *м.* polisi.
полисмен *м.од.* heddwas.
политбюро *с.* pwyllgor canolog; politbiwro.
политеизм *м.* amldduwiaeth.
политеист *м.од.* amldduwiad.
политик *м.од.* gwleidydd; gwladwr.
политика *ж.* ❶ gwleidyddiaeth. ❷ polisi.
политикан *м.од.* gwleidydd.
политический *прил.* gwleidyddol.
полить *сов.* tywallt; dyfrhau.
полицейский[1] *м.од.* swyddog; heddwas.
полицейский[2] *прил.* heddlu.
полиция *ж.* heddlu.
полк *м.* catrawd.
полка *ж.* astell; estyllen.
полковник *м.од.* cornor.
полководец *м.од.* cadfridog.
полномочие *с.* grym.
полностью *нареч.* achlân; llawn; hollol; oll.
полнота *ж.* ❶ corffolaeth; tewder. ❷ cyfanrwydd; cwbl.
полноценный *прил.* taladwy.
полночь *ж.* hanner nos.
полный[1] *прил.* (*чего-л., чем-л.*) llwyr; llawn.
полный[2] *прил.* ❶ rhonc; cyflawn; trylwyr; cwbl; trwyadl; llond; llawn. ❷ boliog; corfforol; tew.
половина *ж.* (*в обычном знач.*) hanner.
половинный *прил.* hanner.
половинчатый *прил.* brith.

поло́вник *м.* (*разливательная ложка*) lletwad.
полово́дье *с.* dilyw; llifeiriant.
полово́й *прил.* (*от «пол»—настил и «пол»—биол.*) rhywiol.
по́лог *м.* gortho.
поло́гий *прил.* esmwyth.
положе́ние *с.* cywair; gosodiad; ystad; sefyllfa; safle; teler; gradd; safiad; cyflwr; amgylchiad; ystum.
поло́женный *прил.* (*полагающийся, должный*) penodol.
положи́тельный *прил.* pendant.
положи́ть *сов.* (*основные значения*) gosod; rhoi.
поло́к *м.* astell.
поло́н *м.* caethiwed.
полоса́ *ж.* clais; rhes; llinell.
поло́ска *ж.* llain; streipen; rhesen.
по́лость *ж.* ceudod; pant.
полоте́нце *с.* lliain; cewyn.
поло́тнище *с.* dalen; llafn.
полотно́ *с.* cynfas; gwe; brethyn; lliain.
поло́ть *несов.* chwynnu.
полтора́ *числит.* un a hanner.
полуживой *прил.* adfyw.
полукро́вка *м.ж.* brithgi.
полумертвый *прил.* adfyw.
полуо́стров *м.* gorynys.
получа́тель *м.од.* (*в т. ч. об учреждении*) derbynnydd; enillwr; talai.
получа́ть *несов.* ennill; cael; derbyn; crynhoi; mynnu.
получа́ться *несов.* bod yn llwyddiant; llunio. **у меня получилось сделать что-либо** llwyddais i wneud rhth.
получе́ние *с.* derbyniad.
получи́ть *сов.* derbyn; ennill; cael.
получи́ться *сов.* bod yn llwyddiant. **у меня получилось сделать что-либо** llwyddais i wneud rhth.
полу́шка *ж.* dimai.
по́лчище *с.* haid.
по́лый *прил.* cau.
полы́нь *ж.* y wrysgen lwyd.
по́льза *ж.* buddiant; cymwynas; mantais; lles; ennill.
по́льзователь *м.од.* (*в т. ч. об учреждении*) defnyddiwr.
по́льзоваться *несов.* buddio; mwynhau; defnyddio.
по́лька[1] *ж.од.* (*полячка*) Pwyles.
по́лька[2] *ж.* (*танец; стрижка*) polca.
по́льский *прил.* Pwyleg (*язык*); Pwylaidd.
полюби́ть *сов.* ❶ caru. ❷ hoffi.
по́люс *м.* pegwn.
по́люсный *прил.* pegynol.
поля́к *м.од.* Pwyl.
поля́на *ж.* llannerch; talwrn.
поля́рный *прил.* pegynol.
пома́зание *с.* iriad.
пома́зывать *несов.* iro.
помере́ть *г.* marw.
поме́стье *с.* maenol; maenor; ystad.
по́месь *ж.* croes.
помёт[1] *м.* (*приплод у животных*) ael.
помёт[2] *м.* (*навоз*) tom; tail; baw.
поме́та *ж.* nod.
поме́ха *ж.* ymyrraeth; trwbl; rhwystr; llesteiriant; helynt; helbul; atal; anach; anghaffael.
поме́шанный *прил.* gorffwyll; gwyllt; gwallgof.
помеша́ть[1] *сов.* (*немного размешать*) troi.
помеша́ть[2] *г.* (*воспрепятствовать*) ymyrryd; tarfu; anhwyluso.
помеща́ть *несов.* suddo; buddsoddi; rhoi.
помеще́ние *с.* ❶ llety. ❷ gosodiad.
поми́лование *с.* trugaredd; absolfeniad; absolfen.
поми́ловать *сов.* maddau.
поми́мо *предл.* heblaw.
поминове́ние *с.* myfyr.
по́мнить *несов.* cofio; coffa; malio; gofalu.
помога́ть *г.* cymorth; cynorthwyo; ategu; hyrwyddo; hybu; gweini; adeinio; adeino; achlesu; amwyn.
помо́лвить *сов.* dyweddïo.
помолча́ть *г.* tewi (*am ychydig amser*).
помо́рщиться *сов.* cuchio.
помо́ст *м.* llwyfan.
помо́чь *г.* cynorthwyo.
помо́щник *м.од.* cynorthwywr; porth; cefnogwr.
по́мощь *ж.* cymorth; cymwynas; achles; porth; rhwyddineb.
по́мпа *ж.* ❶ rhialtwch. ❷ sugnwr.
помча́ться *сов.* rhuthro.
помя́ть *сов.* gwasgu.
пона́добиться *сов.* bod yn angenrheidiol.
понача́лу *нареч.* ar y dechrau.
понеде́льник *м.* dydd Llun.
понести́ *сов.* ❶ dwyn; cludo. ❷ rhuthro; bario. ❸ beichiogi.
по́ни *м.од.* merlen; merlyn.
понижа́ть *несов.* iselu; iselhau; darostwng; gostwng; toli.
понижа́ться *несов.* iselu; disgyn; syrthio; ymollwng; adfeilio.
пониже́ние *с.* lleihad; iseliad; gostyngiad.
понима́ние *с.* syniadaeth; dealltwriaeth; amgyffrediad; amgyffred.
понима́ть *несов.* deall; sylweddoli; dirnad; treiddio; amgylchu; amgyffred.
поножи *м.мн.* coesarfau.
поно́с *м.* fflwcs; darymred.
поноси́ть[1] *несов.* (*бранить*) athrodi; difrïo.

поноси́ть[2] *сов.* (*носить некоторое время*) ❶ cludo (*am ychydig amser*). ❷ gwisgo (*am ychydig amser*).
поно́шенный *прил.* llwm.
понра́виться *сов.* bodloni.
понужда́ть *несов.* cymell; argymell; annog.
пону́рый *прил.* dwl.
поня́тие *с.* tyb; syniad; clem.
поня́тливость *ж.* dealltwriaeth; deall; amgyffrediad.
поня́тливый *прил.* deallus; dealladwy; hyddysg.
поня́тный *прил.* dealladwy; têr; eglur; plaen; amlwg.
понято́й *м.од.* tyst.
поня́ть *сов.* deall.
пообеща́ть *сов.* addaw.
поощря́ть *несов.* ategu; symbylu; meithrin; hyrwyddo.
поп *м.од.* pab.
по́па *ж.* tin.
попада́ть[1] *г.* cyrraedd.
попа́дать[2] *г.* (*упасть - о многих*) cwympo.
попада́ться *несов.* ❶ cael ei ddal. ❷ cael ei gwrdd.
попали́ть[1] *сов.* (*пожечь, сжечь*) llosgi.
попали́ть[2] *г.* (*пострелять*) tanio.
попа́сть *г.* cyrraedd.
попа́сться *сов.* cael ei ddal.
поперёк *нареч.* trosodd.
попере́чина *ж.* cledren; cledr.
попере́чный *прил.* croes; traws.
попе́ть *сов.* canu (*am ychydig amser*).
попече́ние *с.* gofal.
попечи́тель *м.од.* arffedog.
попечи́тельство *с.* nawdd.
попира́ть *несов.* sarnu; sangu; treisio.
поплы́ть *г.* nofio.
попо́йка *ж.* cyfeddach; term.
попола́м *нареч.* yn ddwy; yn ddau.
поползти́ *г.* llusgo.
попра́вить[1] *сов.* gwella.
попра́вить[2] *г.* (*управлять в течение некоторого времени*) rheoli (*am ychydig amser*).
попра́вка *ж.* gwelliant.
поправля́ть *несов.* gwella; cywiro; aildrefnu; ceryddu.
поправля́ться *несов.* ❶ gwella; esgor. ❷ ennill pwysau.
попрека́ть *несов.* adneirio.
попро́бовать *сов.* blasu; profi; archwaethu.
попроси́ть *сов.* erchi; ymofyn; holi.
по́просту *нареч.* ❶ yn syml. ❷ yn wirioneddol; yn hollol. ❸ dim ond; yn unig. **ты выглядишь попросту сногсшибательно** 'rwyt ti'n edrych yn wirioneddol brydferth. **она сделала это попросту чтобы проверить вас** dim ond er mwyn rhoi prawf arnoch y gwnaeth hi hynny.
попроща́ться *сов.* ffarwelio.
попуга́й *м.од.* parot.
попуга́ть *сов.* dychryn (*am ychydig amser*).
популяризи́ровать *несов. и сов.* poblogeiddio.
популя́рный *прил.* poblogaidd.
попу́тчик *м.од.* cydymaith.
попыта́ться *сов.* ceisio.
попы́тка *ж.* antur; ymgais; ymdrech; profedigaeth; cynnig; hwb; cais; ceisiad.
пора́[1] *ж.* pryd.
по́ра[2] *ж.* mandwll.
поpaбоща́ть *несов.* caethiwo.
поража́ть *несов.* ❶ rhyfeddu; synnu; syfrdanu. ❷ effeithio. ❸ taro; goresgyn.
поража́ться *несов.* synnu.
пораже́ние *с.* gorfodaeth; curfa.
порази́тельный *прил.* trawiadol; syfrdanol; syn.
порази́ть *сов.* ❶ synnu. ❷ effeithio. ❸ taro.
поре́з *м.* toriad.
порица́ние *с.* cerydd; anniolch.
порица́ть *несов.* beio; beirniadu; ceryddu; anghymeradwyo.
по́рка *ж.* chwip; cywair.
поро́г *м.* rhiniog; trothwy; min; amhinog; amhiniog.
поро́да *ж.* cyff; hil; cenedl; rhywogaeth.
порожда́ть *несов.* cenhedlu; peri; hilio; cael.
порожде́ние *с.* sil.
поро́жний *прил.* gwag.
поро́к *м.* ❶ andras; rhemp; gwall; andros; diffyg; coll; drwg; cast; anaf; nam; adwyth; anafdod; anghaffael. ❷ magnel.
поросёнок *м.од.* porchell; mochyn.
пороси́ться *несов.* mocha.
по́росль *ж.* imp.
поро́ть *несов.* crasu; golchi; gwialenodio.
по́рох *м.* powdwr.
поро́чить *несов.* athrodi.
поро́чность *ж.* llygredd.
поро́чный *прил.* (*от «порок»*) drwg.
порошо́к *м.* powdwr; ulw.
порт *м.* llongborth; porth; porthladd.
по́ртик *м.* porth.
по́ртить *несов.* anrheithio; dirywio; difetha; gwenwyno; dwyno; niweidio; llygru; difrodi; aflunio; afradu; amharu; andwyo; anferthu; anffurfio; anharddu; anurddo.
по́ртиться *несов.* pydru; adfeilio; andwyo.
портки́ *м.мн.* llawdr.
портно́й *м.од.* teiliwr.
портре́т *м.* llun; delw; darlun.
портфе́ль *м.* bag dogfennau.
пору́ка *ж.* mechnïaeth; mechni.
поруча́ть *несов.* awdurdodi.

поруче́ние *с.* neges; cenhadaeth.
по́ручень *м.* canllaw.
поручи́тель *м.од.* mechni.
поручи́тельство *с.* cred; mechnïaeth; ern; gwystl; mechni.
поручи́ть *сов.* awdurdodi.
порфироно́сный *прил.* porffor.
по́рция *ж.* cyfran; dogn.
по́рча *ж.* dirywiad; difrod.
поры́в *м.* chwa; rhuthr; hwrdd; piff.
поря́док *м.* trefn; cywair; lluniaeth; llun; urddas; urdd; gosodiad; gwastad; defod.
поря́дочный *прил.* gweddol.
посади́ть *сов.* ❶ seddi. ❷ dodi; rhoi; gosod. ❸ plannu. ❹ carcharu.
поса́дка *ж.* ❶ planiad. ❷ glaniad.
посвяти́ть *сов.* cysegru; urddo. **посвятить кого-либо в тайну** dweud cyfrinach wrth rywun.
посвяща́ть *несов.* cysegru; addunedu; urddo.
посвяще́ние *с.* cyflwyniad.
поселе́ние *с.* gwladfa.
посели́ть *сов.* cartrefu; anheddu.
посёлок *м.* trefgordd.
посети́тель *м.од.* ymwelydd; ymwelwr; dyfodiad.
посети́ть *сов.* ymweld.
посеща́ть *несов.* cyrchu; canlyn; mynychu; ymweld; darymred.
посеще́ние *с.* ymweliad.
посиде́ть *г.* eistedd (*am ychydig amser*).
поскользну́ться *сов.* llithro.
поско́льку *сз.* oherwydd.
посла́нец *м.од.* cenhadwr; rhingyll; llysgennad.
посла́ние *с.* neges.
посла́нник *м.од.* cenhadwr.
посла́ть *сов.* anfon.
по́сле[1] *предл.* wedi; ar ôl.
по́сле[2] *нареч.* wedi.
после́д *м.* garw; gwared; teisen; brych; adeni; ailenedigaeth.
после́дний *прил.* olaf; diweddar; diwethaf; pen; eithafol; eithaf.
после́дователь *м.од.* ymlyniad.
после́довательность *ж.* ❶ dilyniant; trefn; treiglad. ❷ cysondeb.
после́довательный *прил.* ❶ dilynol; cyfresol; olynol; graddol. ❷ cyson; rhesymegol.
после́довать *г.* dilyn.
после́дствие *с.* canlyniad.
после́дующий *прил.* dilynol; canlynol; olynol.
послеза́втра *нареч.* trennydd.
посло́вица *ж.* dywediad; dihareb.
послуша́ние *с.* ufudd-dod.
послу́шать *сов.* gwrando.
послу́шный *прил.* gwâr; ufudd; llariaidd; addfwyn; hynaws.
послы́шаться *сов.* cael ei chlywed.
посмотре́ть *сов.* edrych; gweld.
посо́бник *м.од.* cefnogwr.
посове́товать *г.* cynghori.
посо́л[1] *м.од.* (*дипломатический представитель*) llysgennad.
посо́л[2] *м.* (*засол*) halltu.
посо́льство *с.* llysgenhadaeth.
по́сох *м.* bagl; paladr; ffon.
посохнуть *г.* sychu (*am ychydig amser*).
поспева́ть *г.* ❶ aeddfedu. ❷ bod ag amser.
поспеши́ть *г.* brysio.
поспе́шность *ж.* prysurdeb; brys; ffrwst.
поспе́шный *прил.* disymwth; brysiog; brys; prysur; anghymen.
поспо́рить *г.* taeru.
посрами́ть *сов.* cywilyddio.
посреди́ *предл.* ynghanol; ymysg; ymhlith.
посре́дник *м.од.* canolwr.
посре́дничать *г.* canoli; dyddio.
посре́дственность *ж.* gwaeledd.
посре́дственный *прил.* symol; salw.
посре́дством *предл.* chan; â; trwy; gan.
пост[1] *м.* (*религиозный*) ympryd.
пост[2] *м.* ❶ gorsaf; lle. ❷ swydd.
поста́вить[1] *сов.* (*прочие знач.*) ❶ rhoi. ❷ llwyfannu.
поста́вить[2] *сов.* (*доставить, предоставить товар; возвести в сан*) cyflenwi.
поста́вка *ж.* traddodiad; cyflenwad.
поставля́ть *несов.* traddodi; cyflenwi.
постановле́ние *с.* arfaeth; deddf; act.
постара́ться *сов.* ymdrechu; ceisio.
посте́ль *ж.* gwâl; gwely.
постепе́нный *прил.* graddol; arafaidd.
постига́ть *несов.* treiddio; amgyffred.
посторо́нний *прил.* dieithryn; dieithr.
постоя́нный *прил.* oesol; parhaus; tragwyddol; sefydlog; rheolaidd; parhaol; gwastad; cyson; tragywydd; anghyfnewidiol.
постоя́нство *с.* sefydlogrwydd; cysondeb.
постоя́ть *г.* ❶ sefyll (*am ychydig amser*). ❷ amddiffyn. ❸ aros.
пострада́ть *г.* ❶ anafu. ❷ dioddef.
построе́ние *с.* adeiladaeth; trefn; cyfansoddiad.
постро́ить *сов.* ❶ adeiladu. ❷ ffurfio.
постро́йка *ж.* adeiladaeth; adeilad; adail.
посту́кивать *г.* taro.
поступа́ть *г.* ❶ trin; ymddwyn. ❷ cyrraedd; mynd/dod i mewn (*i rywle*). ❸ ymaelodi.
посту́пок *м.* gweithred; act.
по́ступь *ж.* cerddediad.
постуча́ть *г.* taro; curo.

посты́дный *прил.* gwarthus; cywilyddus; ysgeler; anniwarth; anenwog.
посу́да *ж.* llestri; noe.
посыла́ть *несов.* gyrru; danfon; anfon; hebrwng; hel; hela.
посы́льный *м.од.* rhingyll.
пот *м.* chwys.
потайно́й *прил.* cyfrin; dirgel; cyfrinachol.
потака́ть *г.* anwesu.
потаску́ха *ж.од.* dihiren.
потаску́шка *ж.од.* dihiren.
потво́рствовать *г.* anwesu.
поте́ние *с.* chwys.
потенциа́льный *прил.* darpar.
потерпе́ть *сов.* goddef.
поте́ря *ж.* colled; coll; amddifadrwydd; adwy; anelw.
потеря́ть *сов.* colli.
поте́ть *г.* chwysu.
поте́шный *прил.* rhyfedd; digrif.
потихо́ньку *нареч.* yn ddistaw; yn araf.
по́тный *прил.* chwyslyd.
пото́к *м.* cerrynt; gweilgi; llifiad; llifeiriant; llanw; ffrwd; llif.
потоло́к *м.* nenfwd.
потолочь *сов.* malu.
пото́м *нареч.* wedyn; ynteu; yna.
пото́мок *м.од.* epil; disgynnydd; imp; achlin.
пото́мство *с.* hil; llinach.
потому́ *нареч.* dyna pam. **потому что** oherwydd.
пото́п *м.* dilyw.
потреби́тель *м.од.* cwsmer; defnyddiwr.
потребля́ть *несов.* ysu; difa; treulio.
потре́бность *ж.* eisiau; angen; gofyn; angenoctid.
потре́бный *прил.* angenrheidiol.
потре́бовать *сов.* gofyn.
потре́боваться *сов.* bod yn eisiau; bod yn ddiffygiol.
потроха́ *м.мн.* plwc.
потроши́ть *несов.* diberfeddu; gildio.
потряса́ть *несов.* ysgwyd; siglo.
потряса́ющий *прил.* ysgytwol.
потрясе́ние *с.* cynnwrf.
потрясти́[1] *сов.* (*взмахнуть с угрозой мечом; сотрясти; взволновать*) cynhyrfu; ysgwyd; siglo.
потрясти́[2] *сов.* (*тряхнуть несколько раз*) ysgwyd; siglo.
потяну́ть *сов.* tynnu.
потяну́ться *сов.* ymestyn.
поучи́тельный *прил.* addysgiadol.
поха́бный *прил.* serth.
похвала́ *ж.* moliant; mawl; canmol; canmoliaeth; clod.
похва́льный *прил.* clodfawr.
похища́ть *несов.* herwgipio; llathruddo.
похище́ние *с.* llathrudd.
похлёбка *ж.* cawl.
похло́пать *сов.* clepian.
похо́д *м.* ymgyrch.
походи́ть[1] *г.* (*ходить некоторое время*) cerdded (*am ychydig amser*).
походи́ть[2] *г.* (*быть похожим*) bod yn debyg (*i rth*).
похо́дка *ж.* cerddediad; trawiad.
похо́жий *прил.* tebyg; cytras; hafal; cyffelyb; cyfryw; ail; cydwedd; perthynol.
похорони́ть *сов.* claddu.
похоро́нный *прил.* angladdol.
по́хороны *ж.мн.* angladd; arŵy.
похотли́вый *прил.* anllad; rhewydd; rhwyfus; anniwair.
по́хоть *ж.* gwŷn; chwant; anniweirdeb.
поцелова́ть *сов.* cusanu.
поцелу́й *м.* sws.
по́чва *ж.* âr; pridd; daear; baw; tir.
почему́ *нареч.* pam; paham.
почему́-то *нареч.* rhywsut.
по́черк *м.* llawysgrifen; ysgrifen.
почёт *м.* bri.
почётный *прил.* anrhydeddus.
почита́ние *с.* addoliad; edmygedd.
почита́тель *м.од.* anrhydeddwr.
почита́ть[1] *несов.* (*уважать*) parchu; anrhydeddu; addoli.
почита́ть[2] *сов.* (*книгу и т.п.*) darllen (*am ychydig amser*).
по́чка *ж.* ❶ aren; elwlen. ❷ blaguryn (*бот.*); imp.
по́чта *ж.* post.
почте́ние *с.* bri; parch.
почте́нный *прил.* hybarch; parchus; anrhydeddus.
почти́ *нареч.* bron; ymron; agos; tua; braidd; hagen.
почти́тельность *ж.* parch.
почти́тельный *прил.* parchus.
почти́ть *сов.* anrhydeddu.
почу́вствовать *сов.* teimlo.
пошевельну́ть *сов.* syflyd.
по́шлина *ж.* treth; llog.
по́шлый *прил.* sathredig.
пошути́ть *г.* cellwair.
пощади́ть *сов.* arbed; trugarhau.
пощёчина *ж.* cernod.
поэ́зия *ж.* awenyddiaeth; barddoniaeth; nâd.
поэ́ма *ж.* pryddest; cerdd; canu; caniad.
поэ́т *м.од.* bardd; prydydd; awenydd.
поэте́сса *ж.од.* awenyddes.
поэти́ческий *прил.* barddonol; barddol; awenog; awenol; awenyddol.
поэти́чный *прил.* barddonol; barddol; awenog; awenol.
поэ́тому *нареч.* felly.

появи́ться *сов.* ymddangos.
появле́ние *с.* ymddangosiad; cynhyrchiad.
появля́ться *несов.* amlygu; ymddangos.
по́яс *м.* gwregys.
поясни́ть *сов.* egluro.
поясни́ца *ж.* ceudod; llwyn.
поясо́к *м.* band.
праба́бка *ж.од.* hen fam-gu; hen nain; gorhenfam.
праба́бушка *ж.од.* hen nain; hen fam-gu; gorhenfam.
пра́вда *ж.* gwirionedd; gwir.
правди́вость *ж.* gwirionedd.
правди́вый *прил.* ffyddlon; union; onest; gwirioneddol; gwir.
правдоподо́бие *с.* tebygolrwydd.
правдоподо́бный *прил.* tebygol.
пра́ведность *ж.* cyfiawnder.
пра́ведный *прил.* cyfiawn; sanctaidd; glân; bucheddol.
пра́вило *с.* (*закономерность; норма*) egwyddor; rheol.
пра́вильность *ж.* cywirdeb; cydwedd; iawnder; iawn.
пра́вильный *прил.* (*верный; регулярный*) cywair; diau; union; rheolaidd; priodol; medrus; cymwys; gwir; cywir; iawn; cyfreithlon.
прави́тель *м.од.* gwledig; cyfeiriwr; pair; modur; llywodraethwr; llyw; rheolwr; pendefig.
прави́тельственный *прил.* llywodraethol.
прави́тельство *с.* llywodraeth; gweinyddiaeth.
пра́вить[1] *несов.* (*исправлять*) hogi; cywiro; ceryddu.
пра́вить[2] *г.* (*управлять*) llywio; rheoli; llywodraethu; gyrru; bustachu; medru; amgyffred.
правле́ние *с.* ❶ teyrnasiad; rheol; rheolaeth. ❷ bwrdd.
пра́во *с.* ❶ hawl; iawnder; teithi; teitl; breinlen; dyled. ❷ dehau; deheu. **права** trwydded yrru. **права человека** hawliau dynol.
правове́рный *прил.* iawnffyddiog; ffyddlon; uniongred.
правово́й *прил.* cyfreithiol; iawnol.
правомо́чный *прил.* awdurdodedig.
правонаруши́тель *м.од.* troseddwr; pechadur.
правописа́ние *с.* orgraff; cysylltiad.
правосла́вие *с.* iawnffydd.
правосла́вный *прил.* iawnffyddiog; uniongred.
пра́вый[1] *прил.* (*не виноватый; правильный*) iawn.
пра́вый[2] *прил.* de; dehau; deheu.
пра́вящий *прил.* llywodraethol.
пра́дед *м.од.* gorhendad; hen daid; hen dad-cu; hendaid.
праде́душка *м.од.* hen daid; hen dad-cu; gorhendad; hendaid.
пра́зднество *с.* gŵyl; ancwyn; cylchwyl.
пра́здник *м.* gŵyl.
пра́здничный *прил.* gŵyl.
пра́зднование *с.* dathliad; gorfoledd.
пра́здновать *несов.* dathlu.
пра́здный *прил.* diog; segur.
пра́ктик *м.од.* ymarferwr; ymarferydd.
пра́ктика *ж.* arferiad; arfer; ymarfer.
практикова́ть *несов.* ymarfer.
практи́ческий *прил.* ymarferol.
пра́отец *м.од.* cyndad.
прароди́тель *м.од.* cyndad; hynafiad.
прах *м.* lludw; pridd; lluwch; llwch.
праща́ *ж.* tafl.
пребыва́ние *с.* arhosfa.
пребыва́ть *г.* preswylio; dal; trigo.
превозмога́ть *несов.* gorchfygu; goresgyn; trechu.
превозмо́чь *сов.* gorchfygu; trechu.
превозноси́ть *несов.* moliannu; clodfori.
превосходи́ть *несов.* blaenori; rhagori.
превосхо́дный *прил.* ❶ addien; godidog; boneddigaidd; campus; berth; cain; têr; penigamp; gwych; glew; ardderchog; rhagorol; amgen; amgenach; bonheddig; arbennig; gwymp; anial. ❷ eithafol; eithaf.
превосхо́дство *с.* arbenigrwydd; gorfodaeth; trosedd; rhagor; blaenoriaeth; goruchafiaeth.
преврати́ть *сов.* troi.
преврати́ться *сов.* ymrithio; troi.
превра́тность *ж.* treiglad.
превраща́ть *несов.* troi; trosi.
превраща́ться *несов.* ymrithio; troi.
превраще́ние *с.* troad.
превыша́ть *несов.* rhagori.
прегра́да *ж.* rhwystr.
прегражда́ть *г.* bario; rhwystro; nadu.
пред *прист.* rhag.
предава́ть *несов.* traddodi; bradychu.
предава́ться *несов.* ymroi; ymroddi.
преда́ние *с.* chwedl.
пре́данность *ж.* ffyddlondeb; ymlyniad; teyrngarwch; ymroddiad; gwrogaeth.
пре́данный *прил.* (*без дополнения: надежный, верный*) ffyddlon.
преда́тель *м.од.* bradwr; twyllwr.
преда́тельство *с.* anffyddlondeb; brad.
преда́ть *сов.* bradychu.
предвари́тельный *прил.* rhagarweiniol; blaenorol.
предве́стник *м.од.* (*о человеке*) rhagflaenydd.
предвеща́ть *несов.* darogan.

предвзя́тость *ж.* gogwydd; tuedd; rhagfarn.
предви́дение *с.* gweledigaeth.
предви́деть *несов.* rhagweled; darogan; rhagweld.
предвкуше́ние *с.* disgwyliad; rhagflas.
предводи́тель *м.од.* blaenor.
преддве́рие *с.* rhiniog; trothwy.
преде́л *м.* terfyniad; cyffin; diben; ymyl; terfyn; term; pennod; mesur; ffin; goror.
преде́льный *прил.* pen.
предзнаменова́ние *с.* argoel; argoeliad.
предисло́вие *с.* rhagarweiniad; rhagymadrodd; rhagair.
предлага́ть *несов.* cynnig; awgrymu; amcanu.
предло́г *м.* ❶ arddodiad; rhagair. ❷ gwasgod; esgus.
предложе́ние *с.* ❶ awgrym; awgrymiad; cynnig; cyflenwad. ❷ brawddeg; dealltwriaeth; synnwyr; araith; cymal; bannod; pennod; rheswm.
предложи́ть *сов.* awgrymu.
предме́т *м.* gwrthrych; pwnc.
предме́тный *прил.* gwrthrychol.
предназнача́ть *несов.* tynghedu; tyngu; penodi; arfaethu; addunedu.
предназна́чить *сов.* penodi; tynghedu.
преднаме́ренный *прил.* amcanus.
пре́док *м.од.* cyndad; rhagflaenydd; hynafiad; blaenor.
предопределе́ние *с.* etholedigaeth.
предопределя́ть *несов.* tynghedu; trefnu; tyngu.
предоста́вить *сов.* ❶ darparu. ❷ gadael.
предоставля́ть *несов.* ❶ darparu. ❷ gadael.
предостерега́ть *несов.* rhybuddio.
предостереже́ние *с.* rhybudd.
предотвраща́ть *несов.* rhwystro.
предохраня́ть *несов.* diogelu; rhwystro; amddiffyn; achlesu.
предпи́сывать *несов.* urddo; ordeinio; trefnu; penodi; pennu.
предполага́емый *прил.* tebygol; darpar.
предполага́ть *несов.* dyfalu; rhagdybio; tybio; dychmygu; amcanu; bwrw.
предположе́ние *с.* tybiaeth; honiad; damcaniaeth; tyb; amcan.
предположи́тельный *прил.* amcanus.
предположи́ть *сов.* tybio.
предпосы́лка *ж.* cefndir.
предпочита́ть *несов.* blaenori.
предпочте́ние *с.* blaenoriaeth.
предприи́мчивость *ж.* anturiaeth; menter.
предприи́мчивый *прил.* mentrus; anturiaethus; anturus.
предпринима́тель *м.од.* anturiaethwr.
предпринима́тельство *с.* anturiaeth; menter.
предпринима́ть *несов.* ymgymryd.
предприня́ть *сов.* ymgymryd.
предприя́тие *с.* anturiaeth; menter.
предрасположе́ние *с.* tueddiad.
предрассу́док *м.* rhagfarn.
председа́тель *м.од.* llywydd; cadeirydd.
председа́тельница *ж.од.* cadeiryddes.
председа́тельство *с.* llywyddiaeth.
председа́тельствовать *г.* llywyddu.
предсказа́ние *с.* darogan; rhamant; tynged.
предсказа́тель *м.од.* proffwyd; argoeliad.
предска́зывать *несов.* darogan; proffwydo; rhagddweud.
представа́ть *г.* ymddangos.
представи́тель *м.од.* cynrychiolwr; cynrychiolydd; goruchwyliwr; dirprwywr; llysgennad; dirprwy; adlaw.
представи́тельство *с.* cynrychiolaeth.
предста́вить *сов.* ❶ cyflwyno. ❷ cynrychioli. ❸ dychmygu.
предста́виться *сов.* ❶ ymddangos. ❷ ymgyflwyno. ❸ cael ei dychmygu.
представле́ние *с.* ❶ tyb; amcan; clem; syniad. ❷ cynrychiolaeth; cyflwyniad. ❸ perfformiad.
представля́ть *несов.* ❶ cyflwyno; traddodi. ❷ cynrychioli. ❸ sylweddoli; dychmygu; amgyffred.
представля́ться *несов.* ❶ ymddangos. ❷ ymgyflwyno. ❸ caek ei dychmygu.
предста́ть *г.* ymddangos.
предстоя́ть *г.* bod ar ddod. **это нам предстоит** dyna beth sy'n ein haros ni.
предстоя́щий *прил.* dyfodol.
предте́ча *м.ж.* rhagflaenydd.
предубежде́ние *с.* gogwydd; tuedd; rhagfarn.
предупреди́ть *сов.* ❶ rhybuddio. ❷ rhwystro.
предупрежда́ть *несов.* ❶ rhybuddio. ❷ rhwystro.
предупрежде́ние *с.* rhybudd.
предусмотри́тельный *прил.* pwyllog.
предчу́вствие *с.* ymdeimlad; darogan.
предчу́вствовать *несов.* darogan.
предше́ственник *м.од.* rhagflaenydd; blaenor.
предше́ствовать *г.* blaenori.
предше́ствующий *прил.* blaenorol.
предъяви́тель *м.од.* cyflwynydd; cyflwynwr.
предъяви́ть *сов.* dangos.
предъявля́ть *несов.* dangos. **предъявлять обвинение** dwyn cyhuddiad. **предъявлять право** hawlio rhywbeth. **предъявлять высокие требования** gofyn llawer.

предыду́щий *прил.* blaenllaw; blaenorol.
пре́емник *м.од.* (*продолжатель*) gwrthrych.
пре́жде[1] *нареч.* gynt.
пре́жде[2] *предл.* cyn.
преждевре́менный *прил.* amhrydlon; anamserol; annhymig.
пре́жний *прил.* blaenorol.
президе́нт *м.од.* llywydd (*компании, общества*); arlywydd (*страны*).
президе́нтство *с.* llywyddiaeth.
презира́ть *несов.* (*относиться спрезрением*) diystyru.
презре́ние *с.* (*пренебрежение*) dirmyg.
презре́нный *прил.* diystyr.
презри́тельный *прил.* ffroenuchel; diystyr.
преиму́щество *с.* buddiant; mantais; braint.
преиспо́дняя *ж.* pydew; pwll; uffern.
преклоня́ться *несов.* plygu.
прекра́снейший *прил.* penigamp.
прекра́сный *прил.* hardd; prydferth; teg; cain; mad; têr; perffaith; ardderchog; addien; addfwyndeg; coeth; berth; gwymp; gwych; braf; glân; glew; bonheddig; boneddigaidd; anial.
прекрати́ть *сов.* peidio.
прекраща́ть *несов.* terfynu; diweddu; darfod; peidio; gostegu; crogi; pallu; nadu.
преле́стный *прил.* cu; tlws; pert; clws.
пре́лесть *ж.* tegwch; prydferthwch; addfwynbryd.
прельща́ть *несов.* tynnu; denu.
прелюбодея́ние *с.* godineb.
пре́мия *ж.* gwobr.
прему́дрый *прил.* hollddoeth.
премье́р *м.од.* prif weinidog.
премье́р-министр *м.од.* prif weinidog.
премье́ра *ж.* noson gyntaf.
пренебрега́ть *г.* diystyru; isgilio; esgeuluso.
пренебрежи́тельный *прил.* ffroenuchel; diystyr.
пре́ния *с.мн.* dadl; trafodaeth; ymdriniaeth.
преоблада́ние *с.* ffyniant.
преоблада́ющий *прил.* llywodraethol.
преобразова́ние *с.* diwygiad.
преобразова́тель *м.од.* (*о человеке*) diwygiwr.
преобразо́вывать *несов.* diwygio.
преодолева́ть *несов.* gorchfygu; goresgyn; cefnu; trechu.
преодоле́ть *сов.* gorchfygu; trechu.
препара́т *м.* ❶ cymysgedd. ❷ paratoad.
преподава́тель *м.од.* hyfforddwr; athro; addysgydd; addysgwr.
преподава́ть *несов.* dysgu; addysgu.
преподноси́ть *несов.* anrhegu; cyflwyno.
преподо́бный *прил.* hybarch.
препя́тствие *с.* lludd; ymyrraeth; tramgwydd; rhwystr; naid; anhawster; atal; afrwyddineb; anach; anghaffael.
препя́тствовать *г.* gwrthsefyll; siomi; llestair; llesteirio; gwrthwynebu; rhwystro; atal; nadu; afrwyddo; rhagod.
прерва́ть *сов.* brathu.
перека́ться *несов.* taeru.
пре́рия *ж.* paith.
прерыва́ние *с.* tor.
прерыва́ть *несов.* brathu.
пресле́дование *с.* helwriaeth; erlid.
пресле́дователь *м.од.* ymlyniad.
пресле́довать *несов.* cynllwyn; erlyn; canlyn; hel; hela; dilyn; gyrru; ymlid; erlid; coethi; annos.
пресмыка́ющееся *с.од.* ymlusgiad.
пре́сный *прил.* crai; cri; diflas; croyw.
пресс *м.* gwasg.
пре́сса *ж.* gwasg.
прессова́ние *с.* sang.
прессова́ть *несов.* gwasgu.
престо́л *м.* gorsedd; brenhinfainc; allor.
преступле́ние *с.* trosedd; tramgwydd; anghyfraith; cyflafan.
престу́пник *м.од.* troseddwr; pechadur.
престу́пный *прил.* troseddol.
пресыща́ть *несов.* diflasu; alaru.
пресыще́ние *с.* alar.
претенде́нт *м.од.* ymgeisydd.
претендова́ть *г.* arddel; hawlio.
прете́нзия *ж.* hawl.
претенцио́зный *прил.* mawreddog.
претерпева́ть *несов.* dioddef; goddef.
преувели́чивать *несов.* brathu.
преуменьша́ть *несов.* bychanu.
преуспева́ть *г.* llwyddo; ffynnu.
префере́нция *ж.* blaenoriaeth.
пре́фикс *м.* (*приставка*) rhagddodiad.
преходя́щий *прил.* tymhorol; adfant; amserol.
при *предл.* chan; ger; wrth.
приба́вить *сов.* atodi; ychwanegu.
приба́вка *ж.* codiad.
прибавле́ние *с.* ychwanegiad; cynnydd; atodiad; amlhad; adio.
прибавля́ть *несов.* ychwanegu; adio; atodi.
прибега́ть[1] *г.* troi.
прибега́ть[2] *г.* rhedeg at.
прибе́гнуть *г.* troi.
прибежа́ть *г.* rhedeg at.
прибе́жище *с.* nodded; achles; lloches.
прибива́ть *несов.* ❶ hoelio; morthwylio. ❷ rhoi i lawr. ❸ golchi rhth i'r lan.
приближа́ться *несов.* dynesu; cyrchu; nesáu; agosáu.
приближе́ние *с.* dynesiad.
приблизи́тельно *нареч.* tua; ymron; oddeutu.

приблизи́тельный *прил.* bras; anfanwl.

прибли́зиться *сов.* agosáu.

прибо́й *м.* beiston.

прибо́р *м.* teclyn; uned; offeryn; dyfais.

прибыва́ть *г.* ❶ cyrraedd; tirio. ❷ cynyddu.

при́быль *ж.* elw; lles; ennill; llog.

при́быльный *прил.* buddiol.

прибы́тие *с.* cyrhaeddiad; dyfodiad.

прибы́ть *г.* cyrraedd.

привезти́ *сов.* nôl.

приве́рженец *м.од.* cefnogwr; deiliad.

привести́ *сов.* ❶ nôl. ❷ peri.

приве́т *м.* croeso.

приве́тливый *прил.* hynaws.

приве́тствие *с.* anerchiad; cyfarchiad; annerch.

приве́тствовать *несов.* (*обращаться с приветствием; одобрять*) cyfarch; croesawu; annerch.

приве́шивать *несов.* atodi.

привива́ть *несов.* impio; brechu.

приви́вка *ж.* impiad; brechiad.

привиде́ние *с.од.* ymddangosiad.

привилегиро́ванный *прил.* dyledog.

привиле́гия *ж.* braint; hawl; breinlen; dyled.

при́вкус *м.* naws; blas.

привлека́тельность *ж.* atyniad; gras.

привлека́тельный *прил.* hoffus; tlws; deniadol; atyniadol.

привлека́ть *несов.* tynnu; denu.

привлече́ние *с.* atyniad.

привле́чь *сов.* tynnu; denu.

приводи́ть *несов.* ❶ nôl. ❷ peri; cyrchu.

привози́ть *несов.* nôl.

приво́й *м.* imp.

привыка́ть *г.* cynefino.

привы́кнуть *г.* cynefino.

привы́чка *ж.* arferiad; arfer; defod; acen; cast.

привы́чный *прил.* arferol; cynefin; cyfarwydd.

привя́занность *ж.* carueiddrwydd; ymlyniad.

привяза́ть *сов.* rhwymo; clymu.

привя́зывать *несов.* rhwymo; clymu.

пригвожда́ть *несов.* hoelio.

пригвоздить *сов.* hoelio.

пригласи́ть *сов.* gwahodd.

приглаша́ть *несов.* gwadd; gwahodd.

приглаше́ние *с.* arch; gwahoddiad.

приглушённый *прил.* pŵl.

ángова́ривать[1] *несов.* dedfrydu; dyfarnu; barnu.

пригова́ривать[2] *несов.* (*говорить, сопровождая какое-л. действие*) dweud.

пригово́р *м.* dedfryd; dyfarniad; penderfyniad; barn; brawd.

пригоди́ться *сов.* dod yn ddefnyddiol.

приго́дность *ж.* cyfleuster; cymhwyster; addasrwydd.

приго́дный *прил.* buddiol.

пригожда́ться *несов.* bod yn ddefnyddiol; gwaredu.

пригоня́ть *несов.* ❶ gyrru. ❷ cymhwyso.

при́город *м.* maestref.

приго́рок *м.* tomen.

при́горшня *ж.* dyrnaid.

пригота́вливать *несов.* paratoi.

пригото́вить *сов.* coginio; paratoi.

приготовле́ние *с.* arlwy; darpariaeth; trefniant; trefniad; paratoad.

приготовля́ть *несов.* trwsio; darllaw.

придава́ть *несов.* rhoi; ychwanegu.

прида́ное *с.* agweddi.

прида́ток *м.* atodiad.

прида́ть *сов.* ychwanegu; rhoi.

приде́рживаться *несов.* glynu; trigo; dilyn.

приди́рчивый *прил.* anghysonair.

приду́мать *сов.* dyfeisio.

приду́мывать *несов.* dyfeisio; tybio.

придыха́ние *с.* dyhead; uchenaid; anadliad.

прие́зд *м.* dyfodiad.

приезжа́ть *г.* dod.

прие́зжий *м.од.* newydd-ddyfodiad.

приём *м.* ❶ derbyniad. ❷ modd; dull; dyfais. ❸ bachell.

прие́млемый *прил.* cymeradwy; derbyniol; rhesymol; cydweddol.

прие́мник *м.* derbynnydd.

приёмный *прил.* ❶ sy'n derbyn. ❷ maeth.

прие́мщик *м.од.* derbynnydd.

прие́хать *г.* dod.

прижа́ть *сов.* gwasgu.

прижа́ться *сов.* ymwasgu.

прижига́ть *несов.* llosgi; serio.

прижима́ть *несов.* gwasgu.

прижима́ться *несов.* ymwasgu.

приз *м.* (*награда; захваченное неприятельское или контрабандное судно*) gwobr; cyngwystl.

призва́ние *с.* galwad; galwedigaeth; cenhadaeth.

приземле́ние *с.* glaniad.

приземля́ться *несов.* disgyn; glanio; tirio.

призёр *м.од.* enillwr; enillydd.

признава́ть *несов.* addef; cyffesu; cyfaddef; cydnabod; arddel; perchenogi.

признава́ться *несов.* addef.

при́знак *м.* argoel; nod; nodwedd.

призна́ние *с.* cydnabyddiaeth; addefiad.

при́знанный *прил.* addefedig.

призна́тельность *ж.* diolchgarwch; gwerthfawrogiad.

призна́тельный *прил.* diolchgar.

призна́ть *сов.* cyfaddef.

признáться *сов.* addef.
при́зрак *м.* (*нечто воображаемое*) rhith; ymddangosiad; cysgod.
призы́в *м.* anogaeth; erfyn; arch; galwad.
призывáть *несов.* dyfynnu; galw; gwysio.
призывни́к *м.од.* adfilwr.
при́иск *м.* cloddfa.
прийти́ *г.* dod.
прийти́сь *сов.* ❶ syrthio. ❷ ffitio. **мне придется помыть эти окна** bydd rhaid i mi lanhau'r ffenestri'ma.
прикáз *м.* gorchymyn; amnaid; arfaeth; archeb; act.
приказáние *с.* arch.
приказáть *сов.* gorchymyn.
прикáзывать *несов.* gorchymyn; erchi; trefnu.
прикасáться *несов.* teimlo; cyffwrdd.
прики́дывать *несов.* amcangyfrif.
прики́дываться *несов.* honni.
приклáд *м.* bôn.
прикладнóй *прил.* cymwysedig.
приклáдывание *с.* cymhwysiad.
приклéивать *несов.* glynu; gludo.
приклéиваться *несов.* glynu.
приключáться *несов.* digwydd.
приключéние *с.* anturiaeth; antur.
прикóнчить *сов.* darfod.
прикосновéние *с.* cyffyrddiad.
прикрепля́ть *несов.* sicrhau; glynu; atodi.
прикрывáть *несов.* cysgodi; gorchuddio; achlesu.
прикры́тие *с.* gwasgod; lloches; cysgod.
прикры́ть *сов.* gorchuddio.
прилáвок *м.* cownter.
прилагáтельное *с.* ansoddair; adenw.
прилагáть *несов.* ychwanegu; atodi.
прилáживать *несов.* cymhwyso.
прилегáть *г.* (*быть расположенным около чего-л.*) cyffwrdd.
прилежáние *с.* ymroddiad.
прилéжный *прил.* gweithgar; diwyd; ymroddgar; prysur; ystig.
прилетéть *г.* hedfan.
прилéчь *г.* gorwedd.
прили́в *м.* llanw; aches; adlif; llifeiriant.
прилипáть *г.* glynu; craffu; ymwasgu.
прили́чествовать *г.* gweddu.
прили́чный *прил.* priodol.
приложéние *с.* ❶ cymhwysiad. ❷ atodlen; ychwanegiad; atodiad; perthynas.
приложи́ть *сов.* (*прямое знач.: приблизить вплотную, положить рядом*) atodi.
примáнивать *несов.* abwydo.
примáнка *ж.* llith; cymhelliad.
примáт[1] *м.* (*первенство*) goruchafiaeth.
примáт[2] *м.од.* (*млекопитающее*) âb.
применéние *с.* defnydd; cymhwysiad; arferiad.
примени́мость *ж.* cymhwysiad.
применя́ть *несов.* defnyddio; priodoli; cymhwyso.
применя́ться *несов.* cael ei ddefnyddio.
примéр *м.* enghraifft.
примéрно *нареч.* tua.
примéта *ж.* argoel; nod; argoeliad.
примечáние *с.* sylw; nodiad; nodyn.
примéшивать *несов.* cymysgu.
примирéние *с.* cymod; cymrodedd.
примири́тель *м.од.* heddychwr; cymrodeddwr.
примири́ть *сов.* cymrodeddu.
примиря́ть *несов.* cymodi.
примити́вный *прил.* cyntefig.
примóрский *прил.* morol.
примыкáть *г.* cyffwrdd.
принадлежáть *г.* perthyn.
принадлéжность *ж.* perthynas.
принести́ *сов.* nôl.
принижáть *несов.* gostwng; bychanu.
принимáть *несов.* cyfaddef; tybio; mabwysiadu; cymryd; derbyn.
принимáться *несов.* ❶ cychwyn. ❷ gwreiddio. ❸ cael ei dderbyn.
приноси́ть *несов.* dwyn; dod; nôl; gildio.
принуди́тельный *прил.* gorfodol.
принуждáть *несов.* hyrddio; argymell; gorfodi; treisio.
принуждéние *с.* cymhelliad; trais.
принц *м.од.* tywysog; pendefig.
принцéсса *ж.од.* tywysoges.
при́нцип *м.* rheol; egwyddor.
приня́тие *с.* derbyniad; mabwysiad; addefiad; cynnwys.
приня́ть *сов.* derbyn; cymryd.
приня́ться *сов.* ❶ cychwyn. ❷ gwreiddio. ❸ cael ei dderbyn.
приобрести́ *сов.* prynu; ennill.
приобретáть *несов.* mynnu; manteisio; magu; elwa; prynu; ennill.
приобретéние *с.* caffaeliad; pwrcas; cyrhaeddiad.
приоритéт *м.* blaenoriaeth.
приостанáвливать *несов.* pallu; peidio.
приостанóвка *ж.* oediad.
приоткрывáть *несов.* cilagor.
приоткры́ть *сов.* cilagor.
припáдок *м.* llewyg; ias; cainc.
припáсы *м.мн.* cyflenwad.
припéв *м.* cytgan.
припи́сывать *несов.* priodoli; haeru.
приподня́ть *сов.* codi.
припоминáть *несов.* cofio; atgofio.
припрáвить *сов.* archwaethu.
приправля́ть *несов.* blasuso; trwsio; pereiddio; cyweirio.
припу́хлость *ж.* chwyddi.
прирáвнивать *несов.* cymathu.

приро́да *ж.* natur; ansawdd; anian; greddf.
приро́дный *прил.* cynhenid; genedigol; brodorol; naturiol; anianol.
прирождённый *прил.* genedigol; brodorol.
приро́ст *м.* twf; tyfiant; cynnydd; ennill; amlhad.
присва́ивать *несов.* meddiannu; priodoli; adfeddu.
присвое́ние *с.* adfeddiad.
присе́сть *г.* eistedd.
приско́рбный *прил.* dygn; graen; irad; galarus; trist; amdrist; alaeth; alaethus.
присла́ть *сов.* anfon.
присло́вье *с.* dywediad.
прислоня́ться *несов.* pwyso.
прислу́живать *г.* gweini; darymred.
прислу́шаться *сов.* rhoi gwrandawiad (*i* *m*); gwrando.
прислу́шиваться *несов.* clustfeinio.
присма́тривать *несов.* bugeilio.
присмо́тр *м.* cadwraeth.
присоедини́ть *сов.* uno; cysylltu.
присоедини́ться *сов.* ymaelodi.
присоединя́ть *несов.* meddiannu; cysylltu; atodi.
присоединя́ться *несов.* ymaelodi; uno; ymuno.
приспоса́бливать *несов.* cymhwyso; llunio; addasu.
приспособле́ние *с.* offeryn; dyfais.
при́став *м.од.* rhingyll; bwmbeili.
пристава́ть *г.* glynu; glanio; trafferthu.
приста́вка *ж.* rhagddodiad; rhagair.
приста́нище *с.* cil; llety.
при́стань *ж.* llongborth; glanfa.
приста́ть *г.* glynu; trafferthu; glanio; bod yn addas.
присто́йность *ж.* cydwedd.
присто́йный *прил.* priodol.
пристра́стие *с.* gogwydd; tueddiad; tuedd.
пристра́стный *прил.* pleidiol.
при́ступ *м.* ymosodiad; llucheden; cainc; ias; acses.
приступи́ть *г.* ❶ dechrau. ❷ nesáu.
пристыди́ть *сов.* cywilyddio.
присужда́ть *несов.* dyfarnu; barnu.
прису́тствие *с.* gŵydd; presenoldeb; gwyddfod.
прису́тствовать *г.* mynychu.
прису́тствующий *прил.* presennol.
прису́щий *прил.* priodol; anianol.
присыла́ть *несов.* anfon.
прися́га *ж.* llw.
присяга́ть *г.* tyngu.
прися́жный *м.од.* rheithiwr.
притво́рный *прил.* ffug; rhagrithiol.
притво́рство *с.* ffug; rhagrith.
притворя́ться *несов.* honni.
притесне́ние *с.* trais; gormes.
притесня́ть *несов.* llethu; treisio; gorthrymu.
притира́ние *с.* ennaint; eli.
прито́к *м.* ❶ isafon. ❷ cyflenwad.
при́толока *ж.* rhiniog.
притра́гиваться *несов.* teimlo; cyffwrdd.
притупля́ть *несов.* gostegu; diawchu; lleihau.
при́тча *ж.* dameg.
притяга́тельный *прил.* deniadol; atyniadol.
притя́гивать *несов.* tynnu; denu.
притяже́ние *с.* atyniad.
притяза́ние *с.* hawl.
приукра́шивать *несов.* lliwio.
приуро́чивать *несов.* amseru.
приуча́ть *несов.* addysgu.
прихвати́ть *сов.* cydio.
прихва́тывать *несов.* cydio.
прихо́д *м.* ❶ dyfodiad. ❷ cyllid; derbyniad. ❸ personoliaeth; plwyf.
приходи́ть *г.* dod.
приходи́ться *несов.* syrthio.
приходя́щий *прил.* dyfodiad.
прихо́жая *ж.* cyntedd.
при́хоть *ж.* anwes.
прице́ливание *с.* aneliad; annel.
прице́ливаться *несов.* amcanu; anelu; pwyntio.
прицепля́ть *несов.* bachu; bacho.
прича́л *м.* llongborth; glanfa; cei.
прича́ливать *несов.* glanio; tirio.
прича́стие *с.* ❶ rhangymeriad (*грам.*). ❷ cymundod (*рел.*); cymundeb (*рел.*); cymun (*рел.*).
причасти́ться *сов.* cymuno.
прича́стник *м.од.* cymunwr.
причаща́ться *несов.* cymuno.
приче́м[1] *нареч.* ar ben hynny.
приче́м[2] *сз.* am hynny.
причёсывать *несов.* trwsio; cribo.
причи́на *ж.* rheswm; achos; herwydd; achles.
причине́ние *с.* achosiant.
причи́нность *ж.* achosiaeth.
причиня́ть *несов.* peri; gyrru; achosi; achlysuro.
причита́ть *г.* wylofain.
причу́дливый *прил.* chwithig; rhyfedd.
прише́лец *м.од.* dyfodiad.
прише́ствие *с.* dyfodiad.
пришива́ть *несов.* gwnïo.
при́шлый *прил.* estron; newydd-ddyfodiad.
пришпо́ривать *несов.* symbylu; ysbarduno; brathu.
прию́т *м.* gwasgod; cil; lloches; llety; adlam; adwedd.
прия́тель *м.од.* câr; cyfaill.
прия́тность *ж.* tegwch; tirionwch.

прия́тный *прил.* gosgeiddig; serchus; pleserus; diddan; del; chweg; mad; arab; esmwyth; pert; hyfryd; dymunol; difyr; pêr; addfwyn.
про *предл.* am.
про́ба *ж.* ymgais; profedigaeth; prawf; cais; praw.
пробежа́ть *сов.* rhedeg.
пробе́л *м.* (*пустой промежуток*) bwlch.
пробира́ться *несов.* ❶ ymlwybro. ❷ sleifio.
проби́ть[1] *сов.* (*проделать отверстие; проложить дорогу*) gwanu; tyllu.
проби́ть[2] *сов.* (*о бое часов*) taro.
про́бка *ж.* ❶ caead; corcyn. ❷ tagfa (*автомобильная*). ❸ ffiws (*эл.*).
пробле́ма *ж.* problem; trafferth.
про́блеск *м.* llewyrch; cip; gwreichionen; llygad; cipolwg.
про́бовать *несов.* blasuso; ymgeisio; blasu; ceisio; profi; cynnig; treio.
прободе́ние *с.* rhwyg.
пробо́й *м.* rhwyg.
проболта́ться *сов.* prepian.
пробормота́ть *сов.* mwmial.
пробра́ться *сов.* ❶ ymlwybro. ❷ sleifio.
пробужда́ть *несов.* cyffroi; deffro; dihuno; deffroi.
пробужда́ться *несов.* deffro; dihuno; deffroi.
пробужде́ние *с.* deffroad.
пробура́вливать *несов.* tyllu; treiddio; gwanu.
прова́л *м.* aball; aflwyddiant; methiant; anghaffael; annhyciant.
прова́ливать *несов.* aflwyddo; plycio. **проваливай!** i ffwrdd â thi!
прова́ливаться *несов.* ❶ ymollwng; suddo; disgyn; cwympo. ❷ aflwyddo.
провали́ть *сов.* methu.
провали́ться *сов.* methu.
проведе́ние *с.* cyflawniad.
прове́рить *сов.* profi.
прове́рка *ж.* archwiliad; prawf; adolygiad; praw.
проверя́ть *несов.* profi; gwirio; gwireddu; arolygu.
провести́ *сов.* ❶ arwain. ❷ treulio. ❸ cofnodi. ❹ tynnu (*llinell*). ❺ dargludo (*trydan, gwres*). ❻ cyflawni. ❼ twyllo.
прове́тривание *с.* awyriad.
прове́тривать *несов.* awyro.
прови́зия *ж.* lluniaeth.
прови́нция *ж.* talaith; pau.
про́вод *м.* (*электрический*) gwifren.
проводи́ть[1] *несов.* ❶ arwain. ❷ treulio. ❸ cofnodi. ❹ tynnu (*llinell*). ❺ dargludo (*trydan, gwres*). ❻ cyflawni; cynnal.
проводи́ть[2] *сов.* hebrwng; danfon.
проводни́к[1] *м.од.* (*провожатый; железнодорожный служащий*) hyfforddwr; cyfarwydd; arweinydd.
проводни́к[2] *м.* (*вещество, пропускающее тепло, ток и т.д.*) dargludydd.
провожа́ть *несов.* hebrwng; canlyn; danfon.
провозглаша́ть *несов.* swnio; traethu; mynegi; datgan.
про́волока *ж.* gwifren.
про́волочка *ж.* (*задержка*) oediad.
прово́рный *прил.* chwim; heini; effro.
провоци́ровать *несов.* cyffroi; cythruddo.
прогла́тывать *несов.* llyncu.
проглоти́ть *сов.* llyncu.
прогна́ть *сов.* cilio.
прогно́з *м.* darogan; rhagolwg.
проговори́ть *сов.* ❶ llefaru. ❷ siarad (*am sbel*).
прогоня́ть *несов.* hel; cilio.
програ́мма *ж.* rhaglen.
программи́ровать *несов.* rhaglennu.
программи́ст *м.од.* rhaglennwr.
програ́ммка *ж.* hysbyslen.
прогре́сс *м.* cynnydd.
прогресси́вный *прил.* blaengar; blaenllaw.
прогу́ливать *несов.* llwybro; rhodio.
прогу́ливаться *несов.* rhodio.
прогу́лка *ж.* rhodfa; camre.
продава́ть *несов.* gwerthu; marchnata.
продаве́ц *м.од.* gwerthwr.
прода́жа *ж.* gwerthiant; arwerthiant.
прода́жный *прил.* pwdr.
прода́ть *сов.* gwerthu.
продвига́ть *несов.* dyrchafu; hwyluso; hyrwyddo; hybu; rhwyddhau.
продвиже́ние *с.* hwb; cynnydd; rhwyddineb.
проде́лка *ж.* cast.
продлева́ть *несов.* estyn.
продле́ние *с.* estyniad; adnewyddiad.
продли́ть *сов.* ehangu; estyn.
продово́льствие *с.* lluniaeth.
продолгова́тый *прил.* llaes; hir.
продолжа́ть *несов.* dal; estyn; parhau.
продолжа́ться *несов.* dal; parhau.
продолже́ние *с.* parhad; estyniad.
продолжи́тельность *ж.* parhad; safiad; hyd.
продолжи́тельный *прил.* hirbarhaol; parhaol.
продо́лжить *сов.* parhau.
продувно́й *прил.* llym.
проду́кт *м.* cynnyrch.
проду́кция *ж.* cynhyrchiad; cynnyrch.
продыря́вить *сов.* tyllu.
прое́зд *м.* tramwyfa; mynedfa.
прое́кт *м.* cynllun; dyfais; dychymyg.
проекти́ровать *несов.* arfaethu; cynllunio.

проектиро́вщик *м.од.* cynllunydd.
прое́ктор *м.* taflunydd.
проём *м.* agorfa.
прое́хать *г.* mynd.
прожива́ние *с.* annedd; preswylfa; preswyl.
прожива́ть[1] *несов.* oesi.
прожива́ть[2] *г.* (*жить где-л.*) trigo; preswylio; tario.
прожига́ть *несов.* llosgi.
прожи́лка *ж.* asen; gwythïen.
прожи́ть *сов.* byw.
прожо́рливый *прил.* ysglyfaethus; barus; glwth; aflêr.
про́за *ж.* rhyddiaith.
про́звище *с.* llysenw.
прозвуча́ть *г.* swnio.
прозорли́вый *прил.* craff.
прозра́чность *ж.* eglurdeb; eglurder.
прозра́чный *прил.* gloyw; tryloyw; têr; eglur; amlwg; croyw.
проигра́ть *сов.* colli.
прои́грыватель *м.* chwaraeawr.
прои́грывать *несов.* ymollwng.
про́игрыш *м.* colled; coll.
произведе́ние *с.* ❶ cread; creadigaeth. ❷ gweithred. ❸ lluoswm.
произвести́ *сов.* gwneud; cynhyrchu.
производи́тель *м.од.* (*в т. ч. об учреждении*) cynhyrchiad; cynhyrchydd.
производи́тельность *ж.* perfformiad.
производи́ть *несов.* cynhyrchu; gwneud; ildio.
произво́дственный *прил.* diwydiannol.
произво́дство *с.* gwneuthuriad.
произво́л *м.* cyflafan.
произнесе́ние *с.* dywediad; cynaniad; llafar.
произнести́ *сов.* llefaru.
произноси́ть *несов.* geirio; llefaru; ynganu; lleisio; swnio; traddodi; traethu; malu.
произноше́ние *с.* dywediad; cynaniad; acen; ynganiad; araith; llafar.
произойти́ *г.* ❶ digwydd. ❷ tarddu.
произраста́ть *г.* tyfu.
проистека́ть *г.* codi.
происходи́ть *г.* ❶ digwydd; darfod. ❷ gwreiddio; deillio; codi; hanfod; hanu; tarddu.
происхожде́ние *с.* ach; cefndir; achlin; genedigaeth; bôn; llinach; tarddiad; cychwyniad; gwythïen.
происше́ствие *с.* digwyddiad.
пройти́ *сов.* mynd.
пройти́сь *сов.* cerdded.
прока́за *ж.* ❶ ystranc. ❷ gwahanglwyf; iddwf.
прока́ливать *несов.* anelio.
прока́лывать *несов.* tyllu; trywanu; treiddio; pigo; gwanu.
прока́тывать *несов.* treiglo; rholio.
прокиса́ть *г.* suro.
проклина́ть *несов.* tynghedu; rhegi; melltithio.
прокля́тие *с.* melltith; andros; andras; rheg.
прокля́тый *прил.* melltigedig.
проко́л *м.* pigiad.
проко́с *м.* ystod.
прокурату́ра *ж.* Gwasanaeth Erlyn.
прокуро́р *м.од.* erlynydd.
прола́мывать *несов.* adwyo.
пролетариа́т *м.* gwerin.
проли́в *м.* culfor.
пролива́ть *несов.* gollwng; tywallt; diferu.
проливно́й *прил.* (*дождь*) hidl.
проли́ть *сов.* diferu; tywallt; gollwng.
про́лог *м.* (*вступление*) rhagymadrodd.
проло́м *м.* toriad; gagendor; tor; adwy; rhwyg.
пролонга́ция *ж.* estyniad; adnewyddiad.
пролонги́ровать *несов. и сов.* estyn.
прома́тывать *несов.* gwastraffu; afradu; afradloni.
про́мах *м.* bai.
промедле́ние *с.* oediad.
промежу́ток *м.* cyfamser.
проме́р *м.* arolwg.
промо́кнуть *г.* gwlychu.
промолча́ть *г.* tewi.
промыва́ть *несов.* golchi.
промы́шленность *ж.* diwydiant.
промы́шленный *прил.* diwydiannol.
пронести́сь *сов.* gwibio.
пронза́ть *несов.* tyllu; treiddio; trywanu; brathu; gwanu.
пронзи́тельный *прил.* treiddgar; tenau; llym; craff.
прони́зывать *несов.* tyllu; treiddio; trywanu; gwanu.
проника́ть *г.* tyllu; treiddio; trywanu; brathu; gwanu.
прони́кнуть *г.* mynd i mewn (*i rywbeth*); mynd i mewn (*trwy rywbeth*).
проница́тельность *ж.* gweledigaeth.
проница́тельный *прил.* treiddgar; glew; craff.
пропага́нда *ж.* propaganda.
пропада́ть *г.* diflannu; trengi.
пропа́жа *ж.* coll.
пропа́лывать *несов.* chwynnu.
про́пасть[1] *ж.* dibyn; dyfnder; clogwyn; agendor; anoddun.
пропа́сть[2] *г.* diflannu; trengi.
прописно́й *прил.* penodol.
пропи́сывать *несов.* cyfarwyddo.
пропита́ние *с.* cynhaliaeth.
пропи́тывание *с.* gwlychfa.
пропи́тывать *несов.* trwytho; mwydo.

пропищáть *сов.* gwichian.
проповéдник *м.од.* pregethwr; adroddreg; cenhadwr.
проповéдовать *несов.* pregethu.
прóповедь *ж.* pregeth.
прополóть *сов.* chwynnu.
пропорционáльность *ж.* cymesuredd.
пропóрция *ж.* cyfartaledd; cymesuredd.
прóпуск[1] *м.* (*что-л. пропущенное*) absenoldeb; bwlch.
прóпуск[2] *м.* (*документ*) trwydded.
пропускáть *несов.* gollwng; gohebu.
пропусти́ть *сов.* colli.
прорастáние *с.* impiad.
прорвáться *сов.* tyllu; treiddio.
прóрезь *ж.* rhwyg.
проpéктор *м.од.* is-ganghellor.
проpéха *ж.* rhwyg.
прорицáтель *м.од.* dewin.
прорóк *м.од.* proffwyd.
пророни́ть *сов.* gollwng.
прорóческий *прил.* proffwydol; dadlennol.
прорóчество *с.* armes; darogan; proffwydoliaeth; rhamant; tynged.
прорóчить *несов.* darogan; proffwydo.
проры́в *м.* tor; rhwyg.
прорывáться *несов.* tyllu; treiddio; gwanu.
проры́ть *сов.* tyllu.
просвéрливать *несов.* tyllu; gwanu.
просверли́ть *сов.* tyllu.
просéивать *несов.* cannu.
просидéть *сов.* ❶ eistedd (*am sbel*). ❷ treulio (*wrth eistedd*).
проси́тель *м.од.* ymgeisydd.
проси́ть *несов.* gofyn; ymbil; erchi; ymofyn; erfyn; gweddïo; codi (*о цене*).
проскользну́ть *г.* llithro.
прослáвленный *прил.* enwog; clodfawr.
прославля́ть *несов.* moliannu.
прослéживать *несов.* olrhain.
просмáтривать *несов.* adolygu.
просмóтр *м.* adolygiad.
проснýться *сов.* deffro; dihuno.
просодика *ж.* aceniad.
проспéкт *м.* rhodfa; llyfryn.
простáк *м.од.* gŵydd.
простирáть *несов.* ehangu; ymestyn; estyn.
простирáться *несов.* ymestyn; estyn.
проститýтка *ж.од.* putain; maeden; cwsmer.
проститýция *ж.* anniweirdeb.
прости́ть *сов.* esgusodi; maddau.
простодýшие *с.* diniweidrwydd; symledd.
простодýшный *прил.* syml; gwirion; annichellgar.
простóй[1] *прил.* hawdd; syml; plaen; cyntefig; gwirion; unrhyw; sathredig; llwm; moel; croyw.
простóй[2] *м.* (*бездействие*) safiad stond.
простолюди́н *м.од.* iselwr; iangwr; gwerinwr; taeog; adlaw.
простонарóдный *прил.* gwerinol; sathredig.
простонарóдье *с.* gwerin.
простóр *м.* ehangder.
простóрный *прил.* helaeth; eang; llaes.
простотá *ж.* symledd; diniweidrwydd.
простофи́ля *м.ж.* gŵydd.
прострáнный *прил.* helaeth; eang.
прострáнственный *прил.* gofodol.
прострáнство *с.* ehangder; ysbaid; gofod; talwm.
простýда *ж.* annwyd.
простýпок *м.* trosedd; anghyfraith.
простýшка *ж.од.* gŵydd.
простыня́ *ж.* cynfas.
просыпáться[1] *несов.* colli.
просы́паться[2] *сов.* colli.
просыпáться[3] *несов.* deffro; dihuno; deffroi.
прóсьба *ж.* ymbil; erfyn; arch; adolwyn; gofuned.
протáлкивать *несов.* gwthio.
протáлкиваться *несов.* ymwthio.
протáптывать *несов.* troedio; sathru; sangu.
протекциони́ст *м.од.* gwarchodwr; achleswr.
протекционистский *прил.* achlesol.
протéст *м.* gwrthdystiad; gwrthwynebiad.
протестáнт *м.од.* ❶ gwrthdystiwr. ❷ Protestant.
протестáнтский *прил.* Protestannaidd.
протестовáть *г.* gwrthdystio.
прóтив *предл.* rhag; gyferbyn; erbyn.
проти́виться *несов.* gwingo; gwrthsefyll; gwrthwynebu.
проти́вник *м.од.* gwrthwynebwr; gwrthwynebydd; gelyn.
проти́вный *прил.* ysgeler; graen; gwrthwyneb; croes; trwch; salw; rhonc; budr; hyll; ffiaidd; cas; anghynnes; anaddfwyn; anhawddgar.
противо *прист.* gwrth.
противовéс *м.* mantol.
противоестéственный *прил.* annaturiol.
противозакóнный *прил.* anghyfreithlon; anghyfreithiol; anachaidd.
противоположéние *с.* gwrthgyferbyniad.
противоположность *ж.* gwrthgyferbyniad; gwrthwyneb.
противоположный *прил.* gwrthwyneb; croes; traws; gogyfer; cyferbyn; croesog.
противопоставля́ть *несов.* gwrthwynebu.
противоречи́вый *прил.* anghyson; anghytûn.
противоре́чие *с.* anghysondeb.
противостоя́ть *г.* gwrthsefyll; gwrthwynebu.

противоя́дие *с.* cyfaredd.
протира́ть *несов.* sychu.
проти́скиваться *несов.* gwasgu.
прото́к *м.* dwythell.
прото́ка *ж.* camlas.
протоко́л *м.* cofnod.
протоколи́ровать *несов.* cofnodi.
проту́хший *прил.* clwc.
протыка́ть *несов.* tyllu; treiddio; pigo; trywanu; gwanu.
протя́гивать *несов.* ehangu; ymestyn; estyn.
протяже́ние *с.* cyrhaeddiad; estyniad; hyd; gofod; talwm.
протяну́ть *сов.* ymestyn; llusgo; tynnu.
профессиона́л *м.од.* gweithiwr proffesiynol.
профессиона́льный *прил.* proffesiynol; galwedigaethol.
профе́ссия *ж.* galwedigaeth.
профе́ссор *м.од.* athro.
профсою́з *м.* undeb.
прохла́да *ж.* oerfelgarwch.
прохладительный *прил.* gooer.
прохла́дный *прил.* oeraidd; oerfelog; oer; oerllyd; anwydog; gooer.
прохо́д *м.* tramwyfa; mynediad; mynedfa.
проходи́ть[1] *несов.* ❶ mynd; tyllu; treiddio; trywanu; gwanu; gohebu. ❷ astudio.
проходи́ть[2] *г.* (*провести какое-л. время в ходьбе*) cerdded.
прохожде́ние *с.* tramwyfa; mynedfa.
прохо́жий[1] *прил.* yn mynd heibio.
прохо́жий[2] *м.од.* dyn yn mynd heibio.
процвета́ние *с.* ffyniant; llwyddiant; llwydd.
процвета́ть *г.* llwyddo; ffynnu.
процеду́ра *ж.* trefniadaeth.
проце́нт *м.* ❶ canran. ❷ llog. **семьдесят процентов** saith deg y cant.
проце́сс *м.* achos.
проце́ссия *ж.* gorymdaith.
проче́сть *сов.* darllen.
прочёсывать *несов.* cribo.
про́чий *мест.* llall.
прочита́ть *сов.* darllen.
прочища́ть *несов.* carthu; gweithio.
про́чность *ж.* cadernid; gwydnwch; sefydlogrwydd.
про́чный *прил.* cadarn; praff; ffyrf; sefydlog; sicr; grymus; greddfol; parhaus.
прочте́ние *с.* darlleniad.
прочь *нареч.* hwnt; draw; ymaith; i ffwrdd.
проше́дшее *с.* gorffennol.
проше́дший *прил.* gorffennol.
проше́ние *с.* deiseb; arch; cais.
прошепта́ть *сов.* sibrwd.
про́шлый *прил.* gorffennol; diwethaf.
проща́ть *несов.* esgusodi; trugarhau; maddau; gollwng; absolfennu. **прощай!** ffarwél!
проща́ться *несов.* canu'n iach; ffarwelio.
проще́ние *с.* gras; trugaredd; absolfeniad; absolfen.
прояви́ть *сов.* ❶ amlygu. ❷ datblygu.
проявле́ние *с.* amlygiad; eglurhad; datblygiad.
проявля́ть *несов.* ❶ amlygu. ❷ datblygu.
проявля́ться *несов.* amlygu; ymddangos.
проясня́ть *несов.* gloywi.
проясня́ться *несов.* gloywi.
пруд *м.* pwll; llyn.
прудо́к *м.* pwll.
прут *м.* llathen; llath; gwaell; bar; gwialen.
пры́гать *г.* llamu; neidio.
пры́гнуть *г.* neidio.
прыжо́к *м.* naid; llam.
прыщ *м.* ploryn.
пряди́льщик *м.од.* troellwr; nyddwr.
пряди́льщица *ж.од.* troellwr; nyddwr.
прядь *ж.* cainc; ffluwch; ffluwchyn.
пря́жка *ж.* gwaeg; cae.
прямо́й *прил.* syth; gwastad; uniongyrchol; union.
прямоуго́льник *м.* sgwar.
прямоуго́льный *прил.* iawnonglog; petryal.
пря́ный *прил.* poeth.
прясть *несов.* nyddu; troelli.
пря́тать *несов.* dirgelu; celu; cuddio.
пря́таться *несов.* bachu; dirgelu; llechu.
пря́ха *ж.од.* troellwr; nyddwr.
псало́м *м.* salm.
псалты́рь *ж.* llaswyr.
псевдони́м *м.* llysenw; ffugenw.
психи́ческий *прил.* meddwl; meddyliol.
психоана́лиз *м.* dadansoddiad eneidegol.
психологи́ческий *прил.* meddyliol; seicolegol.
психоло́гия *ж.* meddyleg.
пта́шка *ж.од.* aderyn.
птене́ц *м.од.* cyw.
пти́ца *ж.од.* aderyn; ehediad; adain.
птицело́в *м.од.* adarwr.
птицеловство *с.* adarwriaeth.
пти́чка *ж.од.* (*уменьш. к «птица»*) aderyn.
пти́чник *м.* (*птичий двор*) adardy.
пу́блика *ж.* cyhoedd; cynulleidfa.
публика́ция *ж.* cyhoeddiad.
публикова́ть *несов.* cyhoeddi; hysbysu.
публи́чность *ж.* cyhoeddusrwydd.
публи́чный *прил.* cyhoedd; cyhoeddus.
пу́гало *с.* (*чучело*) bwgan brain.
пуга́ть *несов.* gwylltu; dychryn; gwylltio; cythruddo; brawychu; tarfu.
пуга́ться *несов.* gwylltu; dychryn; petruso; cythruddo; brawychu.
пугли́вый *прил.* gwyllt; brawychus; anhyderus.
пу́говица *ж.* botwm.
пу́динг *м.* pwdin.
пу́дра *ж.* powdwr.

пузырёк *м.* bwrlwm.
пузы́рь *м.* (*в прямом знач.*) bwrlwm; chwysigen.
пу́кать *несов.* rhechain; rhechu.
пулемёт *м.* dryll peiriant.
пульс *м.* curiad.
пульса́ция *ж.* curiad; cur.
пу́ля *ж.* pelen; pêl.
пункт *м.* ❶ pwnc; erthygl; bannod; pwynt; pwyth; eitem. ❷ gorsaf.
пунктуа́льность *ж.* manyldeb; prydlondeb.
пунктуа́льный *прил.* prydlon.
пуп *м.* bogail.
пупо́к *м.* bogail.
пурга́ *ж.* lluwchwynt.
пурита́нин *м.од.* Piwritan.
пурита́нский *прил.* piwritanaidd.
пу́рпур *м.* cen.
пу́рпурный *прил.* porffor.
пурпуровый *прил.* porffor.
пуска́ть *несов.* ❶ cychwyn. ❷ rhyddhau; gadael. ❸ tynnu.
пусти́ть *сов.* gadael.
пусто́й *прил.* gwag; cau; adfant; ofer; moel; gwacsaw; seithug; llwm.
пустосло́вие *с.* oferiaith.
пустота́ *ж.* gwagedd; adfant.
пустоте́лый *прил.* cau.
пу́стошь *ж.* dryswch; rhos; anghyfanheddle.
пусты́нник *м.од.* meudwy.
пусты́нный *прил.* (*от «пустыня»*) diffaith; anghyfanheddol; anial.
пусты́ня *ж.* diffaith; gwyllt; anialwch; anialdir; anial.
пусть[1] *сз.* er.
пусть[2] *част.* передается повелительным наклонением. **пусть все приходят!** deled pawb! gadwch iddynt i gyd ddod!
пустя́к *м.* y nesaf peth i ddim; peth dibwys.
пустяко́вый *прил.* tila; pitw.
пустя́чный *прил.* gwacsaw.
пу́таница *ж.* astrusi; cymysgedd; llanast; llanastr; cawl; anhrefn.
пу́тать *несов.* cymysgu; codlo.
путеводи́тель *м.* hyfforddwr; teithlyfr; arweiniad.
путём *предл.* trwy; â.
путепрово́д *м.* pont.
путеше́ственник *м.од.* teithiwr; cerddedwr.
путеше́ствие *с.* taith; ymdaith; cerdd; hwyl.
путеше́ствовать *г.* teithio; ymdaith.
пу́ты *ж.мн.* gefyn; llyffethair; egwyd; hual.
путь *м.* tramwyfa; wysg; cerrynt; ystod; mynedfa; ffordd; hynt; llwybr.
пух *м.* manblu; fflwcs.
пу́хлый *прил.* tew.
пу́хнуть *г.* chwyddo.
пучи́на *ж.* dyfnder; eigion; gagendor; anoddun.
пучо́к *м.* cudyn; ysgub; tusw; bagad.
пу́шка *ж.* gwn; dryll; magnel; cyflegr.
пушка́рь *м.од.* magnelwr.
пушни́на *ж.* ffwr; pân.
пушо́к *м.* ceden.
пу́ща *ж.* coetir.
пчела́ *ж.од.* gwenynen.
пшени́ца *ж.* gwenith.
пыл *м.* cynhesrwydd; angerdd; arial; aidd; gwres; brwdfrydedd; brwd; annwyd.
пыла́ть *г.* ennyn; llosgi; eiriasu.
пылесо́с *м.* sugnwr llwch.
пы́лкий *прил.* calonnog; selog; angerddol; eiddgar; tanbaid; twym; poeth; brwdfrydig; brwd; eirias; tesog; awchus.
пыль *ж.* ulw; lluwch; llwch.
пы́льный *прил.* llychlyd.
пыта́ться *несов.* ceisio; ymdrechu; cynnig; ymgeisio; amcanu; astudio; treio.
пы́тка *ж.* artaith.
пытли́вый *прил.* chwilfrydig.
пыхте́ть *г.* dyheu; chwythu; ffroeni.
пы́шность *ж.* rhialtwch; ysblander; mawredd.
пы́шный *прил.* mawreddog; crand; chwyddedig; irdwf; iraidd.
пьедеста́л *м.* sylfaen.
пье́са *ж.* darn; drama.
пью́щий *прил.* brwysg.
пьяне́ть *г.* meddwi.
пья́ница *м.ж.* meddwyn.
пья́нствовать *г.* meddwi.
пья́ный *прил.* meddw; abrwysg; brwysg.
пядь *ж.* 0.1778 m.
пя́литься *несов.* llygadu; rhythu; craffu.
пята́ *ж.* sawdl.
пятёрка *ж.* pump.
пя́теро *числит.* pump.
пятидесятница *ж.* (*церковный праздник*) Sulgwyn.
пятидеся́тый *числит.* hanner canfed.
пя́тка *ж.* sawdl.
пятна́дцатый *числит.* pymthegfed.
пятна́дцать *числит.* pymtheg.
пятна́ть *несов.* brychu; britho; anurddo.
пятни́стый *прил.* brych; brith.
пя́тница *ж.* dydd Gwener.
пятно́ *с.* magl; staen; brych; nam; man; smotyn.
пя́тнышко *с.* brych; man; smotyn; brycheuyn.
пято́к *м.* pump.
пя́тый *числит.* pumed.
пять *числит.* pump.
пятьдеся́т *числит.* hanner cant.
пятьсо́т *числит.* pum cant.

Р

раб *м.од.* caethwas; caeth; taeog; alltud; aillt.
рабá *ж.од.* caethes; caethferch; caethwraig.
раболéпный *прил.* gweinyddol; iswasanaethgar.
рабóта *ж.* gwaith; llafur; swydd; dyletswydd; gweithrediad; gweithred.
рабóтать *г.* llafurio; gweithredu; gweithio.
рабóтник *м.од.* gweithiwr.
работодáтель *м.од.* (*в т. ч. об учреждении*) cyflogwr.
работоргóвля *ж.* caethfasnach.
рабóчий[1] *прил.* gweithgar; gweithredol; sy'n gweithio; gweithiol.
рабóчий[2] *м.од.* gweithiwr.
рáбский *прил.* gwasaidd.
рáбство *с.* caethiwed; gwedd.
рабы́ня *ж.од.* caethes; caethferch; caethforwyn.
рáвенство *с.* gwastadedd; cydraddoldeb; cyfartaledd.
равни́на *ж.* gwastadedd; rhos; ystrad.
равновéсие *с.* cydbwysedd; mantol; cymhwysiad.
равновéсный *прил.* cytbwys.
равнодéнствие *с.* alban.
равнодýшие *с.* difaterwch.
равнодýшный *прил.* diawch; oer.
равнознáчный *прил.* cyfradd.
равномéрный *прил.* cyfartal.
равнопрáвие *с.* cydraddoldeb.
равнопрáвный *прил.* cydradd; cyfartal.
равноси́льный *прил.* cydradd; cyfystyr; cyfartal.
равноцéнный *прил.* cyfystyr.
рáвный *прил.* cydradd; cyfryw; cyfartal; hafal; cyffelyb.
рад *прил.* llawen.
рáда *ж.* senedd.
рáди *предл.* oblegid; gogyfer; er; i; achos.
радиáтор *м.* rheiddiadur.
радиáция *ж.* ymbelydredd.
рáдио *с.* radio.
радиоакти́вный *прил.* ymbelydrol.
радиовещáние *с.* darllediad.
радиопередáча *ж.* darllediad.
радиоприёмник *м.* derbynnydd.
радиорепортаж *м.* darllediad.
радиотрансляция *ж.* darllediad.
рáдовать *несов.* llawenychu; llawenhau; plesio.
рáдоваться *несов.* llawenychu.
рáдостный *прил.* arab; llon; llawen; hoyw; digrif; balch; afieithus.
рáдость *ж.* llawenydd; digrifwch; gorfoledd; afiaith.
рáдуга *ж.* enfys.
радýшный *прил.* hynaws.
раёк *м.* sioe sbecian.
раз[1] *м.* gwaith; tro; un (*при счете*); adeg.
раз[2] *сз.* os; gwaith.
раз[3] *нареч.* unwaith.
разбазáривать *несов.* afradloni.
разбáлтывать *несов.* ❶ cega; prepian. ❷ siglo.
разбивáть *несов.* hollti; torri; chwalu; gwasgaru.
разбивáться *несов.* torri.
разбирáть *несов.* dadwneud; dadansoddi; dadelfennu.
разбирáться *несов.* ❶ dadansoddi. ❷ deall. ❸ cael ei ddadansoddi.
разби́тый *прил.* briw; trwch; twn; candryll.
разби́ть *сов.* malu.
разбóйник *м.од.* lleidr; ysbeiliwr.
разбóр *м.* dadansoddiad.
разбрáсывать *несов.* chwalu; hau; tarfu; gwasgaru.
разбры́згивать *несов.* tasgu.
разбуди́ть *сов.* deffro.
разбухáние *с.* chwydd.
развáлины *ж.мн.* carnedd; adfail.
рáзве[1] *част.* tybed; o ddifrif; yn wir.
рáзве[2] *сз.* onid; onis.
развевáться *несов.* chwifio.
разведéние *с.* gwrtaith.
развéдка *ж.* cudd-ymchwil; rhagchwiliad.
развéдчик *м.од.* ysbïwr.
развернýть *сов.* ❶ troi. ❷ datod. ❸ gosod.
развернýться *сов.* ❶ troi. ❷ ymfyddino.
развёртывание *с.* datblygiad.
развёртывать *несов.* lledu; taenu; gwasgaru.
развести́ *сов.* ❶ arwain; gosod. ❷ gwahanu. ❸ lledu; agor. ❹ gwanhau. ❺ cynnau. ❻ garddu; magu.
разветвлéние *с.* gafl.
развéшивать *несов.* (*картины, белье*) hongian; crogi.
развивáть *несов.* datblygu.
развивáться *несов.* datblygu.
разви́лка *ж.* fforch.
разви́тие *с.* datblygiad; tyfiant; cynhyrchiad.
развитóй *прил.* diwylliedig.
разви́ть *сов.* datblygu.
развлекáтельный *прил.* difyr; adloniadol.
развлекáть *несов.* difyrru; adlonni.
развлечéние *с.* digrifwch; miri; difyrrwch; mwynhad; adloniant.

разво́д *м.* ❶ ysgariad. ❷ amlhad. ❸ staen. **торжественный развод караулов** cyflwyno'r faner.
разводи́ть *несов.* ❶ arwain; gosod. ❷ gwahanu. ❸ agor; lledu. ❹ glastwreiddio; gwanhau. ❺ cynnau. ❻ magu; hilio; garddu; garddio.
разводи́ться *несов.* ysgaru; gwahanu.
развора́чивать[1] *несов.* gwneud llanast.
развора́чивать[2] *несов.* ❶ troi. ❷ datod. ❸ gosod; ymfyddino.
развора́чиваться *несов.* ❶ troi. ❷ ymfyddino.
разворо́т *м.* tro.
развороти́ть *сов.* gwneud llanast.
развра́т *м.* aflendid; godineb; anniweirdeb.
развра́тный *прил.* rhewydd.
развраща́ть *несов.* gwenwyno; llygru.
развращённость *ж.* llygredd.
развращённый *прил.* budr; pwdr.
развя́зный *прил.* blaenllaw; ban.
развя́зывать *несов.* datod; gollwng; datrys.
разга́р *м.* dyfnder.
разгляде́ть *сов.* canfod.
разгля́дывать *несов.* craffu.
разгне́ванный *прил.* (*речь, взор*) irllawn; dig.
разгова́ривать *г.* (*вести разговор*) gohebu; ymddiddan; sgwrsio; sôn; llefaru; siarad.
разгово́р *м.* ymddiddan; sgwrs; sôn; siarad; gair.
разгово́рный *прил.* llafar.
разгово́рчивый *прил.* siaradus.
разгоня́ть *несов.* chwalu; tarfu; gwasgaru.
разгоряча́ть *несов.* twymo; cynhesu.
разгорячи́ть *сов.* poethi; twymo.
разгружа́ть *несов.* gollwng; dadlwytho.
разгу́л *м.* terfysg.
раздава́ть *несов.* rhannu; dyrannu; dosbarthu.
раздава́ться *несов.* ❶ atseinio. ❷ gwneud lle i rn. ❸ tewychu. ❹ cael ei ddosbarthu.
раздави́ть *сов.* gwasgu.
разда́ться *сов.* ❶ atseinio. ❷ gwneud lle i rn. ❸ tewychu. ❹ cael ei ddosbarthu.
разда́ча *ж.* dosbarthiad.
раздева́ть *несов.* diarchenu; ymddihatru; diosg; dadwisgo.
раздева́ться *несов.* ymddihatru; diarchenu; diosg.
разде́л *м.* pennod; adnod.
разделе́ние *с.* gwahân; rhaniad; gwahaniad.
раздели́ть *сов.* gwahanu; rhannu.
разде́лываться *несов.* sefydlu.
разделя́ть *несов.* cyfranogi; ysgaru; parthu; rhannu; neilltuo; dyrannu; gwahanu; didoli.
разделя́ться *несов.* ymwahanu; ymrannu; parthu; gwahanu.
разде́ть *сов.* dadwisgo.
разде́ться *сов.* ymddihatru.
раздира́ть *несов.* llarpio; rhwygo.
раздо́р *м.* ymryson; cynnen; anheddwch.
раздража́ть *несов.* chwerwi; cyffroi; coddi; digio; cythruddo; anfoddio; cynddeiriogi.
раздража́ться *несов.* cythruddo.
раздраже́ние *с.* digofaint; llid; dicter; goglais.
раздражённый *прил.* (*человек, нервы, кожа*) llidus; gwyllt; poeth.
раздражи́мый *прил.* anniddig.
раздражи́тельный *прил.* anniddig; pigog; annaturus.
раздува́ться *несов.* chwyddo.
разду́мывать *г.* pwyllo; adlewyrchu.
разду́мье *с.* myfyrdod; myfyr; adlewyrch.
разжа́ловать *сов.* iselhau.
разжига́ть *несов.* hogi.
разжижа́ть *несов.* datod.
разжиже́ние *с.* lleihad.
раззадо́рить *сов.* hogi.
разлага́ть *несов.* neilltuo; dadelfennu.
разлага́ться *несов.* pydru; llygru; adfeilio.
разла́д *м.* anghydfod; anghytgord; anghytundeb.
разли́в *м.* (*реки*) dilyw; llifeiriant; llif.
разлива́ть *несов.* tywallt.
разли́тие *с.* llifeiriant.
разли́ть *сов.* tywallt.
различа́ть *несов.* gwahaniaethu; gwahanu; dirnad; dynodi; canfod.
различа́ться *несов.* gwahaniaethu; amrywio.
различе́ние *с.* arbenigrwydd.
разли́чие *с.* gwahaniaeth; gwahân; rhagor; arbenigrwydd.
различи́мый *прил.* gweladwy.
различи́ть *сов.* gwahaniaethu.
разли́чный *прил.* amryfal; gwahanol; amryw; amrywiol; amgenach; amgen.
разложе́ние *с.* ❶ adfeiliad; pydredd; adfeiliant. ❷ dadansoddiad.
разлуча́ть *несов.* ysgaru; parthu; gwahanu; didoli.
разлуче́ние *с.* ysgariad.
разма́зывать *несов.* lledu; taenu; chwalu; gwasgaru.
разма́х *м.* ysgubiad.
разма́хивать[1] *г.* (*рукой, дубиной*) ysgwyd; chwifio; siglo.
разма́хивать[2] *несов.* (*раскачивать*) siglo.
разма́чивать *несов.* mwydo.
разме́нивать *несов.* cyfnewid.
разменя́ть *сов.* newid; cyfnewid.
разме́р *м.* maint; mesuriad; rhif; graddfa; mesur.
размеща́ть *несов.* trefnu; rhannu; lleoli; dosbarthu.
размеще́ние *с.* lleoliad.

размножа́ть *несов.* lluosogi; lluosi.
размножа́ться *несов.* magu; hilio.
размышле́ние *с.* myfyrdod; myfyr; meddwl; astudiaeth; adlewyrch; cydsyniad.
размышля́ть *г.* synfyfyrio; myfyrio; pwyllo; adlewyrchu; astudio.
разнима́ть *несов.* parthu; gwahanu.
ра́зниться *несов.* amrywio.
ра́зница *ж.* gwahaniaeth; gwahân; ots; rhagor; annhebygrwydd; annhebygolrwydd.
разнови́дность *ж.* rhith; amrywiad; math; rhywogaeth; bath.
разногла́сие *с.* anghydfod; anghysondeb; anghytgord; anghytundeb.
разноголосый *прил.* amrysain.
разнообра́зие *с.* amrywiaeth; amrywedd; gwahân; amheuthun.
разнообра́зить *несов.* amrywio.
разнообра́зный *прил.* amryfal; gwahanol; amryw; amlblyg; amryfath; amryfodd.
разноро́дность *ж.* amrywiaeth.
разноро́дный *прил.* amryfal.
разноси́ть *несов.* lledu; taenu; lledaenu; chwalu; gwasgaru.
разносторо́нний *прил.* amryfal.
разноцве́тный *прил.* brith; amryliw; brwyd.
ра́зный *прил.* amryfal; gwahanol; amryw; amrywiol; amgenach; amgen; amlblyg.
разоблача́ть *несов.* dinoethi; datguddio; amlygu.
разоблаче́ние *с.* datguddiad.
разоблачительный *прил.* dadlennol.
разобра́ть *сов.* dadwneud; dadansoddi.
разобра́ться *сов.* ❶ dadansoddi. ❷ cael ei ddadansoddi.
разобща́ть *несов.* datgysylltu.
разобще́ние *с.* ysgariad.
разогрева́ть *несов.* poethi; twymo.
разогреваться *несов.* twymo.
разойти́сь *сов.* ❶ gwahaniaethu; gwahanu; ymwahanu; gwasgaru. ❷ cyflymu.
разорва́ть *сов.* torri.
разоре́ние *с.* dinistr; adfail; difrod; aball; adfeiliant; adfeiliad; anrhaith.
разори́тельный *прил.* andwyol.
разори́ться *сов.* torri.
разоря́ть *несов.* tlodi; anialu; andwyo.
разоря́ться *несов.* torri.
разочарова́ние *с.* siom; llesteiriant.
разочаро́ванный *прил.* (*пессимистичный; грустный*) siomedig.
разочаро́вывать *несов.* siomi.
разраба́тывать *несов.* datblygu.
разрабо́тать *сов.* datblygu.
разрабо́тка *ж.* datblygiad.
разрази́ться *сов.* torri.
разреже́нный *прил.* tenau; main.
разре́з *м.* toriad.
разреза́ть *несов.* hollti; torri; lladd.
разреша́ть *несов.* ❶ awdurdodi; trwyddedu; galluogi; caniatáu; gadael; cydsynio. ❷ datrys; datgelu.
разреша́ющий *прил.* caniataol; cenhadol.
разреше́ние *с.* ❶ penderfyniad; trwydded; caniatâd; cydsyniad; cynnwys; lwfans. ❷ datrysiad. ❸ cydraniad (*sgrîn, llun*). **разрешение от бремени** esgoriad.
разреши́ть *сов.* ❶ caniatáu. ❷ datrys.
разруба́ть *несов.* naddu.
разру́ха *ж.* llanast; llanastr.
разруша́ть *несов.* difetha; ysu; difa; dymchwel; dinistrio; chwalu; difrodi; andwyo.
разруша́ться *несов.* dirywio; adfeilio.
разруше́ние *с.* dinistr; difrod; aball; adfeiliant; adfeiliad.
разруши́тельный *прил.* andwyol; dinistriol.
разру́шить *сов.* dinistrio.
разры́в *м.* toriad; rhwygiad; tor; adwy; rhwyg.
разрыва́ть[1] *несов.* torri.
разрыва́ть[2] *несов.* llarpio; rhwygo; parthu.
разря́д *м.* ❶ rheng; rhywogaeth; bath; math; dosbarth. ❷ dadwefriad.
разряжа́ть *несов.* gollwng; dadlwytho.
разува́ть *несов.* diarchenu.
разува́ться *несов.* datod; diarchenu.
разузнава́ть *несов.* ymofyn.
ра́зум *м.* ymdeimlad; dealltwriaeth; synnwyr; pwyll; deall; rheswm.
разуме́ться *несов.* bod yn ddealladwy. **само собой разумеется, что...** afraid dweud bod... **это само собой разумеется** mae hynny'n ganiataol.
разу́мный *прил.* rhesymol; meddyliol; deallus; dyledus.
разъеда́ть *несов.* gwenwyno; ysu.
разъедине́ние *с.* anundeb.
разъединя́ть *несов.* datgysylltu; ysgaru; parthu; rhannu; gwahanu.
разъезжа́ть *г.* (*ездить, путешествовать*) teithio.
разъяре́нный *прил.* (*бешеный, гневный*) dig.
разъясне́ние *с.* eglurhad; esboniad; goleuni.
разъясня́ть *несов.* esbonio.
разыска́ть *сов.* dod o hyd (*i rth*).
разы́скивать *несов.* ymofyn; argeisio.
рай *м.* paradwys.
райко́м *м.* pwyllgor ardal.
райо́н *м.* mangre; cyfyl; cymdogaeth; tuedd; rhanbarth; dosbarth; ardal; bro; parth.
райо́нный *прил.* dosbarthol; ardalol.
рак[1] *м.од.* (*животное*) cranc.
рак[2] *м.* (*болезнь*) cranc.
раке́та *ж.* taflegryn.
раке́тка *ж.* rhwyll.

раки́тник *м.* banhadlen.
ра́ковина *ж.* ❶ cragen. ❷ sinc. ❸ chwysigen (*в металле*).
раку́шка *ж.* cragen.
ра́ма *ж.* fframwaith; carfan.
ра́мка *ж.* ffrâm.
ра́на *ж.* briw; anaf; clwyf; cyflafan; dolur; goglais.
ранг *м.* rheng; ystad; gradd; trefn.
ра́нее *нареч.* (*в прежнее время*) gynt.
ране́ние *с.* briw; anaf.
ра́неный *прил.* anafus.
ра́нец *м.* pac.
ра́нить *несов. и сов.* gwanu; addoedi; brathu.
ра́нний *прил.* plygeiniol; blaenllaw; buan; cynnar; bore.
ра́но *нареч.* yn gynnar.
ра́ньше *нареч.* (*в прежнее время; сначала*) gynt; fry.
ра́порт *м.* adroddiad.
ра́са *ж.* cenedl; hil; cyff.
раси́зм *м.* hiliaeth.
раси́стский *прил.* hiliol.
раска́иваться *несов.* edifaru.
раска́лывать *несов.* hollti; rhwygo; clecian; agennu.
раска́пывать *несов.* cloddio.
раска́тывать *несов.* treiglo; rholio.
раска́чивать *несов.* siglo.
раска́яние *с.* edifeirwch.
раски́дывать *несов.* lledu; taenu; chwalu; gwasgaru.
раско́л *м.* hollt; rhwygiad; tor; rhwyg.
раскра́шивать *несов.* lliwio.
раскрыва́ть *несов.* agor; darganfod; dinoethi; noethi.
раскрыва́ться *несов.* ymagor.
раскры́тие *с.* datguddiad.
раскры́тый *прил.* agored.
раскры́ть *сов.* agor; darganfod.
ра́совый *прил.* hiliol.
распа́д *м.* gwahân; adfeiliant; adfeiliad.
распада́ться *несов.* adfeilio.
распаха́ть *сов.* aradru.
распа́хивать[1] *несов.* agor.
распа́хивать[2] *несов.* aradru.
распа́хиваться *несов.* ymagor.
распахну́ть *сов.* agor.
распахну́ться *сов.* ymagor.
распева́ть *несов.* (*что-л. по нотам и т.п.*) datganu.
распека́ть *несов.* difrïo; tafodi; dwrdio.
распи́ливать *несов.* llifio.
распина́ть *несов.* crogi.
расписа́ние *с.* amserlen; tabl.
распи́ска *ж.* taleb.
расплавля́ться *несов.* ymdoddi.
распла́та *ж.* tâl.
расплати́ться *сов.* sgwario.
распла́чиваться *несов.* sefydlu.
расплёскивать *несов.* tasgu.
расплю́щивать *несов.* taenu; chwalu.
распознава́ть *несов.* dirnad; gwahaniaethu.
располага́ть[1] *несов.* ❶ trefnu; lleoli. ❷ tueddu.
располага́ть[2] *г.* (*обладать, иметь в распоряжении*) meddu.
располага́ться *несов.* ymsefydlu.
расположе́ние *с.* ❶ trefniant; trefniad; trefn. ❷ sefyllfa; safle. ❸ tueddiad. ❹ tymer.
располо́женный *прил.* (*склонный к чему-л., благосклонный к кому-л.*) pleidiol; tueddol; parod; ffafriol.
расположи́ть *сов.* ❶ lleoli; trefnu. ❷ tueddu.
распоряди́тель *м.од.* goruchwyliwr.
распоряди́ться *сов.* ❶ gorchymyn. ❷ defnyddio.
распоряжа́ться *несов.* ❶ gorchymyn. ❷ trefnu; defnyddio.
распоряже́ние *с.* gorchymyn. **я в Вашем распоряжении** yr wyf yn barod i'ch gwasanaethu.
расправля́ть *несов.* lledu; taenu.
распределе́ние *с.* rhaniad; cyfran; dosbarthiad.
распределя́ть *несов.* parthu; rhannu; mesur; dyrannu; dosbarthu; cydrannu.
распростране́ние *с.* estyniad; dosbarthiad; darllediad; taniad.
распространённый *прил.* (*часто встречающийся взгляд, заблуждение, вид растений и т.д.*) sathredig; cyffredin.
распространи́ть *сов.* lledaenu.
распространя́ть *несов.* lledu; lledaenu; ehangu; ymestyn; taenu; dosbarthu; estyn; hau; gwasgaru; rhannu; amgylchynu; amlhau.
распространя́ться *несов.* lledu; ehangu; taenu.
распрямля́ть *несов.* sgwario.
распуска́ть *несов.* datod; gollwng; toddi.
распуска́ться *несов.* ❶ blodeuo; impio. ❷ gollwng.
распу́тничать *г.* anlladu.
распу́тный *прил.* anllad; rhewydd; rhwyfus; anfoesol; anfucheddol; anniwair.
распу́тство *с.* anlladrwydd.
распу́тывать *несов.* datod; datrys.
распу́щенность *ж.* anfoes; anfoesoldeb.
распу́щенный *прил.* ❶ llaes. ❷ anfoesol; anfucheddol.
распя́тие *с.* croes.
расса́да *ж.* ad-ddail.
расса́дник *м.* meithrinfa.
рассве́т *м.* plygain; gwawr.

рассе́ивать *несов.* chwalu; hau; tarfu; gwasgaru.
рассе́иваться *несов.* tarfu; gwasgaru; ymwasgaru.
рассе́лина *ж.* hollt; agen; rhwyg.
рассерди́ться *сов.* digio.
рассе́рженный *прил.* (*на кого-л., на что-л.; испытывающий гнев*) irllawn; dig; llidus; gwyllt.
расска́з *м.* cyfarwyddyd; chwedl; adameg.
рассказа́ть *сов.* adrodd.
расска́зчик *м.од.* cyfarwydd; adroddreg; datgeiniad.
расска́зывать *несов.* mynegi; adrodd.
расслабля́ть *несов.* ymlacio.
расслабля́ться *несов.* ymlacio.
рассле́дование *с.* holiad; ymholiad; ymgais; ymchwiliad; ymofyn.
рассле́довать *несов. и сов.* archwilio; ymgeisio; ymchwilio.
рассма́тривать *несов.* ystyried; pwyllo; adolygu.
рассмея́ться *сов.* chwerthin.
рассмотре́ние *с.* ystyriaeth.
рассмотре́ть *сов.* ❶ canfod; adolygu. ❷ ystyried; pwyllo.
рассна́щивать *несов.* gollwng.
рассо́л *м.* heli.
расспра́шивать *несов.* gofyn.
расстава́ться *несов.* ymwahanu; ymrannu; parthu; gwahanu.
расста́вить *сов.* trefnu.
расставля́ть *несов.* trefnu.
расстано́вка *ж.* trefn; trefniad.
расста́ться *сов.* gwahanu.
расстегивать *несов.* (*одежду*) datod.
расстегну́ть *сов.* datod.
расстила́ть *несов.* lledu; taenu.
расстоя́ние *с.* pellter; gofod; plwc; talwm.
расстра́ивать *несов.* cyffroi; siomi; anfodloni.
расстра́иваться *несов.* anfodloni.
расстре́л *м.* saethu yn farw.
расстреля́ть *сов.* saethu yn farw.
расстри́га *м.од.* adfynach.
расстро́йство *с.* llesteiriant; anhrefn; afreolaeth; afreol; afiechyd; adfeiliant; adfeiliad; anhwyldeb; anhwylder.
расступа́ться *несов.* ymwahanu.
рассуди́тельный *прил.* rhesymol; sobr.
рассу́док *м.* dealltwriaeth; synnwyr; deall; rheswm.
рассужда́ть *г.* rhesymu.
рассужде́ние *с.* ymresymiad.
рассчита́ть *сов.* ❶ cyfrif. ❷ diswyddo.
рассчита́ться *сов.* sgwario.
рассчи́тывать[1] *г.* (*надеяться, считать вероятным что-л.*) ❶ dibynnu. ❷ disgwyl.
рассчи́тывать[2] *несов.* ❶ cyfrif. ❷ diswyddo.
рассы́пать[1] *несов.* colli; gwasgaru.
рассы́пать[2] *сов.* colli.
рассы́паться[1] *сов.* ❶ ymwasgaru. ❷ adfeilio; briwsioni.
рассы́паться[2] *несов.* ❶ ymwasgaru. ❷ briwsioni; adfeilio.
раста́пливать *несов.* toddi.
растапливаться *несов.* ymdoddi.
раста́птывать *несов.* sarnu; sathru; sangu.
раство́р *м.* toddiant; cymrwd.
растворе́ние *с.* toddiant; toddiad.
раствори́мый *прил.* toddadwy.
раствори́тель *м.* toddydd.
растворя́ть *несов.* datod.
растворя́ться *несов.* meirioli.
расте́ние *с.* planhigyn.
расте́рянность *ж.* dryswch; penbleth.
растеря́ть *сов.* colli.
растеря́ться *сов.* bod yn syfrdan; cael eich syfrdanu.
расти́ *г.* tyfu; cynyddu.
растира́ть *несов.* ❶ malu. ❷ iro.
расти́тельный *прил.* llysieuol.
расти́ть *несов.* dyrchafu; magu.
расто́пка *ж.* tanwydd.
расточа́ть *несов.* difetha; ysu; difa; gwastraffu; difrodi; afradu; afradloni; gwasgaru.
расточи́тельность *ж.* gwastraff; afradlonedd.
расточи́тельный *прил.* afradlon; anghryno; anghynnil.
растравля́ть *несов.* chwerwi.
растра́чивать *несов.* gwastraffu.
растро́гать *сов.* cyffroi; syflyd.
растя́гивать *несов.* lledu; ymestyn; tynnu; estyn; taenu.
растя́гиваться *несов.* ymestyn.
растяже́ние *с.* tyndra.
растя́па *м.ж.* bwngler.
расхва́ливать *несов.* clodfori.
расхища́ть *несов.* anrheithio.
расхля́банный *прил.* llac; llaes.
расхо́д *м.* cost; traul.
расходи́ться[1] *несов.* gwasgaru; ymwahanu; gwahaniaethu; gwahanu; amrywio.
расходи́ться[2] *сов.* (*привыкнуть к ходьбе*) cyflymu.
расхо́дование *с.* cost; traul.
расхо́довать *несов.* ysu; difa; gwario.
расхола́живать *несов.* digalonni; anghefnogi.
расцара́пать *сов.* crafu.
расцвета́ть *г.* blodeuo.
расцве́чивать *несов.* britho.
расце́нка *ж.* cyfradd.
расцепля́ть *несов.* datgysylltu.
расчёска *ж.* crib.
расчёсывать *несов.* cribo.

расчёт *м.* ❶ cyfrifiad. ❷ ystyriaeth; amcangyfrif. ❸ gwastatáu cyfrifon. ❹ criw. **дать расчёт** diswyddo.
расчётливый *прил.* pwyllog.
расчищáть *несов.* arloesi.
расчленя́ть *несов.* aelodi.
расширéние *с.* estyniad; datblygiad.
расширя́ть *несов.* rhythu; lledu; ehangu; ymestyn; estyn; taenu; amlhau.
расшифрóвка *ж.* datrysiad; adysgrif.
расщéлина *ж.* hollt; agen.
расщепля́ть *несов.* hollti; rhwygo; clecian; agennu.
ратифици́ровать *несов. и сов.* cadarnhau.
рáунд *м.* cylch.
рафини́рованный *прил.* coeth; têr.
рахи́т *м.* llech.
рахити́чный *прил.* bregus.
рациóн *м.* ancwyn.
рационáльный *прил.* rhesymol.
рáция *ж.* set radio symud a siarad.
рвану́ть *сов.* plycio.
рвану́ться *сов.* rhuthro.
рвать *несов.* (*разрывать*) llarpio; rhwygo; torri. **его рвет** mae e'n chwydu.
рвáться *несов.* rhwygo.
рвéние *с.* angerdd; aidd; ymroddiad; sêl; brwdfrydedd; eiddigedd; awyddfryd.
реагéнт *м.* adweithydd.
реаги́ровать *г.* ymateb.
реакти́в *м.* adweithydd.
реакти́вный *прил.* ❶ adweithiol. ❷ jet. **реактивный самолет** awyren jet.
реáктор *м.* adweithydd.
реакционéр *м.од.* adweithydd.
реакциóнный *прил.* adweithiol.
реáкция *ж.* ❶ adweithiad; adwaith. ❷ prawf; ymateb. **реакция антител** prawf gwrthgyrff.
реализáция *ж.* ❶ cwblhad. ❷ gwerthiant.
реализовáть *несов. и сов.* sylweddoli; gwireddu.
реáльность *ж.* sylwedd; gwirionedd.
реáльный *прил.* gwrthrychol; gwirioneddol.
ребёнок *м.од.* plentyn.
ребрó *с.* asen; asgell.
ребя́та *с.од.мн.* plantos.
ребяти́шки *ж.од.мн.* plantos.
ребя́ческий *прил.* plentynnaidd.
рёв *м.* nâd; bref; bugad.
ревальвация *ж.* ailbrisiad.
ревáнш *м.* dial.
реверс *м.* gwrthwyneb.
ревéть *г.* rhuo; nadu; brefu; udo.
ревизовáть *несов. и сов.* archwilio.
ревизóр *м.од.* archwiliwr; arolygwr; ymwelwr.
ревмати́зм *м.* cymalwst.
ревни́вость *ж.* gwenwyn; gorfynt; eiddigedd.
ревни́вый *прил.* cenfigennus; cenfigenllyd; eiddigeddus; eiddigus; gwenwynllyd.
ревновáть *несов.* eiddigeddu; cenfigennu.
рéвностный *прил.* selog; angerddol; eiddgar; llym; grymus; taer; gorfynt; eiddigeddus; eiddigus; bucheddol; awchus.
рéвность *ж.* gwenwyn; gorfynt; cenfigen; eiddigedd; cynghorfynt.
револьвéр *м.* gwn; dryll.
революциóнный *прил.* chwyldroadol.
революция *ж.* chwyldro; chwyldroad.
рéгби *с.* rygbi.
регенерáция *ж.* adferiad.
регенери́ровать *несов. и сов.* dadeni; adenill.
регистрáтор *м.од.* (*должностное лицо*) cofiedydd.
регистри́ровать *несов.* cofrestru; cofnodi; corffori.
регистри́роваться *несов.* ymgorffori.
регули́рование *с.* rheolaeth.
регули́ровать *несов.* cymhwyso; llywio; rheoli; mesuro; mesur; llywodraethu.
регулирóвка *ж.* rheolaeth.
регуля́рность *ж.* cysondeb.
регуля́рный *прил.* trefnus; rheolaidd; cyson.
регуля́тор *м.* llywodraethwr; rheolwr.
редакти́рование *с.* golygiad.
редакти́ровать *несов.* golygu.
редáктор *м.од.* golygydd.
редáкторский *прил.* golygyddol.
редакциóнный *прил.* golygyddol.
редáкция *ж.* ❶ golygiad. ❷ geiriad. ❸ staff golydyddol. ❹ swyddfa olygu.
рéдкий *прил.* tenau; main; achlysurol; prin; anaml; amheuthun; anfynych.
рéдкость *ж.* prinder; amheuthun.
реéстр *м.* taflen; rholyn; calendr; rhestr; cofrestr.
режи́м *м.* ❶ trefn. ❷ modd. ❸ cyfarpar. ❹ rheolaeth; llywodraeth.
режиссёр *м.од.* cyfarwyddwr.
рéзание *с.* toriad.
рéзать *несов.* torri; lladd; agor.
рéзвый *прил.* cyflym; calonnog.
резервуáр *м.* dalfa; mail.
резéц *м.* cŷn.
рези́на *ж.* rwber.
рези́новый *прил.* rwber.
рéзкий *прил.* swta; disymwth; llym; hallt; ban; tost; afrywiog.
рéзкость *ж.* ❶ afrywiogrwydd; braster. ❷ eglurder; eglurdeb.
резня́ *ж.* cyflafan; galanas; adlodd; adladd; galanastra; aerfa.
резолю́ция *ж.* penderfyniad.

резона́тор *м.* cafn.
результа́т *м.* canlyniad; diben; adwaith.
резьба́ *ж.* ❶ toriad. ❷ edau.
резюме́ *с.* ❶ crynodeb; dosbarthiad. ❷ crynodeb o yrfa; braslun gyrfa; braslun bywyd.
рей *м.* llathen; llath.
рейд *м.* herw.
ре́йка *ж.* astell; cledren; cledr; dellten; gwialen.
река́ *ж.* afon.
реквизи́ровать *несов. и сов.* atafaelu.
реквизи́ция *ж.* atafaeliad.
рекла́ма *ж.* hysbysiad; hysbyseb.
реклами́ровать *несов.* hysbysebu; hysbysu.
реклами́ст *м.од.* hysbysebwr; hysbyswr.
рекламода́тель *м.од.* (*в т. ч. об учреждении*) hysbysebwr.
рекоменда́ция *ж.* cymeradwyaeth; argymhelliad.
рекомендова́ть *несов. и сов.* argymell; cymeradwyo.
реконстру́кция *ж.* adferiad.
ре́крут *м.од.* adfilwr.
ре́ктор *м.од.* rheithor; llywydd.
религио́зный *прил.* duwiol; crefyddol; ysbrydol.
рели́гия *ж.* cred; crefydd.
рели́квия *ж.* crair.
рельс *м.* cledr; cledren.
реме́нь *м.* carrai; gwregys.
реме́сленник *м.од.* crefftwr; saer.
ремесло́ *с.* celf; cerdd.
реми́за *ж.* brwyd.
ремо́нт *м.* cywair; adnewyddiad.
ремонти́ровать *несов.* (*чинить*) trwsio; adnewyddu; gwella; atgyweirio.
ремо́нтник *м.од.* trwsiwr.
ренесса́нс *м.* dadeni.
ре́нта *ж.* rhent.
реорганизова́ть *несов. и сов.* ad-drefnu.
ре́па *ж.* meipen.
репети́тор *м.од.* addysgydd; addysgwr.
ре́плика *ж.* araith.
репортёр *м.од.* gohebydd; adroddwr.
репроду́ктор *м.* uchelseinydd.
репти́лия *ж.од.* ymlusgiad.
репута́ция *ж.* nod; enw; clod.
реси́вер *м.* derbynnydd.
ресни́ца *ж.* blewyn llygad; blewyn amrant.
респекта́бельный *прил.* parchus.
респу́блика *ж.* gweriniaeth.
реставра́тор *м.од.* adnewyddwr; adferwr.
реставра́ция *ж.* adferiad.
реставри́ровать *несов. и сов.* adnewyddu.
рестора́н *м.* bwyty.
ресу́рс *м.* adnodd.
ресу́рсы *м.мн.* (*запасы, резервы*) adnoddau.
рети́вость *ж.* arial.
рети́вый *прил.* gorfynt.
ретрофле́ксный *прил.* atblygol.
рефлексивный *прил.* atblygol.
рефле́ксия *ж.* adlewyrch.
рефле́ктор *м.* adlewyrchydd.
рефлекторный *прил.* (*от «рефлекс»*) atblygol.
рефо́рма *ж.* diwygiad.
реформа́тор *м.од.* diwygiwr; adnewyddwr.
реформа́ция *ж.* diwygiad; adferiad.
реформи́ровать *несов. и сов.* diwygio.
рефре́н *м.* cytgan.
рефрижера́тор *м.* oergell.
рецензе́нт *м.од.* adolygydd; adolygwr; darllenydd.
рецензи́ровать *несов.* adolygu.
реце́нзия *ж.* adolygiad.
реце́пт *м.* cyfarwyddyd.
реципиент *м.од.* (*пациент, которому переливают кровь*) derbynnydd.
речитати́в *м.* adroddgan.
ре́чка *ж.* afon.
речу́шка *ж.* (*маленькая река*) afonig.
речь *ж.* gair; llafar; acen; adameg; araith; anerchiad; pisyn.
реша́ть *несов.* ❶ penderfynu; terfynu; trigo; adferyd. ❷ datod; datrys; sefydlu.
реша́ться *несов.* ❶ ffrwytho. ❷ cael ei benderfynu; cael ei ddatrys.
реша́ющий *прил.* penderfynol.
реше́ние *с.* dyfarniad; penderfyniad; brawd; act.
решётка *ж.* alch; dellten; rhwyll; rhwyllwaith.
решето́ *с.* hidl; gogr.
реши́мость *ж.* penderfyniad.
реши́тельность *ж.* penderfyniad.
реши́тельный *прил.* penderfynol.
реши́ть *сов.* ❶ penderfynu. ❷ datrys.
реши́ться *сов.* mentro.
ржа́веть *г.* rhydu.
ржа́вый *прил.* rhydlyd.
ржа́нка *ж.од.* cornicyll.
ржать *г.* ❶ gweryru. ❷ rhuo chwerthin.
ри́за *ж.* pais.
Рим *м.* Rhufain.
ри́млянин *м.од.* Rhufeiniad; Rhufeiniwr.
ри́мский *прил.* Rhufeinig.
рис *м.* reis.
риск *м.* antur; perygl.
ри́ска *ж.* crafiad.
риско́ванный *прил.* peryglus; enbydus; enbyd; anturus.
рискова́ть *г.* mentro; beiddio; anturio.
рисова́ние *с.* portread.
рисова́ть *несов.* darlunio; tynnu; portreadu.
рису́нок *м.* llun; portread.
ритм *м.* curiad; trawiad; rhif.
ритуа́л *м.* cadwraeth; defod.

ри́фма *ж.* odl.
рифмова́ть *несов.* odli.
рифмова́ться *несов.* cyrchu.
ро́бкий *прил.* arswydus; ofnus; gŵyl; swil; yswil; anhyderus.
ро́бость *ж.* swildod; anhyder.
ров *м.* clawdd; ffos; ceuffos.
ро́вность *ж.* llyfnder; cyfartaledd; tymer.
ро́вный *прил.* esmwyth; union; fflat; gwastad; llyfn; plaen; cyfartal.
рог *м.* corn; carn (*yfed*).
рога́тина *ж.* gaflach.
рога́тый *прил.* cyrnig.
род[1] *м.* (*единица классификации; грамм. категория*) natur; math; trefn; sut; cenedl; rhywogaeth; bath; ystlen.
род[2] *м.* (*первобытная общественная организация; ряд поколений*) cyff; hil; tras; tylwyth; paladr; cenedl; ciwdod.
ро́дина *ж.* mamwlad; cynefin; adwedd.
роди́тель *м.од.* rhiant.
роди́ть *несов. и сов.* geni.
роди́ться *несов. и сов.* cael ei eni; deillio.
ро́дич *м.од.* câr.
родни́к *м.* ffynnon; gofer; ffynhonnell.
роднычо́к *м.* ❶ iad. ❷ ffynhonnell fach.
родно́й *прил.* genedigol; cartrefol; brodorol.
родня́ *ж.* carennydd; perthnasau.
родови́тость *ж.* bonedd; gwythïen.
родови́тый *прил.* bonheddig.
родосло́вная *ж.* ach; achyddiaeth; achlin; llinach.
родосло́вный *прил.* achyddol.
ро́дственник *м.од.* carennydd; câr; perthynas.
ро́дственница *ж.од.* cares; perthynas.
ро́дственность *ж.* cyfathrach; tras.
ро́дственный *прил.* perthynol; cytras; perthnasol.
родство́ *с.* carennydd; perthynas; cyfathrach.
ро́ды *м.мн.* (*рождение ребенка*) genedigaeth.
ро́жа *ж.* ❶ gwep. ❷ iddwf.
рожа́ть *несов.* geni; esgor.
рожда́ть *несов.* cenhedlu; geni; dwyn.
рожда́ться *несов.* esgor.
рожде́ние *с.* genedigaeth. **день рождения** pen-blwydd.
рождество́ *с.* Nadolig.
рожо́к *м.* (*горн, трубка*) corn.
рожь *ж.* rhyg.
ро́за *ж.* rhosyn.
ро́зга *ж.* gwialen.
розе́тка *ж.* ❶ soced; pwynt trydan. ❷ rhosglwm, rhosaddurn. ❸ dysgl gyffaith.
ро́зовый *прил.* pinc.
рой *м.* haid; bagad.
рок *м.* tynged; ffawd.
роково́й *прил.* marwol.
ро́лик *м.* rholyn.
роль *ж.* (*театральная; в каком-л. деле и т.д.*) rhan.
рома́н *м.* ❶ chwedloniaeth; rhamant; nofel. ❷ carwriaeth.
романи́ст *м.од.* nofelydd; nofelwr.
рома́нс *м.* rhamant.
рома́нтика *ж.* rhamant.
романти́ческий *прил.* rhamantaidd; rhamantus.
романти́чный *прил.* rhamantus.
ромб *м.* magl.
роня́ть *несов.* gollwng; cwympo.
ро́пот *м.* si; sibrwd; nâd.
ропта́ть *г.* swnian; sïo; sibrwd.
роса́ *ж.* gwlith; arien.
роско́шный *прил.* mawreddog; crand; rhagorol; penigamp; moethus; campus; godidog.
ро́скошь *ж.* alaf.
ро́слый *прил.* tal.
росома́ха *ж.од.* gewai.
росси́йский *прил.* Rwsia.
Росси́я *ж.* Rwsia.
рост *м.* ❶ taldra (*высота*); uchder. ❷ codiad; ennill; cynnydd; tyfiant; amlhad; twf; cynhyrchiad.
росто́к *м.* imp.
рот *м.* (*в обычном знач.*) ceg; mant; genau; gylfin; safn.
ро́та *ж.* cwmni.
ро́ща *ж.* celli; llwyn; allt.
руба́нок *м.* plaen; cannwyr.
руба́ха *ж.* pais.
руба́шка *ж.* crys; pais.
рубе́ж *м.* goror.
рубе́ц *м.* craith.
руби́ть *несов.* ysgythru; naddu; malu.
ру́бка *ж.* ❶ torri. ❷ tŵr llywio; caban.
рубль *м.* rwbl.
руга́тельство *с.* rheg.
руга́ть *несов.* difrïo; rhegi; tyngu; tafodi.
руга́ться *несов.* tyngu; melltithio; rhegi.
руда́ *ж.* mwyn.
рудни́к *м.* cloddfa; mwynglawdd.
ру́дый *прил.* rhudd.
ружьё *с.* gwn; dryll.
руи́ны *ж.мн.* adfail.
рука́ *ж.* llaw; braich; dwrn; adain.
рука́в *м.* llawes.
рукави́ца *ж.* maneg.
руководи́тель *м.од.* arolygydd; hyfforddwr; arolygwr; rheolwr; arweiniad; pennaeth; arweinydd; penaig.
руководи́ть *г.* meistroli; cyfarwyddo; llywio; tywys; rheoli; llywodraethu; hyfforddi; arwain.
руково́дство *с.* ❶ rheolaeth. ❷ arweiniad; hyfforddwr.

руководящий *прил.* llywodraethol; pen.
рукопись *ж.* llawysgrif; ysgrifeniad.
рукоплескание *с.* cymeradwyaeth.
рукоплескать *г.* cymeradwyo.
рукополагать *несов.* ordeinio.
рукоятка *ж.* bagl; dwrn; paladr; gafael; coes; carn.
рукоять *ж.* dwrn; coes; carn; craff.
рулевой *м.од.* llyw.
рулет *м.* rholyn.
рулетка *ж.* ❶ rwlét. ❷ incil.
рулить *г.* llywio.
рулон *м.* rholyn.
руль *м.* llyw.
румпель *м.* llyw.
румяный *прил.* gwridog; lliwiog.
руно *с.* gwlân; cnu.
русалка *ж.од.* môr-forwyn.
русский[1] *прил.* Rwsieg (*язык*); Rwsiaidd.
русский[2] *м.од.* Rwsiad.
рухнуть *г.* cwympo.
ручаться *несов.* gwirio.
ручеёк *м.* gofer; afonig.
ручей *м.* nant; ffrwd; afonig.
ручка *ж.* ❶ llaw bach. ❷ dwrn; coes; carn; dolen; bwlyn; bagl; craff. ❸ ysgrifbin.
ручной *прил.* ❶ llaw. ❷ llywaeth; dof; gwâr. **ручной труд** gwaith dwylo.
рушиться *несов.* ymollwng.
рыба *ж.од.* pysgodyn.
рыбак *м.од.* pysgotwr.
рыбачить *г.* pysgota.
рыболов *м.од.* pysgotwr.
рывок *м.* rhuthr; gwib; plwc.
рыдание *с.* galar; galarnad.
рыдать *г.* beichio; nadu; wylofain.
рыжий[1] *прил.* coch.
рыжий[2] *м.од.* pengoch.
рыло *с.* gylfin; trwyn; swch.
рынок *м.* marchnad.
рысь[1] *ж.од.* (*животное*) lincs.
рысь[2] *ж.* (*аллюр лошади*) tuth.
рысью *нареч.* ar duth.
рыть *несов.* palu; turio; cloddio.
рыться *несов.* turio.
рыцарь *м.од.* marchog.
рычание *с.* chwyrniad.
рычать *г.* ysgyrnygu; rhuo; chwyrnu; arthio; arthu.
рьяный *прил.* selog; eiddgar; awyddus; eiddigus.
рюкзак *м.* sach deithio.
рюмка *ж.* gwydraid; gwydryn; gwydr.
рябина *ж.* criafolen; cerddinen.
рябить *несов.* crychu.
рябь *ж.* crychiad; crych.
рявкать *г.* cyfarth; arthio; coethi; arthu.
ряд *м.* rheng; carfan; urdd; ystod; rhes; llinyn; cyfres; llinell; amrediad.
рядовой[1] *прил.* cyffredin.
рядовой[2] *м.од.* milwr cyffredin.
рядом *нареч.* heibio.
ряса *ж.* abid.
ряска *ж.* cyflafan.

С

с *предл.* chan; oddi; efo; gyda; ers; â; ag; gan; wrth.
са́бля *ж.* crymgledd.
са́ван *м.* amdo; amwisg.
сад *м.* gardd; perllan.
сади́ться *несов.* ❶ eistedd; disgyn; machlud (*о солнце*); digwydd (*о солнце*). ❷ dadwefru. ❸ mynd i mewn (*wrth olchi*).
садо́вник *м.од.* garddwr.
садово́дство *с.* garddu; garddio.
садо́вый *прил.* dof.
сажа́ть *несов.* ❶ seddi. ❷ rhoi; dodi; gosod. ❸ plannu. ❹ carcharu.
саже́нь *ж.* gwryd.
сайт *м.* gwefan; safle.
сала́т *м.* addail.
са́ло *с.* gwêr; braster.
сало́н *м.* salŵn; salon.
са́льдо *с.* mantol; gweddill.
са́льный *прил.* seimlyd.
салютова́ть *г.* cyfarch; annerch.
сам *мест.* hunan; hun.
саме́ц *м.од.* gwryw; bwch.
самова́р *м.* samofar.
самоде́ржец *м.од.* unben.
самолёт *м.* awyren.
самомне́ние *с.* hunaniaeth.
самонаде́янность *ж.* hyfdra; hunaniaeth; hyder; balchder.
самонаде́янный *прил.* hyderus.
самооблада́ние *с.* tymer.
самоpо́дный *прил.* brodorol.
самосозна́ние *с.* ymwybyddiaeth; cydwybodolder; cydwybodoldeb.
самостоя́тельный *прил.* hunangynhaliol; hunanddigonol.
самостре́л *м.* (*род лука*) bwa croes.
самоуби́йство *с.* hunanladdiad.
самоуве́ренность *ж.* hyfdra; hyder.
самоуве́ренный *прил.* hy; rhwyfus; hyderus; hunanddigonol.
самоцве́т *м.* gem; glain; tlws.
самши́т *м.* bocyswydden.
са́мый *мест.* ❶ union. ❷ (*служит для образования превосходной степени*) **тот самый человек** yr union ddyn. **самый большой** mwyaf. **самый сильный** cryfaf. **самый интересный** mwyaf ddiddorol.
сан *м.* urddas.
санато́рий *м.* iechydfa.
санда́лия *ж.* gwadn.
са́ндвич *м.* brechdan.
санита́р *м.од.* nyrs.
санитари́я *ж.* iechydiaeth.
санита́рка *ж.од.* (*женск. к санитар*) nyrs.
санита́рный *прил.* iechydol.
санкциони́ровать *несов. и сов.* awdurdodi; cymeradwyo.
са́нкция *ж.* cydsyniad.
сантиме́тр *м.* ❶ centimedr. ❷ incil.
сапо́г *м.* botasen.
сапо́жник *м.од.* crydd.
сара́й *м.* ysgubor.
саржевый *прил.* caerog.
саркасти́ческий *прил.* gwatwarus.
сатана́ *м.од.* (*мифическое существо*) cythraul.
сателли́т *м.* (*спутник планеты; линия спектра; шестерня*) adblaned.
сатири́ческий *прил.* dychanol.
Сату́рн *м.од.* Sadwrn.
сафья́н *м.* cordwal.
са́хар *м.* siwgr.
Саха́ра *ж.* Sahara.
сбега́ть[1] *г.* ffoi.
сбе́гать[2] *г.* (*побывать где-л. и вернуться*) rhedeg.
сбежа́ть *г.* ffoi.
сбива́ть *несов.* ❶ curo i lawr; taro i lawr; saethu i lawr. ❷ gostwng. ❸ drysu. ❹ corddi. ❺ bwrw at ei gilydd.
сбить *сов.* ❶ saethu i lawr; curo i lawr; taro i lawr. ❷ gostwng. ❸ drysu. ❹ corddi. ❺ bwrw at ei gilydd.
сбо́ку *нареч.* o ochr.
сбор *м.* ❶ casgliad; cymanfa; helfa. ❷ treth. ❸ elw. ❹ paratoad.
сбо́рище *с.* hygyrchedd; gorsedd.
сбра́сывать *несов.* (*бросать вниз или в одно место*) lluchio; cyfogi; rhyddhau.
сбро́сить *сов.* lluchio; cyfogi; rhyddhau.
сбыва́ть *несов.* marchnata.
сва́дьба *ж.* priodas.
сва́ливаться *несов.* syrthio.
свали́ть *сов.* (*опрокинуть*) ❶ dymchwel; bwrw i lawr. ❷ pentyrru. ❸ ffoi. **свалить вину** bwrw'r bai am rth ar rn.
свали́ться *сов.* cwympo.
сва́ривать *несов.* iasu.
сва́рка *ж.* ias.
сварли́вость *ж.* anniddigrwydd.
сварли́вый *прил.* anniddig; swnllyd; anghysonair; gwenwynllyd; annaturus; cynhennus.
све́дение[1] *с.* (*информация*) gwybodaeth.
сведе́ние[2] *с.* (*от свести*) ❶ lleihad. ❷ cwlwm gwythi.
све́дущий *прил.* cyfarwydd.
свежева́ть *несов.* blingo.
све́жесть *ж.* ireidd-dra; iredd; irder.
свеже́ть *г.* ireiddio.

свéжий *прил.* crai; cri; iraidd; ffres; diweddar; ir; croyw.
свёкла *ж.* betysen.
свёкр *м.од.* chwegrwn; tad-yng-nghyfraith.
свекрóвь *ж.од.* chwegr; mam-yng-nghyfraith.
свергáть *несов.* dymchwel.
сверкáть *г.* gwreichioni; disgleirio; lluchedu; lluchedo.
сверкáющий *прил.* tanbaid; llachar; disglair.
сверлúть *несов.* tyllu.
сверлó *с.* ebill; taradr.
свернýть[1] *сов.* (*скатать в трубку; сократить*) crynhoi.
свернýть[2] *г.* (*с дороги*) troi.
свернýться *сов.* torri.
свéрстник *м.од.* cyfoeswr; cyfoed.
свёрток *м.* rholyn; pac.
свёртывать[1] *несов.* (*скатывать в трубку; сокращать*) treiglo; torchi; ceulo; lapio; rholio.
свёртывать[2] *г.* (*с дороги*) troi.
свертываться *несов.* ❶ ceulo; fferru; britho. ❷ torchi.
сверх *предл.* tra; tros.
свéрху[1] *предл.* uwchlaw; uwchben.
свéрху[2] *нареч.* ❶ ar y brig. ❷ oddi fry. **сверху донизу** o'r bôn i'r brig.
сверхчеловéческий *прил.* annynol.
сверхъестéственный *прил.* goruwchnaturiol.
свершéние *с.* cyflawniad; cwblhad.
свестú *сов.* ❶ dod â rhn i lawr; tywys rhn i lawr. ❷ casglu; dod â rhn at ei gilydd. ❸ lleihau. ❹ dileu. ❺ codi cwlwm gwythi; cyffio.
свет[1] *м.* (*освещение*) goleuni; golau; gwawl; lleufer; goleuad.
свет[2] *м.* (*мир*) byd.
светúло *с.* (*небесное тело*) (*знаменитый человек*) goleuad.
светúльник *м.* llusern.
светúть *г.* pelydru; goleuo; golau.
светúться *несов.* pelydru.
свéтлость *ж.* gras.
свéтлый *прил.* gloyw; golau; eglur; disglair.
светофóр *м.* golau.
свéтский *прил.* bydol; tymhorol; daearol.
светя́щийся *прил.* llewyrchus.
свечá *ж.* cannwyll. **свеча зажигания** plwg tanio.
свéшиваться *несов.* crogi.
свивáть *несов.* cordeddu; rhwymo; dirwyn; torchi.
свидáние *с.* oed; cyfarfod. **до свидания** da boch chi.
свидéтель *м.од.* tyst; cyfarwydd.
свидéтельство *с.* ❶ tyst; tystiolaeth. ❷ tystysgrif; ysgrif.
свидéтельствовать *несов.* tystio; mynegi; gwirio.
свинáрник *м.* twlc; crau; cwt.
свинéц *м.* plwm.
свинúна *ж.* cig moch.
свúнка[1] *ж.* (*болезнь*) llech.
свúнка[2] *ж.од.* (*уменьш. к свинья*) mochyn (*bach*). **морская свинка** mochyn cwta.
свиномáтка *ж.од.* hwch; gwŷs.
свинцевать *несов.* plymio.
свинья́ *ж.од.* mochyn; hwch; twrch; gwŷs.
свирéль *ж.* cetyn; pib.
свирéпость *ж.* ffyrnigrwydd.
свирéпый *прил.* milain; ysgeler; ffyrnig; traws; gwyllt; agerw; aflawen; mileinig; anghynnes; anwydog; anfad.
свист *м.* chwiban.
свистéть[1] *несов.* (*с помощью свистка, прибора – о человеке, паровозе*) chwiban; chwibanu.
свистéть[2] *несов.* (*без помощи свистка – о человеке, птице, ветре*) sïo.
свистóк *м.* cetyn.
свúта *ж.* gosgordd.
свúток *м.* rholyn.
свить *сов.* dirwyn.
свобóда *ж.* rhyddid; rhwyddineb.
свобóдный *прил.* rhydd; rhwydd; llaes; gwag; rhugl; penagored; llac; candryll.
свод *м.* cromen.
сводúть[1] *сов.* (*отвести куда-л. и привести обратно*) mynd â rhn i rywle.
сводúть[2] *несов.* ❶ dod â rhn i lawr; tywys rhn i lawr. ❷ casglu; dod â rhn at ei gilydd. ❸ lleihau. ❹ dileu. ❺ codi cwlwm gwythi; cyffio.
свóдка *ж.* crynodeb; dosbarthiad.
своеврéменный *прил.* cyfamserol; prydlon; tymhorol; amserol.
своеобрáзный *прил.* neilltuol.
свой *мест.* ei; eu; eich; dy; fy; ein.
свóйственный *прил.* priodol.
свóйство[1] *с.* (*качество*) angerdd; rhinwedd; nodwedd; cymeriad; ansawdd.
свойствó[2] *с.* (*вид родственной связи*) cyfathrach; tras.
сволакивать *несов.* llusgo.
свóлочь[1] *ж.од.* dihiren.
свóлочь[2] *сов.* llusgo.
свóра *ж.* helfa; pac.
сворáчивать[1] *г.* (*с дороги*) troi.
сворáчивать[2] *несов.* (*скатывать в трубку; сокращать*) crynhoi; lapio.
сворáчивать[3] *несов.* (*сдвигать с места; сваливать; свихивать*) symud.
сворáчиваться *несов.* (*прочие знач.*) ❶ torchi. ❷ lleihau. ❸ ceulo; torri.
своровáть *сов.* lladrata.

своя́ченица *ж.од.* chwaer-yng-nghyfraith.
свя́занный[1] *прил.* (*с чем-л.*) cytras; cysylltiedig; ynghlwm; perthnasol.
свя́занный[2] *прил.* (*скованный, несвободный*) rhwym.
связа́ть *сов.* ❶ rhwymo; clymu; caethiwo. ❷ cysylltu. ❸ gwau.
связа́ться *сов.* cysylltu.
свя́зка *ж.* cwlwm; ysgub; tant; tusw; bagad.
свя́зный *прил.* (*толковый*) cysylltiedig.
свя́зывание *с.* cysylltiad.
свя́зывать *несов.* ❶ rhwymo; clymu; caethiwo. ❷ cysylltu.
свя́зываться *несов.* cysylltu; cyfeillachu.
связь *ж.* cysylltiad; cyfathrach; cwlwm; perthynas; cyd; dolen; rhwym; band.
свята́я *ж.од.* (*женск. к сущ. святой*) santes.
святи́лище *с.* addoldy; cafell; llog.
свято́й[1] *м.од.* sant.
свято́й[2] *прил.* sanctaidd; santaidd; sant; cysegredig; ysbrydol; glân.
свя́тость *ж.* glendid; glwysedd.
свяще́нник *м.од.* offeiriad; gweinidog; crefyddwr; pab; person.
свяще́нный *прил.* sanctaidd; cysegredig; arbennig; nefol.
сгиб *м.* plyg; troad; elin.
сгиба́ть *несов.* plethu; bachu; plygu; gostwng; gwyro; crymu; bacho.
сгиба́ться *несов.* ymostwng.
сгла́живать *несов.* gwastatáu.
сгова́риваться *несов.* cynllwyn; trefnu.
сгора́ть *г.* ennyn; llosgi.
сго́рбленный *прил.* cam; gŵyr; adŵyr; aniawn.
сгоре́ть *г.* llosgi.
сгуща́ть *несов.* tewychu; ceulo.
сгуща́ться *несов.* ceulo.
сдава́ть *несов.* ❶ traddodi; delio (*карты*). ❷ gosod (*внаем, в аренду*); llogi. ❸ sefyll (*экзамен*). ❹ ildio; ymroi.
сдава́ться *несов.* ❶ ymostwng; ildio. ❷ cael ei osod.
сда́вливать *несов.* gwasgu.
сдать *сов.* ❶ traddodi; ymroi. ❷ llogi; gosod (*внаем, в аренду*). ❸ sefyll (*экзамен*). ❹ delio (*карты*).
сда́ча *ж.* ❶ ymostyngiad; ymroddiad. ❷ traddodiad. ❸ gosodiad. ❹ newid. ❺ rhaniad.
сдваивать *несов.* (*соединять по двое, удваивать*) dyblu.
сдви́нуть *сов.* symud.
сде́лать *сов.* gwneud.
сде́латься *сов.* cael ei wneud.
сде́лка *ж.* masnach; trafodaeth.
сде́ржанность *ж.* tymer.
сде́ржанный *прил.* pwyllog; llednais.
сде́рживать *несов.* dal; cymedroli.
сдира́ть *несов.* diosg; rhuglo.
себя́ *мест.* eich; eu; ein; ei; dy; fy. **при себе** ganddo. **она винила себя** 'roedd yn ei beio 'i hun. **самого себя** fy hun.
се́вер *м.* gogledd.
се́верный *прил.* gogleddol.
сего́дня *нареч.* heddiw.
сего́дняшний *прил.* heddiw.
седа́лище *с.* eisteddfod.
седе́ть *г.* britho.
седло́ *с.* cyfrwy.
седо́й *прил.* penllwyd; llwyd.
седо́к *м.од.* marchog.
седьмо́й *числит.* seithfed.
сезо́н *м.* tymor.
сезо́нный *прил.* tymhorol.
сей *мест.* hwn.
сейф *м.* coffr.
сейча́с *нареч.* rŵan; nawr; toc; ar hyn o bryd; bellach; awron.
секи́ра *ж.* bwyell; bwyall.
секре́т *м.* dirgelwch; cyfrinach; dirgel.
секрета́рша *ж.од.* ysgrifenyddes.
секрета́рь *м.од.* ysgrifennydd.
секрете́р *м.* desg ysgrifennu.
секре́тность *ж.* dirgelwch.
секре́тный *прил.* cyfrin; dirgel; cyfrinachol; cudd.
секс *м.* rhyw.
сексуа́льный *прил.* rhywiol.
се́кта *ж.* enwad.
секта́нтский *прил.* enwadol.
се́ктор *м.* cylchran; sector.
секу́нда *ж.* eiliad.
секунда́нт *м.од.* cefnogwr.
се́кция *ж.* uned.
селёдка *ж.од.* (*живая*) pennog.
селезёнка *ж.* dueg.
се́лезень *м.од.* adiad.
селе́кция *ж.* detholiad.
село́ *с.* pentref.
сель *м.* lleidlif.
сельдь *ж.од.* pennog.
се́льский *прил.* gwladol; gwledig.
сельскохозя́йственный *прил.* amaethyddol.
семе́йный *прил.* cartrefol; teuluol.
семе́йство *с.* tylwyth; teulu; rhywogaeth.
семёрка *ж.* saith.
се́меро *числит.* saith.
семе́стр *м.* term; tymor.
се́мечко *с.* hedyn; gronyn.
семина́рия *ж.* addysgfa.
семиуго́льник *м.* seithongl.
семна́дцатый *числит.* ail ar bymtheg.
семна́дцать *числит.* dau ar bymtheg.
семь *числит.* saith.
се́мьдесят *числит.* deg a thrigain.
семьсо́т *числит.* saith cant.

семья́ *ж.* teulu; cyff; tylwyth; tud; cordd.
се́мя *с.* hil; hedyn; sebon; had.
Се́на *ж.* Seine.
сена́т *м.* senedd.
сена́тор *м.од.* hynafiad.
сена́торский *прил.* seneddol.
сена́тский *прил.* seneddol.
сенеша́ль *м.од.* goruchwyliwr.
се́но *с.* gwellt; gwair.
сенте́нция *ж.* brawddeg.
сентя́брь *м.* Medi.
сень *ж.* cysgod.
се́рвер *м.од.* gweinydd.
се́рвис *м.* gwasanaeth.
серде́чность *ж.* cynhesrwydd.
серде́чный *прил.* calonnog; hynaws.
серди́тый *прил.* milain; irllawn; dig; llidus.
серди́ть *несов.* coddi; digio; cythruddo; anfoddio.
серди́ться *несов.* cythruddo.
се́рдце *с.* calon; ceudod.
сердцеви́на *ж.* bywyn; ceudod; mêr; perfedd; cnewyllyn.
серебри́стый *прил.* ariannog; ariannaidd; ariannaid.
серебри́ть *несов.* ariannu.
серебро́ *с.* arian.
сере́бряный *прил.* ariannaid.
середи́на *ж.* canol; bogail; canolbwynt; dyfnder; perfedd; craidd; plith; mysg.
серёжка *ж.* clustlws.
сержа́нт *м.од.* rhingyll.
сери́йный *прил.* cyfresol.
се́рия *ж.* cyfres; amrediad.
се́рна *ж.од.* gafrewig.
се́рный *прил.* sylffyrig.
серп *м.* cryman; gaflach.
серпови́дный *прил.* cyrnig.
сертифика́т *м.* tystysgrif.
се́рый *прил.* llwyd; glas; brith.
серьга́ *ж.* clustlws.
серьёзность *ж.* difrif; prysurdeb; arbenigrwydd.
серьёзный *прил.* difrifol; difrif; prysur; prudd; dwys; sobr; dybryd.
се́ссия *ж.* eisteddfod.
сестра́ *ж.од.* chwaer.
сесть *г.* ❶ eistedd; disgyn; machlud (*о солнце*). ❷ dadwefru. ❸ mynd i mewn (*wrth olchi*).
се́тка *ж.* rhwyd; rhwyll; rhwyllen; rhwyden.
се́тование *с.* galarnad.
се́товать *г.* cwyno; galaru; alaethu; galarnadu.
се́точка *ж.* rhwyden.
се́ттер *м.од.* adargi.
се́ттльмент *м.* gwladfa.
сетча́тка *ж.* rhwyden.
сеть *ж.* rhwyd; magl; rhwydwaith; rhwyll; rhwyllwaith.
сече́ние *с.* toriad.
сечь *несов.* (*рубить; хлестать – о дожде, ветре и т.п.*) ❶ gwialenodio. ❷ naddu.
се́ять *несов.* hau.
сжа́тие *с.* cip; sang; caethiwed.
сжа́тый *прил.* swta; cryno; tyn; cwta.
сжать[1] *сов.* gwasgu.
сжать[2] *сов.* medi.
сжечь *сов.* llosgi.
сжига́ть *несов.* ennyn; llosgi.
сжима́ть *несов.* gwasgu; tynhau; craffu; gafael; garddu.
сжима́ться *несов.* tynhau; ymwasgu.
сза́ди[1] *предл.* tu ôl (*i rywbeth*).
сза́ди[2] *нареч.* o'r tu ôl (*i rywbeth*).
сигаре́та *ж.* sigaret.
сигна́л *м.* arwydd.
сигнату́ра *ж.* llawnodiad; llofnodiad; llofnod.
сиде́лка *ж.од.* mamaeth; gweinyddes.
сиде́ние *с.* eisteddfod.
сиде́нье *с.* sedd; côr; teml.
сиде́ть *г.* eistedd; seddi. **сидеть за столом** eistedd wrth y bwrdd. **сидеть в тюрьме** bod yn garcharor.
сидр *м.* seidir.
си́ла *ж.* grym; cryfder; nerth; cadernid; angerdd; gwyrth; trais; rhinwedd; gallu; egni; ynni; ffyniant; greddf.
сило́к *м.* magl; annel.
силуэт *м.* amlinell.
сильноде́йствующий *прил.* nerthol; pwerus; grymus.
си́льный *прил.* cryf; praff; cefnog; gwiw; angerddol; nerthol; pwerus; abl; traws; llym; heini; grymus; galluog; dwys; tost; cadarn; bwr; trwsgl; awduraidd; dygn; milain; greddfol; amddyfrwys; agwrdd; craff.
си́мвол *м.* ffigur; cysgod; nodyn; nod.
символизи́ровать *г.* (*служить символом*) (*изобразить при помощи символа*) cynrychioli.
символи́ческий *прил.* cysgodol.
симме́трия *ж.* cydweddoldeb; cysondeb.
симпатизи́ровать *г.* cydymdeimlo.
симпати́чный *прил.* pert; hyfryd.
симпа́тия *ж.* cydymdeimlad.
симпто́м *м.* argoel.
синаго́га *ж.* synagog.
синева́ *ж.* glesni.
си́ний *прил.* glas.
сино́д *м.* senedd; cabidwl.
синодский *прил.* seneddol.
синоними́ческий *прил.* cyfystyr.
синоними́чный *прил.* cyfystyr.
си́нтаксис *м.* cystrawen.
си́нтез *м.* cyfosod.
синтези́ровать *несов. и сов.* cyfosod.
синхро́нный *прил.* cyfamserol.

синь *ж.* glas.
синя́к *м.* clais.
сиони́стский *прил.* Seionaidd.
сире́на[1] *ж.* (*прибор; гудок*) larwm.
сире́на[2] *ж.од.* (*мифическое существо; животное*) môr-forwyn.
сирота́ *м.ж.* amddifad.
сиро́тский *прил.* amddifad.
сиро́тство *с.* amddifedi; amddifadrwydd.
систе́ма *ж.* trefniadaeth; cyfundrefn; trefn; cysawd.
систематиза́ция *ж.* trefniad.
систематизи́ровать *несов. и сов.* trefnu.
системати́ческий *прил.* trefnus.
си́ська *ж.* bron.
си́то *с.* hidl; gogr.
ситуа́ция *ж.* sefyllfa; gosodiad; pwynt.
си́филис *м.* poethglwyf.
сия́ние *с.* llewyrch; lleufer; tywyn; gogoniant.
сия́ть *г.* pelydru; disgleirio.
скабре́зный *прил.* budr.
сказа́ть *сов.* dweud; meddaf; mynegi; llefaru; ynganu.
сказитель *м.од.* cyfarwydd.
ска́зка *ж.* chwedl.
ска́зочник *м.од.* cyfarwydd.
ска́зочный *прил.* bendigedig; chwedlonol.
скака́ть *г.* llamu; neidio; carlamu.
скаку́н *м.од.* amws.
скала́ *ж.* clogwyn; carreg; craig.
скали́стый *прил.* ysgithrog.
ска́лка *ж.* rholbren.
скаме́ечка *ж.* ystôl.
скаме́йка *ж.* mainc.
скамья́ *ж.* mainc.
сканда́л *м.* ffrwgwd.
Скандина́вия *ж.* Llychlyn.
ска́пливаться *несов.* ymdyrru.
ска́редный *прил.* anhael.
скарлати́на *ж.* twymyn goch.
скат[1] *м.* (*откос; колесный стан*) llechwedd; gogwyddiad; osgo; llethr.
скат[2] *м.од.* (*рыба*) cath fôr.
ска́терть *ж.* lliain.
ска́тка *ж.* rholyn.
ска́тывать *несов.* crynhoi.
ска́тываться *несов.* syrthio.
ска́чка *ж.* carlam.
ска́чки *ж.мн.* (*конные состязания*) gyrfa.
скачо́к *м.* naid; llam.
ска́шивать *несов.* gwyro.
сква́жина *ж.* ffynnon.
сквер *м.* sgwar.
скве́рный *прил.* ysgeler; graen; llwm; salw; budr; hyll; gwael; tlawd; diflas; drwg; anaddfwyn.
сквозь *предл.* trwy.
скворе́ц *м.од.* drudwy; aderyn yr eira; aderyn drudwy.
скеле́т *м.* ysgerbwd.
ске́птик *м.од.* amheuwr; anghredadun.
скетч *м.* braslun.
ски́дка *ж.* gostyngiad.
ски́ния *ж.* tabernacl.
ски́петр *м.* gwialen.
скирда́ *ж.* das; tas; ysgafn.
скиса́ть *г.* suro; troi (*о молоке*).
скита́ться *несов.* gwibio; crwydro.
склад[1] *м.* (*строй, характер; стройность, смысл*) cyfansoddiad; tymer.
склад[2] *м.* (*хранилище; запас*) ystorfa.
скла́дка *ж.* plyg; crych.
скла́дывать *несов.* ❶ pentyrru; ychwanegu; adio; symio. ❷ lapio. ❸ gollwng.
скла́дываться *несов.* ❶ plygu. ❷ casglu arian. ❸ ymffurfio.
склон *м.* llechwedd; ystlys; rhediad; osgo; rhiw; llethr; cefnen.
склоне́ние *с.* gogwydd; tuedd; rhediad; gogwyddiad; treiglad; osgo.
склони́ть *сов.* cymell; darbwyllo.
склони́ться *сов.* ymostwng.
скло́нность *ж.* gogwydd; tueddiad; tuedd; gogwyddiad; chwant; affeithiad; osgo; goblygiad; gwythïen; stumog.
скло́нный *прил.* tueddol; parod.
склоня́ть *несов.* ❶ cymell; darbwyllo; tueddu. ❷ treiglo; dychwelyd.
склоня́ться *несов.* ❶ tueddu; ymostwng. ❷ treiglo.
скло́чный *прил.* hyll.
скоба́ *ж.* gwarthol; dolen; gafaelfach.
ско́бель *м.* rasgl.
скобли́ть *несов.* crafu.
ско́ванный *прил.* rhwym.
сковорода́ *ж.* padell.
ско́вывать *несов.* cyffio.
скользи́ть *г.* llithro; sglefrio.
ско́льзкий *прил.* llithrig.
ско́лько *нареч.* sawl; faint.
ско́лько-нибудь *числит.* rhywfaint; un.
ско́лько-то *числит.* rhywfaint.
скома́ндовать *сов.* gorchymyn.
сконча́ться *сов.* marw; trengi.
скопле́ние *с.* cynulleidfa; bagad.
скопля́ться *несов.* ymgynnull; pentyrru; hel.
скорбе́ть *г.* hiraethu; cwyno; galaru; galarnadu.
ско́рбный *прил.* irad; galarus; trist; amdrist; alaeth; alaethus.
скорбь *ж.* gofid; afar; galar; tristwch; gwae; alaeth; argyllaeth.
скоре́е *нареч.* (*предпочтительно, более вероятно*) namyn; anad; lled; pur; hytrach; go; taran.
скорлупа́ *ж.* cragen; ballasg; cibyn.

ско́ро *нареч.* toc.
ско́рость *ж.* cyflymdra; cyflymder.
скоросшива́тель *м.* ffeil.
скорпио́н *м.од.* sarff; ysgorpion.
ско́рый *прил.* cyflym; buan; chwim; chwyrn; sydyn.
скот *м.* (*собир.: сельскохоз. животные*) gwartheg; da.
скоти́на *ж.од.* (*домашнее животное*) bwystfil.
скотопрогонщик *м.од.* porthmon.
скототорговец *м.од.* porthmon.
скотс *прил.* (*германский язык*) Sgoteg.
ско́тский *прил.* anifeilig.
скрежета́ть *г.* crensio.
скрепля́ть *несов.* rhwymo; sicrhau; clymu.
скрести́ *несов.* crafu; rhathu; cosi.
скреще́ние *с.* cyswllt; cyd.
скре́щивание *с.* cyswllt; croes; cyd.
скре́щивать *несов.* croesi.
скре́щиваться *несов.* croesi.
скрижа́ль *ж.* tabl; taflen.
скрип *м.* sgrech.
скрипе́ть *г.* gwichian; garddu.
скри́пка *ж.* crwth.
скро́мность *ж.* iselfrydedd; iselder; symledd; swildod; anhyder.
скро́мный *прил.* iselfryd; plaen; gŵyl; llednais; anhyderus.
скруглять *несов.* crynhoi.
скру́чивать *несов.* cordeddu; nyddu; dirwyn.
скрыва́ть *несов.* dirgelu; celu; toi; cuddio; gorchuddio.
скрыва́ться *несов.* bachu; llechu; diflannu; dianc.
скры́тность *ж.* dirgelwch.
скры́тный *прил.* dirgel.
скры́тый *прил.* astrus; cyfrin; dirgel; cudd; cyfrinachol; anamlwg.
скрыть *сов.* cuddio.
скры́ться *сов.* llechu.
скря́га *м.ж.* sinach; cybydd; anhael.
ску́дность *ж.* tlodi.
ску́дный *прил.* llwm; truenus; newynllyd; newynog; tenau; salw; main; prin; tyn; tlawd; adfydus.
скула́ *ж.* cern; llechwedd.
скули́ть *г.* gerain.
скульпту́ра *ж.* cerfluniaeth; cerfwaith.
скупе́ц *м.од.* cybydd; anhael.
скупи́ться *несов.* toli.
скупо́й *прил.* cybydd; tyn.
ску́пость *ж.* caledi; anhaeledd.
скуча́ть *г.* ❶ diflasu. ❷ hiraethu; methu; colli.
ску́чивать *несов.* pentyrru.
ску́чный *прил.* diflas; sych; maith; fflat; dwl.
слабе́ть *г.* gwanhau; adfeilio.
слаби́тельное *с.* carth; arloesydd.
слаби́тельный *прил.* agoriadol.
сла́бить *несов.* gweithio.
сла́бость *ж.* gwendid; anwes; anallu; llewyg; coll.
слабоу́мный *прил.* gwirion.
слабохара́ктерный *прил.* llipa.
сла́бый *прил.* gwan; musgrell; llesg; tila; methiant; tenau; salw; pitw; meddal; llipa; isel; main; adwedd.
сла́ва *ж.* gogoniant; bri; balchder; clod.
сла́вить *несов.* moli.
сла́вка *ж.од.* delor.
сла́вный *прил.* ❶ gogoneddus. ❷ pleserus; diddan; arab; hyfryd; dymunol; difyr; annwyl.
славосло́вить *несов.* bendithio.
слага́ть *несов.* ❶ cyfansoddi. ❷ gollwng.
слагаться *несов.* (*состоять из чего-л.*) ❶ cynnwys. ❷ cael ei ollwng.
сла́дкий *прил.* melys; chweg; pêr.
сладостра́стный *прил.* anllad; rhewydd.
сла́нец *м.* (*горная порода*) llech; llechen.
слать *несов.* anfon.
сле́ва *нареч.* ar y chwith.
слегка́ *нареч.* pur.
след *м.* ôl; trywydd; arlliw; nod; bath; adrywedd.
следи́ть *г.* bugeilio; ysbïo; olrhain; gwylio; gweini; gwarchod.
сле́дователь *м.од.* ymchwiliwr.
сле́довательно *сз.* ynteu; felly.
сле́довать *г.* ❶ dylu. ❷ canlyn; dilyn.
сле́дствие *с.* ❶ ymchwiliad; ymholiad; ymofyn. ❷ diben; canlyniad.
сле́дующий *прил.* dilynol; canlynol; olynol.
слеза́ *ж.* deigryn.
слези́ться *несов.* dyfrhau.
слепи́ть[1] *несов.* (*ослеплять*) dallu; tywyllu.
слепи́ть[2] *сов.* delweddu.
сле́пнуть *г.* dallu; tywyllu.
слепо́й[1] *прил.* dall; tywyll.
слепо́й[2] *м.од.* dall.
слив *м.* ceuffos.
сли́ва *ж.* eirinen.
слива́ть *несов.* ❶ cyfuno. ❷ sychu.
слива́ться *несов.* uno.
сли́вки *ж.мн.* hufen.
сли́зень *м.од.* malwen ddu; gwlithen.
сли́зистый *прил.* gludiog.
слизну́ть *сов.* (*языком*) llyfu.
слизня́к *м.од.* malwen ddu; gwlithen.
сли́зывать *несов.* llyfu.
слизь *ж.* llysnafedd.
слить *сов.* ❶ cyfuno. ❷ sychu.
сли́шком *нареч.* tra; rhy.
слия́ние *с.* cymer; cyswllt; cyd.
слова́рь *м.* geirfa; geiriadur.
сло́вно *сз.* fel.
сло́во *с.* gair; acen.
словоохо́тливый *прил.* siaradus.
словопроизво́дство *с.* tarddiad.

слог *м.* sillaf.
сложе́ние *с.* adiad; cysylltiad; adio.
сложи́ть *сов.* (*снять полномочия, звание, ответственность, вину и т.п.*) ❶ ychwanegu; pentyrru. ❷ gollwng. **прекрасно сложенная** siapus.
сложи́ться *сов.* ❶ plygu. ❷ cwympo. ❸ casglu arian. ❹ ymffurfio. ❺ cynnwys. ❻ cael ei ollwng.
сло́жность *ж.* cymhlethdod.
сло́жный *прил.* cymhlyg; cymhleth; cyfansawdd; tro.
слой *м.* haen; plyg; trwch; gosodiad; carfan; côt.
слома́ть *сов.* torri.
слон *м.од.* ❶ cawrfil. ❷ esgob (*в шахматах*).
слуга́ *м.од.* iangwr; gwas.
служа́нка *ж.од.* morwyn.
слу́жащий[1] *м.од.* swyddog; gwas.
слу́жащий[2] *прил.* gweinyddol.
слу́жба *ж.* gweinidogaeth; gorchwyl; swyddogaeth; gwasanaeth; swydd.
служе́бный *прил.* gweinyddol; swyddogol.
служи́тель *м.од.* gwas.
служи́ть *несов.* gwasanaethu; gweini.
слух *м.* ❶ clyw. ❷ sôn; achlust.
слу́чай *м.* achlysur; digwyddiad; damwain; amgylchiad; llam.
случа́йно *нареч.* odid.
случа́йность *ж.* damwain.
случа́йный *прил.* damweiniol; achlysurol; amgylchiadol; ambell. **случайно** ar hap, ar ddamwain.
случа́ться *несов.* digwydd; dychwelyd; darfod; amseru.
случи́ться *сов.* digwydd.
слу́шатель *м.од.* gwrandawr.
слу́шать *несов.* gwrando.
слу́шаться *несов.* ufuddhau.
слыха́ть *несов.* clywed.
слы́шать *несов.* clywed.
слы́шаться *несов.* cael ei chlywed.
слы́шимый *прил.* clywadwy; hyglyw.
слы́шный *прил.* clywadwy; hyglyw.
слюна́ *ж.* poeri; poer; glafoerion.
слю́ни *м.мн.* glafoerion.
слюня́вить *несов.* glafoerio.
слюня́вый *прил.* glafoeriog.
сля́коть *ж.* llaid.
сма́зка *ж.* braster; iriad; iraid.
сма́зчик *м.од.* irwr.
сма́зывать *несов.* iro.
смакова́ть *несов.* archwaethu.
сма́чивание *с.* gwlychfa.
сма́чивать *несов.* mwydo; gwlychu.
сме́жный *прил.* cyfagos.
сме́лость *ж.* dewrder; hyfdra; plwc; menter.
сме́лый *прил.* dewr; beiddgar; hy; hyderus; haerllug; glew; mentrus; herfeiddiol; blaengar; addfwyn.
смельча́к *м.од.* gwron.
сме́на *ж.* newidiad; tro; daliad; newid.
смени́ть *сов.* newid.
сменя́ть *несов.* newid; cyfnewid.
смерде́ть *г.* drewi.
смерте́льный *прил.* trancedig; marwol; angheuol.
сме́ртный[1] *прил.* trancedig; marwol; angheuol.
сме́ртный[2] *м.од.* marwol.
смертоно́сный *прил.* marwol.
смерть *ж.* marw; marwolaeth; angau; ymadawiad; llaith; adwedd; addoed.
смерч *м.* trowynt; corwynt.
смесь *ж.* cyfansawdd; mysg; cymysgedd.
смета́ть *несов.* ysgubo.
сметь *г.* beiddio.
смех *м.* chwerthin.
смехотво́рный *прил.* chwerthinllyd.
сме́шанный *прил.* cymysg.
сме́шивать *несов.* cymysgu.
смешно́й *прил.* doniol; diddan; arabus; arab; chwerthinllyd; rhyfedd; digrif.
смеща́ть *несов.* mudo; tynnu; diswyddo (*с поста*).
смеще́ние *с.* gogwydd; symudiad; mudiad.
смея́ться *несов.* chwerthin.
смире́ние *с.* iselfrydedd.
смире́нный *прил.* ufudd; llednais; llariaidd; addfwyn.
сми́рный *прил.* gwâr; llariaidd; tawel; addfwyn. **смирно!** astud!
смиря́ть *несов.* darostwng; gostwng.
смо́лкнуть *г.* tewi.
сморка́ться *несов.* chwythu.
смотр *м.* (*войсковой*) adolygiad.
смотре́ть *несов.* llygadu; syllu; gwylio; edrych; gweld; arolygu; golygu; craffu; gofalu; bugeilio; gwarchod.
смочь *г.* gallu.
сму́глый *прил.* melynddu; gwinau.
смути́ться *сов.* mwydro.
сму́тный *прил.* amhendant; pŵl; brith; amhenodol; aneglur; annelwig.
смуща́ть *несов.* cywilyddio; mwydro; drysu; cymysgu.
смуща́ться *несов.* cywilyddio; mwydro.
смуще́ние *с.* astrusi; dryswch; penbleth.
смущённый *прил.* (*взгляд, вид и т.п.*) syn.
смыва́ть *несов.* golchi.
смысл *м.* ystyr; synnwyr; ymdeimlad; dealltwriaeth; arwyddocâd; pwyll; grym; rheswm.
смычо́к *м.* bwa.
смышлёность *ж.* dealltwriaeth; deall.
смышлёный *прил.* deallus.

смягча́ть *несов.* llonyddu; lleddfu; lleihau; cymedroli.
смяте́ние *с.* astrusi; dryswch; cynnwrf; ffwdan; anhrefn; braw.
снабжа́ть *несов.* darparu; diwallu; gwasanaethu; cyflenwi.
снабже́ние *с.* arlwy; darpariaeth; darpar; cyflenwad; cost.
сна́добье *с.* cyfaredd.
снару́жи *нареч.* mas; maes; allan.
снаря́д *м.* ❶ taflegryn. ❷ offeryn.
снача́ла *нареч.* ❶ ar y dechrau; ar y cychwyn; yn y dechreuad; i ddechrau; i gychwyn; yn y lle gyntaf; yn gyntaf. ❷ o'r newydd; eilwaith; trachefn.
сна́шивать *несов.* treulio.
снег *м.* eira.
снежи́нка *ж.* pluen eira.
сне́жный *прил.* eiraog.
снежо́к *м.* ❶ pelen eira. ❷ eira.
снести́ *сов.* ❶ chwalu. ❷ dwyn. ❸ pentyrru. ❹ dioddef.
снижа́ть *несов.* gostegu; iselu; iselhau; darostwng; lleihau; gostwng.
снижа́ться *несов.* iselu; iselhau; disgyn; ymollwng.
сниже́ние *с.* iseliad; toriad; gostyngiad.
сни́зу *нареч.* oddi isod; oddi tanodd.
сни́кнуть *г.* adfeilio.
снима́ть *несов.* ❶ diosg; tynnu; ymddihatru; pigo; diodi. ❷ llogi. ❸ saethu.
сни́мок *м.* ciplun; llun.
снисходи́тельность *ж.* goddefgarwch.
снисходи́тельный *прил.* caniataol.
сни́ться *несов.* cael ei brofi wrth gysgu. **это ему приснилось** breuddwydiodd am hyn.
сно́ва *нареч.* eilwaith; mwy; trachefn; eto; trosodd.
сновиде́ние *с.* breuddwyd.
сноп *м.* ysgub.
сноро́вка *ж.* cast; medr; ystryw; cymhendod.
сноси́ть[1] *сов.* treulio.
сноси́ть[2] *сов.* (*отнести и принести обратно; собрать в одно место*) pentyrru.
сноси́ть[3] *несов.* ❶ chwalu. ❷ dwyn. ❸ pentyrru. ❹ dioddef.
сноситься *несов.* cyfathrebu.
сно́ска *ж.* nodyn.
сно́сный *прил.* goddefol; symol; rhesymol.
сноха́ *ж.од.* merch-yng-nghyfraith; gwaudd.
снять *сов.* ❶ tynnu. ❷ llogi. ❸ saethu.
соба́ка *ж.од.* ❶ ci; helgi. ❷ @.
соба́чий *прил.* cynol; cïol.
собесе́дник *м.од.* cyd-sgwrsiwr.
собира́ть *несов.* casglu; ymfyddino; crynhoi; tyrru; pigo; pentyrru; gwysio; cyrchu; hel; tynnu; hela.
собира́ться *несов.* ❶ bwriadu; mynd. ❷ ymfyddino; ymgasglu; ymgyrchu; ymgynnull; tyrru; hel.
соблазни́тельный *прил.* deniadol.
соблазня́ть *несов.* denu; llathruddo.
соблюде́ние *с.* cadwraeth.
соболе́зновать *г.* gresynu.
со́боль *м.од.* belau.
собо́р *м.* ❶ eglwys gadeiriol. ❷ cyngor.
соборовать *несов. и сов.* angennu.
собра́ние *с.* teml; cymanfa; oedfa; cronfa; gorsedd; cynulliad; cynulleidfa; casgliad.
собра́т *м.од.* cymrawd; cymar; cilydd; brawd.
собра́ть *сов.* casglu.
собра́ться *сов.* ❶ bwriadu. ❷ ymgynnull; tyrru.
со́бственник *м.од.* perchennog; perchen.
со́бственность *ж.* meddiant; eiddo; perthynas; byd.
со́бственный *прил.* priodol; hunan; hun.
собуты́льник *м.од.* cyfeddachwr.
собы́тие *с.* digwyddiad; achlysur; ffaith; amgylchiad; perwyl.
сова́ *ж.од.* tylluan; gwdihŵ; cuan.
сова́ть *несов.* rhoi; taro.
совере́н *м.* (*английская монета*) penadur.
соверша́ть *несов.* cyflawni.
совершенноле́тие *с.* oedran.
совершенноле́тний *м.од.* oedolyn.
соверше́нный *прил.* trylwyr; trwyadl; taladwy; cyflawn; rhonc; perffaith; delfrydol.
соверше́нство *с.* perffeithrwydd.
соверше́нствование *с.* perffeithrwydd.
соверше́нствовать *несов.* gwella; perffeithio; coethi.
соверши́ть *сов.* cyflawni.
со́весть *ж.* cydwybod.
сове́т *м.* arfaeth; cyngor; cyfarwydd.
сове́тник *м.од.* cynghorydd; cynghorwr.
сове́товать *г.* cyfarwyddo; argymell; annog; cymeradwyo; cynghori.
сове́товаться *несов.* ymgynghori.
сове́тский *прил.* Sofietaidd.
сове́тчик *м.од.* hyfforddwr.
совеща́ние *с.* ymgynghoriad; cynhadledd.
совеща́тельный *прил.* ymgynghorol.
совеща́ться *несов.* ymgynghori.
совлада́ть *г.* ymdopi.
совмести́мость *ж.* cydweddoldeb.
совме́стный *прил.* cyd; cydweithiol.
сово́к *м.* rhaw.
совокупле́ние *с.* cysylltiad; cyd.
совоку́пность *ж.* crynswth.
совпада́ть *г.* cyd-fynd; cyfateb.
совпаде́ние *с.* cyd-ddigwyddiad.
совраща́ть *несов.* twyllo.
совреме́нник *м.од.* cyfoeswr; cyfoed.

совреме́нный *прил.* cyfoed; presennol; cyfoes.
совсе́м *нареч.* hollol.
согбе́нный *прил.* cam; gŵyr; adŵyr; aniawn.
согла́сие *с.* caniatâd; cytundeb; cyfundeb; cymod; undod; undeb; cynghanedd; dealltwriaeth; cydsyniad.
согласи́ться *сов.* cytuno.
согла́сно *предл.* yn ôl.
согла́сный[1] *прил.* (*с чем-л., с кем-л.*) parod; bodlon; cydweddol; cyfun.
согла́сный[2] *прил.* (*о звуках*) cytsain.
согласова́ние *с.* cymod; cytundeb; cydweddiad.
согласо́ванность *ж.* cydweddoldeb; cysondeb.
согласо́ванный *прил.* amodig.
согласова́ться *несов. и сов.* (*соответствовать; сочетаться*) (*договориться*) (*грам.*) cytuno; cyd-fynd; cyfateb; cydweddu.
согласо́вывать *несов.* cymodi; amodi; dyddio.
соглаша́ться *несов.* cytuno; dygymod; cymodi; amodi; bodloni; cydweddu; cyfaddef; trigo; cydsynio.
соглаше́ние *с.* cytundeb; cyfamod; ymrwymiad; trefniad; cydwedd; trefniant.
согну́ть *сов.* bacho.
согрева́ть *несов.* poethi; twymo; cynhesu.
согреши́ть *г.* pechu.
соде́йствие *с.* cyfraniad.
соде́йствовать *г.* cymorth; hwyluso; hyrwyddo; noddi; cyfrannu; cynorthwyo; cydweithredu; rhwyddhau.
содержа́ние *с.* ❶ cynhaliaeth; cadwraeth; dogn; cyflog (*денежное*); lwfans. ❷ cynnwys.
содержа́ть *несов.* ❶ cadw; cynnal; achub. ❷ cynnwys; amgyffred.
содержа́ться *несов.* ❶ cael ei chadw; cael ei gynnal. ❷ cael ei gynnwys.
содержи́мое *с.* cynnwys.
соедине́ние *с.* cyfundeb; cyfansawdd; undod; cyfuniad; cysylltiad; uned; undeb; cyswllt; rhwym; cymal; cyfansoddiad; priodas; cysylltiad; cyd; dolen.
соединённый *прил.* cysylltiedig; unol; unedig.
соедини́ть *сов.* uno.
соединя́ть *несов.* cyfuno; uno; cysylltu; cyfosod; corffori; ieuo; asu.
соединя́ться *несов.* uno; ymuno; cysylltu; ieuo.
сожале́ние *с.* edifeirwch; tosturi; gofid; afar; trueni; galar; tristwch; alaeth.
сожале́ть *г.* edifaru.
сожи́тельствовать *г.* cyd-fyw; cydweddu.
созве́здие *с.* cytser; cysawd; twr.
созву́чие *с.* cynghanedd.
создава́ть *несов.* creu; seilio; cynhyrchu; adail; llunio; sefydlu; cyfansoddi.
создава́ться *несов.* cael ei chreu.
созда́ние *с.* (*произведение*) (*существо*) ❶ creadur. ❷ cread; creadigaeth; datblygiad.
созда́тель *м.од.* creawdwr; gwneuthurwr; creadur; lluniwr; awdur.
созда́ть *сов.* creu; cynhyrchu.
созерца́ние *с.* myfyrdod.
созерца́ть *несов.* myfyrio.
созида́ние *с.* cread; creadigaeth.
созида́тель *м.од.* gwneuthurwr.
созида́тельный *прил.* creadigol.
сознава́ть *несов.* (*признавать: свою вину, свой долг*) cyfaddef; cydnabod; addef.
сознава́ться *несов.* cyfaddef; cyffesu; addef.
созна́ние *с.* ymdeimlad; ymwybyddiaeth; synnwyr; pwyll; cydwybodoldeb.
созна́тельность *ж.* ymwybyddiaeth.
созна́тельный *прил.* cydwybodol; ymwybodol; gwirfoddol.
созрева́ть *г.* aeddfedu.
созыва́ть *несов.* galw; gwysio.
со́йка *ж.од.* cegid.
сойти́ *г.* ❶ mynd i lawr. ❷ cael ei chamgymryd am rth. ❸ gwneud y tro. **это сошло ему с рук** peidiodd â chael ei gosbi.
сойти́сь *сов.* ❶ ymgynnull. ❷ bod yn gyson â'i gilydd.
сок *м.* sudd.
со́кол *м.од.* (*птица*) hebog; gwalch.
сокраща́ть *несов.* cwtogi; talfyrru; gostwng; dychwelyd; toli.
сокраще́ние *с.* lleihad; talfyriad; toriad; gostyngiad.
сокро́вище *с.* gem; glain; tlws; cuddfa; addod; crawn.
сокро́вищница *ж.* addod.
сокруша́ть *несов.* llethu; mogi; gwasgu.
сокруша́ться *несов.* cwyno; edifaru; galaru; alaethu; galarnadu.
сокрушённый *прил.* briw; trwch; twn.
сокруши́ть *сов.* malu.
солда́т *м.од.* milwr. **могила Неизвестного Солдата** bedd y Gwron Dienw.
солда́тик *м.од.* milwr.
солда́тский *прил.* milwrol.
солёный *прил.* hallt.
соли́дный *прил.* sylweddol.
соли́ть *несов.* halltu; cyweirio.
со́лнечный *прил.* heulog; araul; tesog.
со́лнце *с.* haul; Sul.
солнцестоя́ние *с.* alban.
со́ло *с.* unawd.
солове́й *м.од.* eos.
со́лод *м.* brag.
соло́ма *ж.* gwellt.

соломина *ж.* gwelltyn.
соломинка *ж.* gwelltyn.
солоноватый *прил.* hallt.
соль *ж.* (*вещество*) halen.
сомневаться *несов.* petruso; amau.
сомнение *с.* ansicrwydd; amau; amheuedd; amheuaeth; anhyder.
сомнительный *прил.* astrus; petrus; amheus; ansicr; amwys; amheuol; annïau; annilys.
сон *м.* ❶ cwsg; hun. ❷ breuddwyd.
сонливость *ж.* cysgadrwydd.
сонливый *прил.* cysglyd.
сонм *м.* lliaws; aig; llu; tyrfa; cad; bagad.
сонный *прил.* swrth; cwsg; cysglyd.
соня *м.ж.* pathew; cysgadur.
соображать *несов.* deall.
соображение *с.* ystyriaeth; rheswm.
сообразительный *прил.* deallus; llym; craff.
сообразить *сов.* deall.
сообща *нареч.* ynghyd.
сообщать *несов.* mynegi; dweud; danfon; hysbysu.
сообщаться *несов.* (*быть соединенным с чем-л., с кем-л., иметь связь*) cyfathrebu.
сообщение *с.* hysbysiad; cyhoeddiad; adroddiad; neges; gair.
сообщество *с.* cymuned.
сообщить *сов.* dweud.
сообщник *м.од.* cydymaith.
сооружать *несов.* adeiladu; adail.
сооружение *с.* adeiladaeth; adeilad; adail.
соответственно *нареч.* felly.
соответственный *прил.* perthynol; atebol; cyfatebol.
соответствие *с.* cymhwyster; addasrwydd.
соответствовать *г.* ymagweddu; cydymffurfio; ymateb; gweddu; cyfateb; cyd-fynd; cydweddu.
соответствующий *прил.* gwiw; priodol; perthnasol; cymwys; dyledus; cydweddol.
соотечественник *м.од.* cydwladwr; gwladwr.
соотносительный *прил.* perthynol.
соперник *м.од.* gwrthwynebwr; cystadleuydd; gwrthwynebydd; cystadleuwr.
соперничать *г.* ymryson.
соперничество *с.* ymryson; ymgais; cystadleuaeth; cyfergyr.
сопеть *г.* ffroeni.
сопли *м.мн.* llysnafedd.
сопля *ж.* (*в обычном знач.*) llysnafedd trwyn.
сопоставлять *несов.* mantoli; cloriannu.
соприкасаться *несов.* (*быть смежным с чем-л., иметь контакт с кем-л.*) cyffwrdd.
соприкосновение *с.* cyffyrddiad.
сопровождать *несов.* cynllwyn; hebrwng; canlyn; dilyn; danfon.
сопровождаться *несов.* bod gyda rhth. **лихорадка, сопровождаемая бредом** twymyn a dryswch i'w chanlyn.
сопровождение *с.* gosgordd; cyfarwyddyd.
сопротивление *с.* gwrthwyneb; safiad.
сопротивляться *несов.* gwrthsefyll; gwrthwynebu; hybu; gohebu.
спряжение *с.* cyd.
сопутствовать *г.* hebrwng.
сор *м.* tom; sarn.
соразмерность *ж.* cyfartaledd; cydweddoldeb; cymesuredd.
соразмерный *прил.* cyfatebol.
соразмерять *несов.* mesur.
сорвать *сов.* ❶ diosg; pigo. ❷ arllwys.
сорваться *сов.* ❶ syrthio. ❷ methu. **сорваться с цепи** torri cadwyn.
соревнование *с.* ymryson; gornest; cystadleuaeth; cyfergyr.
соревноваться *несов.* cystadlu.
сорняк *м.* chwen.
сорок *числит.* deugain.
сорока *ж.од.* (*птица*) pi; pioden; piogen.
сороковой *числит.* deugeinfed.
сорт *м.* natur; dosbarth; math; rhyw; trefn; sut; cenedl; rhywogaeth; bath.
сортир *м.* tŷ bach; geudy.
сортировать *несов.* trefnu.
сосать *несов.* sugno; godro.
сосед *м.од.* cymydog; adnabyddwr.
соседка *ж.од.* cymydoges.
соседний *прил.* cyfagos.
соседство *с.* cymdogaeth; cyfyl.
сосиска *ж.* selsig.
соска *ж.* teth lwgu.
соскабливать *несов.* rhathu.
соскользнуть *г.* llithro.
сослаться *сов.* cyfeirio.
сослуживец *м.од.* cydweithiwr.
сосна *ж.* pinwydden; ffynidwydden.
сосок *м.* teth.
сосредоточение *с.* cynulleidfa.
сосредоточивать *несов.* canoli; canolbwyntio.
состав *м.* ❶ cyfansoddiad; tymer. ❷ cyfansawdd. ❸ swyddogion. ❹ trên. **состав преступления** corpus delicti.
составитель *м.од.* lluniwr; cysodwr.
составить *сов.* cyfansoddi; llunio.
составление *с.* cyfansoddiad.
составлять *несов.* cyfansoddi; llunio; ansoddi.
составной *прил.* cyfansawdd.
состояние *с.* ❶ cyflwr; sefyllfa; cywair; ystad; pwynt; gwedd; agwedd; amgylchiad; ystum; annel. ❷ cyfoeth.
состоятельный *прил.* ❶ goludog; cyfoethog. ❷ cadarn.
состоять *г.* ❶ cynnwys. ❷ bod.

состоя́ться *сов.* digwydd.
сострада́ние *с.* tosturi; trueni; trugaredd; cydymdeimlad.
сострада́ть *г.* gresynu.
состря́пать *сов.* coginio.
состяза́ние *с.* gornest; cystadleuaeth; cyfergyr.
состяза́ться *несов.* cystadlu; ymryson; amwyn.
сосу́д *м.* ❶ llestr; cib; corwgl; corwg; cwrwg. ❷ gwythïen.
сосу́н *м.од.* sugnwr.
сосу́щий *прил.* sugnwr.
сотворе́ние *с.* cread; creadigaeth.
со́тка *ж.* âr.
сотка́ть *сов.* gwau.
со́тник *м.од.* canwriad.
со́тня *ж.* cant.
сотова́рищ *м.од.* cydwedd.
сотру́дник *м.од.* cydweithiwr; cydweithredydd; cydweithredwr.
сотру́дничать *г.* cydweithio; cydweithredu.
сотру́дничество *с.* cydweithrediad.
сотряса́ть *несов.* ysgwyd; siglo.
со́ты *м.мн.* crib.
со́тый *числит.* canfed.
соуча́стник *м.од.* cyfranogwr; cyfrannog; cydymaith; affeithiwr.
соха́тый *м.од.* cawrgarw.
со́хнуть *г.* gwywo; sychu.
сохране́ние *с.* cynhaliaeth.
сохрани́ть *сов.* cadw.
сохрани́ться *сов.* cadw.
сохраня́ть *несов.* dal; cynnal; cadw.
сохраня́ться *несов.* dal.
социали́зм *м.* sosialaeth.
социали́ст *м.од.* sosialydd.
социалисти́ческий *прил.* sosialaidd.
социа́льный *прил.* cymdeithasol.
сочета́ние *с.* cyfuniad; cyfosod.
сочета́ть *несов. и сов.* ieuo.
сочине́ние *с.* traethawd; cyfansoddiad; gwaith; pisyn.
сочиня́ть *несов.* cyfansoddi; datod.
сочи́ться *несов.* distyllu; diferu.
сочлене́ние *с.* cyswllt; cymal.
со́чность *ж.* ireidd-dra; iredd; irder.
со́чный *прил.* iraidd.
сочу́вствие *с.* tosturi; trugaredd; cydymdeimlad.
сочу́вствовать *г.* cydymdeimlo; gresynu; cydsynio.
сою́з *м.* ❶ undeb; cyfundeb; cyfathrach; cynghrair; cyswllt. ❷ cysylltiad; cysylltair (*грам.*).
сою́зник *м.од.* (*в т. ч. о государстве*) cydymaith.
спад *м.* lleihad; cwymp.
спада́ть *г.* syrthio; disgyn; ymollwng; adfeilio.
спазм *м.* gwayw.
спазмати́ческий *прил.* adegol.
спа́йка *ж.* ymlyniad.
спали́ть *сов.* llosgi.
спа́льня *ж.* llofft.
спание́ль *м.од.* adargi.
спа́ривание *с.* cyd; cnuch.
спаса́ть *несов.* arbed; gwared; gwaredu; achub; dianc; iacháu; goresgyn.
спасе́ние *с.* iechydwriaeth; iachawdwriaeth; gwared; achubiaeth.
спаси́бо *с.* diolch. **большое спасибо!** diolch yn fawr iawn!
спаси́тель *м.од.* ceidwad; gwaredwr; achubydd; achubwr; iachawdwr.
спаси́тельный *прил.* iachaol; iachol; achubol.
спасти́ *сов.* achub.
спасть *г.* disgyn.
спать *г.* cysgu; hepian; huno.
спекта́кль *м.* perfformiad.
спекуляти́вный *прил.* damcaniaethol.
спе́лость *ж.* aeddfedrwydd.
спе́лый *прил.* aeddfed; addfed.
сперва́ *нареч.* cyntaf.
спе́рма *ж.* anian; rhith; sebon.
спёртый *прил.* trymaidd; myglyd; mwll.
спесь *ж.* balchder; gorfynt.
специализи́ровать *несов. и сов.* arbenigo.
специализи́роваться *несов. и сов.* arbenigo.
специали́ст *м.од.* arbenigwr.
специа́льность *ж.* arbenigrwydd; arbenigedd.
специа́льный *прил.* anad; enwedig; pendant; neilltuol; arbennig; unswydd.
специфици́ровать *несов. и сов.* pennu.
специфи́ческий *прил.* arbenigol; penodol; neilltuol.
спе́шиваться *несов.* disgyn.
спеши́ть[1] *г.* (*торопиться*) prysuro; brysio.
спеши́ть[2] *сов.* disgyn.
спе́шка *ж.* prysurdeb; brys; ffrwst.
спе́шный *прил.* taer.
спи́кер *м.од.* llefarydd; dadleuwr.
спина́ *ж.* cefn; cil.
спи́нка *ж.* cil; cefn.
спира́льный *прил.* troellog.
спира́нт *м.* crychiad.
спирт *м.* gwirod; alcohol.
спиртно́е *с.* gwirod.
спиртно́й *прил.* gwirodol.
спи́сок *м.* rhestr; taflen; rholyn; cofrestr; urddas.
спихну́ть *сов.* cilgwthio.
спи́ца *ж.* gwellen; adain; asgell.
спи́чка *ж.* rhwyll.

сплав *м.* ❶ aloi. ❷ rafftio.
сплести́ *сов.* plethu.
сплета́ть *несов.* cordeddu; clwydo; plethu; gwau; dirwyn.
сплѐтник *м.од.* clebryn; clec; clepgi.
спле́тница *ж.од.* clebren; clec.
спле́тничать *г.* clebran.
спле́тня *ж.* clep.
сплин *м.* dueg.
сплочённость *ж.* undod; undeb.
сплошно́й *прил.* cyfan; soled.
споко́йный *прил.* gwâr; distaw; llonydd; llyfn; tawel; hwylus; tyner; tirion; llariaidd; addfwyn; heddychlon; araul; canllaith.
споко́йствие *с.* distawrwydd; tawelwch; llonydd; hedd; tymer; heddwch.
sponта́нный *прил.* gwirfoddol.
спор *м.* ymryson; cynnen; anghysondeb; dadl; anheddwch.
спо́ра *ж.* sbôr.
спо́рить *г.* taeru; ymryson; dadlau.
спо́рный *прил.* anghysonair; amheus; dadleuol; cynhennus.
спорт *м.* mabolgamp; chwaraeon.
спорти́вный *прил.* ❶ chwarae. ❷ heini.
спортсме́н *м.од.* mabolgampwr.
спо́рщик *м.од.* dadleuwr.
спорынья́ *ж.* malltod rhyg.
спо́соб *м.* dull; modd; delw; llun; lluniaeth; trefn; dyfais; sut; diwygiad; nwyd; awgrym.
спосо́бность *ж.* abledd; medr; gallu; cymhwyster; dawn; grym.
спосо́бный *прил.* gwiw; abl; medrus; galluog.
спосо́бствовать *г.* cymorth; hwyluso; hyrwyddo; hybu; cyfrannu; cynorthwyo; rhwyddhau.
споткну́ться *сов.* baglu.
спотыка́ться *несов.* maglu; baglu; syrthio.
спохвати́ться *сов.* atgofio.
спра́ва *нареч.* ar y dde.
справедли́вость *ж.* cyfiawnder; iawnder; tegwch; cyfartaledd.
справедли́вый *прил.* cyfiawn; union; gweddol; teg; iawn.
спра́виться *сов.* ymdopi.
спра́вка *ж.* ❶ tystysgrif. ❷ cyfeiriad.
справля́ться *несов.* ❶ ymdopi. ❷ ymgynghori (*советоваться*).
спра́вочник *м.* llawlyfr; cydymaith.
спра́шивать *несов.* erchi; ymholi; ymofyn; hawlio; holi; gofyn.
спрос *м.* arch; ymofyn; gofyn.
спроси́ть *сов.* gofyn.
спры́гнуть *г.* neidio.
спряга́ть *несов.* (*глаголы*) treiglo; dychwelyd.
спряже́ние *с.* rhediad; treiglad.
спря́тать *сов.* cuddio.
спря́таться *сов.* llechu.
спуска́ть *несов.* iselu; iselhau; darostwng; gostwng; gollwng.
спуска́ться *несов.* disgyn; hanfod.
спусти́ть *сов.* gollwng; iselhau.
спусти́ться *сов.* hanfod; disgyn.
спустя́ *предл.* ar ôl; wedi.
спу́тник *м.од.* (*путешествующий вместе с кем-л.*) (*сопутствующее явление; справочник*) (*небесное тело*) ❶ cydymaith. ❷ adblaned; lloer; lloeren (*искусственный*); gosgordd.
спу́тывать *несов.* clwydo; cymysgu; cyffio.
спя́чка *ж.* cwsg.
сравне́ние *с.* cymhariaeth; cydwedd.
сра́внивать[1] *несов.* mantoli; gwastatáu.
сра́внивать[2] *несов.* gwastatáu.
сра́внивать[3] *несов.* cymharu; cydsynio; dyfalu; cloriannu.
сравни́тельный *прил.* cymharol; perthynol.
сравни́ть *сов.* cymharu.
сравня́ть *сов.* gwastatáu.
сража́ться *несов.* brwydro; ymladd; cyfogi.
сраже́ние *с.* brwydr; cyfergyr; cad; ymladd; aer; trin; aerfa.
сра́зу *нареч.* ar unwaith; yn syth; chwip.
срам *м.* gwarth.
среда́[1] *ж.* dydd Mercher.
среда́[2] *ж.* (*окружение*) cynefin; amgylchfyd.
среди́ *предл.* ynghanol; ymhlith; ymysg; cyfrwng.
сре́днее *с.* cyfartaledd.
сре́дний *прил.* ❶ canol; canolig; symol. ❷ diryw (*грам.*); amhleidiol (*грам.*). ❸ eilradd (*об образовании*).
сре́дство *с.* cyfrwng; moddion; cyfaredd; dyfais.
среза́ть *несов.* ysgythru; lladd; toli; brathu (*cymryd llwybr tarw*).
сровня́ть *сов.* gwastatáu.
сро́дный *прил.* perthynol.
сродство́ *с.* cyfathrach; tras.
срок *м.* plwc; ysbaid; term; tro; meitin; gofod; tymor; adeg; pryd; talwm.
сро́чный *прил.* taer.
сруба́ть *несов.* (*дерево, избу*) naddu.
срыва́ть[1] *несов.* ❶ pigo; diosg; plycio. ❷ arllwys.
срыва́ть[2] *несов.* chwalu.
срыть *сов.* chwalu.
ссо́ра *ж.* anghydfod; ffrae; terfysg; ymryson; cynnen; dadl; anghytundeb; anheddwch.
ссу́да *ж.* benthyciad; benthyg.
ссудный *прил.* benthyg.
ссужа́ть *несов.* benthyca.
ссыла́ть *несов.* alltudio.
ссыла́ться *несов.* crybwyll; cyfeirio.
ссы́лка *ж.* ❶ crybwyll; cyfeiriad; dolen (*ar y we*). ❷ alltudiaeth; alltudedd; alltud.
ссы́льный *м.од.* alltud.

стаби́льность *ж.* sefydlogrwydd; dilysrwydd; greddf.
ста́вить *несов.* ❶ dodi; gosod; cyfleu; taro. ❷ llwyfannu.
ста́вка *ж.* ❶ cyfradd. ❷ gwystl; prid; menter. ❸ pencadlys. **очная ставка** cyfwynebiad.
стагна́ция *ж.* annhyfiant.
ста́дия *ж.* gradd.
ста́до *с.* gyrfa; gyr; haid; praidd; mintai; alaf; bagad.
стака́н *м.* gwydraid; gwydryn; gwydr.
сталева́р *м.од.* toddydd.
ста́линский *прил.* Stalinaidd.
ста́лкиваться *несов.* gwrthdaro.
сталь *ж.* dur; melan.
стально́й *прил.* dur.
стаме́ска *ж.* cŷn; gaing.
стан *м.* ❶ gwersyll; cadlys. ❷ corffolaeth.
станда́рт *м.* (*норма, мерило*) safon; cwmpawd.
станда́ртный *прил.* safonol.
стани́на *ж.* corff.
станови́ться *несов.* mynd; dod.
стано́к *м.* ❶ offeryn peiriannol. ❷ bar. ❸ car gwn. **ткацкий станок** gwŷdd. **печатный станок** gwasg argraffu. **токарный станок** turn. **фрезерный станок** peiriant melino. **бритвенный станок** rasel ddiogel.
станс *м.* pennill.
ста́нция *ж.* safle; gorsaf.
ста́пель *м.* cyff.
стара́ние *с.* ymdrech; ymroddiad.
стара́тельный *прил.* llafurus; diwyd; ymroddgar; ystig; carcus.
стара́ться *несов.* ymdrechu; ceisio; ymgeisio; trafod; trafferthu; treio.
старе́йшина *м.од.* hynafiad; blaenor.
стари́к *м.од.* henwr; henoed.
старика́н *м.од.* henwr.
старика́шка *м.од.* henwr.
старико́в *прил.* henwraidd.
стариковатый *прил.* henwraidd.
старико́вский *прил.* henwraidd.
старина́ *ж.* (*старое время*) henaint.
стари́нный *прил.* oesol; hynafol.
старичо́к *м.од.* henwr.
ста́рость *ж.* henaint; henoed.
старт *м.* cychwyniad; cychwyn.
стартова́ть *г.* cychwyn.
стару́ха *ж.од.* hen wraig.
старушенция *ж.од.* hen wraig.
старушечка *ж.од.* hen wraig fach.
стару́шка *ж.од.* hen wraig fach.
старушонка *ж.од.* hen wraig fach.
ста́рший[1] *м.од.* uwchradd.
ста́рший[2] *прил.* uwchradd.
старшина́ *м.од.* (*звание*) uwch-ringyll.
старшинство́ *с.* (*первенство*) blaenoriaeth.
ста́рый *прил.* hen; oesol; hynafol; oedrannus.
старье́вщик *м.од.* carpiwr.
стати́стик *м.од.* ystadegydd.
стати́стика *ж.* ystadegau; ystadegaeth.
статисти́ческий *прил.* ystadegol.
ста́тный *прил.* boneddigaidd; bonheddig.
ста́тус *м.* statws.
стату́т *м.* deddf.
ста́туя *ж.* delw; cerflun; cerfddelw.
стать[1] *г.* ❶ dechrau; mynd. ❷ aros; sefyll. **он стал говорить** dechreuodd siarad. **стать королем** mynd/dod yn frenin. **его не стало** bu marw. **во что бы то ни стало** costied a gostio.
стать[2] *ж.* ❶ corffolaeth; llun; ffurf; ystum. ❷ rheswm.
статья́ *ж.* erthygl; ysgrif; adnod (*cymal*).
стациона́рный *прил.* sefydlog.
ста́я *ж.* praidd; mintai; haid; bagad; pac.
ствол *м.* ❶ gwrysgen; cyff; boncyff; gwydden; coes; paladr; trwnc. ❷ baril.
ство́рка *ж.* dalen.
сте́бель *м.* bagl; gwrysgen; paladr; gwydden; coes.
стега́ть *несов.* ❶ gwialenodio. ❷ gwnïo.
стёжка *ж.* pwyth.
стежо́к *м.* pwyth.
стезя́ *ж.* llwybr.
стек *м.* ysgafn.
стека́ть *г.* llifo i lawr.
стекло́ *с.* gwydr.
стеклоочисти́тель *м.* sychwr glaw; sychwr ffenestr; weiper.
стекля́нный *прил.* gwydr.
сте́лька *ж.* gwadn.
стен *м.* sthène (*1 kN*).
стена́ *ж.* gwal; mur; pared; gwawl.
стена́ть *г.* cwyno; galaru; alaethu; galarnadu; wylofain.
сте́нка *ж.* pared; mur.
стеногра́фия *ж.* llaw-fer.
степе́нный *прил.* (*солидный, рассудительный*) dwys.
сте́пень *ж.* trefn; gradd; cyfradd.
степь *ж.* paith.
стереоти́п *м.* ystrydeb.
стереоти́пный *прил.* ystrydebol.
сте́ржень *м.* paladr; gwaell; coes; colyn; bar; gwialen.
стеснённость *ж.* anesmwythder; anesmwythdra.
стесня́ть *несов.* gwasgu; anghysuro.
стесня́ться[1] *несов.* (*чувствовать неловкость*) cywilyddio; petruso.
стесня́ться[2] *несов.* ymdyrru.
стече́ние *с.* darymred.
стечь *г.* llifo i lawr.

стиль *м.* delw; arddull; dull; sut.
сти́мул *м.* cymhelliad.
стимули́рование *с.* anogaeth.
стимули́ровать *несов. и сов.* cymell; symbylu; hyrwyddo.
стипе́ндия *ж.* ysgolheictod; ysgoloriaeth.
стира́ть[1] *несов.* rhathu; tynnu; dileu; rhuglo.
стира́ть[2] *несов.* (*мыть*) golchi.
сти́рка *ж.* golch.
сти́скивать *несов.* gwasgu.
стих *м.* (*в поэзии*) pennill; adnod.
стиха́ть *г.* gostegu.
стихи́ *м.мн.* (*поэзия*) cerdd.
стихи́йный *прил.* gwirfoddol.
сти́хнуть *г.* gostegu.
стихотворе́ние *с.* cerdd; odl; caniad; nâd.
стихотво́рный *прил.* barddonol; awenyddol.
сто *числит.* cant.
стог *м.* das; tas; cogwrn; ysgafn.
стожок *м.* cyrnen.
сто́имость *ж.* prid; cost; teithi; gwerth.
сто́ить *несов.* costio.
сто́йка *ж.* ❶ cownter; bar. ❷ post; colofn. ❸ clwyd (*cwpwrdd*). ❹ coler galed. ❺ ystum; osgo. ❻ safiad. **стойка на руках** llawsafiad. **стоять по стойке «смирно»** sefyll yn syth. **делать стойку** (*о собаке*) marcio.
сто́йкий *прил.* sefydlog; cadarn.
сто́йло *с.* côr.
стол *м.* (*предмет мебели*) bwrdd; tabl; bord.
столб *м.* post; polyn; cledren; cledr; colofn.
столбе́ц *м.* colofn.
столе́тие *с.* canmlwyddiant (*годовщина*); canrif.
сто́лик *м.* bwrdd (*bach*).
столикий *прил.* ag iddo gant wyneb.
столи́ца *ж.* prifddinas.
столи́чный *прил.* prifddinasol.
столкну́ться *сов.* gwrthdaro.
столо́вая *ж.* ystafell fwyta; ystafell ginio; ffreutur.
столо́вый *прил.* bwyta; cinio; bwrdd.
столп *м.* (*столб, колонна*) post; paladr; colofn.
столпи́ться *сов.* ymdyrru.
столь *нареч.* mor.
сто́лько *числит.* cymaint; cynifer.
столя́р *м.од.* saer; asiedydd.
стон *м.* griddfan; uchenaid; nâd.
стона́ть *г.* griddfan; ebychu; nadu; udo; garddu.
стоп *част.* stopio.
стопа́[1] *ж.* (*часть ноги*) troed.
стопа́[2] *ж.* (*часть стиха; куча; сосуд*) pentwr.
сто́рож *м.од.* (*тот, кто сторожит*) gwarchodwr; gofalwr; gwyliwr.
сторожи́ть *несов.* bugeilio; gwylio; gwarchod; arail.
сторона́ *ж.* ochr; tu; ystlys; neilltu; parth; agwedd; plaid.
сторони́ться *несов.* golaith.
сторо́нник *м.од.* cefnogwr; deiliad.
стоя́ние *с.* safiad.
стоя́нка *ж.* arhosfa; gwersyll; safiad.
стоя́ть *г.* sefyll.
сто́ящий *прил.* aelaw.
страда́лец *м.од.* merthyr.
страда́лица *ж.од.* merthyr.
страда́ние *с.* cyfyngder; cyni; diflastod; blinder; dioddefaint; ing; trueni; aeth; cur; dioddef; poen; artaith; anaelau; annifyrrwch.
страда́тельный *прил.* goddefol.
страда́ть *г.* dioddef; goddef.
страж *м.од.* gwarchodwr; gwyliwr.
стра́жа *ж.* gwarchodlu.
стра́жник *м.од.* gwarchodwr.
страна́ *ж.* gwlad; pau; tir; tud.
страница *ж.* tudalen.
стра́нный *прил.* rhyfedd; chwithig; eres; adgas; atgas.
стра́нствие *с.* gwib.
стра́нствовать *г.* gwibio; rhodio; crwydro.
стра́стность *ж.* angerdd; angerddoldeb; annwyd.
стра́стный *прил.* selog; angerddol; eiddgar; anllad; tanbaid; twym; brwdfrydig; brwd; anwydog.
страсть *ж.* (*сильное чувство; страх, ужас*) llid; nwyd; angerdd; cyffro; gwŷn; chwant.
стратеги́ческий *прил.* strategol.
страх *м.* ofn; graen; achor; arswyd; dychryn; aeth; braw; cryndod.
страхова́ние *с.* yswiriant.
страхова́ть *несов.* yswirio; diogelu.
страхо́вка *ж.* dilysrwydd; yswiriant.
страши́ться *несов.* ofni.
стра́шный *прил.* ofnadwy; dygn; echrydus; dybryd; braw; arswydus; uthr; abrwysgl; irad; ofnus; hyll; dychrynllyd; erchyll; brawychus; angiriol; anguriol; pryderus.
стрекота́ть *г.* clebran.
стрела́ *ж.* ❶ saeth; gaflach. ❷ braich.
стреле́ц *м.од.* saethydd.
стре́лка *ж.* ❶ saeth (*bach*). ❷ bys. ❸ pwyntiau atal. ❹ gwnïad (*hosanau*). ❺ plyg. ❻ tafod. ❼ gwennol. **часовая стрелка** bys awr.
стрело́к *м.од.* saethydd.
стрельба́ *ж.* saethiad.
стреля́ть *несов.* tanio; saethu; medru.
стреми́тельный *прил.* disymwth; brys; prysur.
стреми́ться *несов.* cyrchu; ymofyn; anelu; argeisio.

стремле́ние *с.* tueddiad; dyhead; ymdrech; tuedd; chwant.
стре́мя *с.* gwarthol.
стре́нга *ж.* cainc.
стри́женый *прил.* toc.
строга́ть *несов.* rhathu.
стро́гий *прил.* dygn; union; cymwys; llym; caled; manwl; caeth; achubol.
строе́ние *с.* adeiladaeth; adeilad; adail.
строи́тель *м.од.* adeiladwr; adeiladydd.
строи́тельный *прил.* adeiladol.
строи́тельство *с.* adeiladaeth.
стро́ить *несов.* (*сооружать, создавать; ставить в строй*) ❶ adeiladu; adail. ❷ ffurfio; ymfyddino.
стро́иться *несов.* ymfyddino; llunio.
строй[1] *м.* (*военный*) trefn.
строй[2] *м.* (*социальный; музыкальный*) cywair; trefn.
стро́йка *ж.* adeiladaeth.
стро́йный *прил.* tenau; main; addfain; ffurfaidd.
строка́ *ж.* llinyn; llinell.
строфа́ *ж.* pennill; adnod.
строчок *м.* Gyromitra (*madarchen*).
струг *м.* plaen.
струга́ть *несов.* naddu.
стру́жка *ж.* asglodyn.
струи́ться *несов.* pistyllio; llifo; golchi; llifeirio.
структу́ра *ж.* gwead; strwythur; cyfansoddiad; fframwaith; cynllun.
струна́ *ж.* llinyn; tant.
стручо́к *м.* cib.
струя́ *ж.* llanw; ffrwd; llif.
стря́пать *несов.* coginio; digoni.
студе́нт *м.од.* myfyriwr.
студе́нтка *ж.од.* myfyrwraig.
студе́нческий *прил.* myfyriwr.
студёный *прил.* oer.
сту́жа *ж.* rhew.
стук *м.* cur.
сту́кнуть *сов.* clepian; curo.
стул[1] *м.* cadair; ystôl.
стул[2] *м.* (*мед.*) ystôl.
стульча́к *м.* ystôl.
ступа́ть *г.* troedio; sathru; sangu.
ступе́нь[1] *ж.* (*степень, этап*) graddfa; gradd.
ступе́нь[2] *ж.* (*лестницы*) gris; gradd.
ступе́нька *ж.* gris; gradd.
ступи́ца *ж.* bogail.
ступня́ *ж.* troed.
сту́пор *м.* marwgwsg.
стуча́ть *г.* taro; pwnio; baeddu; curo.
стыд *м.* cywilydd; achlod; siom; cardd; gwarth.
стыди́ть *несов.* cywilyddio.
стыди́ться *несов.* cywilyddio.
стыдли́вый *прил.* cywilyddus.
сты́дный *прил.* cywilyddus; gwarthus.
стык *м.* cyswllt; cymal.
стыко́вка *ж.* cyd.
сты́нуть *г.* fferru; rhewi.
сты́чка *ж.* ysgarmes.
стю́ард *м.од.* stiward.
стяг *м.* amlygyn; baner.
суббо́та *ж.* dydd Sadwrn.
субста́нция *ж.* sylwedd.
субъе́кт *м.од.* deiliad.
суверените́т *м.* arbenigrwydd; penaduriaeth.
сугро́б *м.* lluwch.
суд *м.* llys; gorsedd; brawdlys; bar.
су́дарь *м.од.* syr.
суда́чить *г.* clebran.
суде́бный *прил.* barnol.
суде́йский *прил.* barnol.
суди́ть *несов.* barnu; beirniadu; treio.
су́дно[1] *с.* llestr; llong; ysgraff.
су́дно[2] *с.* (*сосуд*) llestr.
су́дный *прил.* barnol. **судный день** dydd barn.
су́дорожный *прил.* adegol.
судохо́дство *с.* morwriaeth.
судьба́ *ж.* ffawd; tynged; llam.
судья́ *м.од.* beirniad; barnwr; adferwr.
суеве́рие *с.* argoel; ofergoeledd; ofergoel; ofergoeliaeth; geugred.
суеве́рный *прил.* ofergoelus.
суета́ *ж.* miri; cynnwrf; cyffro; ffwdan; ffrwst.
суети́ться *несов.* trafferthu; ffwdanu.
суетли́вый *прил.* amrygyr.
су́етность *ж.* gwagedd.
су́етный *прил.* daearol.
сужа́ть *несов.* meinhau.
сужа́ться *несов.* meinhau.
сужде́ние *с.* bar.
су́женая *ж.од.* darpar wraig.
суже́ние *с.* caethiwed.
су́женый *м.од.* darpar ŵr.
су́живать *несов.* cyfyngu.
сук *м.* cangen; cainc.
су́ка *ж.од.* gast.
сукно́ *с.* brethyn.
сули́ть *несов.* darogan; addaw.
сума́ *ж.* ysgrepan; cwdyn.
сумасбро́дный *прил.* gorffwyll; gwyllt.
сумасше́дший *прил.* gorffwyll; gwyllt; gwallgof.
сумасше́ствие *с.* cynddaredd; amhwylltra; amhwylltod; amhwyllter.
сумато́ха *ж.* broch; miri; terfysg; cynnwrf; cyffro; ffwdan; ffrwst; achor.
су́мерки *ж.мн.* gwyll.
суме́ть *г.* llwyddo.
су́мка *ж.* ysgrepan; pwrs; cwdyn.
су́мма *ж.* cyfanswm; cwbl; swm; pennod; rhif; craff; tyrfa.

сумми́рование *с.* adiad.
сумми́ровать *несов. и сов.* symio; crynhoi.
сунду́к *м.* cyff; coffr; cist.
су́нуть *сов.* rhoi; taro.
суп *м.* cawl.
супру́г *м.од.* cymar; cywely; cydweddog; cydwedd.
супру́га *ж.од.* cymar; cywely; cydweddog; cydwedd.
супру́жеский *прил.* cydweddog.
суро́вость *ж.* caledi.
суро́вый *прил.* dygn; chwyrn; del; irad; traws; llym; hallt; caled; garw; tost; amddyfrwys; afrywiog.
суста́в *м.* cyswllt; cymal; cnuch.
су́тки *ж.мн.* diwrnod.
су́точный *прил.* dyddiol.
суту́лить *несов.* gwyro; crymu.
суту́литься *несов.* crymu.
суть *ж.* (*сущность*) sylwedd.
сухожи́лие *с.* gewyn; gwythïen.
сухо́й *прил.* sych; cras; teg.
сучи́ть *несов.* cordeddu; nyddu; dirwyn; troelli. **сучить ногами** gwingo.
сучо́к *м.* gwrychyn.
су́ша *ж.* daear; tir.
суши́ть *несов.* crasu; sychu; pobi.
суще́ственный *прил.* materol; sylweddol; hanfodol; arwyddocaol; bywydol.
существи́тельное *с.* enw; cadernid.
существо́[1] *с.од.* bod; enaid.
существо́[2] *с.* (*сущность*) natur.
существова́ние *с.* bodolaeth; byd; bod.
существова́ть *г.* bod; byw; bodoli; oesi.
су́щий *прил.* rhonc.
су́щность *ж.* sylwedd; mêr; naws; natur; hanfod; swm; anian.
сфе́ра *ж.* rhod; cylch; cyrhaeddiad; glob.
схвати́ть *сов.* bachu; achub; dal; ymaflyd; amwyn; bacho.
схвати́ться *сов.* ❶ gafael; cydio. ❷ ymgodymu. ❸ caledu.
схва́тка *ж.* ❶ gornest; ysgarmes. ❷ gwayw (*esgor*); cwymp (*esgor*).
схва́тывать *несов.* gafael; dal; ymaflyd.
схе́ма *ж.* siart; cynllun; dyfais; dychymyg.
схи́зма *ж.* rhwyg.
сходи́ть[1] *г.* ❶ disgyn; mynd i lawr; hanfod; adfeilio. ❷ cael ei chamgymryd am rth. ❸ gwneud y tro.
сходи́ть[2] *г.* (*пойти куда-л. и вернуться*) mynd.
сходи́ться *несов.* ❶ ymgynnull. ❷ bod yn gyson â'i gilydd.
схо́дный *прил.* cytras; cyffelyb; tebyg.
схо́дство *с.* tebygrwydd; cydweddiad.
схола́стика *ж.* ysgoloriaeth.
сце́на *ж.* golygiad; gorsedd; llwyfan; golygfa.
сцена́рий *м.* senario.
сцепи́ться *сов.* bachu.
сцепле́ние *с.* ymlyniad; cyd.
счастли́вый *прил.* llon; llawen; hapus; ffodus; mad; gwynfydedig; dedwydd; balch.
сча́стье *с.* ffawd.
счесть *сов.* (*предположить; признать своим долгом, за благо и т.п.*) tybied; teimlo.
счёт[1] *м.* (*документ; результат игры*) ❶ anfoneb; bil; ysgrif. ❷ sgôr.
счёт[2] *м.* (*подсчет, учет*) cyfrif. **банковский счет** cyfrif banc.
счита́ть[1] *несов.* (*вести счет*) rhifo; cyfrif.
счита́ть[2] *несов.* tybied; teimlo; dal; gweld; barnu.
счита́ть[3] *сов.* darllen.
счита́ться *несов.* ❶ ystyried. ❷ cael ei ystyried. ❸ cael ei gyfrif.
счи́тывать *несов.* darllen.
счища́ть *несов.* carthu.
сшива́ть *несов.* gwnïo.
съеда́ть *несов.* bwyta; treulio; ysu; difa; cael.
съезд *м.* cynhadledd.
съе́здить *г.* ❶ mynd. ❷ taro.
съёмка *ж.* arolwg.
съёмщик *м.од.* deiliad.
съесть *сов.* bwyta.
сы́воротка *ж.* maidd; gleision.
сыгра́ть *сов.* ❶ chwarae. ❷ canu.
сы́знова *нареч.* eilwaith.
сын *м.од.* mab; ab; ap; bachgen.
сыно́к *м.од.* maban.
сы́паться *несов.* odi.
сыпь *ж.* brech.
сыр *м.* caws.
сыро́й *прил.* ❶ llaith; gwlyb. ❷ crai; cri; of; ir; amrwd.
сы́рость *ж.* gwlybaniaeth; gwlyb; lleithder.
сы́тый *прил.* wedi cael ei wala; wedi ei ddigoni; wedi ei lenwi.
сычу́г *м.* caul.
сычужо́к *м.* cywair.
сэр *м.од.* syr.
сюда́ *нареч.* yma.
сюже́т *м.* cynllun.
сюрпри́з *м.* syndod.

Т

таба́к *м.* baco.
та́бель *м.* tabl; taflen.
табле́тка *ж.* pilsen; tabled.
табли́ца *ж.* siart; tabl; taflen; llech.
табу́н *м.* mangre.
табуре́т *м.* ystôl.
табуре́тка *ж.* ystôl.
таве́рна *ж.* tafarndy; tafarn.
тавро́ *с.* nod.
таз[1] *м.* (*сосуд*) basn; mail; cawg.
таз[2] *м.* (*анат.*) isgeudod.
таи́нственный *прил.* rhyfedd.
та́инство *с.* dirgelwch; crefydd.
таи́ться *несов.* llechu.
тайга́ *ж.* taiga.
та́йна *ж.* dirgelwch; cyfrinach; dirgel.
та́йный *прил.* cyfrinachol; cudd; cyfrin; dirgel; preifat.
так[1] *част.* ie.
так[2] *сз.* felly. **так как** oherwydd.
так[3] *нареч.* cyn; mor; fel hyn.
та́кже *нареч.* chwaith; ychwaith; ogystal; hefyd.
тако́в *мест.* cyfryw.
таково́й *мест.* cyfryw.
тако́й *мест.* переводится экцвативом; cyfryw; ffasiwn. **такой умный человек** dyn mor beniog. **такие поэты как Китс** y cyfryw feirdd â Keats, y math feirdd â Keats, beirdd megis Keats.
тако́й-то *мест.* cyfryw.
такси́ *с.* tacsi.
такт *м.* ❶ curiad; trawiad. ❷ pwyll.
тала́нт *м.* (*в т.ч. о человеке*) athrylith; talent; dawn.
тала́нтливый *прил.* athrylithgar; talentog; galluog.
талисма́н *м.* crair.
та́лия *ж.* (*часть туловища*) ceudod; arch; gwasg.
там *нареч.* dyna; dacw; yno; draw; acw; yna.
тамо́жня *ж.* tollfa.
та́нгенс *м.* tangiad.
та́нец *м.* dawns.
танк *м.* tanc.
та́нковый *прил.* tanc.
танцева́ть *несов.* troedio; dawnsio.
танцо́вщик *м.од.* dawnsiwr.
танцо́р *м.од.* dawnsiwr.
тарака́н *м.од.* chwilen ddu.
тара́н *м.* hwrdd; blif; magnel.
тара́щиться *несов.* llygadu.
таре́лка *ж.* llestr; plât; dysgl; noe.
тари́ф *м.* cyfradd.
таска́ть *несов.* tynnu; llusgo; cario.
тасова́ть *несов.* siffrwd.
татуи́ровать *несов. и сов.* britho.
тахта́ *ж.* glwth.
та́чка *ж.* berfa.
та́шка *ж.* ysgrepan.
тащи́ть *несов.* cario; llusgo; tynnu.
та́ять *г.* datod; ymdoddi; meirioli.
тварь *ж.од.* creadur; bwystfil.
тверде́ть *г.* caledu; sythu.
твёрдость *ж.* caledi; cadernid; sylwedd; sefydlogrwydd.
твёрдый *прил.* soled; sefydlog; penderfynol; caled; cadarn.
твой *мест.* dy; tau; eiddot.
творе́ние *с.* (*в т. ч. об одушевленных существах*) creadur.
творе́ц *м.од.* creawdwr; gwneuthurwr; lluniwr; awdur.
твори́ть *несов.* creu.
твори́ться *несов.* ❶ digwydd. ❷ cael ei greu.
тво́рог *м.* caul.
тво́рческий *прил.* creadigol.
тво́рчество *с.* ❶ creadigaeth. ❷ gwaith.
теа́тр *м.* gorsedd; theatr.
театра́льный *прил.* theatraidd.
те́зис *м.* gosodiad.
тёзка *м.ж.* cyfenw.
текст *м.* testun.
тексту́ра *ж.* gwead.
теку́чий *прил.* llithrig; hylif.
теку́щий *прил.* gweithredol.
телеви́дение *с.* teledu.
телеви́зор *м.* set deledu; teledydd.
теле́га *ж.* men; ben.
телегра́мма *ж.* gwefreb.
телегра́ф *м.* gwefreb.
телеграфи́ровать *несов. и сов.* pellebru.
теле́жка *ж.* car; ben; cerbyd.
телёнок *м.од.* llo.
телепереда́ча *ж.* telediad.
телеско́п *м.* gwydr.
теле́сный *прил.* materol; corfforol; anianol; anianyddol.
телефо́н *м.* ffôn.
телефони́ровать *несов. и сов.* ffonio.
телефо́нный *прил.* ffôn.
тели́ться *несов.* alu.
тёлка *ж.од.* heffer; anner.
те́ло *с.* corff; ysgerbwd; cnawd; corwgl; corwg; cwrwg; soled.
телодвиже́ние *с.* ysgogiad; symudiad; mudiad.
телосложе́ние *с.* cyfansoddiad.
телохрани́тель *м.од.* gwarchodwr; pensiynwr.

тем *сз.* oll. **тем лучше для нее** gorau oll iddi hi. **чем быстрее, тем лучше** gorau po gyntaf. **чем меньше, тем лучше** gorau po leiaf. **чем больше пьешь, тем больше хочется** po fwyaf yr yfwch, mwyaf eich syched.
тéма *ж.* thema; pwnc; testun.
темнéть *г.* tywyllu.
темнúца *ж.* anoddun.
тёмно-красный *прил.* rhudd.
темнотá *ж.* tywyllwch; gwyll; düwch; caddug.
тёмный *прил.* tywyll.
темп *м.* ❶ cyflymder; cyflymdra. ❷ amseriad.
темперáмент *м.* arial; anianawd.
темперáментный *прил.* tanbaid; twym.
температýра *ж.* gwres (*о человеке, животном*); tymheredd; tymer.
тéмя *с.* corun.
тендéнция *ж.* gogwydd; tueddiad; tuedd; rhediad.
тенúстый *прил.* cysgodol; gooer.
тент *м.* pabell; cysgodlen.
тень[1] *ж.* (*в обычном знач.*) gwasgod; cysgod.
тень[2] *ж.од.* (*призрак, привидение*) gwasgod.
теодолúт *м.* deial.
теоретúческий *прил.* damcaniaethol; athronyddol.
теóрия *ж.* damcaniaeth.
тепéрешний *прил.* presennol.
тепéрь *нареч.* toc; nawr; rŵan.
теплó *с.* cynhesrwydd; gwres; tes.
теплотá *ж.* cynhesrwydd; gwres; angerdd; ias.
тёплый *прил.* twym; poeth; cynnes.
терапéвт *м.од.* therapydd.
тéрем *м.* tŷ.
теремок *м.* tŷ bychan.
теремочек *м.* tŷ bychan.
терéть *несов.* iro; rhuglo.
терзáть *несов.* llarpio; poeni.
тéрмин *м.* term.
терминáл *м.* terfynnell.
термóметр *м.* thermomedr.
тернúстый *прил.* dyrys.
терновник *м.* draenen; eirinen dagu.
терпелúвость *ж.* goddefgarwch; amynedd.
терпелúвый *прил.* amyneddgar.
терпéние *с.* amynedd.
терпéть *несов.* dioddef; goddef.
терпúмость *ж.* goddefgarwch.
терпúмый *прил.* goddefol; caniataol.
территориáльный *прил.* tiriogaethol.
территóрия *ж.* tiriogaeth; pau.
террорúзм *м.* terfysgaeth.
террорúст *м.од.* terfysgwr.
терять *несов.* colli.
тесёмка *ж.* llinyn.
теснúна *ж.* nant; ceunant.
теснúть *несов.* gwasgu; cilgwthio.
теснúться *несов.* bagadu.
тéсный *прил.* trymaidd; tyn; caethiwus.
тест *м.* prawf.
тéсто *с.* toes; past.
тестомес *м.од.* tylinwr.
тесть *м.од.* chwegrwn; tad-yng-nghyfraith.
тесьмá *ж.* incil.
тетивá *ж.* tant; llinyn.
тётка *ж.од.* modryb.
тетрáдь *ж.* llyfr ysgrifennu.
тётя *ж.од.* modryb.
тéхник *м.од.* technegydd.
тéхника *ж.* ❶ techneg. ❷ peiriannau; peirianwaith. ❸ cerbydau milwrol.
технúческий *прил.* technegol.
технóлог *м.од.* technolegwr.
технолóгия *ж.* technoleg.
течéние *с.* tramwyfa; cerrynt; aches; ystod; mynedfa; llifiad; gyrfa; hynt; llif.
течь[1] *г.* llifo; llifeirio.
течь[2] *ж.* twll.
тёща *ж.од.* chwegr; mam-yng-nghyfraith.
тúгель *м.* croesog.
тигр *м.од.* teigr.
тик *м.* (*болезнь; дерево*) tic.
тúна *ж.* llaid.
тип *м.* (*в основных знач.*) natur; math; rhyw.
типúчный *прил.* nodweddiadol.
типовóй *прил.* safonol.
типогрáфия *ж.* gwasg.
тирáн *м.од.* gormes.
тиранúя *ж.* gormes.
тирáнство *с.* gormes.
тис *м.* ywen.
тискú *м.мн.* craff.
тиснéние *с.* argraffiad; argraff.
титáн *м.од.* (*гигант*) cawr.
титр *м.* teitl.
тúтул *м.* urddas; teitl; cyfenw.
титулóванный *прил.* urddasol; boneddigaidd; bonheddig.
тúхий *прил.* tawel; tawedog; gwâr; distaw; esmwyth; llariaidd; addfwyn; tyner; llonydd; araul.
тихонький *прил.* tawel.
тишинá *ж.* distawrwydd; ust; tawelwch; taw; llonydd; hedd; heddwch.
ткань *ж.* gwead; gwe; brethyn; lliain.
тканье *с.* gwead.
ткать *несов.* gwau; brwydo.
ткач *м.од.* gwehydd.
ткнуть *сов.* gwthio.
тлетвóрный *прил.* andwyol; niweidiol.
товáр *м.* nwydd.
товáрищ *м.од.* cymar; cydymaith; câr; cyfaill; cilydd; cydweddog; cydwedd.

това́рищество *с.* cyfeillach; cymrodoriaeth; cwmni.
товарообме́н *м.* cyfnewid.
тогда́ *нареч.* ynteu; yna; bellach.
тожде́ственность *ж.* hunaniaeth.
то́ждество *с.* unfathiant (*Math.*); hunaniaeth.
то́же *нареч.* chwaith; ychwaith; hefyd.
ток[1] *м.* (*женский головной убор*) tôc.
ток[2] *м.* (*площадка для молотьбы; место, где токуют птицы*) ❶ llawr dyrnu; talwrn. ❷ man paru.
ток[3] *м.* (*движение жидкости, газа, электрического заряда*) cerrynt; llif.
то́карь *м.од.* troellwr.
толера́нтность *ж.* goddefgarwch.
толи́ка *ж.* mymryn.
толк *м.* ystyr.
толка́ть *несов.* hyrddio; gwthio.
толка́ться *несов.* ymwthio.
то́лки *м.мн.* achlust; si; sôn.
толкну́ть *сов.* gwthio.
толкова́ние *с.* dehongliad; esboniad; agoriad.
толкова́ть *несов.* esbonio; dehongli; agor.
толо́чь *несов.* malu.
толпа́ *ж.* torf; haid; tyrfa; bagad; lliaws; twr; llu; mintai; aig; hygyrchedd; crug; cant.
толпи́ться *несов.* tyrru; bagadu.
толсте́ть *г.* tewychu; pwyntio.
толстоко́жий *прил.* croenog.
то́лстый *прил.* tew; trwchus; praff; bwr; ffyrf; trwsgl.
толчо́к *м.* hwb; hwrdd.
толщина́ *ж.* tewder; trwch; plyg.
толь *м.* papur col-tar.
то́лько[1] *нареч.* newydd.
то́лько[2] *сз.* ❶ cyn gynted â. ❷ ond. **только он вошел** cyn gynted ag y cyrhaeddodd.
то́лько[3] *част.* dim ond.
том *м.* cyfrol.
томи́ться *несов.* hiraethu.
то́мный *прил.* llesg.
тон[1] *м.* cywair; tôn; goslef.
тон[2] *м.* (*цвет*) arlliw; gne.
тона́льность *ж.* cywair; allwedd.
то́ненький *прил.* tenau.
тонзу́ра *ж.* corun.
то́ника *ж.* cyweirnod.
то́нкий *прил.* main; tenau; cynnil; achul.
то́нна *ж.* tunnell.
тонне́ль *м.* twnel.
тону́ть *г.* suddo; boddi.
топи́ть *несов.* ❶ gwresogi. ❷ toddi. ❸ boddi; suddo.
то́пка *ж.* ffwrnais; pair.
то́пкий *прил.* amddyfrwys.
то́пливо *с.* tanwydd.
то́поль *м.* poplysen.
топо́р *м.* bwyell; bwyall.
топо́рный *прил.* trwsgl.
топта́ть *несов.* sarnu; troedio; sathru; sangu.
топь *ж.* cors; siglen; gwern.
Тор *м.од.* Thor.
тор *м.* torws.
то́ра *ж.* Tora.
торгова́ть *несов.* marchnata; negeseua; delio.
торгова́ться *несов.* cyfnewid.
торго́вец *м.од.* gwerthwr; masnachwr.
торго́вля *ж.* trafnidiaeth; masnach.
торго́вый *прил.* masnachol.
торже́ственность *ж.* arbenigrwydd.
торже́ственный *прил.* difrifol.
торжество́ *с.* gorfoledd; goruchafiaeth.
тормози́ть *несов.* dal.
торна́до *м.* trowynt; corwynt.
торопи́ть *несов.* rhuthro; prysuro; llywio.
торопи́ться *несов.* prysuro; brysio; ffrwcsio.
тороплі́вость *ж.* prysurdeb; ffrwst.
торопли́вый *прил.* brysiog; brys.
торт *м.* teisen.
торф *м.* mawnen.
торча́ть *г.* aelio.
тоска́ *ж.* hiraeth; argyllaeth.
тоскова́ть *г.* hiraethu; methu.
тост *м.* ❶ llwncdestun; llwnc. ❷ tost.
тот *мест.* hwnnw; hyn.
то́тчас *нареч.* toc; diannod.
точи́лка *ж.* miniwr.
точи́льщик *м.од.* hogwr; miniwr.
точи́ть *несов.* (*заострять*) minio; hogi; llifo; malu; pwyntio.
то́чка *ж.* pwnc; pigiad; pennod; pwynt.
то́чность *ж.* crynodeb; cywirdeb; manyldeb; prydlondeb.
то́чный *прил.* cywrain; cryno; cynnil; diau; ffyddlon; union; prydlon; penodol; cyfyng; cymwys; llythrennol; manwl; cywir; carcus.
тошни́ть *несов.* cyfogi.
тошнота́ *ж.* cyfog.
то́щий *прил.* tenau.
трава́ *ж.* gwellt; glaswellt; gwelltglas; porfa; addail.
трави́нка *ж.* glaswelltyn; gwelltyn.
трави́ть *несов.* ❶ gwenwyno. ❷ ysgythru. ❸ baeddu; hela. ❹ gollwng. **травить байки** adrodd straeon celwydd golau.
тра́вля *ж.* helwriaeth.
тра́вма *ж.* anaf.
травяни́стый *прил.* porfedog.
травяно́й *прил.* llysieuol.
траге́дия *ж.* trasiedi; trychineb.
траги́ческий *прил.* trychinebus.
традицио́нный *прил.* traddodiadol.
тради́ция *ж.* traddodiad.
траекто́рия *ж.* llwybr.
тракта́т *м.* traethawd.

трактѝр *м.* tafarn.
трактѝрщик *м.од.* tafarnwr.
трактова́ть *несов.* traethu.
тра́ктор *м.* tractor.
трамва́й *м.* tram.
транс *м.* perlewyg; marwgwsg; llewyg.
транскрибѝровать *несов. и сов.* adysgrifio.
транскрѝпция *ж.* cynaniad.
транслѝровать *несов. и сов.* darlledu; trosi.
трансля́ция *ж.* trosiad.
тра́нспорт *м.* (*перевозочные средства; перевозка*) trafnidiaeth.
транспортѝровать *несов. и сов.* hebrwng; cludo.
транспортиро́вка *ж.* cludiant.
трансфе́рт *м.* trosglwyddiad.
транше́я *ж.* clawdd; clais; ffos; ceuffos.
тра́пезная *ж.* ffreutur.
тра́сса *ж.* priffordd.
тра́та *ж.* cost; traul; gwastraff.
тра́тить *несов.* gwastraffu; gwario; treulio; hel; costio.
тра́ур *м.* galar; argyllaeth.
тра́урный *прил.* galarus; alaethus.
тре́бование *с.* arch; hawl; galwad; gofyn.
тре́бовать *несов.* erchi; arddel; ymofyn; hawlio; gofyn.
тре́боваться *несов.* bod yn ddiffygiol; bod yn brin; bod yn eisiau.
трево́га *ж.* cyfyngder; cynnwrf; gofid; pryder; cur; trafferth; helynt; helbul; aflonyddwch; anesmwythder; anesmwythdra; anesmwythyd; anniddigrwydd.
трево́жить *несов.* trafferthu; trwblo.
трево́житься *несов.* malio.
трево́жный *прил.* pryderus; anesmwyth; aflonydd; rhwyfus; carcus.
тред-юнио́н *м.* undeb.
тре́звый *прил.* sobr.
трек *м.* wysg.
тремоло *с.* crychiad.
тренирова́ть *несов.* hyfforddi; ymarfer; addysgu.
трениро́вка *ж.* arferiad; hyfforddiant; ymarfer; addysgiaeth.
трениро́вочный *прил.* hyfforddiadol.
трепа́н *м.* (*мед. инструмент*) taradr.
тре́пет *м.* cryndod; ias; gwefr.
трепета́ть *г.* dyheu; crynu.
треск *м.* clec; clep.
треска́ *ж.од.* penfras.
тре́скаться *несов.* clecian; agennu.
трест *м.* ymddiriedolaeth.
тре́тий *числит.* trydydd.
треть *ж.* traean.
трёхмесячный *прил.* chwarterol.
треща́ть *г.* clecian; rhuglo.
тре́щина *ж.* hollt; toriad; agen; tor; rhwyg; fflaw.
три *числит.* tri; triawd.
триа́да *ж.* tri.
трѝба *ж.* tylwyth; ciwdod.
трибу́н *м.од.* tribiwn.
трибу́на *ж.* areithfa.
трибуна́л *м.* gorsedd.
тривиа́льный *прил.* gwacsaw.
тридца́тый *числит.* degfed ar hugain.
трѝдцать *числит.* deg ar hugain.
трѝжды *нареч.* tair gwaith.
трикота́ж *м.* gwead.
трило́гия *ж.* triawd.
трина́дцатый *числит.* trydydd ar ddeg.
трина́дцать *числит.* tri ar ddeg.
трѝо *с.* triawd.
трѝста *числит.* tri chant.
трито́н *м.од.* (*животное*) madfall; genau-goeg.
триу́мф *м.* gorfoledd; gorfodaeth; goruchafiaeth; gogoniant.
тро́гать *несов.* ❶ cyffwrdd; teimlo; palfalu. ❷ syflyd; cyffroi.
тро́гаться *несов.* cychwyn.
тро́е *числит.* trindod; triawd.
тро́ица *ж.* trindod (*рел.*); triawd. **бог троицу любит** tri chais i Gymro.
тро́йка *ж.* tri; triawd.
тройно́й *прил.* trebl.
трон *м.* gorsedd; brenhinfainc; cadair; eisteddfod; teml.
тро́нуть *сов.* ❶ palfalu. ❷ cyffroi.
тро́нуться *сов.* cychwyn.
тропа́ *ж.* llwybr; trywydd; rhodiad.
тропѝнка *ж.* llwybr; wysg; adrywedd; lôn.
тропѝческий *прил.* trofannol.
трос *м.* tennyn.
тростинка *ж.* calaf.
тростнѝк *м.* brwynen; calaf.
тротуа́р *м.* sarn; palmant.
труба́ *ж.* simnai; pib; pibell.
тру́бка *ж.* cat (*курительная*); cetyn (*курительная*); pib; pibell; derbynnydd (*телефонная*).
трубопрово́д *м.* pibell.
труд *м.* llafur; gweithred.
трудѝться *несов.* llafurio; trafferthu; digoni.
трудновоспиту́емый *прил.* anhydyn.
тру́дность *ж.* caledi; anhawster; afrwyddineb.
тру́дный *прил.* anodd; caled; cymhleth; anawdd; anhawdd; dygn; astrus; llafurus; dyrys; amddyfrwys; afrwydd; tyn.
трудово́й *прил.* llafur.
трудоёмкий *прил.* llafurus.
трудолюбѝвый *прил.* llafurus; gweithgar; diwyd.

труп *м.* celain; ysgerbwd; corff; abwy; abo; burgyn; abar.
трýпный *прил.* corfforol.
трýппа *ж.* cwmni.
трус *м.од.* (*боязливый человек; кролик*) llwfrgi; cachwr; adwr.
трýсики *м.мн.* clos bach; pantis; nicyrs; blwmar.
трусы́ *м.мн.* llodrau isaf; drafers; trôns; clos bach; blwmar; pantis; nicyrs.
трут *м.* rhwyll.
трýтень *м.од.* gwenynen ormes; cacynen.
трюк *м.* tric; ystranc; cast.
тря́пка[1] *ж.* (*лоскут*) cadach; clwt.
тря́пка[2] *ж.од.* (*бесхарактерный человек*) gwlanen.
трясúна *ж.* llaid; cors; siglen.
трясти́ *несов.* ysgwyd; siglo; cynhyrfu; garddu.
трясти́сь *несов.* crynu; siglo; garddu.
туалéт *м.* ❶ tŷ bach; geudy. ❷ dillad; gwisg.
тугóй *прил.* tyn.
тудá *нареч.* yno; acw; yna.
туз *м.* as.
тузéмец *м.од.* brodor.
тузéмный *прил.* genedigol; brodorol.
тýловище *с.* arch; corff.
тумáн *м.* (*атмосферное явление; неясность*) niwl; caddug.
тумáнный *прил.* niwlog; afloyw; pŵl.
тýмбочка *ж.* cwpwrdd gwely.
тунúка *ж.* (*древнеримская одежда*) pais.
тупúца *м.ж.* (*тупой человек*) twpsyn.
туповáтый *прил.* pŵl.
тупоголóвый *прил.* penfras.
тупóй *прил.* ❶ diawch; pŵl; aflem. ❷ twp; mud; hurt; dwl; bal; llywaeth; tew.
тупой угол ongl aflem.
тýпость *ж.* twpdra.
тупоýмный *прил.* tew.
тур[1] *м.од.* (*животное*) bual (*mawr*).
тур[2] *м.* (*круг, этап; военное сооружение*) ❶ cylch. ❷ caergawell.
турúст *м.од.* ymwelydd.
турнé *с.* amdaith.
турнéпс *м.* meipen.
тýсклый *прил.* dwl; afliwiog; pŵl.
тусклéть *г.* gwelwi.
тут *нареч.* yma.
тýфля *ж.* esgid.
тýхлый *прил.* pwdr.
тýхнуть *г.* ❶ pydru. ❷ diffodd.
тýча *ж.* cwmwl (*du*).
тýчность *ж.* braster.
тýчный *прил.* boliog; pasgedig; trwchus; tew.
тýша *ж.* abo; abwy; ysgerbwd.
тушúть *несов.* ❶ diffodd. ❷ brwysio.
тушь *ж.* ❶ inc India. ❷ masgara; lliw du.
тщáтельный *прил.* llafurus; ymroddgar; trylwyr; trwyadl.
тщедýшный *прил.* tila; pitw.
тщеслáвие *с.* gwagedd; balchder.
тщетá *ж.* gwagedd.
тщéтный *прил.* ofer; adfant; seithug; annhyciannol; annhyciannus.
ты *мест.* ti; tydi; tithau; chdi.
ты́кать[1] *несов.* (*пальцем и т.п.*) gwthio.
ты́кать[2] *несов.* (*говорить «ты» кому-л.*) dweud “di” yn lle “chi”.
ты́ква *ж.* pompiwn.
тыл *м.* tu ôl.
ты́сяча *ж.* mil.
тысячелúстник *м.* milddail.
ты́сячный *прил.* milfed.
тьма[1] *ж.* (*мрак*) tywyllwch.
тьма[2] *ж.* myrdd.
тьфу *част.* ych.
тюк *м.* pwn.
тюлéнь *м.од.* morlo.
тюрбáн *м.* (*головной убор*) penwisg.
тюрéмный *прил.* carcharol.
тюрьмá *ж.* carchar; dalfa; gwarchae.
тя́вкать *г.* cyfarth.
тя́гостный *прил.* beichus; trymaidd; llethol.
тяготéние *с.* atyniad.
тя́жба *ж.* cyngaws.
тяжебщик *м.од.* dadleuwr.
тяжеловáтый *прил.* trymaidd.
тяжёлый *прил.* ❶ anodd; caled; difrifol; anawdd; anhawdd; dygn; astrus; llafurus; dyrys; graen; irad; dwys; amddyfrwys; afrwydd; tyn. ❷ trwm; trymaidd.
тя́жесть *ж.* pwys.
тя́жкий *прил.* ❶ anodd. ❷ trwm.
тянýть *несов.* ymestyn; llusgo; tynnu.
тянýться *несов.* cyrchu; ymestyn; llusgo.

У

у *предл.* gerllaw; gan; gyda; ger; wrth.
убавле́ние *с.* lleihad.
убавля́ть *несов.* iselu; iselhau; prinhau; lleihau.
убега́ть *г.* dianc; bario.
убеди́ть *сов.* darbwyllo.
убеди́ться *сов.* gwneud yn siŵr.
убежа́ть *г.* ffoi; dianc.
убежда́ть *несов.* cymell; darbwyllo; rhesymu; annog; rhybuddio; argyhoeddi; dadlau.
убежда́ться *несов.* gwneud yn siŵr.
убежде́ние *с.* ❶ coel; cred; credo. ❷ darbwylliad; anogaeth; argyhoeddiad.
убеждённость *ж.* hyfdra; argyhoeddiad; sicrwydd; hyder.
убеждённый *прил.* (*в чем-л.*) sicr.
убе́жище *с.* gwasgod; cuddfan; cil; nodded; achles; cynefin; lloches; cysgod; llety; achudd.
убива́ть *несов.* llofruddio; lladd.
убива́ться *несов.* ymlâdd; poeni; galaru.
уби́йственный *прил.* marwol; angheuol.
уби́йство *с.* llofruddiaeth; dyn-laddiad; galanas; cynllwyn; gwain.
уби́йца *м.ж.* llofrudd; cynllwyn.
убира́ть *несов.* ❶ tynnu; mudo; diodi. ❷ tacluso.
уби́ть *сов.* llofruddio; lladd; darfod.
ублажа́ть *несов.* llonyddu.
ублю́док *м.од.* bastardyn.
убо́гий *прил.* llwm; truenus; tlawd; salw; gwael; truan; adfydus; anniddan.
убо́жество *с.* gwaeledd.
убо́рная *ж.* ❶ geudy. ❷ ystafell wisgo.
убра́ть *сов.* ❶ mudo; tynnu. ❷ tacluso.
убыва́ние *с.* lleihad.
убыва́ть *г.* treio; lleihau; ymollwng.
убы́ток *м.* niwed; difrod; colled; coll; anelw.
убы́точный *прил.* anfuddiol.
уважа́емый *прил.* parchus; anrhydeddus.
уважа́ть *несов.* parchu.
уваже́ние *с.* parch; bri; gofuned.
уважи́тельный *прил.* parchus.
у́валень *м.од.* cimwch.
уведомле́ние *с.* hysbysiad; cyhoeddiad; sylw; rhybudd.
уведомля́ть *несов.* sylwi; hysbysu.
увезти́ *сов.* mynd.
увекове́чить *сов.* anfarwoli.
увеличе́ние *с.* cynhyrchiad; codiad; chwydd; tyfiant; chwyddiant; cynnydd; ennill; amlhad.
увели́чивать *несов.* rhythu; ehangu; ychwanegu; lluosogi; lluosi; cynyddu; amlhau.
увели́чиваться *несов.* rhythu; dyrchafu.
увели́чить *сов.* cynyddu.
увере́ние *с.* sicrwydd.
уве́ренность *ж.* hyfdra; ymddiried; sicrwydd; hyder; crynodeb; argyhoeddiad.
уве́ренный[1] *прил.* (*в чем-л., в ком-л.*) sicr; hyderus; diogel.
уве́ренный[2] *прил.* (*решительный, твердый: шаг, действия, тон*) dilys; diau; diogel.
увертю́ра *ж.* agorawd.
уверя́ть *несов.* haeru; darbwyllo; sicrhau; gwirio.
увеселе́ние *с.* rhialtwch; digrifwch; difyrrwch.
увесели́тельный *прил.* difyr.
увести́ *сов.* mynd â rhn (*oddi ar rn/rth*).
уве́чить *несов.* cloffi; anafu.
уве́чный *прил.* efrydd; cloff.
увещева́ние *с.* anogaeth; argymhelliad; rhybudd.
увещева́ть *несов.* annog; rhybuddio.
уви́деть *сов.* gweld.
увлажня́ть *несов.* mwydo; ireiddio; gwlychu.
увлажня́ться *несов.* gwlychu.
увлека́ться *несов.* ymroi.
увлече́ние *с.* ymroddiad.
уводи́ть *несов.* mynd â rhn (*oddi ar rn/rth*).
уво́лить *сов.* diswyddo; anurddo.
увольня́ть *несов.* diswyddo; neilltuo; gollwng.
увы́ *част.* ysywaeth.
увяда́ть *г.* gwywo.
угада́ть *сов.* dyfalu.
уга́дывать *несов.* dyfalu.
угаса́ть *г.* treio; adfeilio.
углеко́п *м.од.* glöwr.
углубле́ние *с.* pwll.
углубля́ть *несов.* dyfnhau; suddo.
углубля́ться *несов.* suddo.
угнета́тель *м.од.* gormes.
угнета́ть *несов.* llethu; treisio; malu; gorthrymu.
угнете́ние *с.* trais; gormes; amarch.
угова́ривать *несов.* rhesymu; darbwyllo.
уговори́ть *сов.* darbwyllo.
угоди́ть *г.* ❶ plesio. ❷ cyrraedd.
уго́дный *прил.* derbyniol.
угожда́ть *г.* plesio.
у́гол *м.* cornel; ongl; congl; cil; bachell; elin; ban; cwr; gafl.
уголо́вный *прил.* troseddol.
уголо́к *м.* congl; cil; bachell; ban; cornel; cwr.
у́голь *м.* glo.

у́гольщик *м.* (*судно*) glöwr.
угоня́ть *несов.* herwgipio (*cerbyd, llong, awyren, ac ati*); alltudio.
у́горь[1] *м.* ploryn.
у́горь[2] *м.од.* llysywen.
угрожаемый *прил.* bygythiol.
угрожа́ть *г.* bygwth.
угрожа́ющий *прил.* bygythiol; hyll.
угро́за *ж.* perygl; bygythiad; bygwth.
угрю́мый *прил.* swrth; del; aflawen; anaraul.
уда́в *м.од.* neidr wasgu.
удава́ться *несов.* bod yn llwyddiant. **мне удалось сделать что-либо** llwyddais i wneud rhth.
удави́ть *сов.* tagu.
уда́вка *ж.* gwden.
удали́ться *сов.* ❶ pellhau. ❷ cael ei ddileu.
удаля́ть *несов.* ❶ dileu; tynnu; ysgythru. ❷ pellhau.
удаля́ться *несов.* ❶ pellhau. ❷ cael ei ddileu.
уда́р *м.* ergyd; trawiad; curiad; taro; cur; cernod; cyflafan; hwrdd; clec; clep; goglais.
ударе́ние *с.* acen; pwyslais; arbenigrwydd.
уда́рить *сов.* curo.
уда́риться *сов.* taro.
уда́рник *м.* (*деталь затвора или музыкального инструмента*) morthwyl.
уда́рный *прил.* ❶ ergydiol. ❷ egnïol. ❸ acennog. **ударные инструменты** offerynnau taro. **ударные части** milwyr ymosod, cyrchfilwyr. **ударная программа** rhaglen garlam.
ударя́ть *несов.* curo; taro; bwrw; pwnio; baeddu; medru; cyfogi.
уда́ться *сов.* bod yn llwyddiant. **мне удалось сделать что-либо** llwyddais i wneud rhth.
уда́ча *ж.* llwyddiant; llwydd; ffawd.
уда́чливый *прил.* ffodus.
уда́чный *прил.* llwyddiannus; hapus; lwcus; dedwydd; mad; adgas; atgas; priodol.
удва́ивать *несов.* dyblu.
удво́енный *прил.* dwbl; dyblyg.
уде́л *м.* cyfran; tynged; rhan; ffawd.
удержа́ть *сов.* cadw.
удержа́ться *сов.* ymatal; peidio.
уде́рживать *несов.* dal; atal; cadw; nadu.
удиви́тельный *прил.* rhyfedd; rhyfeddol; chwithig; eres; atgas; uthr; adgas; syfrdanol; hynod; syn.
удиви́ть *сов.* syfrdanu.
удиви́ться *сов.* rhyfeddu.
удивле́ние *с.* syndod; rhyfeddod.
удивля́ть *несов.* pensynnu; rhyfeddu; synnu.
удивля́ться *несов.* pensynnu; rhyfeddu; synnu; gwaredu.
уди́лище *с.* genwair.
удира́ть *г.* dianc; gloywi; baglu; bario.
удлине́ние *с.* estyniad.
удлинённый *прил.* llaes.
удлиня́ть *несов.* ehangu; ymestyn; estyn.
удо́бный *прил.* cysurus; esmwyth; hwylus; cyfleus; cyfforddus; cyffyrddus; ffafriol; adgas; atgas.
удобопонятный *прил.* hyddysg.
удобре́ние *с.* gwrtaith; achles.
удобря́ть *несов.* trwsio; achlesu.
удо́бство *с.* cyfleustra; cyfleuster.
удовлетворе́ние *с.* boddhad.
удовлетворенный *прил.* (*чем-л.*) diddig.
удовлетвори́тельный *прил.* goddefol; iawndda; boddhaol.
удовлетвори́ть *сов.* bodloni; digoni.
удовлетворя́ть *несов.* diwallu; gwasanaethu; ymateb; llenwi; llanw; boddhau; bodloni; digoni.
удово́льствие *с.* hoffter; mwynhad; bodd; mwyn; boddhad; stumog.
удоста́ивать *несов.* urddo; anrhydeddu.
удостовере́ние *с.* tocyn; tystysgrif.
удостоверя́ть *несов.* tystio; gwireddu; gwirio; dilysu.
удочере́ние *с.* cynnwys.
удочеря́ть *несов.* mabwysiadu.
у́дочка *ж.* genwair.
удруча́ть *несов.* llethu.
удуша́ть *несов.* mygu; tagu.
удуше́ние *с.* tagfa.
уду́шье *с.* tagfa.
уедине́ние *с.* unigrwydd; achudd.
уе́зд *м.* cantref.
уезжа́ть *г.* mynd.
уе́хать *г.* mynd.
уж[1] *м.од.* neidr y glaswellt.
уж[2] *нареч.* yn barod.
уж[3] *част.* mewn gwirionedd, yn wir.
у́жас *м.* dychryn; ofn; arswyd; braw.
ужаса́ть *несов.* brawychu.
ужаса́ющий *прил.* echrydus; dybryd; aethus.
ужа́сный *прил.* ofnadwy; dygn; echrydus; milain; ysgeler; dybryd; braw; graen; arswydus; truenus; irad; uthr; ofnus; hyll; dychrynllyd; brawychus; erchyll; aflawen; aethus; abrwysgl; mileinig; anaele; anaelau; anfad; angiriol; anguriol; annhirion; anferthol; anial; anianol; annelwig.
уже́ *нареч.* yn barod; eisoes; eto.
ужива́ться *несов.* cyd-fyw; cyd-fynd; cydweddu.
ужи́мка *ж.* gwep.
у́жин *м.* (*вечерняя еда*) swper.
у́зел *м.* ❶ cwlwm; cymal; magl. ❷ uned. ❸ chwarren.
узело́к *м.* cwlwm bach; chwarren.
у́зкий *прил.* cul.
узнава́ние *с.* cydnabyddiaeth.

узнава́ть *несов.* ❶ adnabod; nabod. ❷ ymholi; ymofyn.
узна́ть *сов.* ❶ adnabod. ❷ ymofyn. ❸ dod i wybod (*am rth*).
у́зник *м.од.* carcharor.
у́зы *ж.мн.* gefyn; llyffethair; egwyd; cwlwm; rhwym; gwedd; hual; aerwy.
у́йма *ж.* pentwr; crug.
уйти́ *г.* ymadael; mynd.
ука́з *м.* arfaeth; act.
указа́ние *с.* awgrymiad; cyfarwydd; rhybudd; cyfeiriad; cyfarwyddyd.
указа́тель *м.* mynegai.
указа́ть *сов.* cyfeirio.
ука́зывать *несов.* cyfeirio; arddangos; pennu; pwyntio.
ука́тывать *несов.* rholio.
укла́дывать *несов.* gosod.
укло́н *м.* gogwydd; tuedd; gogwyddiad; osgo.
уклоня́ться *несов.* golaith; osgoi.
уко́л *м.* pigiad.
уколо́ть *сов.* pigo.
уко́р *м.* cerydd; anniolch.
укора́чивать *несов.* difyrru; cwtogi; byrhau.
укореня́ться *несов.* gwreiddio.
укоря́ть *несов.* haeru; adneirio.
украинский *прил.* Wcreinaidd; Wcreineg (*язык*).
укра́сить *сов.* addurno.
укра́сть *сов.* lladrata.
украшатель *м.од.* addurnwr.
украша́ть *несов.* trwsio; addurno; britho.
украше́ние *с.* addurniad; addurn; gemwaith.
укрепле́ние *с.* ❶ cadarnhad. ❷ amddiffynfa; gwaith.
укрепля́ть *несов.* atgyfnerthu; cryfhau; cadarnhau.
укрепля́ться *несов.* atgyfnerthu; cryfhau.
укро́мный *прил.* cyfrinachol.
укрупня́ть *несов.* ehangu.
укрыва́ть *несов.* dirgelu; toi; cysgodi; gorchuddio; achlesu; anhuddo.
укры́тие *с.* gwasgod; oedfa; adnawdd; llech; lloches; cysgod; cuddfa.
укры́тый *прил.* cysgodol; anhuddol.
укры́ться *сов.* llechu; cysgodi.
уку́с *м.* cnoad; cyflafan.
укуси́ть *сов.* brathu; cnoi.
ула́живать *несов.* sgwario; cymodi; trefnu; sefydlu.
у́лей *м.* cwch.
улепетну́ть *г.* gloywi.
улепе́тывать *г.* gloywi; gwadnu.
улете́ть *г.* hedfan.
ули́ка *ж.* tystiolaeth.
ули́тка *ж.од.* (*животное*) malwoden.
у́лица *ж.* stryd; heol; ystrad.
у́личный *прил.* heol.
уло́в *м.* helfa.
улови́ть *сов.* dal.
уло́вка *ж.* ystranc; cast; ystryw.
уложи́ть *сов.* gosod.
улучша́ть *несов.* diwygio; gwella.
улучша́ться *несов.* hybu.
улучше́ние *с.* gwelliant; diwygiad; datblygiad.
улыба́ться *несов.* gwenu.
улы́бка *ж.* gwên.
улыбну́ться *сов.* gwenu.
ум *м.* dealltwriaeth; synnwyr; pwyll; deall; ymdeimlad.
ума́лчивать *г.* dirgelu; celu.
умаля́ть *несов.* bychanu.
уме́лый *прил.* medrus; galluog; abl; dyrys; ffetus.
уме́ние *с.* abledd; cast; medr; gallu; celf; ystryw; cymhendod.
уменьша́ть *несов.* meinhau; lleddfu; gostegu; iselu; iselhau; prinhau; darostwng; lleihau; gostwng; cyfyngu; toli.
уменьша́ться *несов.* meinhau; cilio; gostegu; iselu; iselhau; lleihau.
уменьше́ние *с.* lleihad; toriad; gostyngiad.
уменьши́тельный *прил.* bychanig.
уме́ренный *прил.* mwyn; rhesymol; llednais; llariaidd.
умере́ть *г.* marw; trengi; trigo.
уме́рший *прил.* trancedig; marw; diweddar.
умеря́ть *несов.* gostegu; lleihau; gostwng; cymedroli.
уме́стность *ж.* cydweddoldeb; cydwedd.
уме́стный *прил.* priodol; perthnasol; cydweddus.
уме́ть *г.* medru.
умира́ть *г.* marw; ymadael; darfod; trengi.
умиротворя́ть *несов.* llonyddu; cymodi; distewi; dirwyn.
умиротворяться *несов.* distewi.
умля́ут *м.* treiglad.
умножа́ть *несов.* lluosogi; lluosi; amlhau.
умноже́ние *с.* amlhad.
у́мный *прил.* deallus; medrus; dyrys; craff; ffetus.
умозаключа́ть *несов.* casglu.
умозаключе́ние *с.* casgliad.
умозри́тельный *прил.* gweledol; damcaniaethol.
умоля́ть *несов.* ymbil; erchi; erfyn; canlyn; gweddïo.
у́мственный *прил.* meddyliol.
умыкание *с.* llathrudd.
умыкать *несов.* llathruddo.
у́мысел *м.* arfaeth; cynllun.
умы́шленный *прил.* gwirfoddol; bwriadol.
унаво́живать *несов.* trwsio; achlesu.
унасле́дование *с.* treftadaeth; etifeddiaeth.
унасле́довать *сов.* etifeddu.
унести́ *сов.* mynd.

универса́льный *прил.* cyffredinol.
университе́т *м.* prifysgol; athrofa.
университе́тский *прил.* colegol.
унижа́ть *несов.* iselu; iselhau; darostwng; gostwng.
унижа́ться *несов.* ymostwng.
униже́ние *с.* iseliad; iselder; gostyngiad.
униженность *ж.* (*от «униженный»*) iselder.
уни́женный *прил.* (*испытывающий или выражающий унижение; раболепный*) iselfryd.
уника́льный *прил.* unigryw; unrhyw.
унисо́н *м.* unsain.
унифо́рма *ж.* lifrai.
уничтожа́ть *несов.* dadwneud; difetha; diddymu; mogi; difa; dymchwel; dinistrio; lladd; dileu.
уничтожа́ющий *прил.* difaol.
уничтоже́ние *с.* dienyddiad; dinistr; aball.
уничто́жить *сов.* malu.
уноси́ть *несов.* mudo; mynd.
у́нция *ж.* owns.
уны́лый *прил.* graen; digalon; trist; prudd; oer; fflat; dwl; aflawen; aele; alaeth; adfant; addoer; anaraul.
уны́ние *с.* mall; melan; dueg; brwyn; tristwch; annywenydd.
упа́док *м.* mall; adfeiliant; adfeiliad; cwymp.
упако́вка *ж.* paced.
упако́вывать *несов.* pacio.
упа́сть *г.* digwydd; syrthio; disgyn.
упере́ться *сов.* ❶ pwyso. ❷ nogio.
упира́ться *несов.* ❶ pwyso. ❷ nogio.
упи́танный *прил.* pasgedig; tew.
упла́та *ж.* taliad; tâl.
уплотня́ть *несов.* tewychu; tynhau.
уплотняться *несов.* tynhau.
упова́ть *несов.* gobeithio.
уподобля́ть *несов.* dyfalu.
уполномо́ченный *м.од.* cynrychiolwr.
уполномо́чивать *несов.* awdurdodi; galluogi.
упомина́ние *с.* crybwyll; sôn; cyfeiriad; cyffyrddiad.
упомина́ть *несов.* crybwyll; sylwi; sôn; cyfeirio.
упомяну́ть *сов.* crybwyll.
упо́р *м.* cynhaliad. **стрелять в упор** saethu o fewn dim (at rywun). **стрелять в упор** saethu oddi agos (*at rywun*).
упо́рный *прил.* cyndyn; ystyfnig; taer; anhyblyg; anhydyn; anhywaith; del.
упо́рство *с.* gwydnwch; ystyfnigrwydd; anhydynder; anhydynrwydd.
упоря́дочение *с.* trefniant; trefniad; lluniaeth.
упоря́дочивать *несов.* trefnu.
употребле́ние *с.* defnydd; cymhwysiad; arferiad.
употребля́ть *несов.* defnyddio; cymhwyso.
управле́ние *с.* gweinyddiaeth; rheolaeth; meddiant; lluniaeth; llywodraeth.
управля́ть *г.* rheoli; llywyddu; cyfarwyddo; llywio; hyfforddi; tywys; gyrru; gweinyddu; llywodraethu; meistroli; hwylio; trafod.
управля́ющий *м.од.* goruchwyliwr; arolygydd; arolygwr; rheolwr; llywodraethol.
упражне́ние *с.* ymarfer; arferiad.
упражня́ть *несов.* ymarfer.
упраздня́ть *несов.* diddymu; dileu.
упра́шивать *несов.* ymbil; erfyn; canlyn.
упрёк *м.* argyhoeddiad; cerydd; anniolch.
упрека́ть *несов.* adneirio; ceryddu; haeru; halltu.
упроща́ть *несов.* symleiddio.
упря́жка *ж.* gwedd.
упря́мство *с.* ystyfnigrwydd; anhydynder; anhydynrwydd.
упря́мый *прил.* cyndyn; ystyfnig; dyrys; barus; anhyblyg; anhydyn; anhyffordd; anhywaith.
упусти́ть *сов.* colli.
упуще́ние *с.* nam.
ура́ *част.* hwrê.
ура́внивать *несов.* gwastatáu.
уравнове́шивать *несов.* cymhwyso.
урага́н *м.* tymestl; trowynt; corwynt; ystorm.
урегули́ровать *сов.* sgwario.
урезо́нивать *несов.* darbwyllo; cymedroli.
уре́зывать *несов.* cwtogi; talfyrru; toli.
у́ровень *м.* arwynebedd; lefel; graddfa; cyfradd.
уро́дливый *прил.* graen; salw; hyll; afluniaidd; anaddfwyn; anhardd.
уро́довать *несов.* aflunio; anferthu; anffurfio; anurddo; anweddu.
уро́дство *с.* anffurfiad; anferthedd; anferthrwydd; anffurf.
урожа́й *м.* cnwd; cynhaeaf; llafur.
уроже́нец *м.од.* brodor.
уро́к *м.* ❶ gwers; llith. ❷ gorchwyl.
уро́н *м.* niwed; colled; coll; anelw.
урони́ть *сов.* ❶ gollwng. ❷ taro i lawr.
урча́ть *г.* chwyrnu.
ус *м.* trawswch.
уса́дьба *ж.* plasty.
уса́живать *несов.* ❶ seddi. ❷ plannu.
усва́ивать *несов.* cymathu; mabwysiadu.
усе́ивать *несов.* taenu.
усе́рдие *с.* aidd; sêl; eiddigedd.
усе́рдный *прил.* llafurus; selog; gweithgar; eiddgar; diwyd; ymroddgar; grymus; awyddus; ystig; eiddigus.
усе́рдствовать *г.* eiddigeddu.
усе́сться *сов.* eistedd.
у́сик *м.* corn; gwrychyn.
усиле́ние *с.* ennill.

уси́ливать *несов.* atgyfnerthu; ehangu; cryfhau; ychwanegu; cynyddu; cadarnhau.
уси́ливаться *несов.* dyrchafu; cryfhau; tyfu.
уси́лие *с.* blinder; ymgais; ymdrech; trwbl; llafur; hwb; helbul; helynt.
ускользá́ть *г.* golaith; dianc.
ускользну́ть *г.* llithro.
ускоря́ть *несов.* prysuro; cyflymu.
успá́вливаться *несов.* amodi; trefnu.
услаждá́ть *несов.* hyfrydu.
услá́ть *сов.* anfon i ffwrdd.
услó́вие *с.* teler; amod; term; darpariaeth.
услó́вленный *прил.* amodig.
услó́вный *прил.* amodol.
услу́га *ж.* gwasanaeth.
услу́жливый *прил.* cymwynasgar; iswasanaethgar.
услы́шать *сов.* clywed.
усмехá́ться *несов.* glaswenu.
усмехну́ться *сов.* glaswenu.
усмé́шка *ж.* glaswen.
усмотрé́ние *с.* pwyll.
усну́ть *г.* huno.
усовершé́нствование *с.* datblygiad; gwelliant.
усовершé́нствовать *сов.* coethi.
успевá́ть *г.* ❶ dod ar yr adeg iawn; cyrraedd mewn pryd; bod ag amser. ❷ gwneud cynnyd.
успé́ть *г.* bod mewn pryd; cyrraedd mewn pryd.
успé́х *м.* llwyddiant; llwydd.
успé́шный *прил.* llwyddiannus; llewyrchus.
успокá́ивать *несов.* llonyddu; lleddfu; distewi; cysuro; tawelu; gostegu; gwastatáu; sefydlu.
успокá́иваться *несов.* llonyddu; gostegu; distewi; gwastatáu; trefnu.
успокоé́ние *с.* cysur.
успокó́ить *сов.* cysuro; tawelu.
успокó́иться *сов.* llonyddu.
устá́ *с.мн.* mant; genau; ceg.
устá́в *м.* breinlen; siartr.
уставá́ть *г.* blino.
устá́виться *сов.* syllu.
устá́лость *ж.* lludded; blinder.
устá́лый *прил.* blinedig; blin.
устанá́вливать *несов.* terfynu; cyfleu; gwastatáu; sefydlu; pennu; gosod.
установи́ть *сов.* sefydlu; pennu; gosod; olrhain.
устанó́вка *ж.* uned; llinyn.
установлé́ние *с.* gosodiad; cyfansoddiad; sefydliad.
устарé́лый *прил.* hynafol; ansathredig.
устá́ть *г.* blino.
устилá́ть *несов.* taenu.
у́стный *прил.* lleisiol; llafar.
устó́йчивость *ж.* sefydlogrwydd.
устó́йчивый *прил.* sefydlog.
устрá́ивать *несов.* ❶ sefydlu; trefnu; cyfleu; gwastatáu; cartrefu; trafod. ❷ gweddu.
устраня́ть *несов.* mudo; tynnu.
устремля́ться *несов.* rhuthro.
устрó́ить *сов.* ❶ trefnu. ❷ gweddu.
устрó́иться *сов.* dod i'w le.
устрó́йство *с.* ❶ teclyn; peirianwaith; uned; dyfais. ❷ trefniadaeth; trefniant; cyfansoddiad.
уступá́ть *несов.* ymroi; mudo; traddodi; ymroddi; gildio; ildio.
уступи́ть *сов.* ymroddi; traddodi.
усту́пка *ж.* trosglwyddiad.
усту́пчивый *прил.* ystwyth; meddal; hyblyg.
у́стье *с.* aber; genau; moryd.
усы́ *м.мн.* trawswch.
усыновлé́ние *с.* mabwysiad; cynnwys.
усыновля́ть *несов.* mabwysiadu.
усыпля́ть *несов.* huno.
утá́ивать *несов.* dirgelu; celu; cuddio.
утверди́тельный *прил.* cadarnhaol.
утверди́ть *сов.* cadarnhau; cymeradwyo.
утверждá́ть[1] *несов.* cymeradwyo; cadarnhau.
утверждá́ть[2] *г.* (*заявлять, настойчиво говорить*) taeru; hebrwng; haeru; arddel; honni; hawlio; gwirio.
утверждé́ние *с.* ❶ gosodiad; tystiolaeth; hawl; honiad. ❷ cymeradwyaeth.
утё́с *м.* clogwyn; craig; allt.
утешá́ть *несов.* lleddfu; cysuro.
утешé́ние *с.* cysur.
утирá́ть *несов.* sychu.
утихá́ть *г.* gostegu.
утихоми́ривать *несов.* llonyddu; gostegu.
у́тка *ж.од.* (*птица*) hwyaden; hwyad.
утó́к *м.* (*поперечные нити ткани*) anwe.
утолщá́ть *несов.* tewychu.
утоля́ть *несов.* llonyddu; lleddfu; gostegu; diwallu; digoni.
утоми́тельность *ж.* lludded.
утоми́тельный *прил.* llafurus; maith.
утоми́ть *сов.* blino.
утомлé́ние *с.* lludded.
утомлё́нность *ж.* lludded; blinder.
утомлё́нный[1] *прил.* (*человек, нервы*) blin.
утомлё́нный[2] *прил.* (*лицо, вид*) blin; diffygiol.
утомля́ть *несов.* diflasu; blino.
утончё́нный *прил.* cynnil; cain; moesgar; têr; main.
уточни́ть *сов.* pennu.
уточня́ть *несов.* pennu.
утрá́та *ж.* colled; coll; anelw.
утрá́тить *сов.* colli.
у́тренний *прил.* boreol; plygeiniol.
у́тро *с.* bore; meitin.

утро́ба *ж.* caul.
утю́г *м.* haearn; fflat.
уха́ *ж.* cawl pysgod.
уха́бистый *прил.* garw.
уха́живание *с.* carwriaeth.
уха́живать *г.* ❶ magu; gweini; trin. ❷ canlyn.
ухвати́ть *сов.* achub.
ухвати́ться *сов.* ymaflyd; amwyn.
ухмыля́ться *несов.* glaswenu.
у́хо *с.* clust.
ухо́д *м.* ❶ ymdriniaeth; cynhaliaeth; gofal; triniaeth. ❷ ymadawiad.
уходи́ть *г.* ymadael; mynd.
ухудша́ть *несов.* dirywio; gwaethygu; amharu.
ухудша́ться *несов.* dirywio; adfeilio; britho.
ухудше́ние *с.* dirywiad.
уху́дшить *сов.* anhwyluso.
уцеле́ть *г.* goroesi.
уцепи́ться *сов.* gafael.
уча́ствовать *г.* cyfranogi.
уча́ствующий *м.од.* cyfrannog.
уча́стие *с.* cyfran; parth.
уча́стник *м.од.* cyfrannog; cyfranogwr.
уча́сток *м.* llain; rhanbarth.
у́часть *ж.* cyfran.
уча́щийся *м.од.* dysgwr; disgybl.
учёба *ж.* dysgu; astudiaeth.
учёбник *м.* hyfforddwr; traethawd; gwerslyfr.
учёбный *прил.* addysgol; addysgiadol; hyfforddiadol.
уче́ние *с.* dysgeidiaeth; dysg; athrawiaeth; prentisiaeth.
учени́к *м.од.* dysgwr; disgybl; ysgolhaig; addysgydd.
учени́чество *с.* prentisiaeth.
учёность *ж.* ysgolheictod; dysg; llên.
учёный[1] *м.од.* ysgolhaig; gwyddon; gwyddonydd.
учёный[2] *прил.* dysgedig; llengar; hyddysg.
уче́сть *сов.* rhifo; pwyllo.
учёт *м.* cofrestru; cyfrifyddiaeth. **вести учет товаров** rhestru nwyddau.
учи́лище *с.* ysgol.
учини́ть *сов.* gwneud.
учи́тель *м.од.* (*преподаватель*) athro; hyfforddwr; meistr; addysgydd; addysgwr.
учи́тельница *ж.од.* athrawes; meistres.
учитывать *несов.* rhifo; pwyllo.
учи́ть *несов.* ❶ dysgu; hyfforddi; addysgu. ❷ astudio.
учи́ться *несов.* dysgu; astudio.
учреди́тель *м.од.* sylfaenydd.
учрежда́ть *несов.* seilio; sefydlu; cyfansoddi.
учрежде́ние *с.* cyfansoddiad; sefydliad.
учти́вость *ж.* tirionwch.
учти́вый *прил.* moesgar; cwrtais; llednais.
уша́т *м.* twb.
уши́б *м.* clais.
ушиба́ть *несов.* cleisio.
ушиби́ть *сов.* brifo.
ушивать *несов.* meinhau.
ушить *сов.* meinhau.
ушко́ *с.* (*отверстие*) llygad.
уще́лье *с.* nant; ceunant.
уще́рб *м.* niwed; difrod; amhariad; afles; coll; addoed; anaf; anelw.
ущёрбный *прил.* anghryno.
Уэ́льс *м.* Cymru.
уэ́льский *прил.* Cymreig.
ую́тный *прил.* cysurus; cyffyrddus; cyfforddus; hwylus.
уязви́мый *прил.* tyner.
уязвля́ть *несов.* pigo; brathu.

Ф

фа́брика *ж.* gweithfa; ffatri.
фа́за *ж.* gradd; ymddangosiad.
фа́кел *м.* rhwyll; ffaglen.
факт *м.* ffaith.
факти́ческий *прил.* gweithredol.
фа́ктор *м.* (*движущая сила*) ffactor.
факту́ра *ж.* anfoneb.
факульте́т *м.* adran.
фа́лда *ж.* cwt.
фа́ллос *м.* cala; cal; pidlen.
фальши́вый *прил.* ffug; gau; gosod; annilys.
фальшь *ж.* anghywirdeb.
фами́лия *ж.* cyfenw.
фане́ра *ж.* argaen.
фантазёр *м.од.* breuddwydiwr.
фанта́зия *ж.* dychymyg.
фантасти́ческий *прил.* chwedlonol.
фа́ра *ж.* lamp fawr; prif olau; priflamp.
фармаце́вт *м.од.* fferyllydd.
фа́ртук *м.* ffedog; arffedog.
фас *м.* wyneb.
фаса́д *м.* wyneb; blaen.
фата́льный *прил.* marwol; angheuol.
фаши́ст *м.од.* Ffasgydd.
февра́ль *м.* Chwefror.
федера́льный *прил.* ffederal.
федера́ция *ж.* cyfathrach; cynghrair.
фейерве́рк *м.* llucheden.
фельдма́ршал *м.од.* cadlywydd.
фено́мен *м.* ymddangosiad.
ферзь *м.од.* brenhines.
фе́рма *ж.* ❶ ffarm; tyddyn; hafod; fferm; amaethdy. ❷ hytrawst.
ферме́нт *м.* eples.
фе́рмер *м.од.* ffarmwr; ffermwr; taeog; amaethwr.
фермерша *ж.од.* amaethwraig; ffarmwraig.
фестива́ль *м.* gŵyl; cymanfa; cylchwyl.
фехтова́ние *с.* ffens.
фешене́бельный *прил.* ffasiynol.
фигу́ра *ж.* ❶ ffurf; llun; delw; pryd; ffigur; corffolaeth. ❷ darn. **у неё красивая фигура** mae hi'n lluniaidd.
фигуристый *прил.* lluniaidd; ffurfaidd.
фигу́рка *ж.* delw (*fach*); llun.
фи́зик *м.од.* anianydd.
фи́зика *ж.* ffiseg; anianaeth.
физиологи́ческий *прил.* anianyddol.
физиоло́гия *ж.* anianaeth; anianeg.
физионо́мия *ж.* wyneb.
физи́ческий *прил.* ❶ corfforol; materol; anianyddol. ❷ ffisegol.
фикси́ровать *несов. и сов.* olrhain.
фикти́вный *прил.* ffug; gau.
фи́кция *ж.* ffug; dychymyg.
филиа́л *м.* cangen; cainc.
фило́лог *м.од.* ieithegydd.
филологи́ческий *прил.* ieithyddol; ieithegol.
филоло́гия *ж.* ieithyddiaeth; ieitheg; geiryddiaeth.
фило́соф *м.од.* athronydd; gwyddon; anianydd.
филосо́фия *ж.* athroniaeth.
филосо́фский *прил.* athronyddol.
фильм *м.* ffilm.
фильтр *м.* hidl.
фильтрова́ть *несов.* gloywi.
финанси́ровать *несов. и сов.* noddi.
фина́нсовый *прил.* cyllidol; ariannol.
финиши́ровать *г.* diweddu; darfod.
фи́нка[1] *ж.од.* (*женск. к «финн»*) Ffiniad.
фи́нка[2] *ж.* (*нож; шапка*) cyllell Ffinnaidd.
фи́нский *прил.* Ffinnaidd; Ffinneg.
фиоле́товый *прил.* porffor.
фи́рма *ж.* cwmni.
фиска́льный *прил.* cyllidol.
фи́стула *ж.* (*свищ; фальцет*) iddwf.
флаг *м.* amlygyn.
флагшто́к *м.* paladr.
флако́н *м.* costrel.
фланг *м.* ystlys; asgell; adain.
флане́ль *ж.* gwlanen.
флане́лька *ж.* gwlanen.
фле́ксия *ж.* terfyniad.
флот *м.* llynges.
флоти́лия *ж.* llynges.
фля́га *ж.* costrel; fflasg.
фо́кус *м.* ❶ tric; ystranc. ❷ canolbwynt. ❸ eglurdeb.
фон *м.* (*основной цвет и т.п.; шум*) cefndir.
фона́рик *м.* lamp.
фона́рь[1] *м.* llusern; golau.
фона́рь[2] *м.* to gwydr.
фонд *м.* cronfa.
фонта́н *м.* ffynnon.
фонтани́ровать *г.* pistyllio.
форе́ль *ж.од.* brithyll.
фо́рма *ж.* ❶ ffurf; rhith; arddull; lluniaeth; llun; gwedd; agwedd; pryd; ystum; urddas; gwaith. ❷ lifrai. ❸ ffurflen.
форма́льный *прил.* swyddogol; ffurfiol.
форма́ция *ж.* (*ступень в развитии общества и т.д.*) trefniadaeth; cysawd.
формирова́ние *с.* trefniant.
формирова́ть *несов.* ffurfio; dylunio; llunio.
формова́ть *несов.* llunio; ffurfio.
фо́рмула *ж.* fformwla.
формули́ровать *несов.* geirio.

формулиро́вка *ж.* geiriad.
форт *м.* din.
форту́на *ж.* ffortiwn.
фо́рум *м.* talwrn.
фото́граф *м.од.* ffotograffydd.
фотогра́фия *ж.* llun.
фрагме́нт *м.* darn; fflaw.
фра́за *ж.* araith; synnwyr; rheswm.
фразеоло́гия *ж.* geiriad; geiryddiaeth.
фрази́ровать *несов.* geirio.
фра́кция *ж.* argoeliad.
Фра́нция *ж.* Ffrainc.
францу́женка *ж.од.* Ffrances.
францу́з *м.од.* Ffrancwr.
францу́зский *прил.* Ffrangeg (*язык*).
френч *м.* pais.
фриво́льный *прил.* gwacsaw.
фронт *м.* wyneb.
фронто́н *м.* tabl; talcen.
фрукт *м.* (*плод*) ffrwyth.
фунда́мент *м.* sylfaen; sail.
фундамента́льный *прил.* sylfaenol.
функциони́ровать *г.* gweithio.
фу́нкция *ж.* swyddogaeth.
фунт *м.* pwys; punt.
фура́жка *ж.* cap pig gloyw.
фурго́н *м.* men; ben; carafan.
фу́рия *ж.од.* ellylles; dera.
фут *м.* troedfedd.
футбо́л *м.* pêl-droed.
футля́р *м.* clawr; gwain.
фы́ркать *г.* ffroeni.
фюзеля́ж *м.* corff.
фю́рер *м.од.* *fuehrer*; arweinydd.

ха *част.* ha.
ха́живать *г.* (*многокр.*) rhodio.
хала́т *м.* hugan; smoc; gŵn.
хала́тик *м.* gŵn.
хан *м.од.* chan.
хандра́ *ж.* dueg.
ханжа́ *м.ж.* (*лицемер*) rhagrithiwr.
ха́нжеский *прил.* duwiol; rhagrithiol.
хао́с *м.* (*в мифологии*) (*беспорядок*) anhrefn; tryblith; cabidwl.
хара́ктер *м.* arial; tôn; naws; natur; cymeriad; tymer; anianawd.
характеризова́ть *несов. и сов.* nodweddu; dynodi.
характеризова́ться *несов.* nodweddu.
характери́стика *ж.* nodwedd.
характе́рный *прил.* (*с резко выраженными особенностями; свойственный*) ❶ nodweddiadol. ❷ cymeriad (*Th.*).
ха́риус *м.од.* cangen.
ха́ртия *ж.* breinlen; siartr.
ха́ря *ж.* gwep.
ха́та *ж.* tŷ.
хвали́ть *несов.* moli; clodfori; canmol.
хва́стать *г.* ymffrostio.
хва́статься *несов.* ymffrostio.
хвастовство́ *с.* brawl.
хвасту́н *м.од.* broliwr.
хвата́ть *несов.* ❶ cydio; cipio; ymaflyd; dal; gafael; craffu; achub; amwyn. ❷ digoni.
хвата́ться *несов.* ymaflyd.
хвати́ть[1] *сов.* (*поспешно выпить, ударить и др.*) ymaflyd.
хвати́ть[2] *сов.* digoni.
хва́тка *ж.* gafael; afflau; craff.
хва́ткий *прил.* gafaelgar; cipiog.
хвора́ть *г.* clafychu.
хво́рый *прил.* sâl.
хворь *ж.* clefyd.
хвост *м.* cynffon; tin; llyw; colyn; cwt; bonllost.
хиба́рка *ж.* twlc; bwthyn; cwt.
хи́жина *ж.* cwt.
хи́лый *прил.* musgrell; llesg; tila; pitw; bregus.
химе́ра *ж.* (*нечто фантастическое, неосуществимое*) dychymyg.
хи́мик *м.од.* cemegwr.
хими́ческий *прил.* cemegol.
хи́мия *ж.* cemeg.
хире́ть *г.* adfeilio.
хиру́рг *м.од.* llawfeddyg.
хирурги́ческий *прил.* llawfeddygol.
хирурги́я *ж.* llawfeddygaeth.
хи́трость *ж.* ystranc; dyfais; ystryw.
хитроу́мный *прил.* cyfrwys.
хи́трый *прил.* cyfrwys; dyrys; craff; glew.
хи́щник *м.од.* ysglyfaethwr.
хи́щный *прил.* ysglyfaethus.
хлам *м.* sothach; ysbwriel.
хлеб *м.* (*печеный*) bara.
хлев *м.* beudy.
хло́панье *с.* clep.
хло́пать *несов.* curo; clepian.
хло́пнуть *сов.* curo; clepian.
хлопо́к[1] *м.* (*короткий удар*) clap; clep.
хло́пок[2] *м.* (*растение*) cotwm.
хлопота́ть *г.* trafferthu.
хло́поты *ж.мн.* cyfyngder; blinder; miri; gofid; trwbl; ffwdan; helynt; helbul.
хлопча́тник *м.* cotwm.
хлоро́з *м.* glesni.
хлы́нуть *г.* pistyllio; llifeirio.
хлыст *м.* (*прут, плетка*) ffrewyll; chwip; gwialen.
хмельно́й *прил.* meddwol.
хму́рить *несов.* crychu.
хму́риться *несов.* gwgu; cuchio.
хны́кать *г.* gerain.
хо́ббит *м.* (*Средиземье*) hobyd.
хо́бот *м.* (*животного*) trwnc.
ход *м.* (*движение; развитие, течение; работа, действие*) tramwyfa; rhediad; tro; symudiad; ystod; mynedfa; mudiad; gyrfa; hynt; cam; cynnydd.
хода́тайство *с.* deiseb; arch; adolwg.
ходи́ть *г.* llwybro; rhodio; cerdded; mynd.
ходо́к *м.од.* (*пешеход; выборный от крестьян; ловкий человек*) cerddedwr.
ходьба́ *ж.* rhodiad; cerddediad; cerdd.
хозя́ин *м.од.* perchennog; perchen; meistr; llywodraethwr; gwahoddwr.
хозя́йка *ж.од.* meistres.
хозя́йственный *прил.* cynnil; economaidd.
хозя́йство *с.* tyddyn.
хо́лка *ж.* gwar; ysgwydd.
холл *м.* cyntedd.
холм *м.* bryn; gorsedd; rhiw; crug; moel; allt; garth; bre.
хо́лмик *м.* bryncyn; ponc; tomen; crug; cogwrn; tocyn; twyn.
хо́лод *м.* oerni; oerfel; oerfelgarwch; ias.
холода́ть *г.* oeri.
холоде́ть *г.* oeri.
холоди́льник *м.* oergell.
холоднова́тый *прил.* oeraidd.
хо́лодность *ж.* oerfelgarwch; oerni; caethiwed.

холо́дный *прил.* oer; oerfelog; addoer; anghynnes; iasoer; rhewllyd; oerllyd; sych; anwydog.
холодо́к *м.* oerfelgarwch.
холо́п *м.од.* taeog; adwr.
холо́пский *прил.* gwasaidd.
холости́ть *несов.* disbaddu.
холосто́й *прил.* ❶ dibriod; gweddw; amhriodol; ieuanc; ifanc. ❷ segur. ❸ gwag.
холст *м.* cynfas; brethyn; lliain.
хому́т *м.* iau; gwedd; aerwy; torch.
хор *м.* côr.
хорёк *м.од.* belau.
хорони́ть *несов.* claddu; gorchuddio.
хоро́шенький *прил.* gosgeiddig; hawddgar; del; tlws; pert; golygus; clws.
хоро́ший *прил.* da; cain; mad; hyfryd; dymunol; teg; braf; del; anial.
хо́ры *м.мн.* llofft.
хоте́ть *г.* eisiau; dymuno; mynnu; ymofyn; awyddu; bodloni; hoffi.
хоть *сз.* er; serch.
хотя́ *сз.* er; serch; cyfoed; cyn.
хохоло́к *м.* cudyn.
хо́хот *м.* chwerthin.
хохота́ть *г.* chwerthin.
храбре́ц *м.од.* gwron.
хра́брость *ж.* dewrder; arial; cysur; metel.
хра́брый *прил.* dewr; cefnog; hy; hyderus; glew.
храм *м.* teml.
хране́ние *с.* cadwraeth.
храни́лище *с.* cronfa; crawn.
храни́тель *м.од.* gwarchodwr; gofalwr; ceidwad.
храни́ть *несов.* cadw; adneuo.
храни́ться *несов.* cael ei chadw.
храп *м.* (*храпение*) chwyrniad.
храпе́ть *г.* chwyrnu; rhuo.
хребе́т *м.* cefn.
хрен *м.* rhuddygl y meirch; rhuddygl poeth; marchruddygl.
хрипе́ть *г.* gwichian.
христиани́н *м.од.* Cristion.
христиа́нский *прил.* Cristnogol.
христиа́нство *с.* Cristnogaeth.
Христо́с *м.од.* Crist.
хром *м.* cromiwm.
хрома́ть *г.* cloffi.
хромо́й *прил.* cloff.
хромота́ *ж.* cloffi.
хро́ника *ж.* cronicl.
хроникёр *м.од.* cofiedydd; amserydd.
хрони́ческий *прил.* hirbarhaol.
хронологи́ческий *прил.* amseryddol.
хроноло́гия *ж.* amseryddiaeth.
хроно́метр *м.* amserydd.
хронометри́ровать *несов. и сов.* amseru.
хру́пкий *прил.* simsan; brau; tyner; bregus; brwyd.
хру́пкость *ж.* gwendid.
хрусталик *м.* grisial.
хруста́ль *м.* crisial.
хруста́льный *прил.* crisial.
хряк *м.од.* baedd.
худе́ть *г.* meinhau.
худо́жественный *прил.* artistig.
худо́жник *м.од.* arlunydd; lluniwr.
худо́й[1] *прил.* tenau; main; achul.
худо́й[2] *прил.* (*тощий; дырявый*) drwg.
худоща́вый *прил.* tenau; main.
ху́дший *прил.* israddol.
хурма́ *ж.* eirinen goch.
ху́тор *м.* tyddyn.

Ц

ца́пля *ж.од.* garan.
ца́пфа *ж.* pin.
цара́панье *с.* crafiad.
цара́пать *несов.* ysgythru; crafu.
цара́пина *ж.* crafiad.
царёк *м.од.* brenhinyn.
цари́ть *г.* teyrnasu.
цари́ца *ж.од.* banon.
ца́рский *прил.* arbenigol; brenhinaidd; porffor.
ца́рственный *прил.* arbenigol; brenhinaidd.
ца́рство *с.* brenhiniaeth; teyrnas.
ца́рствование *с.* teyrnasiad.
ца́рствовать *г.* teyrnasu.
царь *м.од.* rhi.
цвести́ *г.* blodeuo.
цвет[1] *м.* (*окраска*) lliw; gwawr; gne.
цвет[2] *м.* (*собир.: цветки; лучшая часть*) gwawr.
цветно́й *прил.* lliwiog.
цвето́к *м.* (*цветущая часть растения*) blodeuyn; blodyn.
цвету́щий *прил.* irdwf; iraidd; llewyrchus; ir.
цевье *с.* pen blaen y carn gwn.
цезу́ра *ж.* gosodiad; saib.
целе́бный *прил.* meddygol; iachaol; iachusol; iachus.
целесообра́зный *прил.* rhesymol.
целико́м *нареч.* achlân; oll.
цели́тель *м.од.* iachawr.
це́лить *г.* (*прицеливаться*) medru; anelu; amcanu.
целова́ть *несов.* cusanu.
це́лое *с.* crynswth; cydol; cyfan; cwbl.
целому́дренный *прил.* rhinweddol.
целому́дрие *с.* dilysrwydd; rhinwedd.
це́лостность *ж.* cywirdeb.
це́лый *прил.* holl; cydol; cyfan; cwbl.
цель *ж.* amcan; perwyl; diben; gwrthrych; amlygyn; arfaeth; nod; pennod; bwriad; medr; pwynt; annel; tueddiad; cyfarpar; cenhadaeth; targed.
це́льность *ж.* cyfanrwydd.
це́льный *прил.* soled; annatod; cyflawn; cydol; cwbl.
цеме́нт *м.* cymrwd.
цена́ *ж.* cost; gwerth; prid; teithi.
це́нзор *м.од.* diwygiwr.
цени́ть *несов.* gwerthfawrogi.
це́нность *ж.* gwerth; prid; bri.
це́нный *прил.* prid; taladwy; gwerthfawr; aelaw; berth.
центр *м.* canol; canolbwynt; canolfan (*здание, организация*); bywyn; bogail; craidd.
центра́льный *прил.* canolog; canol.
централи́ровать *несов. и сов.* canoli.
центрово́й *прил.* canolwr.
центурио́н *м.од.* canwriad.
цеп *м.* ffust.
це́пкий *прил.* gafaelgar.
цепля́ться *несов.* ymwasgu.
цепо́чка *ж.* cadwyn; aerwy.
цепь *ж.* cadwyn; aerwy.
церемо́ния *ж.* defod.
церко́вник *м.од.* eglwyswr.
церко́вный *прил.* ysbrydol; eglwysig.
це́рковь *ж.* eglwys; llan; llog.
цех *м.* gweithdy.
цивилиза́ция *ж.* gwareiddiad.
цивилизованность *ж.* moesoldeb.
циви́льный *прил.* sifil.
цикл *м.* cylch; cylchdaith.
цили́ндр *м.* baril; rholyn.
цинга́ *ж.* llwg.
цинк *м.* sinc.
цирк *м.* chwaraefa; syrcas.
ци́ркуль *м.* cwmpawd; cwmpas.
циркуля́ция *ж.* cylchrediad.
циркумфле́кс *м.* capan; hirnod; fforch.
цисте́рна *ж.* pydew.
цита́та *ж.* dyfyniad.
цити́рование *с.* dyfyniad.
цити́ровать *несов.* dyfynnu.
циферблáт *м.* wyneb; deial.
цифи́рь *ж.* awgrym.
ци́фра *ж.* rhif; ffigur; unigolyn.
цо́коль *м.* sylfaen.

Ч

ча́вкать *г.* cega.
чад *м.* mwg.
ча́до *с.од.* plentyn.
чадра́ *ж.* gorchudd.
ча́ек *м.* te.
чай *м.* te.
ча́йка *ж.од.* gwylan.
ча́йник *м.* tegell.
чароде́й *м.од.* dewin; hudol.
чароде́йка *ж.од.* gwiddon; gwrach.
ча́ры *ж.мн.* cyfaredd; hud; swyn.
час *м.* awr.
часо́вня *ж.* capel; betws.
часово́й[1] *м.од.* (*солдат, стоящий на посту*) gwarchodwr; gwyliwr.
часово́й[2] *прил.* (*от «час, часы»*) awr. **часовой пояс** cylchfa amser, rhanbarth amser.
части́ть *г.* mynychu.
части́ца *ж.* ❶ tipyn; affliw; mymryn; gronyn; briwsionyn; as. ❷ geiryn (*грам.*); rhagair (*грам.*); parth (*грам.*).
части́чный *прил.* rhannol.
ча́стное *с.* cyfran.
ча́стность *ж.* manylyn. **в частности** yn arbennig.
ча́стный *прил.* preifat.
частоко́л *м.* crau; achwre; achfre.
ча́стый *прил.* amal; aml; mynych; aelaw.
часть *ж.* rhan; pisyn; undod; cyfran; ban; dogn; parth; rhanbarth; uned; bannod; dryll; rhaniad; darn.
часы́ *м.мн.* awrlais.
ча́ша *ж.* cib; basn; mail; dysgl; padell.
ча́шечка *ж.* ❶ cwpan (*bach*). ❷ amdo (*cwpan blodeuyn*). **коленная чашечка** pellen ben-glin, padell ben-glin.
ча́шка *ж.* cwpan; pan; mail; godard.
чашник *м.од.* trulliad.
ча́ща *ж.* dryslwyn; llwyn.
чащо́ба *ж.* (*чаща*) llwyn.
ча́ять *несов.* gobeithio; disgwyl.
чей *мест.* ❶ pwy. ❷ y … ei …. **чьи это перчатки?** menig pwy yw'r rhain? Pwy biau'r menig yma? **чьи это были перчатки?** menig pwy oedd y rhain? pwy oedd biau'r menig yma? **чья ты дочь?** merch pwy wyt ti? merch i bwy wyt ti? **чье это было?** pwy oedd biau hi? **чью книгу ты взял?** llyfr pwy a gymeraist ti? **скажи мне, чье это?** dywed wrthyf pwy a'i biau fo. **ученик, чью работу я тебе показывал** y disgybl y dangosais ei waith i ti. **человек, чьей жене я дал денег** y dyn y rhoddais yr arian i'w wraig. **женщина, в чей дом я не заходил** y wraig na elwais yn ei thŷ hi.
чек *м.* siec; taleb.
чека́ *ж.* pin.
чека́нить *несов.* taro; bathu.
челно́к *м.* ❶ ceufad. ❷ gwennol.
чело́ *с.* talcen.
челобитная *ж.* deiseb.
челове́к *м.од.* dyn; person.
человеколю́бие *с.* dynoliaeth.
челове́чек *м.од.* dyn bychan.
челове́ческий *прил.* dynol.
челове́чество *с.* dynoliaeth; dynolryw; hollfyd.
челове́чность *ж.* dynoliaeth.
че́люсть *ж.* gên; mant; aelgeth.
чем *сз.* na.
чемода́н *м.* trwnc; siwtces.
чемпио́н *м.од.* pencampwr.
чепе́ц *м.* penwisg.
чепра́к *м.* panel.
чепуха́ *ж.* lol; dwli.
червь *м.од.* (*животное*) gwiddonyn; pryf; abwyd.
червя́к *м.од.* (*червь*) gwiddonyn; pryf; abwyd.
черда́к *м.* cromen; llofft.
череда́ *ж.* ❶ llinyn. ❷ graban gogwydd.
че́рез *предл.* ❶ trwy; tros. ❷ mewn; ymhen.
черено́к *м.* (*рукоятка; отрезок стебля, ветки*) gwrysgen; paladr; coes; carn.
че́реп *м.* penglog.
черепа́ха *ж.од.* (*животное*) crwban.
черепи́ца *ж.* priddlech.
черепо́к *м.* cragen.
чересчу́р *нареч.* tra; rhy.
черне́ть *г.* duo; tywyllu.
черни́ла *с.мн.* inc.
черни́ть *несов.* duo; tywyllu.
чернобровый *прил.* aelddu.
чернови́й *прил.* garw; anfanol.
чернота́ *ж.* düwch.
чёрный[1] *прил.* du.
чёрный[2] *прил.м.од.* du.
черпа́к *м.* llwy; baeol.
че́рпать *несов.* cafnu; cafnio.
чёрт *м.од.* andros; diawl; cythraul; andras.
черта́ *ж.* nodwedd; llinyn; llinell.
чертёж *м.* siart; cynllun.
черти́ть *несов.* (*проводить черту; делать чертежи*) tynnu.
черто́вский *прил.* diawledig.
черто́г *м.* neuadd.
чеса́ть *несов.* crafu; dylyfu; cribo; cosi.
чеса́ться *несов.* ysu; cosi.
чесно́к *м.* craf.

чесо́тка *ж.* ysfa; crafu.
честной *прил.* (*старин.: уважаемый, почетный*) da.
че́стность *ж.* tegwch; cywirdeb.
че́стный *прил.* union; onest; teg.
честолюби́вый *прил.* uchelgeisiol; rhwyfus; gorfynt.
честолю́бие *с.* uchelgais.
честь *ж.* urddas; bri; braint; anrhydedd.
чет *м.* eilrif.
чета́ *ж.* (*пара*) pâr.
четве́рг *м.* dydd Iau.
четвёрка *ж.* pedwar.
че́тверо *числит.* pedwar.
четверости́шие *с.* pennill pedair llinell.
четвёртый *числит.* pedwerydd.
че́тверть *ж.* ban; tymor; chwarter.
чётки *ж.мн.* llaswyr.
чёткий *прил.* cryno.
чёткость *ж.* manyldeb.
чётный *прил.* gwastad.
четы́ре *числит.* pedwar.
четы́режды *нареч.* pedair gwaith.
четы́реста *числит.* pedwar cant.
четы́рнадцатый *числит.* pedwerydd ar ddeg.
четы́рнадцать *числит.* pedwar ar ddeg.
чехо́л *м.* amwisg.
чече́нец *м.од.* Tsietsniad.
чече́нский *прил.* Tsietsnieg.
че́шка *ж.од.* (*женск. к «чех»*) ❶ Tsieciad. ❷ esgid fale.
чешуя́ *ж.* cen; gem.
чи́бис *м.од.* cornicyll.
чин *м.* (*служебное положение; порядок*) rheng.
чини́ть[1] *несов.* (*исправлять; заострять*) trwsio; gwella; cyweirio; atgyweirio; pwyntio.
чини́ть[2] *несов.* (*устраивать*) gwneud.
чино́вник *м.од.* swyddog.
чири́канье *с.* siw.
чи́ркать *несов.* crafu.
числи́тельное *с.* rhif.
число́ *с.* ❶ nifer; rhif; maint; dychwel; ffigur. ❷ dyddiad; amseriad.
чисте́йший *прил.* têr.
чи́стить *несов.* carthu; trwsio; pigo; glanhau.
чистокро́вный *прил.* têr.
чистосерде́чный *прил.* diffuant.
чистота́ *ж.* purdeb; glendid; diniweidrwydd; eglurdeb; eglurder; glwysedd.
чи́стый *прил.* glân; taclus; gwirion; pur; têr; gloyw; twt; croyw; coeth; teg; crai; plaen.
чита́тель *м.од.* darllenydd; darllenwr.
чита́ть *несов.* darllen.
чиха́ть *г.* tisian.
член[1] *м.од.* (*общества, организации и т.п.*) aelod.
член[2] *м.* (*тела, предложения, уравнения и т.п.; артикль*) cala; cal; dryll; uned; pidlen; pisyn.
чле́нство *с.* aelodaeth; cymrodoriaeth.
чре́во *с.* stumog.
чрезвыча́йно *нареч.* ulw.
чрезвыча́йный *прил.* eithafol; eithaf.
чрезме́рный *прил.* gormodol; eithafol; annyledus; anghymedrol; anghymesur.
чте́ние *с.* darlleniad.
чтец *м.од.* darllenwr; adroddwr; adroddreg.
чтить *несов.* parchu; anrhydeddu.
что[1] *мест.* beth.
что[2] *сз.* i (*с прошедшим временем или косвенной речью*); (*в нейтральных предложениях не переводится*); mai; taw. **я уверен, что слышал, как она пела** dw i'n siwr i mi ei chlywed hi'n canu. **так вы отрицаете, что они заходили к вам вчера вечером?** ydych chi'n gwadu iddyn nhw alw arnoch chi neithiwr, te? **я думаю, что он болен** dw i'n meddwl fod e'n sâl. **я думаю, что я болен** dw i'n meddwl mod i'n sâl. **я думаю, что мы опоздаем** dw i'n meddwl y byddwn ni'n hwyr. **надеюсь, что мы не опоздаем** gobeithio na fyddwn ni'n hwyr.
что́-либо *мест.* unrhywbeth.
что́-нибудь *мест.* unrhywbeth; rhywbeth.
что́-то *мест.* unrhywbeth; rhywbeth.
что́бы *сз.* er mwyn; i. **чтобы сделать что-нибудь** er mwyn gwneud rth. **чтобы не делать что-нибудь** er mwyn peidio â gwneud rth, rhag gwneud rth. **для того, чтобы...** fel y bo... **чтобы не...** fel na bo..., rhag bod... **чтобы мы не забыли** rhag inni anghofio, fel nad anghofiom, fel na bo inni anghofio. **я хочу, чтобы они пошли** 'rwy'n dymuno iddynt fynd.
чу́вственность *ж.* syniadaeth.
чу́вственный *прил.* rhewydd.
чувстви́тельность *ж.* syniadaeth.
чувстви́тельный *прил.* tyner; tirion.
чу́вство *с.* teimlad; synnwyr; pwyll; syniadaeth; nwyd; ymdeimlad; annwyd.
чу́вствовать *несов.* teimlo.
чу́вствоваться *несов.* cael ei deimlo.
чуда́к *м.од.* cymeriad.
чудакова́тый *прил.* rhyfedd.
чуде́сный *прил.* gogoneddus; bendigedig.
чудно́й *прил.* (*странный*) eres; dieithr; rhyfedd.
чу́дный *прил.* (*прекрасный*) penigamp.
чу́до *с.* gwyrth; rhyfeddod.
чудо́вище *с.од.* anghenfil.
чудо́вищность *ж.* anferthedd.
чудо́вищный *прил.* erchyll; annaturiol.
чужби́на *ж.* allfro.
чу́ждый *прил.* dieithr; rhyfedd; alltud; anghydnabyddus.
чужезе́мный *прил.* tramor.

чужестра́нец *м.од.* dieithryn; dieithr; dyfodiad; alltud.
чужестра́нный *прил.* dieithr.
чужо́й[1] *прил.* dieithr; rhyfedd; estron.
чужо́й[2] *м.од.* dieithryn; dieithr; dyfodiad.
чуло́к *м.* hosan.
чум *м.* pabell (*wigwam*).
чума́ *ж.* pla; haint; bad; chwarren; llucheden.
чурба́н *м.* (*обрубок*) cyff.
чу́ткий *прил.* tyner; tirion.
чу́точку *нареч.* ychydig.
чуть *нареч.* prin.
чу́чело *с.* (*набитая шкура животного*) anifeiliad marw wedi'w fowntio neu ailgynhyrchu (*fel troffi hela, enghraifft wyddonol, neu fath arall o gelficyn*).
чушь *ж.* truth.
чу́ять *несов.* arogli; ffroeni.

Ш

ша́баш *м.* (*субботний отдых; шумное сборище*) Saboth.
шабло́н *м.* portread.
шабло́нный *прил.* ystrydebol.
шаг *м.* cam; cerddediad; gris; rhodiad; camre.
шага́ть *г.* camu; troedio; heglu; sathru; cerdded.
шагну́ть *г.* camu.
ша́йка *ж.* criw; gwerin; haid.
шала́ш *м.* twlc.
шаловли́вый *прил.* drwg.
ша́лость *ж.* ystranc.
шампа́нский *прил.* Siampaen.
шампа́нское *с.* siampaen.
шампу́р *м.* brwyd.
шанс *м.* siawns; cyfle.
ша́пка *ж.* ❶ cap; penwisg; talaith. ❷ pennawd.
шар *м.* (*геометр. тело и т.д.*) pêl; bŵl; glob.
ша́рик *м.* pelen; glain.
ша́рить *г.* teimlo; palfalu.
шарни́р *м.* cyswllt; cymal.
шарова́ры *ж.мн.* llawdr.
шата́ться *несов.* ❶ siglo. ❷ gwibio.
ша́тия *ж.* ciwdod.
ша́ткий *прил.* simsan; bregus.
шах[1] *м.од.* (*монарх*) brenin.
шах[2] *м.* (*в шахматах*) bygwth y brenin; gwarchae.
ша́хматы *ж.мн.* gwyddbwyll.
ша́хта *ж.* cloddfa; clawdd; pwll; mwyn-glawdd.
шахтёр *м.од.* glöwr.
ша́шка *ж.* ❶ crymgledd. ❷ dyn drafffts; darn drafffts. ❸ ffrwydryn. **шашки** drafffts.
швырну́ть *сов.* taflu.
швыря́ть *несов.* hyrddio; lluchio; taflu.
шевеле́ние *с.* cynnwrf; chwyf.
шевели́ть *несов.* syflyd; cyffroi; cynhyrfu; ysgogi.
шевели́ться *несов.* ysgogi; symud; syflyd.
шевелю́ра *ж.* gwallt.
ше́йка *ж.* mwnwgl; pin.
ше́лест *м.* siffrwd.
шелесте́ть *г.* siffrwd; sïo.
шёлк *м.* sidan.
шелудивый *прил.* brechlyd.
шелуха́ *ж.* cib; eisin; cen; cogwrn; cibyn.
шелуши́ться *несов.* cennu.
шельме́ц *м.од.* gwalch; dihiryn; cnaf.
шепну́ть *сов.* sibrwd.
шёпот *м.* si; sibrwd.
шепта́ть *несов.* sïo; sibrwd.
шепта́ться *несов.* sibrwd.
шере́нга *ж.* rheng; rhes.
шерохова́тый *прил.* ysgithrog; garw; anwastad.
шерстка *ж.* blew; côt (*fach*).
шерсть *ж.* ❶ gwlân. ❷ côt; blew.
шерша́вый *прил.* garw; anfanol.
ше́ршень *м.од.* gwenynen farch ddu; cacynen.
шест *м.* polyn; cledren; cledr.
шествие *с.* gorymdaith.
ше́ствовать *г.* hwylio; gorymdeithio.
шестёрка *ж.* chwech.
ше́стеро *числит.* chwech.
шестидеся́тый *числит.* trigeinfed.
шестна́дцатый *числит.* unfed ar bymtheg.
шестна́дцать *числит.* un ar bymtheg.
шесто́й *числит.* chweched.
шесть *числит.* chwech.
шестьдеся́т *числит.* trigain.
шестьсо́т *числит.* chwe chant.
шеф *м.од.* pennaeth; meistr; penaig.
ше́фство *с.* nawdd.
ше́я *ж.* gwar; gwddf; mwnwgl.
ши́ллинг *м.* swllt.
ши́ло *с.* taradr; mynawyd.
ши́на *ж.* ❶ teiar. ❷ dellten. ❸ bws.
шине́ль *ж.* côt fawr.
шип[1] *м.* (*шипение*) chwyth.
шип[2] *м.* (*колючка, зубец*) draenen; pig; calc.
шипе́ть *г.* sïo; chwythu.
ширина́ *ж.* lled; ehangder; amgyffred.
шири́нка *ж.* balog.
широ́кий *прил.* eang; llydan; bras; ysgubol.
широта́ *ж.* lledred; ehangder; lled.
шить *несов.* gwnïo.
шитьё *с.* gwnïad.
ши́фер *м.* llech.
ши́шка *ж.* (*сосновая и т.п.; нарост*) ❶ mochyn coed. ❷ chwarren; cogwrn; bogail; clap.
шкала́ *ж.* graddfa.
шкату́лка *ж.* cib.
шкаф *м.* cwpwrdd.
шквал *м.* trowynt; corwynt.
шкво́рень *м.* pin; colyn.
шко́ла *ж.* ysgol; athrofa; addysgfa.
шко́льник *м.од.* bachgen ysgol.
шко́льница *ж.од.* merch ysgol.
шко́льный *прил.* ysgol.
шку́ра *ж.* (*кожа и т.д.*) croen; cen; gem.
шлагба́ум *м.* clwyd.
шлем *м.* helm.
шлепаться *несов.* syrthio.
шлифова́ть *несов.* trwsio; llifo.
шлюз *м.* porth.
шлю́ха *ж.од.* dihiren; gast; maeden; putain.
шля́па *ж.* (*головной убор*) cap.

шля́ться *несов.* gwibio.
шмель *м.од.* gwenynen wyllt; cacynen.
шнур *м.* llinyn; tennyn.
шнурова́ть *несов.* rhwymo.
шнуро́к *м.* carrai; llinyn.
шов *м.* gwnïad.
шоки́ровать *несов. и сов.* iasu.
шокола́д *м.* siocled.
шо́мпол *м.* pren gwthio; ffon wthio.
шо́рох *м.* siffrwd.
шоссе́ *с.* (*дорога*) traffordd; priffordd.
шотла́ндец *м.од.* Albanwr.
Шотла́ндия *ж.* Alban.
шотла́ндка *ж.од.* (*женск. к «шотландец»*) Albanes.
шотла́ндский *прил.* (*кельтский язык*) Gaeleg; Gaeleg yr Alban. (*германский язык*) Sgoteg.
шофёр *м.од.* gyrrwr.
шпага́т *м.* llinyn.
шпа́ла *ж.* gobennydd; trawst.
шпанго́ут *м.* asen.
шпа́ция *ж.* gofod.
шпиль *м.* pin.
шпи́лька *ж.* ebill; pin.
шпио́н *м.од.* chwiliwr; ysbïwr.
шпио́нить *г.* ysbïo.
шплинт *м.* pin.
шпон *м.* argaen.
шпо́ра *ж.* ysbardun.
шрам *м.* craith.
шрифт *м.* wynebfath; argraff.
штаб *м.* pencadlys.
штаб-кварти́ра *ж.* pencadlys.
шта́бель *м.* pentwr.
штамп *м.* argraff; nod; bath.
штампова́ть *несов.* argraffu; gwasgu; bathu.
штаны́ *м.мн.* llawdr; clos.
штат *м.* ystad; talaith.
шта́тский *прил.* dinesig; gwladol.
штемпелева́ть *несов.* argraffu.
ште́мпель *м.* nod; bath.
штиль *м.* tawelwch.
штифт *м.* ebill; pin.
што́льня *ж.* ponc.
што́пать *несов.* trwsio; gwella; cyweirio.
што́ра *ж.* llen.
шторм *м.* tymestl; ystorm.
штормово́й *прил.* gwyllt.
штраф *м.* dirwy.
штрафова́ть *несов.* dirwyo.
шту́ка *ж.* cetyn.
штукату́рить *несов.* taenu.
штукату́рка *ж.* cymrwd.
штурва́л *м.* llyw.
штурм *м.* ymosodiad.
шту́рман *м.од.* morlywiwr; cyfeiriwr.
штык *м.* bidog; plât (*rhaw*).
штырь *м.* pin.
шу́ба *ж.* côt ffwr.
шуйца *ж.* llaw chwith.
шум *м.* sŵn; broch; gawr; bugad; si; ystŵr; nâd; trwst; terfysg.
шуме́ть *г.* rhuo; gwneud/cadw sŵn.
шуми́ха *ж.* trwst.
шумли́вый *прил.* ban.
шу́мный *прил.* swnllyd; croch; ban.
шу́рин *м.од.* brawd-yng-nghyfraith.
шуру́п *м.* ysgriw.
шурша́ть *г.* siffrwd.
шути́ть *г.* cellwair.
шу́тка *ж.* cellwair; ystranc; arabedd.
шутли́вый *прил.* diddan; arabus; arab.
шу́точный *прил.* arab.

щаве́ль *м.* tafol; suran.
щади́ть *несов.* arbed; trugarhau.
ще́бень *м.* graean.
щебета́ть *г.* clebran.
щего́л *м.од.* peneuryn.
щеголева́тый *прил.* trwsiadus.
щёголь *м.од.* dandi.
ще́дрость *ж.* haelioni.
ще́дрый *прил.* hael; aelaw; candryll; anfanol; anghryno.
щека́ *ж.* boch; llechwedd; aelgeth; cern; grudd.
щекота́ние *с.* goglais.
щекота́ть *несов.* (*о щекотке*) goglais.
щеко́тка *ж.* goglais.
щекотли́вый *прил.* cynnil; tyner.
щелевой *прил.* ❶ hollt. ❷ llaes; chwyrn.
щёлка *ж.* agen.
щёлканье *с.* clec; clep.
щёлкать *несов.* clecian; agennu.
щёлкнуть *сов.* clecian.
щёлок *м.* trwnc; golch.
щелочно́й *прил.* gwrthsuraidd; alcalïaidd.
щёлочь *ж.* gwrthsur; alcali.
щелчо́к *м.* clec.
щель *ж.* hollt; toriad; gagendor; agen; rhwyg.
щено́к *м.од.* colwyn; cenau.
ще́пка *ж.* hollt; asglodyn; dellten.
щерба́тый *прил.* mantach.
щети́на *ж.* gwrychyn.
щётка *ж.* ❶ brws. ❷ egwyd.
щи *м.мн.* cawl bresych.
щи́колотка *ж.* migwrn.
щипа́ть *несов.* plycio.
щипе́ц *м.* tabl; talcen.
щипцы́ *м.мн.* gefel.
щи́пчики *м.мн.* gefel.
щит *м.* tarian; ysgwyd; aes; astalch.
щу́ка *ж.од.* penhwyad.
щу́пальце *с.* gwrychyn.
щу́пать *несов.* teimlo.
щу́рить *несов.* crychu.
щу́риться *несов.* amrantu.

Э

эволюциони́ровать *г.* datblygu.
эволю́ция *ж.* esblygiad; datblygiad.
эгои́зм *м.* hunaniaeth.
эй *част.* hei.
эква́тор *м.* llinyn.
экза́мен *м.* arholiad; holiad; cwis.
экзамена́тор *м.од.* arholwr.
экземпля́р *м.* rhifyn.
экипа́ж *м.* ❶ criw; gwerin. ❷ cerbyd.
эконо́м *м.од.* goruchwyliwr.
эконо́мика *ж.* economeg.
эконо́мить *несов.* cynilo; arbed; toli; hepgor.
экономи́ческий *прил.* economaidd; cynnil.
эконо́мный *прил.* cynnil.
экра́н *м.* sgrin.
экскава́тор *м.* turiwr; peiriant turio.
экскреме́нты *м.мн.* carthion.
экску́рсия *ж.* gwibdaith.
экспеди́ция *ж.* ymgyrch.
экспериме́нт *м.* arbrawf.
эксперименти́ровать *г.* arbrofi.
экспе́рт *м.од.* cyfarwydd.
эксперти́за *ж.* archwiliad.
экспози́ция *ж.* arddangosfa.
э́кспорт *м.* allforion.
экспорти́ровать *несов. и сов.* allforio.
экспре́ссия *ж.* mynegiant.
экста́з *м.* perlewyg; llewyg.
экстенси́вный *прил.* helaeth.
эксцентри́чный *прил.* rhyfedd.
эксце́сс *м.* rhemp.
эласти́чный *прил.* ystwyth; hyblyg.
элега́нтный *прил.* gosgeiddig.
эле́гия *ж.* marwnad; galarnad; galargerdd; galargan.
эле́ктрик *м.од.* (*рабочий*) trydanwr.
электри́ческий *прил.* trydanol; gwefrog.
электри́чество *с.* trydan; gwefr.
электро́нный *прил.* electronaidd; electronig.
элеме́нт *м.* uned; elfen.
элемента́рный *прил.* elfennol.
э́ллин *м.од.* Groegwr.
эльф *м.* (*Средиземье*) ellyll.
эмансипа́ция *ж.* rhyddhad.
эмбле́ма *ж.* dyfais.
эмблематический *прил.* cysgodol.
эмбрио́н *м.* rhith.
эмигра́нт *м.од.* ymfudwr; mudwr.
эмигра́ция *ж.* ymfudiad; alltudiaeth.
эмигри́ровать *г.* ymfudo; alltudio.
эмоциона́льный *прил.* teimladol.
эмо́ция *ж.* nwyd; ymdeimlad; annwyd.
эмфаза *ж.* pwyslais.
энерги́чный *прил.* bywydol; calonnog; llym; heini; gweithredol; grymus; awyddus; bywiog; egniol.
эне́ргия *ж.* arial; nerth; grym; egni; ynni; angerddoldeb.
энтузиа́зм *м.* angerdd; brwdfrydedd; annwyd.
энциклопе́дия *ж.* gwyddoniadur.
эпи́граф *м.* arysgrif.
эпиде́мия *ж.* haint.
эпизо́д *м.* episod.
эпи́тет *м.* cyfenw; adenw.
эпо́ха *ж.* adeg; oes; cyfnod.
эре́кция *ж.* min.
эруди́рованный *прил.* dysgedig; llengar; hyddysg.
эруди́ция *ж.* ysgolheictod; dysg.
эска́дра *ж.* llynges.
эсква́йр *м.од.* yswain.
эски́з *м.* cynllun; braslun.
эско́рт *м.* gosgordd; cyfarwyddyd.
эскорти́ровать *несов. и сов.* hebrwng.
эссе́ *с.* ysgrif; traethawd.
эста́мп *м.* (*оттиск с гравюры*) argraff.
эстра́да *ж.* llwyfan.
эстуа́рий *м.* aberfa; aber; moryd.
эта́ж *м.* llawr.
э́такий *мест.* переводится экватuвом.
эта́п *м.* gradd.
э́тика *ж.* moesoldeb; moes.
этимоло́гия *ж.* geiryddiaeth.
эти́ческий *прил.* moesol.
эти́чный *прил.* moesol.
э́тот *мест.* hwn.
эфе́с *м.* dwrn; carn.
эфи́рный *прил.* awyrol.
эффе́кт *м.* effaith.
эффекти́вность *ж.* effeithiolrwydd.
эффекти́вный *прил.* gweithredol; effeithiol; gweithgar; affeithiol.
э́хо *с.* atsain; adlais; adlef.
эшело́н *м.* ❶ esielon. ❷ trên.

Ю

юбилéй *м.* jiwbilî; cylchwyl.
юбилéйный *прил.* jiwbilî.
ю́бка *ж.* pais; sgyrt; sgert.
ювели́р *м.од.* eurof; gemydd.
юг *м.* de; dehau; deheu.
ю́жный *прил.* deheuol; dehau; deheu.
юла́ *ж.* (*волчок*) top.
ю́мор *м.* hwyl.
юмористи́ческий *прил.* arab; doniol.
юнéц *м.од.* iangwr.
ю́ность *ж.* ieuenctid; mebyd; adolesens.
ю́ноша *м.од.* glaslanc; mebyd; irlanc; iangwr; llanc; gwas.
ю́ношеский *прил.* ifancaidd; ieuengaidd; ifanc; ieuanc; iangaidd.
ю́ный *прил.* ieuanc; ifanc; iangaidd.
Юпи́тер *м.од.* Iau.
юриди́ческий *прил.* cyfreithiol.
юриспрудéнция *ж.* deddfwriaeth.
юри́ст *м.од.* cyfreithiwr.

Я

я *мест.* i; innau; minnau; mi; myfi.
я́бедничать *г.* prepian.
я́блоко *с.* afal.
яблоневый *прил.* afallen.
я́блоня *ж.* afallen.
я́блочный *прил.* afal. **яблочный сок** sudd afal.
яви́ться *сов.* ❶ bod. ❷ ymddangos.
явле́ние *с.* ❶ ffaith; digwyddiad; ymddangosiad. ❷ golygfa. ❸ amlygrwydd.
явля́ться *несов.* ❶ bod. ❷ ymddangos.
я́вный *прил.* hysbys; gweladwy; rhonc; pendant; eglur; plaen; amlwg.
я́вствовать *г.* ymddangos.
ягнёнок *м.од.* oen; hesbwrn.
ягня́тина *ж.* cig oen.
я́года *ж.* aeronen; gronyn; mwyaren; gem.
я́годица *ж.* ffolen; tin.
яд *м.* gwenwyn.
я́дерный *прил.* niwclear.
ядови́тый *прил.* gwenwynig; gwenwynllyd.
ядро́ *с.* ❶ bywyn; cnewyllyn. ❷ pelen; pêl (*fagne!*).
я́зва *ж.* (*рана, болезнь, зло*) briw; chwarren.
язви́тельный *прил.* bachog.
язы́к *м.* (*средство общения; орган*) iaith; tafod (*орган*); araith.
языкове́д *м.од.* ieithydd; ieithegydd.
языкове́дение *с.* ieithyddiaeth.
языкове́дческий *прил.* ieithyddol.
языкозна́ние *с.* ieithyddiaeth.
язы́ческий *прил.* cenhedlig; paganaidd.
язы́чество *с.* paganiaeth; anghred; anghrediniaeth.
язы́чник *м.од.* pagan; anghredadun.
язычо́к *м.* tafod.
язь *м.од.* orff.
яи́чко *с.* ❶ ŵy (*bach*). ❷ carreg (*анат.*); caill (*анат.*).
яйцо́ *с.* ❶ ŵy; wy. ❷ carreg (*анат.*).
я́кобы *сз.* fel y tybiwyd; fel y tybid; fel y tybir.
я́корь *м.* angor.
я́ма *ж.* pydew; clawdd; pwll.
я́мка *ж.* pwll.
янва́рь *м.* Ionawr.
янта́рный *прил.* gwefrog.
янта́рь *м.* gwefr.
япо́нец *м.од.* Siapanead.
япо́нский *прил.* Siapanaidd; Siapanaeg (*язык*).
ярд *м.* llathen; llath.
я́ркий *прил.* llathr; gloyw; lliwgar; llewyrchus; llachar; disglair.
я́ркость *ж.* disgleirdeb; lleufer; adlewyrchiad; adlewyrch.
ярл *м.од.* (*дворянский титул в Скандинавии*) iarll.
ярлы́к *м.* tocyn.
я́рмарка *ж.* ffair.
ярмо́ *с.* iau; gwedd.
я́ростный *прил.* chwyrn; angerddol.
я́рость *ж.* digofaint; llid; dicter; cyffro; cawdd; dig; cynddeiriogrwydd.
я́рус *м.* llawr.
я́сень *м.* onnen.
я́сли *м.мн.* ❶ meithrinfa. ❷ preseb.
я́сность *ж.* eglurdeb; eglurder; amlygrwydd.
я́сный *прил.* llathr; gloyw; hysbys; uniongyrchol; union; têr; pendant; eglur; llachar; disglair; plaen; teg; amlwg; araul.
я́стреб *м.од.* hebog; gwalch.
яче́йка *ж.* magl; cell.
ячея́ *ж.* cell.
ячме́нь *м.* ❶ haidd. ❷ gwlithen; magl.
я́щерица *ж.од.* madfall; genau-goeg.
я́щик *м.* arch; cist; cyff; bocs.
я́щичек *м.* llogell.
я́щур *м.* chwarren; clwy'r traed a'r genau.

1 ENWAU

1.1 Enwau gwrywaidd

1.1.1 Math I. -ов, -ев yn y Genidol Lluosog

1.1.1.1 Enwau sy'n diweddu mewn cytsain galed

	Unigol			*Lluosog*		
Enw.	заво́д			заво́д**ы**	-и[1]	
Gen.	заво́д**а**			заво́д**ов**	-ев[2]	
Derb.	заво́д**у**			заво́д**ам**		
Gwrth.	заво́д		(*byw.* **-а**)	заво́д**ы**	-и[1]	(*byw.* **-ов** -ев[2])
Off.	заво́д**ом**	-ем[2]		заво́д**ами**		
Ardd.	заво́д**е**			заво́д**ах**		

1 **-и** (*yn lle* -ы) *ar ôl* **г**, **к**, **х**: ло́зун**ги**.
2 **-ев** (*yn lle* -ов), **-ем** (*yn lle* -ом) *ar ôl* **ц** *pan fo'r acen ar y bôn:* ме́сяц**ев**, **-ем**.

1.1.1.2 Enwau sy'n gorffen â -й

	Unigol			*Lluosog*	
Enw.	трамва́**й**			трамва́**и**	
Gen.	трамва́**я**			трамва́**ев**[1]	
Derb.	трамва́**ю**			трамва́**ям**	
Gwrth.	трамва́**й**		(*byw.* **-я**)	трамва́**и**	(*byw.* **-ев**)
Off.	трамва́**ем**			трамва́**ями**	
Ardd.	трамва́**е**	-и[2]		трамва́**ях**	

1 *acennog* -ев = **-ёв :** бо**ёв**.
2 **-и** (*yn lle* **-е** *yn yr Ardd. un.*)—*ar ôl* **и:** (о) пролета́ри**и**.

NODIADAU:

1.1.1.2.1 бе́рег, **год**, **лес**, **мост**, **пол**, **сад**, **у́гол**, **шкаф**—*Ardd. sg.* (*ar ôl arddodiadau* в, на) *ends in* -у́: на берег**у́**, *ac ati.*

1.1.1.2.2 бе́рег, **ве́чер**, **глаз**, **го́лос**, **го́род**, **дом**, **по́езд**, **цвет**—*Enw., Derb. ll. yn diweddu mewn* **-а́**: берег**а́**, вечер**а́**, глаз**а́**, голос**а́**, *ac ati.*

1.1.1.2.3 глаз, **раз**, **солда́т**, **челове́к**—*Gen. ll. dim terfyniad:* из глаз, пять раз, *ac ati.*

1.1.1.2.4 брат, **стул**—*lluosog*: *Enw.* бра́т**ья**, сту́л**ья**; *Gen.* **-ьев**; *Derb.* **-ьям**; *Gwrth.* бра́т**ьев**, сту́л**ья**; *Off.* **-ьями**; *Ardd.* **-ьях**.

1.1.1.2.5 сын—*lluosog: Enw.* сын**овья́**; *Gen., Gwrth.* сын**ове́й**; *Derb.* **-овья́м**; *Off.* **-овья́ми**; *Ardd.* **-овья́х**.

1.1.1.2.6 англича́нин, **крестья́нин** (*a mwyarif o enwau sy'n gorffen â* **-а́нин**, **-я́нин**)—*lluosog*: *Enw.* англича́н**е**, крестья́н**е**; *Gen.* англича́н. крестья́н; *Derb.* англича́н**ам**, крестья́н**ам**, *ac ati*, *heb* -ин.

1.1.1.2.6 *Mae enwau gwrywaidd sy'n gorffen â* **-а, -я,** *az* мужчи́н**а**, судь**я́**, *yn ffurfdroi fel enwau benywaidd sy'n gorffen â* (*gw. Taflen 4*).

1.1.2 Math II. -ей yn y Genidol Lluosog

1.1.2.1 Enwau sy'n gorffen â -ь

	Unigol		*Lluosog*	
Enw.	автомоби́л**ь**		автомоби́л**и**	
Gen.	автомоби́л**я**		автомоби́л**ей**	
Derb.	автомоби́л**ю**		автомоби́л**ям**	
Gwrth.	автомоби́л**ь**	(*byw.* **-я**)	автомоби́л**и**	(*byw.* **-ей**)
Off.	автомоби́л**ем**[1]		автомоби́л**ями**	
Prep,	автомоби́л**е**		автомоби́л**ях**	

1 **-ем** *acenog* = **-ём:** вожд**ём**.

1.1.2.1 Enwau sy'n gorffen â **-ж**, **-ш**, **-ч**, **-щ**

	Unigol			*Lluosog*	
Enw.	этáж			этаж**и́**	
Gen.	этаж**á**			этаж**éй**	
Derb.	этаж**ý**			этаж**áм**	
Gwrth.	этáж		(*byw.* **-á**)	этаж**и́**	(*byw.* **-éй**)
Off.	этаж**óм**	-ем[1]		этаж**áми**	
Ardd.	этаж**é**			этаж**áх**	

1 **-ем** (*yn lle* -ом)—*pan mae'r acen ar y bôn:* товáрищ**ем**.

NODIADAU:
1.1.2.1.1 день (*Enw., Gwrth.*)—*dim* **-е-** *yn y cyflyrau eraill: Gen.* дн**я**, *ac ati.*
1.1.2.1.2 учи́тель—*Enw. ll.* учител**я́** *fel arfer.*

1.2 Enwau benywaidd
1.2.1 Math I. **Dim terfyniad** yn y Genidol Lluosog; **-у**, **-ю** yn y Gwrthrychol Unigol; **-ой**, **-ей** yn yr Offerynnol Unigol
1.2.1.1 Enwau sy'n gorffen â **-а**

	Unigol			*Lluosog*		
Enw.	стран**á**			стрáн**ы**	-и[1]	
Gen.	стран**ы́**	-и[1]		стран		
Derb.	стран**é**			стрáн**ам**		
Gwrth.	стран**ý**		(*byw. yr un*)	стрáн**ы**	-и[1]	(*byw. dim terfyniad*)
Off.	стран**óй**	-ей[2]		стрáн**ами**		
Ardd.	стран**é**			стрáн**ах**		

1 **-и** (*yn lle* -ы)—*ar ôl* **г**, **к**, **х**; **ж**, **ш**, **ч**, **щ**: фáбрик**и**; задáч**и**.
2 **-ей** (*yn lle* -ой)—*ar ôl* **ж**, **ш**, **ч**, **щ**, *a* **ц**, *pan mae'r acen ar y bôn:* задáч**ей**, рабóтниц**ей**.

1.2.1.2 Enwau sy'n gorffen â chytsain ac **-я**

	Unigol		*Lluosog*	
Enw.	земл**я́**		зéмли	
Gen.	земл**и́**		зéмел**ь**[1]	
Derb.	земл**é**		зéмл**ям**	
Gwrth.	зéмл**ю**	(*byw. yr un*)	зéмл**и**	(*byw.* **-ь**)
Off.	земл**ёй**		зéмл**ями**	
Ardd.	земл**é**		зéмл**ях**	

1 *Dim* **-ь** *ar ôl* **-ен** *gyda* **е** *llithrig acenog:* читáлен (*enw. un.* читáльня).

1.2.1.3 Enwau sy'n gorffen ag **-ия**

	Unigol	*Lluosog*	
Enw.	стáнци**я**	стáнци**и**	
Gen.	стáнци**и**	стáнци**й**[1]	
Derb.	стáнци**и**	стáнци**ям**	
Gwrth.	стáнци**ю**	стáнци**и**	(*byw.* **-й**)
Off.	стáнци**ей**	стáнци**ями**	
Ardd.	стáнци**и**	стáнци**ях**	

1 *Nid terfyniad yw* **-й** *yng ngen. ll., ond sain fôn olaf,* **-ия = ийа**: *pan does dim terfyniad (llafariad) yng ngen. ll., dychwelir* **й**.

NODIADAU:
1.2.1.3.1 семья́, **статья́**—*Gen. ll.* сем**éй**, стат**éй** (*ffurfiau eraill fel yn Nhaflen 4, b*).

1.2.2 Math II. **-ей** yn y Genidol Lluosog; gwrthrychol unigol yn debyg i enwol; **-ью** yn yr Offerynnol Unigol

1.2.2.1 Enwau sy'n gorffen â **-ь**

	Unigol		*Lluosog*	
Enw.	част**ь**		част**и**	
Gen.	част**и**		част**ей**	
Derb.	част**и**		част**ям**	-ам[1]
Gwrth.	част**ь**	(*byw. yr un*)	част**и**	(*byw.* **-ей**)
Off.	частью		част**ями**	-ами[1]
Ardd.	части		част**ях**	-ах[1]

1 **-ам**, **-ами**, **-ах** (*yn lle* -ям, -ями, -ях)—*ar ôl* **ж**, **ш**, **ч**, **щ**: вещ**ам**, вещ**ами**, вещ**ах**.

NODIADAU:

1.2.2.1.1 дочь, **мать** (*Enw., Derb.*)—*ffurfiau eraill gyda* **-ер-**: *Gen.* доч**ер**и, мат**ер**и, *ac ati.*

1.3 Enwau diryw

1.3.1 Math 1. **Dim terfyniad** yn y Genidol Lluosog.

1.3.1.1 Enwau sy'n gorffen â **-о** neu enwau sy'n gorffen â **-е** ar ôl **ж**, **ш**, **ч**, **щ**, **ц**

	Unigol		*Lluosog*
Enw.	мест**о**	-е[1]	мест**а**
Gen.	мест**а**		мест
Derb.	мест**у**		мест**ам**
Gwrth.	мест**о**	-е[1]	мест**а**
Off.	мест**ом**	-ем[1]	мест**ами**
Ardd.	мест**е**		мест**ах**

1 **-е**, **-ем** (*yn lle* -о, -ом)—*ar ôl* **ж**, **ш**, **ч**, **щ**, *a* **ц**, *pan mae'r acen ar y bôn:* жилище, жилищем; полотенце, полотенцем.

1.3.1.2 Enwau sy'n gorffen ag **-ие**

	Unigol	*Lluosog*
Enw.	собрани**е**	собрани**я**
Gen.	собрани**я**	собрани**й**[1]
Derb.	собрани**ю**	собрани**ям**
Gwrth.	собрани**е**	собрани**я**
Off.	собрани**ем**	собрани**ями**
Prep.	собрани**и**	собрани**ях**

1 *Nid terfyniad yw* **-й** *yng ngen. ll., ond sain fôn olaf,* **-ня** = **нйа**: *pan nad oes terfyniad (llafariad) yng ngen. ll., dychwel* **й**.

NODIADAU:

1.3.1.2.1 плечо—*lluosog: Enw., Gwrth.* плеч**и**.

1.3.1.2.2 колено—*lluosog: Enw., Gwrth.* колен**и**; *Derb.* **-ям**; *Off.* **-ями**; *Ardd.* **-ях**.

1.3.1.2.3 ухо—*lluosog: Enw., Gwrth.* уш**и**; *Gen.* уш**ей**; *Derb.* уш**ам**. *ac ati.*

1.3.1.2.4 перо—*lluosog: Enw., Gwrth.* пер**ья**; *Gen.* пер**ьев**; *Derb.* пер**ьям**, *ac ati.*

1.3.2 Math II. **-ей** yn ngenidol lluosog

1.3.2.1 Enwau sy'n gorffen â **-ле**, **-ре**

	Unigol	*Lluosog*
Enw.	мор**е**	мор**я**
Gen.	мор**я**	мор**ей**
Derb.	мор**ю**	мор**ям**
Gwrth.	мор**е**	мор**я**
Off.	мор**ем**	мор**ями**
Ardd.	мор**е**	мор**ях**

1.3.3 Math III. **-ен-** yn y bôn, ond nid yn yr Enwol a'r Gwrthrychol Unigol
1.3.3.1 Enwau sy'n gorffen â **-мя**

	Unigol	*Lluosog*
Enw.	и́м**я**	им**ена́**
Gen.	и́м**ени**	им**ён**
Derb.	и́м**ени**	им**ена́м**
Gwrth.	и́м**я**	им**ена́**
Off.	и́м**енем**	им**ена́ми**
Ardd.	и́м**ени**	им**ена́х**

1.3.4 Cyfenwau (фамилии) esy'n gorffen ag **-ов**, **-ев**, **-ин**

	Unigol		*Lluosog*
	Gwrywaidd	*Benywaidd*	*Pob cenedl*
Enw.	Ивано́в	Ивано́в**а**	Ивано́в**ы**
Gen.	Ивано́в**а**	Ивано́в**ой**	Ивано́в**ых**
Derb.	Ивано́в**у**	Ивано́в**ой**	Ивано́в**ым**
Gwrth.	Ивано́в**а**	Ивано́в**у**	Ивано́в**ых**
Off.	Ивано́в**ым**	Ивано́в**ой**	Ивано́в**ымн**
Ardd.	Ивано́в**е**	Ивано́в**ой**	Ивано́в**ых**

2 ANSODDEIRIAU

2.1 Ansoddeiriau sy'n gorffen ag **-ой**, **-ый**, neu ansoddeiriau sy'n gorffen ag **-ий** ar ôl **г**, **к**, **х**; **ж**, **ш**, **ч**, **щ**)

	Unigol						*Lluosog*	
	Gwrywaidd		*Benywaidd*		*Diryw*		*Pob cenedl*	
Enw.	но́в**ый**	-ой́,[1] -ий[2]	но́в**ая**		но́в**ое**	-ее[4]	но́в**ые**	-ие[3]
Gen.	но́в**ого**	-его[4]	но́в**ой**	-ей[4]	но́в**ого**	-его[4]	но́в**ых**	-их[3]
Derb.	но́в**ому**	-ему[4]	но́в**ой**	-ей[4]	но́вому	-ему[4]	но́вым	-им[3]
Gwrth.	= *Enw. neu Gen.*		но́в**ую**		но́вое	-ее[4]	= *Enw. neu Gen.*	
Off.	но́в**ым**	-им[3]	но́в**ои**	-еи[4]	но́вым	-им[3]	но́выми	-ими[3]
Ardd.	но́в**ом**	-ем[4]	но́в**ой**	-ей[4]	но́вом -	-ем[4]	но́вых	-их[3]

1 **-ой**—*pan mae'r acen ar y terfyniad*: молод**ой**, друг**ой**, больш**ой**.
2 **-ий** (*yn lle* -ый)—*ar ôl* **г**, **к**, **х**; **ж**, **ш**, **ч**, **щ**, *pan mae'r acen ar y bôn:* сове́тск**ий**; хоро́ш**ий**.
3 **-ие**, **-их**, **-им**, **-ими** (*yn lle* -ые, -ых, -ым, -ыми *yn eu tro*)—*ar ôl* **г**, **к**, **х**; **ж**, **ш**, **ч**, **щ**; друг**и́е**, **-и́х**, **-и́м**, **-и́ми**; сове́тск**ие**, **-их**, **-им**, **-ими**; больш**и́е**, **-и́х**, **-и́м**, **-и́ми**; хоро́шие, **-их**, **-им**, **-ими**, *ac ati.*
4 **-ее**, **-его**, **-ему**, **-ем**, **-ей** (*yn lle* -ое, -ого, -ому, -ом, -ой *yn eu tro*)—*ar ôl* **ж**, **ш**, **ч**, **ш**, *when the stress is on the stem:* хоро́ш**ее**, **-его**, **-ему**, **-ем**, *ac ati.*

2.2 Ansoddeiriau sy'n gorffen â **-ний**

	Unigol			*Lluosog*
	Gwrywaidd	*Benywaidd*	*Diryw*	*Pob cenedl*
Enw.	си́н**ий**	си́н**яя**	си́н**ее**	си́н**ие**
Gen.	си́н**его**	си́н**ей**	си́н**его**	си́н**их**
Derb.	си́н**ему**	си́н**ей**	си́н**ему**	си́н**им**
Gwrth.	= *Enw. neu Gen.*	си́н**юю**	си́н**ее**	= *Enw. neu Gen.*
Off.	си́н**им**	си́н**ей**	си́н**им**	си́н**ими**
Ardd.	си́н**ем**	си́н**ей**	си́н**ем**	си́н**их**

3 RHAGENWAU

3.1 Gofynnol

	Byw	*Anfyw*
Enw.	**кто**	**что**
Gen.	**кого́**	**чего́**
Derb.	**кому́**	**чему́**
Gwrth.	**кого́**	**что**
Off.	**кем**	**чем**
Ardd.	**ком**	**чём**

3.2 Gofynnol-meddiannol

		Unigol		*Lluosog*
	Gwrywaidd	*Benywaidd*	*Diryw*	*Pob cenedl*
Enw.	ч**ей**	чь**я**	чь**ё**	чь**и**
Gen.	чь**его́**	чь**ей**	чь**его́**	чь**их**
Derb.	чь**ему́**	чь**ей**	чь**ему́**	чь**им**
Gwrth.	*= Enw. neu Gen.*	чь**ю**	чь**ё**	*= Enw. neu Gen.*
Off.	чь**им**	чь**ей**	чь**им**	чь**ими**
Ardd.	чь**ём**	чь**ей**	чь**ем**	чь**их**

NODYN:

3.2.1 *Ffurfdroir* **какой**, **который** *fel ansoddeiriau (gw. Taflen 12).*

3.3 Rhagenwau personol:

3.3.1 Rhagenwau personol 1 a 2

	Unigol		*Lluosog*	
	Pers. 1	*Pers. 2*	*Pers. 1*	*Pers. 2*
Enw.	**я**	**ты**	**мы**	**вы**
Gen.	**меня́**	**тебя́**	**нас**	**вас**
Derb.	**мне**	**тебе́**	**нам**	**вам**
Gwrth.	**меня́**	**тебя́**	**нас**	**вас**
Off.	**мной**	**тобо́й**	**на́ми**	**ва́ми**
Ardd.	**мне**	**тебе́**	**нас**	**вас**

3.3.2 Rhagenw meddiannol unigol 1

		Unigol		*Lluosog*
	Gwrywaidd	*Benywaidd*	*Diryw*	*Pob cenedl*
Enw.	мо**й**	мо**я́**	мо**ё**	мо**и́**
Gen.	мо**его́**	мо**е́й**	мо**его́**	мо**и́х**
Derb.	мо**ему́**	мо**е́й**	мо**ему́**	мо**и́м**
Gwrth.	*= Enw. neu Gen.*	мо**ю́**	мо**ё**	*= Enw. neu Gen.*
Off.	мо**и́м**	мо**е́й**	мо**и́м**	мо**и́ми**
Ardd.	мо**ём**	мо**е́й**	мо**ём**	мо**и́х**

3.3.3 Rhagenw meddiannol lluosog 1

		Unigol		*Lluosog*
	Gwrywaidd	*Benywaidd*	*Diryw*	*Pob cenedl*
Enw.	наш	на́ш**а**	на́ш**е**	на́ш**и**
Gen.	на́ш**его**	на́ш**ей**	на́ш**его**	на́ш**их**
Derb.	на́ш**ему**	на́ш**ей**	на́ш**ему**	на́ш**им**
Gwrth.	*= Enw. neu Gen.*	на́ш**у**	на́ш**е**	*= Enw. neu Gen.*
Off.	на́ш**им**	на́ш**ей**	на́ш**им**	на́ш**ими**
Ardd.	на́ш**ем**	на́ш**ей**	на́ш**ем**	на́ш**их**

NODYN:

3.3.3.1 *Ffurfdroir* **твой**, **свой** *fel* **мой**; **ваш** *fel* **наш**.

3.3.4 Rhagenwau personol 3

	Unigol						*Lluosog*	
	Gwrywaidd	*Ar ôl ardd.*	*Benywaidd*	*Ar ôl ardd.*	*Diryw*	*Ar ôl ardd.*	*Pob cenedl*	*Ar ôl ardd.*
Enw.	**он**	—	**оиа́**	—	**оно́**	—	**они́**	—
Gen.	**его́**	него́	**её**	неё	**его́**	него	**их**	них
Derb.	**ему́**	нему́	**ей**	ней	**ему́**	нему	**им**	ним
Gwrth.	**его́**	него́	**её**	неё	**его́**	него	**их**	них
Off.	**нм**	ним	**е́ю**	не́ю, ней	**им**	ним	**и́ми**	ни́ми
Ardd.	—	нём	—	ней	—	нём	—	них

3.3.5 Dangosol

	Unigol			*Lluosog*
	Gwrywaidd	*Benywaidd*	*Diryw*	*Pob cenedl*
Enw.	э́т**от**	э́т**а**	э́т**о**	э́т**и**
Gen.	э́т**ого**	э́т**ой**	э́т**ого**	э́т**их**
Derb.	э́т**ому**	э́т**ой**	э́т**ому**	э́т**им**
Gwrth.	= *Enw. neu Gen.*	э́т**у**	э́т**о**	= *Enw. neu Gen.*
Off.	э́т**им**	э́т**ой**	э́т**им**	э́т**им**
Ardd.	э́т**ом**	э́т**ой**	э́т**ой**	э́т**их**

	Unigol			*Lluosog*
	Gwrywaidd	*Benywaidd*	*Diryw*	*Pob cenedl*
Enw.	т**от**	т**а**	т**о**	т**е**
Gen.	т**ого́**	т**ой**	т**ого́**	т**ех**
Derb.	т**ому́**	т**ой**	т**ому́**	т**ем**
Gwrth.	= *Enw. neu Gen.*	т**у**	т**о**	= *Enw. neu Gen.*
Off.	т**ем**	т**ой**	т**ем**	т**е́ми**
Ardd.	т**ом**	т**ой**	т**ом**	т**ех**

3.3.6 Cyffrediniol

	Unigol			*Lluosog*
	Gwrywaidd	*Benywaidd*	*Diryw*	*Pob cenedl*
Enw.	ве**сь**	вс**я**	вс**ё**	вс**е**
Gen.	вс**его́**	вс**ей**	вс**его́**	вс**ех**
Derb.	вс**ему́**	вс**ей**	вс**ему́**	вс**ем**
Gwrth.	= *Nom neu Gen.*	вс**ю**	вс**ё**	= *Enw. neu Gen.*
Off.	вс**ем**	вс**ей**	вс**ем**	вс**е́ми**
Ardd.	вс**ём**	вс**ей**	вс**ём**	вс**ех**

4 RHIFAU

4.1 оди́н

	Unigol			*Lluosog*[1]
	Gwrywaidd	*Benywaidd*	*Diryw*	*Pob cenedl*
Enw.	оди́н	одн**а́**	одн**о́**	одн**и́**
Gen.	одн**ого́**	одн**о́й**	одн**ого́**	одн**и́х**
Derb.	одн**ому́**	одн**о́й**	одн**ому́**	одн**и́м**
Gwrth.	= *Enw. neu Gen.*	одн**у́**	одн**о́**	= *Enw. neu Gen.*
Off.	одн**и́м**	одн**о́й**	одн**и́м**	одн**и́ми**
Ardd.	одн**о́м**	одн**о́й**	одн**о́м**	одн**и́х**

1 *Defnyddir lluosog* **одни́**:
a) *gydag enwau lluosog:* одни́ я́сли *'preseb'*.
b) *pan* оди́н = *'unig':* Он был оди́н. Они́ бы́ли одни́.
c) *gyda* друго́й: Оди́н ушёл, друго́й—нет. Одни́ ушли́, други́е—нет.

4.2 два, три, *a* четы́ре

	Gwrywaidd/Diryw	*Benywaidd*	*Pob cenedl*	
Enw.	дв**а**	дв**е**	тр**и**	четы́р**е**
Gen.	дв**ух**	дв**ух**	тр**ёх**	четыр**ёх**
Derb.	дв**ум**	дв**ум**	тр**ём**	четыр**ем**
Gwrth.	*= Enw. neu Gen.*	*= Enw. neu Gen.*	*= Enw. neu Gen.*	*= Enw. neu Gen.*
Off.	дв**умя́**	дв**умя́**	тр**емя́**	четыр**ьмя́**
Ardd.	дв**ух**	дв**ух**	тр**ёх**	четыр**ёх**

4.3 *O* пять *i* три́дцать

	Pob cenedl	
Enw.	пят**ь**	во́сем**ь**
Gen.	пят**и́**	восьм**и́**
Derb.	пят**и́**	восьм**и́**
Gwrth.	пят**ь**	во́сем**ь**
Off.	пят**ью́**	восем**ью́**
Ardd.	пят**и́**	восьм**и́**

4.4 сорок, девяносто, сто

	Pob cenedl		
Enw. a Gwrth.	со́рок	девяно́ст**о**	ст**о**
Cyflyrau eraill	сорок**а́**	девяно́ст**а**	ст**а**

4.5 *O* пятьдеся́т *i* во́семьдесят

	Pob cenedl	
Enw. a Gwrth.	пят**ь**деся́т	во́сем**ь**десят
Offerynnol	пят**ью́**десят**ью**	восем**ью́**десят**ью**
Cyflyrau eraill	пят**и́**десят**и**	восьм**и́**десят**и**

4.6 *O* двести *i* девятьсо́т[1]

	Pob cenedl			
Enw.	дв**е́**ст**и**	тр**и́**ст**а**	четы́р**е**ст**а**	пят**ь**со́т
Gen.	дв**ух**со́т	тр**ёх**со́т	четыр**ех**со́т	пят**и**со́т
Derb.	дв**ум**ст**а́м**	тр**ём**ст**а́м**	четыр**ём**ст**ам**	пят**и**ст**а́м**
Gwrth.	дв**е́**ст**и**	тр**и́**ст**а**	четы́р**е**ст**а**	пят**ь**со́т
Off.	дв**умя**ст**а́ми**	тр**емя**ст**а́ми**	четыр**ьмя**ст**а́ми**	пят**ью**ст**а́ми**
Ardd.	дв**ух**ст**а́х**	тр**ёх**ст**ах**	чегыр**ёх**ст**а́х**	пят**и**ст**а́х**

1 *Mae* **-е-** *yn* **восемьсо́т** *yn troi yn* **ь** *yn Gen., Derb., Ardd. Fel yn* во́семь *(gw. Taflen 4.3).*

5 ARDDODIAID

Genidol		*Derbyniol*	*Gwrthrychol*	*Offerynnol*	*Arddodiadol*
без	**напро́тив**	**к** (ко)	**в** (во)	**за**	**в** (во)
вме́сто	**о́коло**	**по** *fesul,*	**за**	**ме́жду**	**на**
вокру́г	**от**	*ar hyd*	**на**	**над**	**о** (об, обо)
для	**по́сле**		**по**	**пе́ред**	**при**
до	**посреди́**		**под**	**под**	
из	**про́тив**		**сквозь**	**с** (со)	
из-за	**с** (со)		**че́рез**		
из-под	**среди́**				
кро́ме	**у**				

6 BERFAU

6.1 Berfau sy'n gorffen â chytsain ac **-ить** (perffaith)

		Perffaith				*Amherffaith*	
Berfenw		испра́в**ить**				исправля́**ть**[1]	-а́ть[4]
Presennol	—			я		исправ*л***я́ю**[1]	-а́ю[4]
	—			ты		исправ*л***я́ешь**[1]	-а́ешь[4]
	—			он		исправ*л***я́ет**[1]	-а́ет[4]
	—			мы		исправ*л***я́ем**[1]	-а́ем[4]
	—			вы		исправ*л***я́ете**[1]	-а́ете[4]
	—			они́		исправ*л***я́ют**[1]	-а́ют[4]
Gorffennol	я	испра́в**ил**, **-а**		я		исправ*л***я́л**, **-а**[1]	-а́л[4], -а́ла[4]
	ты	испра́в**ил**, **-а**		ты		исправ*л***я́л**, **-а**[1]	-а́л[4], -а́ла[4]
	он	испра́в**ил**		он		исправ*л***я́л**[1]	-а́л[4]
	она́	испра́в**ила**		она́		исправ*л***я́ла**[1]	-а́ла[4]
	оно́	испра́в**ило**		оно́		исправ*л***я́ло**[1]	-а́ло[4]
	мы	испра́в**или**		мы		исправ*л***я́ли**[1]	-а́ли[4]
	вы	испра́в**или**		вы		исправ*л***я́ли**[1]	-а́ли[4]
	они	испра́в**или**		они́		исправ*л***я́ли**[1]	-а́ли[4]
Dyfodol	я	испра́в*л***ю**[1]	-у[2]	я	бу́ду	исправ*л***я́ть**[1]	-а́ть[4]
	ты	испра́в**ишь**		ты	бу́дешь	исправ*л***я́ть**[1]	-а́ть[4]
	он	испра́**вит**		он	бу́дет	исправ*л***я́ть**[1]	-а́ть[4]
	мы	испра́**вим**		мы	бу́дем	исправ*л***я́ть**[1]	-а́ть[4]
	вы	испра́в**ите**		вы	бу́дете	исправ*л***я́ть**[1]	-а́ть[4]
	они	испра́в**ят**	-ат[3]	они	бу́дут	исправ*л***я́ть**[1]	-а́ть[4]
Gorchmynnol	*Un.*	испра́в**ь**	-и́[5]	*Un.*		исправ*л***я́й**[1]	-а́й[4]
	Ll.	испра́в**ьте**	-и́те	*Ll.*		исправ*л***я́йте**[1]	-а́йте[4]

NODIADAU:

6.1.1 *Newidau cytsain:* I. **б-бл**, **п-пл**, **в-вл**, **ф-фл**, **м-мл**;
II. **д-жд** (*amherff.*)—**ж** (*pers. 1 un. perff. dyf.*), **з-ж**, **т-щ**, **ст-щ**, **с-ш**.

6.1.2 -у (*yn lle* -ю)—*ar ôl* **ж**, **ш**, **ч**, **щ**: я изуч**у́**; посещ**у́**.

6.1.3 -ат (*yn lle* -ят)—*ar ôl* **ж**, **ч**, **ш**, **щ**: они́ изу́ч**ат**.

6.1.4 -а́ть, **-а́ю**, **-а́ешь**, *ac ati*, **-а́л**, **-а́ла**, *ac ati*, **-а́й**, **-а́йте** (*yn lle* -я́ть, -я́ю, *ac ati*, *yn eu tro*)—*ar ôl* **жд**, **ж**, **ш**, **ч**, **щ**: побежд**а́ть**, я побежд**а́ю**, *ac ati;* изуч**а́ть**, я изуч**а́ю**, *ac ati.*

6.1.5 -и́, **-и́те** (*yn lle* -ь, -ьте)—*pan mae'r acen ar y terfyniad yn pers. 1 un. perff. dyf.*: изуч**у́**, изуч**и́**, изуч**и́те**.

6.2 Berfau sy'n gorffen â llafariad ac **-ить** (perffaith)

		Perffaith			*Amherffaith*
Berfenw		удво́**ить**			удва́**ивать**
Presennol	—		я		удва́**иваю**
	—		ты		удва́**иваешь**
	…		…		
	—		они́		удва́**ивают**
Gorffennol	я	удво́**ил**, **-а,** *ac ati.*	я		удва́**ивал**, **-а,** *ac ati .*
Dyfodol	я	удво́**ю**	я	бу́ду	удва́**ивать**
	ты	удво́**ишь**	ты	бу́дешь	удва́**ивать**
	…		…		
	они́	удво́**ят**	они́	бу́дут	удва́**ивать**
Gorchmynnol	*Un.*	удво́**й**			удва́**ивай**
	Ll.	удво́**йте**			удва́**ивайте**

6.3 Berfau sy'n gorffen ag **-ать** (perffaith)

		Perffaith			*Amherffaith*
Berfenw		зарабó**тать**		зарабáт**ывать**	
Presennol	—		я	зарабáт**ываю**	
	—		ты	зарабáт**ываешь**	
	…		…		
	—		они́	зарабáт**ывают**	
Gorffennol	я	зарабóт**ал**, **-а,** *ac ati.*	я	зарабáт**ывал**, **-а,** *ac ati.*	
Dyfodol	я	зарабóт**аю**	я	бýду	зарабáт**ывать**
	ты	зарабóт**аешь**	ты	бýдешь	зарабáт**ывать**
	…		…		
	они́	зарабóт**ают**	они́	бýдут	зарабáт**ывать**
Gorchmynnol	*Un.*	зарабóт**ай**		зарабáт**ыбай**	
	Ll.	зарабóт**айте**		зарабáт**ывайте**	

6.4 (1) Berfau sy'n gorffen ag **-еть** (perffaith)

		Perffaith			*Amherffaith*
Berfenw		овладé**ть**		овладе**вáть**	
Presennol	—		я	овладев**áю**	
	—		ты	овладев**áешь**	
	…		…		
	—		они́	овладе**вáют**	
Gorffennol	я	овладé**л**, **-а,** *ac ati.*	я	овладевал, **-а,** *ac ati.*	
Dyfodol	я	овладé**ю**	я	бýду	овладе**вáть**
	ты	овладé**ешь**	ты	бýдешь	овладе**вáть**
	…		…		
	они	овладé**ют**	они	бýдут	овладе**вáть**
Gorchmynnol	*Sg.*	овладé**й**		овладе**вáй**	
	Pl.	овладé**йте**		овладе**вáйте**	

6.5 Berfau sy'n gorffen ag **-ыть** (perffaith)

		Perffaith			*Amherffaith*
Berfenw		откры́**ть**		откры**вáть**	
Presennol	—		я	откры**вáю**	
	—		ты	откры**вáешь**	
	…		…		
	—		они́	открывá**ют**	
Gorffennol	я	откры́**л**, **-а,** *ac ati.*	я	откры**вáл**, **-а,** *ac ati.*	
Dyfodol	я	открó**ю**	я	бýду	откры**вáть**
	ты	открó**ешь**	ты	бýдешь	откры**вáть**
	…		…		
	они	открó**ют**	они́	бýдут	откры**вáть**
Gorchmynnol	*Un.*	открó**й**		откры**вáй**	
	Ll.	открó**йте**		откры**вáйте**	

6.6 Berfau gyda perffaith trwy rhagddodiad

6.6.1 Rhediad 1

		Amherffaith			*Perffaith*
Berfenw		дéл**ать**			сдéл**ать**
Presennol	я	дéл**аю**		—	
	ты	дéл**аешь**		—	
	…			…	
	они	дéл**ают**		—	
Gorffennol	я	дéл**ал**, *ac ati.*		я	**с**дéл**ал**, *ac ati.*
Dyfodol	я	бýду	дéл**ать**	я	**с**дéл**аю**
	ты	бýдешь	дéл**ать**	ты	**с**дéл**аешь**
	…			…	
	они́	бýдут	дéл**ать**	они́	**с**дéл**ают**
Gorchmynnol	*Un.*	дéл**ай**			**с**дéл**ай**
	Ll.	дéл**айте**			**с**дéл**айте**

6.6.2 Rhediad 2

		Amherffaith			*Perffaith*
Berfenw		стрó**ить**			**по**стрó**ить**
Presennol	я	стрó**ю**		—	
	ты	стрó**ишь**		—	
	…			…	
	они́	стрó**ят**		—	
Gorffennol	я	стрó**ил**, *ac ati.*		я	**по**стрó**ил**, *ac ati:*
Dyfodol	я	буду	стрó**ить**	я	**по**стр**óю**
	ты	будешь	стрó**ить**	ты	**по**стрó**ишь**
	…			…	
	они́	бýдут	стрó**ить**	они́	**по**стрó**ят**
Gorchmynnol		стро**й**			**по**стрó**й**
		стрó**йте**			**по**стрó**йте**

6.7 Berfau sy'n gorffen â **-ся** (amherffaith)

		Amherffaith
Berfenw		учи́ть**ся**
Presennol	я	учý**сь**
	ты	ýчишь**ся**
	он	ýчит**ся**
	мы	ýчим**ся**
	вы	ýчите**сь**
	они́	ýчат**ся**
Gorffennol	я	учи́лся, **-ась**
	ты	учи́лся, **-ась**
	он	учи́л**ся**
	онá	учи́л**ась**
	онó	учи́л**ось**
	мы	учи́ли**сь**
	вы	учи́ли**сь**
	они	учи́ли**сь**

Dyfodol	я	бýду	учи́ть**ся**
	ты	бýдешь	учи́ть**ся**
	он	бýдет	учи́ть**ся**
	мы	бýдем	учи́ть**ся**
	вы	бýдете	учи́ть**ся**
	они́	бýдут	учи́ть**ся**
Gorchmynnol	*Un.*		учи́**сь**
	Ll.		учи́те**сь**

7 ПРЕДЛОГИ

7.1 Первое склонение (оканчиваются на **-af**)

7.1.1 Ar 'на'

Литературные формы	*Разговорные формы*
arnaf fi	arna i, arno i
arnat ti	arnat ti, arnot ti
arno ef *м.*	arno fe/fo *м.*
arni hi *ж.*	arni hi *ж.*
arnom ni	arnon ni
arnoch chwi	arnoch chi
arnynt hwy	arnyn nhw

7.2.1 At 'к'

Литературные формы	*Разговорные формы*
ataf fi	ata i
atat ti	atat ti
ato ef *м.*	ato fe/fo *м.*
ati hi *ж.*	ati hi *ж.*
atom ni	aton ni
atoch chwi	artnoch chi
atynt hwy	atyn nhw

7.3.1 Am 'о, для'

Литературные формы	*Разговорные формы*
amdanaf fi	amdana i
amdanat ti	amdanat ti
amdano ef *м.*	amdano fe/fo *м.*
amdani hi *ж.*	amdani hi *ж.*
amdanom ni	amdanon ni
amdanoch chwi	amdanoch chi
amdanynt hwy	amdanyn nhw

7.4.1 Dan, o dan, tan 'под, до'

Литературные формы	*Разговорные формы*
danaf fi	dana i
danat ti	danat ti
dano ef *м.*	dano fe/fo *м.*
dani hi *ж.*	dani hi *ж.*
danom ni	danon ni
danoch chwi	danoch chi
danynt hwy	danyn nhw

7.2 Второе склонение (оканчиваются на **-of**)

7.2.1 Tros, dros 'через, для'

Литературные формы	*Разговорные формы*
trosof fi	drosto i, droso i
trosot ti	drostot ti, drosot ti
trosto ef *м.*	drosto fe/fo *м.*
trosti hi *ж.*	drosti hi *ж.*
trosom ni	droston ni, droson ni
trosoch chwi	drostoch chi, drosoch chi
trostynt hwy	drostyn nhw

7.2.2 Trwy, drwy 'через'

Литературные формы	*Разговорные формы*
trwof fi	drwyddo i
trwot ti	drwyddot ti
trwyddo ef *м.*	drwyddo fe/fo *м.*
trwyddi hi *ж.*	drwyddi hi *ж.*
trwom ni	drwyddon ni
trwoch chwi	drwyddoch chi
trwyddynt hwy	drwyddyn nhw

7.2.3 heb 'без'

Литературные формы	*Разговорные формы*
hebof fi	hebddo i
hebot ti	hebddot ti
hebddo ef *м.*	hebddo fe/fo *м.*
hebddi hi *ж.*	hebddi hi *ж.*
hebom ni	hebddon ni
heboch chwi	hebddoch chi
hebddynt hwy	hebddyn nhw

7.2.4 Yn 'в'

Литературные формы	*Разговорные формы*
ynof fi	yno i, ynddo i
ynot ti	ynot ti, ynddot ti
ynddo ef *м.*	ynddo fe/fo *м.*
ynddi hi *ж.*	ynddi hi *ж.*
ynom ni	ynon ni, ynddon ni
ynoch chwi	ynoch chi, ynddoch chi
ynddynt hwy	ynddyn nhw

7.2.5 O 'из'

Литературные формы	*Разговорные формы*
ohonof fi	ohono i
ohonot ti	ohonot ti
ohono ef *м.*	ohono fe/fo *м.*
ohoni hi *ж.*	ohoni hi *ж.*
ohonom ni	ohonon ni
ohonoch chwi	ohonoch chi
ohonynt hwy	ohonyn nhw

7.2.6 Rhwng 'между'

Литературные формы	*Разговорные формы*
rhwngof fi	rhwngddo i
rhwngot ti	rhwngddot ti
rhwngddo ef *м.*	rhwngddo fe/fo *м.*
rhwngddi hi *ж.*	rhwngddi hi *ж.*
rhwngom ni	rhwngddon ni
rhwngoch chwi	rhwngddoch chi
rhwngddynt hwy	rhwngddyn nhw

7.2.7 Er 'ради'

Литературные формы	*Разговорные формы*
erof fi	ero i
erot ti	erot ti
erddo ef *м.*	erddo fe/fo *м.*
erddi hi *ж.*	erddi hi *ж.*
erom ni	eron ni
eroch chwi	eroch chi
erddynt hwy	erddyn nhw

7.2.8 Rhag 'против'

Литературные формы	*Разговорные формы*
rhagof fi	rhagddo i
rhagot ti	rhagddot ti
rhagddo ef *м.*	rhagddo fe/fo *м.*
rhagddi hi *ж.*	rhagddi hi *ж.*
rhagom ni	rhagddon ni
rhagoch chwi	rhagddoch chi
rhagddynt hwy	rhagddyn nhw

7.3 Третье склонение (оканчиваются на **-yf**)

7.3.1 Gan 'с'

Литературные формы	*Разговорные формы*
gennyf fi	gen i
gennyt ti	gen ti, gent ti
ganddo ef *м.*	ganddo fe/fo *м.*
ganddi hi *ж.*	ganddi hi *ж.*
gennym ni	gennyn ni, gynnon ni
gennych chwi	gennych chi, gynnoch chi
ganddynt hwy	ganddyn nhw

7.3.2 Wrth 'у'

Литературные формы	*Разговорные формы*
wrthyf fi	wrtho i
wrthyt ti	wrthot ti
wrtho ef *м.*	wrtho fe/fo *м.*
wrthi hi *ж.*	wrthi hi *ж.*
wrthym ni	wrthyn ni
wrthych chwi	wrthych chi
wrthynt hwy	wrthyn nhw

7.4 Нерегулярное склонение

7.4.1 I 'к, для'

Литературные формы	*Разговорные формы*
im, imi, *усил.* i mi	i fi, i mi
it, iti, *усил.* i ti	i ti
iddo ef *м.*	iddo fe/fo *м.*
iddi hi *ж.*	iddi hi *ж.*
in, inni, *усил.* i ni	i ni
ichwi, *усил.* i chwi	i chi
iddynt hwy	iddyn nhw

8 ГЛАГОЛЫ

8.1 Правильные глаголы

8.1.1 Canu 'петь'

8.1.1.1 Изъявительное наклонение

8.1.1.1.1 Настоящее время

Литературные формы	*Разговорные формы*
canaf i	cana i
ceni di	cani di
cân ef, hi	caiff e/o, hi
canwn ni	canwn ni
cenwch chwi	canwch chi
canant hwy	canan nhw
cenir	—

8.1.1.1.2 Прошедшее несовершенное время

canwn i	canwn i
canit ti	canet ti
canai ef, hi	cani fe/fo, hi
canem ni	canen ni
canech chwi	canech chi
canent hwy	canen nhw
cenid	—

8.1.1.1.3 Прошедшее совершенное время

cenais i	canais i
cenaist ti	canaist ti
canodd ef, hi	canodd o/e, hi
canasom ni	canson ni, canon ni
canasoch chwi	cansoch chi, canoch chi
canasant hwy	canson nhw, canon nhw
canwyd	—

8.1.1.1.4 Давнопрошедшее время

canaswn i	roeddwn i wedi canu
canasit ti	roeddet ti wedi canu
canasai ef, hi	roedd e/o, hi wedi canu
canasem ni	roedden ni wedi canu
canasech chwi	roeddech chi wedi canu
canasent hwy	roedden nhw wedi canu
canasid, canesid	—

8.1.1.2 Сослагательное наклонение (*только литературные формы*)

8.1.1.2.1 Настоящее время	**8.1.1.2.2** Прошедшее несовершенное вр.
canwyf i	canwn i
cenych di	canit ti
cano ef, hi	canai ef, hi
canom ni	canem ni
canoch chwi	canech chwi
canont hwy	canent hwy
caner	cenid

8.1.1.3 Повелительное наклонение

Литературные формы	*Разговорные формы*
—	—
cân	cana
caned	—
canwn	—
cenwch	canwch
canent	—

8.2 Стяженные глаголы

8.2.1 Troi 'поворачивать'

8.2.1.1 Изъявительное наклонение

8.2.1.1.1 Настоящее время

Литературные формы	*Разговорные формы*
trof i	troia i
troi di	troi di
try ef, hi	tröiff e/o hi
trown ni	troiwn ni
trowch chwi	troiwch chi
trônt hwy	troian nhw
troir	—

8.2.1.1.2 Прошедшее несовершенное время

trown i	troiwn i
troit ti	troiet ti
trôi ef, hi	troiai e/o, hi
troem ni	troien ni
troech chwi	troiech chi
troent hwy	troien nhw
troid	—

8.2.1.1.3 Прошедшее совершенное время

trois i	troiais i
troist ti	troiaist ti
troes ef, hi; trodd ef, hi	troiodd e/o, hi
troesom ni	troeson ni
troesoch chwi	troesoch chi
troesant hwy	troeson nhw
trowyd, troed	—

8.2.1.1.4 Давнопрошедшее время

troeswn i	roeddwn i wedi troi
troesit ti	roeddet ti wedi troi
troesai ef, hi	roedd e/o, hi wedi troi
troesem ni	roedden ni wedi troi
troesoch chwi	roeddech chi wedi troi
troesent hwy	roedden nhw wedi troi

8.2.1.2 Сослагательное наклонение (*только литературные формы*)

8.2.1.2.1 Настоящее время	**8.2.1.2.2** Прошедшее несовершенное вр.
trowyf i	trown i
troech chwi	troit ti
tro ef, hi	trôi ef, hi
trôm ni	troem ni
troch chwi	troech chwi
trônt hwy	troent hwy
troer	troid

8.2.1.3 Повелительное наклонение

—	—
tro	tro, troia
troed	—
trown	—
trowch	triwch, troiwch
troent	—

8.2.2 Mwynhai 'наслаждаться'

8.2.2.1 Изъявительное наклонение

8.2.2.1.1 Настоящее время

Литературные формы	*Разговорные формы*
mwynhaf i	mwynheua i
mwynhei di	mwynheui di
mwynha ef, hi	mwynheuai e/o, hi
mwynhawn ni	mwynheuen ni
mwynhewch chwi	mwynheuech chi
mwynhânt hwy	mwynheyan nhw
mwynheir	—

8.2.2.1.2 Прошедшее несовершенное время

mwynhawn i	mwynhewn i
mwynhait ti	mwynheuit ti
mwynhâi ef, hi	mwynheuai e/o, hi
mwynhaem ni	mwynheuen ni
mwynhaech chwi	mwynheuech chi
mwynhaent hwy	mwynheuen nhw
mwynheid	—

8.2.2.1.3 Прошедшее совершенное время

mwynheais i	mwynheuais i
mwynheaist ti	mwynheuaist ti
mwynhaodd ef, hi	mwynheuodd e/o, hi
mwynhasom ni	mwynheu(s)on ni
mwynhasoch chwi	mwynheu(s)och chi
mwynhasant hwy	mwynheu(s)on nhw
mwynhawyd	—

8.2.2.1.4 Давнопрошедшее время

mwynhaswn i	roeddwn i wedi mwynhau
mwynhasit ti	roeddet ti wedi mwynhau
mwynhasai ef, hi	roedd e/o, hi wedi mwynhau
mwynhasem ni	roedden ni wedi mwynhau
mwynhasech chwi	roeddech chi wedi mwynhau
mwynhasent hwy	roedden nhw wedi mwynhau
mwynhasid, mwynhaesid	

8.2.2.2 Сослагательное наклонение (*Только литературные формы*)

8.2.2.2.1 Настоящее время	**8.2.2.2.2** Прошедшее несовершенное вр.
mwynhawyf i	mwynhawn i
mwynheych di	mwynhait ti
mwynhao ef, hi	mwynhâi ef, hi
mwynhaom ni	mwynhaem ni
mwynhaoch chwi	mwynhaech chwi
mwynhaont hwy	mwynhaent hwy
mwynhaer	—

8.2.2.3 Повелительное наклонение

Литературные формы	*Разговорные формы*
—	—
mwynha	mwynheua
mwynhaed	—
mwynhawn	—
mwynhewch	mwynheuwch
mwynhaent	—
mwynhaer	—

8.2.3 Cael 'иметь'

8.2.3.1 Изъявительное наклонение

8.2.3.1.1 Настоящее время

Литературные формы	*Разговорные формы*
caf i	cawn i, celwn i
cei di	caet ti, celet ti
caiff ef, hi	câi e/o, hi; celai e/o, hi
cawn ni	caen ni, celen ni
cewch chwi	caech chi, celech chi
cânt hwy	caen nhw, celen nhw
ceir	—

8.2.3.1.2 Прошедшее совершенное время

cefais i	ces i
cefaist ti	cest ti
cafodd ef, hi	cafodd e/o, hi; cas e/o, hi
cawsom ni	cawson ni
cawsoch chwi	cawsoch chi
cawsant hwy	cawson nhw
cafwyd, caed	—

8.2.3.1.3 Давнопрошедшее время

cawswn i	roeddwn i wedi cael
cawsit ti	roeddet ti wedi cael
cawsai ef, hi	roedd e/o, hi wedi cael
cawsem ni	roedden ni wedi cael
cawsech chwi	roeddech chi wedi cael
cawsent hwy	roedden nhw wedi cael
cawsid	—

8.2.3.2 Сослагательное наклонение (*Только литературные формы*)

8.2.3.2.1 Настоящее время	**1.2.3.2.2** Прошедшее несовершенное вр.
caffwyf i	caffwn i, cawn i
ceffych di	caffit ti, cait ti
caffo ef hi	caffai ef, hi; câi ef, hi
caffom ni	caffem ni, caem ni
caffoch chwi	caffech chwi, caech chwi
caffont hwy	caffent hwy, caent hwy
caffer	ceffid, ceid

8.2.2.3 Повелительное наклонение

—	—
ca	ca
caffed, caed	—
cawn	—
cewch	cewch
caffent, caent	—
caffer, caer	—

8.3 Неправильные глаголы

8.3.1 Bod 'быть'

8.3.1.1 Изъявительное наклонение

8.3.1.1.1 Настоящее время

Литературные формы	*Разговорные формы*
wyf, ydwyf	rydwi, rwy i
wyt, ydwyt	rwyt ti
yw, ydyw, (y) mae, oes	yw e/o, hi; ydy e/o, hi; mae e/o, hi
ŷm, ydym	rydyn ni, rŷn ni
ych, ydych	rydych chi, rych chi
ŷnt, ydynt, (y) maent	maen nhw
ys, ydys	—

8.3.1.1.2 Будущее и настоящее регулярное время

byddaf i	bydda i
byddi di	byddi di
bydd ef, hi	bydd ef, hi
byddwn ni	byddwn ni
byddwch chwi	byddwch chi
byddant hwy	nyddan nhw
byddir	—

8.3.1.1.3 Прошедшее несовершенное время

yr oeddwn i	roeddwn i
yr oeddit ti	roeddet ti
yr oedd ef, hi	roedd e/o, hi
yr oeddem ni	roedden ni
yr oeddech chwi	roeddech chi
yr oeddynt hwy	roedden nhw
oeddid	—

8.3.1.1.4 Прошедшее несовершенное регулярное и условное время

byddwn i	byddwn i
byddit ti	byddet ti
byddai ef hi	byddai fe/fo, hi
byddem ni	bydden ni
byddech chwi	byddech chi
byddent hwy	bydden nhw
byddid	—

8.3.1.1.5 Прошедшее совершенное время

bûm i	bues i, bûm i
buost ti	buest ti
bu ef, hi	buodd e/o, hi; bu e/o, hi
buom ni	buon ni
buoch chwi	buoch chi
buont hwy	buon nhw
buwyd	—

8.3.1.1.6 Давнопрошедшее время (*используется в условное значении*)

Литературные формы	*Разговорные формы*	*Обычное давнопрошедшее вр.*
buaswn i	baswn i	roeddwn i wedi bod
buasit ti	basit ti	roeddet ti wedi bod
buasai ef, hi	basai fe/fo, hi	roedd e/o, hi wedi bod
buasem ni	basen ni	roedden ni wedi bod
buasech chwi	basech chi	roeddech chi wedi bod
buasent hwy	basen nhw	roedden nhw wedi bod
buasid	—	

8.3.1.2 Сослагательное наклонение

8.3.1.2.1 Настоящее время

bwyf i, byddwyf i	bof i
bych di, byddych di, byddech di	bot ti
bo ef, hi; byddo ef, hi	bo fe/fo, hi
bôm ni, byddom ni	bôn ni
boch chwi, byddoch chwi	boch chi
bônthwy, byddont hwy	bôn nhw
bydder	—

8.3.1.2.2 Прошедшее несовершенное время

8.3.1.2.2.1 *Обычные формы как в Прошедшем несовершенное времени Изъявительного наклонения*

byddwn i, etc.	byddwn i, etc. *(см. 8.3.1.1.4)*

8.3.1.2.2.3 *После* ***pe*** *'если'*

pe bawn i, petáwn i	pe bawn i, petáwn i
pe bait ti, petáit ti	pe baet ti, petáet ti
pe bai ef, hi; petái ef, hi	pe bae e/o, hi; petái e/o, hi
pe baem ni, petâem ni	pe baen ni, petáen ni
pe baech chwi, petâech chwi	pe baech chi, patáech chi
pe baent hwy, petâent hwy	pe baen nhw, petáen nhw

8.3.1.2.2.3 *Также* taswn i, tasit ti, *и т.д.*

8.3.1.3 Повелительное наклонение

—	—
bydd	bydd
bydded, boed, bid	—
byddwn	—
byddwch	byddwch
byddent	—
bydder	—

8.3.2 Gwybod 'знать'

8.3.2.1 Изъявительное наклонение

8.3.2.1.1 Настоящее время

Литературные формы	*Разговорные формы*
gwn i	gwn i
gwyddost ti	gwyddost ti
gŵyr ef, hi	gŵyr e/o, hi
gwyddom ni	gwyddon ni
gwyddoch chwi	gwyddoch chi
gwyddant hwy	gwyddan nhw
gwyddys	—

8.3.2.1.2 Прошедшее несовершенное время

gwyddwn i	gwyddwn i
gwyddit ti	gwyddet ti
gwyddai ef, hi	gwyddai fe/fo, hi
gwyddem ni	gwydden ni
gwyddech chwi	gwyddech chi
gwyddent hwy	gwydden nhw
gwyddid	—

8.3.2.1.3 Прошедшее совершенное время
Только литературные формы
gwybûm i
gwybuost ti
gwybu ef, hi
gwybuom ni
gwybuoch chwi
gwybyont hwy
gwybuwyd

8.3.2.1.4 Давнопрошедшее время
Только литературные формы
gwybuaswn i
gwybuasit ti
gwybuasai ef, hi
gwybuasem ni
gwybuasech chwi
gwybuasent hwy
gwybuasid

8.3.2.2 Сослагательное наклонение (*Только литературные формы*)

8.3.2.2.1 Настоящее время
gwypwyf i, gwybyddwyf i
gwypych ti, gwybyddych ti
gwypo ef, hi; gwybyddo ef, hi
gwypom ni, gwybyddom ni
gwypoch chwi, gwybyddoch chwi
gwypont hwy, gwybyddont hwy
gwyper, gwybydder

8.3.2.2.2 Прошедшее несовершенное вр.
gwypwn i, gwybyddwn i
gwypit ti, gwybyddit ti
gwypai ef, hi; gwybyddai ef, hi
gwypem ni, gwybyddem ni
gwypech chwi, gwybyddech chwi
gwypent hwy, gwybyddent hwy
gwyper, gwybydder

8.3.2.3 Повелительное наклонение (*Только литературные формы*)
—
gwybydd
gwyped, gwybydded
gwybyddwn
gwybyddwch
gwypent, gwybyddent
gwybydder

8.3.3 Adnabod 'знать (человека)'
8.3.3.1 Изъявительное наклонение
8.3.3.1.1 Настоящее время

Литературные формы
adwaeni, adwen i
adwaenist ti, aweini di
adwaen ef, hi; adwen ef, hi; edwyn ef, hi
adwaenom ni, adwaenwn ni
adwaenoch chwi, adwaenwch chwi
adwaenant hwy
adwaenir, adweinir

Разговорные формы
Обычно не употребляются.

8.3.3.1.2 Будущее время

adnabyddaf i	nabydda i
adnabyddi di	nabyddi di
adnebydd ef, hi	nabyddiff e/o, hi; nabyddith e/o, hi
adnabyddwn ni	nabyddwn ni
adnabyddwch chwi	nabyddwch chi
adnabyddant hwy	nabyddan nhw
adnabyddir	—

8.3.3.1.3 Прошедшее несовершенное время (*Условное*)

adwaenwn i	nabyddwn i
adwaenit ti	nabyddet ti
adwaenai ef, hi	nabyddai fe/fo, hi
adwaenem ni	nabydden ni
adwaenech chwi	nabyddech chi
adwaenent hwy	nabydden nhw
adwaenid, adweinid	—

8.3.3.1.4 Прошедшее совершенное время

adnabûm i	nabyddais i
adnabuost ti	nabyddaist ti
adnabu ef, hi	nabyddodd e/o, hi
adnabuom ni	nabyddon ni, nabyddson ni
adnabuoch chwi	nabyddoch chi, nabyddsoch chi
adnabuont hwy, adnabuant hwy	nabyddon nhw, nabyddson nhw
adnabuwyd	—

8.3.3.1.5 Давнопрошедшее время

adnabuaswn i	roeddwn i wedi nabod/adnabod, etc.
adnabuasit ti	roeddet ti wedi nabod/adnabod, etc.
adnabuasai ef, hi	roedd e/o, hi wedi nabod/adnabod, etc.
adnabuasem ni	roedden ni wedi nabod/adnabod, etc.
adnabuasech chwi	roeddech chi wedi nabod/adnabod, etc.
adnabuasent hwy	roedden nhw wedi nabod/adnabod, etc.
adnabuasid	

8.3.3.2 Сослагательное наклонение (*только литературные формы*)

8.3.3.2.1 Настоящее время	**8.3.3.2.2** Прошедшее несовершенное вр.
adnapwyf/adnabyddwyf i	adnapwn i, adnabyddwn i; adwaenen i
adnepych/adnabyddych di	adnapit ti, adnabyddit ti; adwaenit ti
adnapo/adnabyddo ef, hi	adnapai, adnabyddai ef, hi; adwaenai ef, hi
adnapom/adnabyddom ni	adnapem ni, adnabyddem ni; adwaenem ni
adnapoch/adnabyddoch chwi	adnapech, adnabyddech; adwaenech chwi
adnapont/adnanyddont hwy	adnapent, adnabyddent hwy; adwaenent hwy
adnaper/adnabydder	adnapid, adnabyddid; adwaenid, adweinid

8.3.3.3 Повелительное наклонение (*только литературные формы*)

—
adnebydd
adnabydded
adnabyddwn
adnabyddwch
adnabyddent
adnabydder

8.3.3 Mynd 'идти'

8.3.3.1 Изъявительное наклонение

8.3.3.1.1 Настоящее время

Литературные формы	*Разговорные формы (со значением будущего вр.)*
af i	â/af i
ei di	ei di
â ef, hi	aiff/eith e/o, hi
awn ni	awn ni
ewch chwi	ewch chi
ânt hwy	ân nhw
eir	—

8.3.3.1.2 Прошедшее несовершенное время (*Условное*)

awn i	awn i, elwn i
ait ti	aet ti, elet ti
âi ef, hi	âi fe/fo, hi; elai fe/fo, hi
aem ni	aen ni, elen ni
aech chwi	aech ci, elech chi
aent hwy	aen nhw, elen nhw
eid	—

8.3.3.1.3 Прошедшее совершенное время

euthum i	es i
aethost ti	est ti
aeth ef, hi	aeth o/e, hi
aethom ni	aethon ni
aethoch chwi	aethoch chi
aethant hwy	aethon nhw
aethpwyd, aed	—

8.3.3.1.4 Давнопрошедшее время

aethwn i, elswn i	roeddwn i wedi mynd/gwneud
aethit ti, elsit ti	roeddet ti wedi mynd/gwneud
aethai ef, hi; elsai ef, hi	roedd e/o, hi wedi mynd/gwneud
aethem ni, elsem ni	roedden ni wedi mynd/gwneud
aethech chwi, elsech chwi	roeddech chi wedi mynd/gwneud
aethent hwy, elsent hwy	roedden nhw wedi mynd/gwneud
aethid, elsid	

8.3.3.2 Сослагательное наклонение (*только литературные формы*)

1.3.3.2.1 Настоящее время	**1.3.3.2.2** Прошедшее несовершенное вр.
elwyf i	elwn i
elych di	elit ti
êl ef, hi; elo ef, hi	elai ef, hi
elom ni	elem ni
eloch chwi	elech chwi
elont hwy	elent hwy
eler	—

8.3.3.3 Повелительное наклонение

Литературные формы	*Разговорные формы*
—	—
dos	dos, cer
aed, eled	—
awn	—
ewch	ewch
aent, elent	—
aer, eler	—

8.3.4 Gwneud 'делать'

8.3.4.1 Изъявительное наклонение

8.3.4.1.1 Настоящее время

Литературные формы	*Разговорные формы (со значением будущего вр.)*
gwnaf i	gwnâ/af i
gwnei di	gwnei di
gwna ef, hi	gwnaiff/gwneith e/o, hi
gwnawn ni	gwnawn ni
gwnewch chwi	gwnewch chi
gwnânt hwy	gwnân nhw
gwneir, gwnelir	—

8.3.4.1.2 Прошедшее несовершенное время (*Условное*)

gwnawn i	gwnawn i, gwnelwn i
gwnait ti	gwnaet ti, gwnelet ti
gwnâi ef, hi	gwnâi fe/fo, hi; gwnelai fe/fo, hi
gwnaem ni	gwnaen ni, gwnelen ni
gwnaech chwi	gwnaech ci, gwnelech chi
gwnaent hwy	gwnaen nhw, gwnelen nhw
gwneid	—

8.3.4.1.3 Прошедшее совершенное время

gwneuthum i	gwnes i
gwnaethost ti	gwnest ti
gwnaeth ef, hi	gwnaeth o/e, hi
gwnaethom ni	gwnaethon ni
gwnaethoch chwi	gwnaethoch chi
gwnaethant hwy	gwnaethon nhw
gwnaethpwyd, gwnaed	—

8.3.4.1.4 Давнопрошедшее время

gwnaethwn i, gwnelswn i	roeddwn i wedi gwneud
gwnaethit ti, gwnelsit ti	roeddet ti wedi gwneud
gwnaethai ef, hi; gwnelsai ef, hi	roedd e/o, hi wedi gwneud
gwnaethem ni, gwnelsem ni	roedden ni wedi gwneud
gwnaethech chwi, gwnelsech chwi	roeddech chi wedi gwneud
gwnaethent hwy, gwnelsent hwy	roedden nhw wedi gwneud
gwnaethid, gwnelsid	

8.3.4.2 Сослагательное наклонение (*только литературные формы*)

8.3.4.2.1 Настоящее время	**8.3.4.2.2** Прошедшее несовершенное вр.
gwnelwyf i	gwnelwn i
gwnelych di	gwnelit ti
gwnêl ef, hi; gwnelo ef, hi	gwnelai ef, hi
gwnelom ni	gwnelem ni
gwneloch chwi	gwnelech chwi
gwnelont hwy	gwnelent hwy
gwneler	—

8.3.4.3 Повелительное наклонение

Литературные формы	*Разговорные формы*
—	—
gwna	gwna
gwnaed, gwneled	—
gwnawn	—
gwnewch	gwnewch
gwnaent, gwnelent	—
gwnaer, gwneler	—

8.3.5 Dod, dyfod 'приходить'

8.3.5.1 Изъявительное наклонение

8.3.5.1.1 Настоящее время

Литературные формы	*Разговорные формы (со значением будущего вр.)*
deuaf i, dof i	do/dof i
deui di, doi di	doi di
daw ef, hi	daw e/o, hi
deuwn ni, down ni	down ni
deuech chwi, doech chwi	dowch chi, dewch chi
deuent hwy, doent hwy	don nhw
deuir, doir	—

8.3.5.1.2 Прошедшее несовершенное время (*Условное*)

deuwn i, down i	down i, delwn i
deuit ti, doit ti	doet ti, delet ti
deuai ef, hi; dôi ef, hi	dôi fe/fo, hi; delai fe/fo, hi
deuem ni, dowm ni	doen ni, delen ni
deuech chwi, doech chwi	doech ci, delech chi
deuent hwy, doent hwy	doen nhw, delen nhw
eid	—

8.3.5.1.3 Прошедшее совершенное время

deuthum i	des i, dois i
daethost ti	dest ti, doist ti
daeth ef, hi	daeth o/e, hi; doeth e/o, hi
daethom ni	daethon ni
daethoch chwi	daethoch chi
daethant hwy	daethon nhw
daethpwyd, deuwyd, doed	—

8.3.5.1.4 Давнопрошедшее время

daethwn i	roeddwn i wedi dod
daethit ti	roeddet ti wedi dod
daethai ef, hi	roedd e/o, hi wedi dod
daethem ni	roedden ni wedi dod
daethech chwi	roeddech chi wedi dod
daethent hwy	roedden nhw wedi dod
daethid	—

8.3.5.2 Сослагательное наклонение (*только литературные формы*)

8.3.5.2.1 Настоящее время	**8.3.5.2.2** Прошедшее несовершенное вр.
delwyf i	delwn i
delych di	delit ti
dêl ef, hi; delo ef, hi	delai ef, hi
delom ni	delem ni
deloch chwi	delech chwi
delont hwy	delent hwy
deler	—

8.3.5.3 Повелительное наклонение

Литературные формы	*Разговорные формы (со значением будущего вр.)*
—	—
tyred, tyrd	tyrd, dere
deued, doed, deled	—
deuwn, down	—
deuwch, dowch, dewch	dowch, dewch
deuent, doent, delent	—
deuer, dowr, deler	—

8.4 Дефективные глаголы

8.4.1 Dylwn 'мне следует'

8.4.1.1 Прошедшее несовершенное время (*Условное*)

Литературные формы	*Разговорные формы*
dylwn i	dylwn i
dylit ti, dylet ti	dylet ti
dylai ef, hi	dylai fe/fo, hi
dylem ni	dylen ni
dylech chwi	dylech chi
dylent hwy	dylen nhw
dylid	dylasid, dylesid

8.4.1.2 Давнопрошедшее время

dylswn i, dylaswn i	dylawn i
dylsit ti, dylasit ti	dylset ti
dylsai ef, hi; dylasai ef, hi	dylsai fe/fo, hi
dylsem ni, dylasem ni	dylsen ni
dylsech chwi, dylasech chwi	dylsech chi
dylsent hwy, dylasent hwy	dylsen nhw
dylsid, dylasid	—

8.4.2 Ebe 'изрек'
8.4.2.1 Настоящее время и Прошедшее совершенное время
ebe

8.4.3 Meddaf 'промолвил'

Литературные формы	*Разговорные формы*
meddaf i	meddaf i
meddi di	meddi di
medd ef, hi	meddai e/o, hi
meddwn ni	meddwn ni
meddwch chwi	meddwch chi
meddant hwy	meddan nhw
meddir	—

8.4.3.2 Прошедшее несовершенное время

meddwn i	meddwn i
meddit di	meddet ti
meddai ef, hi	meddai fe/fo, hi
meddwn ni	medden ni
meddwch chwi	meddech chi
meddant hwy	medden nhw
meddir	—

8.4.4 Geni 'рожать'
8.4.4.1 Настоящее время
genir

8.4.4.2 Прошедшее несовершенное время
genid

8.4.4.3 Прошедшее совершенное вр.
ganed, ganwyd

8.4.4.4 Давнопрошедшее время
ganesid

8.4.4.5 Настоящее время Сослагательное наклонение
ganer

9 НАЧАЛЬНЫЕ МУТАЦИИ • TREIGLADAU CYCHWYNNOL

Основная форма	**Мягкая мутация (лениция)**	**Носовая мутация (эклипсис)**	**Щелевая (спирантная) мутация**
c	g	ngh	ch
b	f	m	
d	dd	n	
g	∅	ng	
ll	l		
m	f		
p	b	mh	ph
rh	r		
t	d	nh	th

Мягкая мутация для g представляет собой исчезновение начального звука. Например, **gardd** 'сад' переходит в yr **ardd** '(этот) сад'.

Пустая ячейка означает, что согласный не подвержен мутации.

Местоимение женского рода **ei** (иногда также местоимения **eu** и **ein**) вызывает прибавление **h-** к последующему слову, если оно начинается на гласный: **ei harglwydd** 'её господин'.

YNGANIAD • ПРОИЗНОШЕНИЕ

YNGANIAD RWSIEG • РУССКОЕ ПРОИЗНОШЕНИЕ

Mae 33 llythyren i'r wyddor Rwsieg mewn trefn ganlynol:

А Б В Г Д Е Ё Ж З И Й К Л М Н О П Р С Т У Ф Х Ц Ч Ш Щ Ъ Ы Ь Э Ю Я
а б в г д е ё ж з и й к л м н о п р с т у ф х ц ч ш щ ъ ы ь э ю я

Cytseiniaid

Fel arfer, mae cytseiniaid Rwsieg yn ffurfio dau fath o barau: *caled/meddal* (*niwtral/taflodoledig*, *caol/leathan* yn y Wyddeleg) a *lleisiol/di-lais*. Yn aml, felareiddir neu wfwlareiddir gytseiniaid *caled* (*niwtral*), yn enwedig o flaen /e/ ac /i/. Mae rhai cytseiniaid heb bâr: dim ond caled, neu dim ond meddal ac ati.

Dinodir gytseiniaid meddal â llafariaid cynlynol **я**, **е**, **и**, **ё**, **ю**, neu **ь**. Isod, [ʲ] yw'r arwydd cytseiniad meddal. Dinodir gytseiniaid caled â llafariaid cynlynol **а**, **э**, **ы**, **о**, **у**, neu **ъ** o flaen **я**, **е**, **и**, **ё**, **ю**.

Mewn orgraff gyfoes, mae cytseiniaid yn wastad yn galed yn niwedd y gair neu o flaen cytseiniad arall. Dileisir gytseiniaid lleisiol yn niwedd y gair neu o flaen cytseiniad di-lais: **вперёд** [fpʲəˈrʲot] 'ymlaen'.

б	[b]	fel *b* Gymraeg mewn *bwrdd*, *b* Saesneg mewn *boot*: **бык** 'tarw'.
	[p]	fel **п** Rwsieg yn niwedd y gair neu o flaen cytseiniad di-lais.
бь	[bʲ]	fel *b* Gymraeg mewn *biwrô*, *b* Saesneg mewn *beauty*: **бюро́** 'biwrô'.
	[pʲ]	fel **пь** Rwsieg yn niwedd y gair.
в	[v]	fel *f* Gymraeg mewn *fwdw*, *v* Saesneg mewn *voodoo*: **вода́** ' dŵr'.
	[f]	fel **ф** Rwsieg yn niwedd y gair neu o flaen cytseiniad di-lais.
вь	[vʲ]	yn debyg i *f* Gymraeg mewn *fioled*, fel *v* Saesneg mewn *view*: **вид** 'golwg'.
	[fʲ]	fel **фь** Rwsieg yn niwedd y gair.
г	[g]	fel *g* Gymraeg mewn *gŵr*, *g* Saesneg mewn *goo*: **год** 'blwyddyn'.
	[k]	fel **к** Rwsieg yn niwedd y gair neu o flaen cytseiniad di-lais.
	[v]	yn **-ого**, **-его** mewn ansoddeiriau gwrywaidd neu rhagenwau yn y Gen. neu Gwrth.: **бе́лого** [ˈbʲɛləvə] 'gwyn', **си́него** [ˈsʲinʲəvə] 'glas'
гь	[gʲ]	yn debyg i *g* Gymraeg mewn *giach*, fel *g* Saesneg mewn *argue*: **гимн** 'anthem'.
д	[d]	fel *d* Gymraeg mewn *dwfr*, *d* Saesneg mewn *do*: **душа́** 'enaid'.
	[t]	fel **т** Rwsieg yn niwedd y gair neu o flaen cytseiniad di-lais.
дь	[dʲ]	yn debyg i *d* Gymraeg mewn *dig*, fel *d* Saesneg mewn *due* (UK): **ди́кий** 'gwyllt'.
	[tʲ]	fel **ть** Rwsieg yn niwedd y gair.
ж	[ʐ]	fel *j* Lydaweg mewn *jedadenn*, *g* Saesneg mewn *rouge*: **живо́й** 'byw'.
	[ʂ]	fel **ш** Rwsieg yn niwedd y gair neu o flaen cytseiniad di-lais.
з	[z]	fel *z* Lydaweg mewn *zad*, *z* Saesneg mewn *zoo*: **за́яц** 'ysgyfarnog'.
	[s]	fel **с** Rwsieg yn niwedd y gair neu o flaen cytseiniad di-lais.
зь	[zʲ]	fel *s* Saesneg mewn *presume*: **зима́** 'gaeaf'.
	[sʲ]	fel **сь** Rwsieg yn niwedd y gair.
й	[j]	fel *i* Gymraeg mewn *iogwrt*, *y* Saesneg mewn *yes*: **йогу́рт** 'iogwrt'.
к	[k]	fel *g* Gymraeg mewn *sgôr* ([kʰ] yw *c* mewn *caer*), *c* Saesneg mewn *scar*: **курга́н** 'carn'.
кь	[kʲ]	fel *g* Gymraeg mewn *sgïen* ([kʰ] yw *c* mewn *ci*), *k* Saesneg mewn *skew*: **ки́рка** 'caib'.
л	[ɫ]	fel *l* Gymraeg mewn *lolyn*, *l* Saesneg mewn *pill*: **ло́дка** 'cwch'.
ль	[lʲ]	fel *l* Gymraeg mewn *miliwn*, *l* Saesneg mewn *failure*: **лёд** 'iâ'.
м	[m]	fel *m* Gymraeg mewn *mwg*, *m* Saesneg mewn *moot*: **ма́сло** 'ymenyn'.
мь	[mʲ]	fel *m* Gymraeg mewn *miwsig*, *m* Saesneg mewn *mute*: **мя́со** 'cig'.
н	[n]	fel *n* Gymraeg mewn *nodd*, *n* Saesneg mewn *noon*: **нос** 'trwyn'.
нь	[nʲ]	fel *n* Gymraeg mewn *niwcliws*, *ny* Saesneg mewn *vinyard*: **ни́тка** 'edau'.

п [p] fel *b* Gymraeg mewn *sbort* ([pʰ] yw *p* mewn *porth*), *p* Saesneg mewn *span*: **пали́ть** 'llosgi'.
пь [pʲ] fel *b* Gymraeg mewn *sbio* ([pʰ] yw *p* mewn *pib*), *p* Saesneg mewn *spew*: **пить** 'yfed'.
р [r] fel *r* Gymraeg mewn *radio*: **рад** 'llawen'.
рь [rʲ] fel *ri* Gymraeg mewn *arian*: **ряд** 'rhes'.
с [s] fel *s* Gymraeg mewn *swm*, *s* Saesneg mewn *soup*: **суп** 'cawl'.
сь [sʲ] fel *s* Saesneg mewn *assume* (UK): **си́ний** 'glas'.
т [t] fel *t* Gymraeg mewn *stôl*, *t* Saesneg mewn *stand*: **ты** 'ti'.
ть [tʲ] fel *t* Gymraeg mewn *stiw*, *t* Saesneg mewn *stew* (UK): **ти́хий** 'tawel'.
ф [f] fel *ff* Gymraeg mewn *ffŵl*, *f* Saesneg mewn *fool*: **фон** 'cefndir'.
фь [fʲ] fel *ff* Gymraeg mewn *ffiwdal*, *f* Saesneg mewn *few*: **фен** 'sychwr gwallt'.
х [x] fel sain rhwng *ch* Gymraeg ([χ]) mewn *bachell* ac *h* Gymraeg mewn *hon*, neu fel *ch* in Sgoteg *loch*: **ходи́ть** 'mynd'.
хь [xʲ] fel sain rhwng *ch* Gymraeg ([χ]) mewn *beichiau* ac *h* Gymraeg mewn *hir*, neu fel *h* Saesneg mewn *huge* ([çʲ] yn rhai tafodieithoedd): **хи́трый** 'cyfrwys'.
ц [ts] fel *ts* Gymraeg a Saesneg mewn *tsetse*, *z* Almaeneg mewn *Zeit*: **ца́пля** 'garan'.
ч [tɕ] fel *ts* Gymraeg mewn *tsips*, *ch* Saesneg mewn *chips*: **число́** 'rhif'.
ш [ʂ] yn debyg i *si* Gymraeg mewn *siop*, *sh* Saesneg mewn *wash*: **широ́кий** 'llydan'.
щ [ɕː] fel *sh* Saesneg mewn *wishing*, *ś* Pwyleg mewn *śruba*: **щекота́ть** 'goglais'.
ъ arwydd caledu, rhwng cytsain a llafariad fel **й**.
ь arwydd taflodoli: **минь** = *mín* Gwyddeleg; rhwng cytsain a llafariad fel **й**.

Llafariaid

Fel arfer, dwedir bod pump llafariad yn Rwsieg a ysgrifennir â deg llythyren. Mae sylweddiad y llafariad yn dibynnu ar ansawdd y cytseiniad a hefyd ar acen. Isod, rhoddir y llythyren, wedyn y sain, wedyn y safle a'r gwerth ffonemig gyda acen a heb acen, a rhai enghreifftiau. Mae C yn golygu cytseiniad caled; mae (C) yn golygu cytseiniad caled, neu llafariad, /j/, neu diwedd y gair; mae Cʲ yn golygu cytseiniad meddal.

и /i/ (Cʲ)i [i] acennog, fel *i* Gymraeg mewn *hir*, *ee* Saesneg mewn *meet*: **ли́ния** 'llinell', **и́ли** 'neu'.
[ɪ] diacen, fel *i* Gymraeg mewn *tipyn*, *i* Saesneg mewn *bit*: **лиса́** 'llwynog'.
Ci [ɨ] acennog a diacen, yn debyg i *u* Ogledd Cymru, *ao* Wyddeleg mewn *maoin*, *e* Saesneg mewn *roses* (rhai tafodieithoedd): **ши́шка** 'cone', **к Ива́ну** 'i Iwan'.
ы Ci [ɨ] acennog a diacen, yn debyg i *u* Ogledd Cymru, *ao* Wyddeleg mewn *maoin*, *e* Saesneg mewn *roses* (rhai tafodieithoedd): **ты** 'ti', **четы́ре** 'pedwar'.
е /e/ (C)e(C) [ɛ] acennog a diacen, fel *e* Gymraeg mewn *perth*, *e* Saesneg mewn *met*: **жест** 'ystum', **тетра́эдр** 'tetrahedron'.
(C)eCʲ [e] acennog, fel *e* Gymraeg mewn *peth*, *a* Saesneg mewn *mate*: **жесть** 'tunplat'.
[ɛ] diacen, fel *e* Gymraeg mewn *perth*, *e* Saesneg mewn *met*: **еле́й** 'ennaint'.
Cʲe [e] acennog, *e* fel Gymraeg mewn *peth*, *a* Saesneg mewn *mate*: **пень** 'bonyn'.
[ɪ] diacen, fel *i* Gymraeg mewn *tipyn*, *i* Saesneg mewn *bit*: **четы́ре** 'pedwar'.
э (C)e(C) [ɛ] acennog a diacen, fel *e* Gymraeg mewn *perth*, *e* Saesneg mewn *met*: **э́тот** 'hwn', **поэте́сса** 'barddes'.
(C)eCʲ [e] acennog, fel *e* Gymraeg mewn *peth*, *a* Saesneg mewn *mate*: **э́тика** 'moeseg'.
[ɛ] diacen, fel *e* Gymraeg mewn *perth*, *e* Saesneg mewn *met*: **эфи́р** 'ether'.
а /a/ (C)a [a] acennog, fel *a* Gymraeg mewn *tad*, *a* Saesneg mewn *father*: **трава́** 'gwellt'.
[ʌ] neu [ə] diacen, fel *y* Gymraeg mewn *fy*, *a* Saesneg mewn *about*: **ко́жа** 'croen'.
CʲaCʲ [æ] acennog, fel *a* Gymraeg mewn *sant*, *a* Saesneg mewn *pat*: **часть** 'rhan'.
я Cʲa(C) [a] acennog, fel *a* Gymraeg mewn *tad*, *a* Saesneg mewn *father*: **моря́к** 'morwr'.
CʲaCʲ [æ] acennog, fel *a* Gymraeg mewn *sant*, *a* Saesneg mewn *pat*: **пять** 'pump'.
Cʲa [ə] diacen, fel *y* Gymraeg mewn *fy*, *a* Saesneg mewn *about*: **свято́й** 'sant'.

o /o/ (C)o [o] acennog, fel *ô* Gymraeg mewn *ôl*, *o* Saesneg mewn *chore*: **óблако** 'cwmwl'.
[ʌ] neu [ə] diacen, fel *y* Gymraeg mewn *fy*, *a* Saesneg mewn *about*: **собира́ть** 'casglu'.
Cʲo [ɵ] acennog a diacen, yn debyg i *ŵ* Gymraeg mewn *mŵg*, *oo* Saesneg mewn *foot*: **плечó** 'ysgwydd', **мáчо** 'gwron'.

ё (Cʲ)oC [o] acennog, fel *ô* Gymraeg mewn *ôl*, *o* Saesneg mewn *chore*: **шёпот** 'sibrwd'.

у /u/ (C)u [u] acennog, fel *w* Gymraeg mewn *mwg*, *oo* Saesneg mewn *cool*: **пу́ля** 'pelen'.
[ʊ] diacen, fel Gymraeg *ŵ* mewn *mŵg*, Saesneg *u* mewn *pull*: **мужчи́на** 'gŵr'.
CʲuCʲ [ʉ] acennog a diacen, yn debyg i *oo* Saesneg mewn *goose* (US): **чуть** 'prin', **чуде́сный** 'gwych'.

ю Cʲu(C) [ʉ] acennog a diacen, yn debyg i *oo* Saesneg mewn *goose* (US): **лю́ди** 'pobl', **люби́ть** 'caru'.

ВАЛЛИЙСКОЕ ПРОИЗНОШЕНИЕ • YNGANIAD CYMRAEG

Этот раздел адаптирован из статьи, написанной Еленой Париной и Павлом Иосадом.

Всего в валлийском алфавите 29 букв, располагающихся в следующем порядке:

A B C CH D DD E F FF G NG H I J L LL M N O P PH R RH S T TH U W Y
a b c ch d dd e f ff g ng h i j l ll m n o p ph r rh s t th u w y

Соответственно, слово **angen** располагается в словаре перед словом **ail**, слово **lori** перед словом **llaw** и т.д. Это обстоятельство, естественно, не важно при пользовании электронным словарем, но очень существенно для обращения к бумажным словарям.

Ударение в валлийском языке почти всегда падает на предпоследний слог: **Aber'ystwyth**, **Llan'dudno**. Исключений немного: некоторые слова с дифтонгом в последнем слоге, в том числе **Cym'raeg** 'валлийский'; глаголы на **-au**, **-oi**, **-eu**—**ne'sau** 'приближаться'; поздние английские заимствования сохраняют ударение на первом слоге—**'Methodist** 'методист' и некоторые другие случаи.

Согласные

b [b] как русское твердое *б*, английское *b*: **Bangor**.

c [k] всегда как русское *к*: **Caernarfon**.

ch [χ] как нем. Ach-Laut, т.е. последний звук в слове *Bach*, или в шотл. *loch*: **bach** 'маленький'.

d [d] как русское твердое *д*, английское *d*: **dim** 'ничто'.

dd [ð] как английское *th* в слове *this*: **Pontypridd** рифмуется с английское *breathe*.

f [v] как русское твердое *в*, английское *v*; конечное **-f** часто отпадает: **Dyfed**, **tref** [tre] 'город'.

ff [f] как русское твердое *ф*, английское *f*: **ffilm** 'фильм'.

g [g] всегда как русское *г*: **golff** 'гольф', **gêm** 'игра'.

ng [ŋ] как английское *ng* в слове *sing* и никогда как в *danger*; в нескольких словах [ŋg]: **angel** 'ангел', **Bangor**, **dangos** 'показывать'.

ngh [ŋ̊] глухое *ng*, похожее на *ngh* в английском *bunghole*. Встречается только как результат носовой мутации слов, начинающихся с **p**: **yng Nghymru** [əŋ 'ŋ̊əmri] 'в Уэльсе".

h [h] как английское *h*. Во многих южных диалектах не произносится: **hanes** 'история'.

j [dʒ] как английское *j*. Встречается только в английское заимствованиях: **jam** 'джем'.

l [l] как английское *l*: **lôn** 'переулок'.

ll [ɬ] глухой латеральный, он же латеральный спирант—язык находится в том же положении, что и при произнесении [l], но голосовые связки не напряжены, а воздух проходит как при произнесении спирантов. Этот звук присутствует в некоторых языках народов России, а именно в аварском, кабардинском, цезском, где он пишется *лъ*, и чукотском, где он пишется *ԓ*. Его звучание лучше всего передается на русский шуткой «*Не ԓаптем ԓи ԓебаем*» 'Ni fwytawn gawl ag esgid risgl' (≈ nid ddoe y ganwyd fi). Пример: **cyllell** 'нож'

m [m] как русское твердое *м*, английское *m*: **môr** 'море'.

mh [m̥] глухое *m*, похожее на *mh* в английском *wormhole*. Встречается только как результат носовой мутации слов, начинающихся с **m**: **ym Mharis** [əm 'm̥arɪs] 'в Париже'.

n [n] как русское твердое *н*, английское *n*: **Nadolig** 'Рождество'.

nh [n̥] глухое *n*, похожее на *nh* в английском *manhole*. Встречается только как результат носовой мутации слов, начинающихся с **n**: **yn nhŷ** [ən 'n̥iː] 'в доме'.

p [p] как русское твердое *п*, английское *p*: **Pasg** 'Пасха'.

ph [f] как русское твердое *ф*, английское *f*. Встречается только как результат спирантной мутации слов, начинающихся с **p**: **ei phen hi** [iː fen hi] 'её голова'.

r [r] близок русское *р*: **aros** 'ждать'.

rh [r̥] глухой альвеолярный дрожащий согласный. Похожий звук существует в русском в позиции, где происходит оглушение, как в *центр*[t͡sɛntr̥], с аллофоном *р* /r/ в конце слова после *т* [t]. Другим приближением может быть последовательность *хр* в слове *храбрый*: **rhosyn** 'роза'.

s [s] как русское твердое *с*: **sosban** ['sospan] 'кастрюля'.

si [ʃ] как русское *ш*: **siop** 'магазин'.

t [t] как русское твердое *т*, английское *t*: **tad** 'отец'.

th [θ] как английское *th* в *think*: **theatr** 'театр'.

Гласные

В валлийском языке имеется противопоставление гласных по долготе-краткости, при этом достаточно часто долгота-краткость (а также встречающаяся в некоторых работах "полудолгота") определяется позиционно, существуют, однако, и минимальные пары, например, **mor** 'такой' *vs.* **môr** 'море'. В этой краткой заметке мы не будем останавливаться на этом подробно и отошлем за подробной информацией к серьезным статьям, например, к очерку валлийского языка Т. Арвина Уоткинса (Watkins 1993:289–348). "Крышка" (ˆ) над гласной означает ее долготу, однако и гласная без крышки может быть долгой.

a [a] **mam** 'мать'.
[aː] **da** 'хороший', **bach** 'маленький', **tân** 'огонь'.

e [e] **het** 'шляпа'.
[eː] **pêl** 'мяч', **mel** 'мед'.

i [i] **tipyn** 'немного'
[iː] **hir** 'долгий'
[j] перед гласным как русское *й*, английское *y*: **iaith** 'язык', **iawn** 'очень', если только не стоит соответствующего диакритического знака: **gwnïo** ['gunio]

o [o] **llong** 'корабль'
[oː] **sôn** 'упоминать', **dod** 'приходить'

u [ɨ] **pump** 'пять'
[ɨː] **du** 'черный', **Llun** 'понедельник'
[ɨ] похож на русское *ы*, в южных диалектах противопоставление [i]~[ɨ] утрачено.

w [u] **cwm** 'долина'
[uː] **drws** 'дверь', **gŵr** 'муж'
[w] в сочетаниях типа **gwl-** означает огубленность **g**: **gwlad** 'страна'

y [ɨ] **bryn** 'холм'—см. **u**.
[ɨː] **bys** 'палец'
[ə] **mynydd** ['mənɨð] 'гора', **y**—опред. артикль, **dy** 'твой'
Звук [ə]—это тот "неопределённый" гласный звук, который слышен в английских словах ***a**bout* или *Chin**a*** или в русском слове *пр**о**работать*

[prəraˈƀotatʲ]. Он выступает во всех слогах, кроме последнего, в неодносложных словах, что вызывает чередование [ə]~[y], не отражаемое в орфографии: **llyn** [ɬyn]—**llynnoedd** [ˈɬənoið]. [ə] также выступает в некоторых односложных словах, главным образом служебных—определенный артикль **yr**, местоимения **fy**, **dy**, частица и предлог yn и некоторые другие, а также в английских заимствованиях типа **nyrs** ‘медсестра’

Дифтонги

ae, **ai**	[ai]	как русское *ай*: **cae** ‘поле’, **Mai** ‘май’.
au	[aɨ]	**cau** ‘закрывать’, **dau** ‘два’. На юге совпадает с **ai**.
		Окончание множественного числа **-au** произносится на юге как [e], а в Гвинеде как [a]: **pethau** [ˈpeθe]~[ˈpeθa] ‘вещи’.
aw	[au]	близко к русское *ау*: **llaw** ‘рука’.
ei, **eu**	[ei]	как русское *эй*: **tei** ‘дома’.
		В словах **ei** ‘его, её’, **eu** ‘их’, **ein** ‘наш’ произносится [i].
ew	[eu]	как русское *эу*: **mewn** ‘внутри’.
iw, **uw**	[ɪu]	как русское *иу*: **Duw** ‘Бог’, **i’w** ‘к его’. **Uw** произносится как [ɪu] на юге, т. е. там, где **u** совпало с **i**. На севере **uw** [ɨu].
	[ju]	как русское *ю* (т. е. *й* + *у*). В валлийском так в начале слова: **iwrch** [jurx].
oe, **oi**	[ɔi]	как русское *ой*: **ddoe** ‘вчера’.
ow	[ɔu]	как русское *оу*: **Owen**.
uw	[ɨu]	как русское *иу*: **Duw** ‘Бог’. **Uw** произносится как [ɪu] на юге, т. е. там, где **u** совпало с **i**.
yw	[əu]	**bywyd** [ˈbəuɨd] ‘жизнь’.
	[ɨw]	**rhyw** [r̥ɨw] ‘какой-то’.
		Распределение [əw]~[ɨw] такое же, как у [ə]~[ɨ] в случае буквы **y**.
wy	[ʊi]	как русское *уй*: **pwy** ‘кто’, **dwy** ‘две’.
		После **g** и **ch** обычно произносится как [wɨ]~[wə]: **Gwyn**, **Gwynedd**, сохраняет такое произношение в случае исчезновения g в результате мутации: **i Wynedd** [i ˈwəneð] ‘в Гвинед’, хотя обычно wy в начале слова читается как [ʊi]—**wyth** [ʊiθ] ‘восемь’. После **g** есть исключения: **gwyliau** [ˈɡuɪlie] ‘каникулы’.
		Сочетание **ŵy** всегда произносится как долгое [u] + [j].

Ingram Content Group UK Ltd.
Milton Keynes UK
UKHW010840100323
418370UK00001B/188